omnibus

GENS DE BRETAGNE

Paul Féval
La Fée des grèves

Anatole Le Braz
Le Sang de la sirène
Les Noces noires de Guernaham

Pierre Loti
Pêcheur d'Islande

Roger Vercel
Remorques

Henri Pollès
Sophie de Tréguier

Pierre Jakez Hélias
L'Herbe d'Or

Préface de Pierre Jakez Hélias

OMNIBUS

ISBN : 2-258-00156-0 N° Éditeur : 6231
Dépôt légal : Avril 1994

SOMMAIRE

Romans populaires et romans du peuple

par Pierre Jakez Hélias

L'histoire des littératures est ainsi faite que certaines œuvres passent pour majeures alors que d'autres n'occupent jamais que le second rayon. Il en est de même pour l'histoire des arts où les génies consacrés occultent les mérites des « petits maîtres ». Comment s'opère la distinction entre les uns et les autres ? Sur quels éléments d'appréciation ? Est-ce la critique qui décide du classement ou l'assentiment des générations successives de lecteurs, conforté par l'enseignement scolaire et universitaire, qui établit au rang de « classiques » certaines d'entre elles, pourtant révolutionnaires à leur première parution, alors que d'autres tomberont irrémédiablement dans un injuste oubli ? Ce sont là des questions qui ne cessent de se poser parce que les réponses n'apparaissent pas clairement, en raison du nombre et de la diversité des paramètres en jeu.

Il ne semble pas, pour autant, qu'il faille faire repasser au tribunal les œuvres réputées de premier plan. Et cela tout simplement parce que le temps qui passe et les conditions nouvelles se chargent d'en avoir raison si elles n'intéressent plus personne. Elles se dissolvent d'elles-mêmes. Mais plus elles durent, plus elles ont de vertu. D'autre part, il y en a qui ont connu des succès considérables pendant de longues années avant de disparaître dans l'indifférence générale ; il y en a qui ont végété, vaille que vaille, après la mort de leurs auteurs comme de leur vivant et que l'on découvre aujourd'hui. Il se trouve toujours des curieux et des connaisseurs avisés pour fouiller dans les réserves écrites comme dans les greniers des habitations. De nouveaux lecteurs sont touchés par des thèmes, des idées, des originalités de mise en œuvre, des formes d'écriture, surtout par une prescience de l'avenir des hommes et des sociétés à laquelle on n'avait pas prêté attention quand tel ou tel livre avait paru et qui nous semble, à juste titre, répondre à nos préoccupations présentes. Tout cela pour dire qu'il est bon, ne serait-ce que par prudence, de nous remettre sous les yeux et en mémoire certains textes apparemment dévalués mais toujours porteurs de significations exemplaires et peut-être de leçons pour le temps qui court.

S'agissant de la Bretagne et dans l'ordre du roman, la forme d'expression la plus accessible à un large public, il n'est pas contestable que depuis Chateaubriand notre péninsule et ses habitants ont pris une place de plus en plus considérable en littérature. De ce pays et de ses gens on n'avait auparavant qu'une connaissance très sommaire et passablement erronée. On eut la révélation d'une contrée sauvage, hors du temps et de la géographie connue, hantée par les tempêtes et les assauts furieux de l'océan, véritable purgatoire entre deux mondes, où subsistait une race d'hommes étranges, rudes et rebelles, chrétiens sans doute mais encore marqués d'un paganisme druidique, et de plus en plus difficiles à comprendre à mesure qu'on se hasardait vers l'extrême ouest, là où finit l'ancien monde. Le paradoxe était que ces êtres-là, épris de mystère, affamés d'idéal, insoucieux des richesses et des fausses grandeurs, se montrent capables des vertus les plus rares, le courage et le dévouement étant le ciment de leur sens de l'honneur. Telles étaient les images excessives et d'un romantisme délirant qui avaient cours dans certains milieux artistes ou intellectuels. Il en était autrement pour le peuple. Les romans populaires, sans s'inscrire en faux contre ces flatteuses exagérations, allaient les ramener à de plus justes mesures.

En fait, les écrits des auteurs les plus célèbres au cours du siècle étaient des œuvres personnelles, des sortes de romans de l'individu, centrés sur les écrivains eux-mêmes, souffrant du mal d'insatisfaction et engagés dans des recherches qui dépassaient singulièrement les préoccupations communes. Ces auteurs emprunteraient, pour accéder à la gloire, d'autres voies que le roman. Celui-ci, pour atteindre le grand public, doit se détacher de celui qui l'a écrit au profit de ses héros imaginaires. Emma Bovary l'emportera toujours sur Gustave Flaubert. De même, dans l'adaptation au cinéma d'un texte littéraire, c'est tout juste si l'on cite le nom de l'auteur. Ses créations l'ont effacé et peut-être est-ce très bien ainsi.

Le peuple, et surtout la masse des lecteurs qui ne cessait de s'étendre à mesure que progressait l'alphabétisation, se montrait de plus en plus friand de romans, particulièrement de ceux dans lesquels il pouvait se reconnaître sans mal. De là le souci des écrivains de « démocratiser » en quelque sorte le roman. Car il faut bien avouer que les ouvrages de haut vol dégageaient encore un parfum d'aristocratie quand ils ne s'égaraient pas dans des considérations de nature à rebuter quiconque n'était pas suffisamment familier de l'écriture pour suivre le train de ces auteurs. Le problème, pour ceux-ci, était donc de savoir jusqu'où ils pouvaient amener des lecteurs de bonne volonté, pas moins intelligents que les fieffés lettrés mais encore malhabiles à manier des idées abstraites, encore qu'ils fussent quelquefois d'une sensibilité plus fine, d'une intuition plus immédiate, outre qu'ils recelaient un trésor de mémoire à ne pas négliger sous peine de frapper des coups d'épée dans l'eau. La tâche ne s'annonçait pas facile pour ceux qui ambitionnaient de toucher un lectorat plus vaste qu'il n'avait été jusqu'alors, la littérature n'étant guère qu'à destination de la bourgeoisie cultivée.

La première règle, toujours et partout, étant de plaire, il était donc indispensable de tenir compte des goûts du nouveau public visé sans s'aliéner l'ancien. Or, ces goûts étaient connus de ceux qui s'intéressaient à la culture orale, celle qui imprégnait non seulement les illettrés mais, dans une moindre mesure, les autres catégories du Tiers État. Cette culture se manifestait essentiellement dans le conte et la chanson. L'un des grands livres bretons du dix-neuvième siècle n'est-il pas le *Barzaz Breiz* de La Villemarqué, un recueil de chants traditionnels qui sera suivi par la collecte de Luzel, celui-ci y ajoutant plusieurs livres de contes populaires recueillis sur les lèvres des bretonnants ! La même moisson se poursuivit en Haute-Bretagne et dans toute la France, animée par des chercheurs que l'on n'appelait pas encore des ethnographes, tout juste des folkloristes. La récolte qui résulta de ces initiatives patiemment poursuivies mit en évidence un certain nombre de traits caractéristiques de l'inspiration populaire, donc de ce qui assurait la complicité du narrateur ou du chanteur et de son auditoire. Le passage à l'écriture se devait donc, sous peine d'échec, d'ajuster la visée de l'écrivain, et d'abord du romancier, en tenant le plus grand compte des préférences populaires clairement définies. On le savait déjà bien avant les pastorales de George Sand et les compositions d'Eugène Sue. Restait à mettre au point la formule. Les romanciers bretons y furent aidés par la vogue considérable dont bénéficiait la Bretagne tant auprès des artistes, peintres et dessinateurs, que des érudits, des historiens et des premiers « touristes » amateurs d'aventures et d'impressions fortes dans un pays encore difficile à pénétrer.

Que désiraient donc les bonnes gens qui accédaient de plus en plus nombreux à la lecture et comptaient sur elle pour l'utile et l'agréable ? D'abord que le roman fût une histoire bien construite, bien menée, soutenue de péripéties et de coups de théâtre, enrichie au besoin d'épisodes annexes qui font rebondir l'action et ne permettent pas à l'attention du lecteur de se relâcher. Cela suppose une rapidité d'écriture qui ne s'attarde pas à des considérations philosophiques, à des entrelardements théoriques qui sont une atteinte à la liberté du lecteur en même temps qu'un frein à son plaisir. Si le romancier veut tirer des leçons, insinuer des interprétations ou entraîner les gens vers des conclusions qui lui tiennent à cœur, qu'il s'arrange pour que la narration le fasse sans qu'il ait besoin d'intervenir directement. Les bons auteurs savent le faire. Au reste, ils savent aussi qu'il n'est rien de plus plaisant pour le lecteur moyen, tout pacifique et même pusillanime qu'il soit, que les tableaux de batailles, de chevauchées, d'exploits héroïques, de luttes contre les déchaînements naturels et les catastrophes. Quant aux travaux ordinaires et aux événements quotidiens, il n'y a rien à lui apprendre.

De cette primauté de l'action, il s'ensuit que les personnages — disons les héros — doivent avoir des caractères nettement définis, aux traits peu nombreux et aux réactions prévisibles de façon à être compris dès l'abord, à ne pas dérouter le lecteur par des comportements inattendus. Il y a les bons et les mauvais, qu'on le sache tout de suite, il ne restera plus qu'à doser les vertus et les vices, mais il est recommandé de ne tempérer ni les uns ni les autres. Un tel manichéisme est constant dans la légende et le conte où l'on ne s'embarrasse pas de délicatesses psychologiques. Dans le roman populaire, les personnages complexes auront rarement le premier rôle.

Comment savoir autrement s'il faut s'en méfier ou leur faire confiance ? Avec la vogue du roman historique, on avait un faible pour les siècles d'ancien régime, la petite noblesse restée près du peuple, les gentilshommes flamberge au vent et cavaliers inusables. Si les trois mousquetaires, avec la même générosité, avaient été des pousse-cailloux, jamais ils n'auraient connu la fortune qui fut la leur et qui l'est toujours. Quand le héros futur est de basse extraction, ses vertus le font parvenir à un rang bien au-dessus de son état initial et c'est là une aventure qui enchante le bon peuple.

Il doit donc s'agir de personnages souvent excessifs, déterminés, sans concession, confrontés à des situations exceptionnelles. Ils se révèlent dans les malheurs publics ou privés, les coups durs, les dangers extrêmes, les adversités sans nom. Ils y donnent leur vraie mesure, ils y atteignent des sommets de volonté, d'énergie devant l'épreuve qui leur est imposée ou de résignation devant les coups du sort. Le lecteur aimera les surprises, les coups de théâtre. Il ne manquera pas de s'émouvoir aux malheurs qui frappent les innocents. Il s'indignera aux trahisons des faux amis, aux pièges tendus par les gens sans aveu aux misérables sans défense, à eux livrés par leur naïveté même. Et rien ne sera plus propre à l'émouvoir que le mélodrame le plus outré, le plus invraisemblable, celui qui fait couler d'abondance les larmes de Margot. La tragédie peut lui passer au-dessus de la tête et quant au drame, il lui arrive souvent de le vivre. Au romancier de forcer les traits pour le tenir en haleine jusqu'au dénouement qu'il est recommandé de faire heureux ou émouvant. Il n'y a pas de milieu.

Ce goût du public populaire pour le mélo n'est pas sans rapport, surtout en Bretagne, avec cette croyance en un destin inexorable réservé à chaque créature humaine et auquel personne ne peut échapper.

Le sort, la « planète » comme on dit en breton, commande à chacun de nous. De là un fatalisme latent que ranime chaque phénomène inexpliqué, interprété comme un signe — un intersigne —, un avertissement des puissances obscures. On sait que les gens du peuple, plus que les autres, sont perméables à certaines croyances qualifiées de superstitions et tournées en dérision par les esprits forts. On ne va pas jusqu'à faire l'aveu que bien d'autres superstitions atteignent aujourd'hui à peu près toutes les classes de la société, sinon les faiseurs d'horoscopes, les cartomanciennes et autres mages exotiques n'auraient plus qu'à fermer leurs cabinets d'illusions. Ce qui était vrai en Bretagne jusqu'au début du présent siècle, c'est que l'on vivait, dans nos campagnes, en familiarité avec les morts, que les deux mondes s'interpénétraient sans qu'il fût toujours possible de les démêler, si bien que les romanciers, pour être justes et vrais, devaient en tenir compte dans leurs affabulations et même en faire des ressorts de leurs intrigues les plus réalistes. C'était là une forme de poésie à laquelle n'ont pas résisté, ne résistent toujours pas, les auteurs les plus modernes, les plus portés aux spéculations intellectuelles.

En vérité, ce qu'on appelle superstition n'est pas autre chose que la réaction humaine devant le mystère, le merveilleux, l'apparente magie. Les contes et les légendes parvenus jusqu'à nous avaient recours à ces éléments-là lorsque la raison était impuissante à expliquer certains phénomènes ou lorsqu'il était nécessaire de hausser les récits de plusieurs tons pour faire accéder les auditeurs à des pays imaginaires, à la fois proches et lointains, où toutes les métamorphoses pouvaient se produire sans étonner personne. L'enchanteur Merlin n'est jamais loin, ce faiseur de prodiges. Les meilleurs auteurs se laissent aller à lui faire appel, sachant bien que ses interventions ne sauraient que toucher le public. Même quand ils déguisent, sous d'autres formes et d'autres noms, l'intrusion de l'imaginaire dans le prétendu réel, ils finissent toujours par se trahir. Et le lecteur populaire est celui qui s'en avise toujours le mieux. Il se tient prêt à entendre sonner midi à quatorze heures.

Il y a un autre caractère des romans du dernier siècle et du début de celui-ci dont les plus grands écrivains n'ont pas manqué de faire état à la suite de Chateaubriand. C'est que dans notre pays la joie même est un peu triste, que nous sommes un instrument incomplet, une lyre à laquelle il manque des cordes, si bien que notre joie ne peut se manifester qu'avec les accents de la douleur. L'enchanteur de Combourg a bien saisi cette prodigieuse infirmité qui est la nôtre. Il suffit d'entendre nos aèdes populaires chanter en breton nos chansons d'amour sur des airs de complaintes pour en être persuadé. Cela ne veut pas dire que l'allégresse nous soit étrangère, mais, par une sorte de miracle qui émane des profondeurs ignorées, plus elle est forte et passionnée, plus elle s'exprime dans les registres graves. Et c'est la gravité qui est souvent le caractère essentiel des héros de nos romans, au point qu'elle frappe les observateurs les moins avertis. La constante obsession de la mort y est pour quelque chose. Cela étant, nous savons être de joyeux lurons en toute circonstance, aussi paradoxal que cela puisse paraître, sans jamais nier longtemps la part d'ombre qui est en nous. On a pu se demander parfois si nos compatriotes ne trouvent pas leurs plus fortes jouissances dans les grandes douleurs et les deuils les plus amers. Allez-y voir !

Mais l'un des attraits du roman pour ces gens-là est aussi la part que l'auteur y fait à leur propre existence, à des comportements quotidiens dans lesquels ils se reconnaissent, à des paysages dont ils ressentent mieux que personne l'influence qu'ils exercent sur leur art de vivre et leur façon de sentir, d'éprouver l'originalité de leur destin. Certes, ils se plaisent dans l'évasion vers des pays étrangers, des populations aux us et coutumes différents des leurs, des époques révolues assez proches du temps d'il était une fois. Et l'imagination n'est pas loin d'être leur péché mignon. Mais ils sont surpris, flattés quelquefois au-delà de la surprise, de constater que l'on s'intéresse à eux. Ils n'ont pas l'habitude. Ils n'apparaissent guère au premier plan dans le roman avant le romantisme. La littérature est essentiellement bourgeoise. Même ceux d'entre eux qui ont accédé à cette bourgeoisie, qui ont fait de solides études, ne se sentent pas encore très bien dans leur nouvel état. D'autre part, ils sont très pointilleux en ce qui concerne la peinture que l'on fait de leur vie quotidienne. Mieux vaut ne pas trop se hasarder à interpréter leurs actes et leurs propos à moins d'être un des leurs. Et encore ! Ils sont plus sensibles à certaines descriptions de nature destinées à mettre le lecteur dans l'ambiance du récit, particulièrement quand il s'agit de drame. Encore faut-il que ces descriptions soient brèves. La trop grande abondance de la langue les rebute. Ils estiment ceux qui savent dire simplement les choses et donner à chaque phrase sa respiration, à chaque mot le poids exact qui est le sien.

C'est pourquoi les romans destinés à ces lecteurs, mis à part quelques-uns qui ne sont pas sans leur poser des problèmes de lecture et finissent toujours par les irriter, ont intérêt à être brefs. Courts, mais denses. Ils s'adressent à des amateurs réfléchis qui s'attardent volontiers à savourer le texte, outre qu'ils n'avancent que lentement dans les pages par manque d'habitude de s'attaquer à l'écrit. Les plus modestes n'ont que peu de livres mais ils les relisent souvent, y cherchent matière à de nouvelles trouvailles, quelquefois même à des révélations à mesure qu'ils prennent de l'âge. En quoi diffèrent-ils en cela des intellectuels et des érudits ? Mais il est bon de les aider dans la tâche qu'ils entreprennent alors que personne ne les y oblige sinon eux-mêmes. Le mieux à faire est d'éviter les trop grandes complications dans les intrigues, de réduire le nombre des personnages, de procéder par chapitres courts et d'aller à la ligne le plus souvent possible pour leur permettre de souffler et, au besoin, de remettre la suite à plus tard. N'est-ce pas ainsi que procèdent les auteurs de feuilletons, genre populaire par excellence et toujours pratique ! Les feuilletonistes sont persuadés à juste titre que leur public n'aimerait pas soutenir son effort au-delà de quelques quarts de colonne. D'ailleurs, il ne faut pas faire trop bon marché du plaisir qu'éprouve le public à devoir attendre le feuilleton suivant pour satisfaire sa curiosité. Et il n'y a aucune raison valable pour prétendre que le feuilleton véhicule obligatoirement de la basse littérature. En sont témoins les plus grands écrivains. Ils ambitionnent d'intéresser le plus large public possible. Pour eux, le roman populaire ne s'adresse pas seulement aux couches les plus modestes de la société, aux personnes peu instruites et qui maîtrisent encore mal la lecture et l'écriture, ce qui oblige le romancier à s'imposer des limites. Une partie des lecteurs éventuels, peut-être la majorité, est constituée d'une classe moyenne capable d'affronter des textes difficiles, d'une inspiration élevée, mais qui trouve son contentement dans des ouvrages bien composés et bien écrits, en somme des romans qui répondent aux exigences que nous venons d'évoquer. Il n'est pas jusqu'à cette variété de roman populaire que l'on peut appeler le roman du peuple parce qu'il met en scène uniquement les petites gens, qui ne suscite fortement l'intérêt des bourgeois. Et les intellectuels eux-mêmes quelquefois s'y laissent prendre, à ces travaux de qualité qui valent quelquefois les meilleures études de spécialistes. Je ne sache pas qu'ils aient à s'en repentir.

C'est à dessein que j'ai omis d'évoquer un trait commun, caractéristique des romans ici réédités : la présence énorme, formidable, obsédante, tentatrice, du monstre marin. Il n'y a pas, en breton, de mot féminin pour le désigner. Il est l'océan, *ar mor.* A vrai dire, il n'a pas de sexe ou plutôt il en change selon le rôle qu'il joue dans la vie des gens de mer, hommes ou femmes, selon les moyens qu'il emprunte pour régner sur leurs esprits comme pour maîtriser leurs corps. Pour les piéger, en tout cas, quelque effort qu'ils fassent pour se dégager de son emprise. Il arrive même qu'au lieu de déchaîner ses grandes orgues il se contente d'attendre les marins, patiemment, sachant qu'ils sont habités, mal gré qu'ils en aient, par un irrésistible désir de se perdre en lui, fascinés qu'ils sont par ses vagues furieuses ou l'invasion insidieuse de ses eaux de marée. Il est une image de la fatalité pour les uns, un défi et une invitation à la lutte pour les autres. En Bretagne, où la géographie terrestre est rarement impressionnante à voir, l'océan, ses îles et ses côtes ne se laissent jamais oublier. C'est leur spectacle qui importe d'abord dans la représentation que l'on se fait de la péninsule depuis que les « voyageurs » l'ont découverte. De cette prééminence, les romanciers ont su tirer leur meilleure inspiration.

Les dangers d'abord, les traîtrises de ce redoutable élément mobile, toujours en état d'agitation. C'est la baie du Mont Saint-Michel, véritable protagoniste de *La Fée des grèves*, bien avant les acteurs humains assez conventionnels. Car tout se joue entre le Mont et Tombelaine (ou Tombelène), Paul Féval n'hésitant pas à interrompre le récit pour expliquer le phénomène des marées et bâtissant son roman en progression jusqu'au véritable morceau de bravoure que constitue la longue errance des adversaires dans la brume, à travers les sables mouvants, jusqu'à la punition du scélérat. Cela n'a rien à voir avec le pittoresque ou la couleur locale. C'est la rencontre de deux mondes, le bas et l'autre, pour une histoire médiévale où la malédiction d'un chevalier féru d'honneur condamne le duc François de Bretagne, meurtrier de son frère Gilles, à connaître une agonie de quarante jours. Exactement. Et c'est la mer qui achève de faire justice, tandis que les bons et les mauvais remplissent cet intervalle de leurs manœuvres. Tous les ingrédients du roman populaire sont réunis dans cette affaire. Elle aurait pu ne donner qu'un roman historique parmi d'autres s'il n'y avait pas eu la présence, au premier plan, de l'admirable monastère au péril de la mer, largement ceinturé par ses lises et ses tangues. L'auteur du *Bossu* s'en est largement servi.

C'est encore l'océan — devrait-on dire la mer ? — qui règne sans conteste sur le récit d'Anatole Le Braz intitulé *Le Sang de la sirène*. Plus près de nous dans le temps, rapporté par l'un de nos plus délicats collecteurs de légendes, le plus sensible aussi aux signaux de l'Autre Monde, il se fonde sur une croyance à la veille de disparaître lors de sa visite à Ouessant, cette île extrême, ce monde clos, cette bouchée de terre retranchée derrière ses rochers à naufrages. La croyance aux morganes, aux sirènes irrésolues entre l'état de femmes et celui de déesses marines, attirées par les pêcheurs ouessantins et cherchant leur alliance pour ce qu'elles croient être le meilleur et qui se révèle le pire. S'il s'agit là de fantasmes millénaires, il n'en reste pas moins que dans l'île on procédait encore, jusqu'au milieu de notre siècle, à la cérémonie de *proella*, l'enterrement fictif des noyés dont les corps n'ont pas été retrouvés. De cette veillée funèbre, Le Braz fait une relation sans grandiloquence mais impressionnante justement par sa discrétion. Et dans le personnage de la veuve, il allie si bien la légende païenne à la réalité coutumière que toute invraisemblance est abolie dans cette atmosphère hautement dramatique. Dehors gronde l'océan.

Quant au *Pêcheur d'Islande* de Pierre Loti, c'est le roman le plus essentiellement marin qui soit à la fin du dernier siècle. Et il n'est pas indifférent de noter qu'il a été écrit par un vrai marin. Si grand fut son impact sur des publics successifs qu'il a connu, de 1886 à 1934, quatre cent quarante-cinq éditions. Les raisons d'un engouement si durable ? Elles sont nombreuses, mais se ramènent toutes aux traits que nous avons indiqués. C'est de l'emprise de la mer sur certains hommes qu'il est d'abord question et de l'aventure combien périlleuse des pêcheurs de Paimpol sur les bancs d'Islande, là-haut dans les brumes où beaucoup d'entre eux ont trouvé leur fin. Elle ne durerait même pas cent ans, cette aventure, mais dès ses premières décennies elle allait atteindre aux dimensions de l'épopée. Pour mieux toucher le lecteur, pour donner plus de force à son évocation, Pierre Loti s'en tient à deux protagonistes et quelques rôles secondaires qui ne sont pas des figurants mais interviennent dans des épisodes directement complémentaires. La réalité quotidienne et les jours festifs ne sont pas négligés, certes, non plus que cette superstition — est-ce bien le mot ? — des fiançailles du pêcheur avec la mer et l'apparition du bâteau fantôme *La Reine Berthe*. La mer commande de bout en bout, ne se laisse jamais oublier. Le roman procède par courts chapitres d'une écriture simple et remarquablement efficace. Un livre à mettre tout à fait à part dans l'œuvre de son auteur.

On ne doit pas s'étonner de ce que *Pêcheur d'Islande* ait tenté les cinéastes. Les images y sont comme cadrées d'avance et les séquences alternatives calculées, dirait-on, pour le plus significatif des montages. Il en est de même du roman de Roger Vercel, *Remorques*. Plus de voiles, ni de pêche, ni d'îles, ni de naufrages. Ce sont les expéditions de sauvetage d'un remorqueur de haute mer condamné à recouvrer au moins les frais engagés par ses armateurs, question de rentabilité. Mais justement le navire n'est rentable que lorsqu'il affronte les tempêtes, les courants, les récifs de l'Iroise, entre Ouessant et Sein. De là vient que tout ou presque se passe en mer, à lutter contre les traîtrises des éléments et des hommes, à tenter des manœuvres hasardeuses. Le héros, cette fois, est le capitaine intraitable du remorqueur, un homme qui ne vit que pour sa mission. Tandis que sa femme agonise à terre, il repart dès le premier appel au secours en mer.

Tous ces romans illustrent le thème de l'attente. Et l'attente est le lot des femmes restées à terre, obligées de cacher leur crainte et de raisonner leur angoisse, dans la solitude qui est la leur, pour être dignes de leurs maris. Elles s'y obligent aussi parce que la pudeur leur interdit de faire étalage de leurs sentiments. Toutes sont irréprochables à cet égard. Cependant, c'est la *Sophie de Tréguier*, l'héroïne d'Henri Pollès, qui a l'âme la plus pure, la plus naïve, presque élyséenne dans un environnement humain de la plus grande médiocrité. Pas de drame visible, sinon celui de l'ivrognerie et de la tuberculose, deux maux que nous avons bien connus en Bretagne. Dans la vie de Sophie, il ne se passe rien que les petites promenades, les petites visites, les petites fêtes dans une toute petite ville du Trégor qui pourrait pourtant ne pas être sans grandeur. C'est la ville de Saint-Yves et d'Ernest Renan, excusez du peu. Mais la jeune fille ne vit que d'attendre un épouseur qui ne se décide pas. Elle-même n'ose pas se décider parce qu'elle est tenue par une mère abusive, malade à l'idée de se voir ravir sa fille. La plus tyrannique des mères. Sophie de Tréguier mourra de la poitrine après avoir vu son amoureux en épouser une autre. Mais, entre-temps, Henri Pollès a fait une étude minutieuse de la société de Tréguier, de ses petitesses, de ses jalousies et de ses vanités, une chronique satirique sans retenue ni concession, au risque de mortifier ses compatriotes. Il va même jusqu'à reproduire des dialogues semi-bourgeois en français approximatif. C'est aussi du désintérêt de vivre dans ce monde étriqué que va mourir Sophie.

Mais que devient la mer dans cette navrante histoire ? Tréguier est une ville de capitaines marins. Et le jeune homme aimé de Sophie tout au long de sa brève existence était un de ceux-là. C'est tout. Un grand livre.

De *L'Herbe d'Or* dont je suis responsable, je dirai seulement que j'ai tâché de ne pas me rendre indigne de mes prédécesseurs en témoignant de mon mieux. L'idée d'être leur émule m'est venue assez tard, lorsqu'il s'est avéré qu'allaient disparaître les gens de mer qui portaient encore en eux un dépôt légendaire enseveli dans leurs profondeurs et dont ils ne voulaient prendre conscience qu'à l'occasion des grandes catastrophes que sont les raz de marée. L'émotion passée, ils oubliaient tout par volonté de ne pas se souvenir.

Voilà les réflexions qui me sont venues à l'esprit pendant

que je relisais les romans rassemblés dans ce livre pour finir par le dernier, le mien, qui m'a surpris comme s'il venait de très loin. Il s'est passé un demi-siècle au moins depuis que je me suis régalé des autres, devenus fameux à l'époque de leur parution. Qu'ils aient vieilli à certains égards, ce n'est pas niable. Ce n'est pas non plus surprenant puisque les chefs-d'œuvre les plus unanimement célèbres ont subi la même usure du temps qui n'est pas forcément un outrage. On ne change pas l'Histoire. Quiconque veut la renier se condamne à n'être qu'un prétentieux passager en ce monde. Quiconque se mêle d'établir une hiérarchie dans les œuvres écrites est au risque de se voir désavoué par ses descendants. Avec le temps qui passe et après les trente années de purgatoire dès la mort de leurs auteurs, les livres de quelque importance dégagent progressivement de nouvelles séductions, d'autres attraits que ceux qui firent leur premier succès. Nous les lisons avec d'autres yeux. Nous y faisons des découvertes que ne pouvaient soupçonner leurs premiers lecteurs. Leurs rides elles-mêmes, loin de les desservir, sont d'une telle pertinence qu'elles vous éclairent non seulement sur les mentalités de nos prédécesseurs mais sur des images de la Bretagne assez différentes des lieux communs répandus par les œuvres majeures elles-mêmes. Il n'est pas bon de s'en tenir aux clichés. Ils trompent quelquefois, ils affadissent toujours. En tout état de cause, ils manquent souvent de justifications précises. Seuls les témoins ou les observateurs minutieux sont capables de suppléer à certaines insuffisances des œuvres qualifiées de géniales — et qui le sont peut-être — mais où le souci de l'universel l'emporte trop souvent sur la considération du particulier, pourtant plus exemplaire, quelquefois, que les traits généraux de notre humanité.

Ce sont là quelques-unes des raisons de relire soigneusement les ouvrages ici rassemblés, non pas au hasard mais à cause d'affinités, évidentes ou secrètes, que les lecteurs n'auront aucun mal à découvrir.

Pierre Jakez Hélias
mars 1994

Paul Féval

LA FÉE DES GRÈVES

Paul Féval (1817-1887)
*Né à Rennes, il fut surtout un feuilletoniste célèbre (*Les Mystères de Londres, *1844 ;* Le Bossu, *1857 ;* Les Habits noirs, *1863).*

1

La cavalcade

Si vous descendez de nuit la dernière côte de la route de Saint-Malo à Dol, entre Saint-Benoît-des-Ondes et Cancale, pour peu qu'il y ait un léger voile de brume sur le sol plat du Marais, vous ne savez de quel côté de la digue est la grève, de quel côté la terre ferme. A droite et à gauche, c'est la même immensité morne et muette. Nul mouvement de terrain n'indique la campagne habitée ; vous diriez que la route court entre deux grandes mers.

Où passe à présent le chemin, la mer roula ses flots rapides. Ce marais de Dol, c'était une baie.

Et, chose merveilleuse, car ce pays est tout plein de miracles, avant d'être une baie, c'était une forêt sauvage !

Au soleil, la digue fuit devant le voyageur, selon une ligne courbe qui attaque la terre ferme au village du Vivier.

Vers le centre de la courbe on aperçoit au lointain, comme dans un mirage, le Mont-Saint-Michel et Tombelène. Huit lieues de grève sont entre ce point de la digue et le Mont.

Personne n'ignore que les abords du Mont-Saint-Michel ont été, de tout temps, fertiles en tragiques aventures.

Son nom lui-même, *le Mont-Saint-Michel au péril de la mer,* en dit plus qu'une longue dissertation.

Les gens du pays portent, de nos jours, à trente ou quarante le nombre des victimes ensevelies annuellement sous les sables.

Peut-être y a-t-il exagération. Jadis la croyance commune triplait ce chiffre.

On va de Cherrueix au Mont-Saint-Michel à travers les *tangues*, les *lises* et les *paumelles* [1], coupées d'innombrables

---

1. Les *tangues* sont génériquement le sol de la grève ; les *lises* sont des sables délayés par l'eau des rivières ou des courants

cours d'eau qui rayent l'étendue des grèves ; on y va des Quatre-Salines et de Pontorson : ceci pour la Bretagne.

Les routes principales de Normandie sont celles de Pontaubault, d'Avranches et de Genet.

Le 8 juin 1450, toutes les cloches de la ville d'Avranches sonnèrent à grande volée, pendant que les portes du château s'ouvraient pour donner issue à une nombreuse et noble cavalcade.

Il était 11 heures du matin.

Tout ce qu'Avranches avait de dames et de bourgeoises se penchait aux fenêtres pour voir passer le duc François de Bretagne, se rendant au pèlerinage du Mont-Saint-Michel.

Un coup de canon, tiré du Mont, à l'aide d'une de ces pièces énormes en fer soudé et cerclé, qui lançaient des boulets de granit, avait annoncé le bas de l'eau, tout exprès pour monseigneur le duc et sa suite.

Et ce n'était pas trop faire, que de mettre ces canons au service du riche duc, car ceux qui les avaient pris aux Anglais étaient des gens de Bretagne.

Mais ce n'était point pour célébrer une victoire déjà ancienne que le duc de Bretagne se rendait au monastère du Mont-Saint-Michel, comblé de ses bienfaits. François faisait le pèlerinage pour obtenir du ciel le repos et le salut de l'âme de M. Gilles, son frère, mort à quelque temps de là au château de la Hardouinays.

Le service était commandé pour midi.

François, ayant à ses côtés son favori Arthur de Montauban, Malestroit, Jean Budes, le sire de Rieux, descendit la ville au pas de son cheval et gagna la porte qui s'ouvrait sur la rivière de Sée.

Derrière le duc, à peu près au centre de l'escorte, six nobles demoiselles, trois Normandes, trois Bretonnes, chevauchaient en grand deuil. Parmi elles nous ne citerons que Reine de Maurever, la fille unique du vaillant capitaine Hue, vainqueur des Anglais.

Le visage de Reine était voilé comme celui de ses compagnes. Mais quand la gaze funèbre se soulevait au vent qui

---

souterrains ; les *paumelles*, au contraire, sont des portions de grèves solides où le reflux imprime des rides singulières.

venait du large, on apercevait l'ovale exquis de ses joues un peu pâles et la douce mélancolie de son sourire.

Reine avait seize ans. Elle était belle comme les anges.

Une fois son regard croisa celui d'un jeune gentilhomme, fièrement campé sur un cheval du Rouennais, à la housse d'hermine, et qui portait la bannière du deuil, aux armes voilées de Bretagne, avec le chiffre de feu M. Gilles.

Ce gentilhomme avait nom Aubry de Kergariou, bonne noblesse de Basse-Bretagne.

Quand le voile de Reine retomba, Aubry donna de l'éperon et gagna d'un temps la tête du cortège où était sa place marquée auprès du porte-étendard ducal.

On arrivait à la barrière de la ville.

Sur les remparts et dans la rue, la foule criait :

« Bretagne-Malo ! Bretagne-Malo ! »

Et quatre gentilshommes, portant à l'arçon de leurs selles de vastes aumônières, jetaient de temps à autre des poignées de monnaie d'argent et répondaient :

« Largesse du riche duc !

— Les six hommes d'armes du corps ! » cria Goulaine, sénéchal de Bretagne, en s'arrêtant au-dedans de la porte.

Les six hommes d'armes du corps étaient en quelque sorte les chevaliers d'honneur de la cérémonie. Ils devaient suivre immédiatement la bannière et mener le deuil.

Cinq se présentèrent.

« Où est le sire de Maurever ? » demanda Goulaine.

Il se fit un mouvement dans l'escorte, car cela semblait étrange à chacun que M. Hue, le vaillant et le fidèle, manquât à l'heure sainte sous la bannière de son maître trépassé.

Un murmure courut de rang en rang.

Chacun répétait tout bas la question du sénéchal :

« Où est le sire de Maurever ? »

Son absence était comme une accusation terrible.

Contre qui ?

Personne n'osait le dire ni peut-être le penser.

Le duc François eut le frisson sur sa selle.

Reine, tremblante, avait serré son voile autour de son visage.

François se redressa tout pâle, il fit signe à Montauban de prendre la place vide de Maurever, et le cortège passa au milieu des acclamations redoublées.

2

Deux porte-bannières

Au sortir de la porte d'Avranches, ce fut un spectacle magique.

Un brouillard blanc, opaque, cotonneux, estompé d'ombres comme les nuages du ciel, s'étendait aux pieds des pèlerins depuis le bas de la colline jusqu'à l'autre rive de la baie, où les maisons de Cancale se montraient au lointain perdu.

De ce brouillard, le Mont semblait surgir tout entier, resplendissant de la base au faîte, sous l'or ruisselant du soleil de juin.

Mais il est des instants où l'œil s'arrête avec indifférence sur la plus splendide de toutes les féeries. On ne voit pas, parce que l'esprit est ailleurs.

Le cortège qui accompagnait François de Bretagne au monastère descendait la montagne lentement. Chacun était silencieux et morne.

Si l'escorte du duc François se taisait, ce n'était pas qu'on n'y eût rien à se dire. C'est que nul n'osait ouvrir la bouche sur le sujet qui occupait tous les esprits.

A l'entrée de la grève, douze guides prirent les devants pour sonder les lises et reconnaître les cours d'eau.

Le brouillard s'éclaircissait. Un coup de vent balaya les sables.

La cavalcade prit le trot, comme cela se fait sur les tangues, où la rapidité de la marche diminue toujours le danger.

Aubry de Kergariou et l'homme à la cotte d'hermine, qui se nommait Méloir, tenaient toujours la tête de la procession.

« ... Si mon frère me gênait, dit Méloir, continuant une conversation à voix basse, mon frère serait mon ennemi. Et mes ennemis, je les tue. Le duc a bien fait !

— Tais-toi, cousin, tais-toi ! » murmura Aubry scandalisé.

Les chevaux, lourdement équipés, hésitaient sur les sables mouvants de la Sée. Les guides crièrent :

« Au galop ! mes seigneurs ! »

La cavalcade se lança et franchit l'obstacle.

Méloir était toujours aux côtés d'Aubry de Kergariou.

« Moi, dit-il, j'ai le double de ton âge, mon cousin. On me traite toujours en jouvenceau, parce que j'aime trop les dés et le vin de Guienne. Mais demain mes cheveux vont grisonner ; je suis sage. Écoute : pour la dame de mes pensées, je ferais tout, excepté trahir mon seigneur, voilà ma morale !

— Elle est donc bien belle, ta dame, mon cousin Méloir ? » demanda Aubry avec distraction.

Les yeux du porte-étendard brillèrent sous la visière de son casque.

« C'est la plus belle ! » répliqua-t-il avec emphase.

C'était un homme de haute taille et de robuste apparence, qui portait comme il faut sa pesante armure. Sa figure eût été belle sans l'expression de brutale effronterie qui déparait son regard.

Il pouvait avoir trente-cinq ans.

Aubry atteignait sa vingtième année.

Aubry était grand, et l'étroite cotte de mailles qui sonnait sur ses reins n'ôtait rien à la gracieuse souplesse de sa taille. Ses cheveux châtains, soyeux et doux, tombaient en boucles molles sur ses épaules. Sa moustache naissait à peine, et la rude atmosphère des camps n'avait pas encore hâlé sa joue. Aubry était beau. Il avait le cœur d'un chevalier.

Méloir ne valait pas beaucoup moins que le commun des hommes d'armes. Il était brave parce que ses muscles étaient forts, et fidèle parce que son maître était puissant.

En prononçant ces mots : *C'est la plus belle*, Méloir s'était retourné involontairement et son regard avait cherché dans la cavalcade le groupe des six jeunes filles qui suivait immédiatement le duc.

Aubry fit comme lui.

Puis Aubry et lui se regardèrent.

« Elles sont six, dit Méloir, exprimant la pensée commune ; nous avons cinq chances contre une de ne pas nous rencontrer.

— Tu as dit que c'était la plus belle, repartit Aubry à voix basse.

— Je l'ai dit. Et je te dis, mon cousin Aubry, que je serais fâché de te trouver sur mon chemin. »

Les cloches du Mont s'ébranlèrent, en même temps que les portes du monastère s'ouvraient pour donner passage aux moines qui venaient au-devant de François de Bretagne.

« Haut les bannières, hommes d'armes ! » cria M. le sénéchal de Bretagne.

Méloir et Aubry relevèrent brusquement leurs hampes qui s'étaient inclinées dans le feu de la discussion. La bannière du couvent, qui portait la figure de l'archange, brodée sur fond d'or et l'écusson au revers, avec la fameuse devise du Mont-Saint-Michel : *Immensi tremor Oceani*[1], s'abaissa par trois fois. Guillaume Robert, procureur du cardinal-abbé, mit ses pieds dans le sable de la grève pour recevoir le prince, et les moines firent haie sur le roc.

En ce moment, où chacun descendait de cheval, il y eut dans l'escorte beaucoup de confusion.

Aubry sentit une main légère qui touchait son épaule.

Il se retourna, Reine de Maurever était auprès de lui.

« Que Dieu vous bénisse, Aubry, dit la jeune fille dont la voix était triste et douce. Je sais que vous m'aimez... Écoutez-moi. Avant qu'il soit une heure, mon père va risquer sa vie pour remplir son devoir.

— Sa vie ! répéta Aubry ; votre père ! »

Et ses yeux couraient dans la foule pour chercher l'absent.

« Ne cherchez pas, Aubry, reprit encore la jeune fille ; vous ne trouveriez point. Mais écoutez ceci : celui qui défendra mon père sera mon chevalier.

— Hommes d'armes, en avant ! » dit M. le sénéchal.

Reine sauta sur le sable et se confondit avec ses compagnes.

Aubry chancelait comme un homme ivre.

« Allons, mon petit cousin, lui dit Méloir : il n'y a pas de quoi tomber malade. N'est-ce pas que c'est bien la plus belle ? »

Ce grand Méloir avait sous sa moustache un sourire méchant.

« Que veux-tu dire ? balbutia Aubry.

— Rien, rien, mon cousin.

---

1. Quelques années plus tard, le roi Louis XI devait prendre cette devise pour l'ordre de la chevalerie qu'il fonda sous l'invocation de Saint-Michel.

— Est-ce que ce serait ?...

— Mort diable ! tu as une épée. Quand nous serons en terre ferme, il sera temps de causer de tout cela. »

Aubry le regarda en face.

« Il y a deux moyens d'être heureux, reprit le porte-enseigne d'un ton doctoral : se faire aimer et se faire craindre. Un brave garçon n'a pas toujours le choix. Mais quand l'un des deux moyens lui échappe, il garde l'autre. Attention, mon cousin ; baisse ta hampe et rêve tout seul. Moi, j'ai à réfléchir. »

Méloir prit les devants.

On passait sous la herse.

Le chœur des moines chantait le *Dies iræ* en montant l'escalier à pied qui donne entrée dans le château.

3

Fratricide

François de Bretagne et sa suite, arrivés à la porte d'entrée du couvent de Saint-Michel, étaient à vingt-cinq toises environ du niveau de la grève.

François prit la tête du cortège et posa le premier son pied sur les marches de l'escalier.

Cet escalier, dont les degrés de pierre vont se plongeant dans un demi-jour obscur, s'ouvre entre les deux tourelles de défense, droites et hautes, percées chacune de deux créneaux séparés par une embrasure couverte, et conduit à la salle des gardes.

Dans cette salle des gardes, monseigneur l'évêque de Dol, qui devait officier, attendait son souverain avec le prieur de Saint-Michel et les chanoines de Coutances.

Le prieur prit la gauche de Guillaume Robert, qui représentait le cardinal-abbé, et livra les clés au servant chargé d'ouvrir les portes.

Pour arriver à l'église de l'abbaye de Saint-Michel, on ne marchait pas, on montait toujours.

Il fallut d'abord traverser le grand réfectoire, énorme pièce de style roman, les dortoirs, de même style, qui règnent au-dessus, et la salle des chevaliers.

Ils montèrent encore, lentement, les moines chantant les hymnes de mort, les hommes d'armes silencieux et recueillis, les femmes voilées, le duc pâle qui tremblait sous les voûtes froides, et murmurait au hasard une prière.

Mais Dieu n'écoutait pas.

Au-dessus de la salle des chevaliers, le cloître.

Le soleil de midi éclairait le cloître, qui apparut aux pèlerins dans toute sa riche efflorescence, justifiant le nom générique de la *Merveille*, que lui ont donné les visiteurs éblouis.

A l'angle nord du cloître, il y avait un tronc de bois sculpté, devant lequel M. le prieur s'arrêta en faisant sonner son bât.

« Monsieur Gilles de Bretagne, dit-il, dont Dieu ait l'âme en sa miséricorde, mit dans ce tronc quarante écus nantais, en l'an trente-sept, le quatrième jour de février. »

François prit une poignée d'or dans son escarcelle, la jeta dans le tronc, se signa et passa.

La procession tourna l'angle du cloître pour gagner la basilique.

La basilique de Saint-Michel n'était pas entièrement bâtie à l'époque où se passe notre histoire. Le couronnement du chœur manquait ; mais la nef et les bas-côtés étaient déjà clos. L'autel se dressait sous la charpente même du chœur qui communiquait avec le dehors par les travaux et les échafaudages.

Le duc François s'arrêta là.

Les tentures funèbres cachaient la partie du chœur inachevée. Les moines se rangèrent en demi-cercle, autour de l'autel.

La grosse cloche du monastère tinta le glas.

Les six dames du deuil s'agenouillèrent sur des coussins de velours, derrière le dais qu'on avait tendu pour le duc François.

Aux frises tendues de noir, la devise de Bretagne courait en festons sans fin, montrant, tantôt l'un, tantôt l'autre de ses quatre mots héroïques : *Malo mori quam fœdari* [1].

---

1. Allusion au blanc écusson d'hermine : *J'aime mieux mourir que me salir.*

La foule emplissait les bas-côtés.

Dans la nef, les hommes d'armes étaient debout, séparés de leur souverain et des religieux par la balustrade du chœur.

Il régnait sous la voûte une tristesse grave et profonde. Et aussi, mais nul n'aurait su dire pourquoi, une sorte de mystique terreur.

L'office commença.

François était juste en face du cercueil vide qui figurait la bière absente, pour les besoins de la cérémonie.

On dit qu'il tint les yeux baissés constamment et que son regard ne se tourna pas une seule fois vers le drap noir où des lettres d'argent dessinaient le chiffre de son frère.

Les moines récitaient les oraisons d'une voix lente et cadencée. La foule et les chevaliers répondaient.

On dit que pas une fois les lèvres décolorées de François ne s'ouvrirent pour laisser tomber les répons.

On dit encore qu'à plusieurs reprises son corps chancela sur le noble siège que lui avaient préparé les moines.

On dit enfin qu'à l'heure de l'absoute sa main laissa échapper le goupillon bénit.

Mais ce fut pendant l'absoute que se passa la scène étrange et mémorable qui sans doute fit oublier les détails qui l'avaient précédée.

Au moment où le duc François se levait pour jeter l'eau sainte sur le catafalque, et comme M. le sénéchal de Bretagne jetait ce cri sous la voûte sonore : « Hommes d'armes, à genoux ! », un moine parut tout à coup derrière le cercueil vide. Il se dressa de toute sa hauteur, développant la bure raide de sa robe et ne montrant qu'une main qui tenait un crucifix de bois.

« Arrière, duc ! » prononça-t-il d'une voix retentissante.

Le duc François s'arrêta.

Reine de Maurever trembla sous son voile.

Aubry tressaillit. Il avait reconnu cette voix.

Dans le chœur et dans la nef on se regardait. La stupéfaction était sur tous les visages.

Cependant monseigneur l'évêque de Dol ne bougeait pas. Procureur, prieur et religieux durent imiter son exemple.

Le moine inconnu tourna le cénotaphe et vint à la rencontre du duc.

« Que veux-tu ? balbutia ce dernier.

— Je viens à toi de la part de ton frère mort », répondit le moine.

Un frisson courut dans toutes les veines.

« Qui es-tu ? » prononça encore le duc François, dont la voix défaillait.

Le moine, au lieu de répondre cette fois, jeta en arrière le large capuchon de son froc et découvrit une tête de vieillard, énergique et calme, couronnée de longs cheveux blancs.

Un nom passa aussitôt de bouche en bouche. On disait :

« Hue de Maurever ! l'écuyer de M. Gilles ! »

Le prétendu moine avait le front haut et l'œil assuré. Il regardait en face François de Bretagne dont les paupières se baissaient. Sa voix se fit grave et son accent plus solennel :

« En présence de la Trinité sainte, reprit-il et devant tous ceux qui sont ici, prêtres, moines, chevaliers, écuyers, hommes liges, servants d'armes, bourgeois et manants, moi, Hugues de Maurever, seigneur du Roz, de l'Aumône et de Saint-Jean-des-Grèves, parlant pour ton frère Gilles, assassiné lâchement, je te cite, François de Bretagne, mon seigneur, à comparaître, dans le délai de quarante jours, devant le tribunal de Dieu ! »

Le vieillard se tut. Sa main droite, qui tenait un crucifix, s'éleva. Sa main gauche sortit du froc entrouvert et jeta aux pieds de François un gantelet de buffle que chacun put reconnaître pour avoir appartenu au malheureux prince dont on fêtait les funérailles.

Il y eut deux ou trois secondes de silence morne, pendant lesquelles une terreur écrasante pesa sur l'assemblée.

Puis il se fit un grand mouvement. Les armures sonnèrent dans la nef ; les six chevaliers escaladèrent la balustrade, et les moines, quittant leurs stalles en désordre, s'élancèrent au milieu du chœur.

Cela, parce que le duc de Bretagne, après avoir chancelé comme s'il eût reçu un coup de masse sur le crâne, était tombé à la renverse sur le marbre.

On le releva. Quand il ouvrit les yeux, Hue de Maurever avait disparu ; et tout ce que nous venons de raconter aurait pu passer pour un songe, sans le gantelet de buffle qui était toujours là, témoin irrécusable du terrible ajournement.

Par où le faux moine s'était-il enfui ?

Le duc François, livide comme un cadavre, parcourut des yeux sa suite frémissante.

« Cet homme a menti, messieurs, dit-il, je le jure à la face de saint Michel ! »

Une voix tomba de la voûte et répondit :

« C'est toi qui mens, mon seigneur, je le jure à la face de Dieu ! »

On vit un objet sombre qui se mouvait dans la galerie conduisant à l'escalier du clocher.

Le sang monta aux yeux de François qui se redressa.

« Cent écus d'or à qui me l'amènera ! » s'écria-t-il.

Reine sentit son cœur s'arrêter.

Personne ne bougea.

Le duc repoussa du pied le gantelet avec fureur. Son regard, qui cherchait un aide, tomba sur Aubry de Kergariou, debout derrière la balustrade.

« Avance ici, toi ! » commanda-t-il.

Aubry ficha sa bannière dans les degrés qui séparaient la nef du chœur et franchit la balustrade.

« Mon cousin de Poroët, reprit le duc, m'a dit souvent que tu étais la meilleure lance de sa compagnie. Veux-tu être chevalier ?

— Mon père l'était ; je le deviendrai avec l'aide de mon patron, répliqua Aubry.

— Tu le seras ce soir, si tu m'amènes cet homme mort ou vivant. »

Les yeux d'Aubry se tournèrent vers la nef. Il vit Méloir qui souriait méchamment. Il vit les deux blanches mains de Reine qui se joignaient sous son voile.

Aubry tira son épée, la baisa et la jeta devant le duc. Après quoi, il croisa ses bras sur sa poitrine.

Le duc recula. Ce coup le frappa presque aussi violemment que l'accusation même du fratricide. On entendit glisser entre ses lèvres blêmes ces mots prophétiques :

« Je mourrai abandonné ! »

Mais avant qu'il eût le temps de reprendre la parole, le bruit d'une seconde bannière fichée dans le bois des marches retentit sous la voûte silencieuse.

Méloir franchit la balustrade à son tour. Il mit un genou en terre devant le duc.

« Mon seigneur, dit-il, celui-là est un enfant ; moi je suis un homme ; je poursuivrai le traître Maurever, et je le trouverai, fût-il chez Satan !

— Donc tu seras chevalier ! » s'écria le duc.

Le soir, en traversant les grèves pour regagner Avranches, le futur chevalier Méloir avait pour mission de garder le pauvre Aubry, qui était prisonnier d'État.

« Mon cousin, disait-il, nous voilà en partie. Elle t'aime, mais elle me craint. Je ne changerais pas mes dés contre les tiens. »

4

Veillée de la Saint-Jean

Le manoir de Saint-Jean-des-Grèves est situé entre le bourg de Saint-Georges, sur le Couesnon, et le bourg de Cherrueix.

Sous le manoir, comme c'était la coutume, quelques maisons se groupaient.

La principale maison du village appartenait à Simon Le Priol, laboureur et fermier de Maurever.

C'était une bâtisse en marne battue et séchée, que soutenaient des pans de bois croisés en X. La toiture de roseaux était haute et svelte, comme si elle eût essayé de relever le style épais de la maison.

Simon Le Priol était à la tête du village de plein droit et sans conteste. Après lui venait maître Gueffès, être hybride, moitié mendiant, moitié maquignon, un peu clerc, un peu païen, Normand triple avec un nom breton.

Après maître Gueffès, le commun des mortels.

C'était une quinzaine de jours après le service célébré au Mont-Saint-Michel pour le repos et le salut de M. Gilles de Bretagne.

Il y avait grande veillée chez Simon Le Priol pour la fête

de la Saint-Jean, qui était en même temps la fête du manoir et celle du village.

On avait brûlé vingt-cinq fagots de châtaignier sur l'aire, des fagots qui pétillent gaiement dans la flamme et qui lancent au vent des fusées de folles étincelles.

Le souper cuisait dans le chaudron massif, suspendu à la crémaillère.

Dans l'unique pièce qui composait le rez-de-chaussée de la ferme, le village entier était réuni.

L'assemblée était présidée par Simon Le Priol et sa métayère Fanchon la Fileuse, une bonne grosse Doloise, rouge, forte, franche.

Simon Le Priol, lui, avait une honnête figure un peu sèche sous une forêt de cheveux gris. C'était un grand bonhomme ayant la conscience de sa valeur, et sachant garder son quant-à-soi parmi les petites gens du village.

Il passait pour riche, et on l'accusait d'être avare. Cela n'empêchait pas sa fille Simonnette de rire et de chanter comme une bienheureuse, et d'aller, plus rouge qu'une cerise, toujours courant, toujours sautant, et rêvant parfois, quand son grand œil noir plongeait à l'horizon.

Du reste, Simonnette ne rêvait pas souvent. Elle avait autre chose à faire. Elle avait deux belles vaches à soigner, des vaches comme il en fallait pour fournir la crème exquise au déjeuner de Mlle Reine.

Car Reine de Maurever habitait presque toujours le manoir de Saint-Jean.

Pas maintenant, hélas ! Maintenant, Reine était Dieu savait où, depuis que son vieux père menait la vie d'un proscrit.

Pauvre demoiselle, si douce, si charitable, si aimée !

Quand Simonnette allait par les chemins, les bras passés autour du cou de la Rousse ou de la Noire, elle pensait bien souvent à Mlle Reine.

Elles étaient du même âge, la fille du gentilhomme et la fille du paysan. Elles avaient joué ensemble sur la pelouse du manoir. Ensemble elles étaient devenues belles.

Reine avait la noble beauté de sa race. Plus tard, nous la verrons bien plus belle encore sous son voile de deuil.

Simonnette... Franchement, vous n'avez jamais pu

rencontrer de plus mignonne créature. Un sourire contagieux, un sourire irrésistible. A la voir, les fronts se déridaient. Simonnette ! Simonnette ! rien que ce nom-là, c'était de la gaieté pour ceux qui l'avaient vue.

Excepté pourtant pour ce pauvre petit Jeannin, le coquetier [1]. Il se cachait pour voir passer Simonnette, et quand Simonnette était passée, il se prenait le front à deux mains. S'il avait osé, le petit Jeannin, il se serait vraiment cassé la tête contre un pommier. Mais il aurait eu peur de se faire trop de mal.

Figurez-vous une tête de chérubin avec des cheveux bouclés à profusion, des grands yeux bleus, tendres et timides, et sous sa peau de mouton, hélas ! bien usée, cette gaucherie gracieuse des adolescents.

Il était fait comme cela, le petit Jeannin, et il allait avoir dix-huit ans. Par exemple, pas un denier vaillant ! Des pieds nus, des chausses trouées, pas seulement une *devantière* de grosse toile pour remplacer sa peau de mouton qui s'en allait.

Simon Le Priol ne l'avait jamais peut-être regardé. Ce n'était pas un *parti*. Simon voulait pour sa fille un homme de cinquante écus nantais.

Le petit Jeannin n'avait jamais vu tant d'argent, même en songe.

Et, en conscience, est-ce bon pour faire des maris, ces séraphins aux yeux de saphir et aux cheveux d'or ?

Maître Vincent Gueffès disait non. Maître Gueffès avait un front étroit, un vaste nez, une bouche fendue avec une hallebarde, de beaux petits yeux ronds, doucement frangés de rouge, des cheveux couleur de poussière, et une longue taille maigre et droite dans une houppelande faite pour autrui.

Du reste, point d'âge. Vous savez, ces bonnes gens ont de vingt-cinq à soixante ans. Passé soixante ans, ils rajeunissent.

Eh bien ! avec cela, maître Gueffès était bas-normand des pieds à la tête. Il avait de l'esprit comme quatre malins de Domfront, sa patrie.

Maître Gueffès était le rival du petit Jeannin, le coquetier. Il trouvait Simonnette charmante, et quand il songeait à la

1. Pêcheurs de coques : les coques (palourdes) sont une sorte de diminutif des coquilles de Saint-Jacques. Elles abondent dans la baie de Cancale et autour du Mont.

dot de Simonnette, sa mâchoire tout entière se montrait en un épouvantable sourire.

Maître Vincent Gueffès allait quérir sa soupe à la distribution du monastère ; il criait Noël sur le passage des seigneurs ; mais ce n'était pas un gueux.

On savait bien qu'il avait quelque part un sac de cuir qui motivait amplement la bienveillance de Simon Le Priol.

Le pauvre petit Jeannin était peureux comme un lièvre. Oh ! sans cela maître Gueffès aurait eu son compte !

Et il y avait encore autour de la grande cheminée Joson le vannier, Michon la buandière, quatre Mathurin, autant de Gothon, une Scolastique et deux Catiche. N'oublions pas cependant la Rousse et la Noire, les deux belles vaches commodément vautrées à l'autre bout de la chambre, et trois gorets (sauf respect), grognant sous la table même.

La veillée allait bien. La cruche au cidre circulait assez vivement, escortée de l'écuelle commune.

Les rouets chômaient, les fuseaux de même. Les quatre Gothon étaient lasses de jouer à la main chaude avec les quatre Mathurin.

Le petit Jeannin, les pieds nus dans les cendres, laissait passer l'écuelle sans y mouiller ses lèvres et regardait Simonnette tant qu'il pouvait. Dans sa tête blonde, il brodait de mille manières diverses ce thème invariable : « Si j'avais cinquante écus nantais ! »

Maître Vincent Gueffès se taisait, comme devraient faire tous les Bas-Normands d'esprit.

Simonnette riait avec l'un, avec l'autre, avec tous, l'heureuse fille ! En ce moment, elle écoutait Simon Le Priol, son père, qui contait une histoire.

Il parlait de la Fée des Grèves, cet être étrange dont le nom revenait toujours dans les épopées rustiques, racontées au coin du foyer. Le lutin caché dans les grands brouillards. Le feu follet des nuits d'automne. L'esprit qui danse parmi la poudre éblouissante des mirages de midi. Le fantôme qui glisse sur les lises dans les ténèbres de minuit.

La Fée des Grèves, avec son manteau d'azur et sa couronne d'étoiles !

Et il contait de grand cœur, comme il faut conter quand on veut passionner son auditoire.

On peut dire qu'autour de la cheminée chacun voyait le voile de la Fée flottant à la brise nocturne.

Fanchon la ménagère plongea sa cuiller de bois dans le chaudron où cuisait la bouillie d'avoine, et emplit une pleine écuellée.

« La part de la bonne Fée ! » murmura-t-on à la ronde.

Maître Vincent Gueffès, le vilain Normand, fut tout seul à hausser les épaules.

« Et vous allez mettre à présent une bonne écuellée de gruau sur le pas de votre porte, n'est-ce pas, dame Fanchon ? dit-il d'un air narquois.

— Oui, maître Gueffès », répondit la ménagère, qui ajouta en s'adressant à Simonnette :

« Tiens, fillette, porte la part de la bonne Fée. »

Simonnette prit l'écuelle fumante et la déposa sur le pas de la porte, en dehors.

« Et vous croyez que la Fée va venir lécher votre écuelle ? dit encore maître Gueffès, la mâchoire sceptique.

— Si je le crois ! s'écria Fanchon scandalisée.

— Et qui ne le croirait ? demanda Simon Le Priol, nos pères et nos mères l'ont bien cru avant nous !

— Vos pères et vos mères, répliqua Gueffès, perdaient leur bouillie ; vous aussi. C'est pitié de voir jeter ainsi de bonne farine à la gloutonnerie des vagabonds et des chiens égarés.

— Si on peut parler comme ça ! » s'écrièrent les quatre Gothon tout d'une voix.

Les quatre Mathurin agitèrent en eux-mêmes la question de savoir s'il n'était pas convenable et opportun de jeter le vilain Gueffès dans la mare.

« Moi, je vous dis, reprit Gueffès, qu'il n'y a pas plus de fée dans les Grèves que dans le creux de ma main. Quelqu'un de vous l'a-t-il vue ? »

Cette question fut faite d'un ton de triomphe. On se regarda à la ronde un peu déconcerté.

« Vous voyez bien... » commença maître Gueffès.

Mais il fut interrompu par le petit Jeannin, qui dit d'une voix ferme et claire :

« Moi, je l'ai vue ! »

5

Ce que Julien avait appris au marché de Dol

Les partisans de la bonne Fée, déconcertés par la question de maître Gueffès, ne s'attendaient pas à cet auxiliaire qui leur venait tout à coup en aide.

Tous les regards étonnés se fixaient sur lui.

« Ah ! tu l'as vue, toi, petiot ? dit Gueffès avec son air moqueur.

— Oui, moi, je l'ai vue, répondit Jeannin.

— Il l'a vue ! il l'a vue ! répétait-on à la ronde.

— Et où l'as-tu vue ? demanda Gueffès.

— Ici, devant la porte.

— Quand ?

— Hier.

— A quelle heure ?

— A minuit. »

Toutes ces réponses furent faites rondement et d'un ton assuré.

Mais Vincent Gueffès allongea sa mâchoire en un sourire méchant.

« Ah ! ah ! petiot, dit-il, et que fais-tu à minuit, si loin de ton trou, devant la porte de Simon Le Priol ? »

Détourner la question est le fort de la diplomatie normande.

Le petit Jeannin se campa crânement devant Gueffès et répondit :

« Là ou ailleurs, je fais ce que je veux. Et souvenez-vous du jeu que le Breton proposa au Français, dans l'auberge des *Quatre Besans d'or* ; du jeu qui se joue sans table ni tapis, maître Gueffès, avec deux gaules d'une toise. Bon pied, bon œil, main alerte, et à la grâce de Dieu ! »

Ma foi, Simon Le Priol ne put s'empêcher de rire, et ce ne fut pas aux dépens du petit Jeannin.

Simonnette était toute rose de plaisir.

Les quatre Mathurin écrasèrent, dans leur contentement, les pieds des quatre Gothon.

Maître Gueffès ne broncha pas.

« Un bâton d'une toise ne prouve pas que mensonge soit parole d'Évangile, dit-il. Que faisait la Fée quand tu l'as vue ?

— Elle se baissait sur le seuil pour ramasser un gâteau de froment.

— Ça, c'est la vérité, appuya la ménagère ; j'avais mis un gâteau de froment sur la porte.

— Et comment est-elle faite, la Fée, petiot ? » demanda encore maître Gueffès.

Jeannin hésita.

« Elle est belle, répliqua-t-il enfin, belle comme un ange... presque aussi belle que la fille de Simon Le Priol. »

Simon et sa femme froncèrent le sourcil à la fois.

Maître Vincent Gueffès ouvrait sa large bouche pour lancer quelque trait envenimé qui pût venger sa défaite, car il était vaincu, lorsque le pas d'un cheval se fit entendre sur le chemin.

Tout le monde se leva.

« Julien ! Julien ! s'écria-t-on, Julien Le Priol ! Nous allons avoir des nouvelles de la ville ! »

Le cheval s'arrêta en dehors de la porte qui s'ouvrit.

Julien Le Priol, fils de Simon, entra.

« Quelles nouvelles, garçon ? demanda le père.

— Mauvaises ! répliqua Julien. M. Hue de Maurever, notre seigneur, est accusé de haute trahison.

— De haute trahison ! » répéta Le Priol stupéfait.

Les nouvelles, en ce temps-là, ne couraient point la poste. Le hameau de Saint-Jean, qui était situé en vue du Mont, à cinq ou six lieues d'Avranches, ne savait pas encore ce qui s'était passé, à quinze jours de là, dans la basilique du monastère.

Une nuit de la semaine qui venait de s'écouler, le manoir de Saint-Jean avait été saccagé de fond en comble par des mains invisibles. Les villageois effrayés avaient entendu des chants et des cris. Le lendemain, il n'y avait plus un seul serviteur au manoir désolé.

Et, devant la grand-porte, un écriteau aux armes de Bretagne portait ces mots que Vincent Gueffès avait déchiffrés : *Justice ducale.*

Du reste, les maîtres étaient absents depuis du temps, et,

quand les pillards étaient venus, ils n'avaient trouvé que des valets au manoir.

Julien était assis entre son père et sa mère. Tout le monde l'interrogeait des yeux. Il y avait sur son visage une émotion grave et triste.

« Quand M. Hue de Maurever, commença-t-il avec lenteur, me conduisit au château du Guildo, apanage de M. Gilles de Bretagne, je vis de belles fêtes, mon père et ma mère. Il était jeune, M. Gilles de Bretagne, et fier, et brillant. Tout le monde sait bien que M. Gilles est mort empoisonné ! dit-il.

— Mon fils Julien, dit Simon Le Priol, nous avons prié Dieu pour le salut de son âme. Que peuvent faire de plus des chrétiens ?

— Nous autres, répliqua le jeune homme en jetant un regard sur son habit de paysan, rien... Mais M. Hue de Maurever est un chevalier. Voilà ce qu'ils disent, mon père et ma mère, sur le marché de Dol :

« Notre seigneur François était jaloux de M. Gilles, son frère. Il le fit enlever nuitamment et enfermer dans la tour de Dinan. Et comme le pauvre jeune seigneur, prisonnier, faisait des signaux au travers de la Rance, Robert Roussel — un damné ! — l'emmena jusqu'à Châteaubriant, où les cachots sont sous la terre.

« Les cachots de Châteaubriant ne parurent point pourtant assez profonds. M. Gilles fut conduit à Moncontour.

« A Moncontour, il y a des hommes. On plaignait M. Gilles ; il fut transféré à la forteresse de Touffon.

« Et comme Touffon est trop près d'un village, on chercha encore. On trouva, au milieu d'une forêt déserte, le château de la Hardouinays, où M. Gilles a rendu son âme à Dieu...

« Gilles de Bretagne, reprit Julien, était dans un cachot dont le soupirail donnait dans des broussailles, au ras du sol. On fut deux jours sans lui porter à manger, puis trois jours, puis toute une semaine. Au bout de ce temps, Jean de La Haise et Robert Roussel descendirent au cachot pour fournir la sépulture chrétienne au cadavre.

« Mais il n'y avait pas de cadavre. Gilles de Bretagne vivait encore. Un ange avait veillé sur les jours de la pauvre victime.

« Un ange ! Et vous l'avez vu, ce bel ange aux blonds cheveux et au doux sourire, cet ange qui porta si longtemps dans notre pays la consolation charitable...

— Mlle Reine ! murmura Simonnette, dont les beaux yeux noirs se mouillèrent.

— Oh ! la chère demoiselle ! que Dieu la bénisse ! » s'écria-t-on tout d'une voix.

La vilaine voix de maître Gueffès manquait seule à ce concert.

« Reine de Maurever ! répéta Julien d'un accent enthousiaste ; oui, c'était elle, c'était Reine de Maurever. Chaque soir elle venait, bravant le carreau des arbalètes ou la balle des arquebuses, elle venait apporter du pain au captif. Mais quand les deux bourreaux geôliers virent que la faim ne tuait pas M. Gilles assez vite, ils achetèrent trois paquets de poison au Milanais Marco Bastardi, l'âme damnée du sire de Montauban.

« Un soir, Reine de Maurever vint, comme de coutume, déguisée en paysanne. Elle frappa aux barreaux. Nul ne répondit. M. Gilles était couché tout de son long sur la paille humide. Reine devina. Elle courut chercher son père, qui se cachait dans les environs, et un prêtre. M. Gilles put se lever sur son séant et se confessa à travers le soupirail.

« Quand il eut fini de se confesser, le prêtre lui demanda :

« — Gilles de Bretagne, pardonnez-vous à vos ennemis ?

« — Je pardonne à tous excepté à François de Bretagne, mon frère, répondit le mourant, qui trouva un dernier éclair de vie. Prêtre, dit-il, tes pareils sont sans peur, parce qu'ils sont sans reproche. Va vers le duc François, mon frère, mon seigneur et mon assassin. Dis-lui que Gilles de Bretagne meurt en le citant au tribunal de Dieu. Le feras-tu ? »

« Le prêtre hésitait.

« — Moi, je le ferai, » prononça Hue de Maurever parmi ses sanglots.

« Car il aimait M. Gilles comme son fils.

« Celui-ci tendit sa main à travers les barreaux. Hue de Maurever la baisa en pleurant. Puis M. Gilles murmura : « Merci » et tomba à la renverse. »

Julien Le Priol fit une pause. Personne ne prit la parole. Chacun était frappé de stupeur.

Julien raconta ensuite comme quoi M. Hue de Maurever, accomplissant la promesse faite au mourant, était venu, déguisé en moine, dans la basilique Saint-Michel et avait arrêté le duc François au moment où il allait jeter l'eau sainte sur le cénotaphe. Comme quoi M. Hue avait disparu. Comme quoi le jeune homme d'armes Aubry de Kergariou avait jeté son épée aux pieds du duc et refusé de poursuivre Maurever.

« Maintenant, reprit Julien, M. Hue se cache on ne sait où. Le duc a mis sa tête au prix de cinquante écus nantais. Mlle Reine a disparu, et Aubry de Kergariou est dans les cachots souterrains du Mont. Voilà ce qui se dit sur le marché de Dol, mon père et ma mère. »

A ces mots : *cinquante écus nantais*, deux personnes avaient dressé l'oreille.

C'était d'abord le petit Jeannin, dont les grands yeux brillèrent à ces paroles magiques.

Ce fut ensuite maître Vincent Gueffès, lequel gratta sa longue oreille et se prit à réfléchir profondément.

« Et l'on ne sait pas où notre demoiselle Reine s'est réfugiée ? » demanda Simon.

Julien fut bien une minute avant de répondre.

« J'ai rencontré, dit-il enfin avec effort, le vieux vicaire du Roz sous le porche de l'église. Il pleurait...

— Il pleurait !

— Et il m'a dit : « Julien, n'oublie pas la fille de ton maître quand tu réciteras le *De profundis* du soir. »

Les yeux de Simonnette s'inondèrent de larmes.

La grosse métayère Fanchon essaya de se soulever et retomba suffoquée.

« Morte ! morte ! » répéta Julien Le Priol.

Puis il ajouta en se signant :

« Et je crois que j'ai déjà vu son *esprit.* »

Une frayeur vague remplaça l'expression douloureuse qui était sur tous les visages.

« Tout à l'heure, en passant sous le manoir, poursuivit Julien, je regardais les fenêtres qui n'ont plus de vitraux. Les murailles étaient éclairées par la lumière de la lune, et chaque croisée faisait comme un trou noir. Dans l'un de ces trous noirs, j'ai vu saillir une blanche figure, et j'ai dit ma première oraison pour que Dieu ait l'âme de notre demoiselle. »

Le silence se fit. La cruche au cidre et l'écuelle chômaient sur la table. A la crémaillère, la bouillie d'avoine brûlait sans que personne s'en aperçût.

De grosses larmes roulaient sur les joues de Simonnette.

Il n'y avait plus de trace de cette bonne joie de la Saint-Jean qui emplissait la ferme naguère.

Dans ce silence où l'on n'entendait que le bruit des respirations oppressées, un bruit éclata tout à coup.

C'était le son d'une trompe disant les trois mots de l'appel ducal.

« Écoutez ! s'écria Julien, qui se leva tout pâle.

— Qu'est-ce que cela ? demanda le vieux Simon.

— C'est le héraut de monseigneur François qui vient crier le prix de la tête de Maurever.

— A cette heure de nuit ?

— La vengeance ne dort pas, mon père, et François de Bretagne a déjà vieilli de dix ans depuis dix jours. Il faut bien qu'il se dépêche, s'il veut tuer encore un homme avant de mourir ! »

6

A la guerre comme à la guerre

Devant la chapelle, dans le cimetière servant de place publique au pauvre village de Saint-Jean, il y avait un grand fracas de fer et de chevaux. Des torches allumées secouaient leurs crinières de feu. Les trompes sonnaient, appelant les fidèles sujets de monseigneur le duc François.

Il pouvait être 11 heures de nuit.

Les cabanes et les fermes se vidèrent.

Les hôtes de Simon Le Priol et Simon Le Priol lui-même, avec sa femme, son fils et sa fille, se rendirent sur la place, car il y avait amende contre ceux qui faisaient la sourde oreille aux mandements de la cour.

Les trompes sonnèrent un dernier appel, et le héraut leva son guidon d'hermine.

Le silence n'était guère troublé que par les chiens du

village, qui hurlaient à qui mieux mieux, n'ayant jamais vu pareille fête.

« Or, écoutez, gens de Bretagne, dit le héraut.

« De par notre seigneur, haut et puissant prince François, premier du nom, M. le sénéchal fait savoir à tous les sujets du duché de Bretagne, grands vassaux, vavasseurs, hommes liges, bourgeois et vilains, que M. Hue de Maurever, chevalier, seigneur du Roz, de l'Aumône et de Saint-Jean-des-Grèves, s'est rendu coupable du crime de haute trahison.

« Par quoi la volonté de mondit seigneur François est que : ledit Hue de Maurever avoir la tête tranchée de la main du bourreau, et voir ses biens et domaines confisqués pour le profit de la sentence.

« A quiconque livrera ledit traître Hue de Maurever à la justice ducale, cinquante écus d'or être comptés sur les finances de mondit seigneur.

« Ladite sentence, pour que nul n'en ignore, criée à son de trompe dans toutes les villes, bourgs, villages, hameaux et lieux de l'évêché de Dol, et le double être cloué sur la porte de l'église. »

Le héraut déplia un petit carré de parchemin qu'un soudard alla clouer à la porte de la chapelle.

Toute cette mise en scène frappait de terreur les pauvres habitants du village de Saint-Jean.

Mais on n'était pas au bout. C'était seulement la parade solennelle qui venait de finir.

Un chevalier, qui accompagnait le héraut et s'était tenu raide sur son grand cheval pendant la proclamation, prit la parole à son tour :

« Holà ! mes garçons, dit-il aux soudards, faites-vous des amis parmi ces bonnes gens qui s'éparpillent là comme une volée de canards. Ils vont vous donner l'hospitalité cette nuit. »

Aussitôt chaque soudard courut après un paysan. Les hommes d'armes restèrent avec le héraut et leur chef.

Celui-ci tenait déjà le petit Jeannin par une oreille.

« Petit gars, lui demanda-t-il, sais-tu la route du manoir de Saint-Jean ? »

Jeannin avait grand-peur, quoique la voix du chevalier fût pleine de rondeur et de bonhomie.

Il répondit pourtant :

« Le manoir est près d'ici.

— Eh bien ! petit gars, prends une torche et mène-nous au manoir. »

Jeannin prit une torche.

« Holà ! Conan ! Merry ! Kervoz ! cria le chevalier en s'adressant à quelques archers, au nombre de six, restés dans le cimetière, vous nous apporterez au manoir du pain, des poules et du vin. Petiot, marche devant. »

Jeannin leva la torche et obéit. La lumière de la torche éclairait vivement sa taille gracieuse et mettait des reflets parmi les boucles de ses longs cheveux blonds.

« Voilà un gentil garçonnet, dit le chevalier. Petiot, tu n'as pas envie de monter à cheval et de faire la guerre ?

— Non, monseigneur, répliqua Jeannin en tremblant.

— Pourquoi cela ?

— Tout le monde dit que je suis poltron comme les poules, monseigneur. »

Le chevalier éclata de rire.

« A la bonne heure ! s'écria-t-il, voilà une raison. Et tu n'as pas envie non plus de gagner les cinquante écus nantais ?

— Ah ! monseigneur, interrompit Jeannin, oubliant tout à coup ses craintes, si on était sûr de gagner cinquante écus nantais en faisant la guerre, je tuerais un Anglais par écu et un Français par-dessus le marché !

— Diable ! diable ! fit le chevalier, qui riait toujours, tu aimes donc bien les écus nantais, petiot ? »

Dans l'idée de Jeannin, les cinquante écus nantais, c'était la main de la jolie Simonnette. Aussi répondit-il sans balancer :

« Cinquante fois plus que ma vie, monseigneur ! »

Le chevalier se tenait les côtes, et sa suite riait aussi de bon cœur.

« Oh ! le drôle de garçonnet ! s'écria-t-il. Petiot, si tu n'es pas poltron comme tu le dis, tu es du moins avare, et l'avarice ne vient guère à ton âge. »

Jeannin se retourna et montra son joli visage souriant.

« Je ne suis pas avare, monseigneur », dit-il.

Le chevalier était un bon diable, paraît-il, car il s'amusait franchement à cette naïve aventure.

En continuant de causer avec Jeannin, il lui montra qu'il savait fort bien pourquoi le jeune homme désirait les cinquante écus nantais.

« Oh ! fit Jeannin étonné, vous avez donc écouté à la porte du père Le Priol, vous ?

— Non, mon fils, répliqua le chevalier ; je sais cela et bien d'autres choses encore. Écoute, ajouta-t-il en prenant un ton plus sérieux, tu es un bien pauvre mignonnet, mais le duc François est bien riche. Moi, qui sais tout, je sais que le traître Hue de Maurever est caché dans le pays. Conduis-nous à sa retraite, et, foi de chevalier, je te jure que tu épouseras la fille de Simon Le Priol ! »

Jeannin demeura un instant comme étourdi. Puis il se signa et recula de trois pas. Puis encore, sans répondre, il jeta sa torche dans le fossé et prit sa course à travers champs.

« Il a jeté sa torche comme mon cousin Aubry jeta son épée ! » grommela le chevalier sous sa visière.

Il resta un instant pensif, puis reprit tout haut et gaiement :

« Allons ! mes compagnons, nous aurons bon gîte et bon souper cette nuit... au manoir ! »

Ils gravirent le petit mamelon et n'eurent pas besoin de frapper à la porte pour entrer dans la maison de Hue de Maurever, car il n'y avait plus de porte. Elle avait servi à faire du feu.

« Sarpebleu ! sarpebleu ! » dit le chevalier.

Les meubles de la grande salle étaient en miettes. Dans la salle à manger, le vaisselier était vide. Et ce fut à grand-peine que, dans tout le reste du manoir, on trouva un fauteuil boiteux pour asseoir le pauvre chevalier.

Il n'était pas content, ce chevalier. Du tout, mais du tout ! Il s'assit et ôta son casque.

Ce casque seul nous a empêchés de reconnaître Méloir, ancien porte-bannière ducal.

Il n'avait pas encore accompli la promesse qu'il avait faite de trouver le sire de Maurever, mais il s'y était employé de si grand cœur, que François l'avait récompensé d'avance en lui chaussant les éperons.

Et comme il faut laisser un aiguillon au dévouement même le plus ardent, François lui avait promis, en cas de réussite, les domaines confisqués du Roz, de l'Aumône et de Saint-Jean-des-Grèves. De sorte que c'était son bien que les soldats de François avaient dévasté.

Heureusement Méloir n'était pas homme à rester longtemps de mauvaise humeur.

« Trouvez des sièges, mes enfants, dit-il en se carrant dans l'unique fauteuil, ou asseyez-vous par terre, à votre choix. Je suis désespéré de ne pouvoir vous offrir une hospitalité meilleure. Mais voyons, on peut amender cela. Kéravel, toi qui es un vieux soudard, va voir à la cave s'il reste en quelque coin des bouteilles oubliées ; Rochemesnil, descends à l'écurie et apporte ta charge de bottes de foin pour faire des sièges ; Péan, tâche de trouver quelques volets, nous en ferons une table ; et toi, Fontébrault, cherche une brassée de bois pour combattre le vent des grèves qui vient par les fenêtres défoncées. »

Les quatre hommes d'armes sortirent et revinrent bientôt les mains pleines. En même temps, Merry, Conan, Kervoz et d'autres archers arrivèrent, apportant une paire d'oies, des poules et des canards avec d'énormes pichets de cidre.

La situation s'améliorait à vue d'œil.

Un grand feu s'alluma dans la cheminée. A mesure que le bois vert pétillait joyeusement dans l'âtre, la gaieté s'allumait dans tous les regards.

Au diable les soucis ! Un immense rôti tournait devant le brasier par les soins de Conan et de Kervoz. La table était dressée. Et après tout, le vent qui venait par la croisée n'était que la bonne brise du mois de juin.

On devisait :

« Ah ça ! disait Kéravel, savez-vous le nom de cette maladie-là, vous autres ? Depuis que le duc François, notre cher seigneur, est rentré en Bretagne, il enfle, il enfle...

— La maladie de notre seigneur François, reprit Méloir, a un nom de deux aunes, qui commence comme le mot hydromel, et qui finit en grec à la manière de tous les noms païens inventés par les fainéants qui savent lire. Nous sommes de fidèles sujets, n'est-ce pas ? Eh bien ! prions saint François de guérir le seigneur duc et soupons à sa santé comme des Bretons ! »

La proposition était trop loyale pour n'être point accueillie avec faveur.

Les volailles fumantes furent placées sur la table et tout le monde fit honneur au rôti.

7

L'apparition

C'était merveille de voir le vaillant appétit de ces honnêtes soldats. Ils mangeaient, ils buvaient sans relâche, imitant l'exemple de leur vénéré chef, le chevalier Méloir, qui révéla en cette occasion des capacités de goinfrerie au-dessus de tout éloge.

Le feu couvait sous la cendre, au fond de la cheminée. La nuit avançait.

Méloir dit :

« Mes compagnons, bon sommeil je vous souhaite ! »

Et il se mit à ronfler dans son fauteuil, une main sur son épée, l'autre sur son escarcelle.

Chacun fit comme lui, et on n'entendit plus que le bruit rauque et sourd des respirations embarrassées. Tous étaient couchés pêle-mêle, hommes d'armes et archers.

Les torches, accrochées au manteau de la cheminée, s'étaient éteintes. Deux résines à demi consumées luttaient seules contre la lune, qui lançait obliquement dans la chambre ses rayons cristallins et limpides.

Alors une jeune fille apparut sur le seuil. Quelque chose de vague et de surnaturel était autour d'elle.

A voir cette apparition pleine de grâces, un poète eût pensé tout de suite à l'ange qui est l'âme des ruines, à la fée qui est le souffle des grèves.

Ange ou fée, elle tremblait. Pendant une minute, elle regarda cet étrange dortoir de l'orgie. Puis elle fit un pas en avant. Elle entra dans la lumière de la lune, qui jeta des reflets azurés dans l'or ruisselant de ses cheveux. Vous l'eussiez alors reconnue.

Pauvre Reine ! que de larmes dans ses beaux yeux depuis

le jour où nous l'avons entrevue derrière les plis de son voile de deuil !

Depuis ce jour-là, son vieux père luttait contre le ressentiment d'un prince outragé, lutte terrible et inégale. Depuis ce jour, le pauvre Aubry était captif dans les cachots souterrains du Mont-Saint-Michel. Elle avait pleuré, mon Dieu !

Mais les pleurs de Reine se séchaient souvent dans un sourire. Cette nuit, par exemple, au milieu de ces soudards qui ronflaient, elle avait peur, c'est vrai ; mais un malicieux sourire vint à sa lèvre quand elle reconnut, trônant sur le fauteuil d'honneur, Méloir, le chevalier de nouvelle fabrique.

La salle était grande. Reine voulait parvenir jusqu'à la table. Elle avait un panier au bras, et son regard convoitait naïvement les débris du souper. A mesure qu'elle avançait, le sourire se faisait plus espiègle autour de sa lèvre. Enfin, elle atteignit la table. Elle mit dans son panier deux poulets, un gros morceau de pain et un flacon de vin vieux qui restait intact par fortune. Puis elle se redressa, tout heureuse de sa victoire, en secouant ses blonds cheveux d'un air mutin.

Comme elle s'apprêtait à traverser de nouveau la salle, cette fois, pour s'enfuir avec les trophées de son triomphe, elle laissa tomber un regard sur le chevalier.

Le chevalier Méloir avait toujours la main sur son escarcelle rebondie. Les sourcils délicats de Reine se froncèrent et son œil brilla d'un éclair hautain.

« L'or qui doit payer la tête de mon père ! » murmura-t-elle.

Un reflet d'acier passa entre les doigts de Méloir. Le cordon qui retenait l'escarcelle fut tranché en un clin d'œil.

Mais l'escarcelle ne tomba point. La main de Méloir était toujours dessus.

Reine tira l'escarcelle bien doucement, puis plus fort. Impossible de faire lâcher prise à Méloir. Reine essaya d'ouvrir l'escarcelle entre ses doigts. Impossible encore.

Pourtant elle la voulait.

Elle voulait — et c'était bien quelque chose que la volonté de cette blonde enfant, si mignonne et si frêle, qui, depuis dix jours, traversait chaque nuit les grèves, où tant d'hommes ont laissé leurs os, pour porter encore du pain, du pain à son père, cette fois.

Quand elle voulait, il fallait.

Méloir grondait dans son sommeil. Sa main se raidissait sur l'escarcelle, bien qu'il ne fût point réveillé encore.

La téméraire enfant, par un dernier mouvement brusque et vigoureux, arracha l'escarcelle.

« Alarme ! » cria Méloir, qui s'éveilla en sursaut.

En une seconde, toute l'escorte fut sur pied.

Mais une seconde, c'était dix fois plus qu'il n'en fallait à Reine de Maurever pour opérer sa retraite.

Leste comme un oiseau, elle bondit parmi les dormeurs qui s'agitaient ; elle sauta d'un seul élan sur l'appui de la fenêtre ouverte, et les soldats se frottaient encore les yeux qu'elle avait déjà franchi le seuil de la cour. En passant près de la table, elle avait soufflé les deux résines. La lune était sous un nuage.

Ce fut, dans la salle, une scène de désordre inexprimable :

« Allumez les résines ! » commanda Méloir.

Et chacun de répéter :

« Allumez les résines ! »

Mais quand tout le monde commande, personne n'obéit.

Il fallut que la lune sortît de son nuage pour mettre fin à la mêlée. Un rayon argenté inonda un instant la salle, pour s'éteindre bientôt après.

« Avez-vous vu... ? commença Méloir.

— Un fantôme ? interrompit Kéravel.

— Quelque chose, continua Fontébrault, qui a glissé dans la nuit comme un brouillard léger.

— Quelque chose, s'écria Méloir, qui a coupé les cordons de ma bourse !

— En vérité ! fit-on de toutes parts.

— Quelque chose, ajouta Kéravel, en soulevant une des résines allumées, qui a emporté deux de nos poules et notre dernier flacon.

— C'est pourtant vrai ! répéta-t-on à la ronde.

— Sarpebleu ! gronda Méloir, au diable les poules ! Mon escarcelle contenait la rançon d'un chevalier. On peut monter à cheval et le chercher. Ce quelque chose-là, mes compagnons, il me le faut. Sellez les chevaux, Conan et les autres. Notre nuit est finie. Vous, mes compères, écoutez, s'il vous plaît, je vais vous donner le signalement du prétendu fantôme. Sa figure, je ne l'ai pas aperçue, puisqu'il me tournait le dos en fuyant. Mais ses cheveux blonds, bouclés et flottants...

— C'est une femme ?

— Peut-être. Vous souvenez-vous du garçonnet qui nous a conduits jusqu'ici, messieurs ?

— Oh ! oh ! s'écria-t-on, c'est vrai, il a des cheveux blonds.

— Et vous souvenez-vous comme il avait envie des cinquante écus nantais ?

— Oui ! oui !

— Voilà la piste, mes compagnons. A vous de la suivre. »

Un bruit soudain se fit dehors.

« Sus ! sus ! criaient Conan, Merry, Kervoz et les autres archers. »

Et ils donnaient chasse dans la cour à un être qui fuyait avec une merveilleuse rapidité.

« Sus ! sus !

— Mon bon seigneur, disait le pauvre diable perdant déjà le souffle, ayez pitié de moi. Je venais pour parler à votre maître, le noble chevalier Méloir.

— Ne lui faites pas de mal », ordonna Méloir aux archers.

Le fuyard s'arrêta au son de cette voix.

« Merci, mon cher seigneur, dit-il, que Dieu vous récompense !

— Amenez-le, commanda Méloir. Que venais-tu faire dans la cour ? demanda Méloir, qui avait repris place dans son fauteuil.

— Je venais vous parler, mon bon seigneur.

— Comment t'appelles-tu ?

— Vincent Gueffès, fidèle sujet du duc François, et le plus humble de vos serviteurs, monseigneur. »

8

Maître Gueffès

C'était bien maître Gueffès, avec sa large mâchoire, son front étroit, ses bras de deux aunes. Et maître Gueffès disait vrai par impossible : il était réellement venu au château pour parler au chevalier Méloir.

Le chevalier Méloir le considéra longtemps avec attention. Gueffès tremblait de tous ses membres.

« Dieu me pardonne, acheva Méloir, je crois que c'est ce coquin qui m'a volé mon escarcelle !

— Oh ! mon bon seigneur, mon bon seigneur, s'écria maître Gueffès, je vous jure...

— Bien ! bien ! mon homme, interrompit Méloir, tu vas jurer tout ce qu'on voudra, mais moi, je vais te faire pendre ! »

Gueffès se jeta à genoux.

« Mon cher seigneur, dit-il, les larmes aux yeux, et c'était la première fois de sa vie qu'il donnait de pareilles marques d'attendrissement, mon cher seigneur, la mort d'un pauvre innocent ne vous rendra point votre escarcelle, et si vous me laissez la vie sauve, je vous fournirai de quoi gagner les bonnes grâces du riche duc.

— Saurais-tu où se cache le traître de Maurever ? demanda vivement Méloir.

— Oui, mon cher seigneur, répliqua Gueffès sans hésiter. Et au clair de la lune, là-bas, sur la terre, j'ai vu passer votre escarcelle, mon cher seigneur. Oh ! les beaux cheveux blonds et le gracieux sourire !

— Parle donc !

— Quatre jambes vont plus vite que deux. Hommes d'armes, montez à cheval, si vous voulez suivre le conseil d'un pauvre honnête chrétien, descendez par le village et piquez droit aux Grèves. Vous trouverez l'escarcelle... Et quand vous serez partis, ajouta-t-il en regardant Méloir en face, moi, je parlerai à mon cher seigneur.

— En route ! » cria Méloir.

Hommes d'armes et archers s'ébranlèrent. Les chevaux étaient tout préparés dans la cour. On entendit la grand-porte s'ouvrir, puis le bruit de la cavalcade, puis le silence se fit.

« Sarpebleu ! grommela Méloir, ils vont revenir les mains vides. Ah ! si j'avais mes douze lévriers de Rieux ! Ma patience ! ils doivent être à Dinan à cette heure, et nous les aurons demain.

— C'est donc vrai, monseigneur ? dit bien respectueusement Gueffès.

— Quoi ?

— Que vous chasserez Maurever dans les Grèves avec des lévriers de race ?

— Que t'importe ?

— Cela m'importe beaucoup, mon cher seigneur, attendu que j'ai mis dans ma tête de gagner les cinquante écus nantais, promis par François de Bretagne à celui qui...

— Ah ! ah ! dit Méloir, est-ce aussi pour la fillette à Simon Le Priol ? »

Gueffès devint tout jaune.

« Il y a donc quelqu'un, murmura-t-il, qui veut aussi gagner les cinquante écus nantais pour la fillette à Simon Le Priol ?

— Est-elle jolie ? demanda Méloir au lieu de répondre.

— Elle est riche », répliqua Gueffès.

Méloir lui frappa sur l'épaule.

« Le bon compagnon que tu fais, ami Gueffès ! s'écria-t-il. Mais, j'y songe, nous n'aurons guère besoin de mes lévriers de Rieux, puisque tu sais où se cache M. Hue.

— Ai-je dit que je le savais ?

— Oui, sarpebleu ! sans cela...

— Ah ! monseigneur, quand on a la corde au cou...

— Tu ne le sais donc pas ?

— Je le saurai, monseigneur. »

Maître Gueffès avait un sourire assez irrévérencieux autour de son énorme mâchoire.

« Causons raison, reprit-il. Moi, je vis dans ce pauvre trou de Saint-Jean-des-Grèves, et je ne sais pas les nouvelles. Pourtant on m'a dit que vous vouliez épouser Reine de Maurever ; mais on dit aussi que la fille de Maurever veut épouser le gentilhomme d'armes Aubry de Kergariou.

— Mon cousin Aubry est en prison... et, s'il plaît à Dieu, il y restera longtemps.

— S'il plaît à Dieu ! répéta Gueffès d'un air goguenard.

— Que veux-tu dire ?

— Ce que femme veut... commença le Normand.

— Bah ! interrompit Méloir, vieux dicton moisi.

— Comme vous voudrez, monseigneur. Mais moi qui ne suis pas chevalier, il m'est permis d'avoir d'autres idées... pour mon compte, j'entends ! J'ai aussi un rival auprès de

Simonnette. Il n'est pas même en prison, et le plus tôt que vous pourrez le faire pendre sera le mieux.

— Comment ! le faire pendre ! se récria Méloir.

— C'est un petit cadeau que je vous demande par-dessus le marché des cinquante écus nantais.

— Pendre mon petit Jeannin ! dit Méloir en souriant.

— Oh ! oh ! vous le connaissez ! Un joli enfant, n'est-ce pas ?

— Un enfant charmant.

— Eh bien ! quand vous m'aurez promis qu'il sera pendu, nous finirons ensemble l'affaire du Maurever.

— Mais il ne sera jamais pendu, maître Gueffès.

— Assommé alors, je ne tiens pas au détail.

— Ni assommé.

— Étouffé dans les tangues.

— Ni étouffé.

— Noyé dans la mer.

— Ni noyé. »

Le chevalier Méloir, à ces derniers mots, fronça un peu le sourcil. Maître Gueffès força sa mâchoire à sourire avec beaucoup d'amabilité.

« Mon cher seigneur, dit-il, vous êtes le maître et moi le serviteur. Il fait bon être de vos amis, je vois cela. Chez nous, vous savez, en Normandie, on marchande tant qu'on peut. Je suis de mon pays, laissez-moi marchander. Puisque vous ne voulez pas que le jeune coquin soit pendu, ni assommé, ni étouffé, ni noyé, on pourrait prendre un biais. Votre cousin Aubry doit avoir grand besoin d'un page, là-bas, dans sa prison. Ce serait une œuvre charitable que de lui donner ce Jeannin. Cela vous plaît-il, monseigneur ?

— Cela ne me plaît pas.

— Alors, mettons-lui une jaquette sur le corps et faisons-le soldat. Qui sait ? il deviendra peut-être un jour capitaine.

— Il ne veut pas être soldat.

— Ah ! fit Gueffès, c'est bien différent ! Du moment que messire Jeannin ne veut pas... »

Il commençait à se fâcher, l'honnête Gueffès.

« Mon cher seigneur, reprit-il, le destin s'est amusé à nous mettre dans une situation à peu près pareille, vous, l'illustre chevalier, moi, le pauvre hère. Vous avez un rival préféré qui s'appelle Aubry, moi j'ai une épine dans le pied qui s'appelle Jeannin.

— Et tu voudrais l'arracher ? Allons, maraud ! s'écria le chevalier en se levant tout à coup, l'air est frais ce matin, allume-moi mon feu, et trêve de bavardages ! Si tu sais où se cache le traître Maurever, tu me l'apprendras pour remplir ton devoir de vassal. Si tu ne remplis pas ton devoir de vassal, c'est toi qui seras pendu ! »

Gueffès n'était pas homme à s'insurger contre ce brusque changement. Il s'inclina jusqu'à terre et alluma le feu.

Méloir, lui, se promenait de long en large dans la chambre et secouait ses membres engourdis. Pendant que le feu flambait déjà dans l'âtre, il s'approcha d'une fenêtre et jeta ses regards sur la campagne.

Sur la route de Dol, au loin, un point noir se mouvait. Et le vent d'ouest apporta comme l'écho perdu d'une fanfare.

« Vive Dieu ! s'écria Méloir, voilà Bélissan, le veneur, avec mes lévriers de Rieux. Maître Gueffès, nous trouverons bien la piste sans toi. »

Maître Gueffès ôta son bonnet de laine :

« Si monseigneur veut se mettre les pieds au feu, dit-il, je vais lui servir son déjeuner ; j'ai encore quelques petites choses à dire à monseigneur. »

9

Douze lévriers

Quand le chevalier Méloir se fut mis les pieds au feu et qu'il eut entamé l'attaque des volailles froides, absolument comme s'il n'avait point soupé la veille, Gueffès, debout à ses côtés, le bonnet à la main et la mâchoire inclinée, reprit respectueusement la parole.

« Mon cher seigneur, dit-il, je ne sais pas pourquoi je me sens porté vers vous si tendrement. Je vous aime comme un chien aime son maître.

— J'ai eu autrefois un mâtin qui me mordait, grommela Méloir entre deux bouchées.

— Ceci est pour vous faire comprendre, mon cher seigneur, continua Gueffès, toute l'étendue de mon dévouement. On dit que je suis un païen, mais qui dit cela ? des gens qui croient à la Fée des Grèves et autres sornettes, au lieu de se fier à la vierge Marie.

— Ah ça ! dit Méloir, au fait, qu'est-ce que c'est que la Fée des Grèves ?

— C'est une jeune fille, monseigneur, qui pourrait, si elle le voulait, vous mener tout droit à la retraite de Maurever.

— Vrai ?

— Très vrai.

— Où la trouve-t-on, cette jolie fée ?

— Ici et là, tantôt à droite, tantôt à gauche. Vous l'avez vue cette nuit. »

Méloir porta la main à sa ceinture, où pendait encore le cordon coupé de son escarcelle.

« Quoi ! s'écria-t-il, ce serait ?... »

Gueffès eut un sourire.

« La Fée des Grèves, ni plus ni moins, monseigneur », interrompit-il.

Méloir cessa de manger.

« Est-ce que tu voudrais te moquer de moi ? » gronda-t-il en fronçant le sourcil.

Le vent apporta le son plus rapproché d'une seconde fanfare.

« A Dieu ne plaise ! monseigneur, répondit Gueffès ; mais voilà vos lévriers qui arrivent. Quand ils seront là, vous ne voudrez plus m'écouter. Y a-t-il longtemps que vous n'avez vu la cour ?

— Tout au plus une semaine.

— Un siècle, mon pauvre seigneur ! Combien de fois le vent peut-il tourner en une semaine ? François de Bretagne enfle et pâlit. A la cour du roi Charles, on commence à prononcer le mot de fratricide. Il faut vous hâter si vous voulez conquérir Reine de Maurever, car, dans une autre semaine, souvenez-vous de ceci, M. Hue ne sera plus fugitif. Le vent aura tourné, M. Hue trouvera protection auprès des Normands et jusque dans l'enceinte du Mont-Saint-Michel. »

Une troisième fanfare éclata au pied du tertre même.

Méloir ne bougea pas. La mâchoire de Gueffès souriait malgré lui.

« Voilà vos chiens, mon cher seigneur, dit-il ; je vous laisse. Quand vous aurez besoin de moi, vous me trouverez à la ferme de Simon Le Priol. »

Il fit mine de sortir. Mais il revint.

« Voyons, dit-il encore de sa voix la plus caressante, si par mon industrie, sans que mon cher seigneur s'en mêlât, le petit Jeannin était pendu...

— Va-t'en au diable, misérable coquin ! » s'écria Méloir d'une voix tonnante.

Gueffès se hâta d'obéir. Cependant sur le seuil, il s'arrêta pour ajouter :

« Pendu, assommé, étouffé ou noyé, j'entends... »

Méloir saisit une cruche à cidre. La cruche alla s'écraser contre la porte où maître Gueffès n'était plus.

Mais Méloir entendit sa voix de damné qui disait dans la cour :

« C'est convenu, mon cher seigneur, vous ne vous en mêlerez pas. »

Bélissan, le veneur, entrait à ce moment dans la cour avec trois valets de chiens menant douze lévriers de la *grande origine.*

Ces lévriers étaient dressés à la chasse d'Ouessant, à la chasse des naufragés dans les grèves. Hauts sur leurs jambes, musculeux, frileux, le museau allongé, les côtes à l'air, les douze lévriers, malgré la fatigue de la route, bondissaient dans la cour, jetant çà et là leur aboiement rare et plaintif.

Bélissan, la trompe au dos, les découplait et les caressait.

Le chevalier Méloir descendit. Les lévriers sautèrent follement, puis vinrent, à la voix de Bélissan qui les appelait par leurs noms.

« Ils seront bons pour la chasse que nous allons entreprendre ? demanda Méloir. .

— Ils sont habitués à dépister un homme, vivant ou mort, dans les rocs ou sur la grève, à une lieue de distance, messire. Donnez-leur seulement un jour de repos, et vous aurez de leurs nouvelles.

— Nous les mettrons en grève cette nuit », dit Méloir, qui tourna le dos.

Bélissan avait compté sur un autre succès. Recevoir ainsi

douze lévriers de Rieux, sans une caresse ! Un regard froid et puis bonsoir !

Il fallait que le chevalier Méloir fût malade.

De fait, le chevalier Méloir songeait aux paroles de Gueffès.

Le vent tournait. Désormais, la partie devait être jouée d'un seul coup. A moins qu'on ne se fît des amis dans les deux camps.

Or le chevalier Méloir était normand à demi.

Quand notre beau petit Jeannin prit congé des hommes d'armes, au pas de course, sous le manoir de Saint-Jean-des-Grèves, ce fut pour retourner à la ferme de Simon Le Priol.

Mais la ferme de Simon Le Priol était close.

Il alla s'asseoir sous un gros pommier, dont le tronc, tout plein de blessures et de verrues, lançait encore vaillamment ses branches en parasol. C'était là que, par une belle nuit de juin, il avait aperçu la fée, la bonne fée.

Il ne savait pas alors que ceux qui parvenaient à saisir la bonne fée au corps pouvaient lui demander tout ce qu'ils voulaient.

Aujourd'hui, le petit Jeannin était plus savant que la veille. Et ce n'était plus tout à fait pour rêver qu'il se cachait sous le vieux pommier à l'écorce rugueuse. Il guettait la fée.

Il attendit longtemps. La lune marquait plus de minuit lorsqu'un murmure confus vint à ses oreilles, du côté du manoir.

La jeune fille de la veille arrivait en courant.

Jeannin se souleva doucement. Il s'était dit :

« Quand la fée se baissera pour prendre l'écuelle, je la saisirai. »

Mais la fée passa, légère et rapide. Elle ne se baissa point pour prendre l'écuelle.

Le petit Jeannin resta un instant abasourdi. Puis, ma foi, il jeta son bonnet par-dessus les moulins et se mit bravement à courir après la fée.

10

Course à la fée

Jeannin était le meilleur coureur du pays, mais la fée allait comme le vent. Après dix minutes de course, elle ne semblait pas avoir perdu un pouce de terrain. Elle allait droit à la grève.

Jeannin jeta ses sabots. Il était déjà tout en sueur. Mais il redoublait d'efforts. Maintenant qu'il avait les pieds nus, Dieu sait qu'il faisait du chemin !

Le sentier qu'ils suivaient, lui et la fée, descendait à la grève et décrivait mille détours entre les haies. La lune était brillante. Chaque fois que la fée disparaissait à un coude de la route, Jeannin, tournant le coude à son tour, l'apercevait de nouveau, légère comme une vision.

Elle ne faisait point de bruit en courant ; du moins, Jeannin n'entendait plus son pas.

Une fois, il crut la voir se retourner pour jeter un regard en arrière.

C'était tout près de la grève, sous un moulin à vent ruiné qui s'entourait de broussailles et de petites pousses de tremble au blanc feuillage.

La fée qui, sans doute, jusqu'à ce moment ne se savait pas poursuivie, sauta brusquement dans les broussailles.

Jeannin la perdit de vue. Il tourna autour du moulin ruiné. Puis, sans perdre son temps à battre les broussailles, il se jeta sur le ventre et colla son oreille sur le sable.

Il entendit trois choses : à l'ouest, du côté de Saint-Jean, des pas de chevaux sonnant sur les cailloux du chemin, au nord, la voix sourde de la mer, vers l'orient un pas léger.

Ce dernier bruit était si faible, qu'il fallait l'oreille du petit Jeannin pour le saisir. Il se leva radieux.

« Elle est à moi ! » pensa-t-il.

Et il bondit comme un faon dans la direction du bruit léger qui était celui du pas de la fée.

Il se croyait désormais sûr de son fait. Le bruit léger que saisissait son oreille collée contre terre était dans la direction du Couesnon. En coupant droit au Couesnon sans quitter les bords de la grève, Jeannin s'épargnait tous les détours des sentiers qui serpentent à travers les champs. Il s'élança dans cette voie nouvelle avec ardeur.

La fée n'avait qu'à se bien garer !

Ce sont d'étranges rivières que les cours d'eau qui sillonnent les grèves. Le Couesnon surtout, la *Rivière de Bretagne.*

Aucun fleuve ne tient son urne d'une main plus capricieuse. Torrent aujourd'hui, humble ruisseau demain, le Couesnon étonne ses riverains eux-mêmes par la bizarre soudaineté de ses fantaisies.

Mais ce n'est rien tant qu'il reste en terre ferme. Quand il attaque la grève, le caprice des sables s'ajoute au caprice de l'eau, et c'est entre eux une lutte folle. D'une marée à l'autre il déménage.

Ce filet d'eau qui raie la grève et qui la tranche en quelque sorte comme le soc d'une charrue, c'est le Couesnon. Cette grande rivière large comme la Loire, c'est encore le Couesnon.

Dans ce cas-là, le Couesnon étale sur le sable une immense nappe d'eau de trois pouces d'épaisseur ; le soleil s'y mire, éblouissant. Vous diriez une mer.

Et cette mer a ses naufrages, ses sables tremblent sous les pas du voyageur ; ils brillent, ils s'ouvrent, on s'enfonce ; ils se referment et brillent.

Elle doit être terrible, la mort qui vient ainsi lentement et que chaque effort rend plus sûre, la mort qui creuse peu à peu la tombe sous les pieds mêmes de l'agonisant, la mort dans les tangues.

Et que de trépassés dans ce large sépulcre !

Au moment où le petit Jeannin arrivait sur les bords du Couesnon, la cavalcade partie du manoir de Saint-Jean s'arrêtait aussi devant la rivière. On sembla se consulter un instant parmi les hommes d'armes, puis la troupe se sépara en deux.

L'une remonta le cours du Couesnon, du côté de Pontorson, l'autre poursuivait sa route vers la grève.

Jeannin ne savait pas quel était le motif de cette marche nocturne. Il se tapit dans un buisson pour laisser passer les cavaliers qui descendaient à la grève.

Les cavaliers passèrent. Mais la fée ?

Le pauvre Jeannin avait perdu sa trace. Hélas ! hélas ! les cinquante écus nantais ! Jeannin mit encore son oreille contre terre. Peine inutile. Le pas lourd des chevaux étouffait tout autre bruit.

Jeannin était consterné. Il avait bonne envie de pleurer. Désormais, la fée allait se défier de lui. Jamais, au grand jamais, il ne devait trouver l'occasion si belle. Il s'assit, de guerre lasse, et mit sa tête entre ses mains.

Comme il était ainsi, quelque chose frôla ses cheveux. Il se leva en sursaut et poussa un cri.

Un autre cri faible lui répondit. C'était la fée qui sautait dans le courant du Couesnon.

Bonté du Ciel ! ce qui avait frôlé les cheveux du petit Jeannin, c'était le voile de la fée. S'il avait eu l'esprit seulement d'avancer le bras !

De l'autre côté du Couesnon, il fallait décidément entrer en grève ou prendre le chemin des bourgs normands qui avoisinent la côte. Ce chemin tourne le dos au Mont-Saint-Michel ; et, d'après la première direction suivie, Jeannin pensait bien que la fée allait vers le Mont-Saint-Michel.

Il n'y eut pas longtemps à douter. La fée, après avoir jeté encore un regard derrière elle, fit un brusque détour et se lança dans les sables à pleine course.

Les sables ! c'était l'élément de Jeannin. Il serra la corde qui lui servait de ceinture et se remit à jouer des jambes.

Ils couraient maintenant, à cinquante pas l'un de l'autre, sur un terrain uni comme une glace.

Et il n'y avait pas à dire, le petit Jeannin gagnait à vue d'œil. Le pas de la fée était toujours léger et rapide, mais Jeannin, qui la dévorait des yeux, croyait découvrir déjà quelques symptômes de fatigue. Son courage en devenait double, et il se disait encore :

« Elle est à moi ! elle est à moi ! »

Il n'y avait plus guère entre lui et la fée qu'une trentaine de pas. Le vent vint plus frais à son front.

« La mer monte », se dit-il.

Et d'un regard connaisseur, il interrogea la grève. Puis il changea brusquement de direction. Vous eussiez dit qu'il cessait de poursuivre la fée.

Tandis que celle-ci courait au nord, sur le Mont que l'on voyait comme en plein jour, Jeannin prenait à l'est, sans ralentir son pas le moins du monde.

C'est ici que Simon Le Priol, les quatre Mathurin et les quatre Gothon auraient ri de bon cœur.

Tout à coup la fée s'arrêta devant une mare qu'elle n'avait pas soupçonnée. Puis, elle voulut en faire le tour et se trouva naturellement en face de Jeannin, qui l'attendait de l'autre côté. Elle rabaissa son voile sur son visage.

« Que voulez-vous de moi ? » dit-elle d'une voix qui tremblait un peu.

Le cœur de Jeannin battait, battait ! Il répondit pourtant résolument, dans toute la naïveté de sa foi superstitieuse :

« Bonne fée, pardonnez-moi ! Je veux cinquante écus nantais pour me marier avec Simonnette. »

Et afin que la bonne fée ne lui jouât pas de mauvais tour (en ceci les quatre Mathurin et les quatre Gothon l'auraient hautement approuvé, ainsi que Simon Le Priol), il saisit la fée, tout en lui témoignant le plus grand respect, et la serra ferme.

11

Les mirages

« Oses-tu bien m'arrêter, malheureux enfant ! dit la fée en grossissant sa douce voix.

— Oh ! bonne dame ! bonne dame ! répliqua Jeannin d'un accent larmoyant mais en la serrant plus fort, tout le monde sait que je ne suis pas brave. Si je risque ma vie, c'est que je ne peux pas faire autrement, allez !

— Et si je te la prenais, ta vie ?

— Bonne fée, je suis un poltron, c'est connu, mais on ne meurt qu'une fois, et j'aime mieux mourir que de voir Simonnette mariée à ce vilain coquin de Gueffès.

— Lâche-moi !

— Non pas, bonne fée ! s'écria Jeannin vivement. Si je vous lâchais, vous vous changeriez en brouillard !

— Mais je puis me venger sur Simonnette. »

Jeannin frémit de tous ses membres.

« Voilà, par exemple, qui serait bien méchant de votre part, murmura-t-il, car Simonnette ne vous a rien fait, la pauvre fille !

— Lâche-moi, te dis-je !

— Écoutez, bonne fée, une fois pour toutes, je ne vous lâcherai pas que vous ne m'ayez donné cinquante écus nantais. C'est dit. »

La fée avait laissé tomber son panier sur le sable. L'escarcelle du chevalier Méloir était à sa ceinture.

Le petit Jeannin avait prononcé ces dernières paroles d'un ton respectueux, mais déterminé.

Il y eut un court silence, pendant lequel on n'entendit que le sifflement du vent du large et la trompe lointaine des cavaliers bretons qui se ralliaient dans la nuit.

« Ce vent annonce que la mer monte, n'est-ce pas ? demanda brusquement la fée.

— Oui, bonne fée, ce vent annonce que la mer monte.

— Montera-t-elle vite, aujourd'hui ?

— Assez.

— Combien faut-il de temps pour aller d'ici au Mont-Saint-Michel.

— Un gros quart d'heure, en courant comme nous le faisons, ajouta Jeannin.

— Et la mer fermera la route ?

— A peu près dans une demi-heure. »

La fée prit l'escarcelle à sa ceinture et la jeta sur le sable, où les écus parlèrent leur langage joyeux.

Jeannin poussa un grand cri d'allégresse, lâcha la fée et se précipita sur l'escarcelle.

Mais un doute le prit soudain.

« Si c'était de la monnaie du diable ! » se dit-il.

Il se retourna vivement, pensant bien que la fée était déjà à mi-chemin des nuages.

La fée était debout à la même place.

Et le petit Jeannin remarqua pour la première fois combien sa taille était fine, noble et gracieuse. On ne voyait point son visage, mais Jeannin, en ce moment, la devina bien belle.

« Enfant, dit-elle d'une voix triste et si douce que le petit coquetier se rapprocha d'elle involontairement, ne montre cette escarcelle à personne, car elle pourrait te porter malheur. »

« Il faudra pourtant bien la porter à Simon Le Priol », pensa Jeannin.

« Simonnette est belle et bonne, reprit la fée ; rends-la heureuse.

— Oh ! quant à ça, soyez tranquille !

— Prie Dieu pour M. Hue de Maurever, ton seigneur, qui est dans la peine, poursuivit encore la fée, et s'il a besoin de toi, sois prêt !

— Dam ! fit Jeannin avec embarras, je ne suis pas bien brave, vous savez, bonne dame ! Mais c'est égal, je commence à croire que je deviendrai un homme un jour ou l'autre. Et, tenez, j'avais bonne envie des cinquante écus nantais, n'est-ce pas, puisque j'ai osé courir après vous pour les avoir ? Eh bien ! ce soir, le chevalier qui est là-bas m'a dit : « Si tu veux me livrer le traître Maurever, tu auras cinquante écus nantais. » Moi, j'ai pris mes jambes à mon cou.

— Est-ce que tu sais où se cache M. Hue ? demanda la fée.

— Je pêche quelquefois du côté de Tombelène », répondit Jeannin, qui eut un sourire sournois.

La fée tressaillit, puis elle lui prit la main.

Jeannin trembla bien un peu, mais ce fut par habitude.

« Si on t'appelait au nom de la Fée des Grèves, dit-elle, viendrais-tu ?

— Par ma foi, oui ! répondit Jeannin sans hésiter ; maintenant, j'irais !

— C'est bien. Souviens-toi et attends. Adieu ! »

La fée franchit d'un bond la queue de la mare de Cayeu.

Le vent du large prit son voile qui flotta gracieusement derrière elle. Jeannin resta frappé à la même place.

C'était à présent que lui venait la terreur superstitieuse. Un instant, lorsque la fée avait prononcé le nom de Hue de Maurever, une idée avait voulu entrer dans l'esprit du petit Jeannin.

« Mlle Reine, s'était-il dit. Ou son *esprit*, peut-être, avait-il ajouté, puisqu'on dit qu'elle est défunte. »

Jeannin, cependant, renonça bien plus vite à l'idée de Reine de Maurever vivante qu'à l'idée de Reine fantôme.

Et vraiment il ne faut pas voir les choses sur ces grèves si l'on veut rester dans la réalité. Tout y revêt un cachet fantastique. Pas n'est besoin d'aller au Sahara pour voir de splendides mirages.

Les sables de la baie de Cancale reflètent des fantaisies aussi brillantes, aussi variées que les sables d'Afrique. La pâle lune des rivages bretons évoque des féeries comme le brûlant soleil de Numidie.

Ce sont là de miraculeuses visions, des rêves inouïs que nulle imagination n'inventerait, même dans le délire de la fièvre ; mais sous lesquels il n'y a que les sables nus attendant leur proie.

Oh ! non, ce n'était pas une femme mortelle, l'être que voyait le petit Jeannin aux rayons de la lune.

Oh ! que c'était bien la fée, la fée du récit de Simon Le Priol, la fée du chevalier breton qui courait sur les vagues...

Un nuage cacha la lune. La fée disparut.

Le petit Jeannin pesa l'escarcelle de sa main, et reprit tout pensif le chemin du village de Saint-Jean. Il possédait cette fortune qu'il avait souhaitée avec tant de passion, les cinquante écus nantais qui devaient le rendre si heureux ; et pourtant sa tête pendait sur sa poitrine.

Ce n'était pas la mer que le petit Jeannin avait vue sous les pieds de la fée, c'était le mirage de la nuit.

Jeannin connaissait trop bien les marées, lui qui vivait les jambes dans l'eau depuis la première enfance, pour s'être trompé d'une demi-heure.

On a dit souvent que, dans les grèves de la baie de Cancale, la mer monte avec la vitesse d'un cheval au galop. Ceci mérite explication.

Si l'on a voulu dire que la marée, partant des basses eaux, gagnait avec la rapidité d'un cheval qui galope, on s'est assurément trompé.

Si l'on a voulu dire, au contraire, qu'un cheval, partant du bas de l'eau en grande marée, aurait besoin de prendre le galop pour n'être point submergé, on n'a avancé que l'exacte vérité.

Cela tient à ce que la grève, plate en apparence, a, comme nous l'avons déjà dit, des rides — des *plans*, suivant le langage des sculpteurs —, des endroits où la tangue cède d'une manière presque insensible, mais suffisante pour attirer le flot, justement à cause de l'absence de pente générale.

Ces défauts de la grève forment, quand la mer monte, des espèces de rivières sinueuses qui s'emplissent tout d'abord et qu'il est très difficile d'apercevoir dès la tombée de la brume, parce que ces rivières n'ont point de bords.

L'eau qui se trouve là ne fait que combler les défauts de la grève.

De telle sorte qu'on peut courir, bien loin devant le flot, sur une surface sèche et être déjà condamné. Car la mer invisible s'est épanchée sans bruit dans quelque canal circulaire, et l'on est dans une île qui va disparaître à son tour sous les eaux.

C'est là un des principaux dangers des lises ou sables mouvants que détrempent les lacs souterrains.

A vue d'œil, la mer monte, au contraire, avec une certaine lenteur, égale et patiente, excepté dans les grandes marées.

Cela ne ressemble en rien au flux fougueux et bruyant qui a lieu sur les côtes.

Pour peindre la grande mer et sa fureur, un peintre ne choisira certes jamais les alentours du Mont-Saint-Michel.

Mais qu'importe le mouvement, le fracas, la colère ? Les gens qui frappent froidement et en silence tuent tout aussi bien et mieux que si la rage les emportait.

Le mouvement désordonné, le fracas, les menaces, en un mot, sont des avertissements, tandis que la tranquillité attire et trompe.

Plus d'un parmi ceux qui sont morts sous les sables a dû sourire en voyant la mer monter entre Avranches et le Mont. Pourquoi prendre garde à ce lac bénin qui s'enfle peu à peu et qui vient vous caresser les pieds si doucement.

Ce lac bénin a de longs bras qu'il étend et referme derrière vous. Prenez garde !

Il était plus de 2 heures de nuit lorsque la fée atteignit les roches noires qui forment la base du Mont-Saint-Michel.

La mer venait derrière elle. On l'entendait rouler de l'autre côté du Mont.

La fée s'assit sur un quartier de roc afin de reprendre

haleine. Elle appuya ses deux mains contre sa poitrine pour comprimer les battements de son cœur.

De Saint-Jean-des-Grèves au Mont, il y a une grande lieue et demie. La fée, en parcourant cette distance, n'avait pas cessé un seul instant de courir.

Elle releva son voile pour étancher la sueur de son front et montra aux rayons de la lune cette douce et noble figure que nous avons admirée déjà dans la grande salle du manoir de Saint-Jean.

Puis elle tourna la base du roc et entra dans l'ombre sous la muraille méridionale de la ville.

Elle pouvait entendre au haut du rempart le pas lourd et mesuré du soldat de la garde de nuit qui veillait.

Ce n'était pas pour s'introduire dans la ville que notre fée prenait ce chemin, car elle passa derrière la Tour-du-Moulin, qui était la dernière entrée de la ville, et s'engagea dans des roches à pic où nul sentier n'était tracé.

Bien que la nuit fût claire, elle avait grand-peine à se guider parmi ces dents de pierre qui déchirent les mains et où le pied peut à peine se poser.

Elle allait avec courage, mais elle ne faisait guère de chemin.

Elle atteignit enfin une sorte de petite plate-forme au-dessus de laquelle un pan de pierre coupé verticalement rejoignait la muraille du château. Impossible de faire un pas de plus.

Mais la fée n'avait pas besoin d'aller plus loin, à ce qu'il paraît, car elle posa son panier sur le roc et s'approcha du pan de pierre.

Une sorte de meurtrière, taillée dans le granit même, défendue par un fort barreau de fer, s'ouvrait sur la plate-forme.

La fée mit sa blonde tête contre le barreau.

« Messire Aubry ! dit-elle tout bas.

— Est-ce vous, Reine ? » répondit une voix lointaine et qui semblait sortir des entrailles mêmes de la terre.

12

Où l'on parle pour la première fois de maître Loys

L'endroit du Mont où se trouvait maintenant Reine de Maurever était à peine assez large pour qu'une personne pût s'y asseoir à l'aise. Immédiatement au-dessus s'élevait la grande plate-forme du château que surmonte la basilique. Reine avait à sa gauche les murs inclinés de la Montgomerie, par où l'on monte au cloître et à toute cette partiè des bâtiments appelée la *Merveille.*

Il y avait un archer de garde dans la guérite de pierre qui flanquait la plate-forme. Reine le savait ; ce n'était pas la première fois qu'elle venait là. Elle savait aussi que la consigne des archers était de tirer sans crier gare, partout où ils apercevaient un mouvement dans les rochers.

Et cette consigne, soit dit en passant, n'était point superflue, car les Anglais tentèrent plus d'une fois, en ce siècle, de s'introduire nuitamment et par trahison dans l'enceinte du couvent-forteresse.

Reine de Maurever, dans sa vie ordinaire, était une enfant timide.

Mais Reine avait le cœur d'un chevalier quand il s'agissait de bien faire.

La mort, elle n'y songeait même pas. C'était une chose convenue avec elle-même que, dans ses courses hasardeuses, la mort était partout, sur les grèves comme autour du Mont. Les sables mouvants, la mer, les balles ou les carreaux des arbalétriers, tout cela tue. Reine bravait tout cela.

Nous sommes au siècle des vierges inspirées, des dentelles de granit et des splendides cathédrales.

Jeanne d'Arc, une autre jeune fille possédée de Dieu, venait d'accomplir le miracle qui resta comme un diamant éblouissant dans l'écrin de nos annales.

Jeanne d'Arc, que Voltaire a insultée, afin qu'aucun honneur ne manquât à la mémoire de Jeanne d'Arc.

La pauvre Reine n'était point une Jeanne d'Arc. Peut-être

que son bras eût fléchi sous l'armure. Mais elle n'avait pas un trône à sauver.

Sa force était à la hauteur de son dévouement modeste.

La vengeance du duc François la faisait plus pauvre et plus dénuée que la plus indigente parmi les filles des vassaux de son père. Elle n'avait plus à donner que sa vie. Elle donnait sa vie simplement, nous allions dire gaiement.

C'était une jeune fille, ce n'était rien qu'une jeune fille, supportant sa peine avec courage, mais aspirant ardemment au bonheur.

Aubry était bien le fiancé qu'il fallait à cette blonde enfant des grèves. Brave comme un lion, vif, bouillant, sincère ; un vrai chevalier en herbe.

Il y avait quinze jours qu'Aubry était captif. François de Bretagne l'avait fait arrêter le soir même de l'événement raconté aux premières pages de ce livre. Depuis lors, Aubry n'avait vu que le frère convers chargé de lui apporter sa provende, et Reine, qui était venue parfois le visiter.

La fenêtre de son cachot était taillée de façon à ce qu'il ne pût apercevoir que le ciel. Le sol où il reposait restait à six pieds au-dessous de la fenêtre-meurtrière.

A l'époque où se passe notre histoire, aucun captif politique n'avait encore illustré les dessous du Mont-Saint-Michel. Ces cachots étaient bonnement le pénitentiaire du couvent. On y mettait des moines ou des vassaux de l'abbaye. Il avait fallu la requête du duc François pour qu'Aubry de Kergariou y pût trouver place.

Par autre grâce spéciale, le frère gardien avait été autorisé à lui délivrer quatre bottes de paille : de sorte qu'Aubry était à son aise.

Au moment où la voix de Reine se fit entendre sur la petite salle qui était sous la fenêtre-meurtrière, Aubry dormait, couché sur la paille. Mais le sommeil des captifs est léger. Il ne fallut qu'un appel pour mettre Aubry sur ses pieds.

D'un bond il atteignit l'appui de la meurtrière et s'y tint suspendu.

« Pauvre Aubry ! » dit Reine.

Et ils causèrent.

« Vous souvenez-vous de maître Loys, Reine ? dit-il.

— Votre beau lévrier noir ?

— Oui, mon beau lévrier, mon pauvre ami si cher !

— Il est bien heureux, ce maître Loys ! dit Reine en riant.

— Cela vous étonne que je pense à lui ? demanda Aubry. Quand vous serez ma femme, Reine, vous verrez comme il vous aimera ! Mais vous ne pouvez pas l'aller chercher à Dinan...

— J'ai un messager tout trouvé », interrompit Reine.

Elle songeait au petit coquetier Jeannin qui avait de si bonnes jambes.

« Merci ! merci ! s'écria Aubry avec chaleur ; il me semble que rien ne me manquerait ici si je savais que mon beau Loys est en bonnes mains et traité comme il faut. Mais parlons de vous. Y a-t-il du nouveau ? »

Reine secoua la tête.

« Il y a que le pays est rempli de soldats, répondit-elle ; nous aurons de la peine à nous défendre et à nous cacher désormais. Hier on a crié la somme promise à qui livrera la tête de mon père.

— Elle n'est pas encore gagnée, cette somme-là, Dieu merci !

— Ils sont nombreux. Une douzaine d'hommes d'armes, sans compter le chef, qui est un chevalier, et beaucoup de soldats.

— Ah ! dit Aubry, notre seigneur François a trouvé un chevalier pour s'avilir à ce métier-là ?

— Il n'en a pas trouvé, répliqua Reine ; il en a fait un.

— A la bonne heure ! Et quel est le croquant ?...

— Un de vos parents, Aubry.

— Méloir ! s'écria le jeune homme avec cette indignation mêlée de mépris qui ne peut tuer tout à fait le sourire ; Méloir... mon rival, vous savez, Reine... »

Reine se redressa.

« Oh ! ne vous offensez pas. Il était bon autrefois, mais vous verrez qu'il sera pendu quelque jour comme un vilain, si je ne lui donne pas de ma dague dans la poitrine.

— Pauvre Aubry, dit Reine, entre sa poitrine et votre dague il y a loin.

— Patience ! dit-il ; je sais que je ne suis bon à rien. Mais je payerai toutes nos dettes d'un seul coup, si Dieu le veut. Revenons à vous, Reine, vous parliez de la suite de ce coquin de Méloir.

— Je disais que leur nombre m'épouvante, Aubry, et j'allais ajouter que le secret de la retraite de mon père n'est plus à moi.

— Comment ! vous auriez confié...

— A vous seul, Aubry, interrompit la jeune fille, et si j'ai eu tort, ce n'est pas vous qui devez me le reprocher. Mais il y a deux nuits, en traversant la grève, j'ai vu qu'on me suivait. Je suis revenue sur mes pas ; j'ai fait tout ce que j'ai pu pour tromper cette surveillance. J'ai cru avoir réussi, je me trompais ; en mettant le pied sur le roc de Tombelène, j'ai revu la grande ombre maigre et difforme qui sortait du brouillard en même temps que moi.

— Vous avez reconnu l'espion ?

— J'ai reconnu le Normand Vincent Gueffès, qui habite depuis quelques mois sur le domaine de Saint-Jean-des-Grèves.

— Est-ce un brave homme ?

— On dit dans le village qu'il vendrait bien son âme pour un écu.

— Il y en a encore un autre, poursuivit Reine ; mais celui-là est un enfant loyal et dévoué. Je ne crains que Gueffès. Si Vincent Gueffès ne nous vend pas, ils sauront se passer de lui. Avez-vous entendu parler, Aubry, de ces lévriers qui chassent les naufragés sur les grèves d'Audierne et de Douarnenez, autour des rochers de Penmarch ? Méloir attend douze de ces lévriers.

— Le misérable ! s'écria Aubry.

— Demain, en traversant la grève pour porter le repas de mon père, acheva Reine, je serai chassée par la meute de Rieux comme une bête fauve. »

La main d'Aubry se tendit jusqu'au barreau, qu'il secoua avec furie.

Le barreau, scellé dans le roc, ne remua même pas.

« Il faudra bien qu'il cède, râla le pauvre porte-bannière, emporté par un accès de délire ; je l'arracherai ! oh ! je l'arracherai ! et si je ne peux pas, j'userai le roc avec mes ongles. Reine, je mourrai enragé dans ce trou, maintenant ! et si le vent m'apporte cette nuit les cris de cette meute infernale... »

Il n'acheva pas. Un gémissement sortit de sa poitrine.

Sa main ensanglantée lâcha du même coup le barreau et la saillie de pierre.

Reine l'entendit tomber comme une masse au fond du cachot.

« Aubry ! » dit la jeune fille effrayée.

Point de réponse.

« Aubry ! » murmura-t-elle encore.

Elle n'osait élever la voix, à cause de l'archer qui veillait sur la plate-forme.

Aubry garda le silence.

Reine joignit ses mains, et sa prière désespérée s'élança vers le ciel ;

« Mon Dieu, et vous sainte Vierge, dit-elle, ayez pitié de nous !... Aubry ! murmura-t-elle pour la troisième fois, revenez ! revenez ! J'ai été à Dol, je vous apporte une lime d'acier. »

Ces mots n'étaient pas achevés, que la tête d'Aubry rayonnait à la meurtrière.

« Une lime ! s'écria-t-il délirant de joie comme il délirait naguère de douleur : une lime d'acier ! Nous sommes sauvés, Reine, sauvés ! sauvés ! »

Un bruit rauque se fit entendre à l'intérieur de la cellule, qui s'illumina soudain.

« Baissez-vous ! » murmura Aubry, qui se laissa choir aussitôt.

Reine obéit ; elle avait eu le temps de voir à l'intérieur du cachot une tête chauve dont le front plombé recevait en plein la lumière d'une lampe.

13

Frère Bruno

Reine n'eut que le temps de se rejeter en arrière vivement et de se coller à la paroi extérieure du cachot.

A l'intérieur, elle entendit une grosse et joyeuse voix qui disait :

« On vous y prend, messire Aubry, toujours bayant à la lune ! Par saint Bruno, mon patron, n'avez-vous pas assez du jour pour songer creux ? Allez ! si mon devoir ne m'appelait pas ici à cette heure, je ronflerais comme le maître serpent du chœur, moi qui vous parle.

— Moi, je n'ai pas sommeil, mon bon frère Bruno, répondit Aubry, qui aurait voulu le voir à cent pieds sous terre.

— Eh bien ! je ne m'y connais plus ! s'écria le convers. De mon temps, les jeunes gens dormaient mieux que les vieillards. Mais, après tout, c'est la tristesse qui vous pique, mon gentilhomme, et je conçois cela. Que saint Michel me garde ! j'ai été soldat avant d'être moine, et je dis que vous avez bien fait de jeter votre épée aux pieds de ce pâle coquin qui a empoisonné son frère.

— Bruno, interrompit sévèrement le jeune homme d'armes, il ne faut pas parler ainsi devant moi de mon seigneur le duc.

— Bien ! bien ! je sais que vous êtes loyal comme l'acier, messire Aubry. Je vous aime, moi, voyez-vous, et si j'étais le maître, vous auriez la clef des champs à l'heure même, car c'est une honte à l'abbaye de Saint-Michel de servir de prison à ce damné de François. Bien ! bien ! je retiens ma langue, messire. Je disais donc que vous êtes un joli homme d'armes, mon fils, et que pour tout au monde je ne voudrais pas vous faire de la peine. Et tenez, ajouta-t-il d'un accent tout à fait paternel, si vous me disiez quelquefois : frère Bruno, je boirais bien un flacon de vin de Gascogne, pourvu que ce ne fût ni quatretemps ni vigiles, je ne me fâcherais pas contre vous. »

L'excellent frère Bruno parlait ainsi avec une volubilité superbe, sans virgules ni points, et pendant qu'il parlait son franc visage souriait bonnement.

C'était presque un vieillard : une tête chauve, mais joyeuse et pleine, qui avait bien pu être au temps jadis la tête d'un vrai luron.

Depuis qu'Aubry était prisonnier dans les cachots de l'abbaye, frère Bruno faisait son possible pour adoucir la rigueur de sa captivité.

A l'heure des rondes il ne passait jamais devant la cellule d'Aubry sans y entrer pour faire un doigt de causette. Aubry l'aimait parce qu'il avait reconnu en lui un digne cœur.

Il laissait le frère Bruno lui conter les détails du dernier siège du Mont. Le bon moine s'était refait un peu soldat pour la circonstance. Il aurait voulu que le Mont fût assiégé toujours.

Mais les Anglais, vaincus, avaient abandonné jusqu'à leur forteresse de Tombelène, après l'avoir préalablement ruinée. Les jours de fête étaient passés.

D'ordinaire, Aubry recevait avec plaisir et cordialité les visites du moine ; mais aujourd'hui, nous savons bien qu'il ne pouvait être à la conversation. Pendant que frère Bruno parlait, il rêvait.

Bruno s'en aperçut et se prit à rire.

« Je ne veux pourtant pas vous déranger, dit-il, car je pense que vous ne recevez pas de visites. »

Aubry s'efforça de garder un visage serein.

« Mais j'y pense, reprit le moine en riant plus fort, on dit que le lutin de nos grèves, qui avait disparu depuis cent ans, est revenu. Les pêcheurs du Mont ne parlent plus que de la bonne fée, depuis quinze jours. Vous étiez là perché à votre lucarne quand je suis entré... peut-être que la Fée des Grèves était venue vous voir à cheval sur son rayon de lune. »

Assurément le frère Bruno ne croyait pas si bien dire.

Aubry rêvait toujours.

« A propos de cette Fée des Grèves, poursuivit le moine, il y a des milliers de légendes toutes plus divertissantes les unes que les autres. Vous qui aimez tant les vieilles légendes, messire Aubry, vous plairait-il que je vous en récite une ? »

Ce disant, le frère Bruno s'asseyait sur la paille du lit et déposait sa lampe à terre. L'idée de conter une légende le mettait évidemment en joie.

Aubry le donnait au diable du meilleur de son cœur.

« Au temps de la première croisade, commença frère Bruno, le seigneur de Châteauneuf, qui était Jean de Rieux, vendit tout, jusqu'à la chaîne d'or de sa femme, pour équiper cent lances. M'écoutez-vous, messire Aubry ?

— Pas beaucoup, mon bon frère Bruno.

— La légende que je vous conte là s'appelle la Grotte des Saphirs, et montre tous les trésors cachés au fond de la mer.

— Je n'irai point les y quérir, mon frère Bruno.

— Jean de Rieux ayant donc équipé ses cent lances,

reprit le moine convers, poussa jusqu'à Dinan suspendre un médaillon béni à l'autel de Notre-Dame, puis il partit, laissant sa dame, la belle Aliénor, aux soins de son sénéchal. »

Aubry bâilla.

« Jamais je ne vis chrétien bâiller en écoutant cette légende, messire Aubry, dit le moine un peu piqué, et cela me rappelle une autre aventure...

— Oh ! mon bon frère Bruno, si vous saviez comme j'ai sommeil !

— Tout à l'heure vous prétendiez...

— Sans doute, mais depuis...

— C'est donc moi qui vous endors, messire ? demanda le moine en se levant.

— Vous ne le croyez pas, mon excellent frère ! »

Aubry lui tendit la main.

Le moine la prit sans rancune et la secoua rondement.

« Allons ! s'écria-t-il, pour votre peine, vous ne m'entendrez jamais conter la légende de la Grotte des Saphirs, qui est au fond de la mer. Bonne nuit donc, messire Aubry, n'oubliez pas vos oraisons et faites de bons rêves. »

A peine la porte était-elle refermée, qu'Aubry se suspendait de nouveau à l'appui de la meurtrière.

« Reine, oh ! Reine, dit-il, que Dieu vous bénisse pour avoir eu cette pensée d'acheter une lime. Nous sommes sauvés !

— Puissiez-vous ne point vous tromper, Aubry !

— Demain soir, ce barreau sera tranché.

— Mais pourrez-vous passer par cette fente étroite ?

— J'y passerai, dussé-je y laisser la peau de mes épaules et de mes reins !

— Et une fois que vous serez passé, mon pauvre Aubry, aurons-nous seulement un ennemi de moins ?

— Vous aurez un défenseur de plus, Reine ! s'écria le jeune homme avec enthousiasme. Écoutez. Pendant que ce bon moine était là, je rêvais et me souvenais. Sait-on ce que peut un homme de cœur, même contre une multitude ? Avec Loys pour combattre les lévriers de Rieux, et moi pour combattre les hommes d'armes du mécréant Méloir, par saint Brieuc ! j'irais à la bataille d'une âme bien contente ! Que Dieu me donne cette joie de me voir, avec maître Loys à mes côtés et une arme dans la main, au milieu des soudards de mon cousin Méloir, je ne lui demande pas autre chose !

— Vous êtes brave, Aubry, dit Reine doucement ; vous serez un capitaine. Oui, vous avez raison, si vous étiez libre, nous pourrions sauver mon père.

— Eh bien donc, s'écria le jeune homme en donnant le premier coup de lime au barreau, travaillons à ma liberté ! »

L'acier grinça sur le fer.

Aubry était bien mal à l'aise, mais il y allait de si grand cœur !

« Et maintenant, Aubry, dit Reine, après quelques instants, que Dieu soit avec vous ; je vais me retirer.

— Déjà !

— Il y a deux jours que mon père m'attend.

— Mais la mer est haute.

— Elle baisse. Et s'il reste de l'eau entre Tombelène et le Mont au point du jour, il faudra bien que je la traverse à la nage.

— A la nage ! se récria Aubry. Ne faites pas cela, le courant est si terrible !

— Si je traversais de jour, on me verrait, et la retraite de mon père serait découverte. »

Aubry ne trouva pas d'objection, mais toute son allégresse avait disparu.

La lune tournait en ce moment l'angle des fortifications. Un reflet vint à l'épaule de Reine, puis la lumière monta lentement, se jouant dans les plis de son voile noir et parmi ses cheveux blonds.

« Quand je traverserai la mer à la nage, dit Reine, je serai moins en danger qu'ici, mon pauvre Aubry.

— Pourquoi ?

— Parce que la lune luit pour tout le monde, répliqua Reine. L'archer qui est sur la plate-forme...

— Il vous voit ? interrompit Aubry d'une voix étouffée par la terreur.

— Oui, répondit Reine, le voilà qui tend son arbalète.

— Fuyez ! oh ! fuyez ! »

Reine lui fit un adieu de la main et se baissa.

Un trait siffla et rebondit sur les roches.

Aubry se laissa choir au fond de son cachot. Puis il se reprit encore à la saillie de pierre.

« Reine ! Reine ! cria-t-il ; un mot, par pitié... »

Un second trait vint frapper l'extrême pointe du rocher, la brisa et fit jaillir une gerbe d'étincelles.

Aubry sentit son cœur s'arrêter.

En ce moment, dans le silence de la nuit, une voix déjà lointaine s'éleva et monta jusqu'à sa cellule. Elle disait :

« Au revoir ! »

Aubry se mit à genoux et remercia Dieu comme il ne l'avait jamais fait en sa vie.

14

A quand la noce ?

Le petit Jeannin était resté longtemps à regarder la fée courir sur le miroir des grèves.

Quand la fée disparut enfin dans l'ombre du Mont, le petit Jeannin sembla s'éveiller.

Il secoua sa jolie tête chevelue, pesa l'escarcelle, et fit une gambade. Sa joie s'enflait et grandissait à mesure qu'il marchait, le nez au vent et la tête fière, comme un homme opulent peut marcher. L'allégresse lui montait au cerveau. Il était ivre.

Jeannin demeurait aux Quatre-Salines. Sa vieille mère avait une petite cabane où le vent venait par tous les bouts. Cette nuit, le rêve de Jeannin bâtit une bonne maison de marne à sa vieille mère.

Quant à lui, nous savons qu'il couchait rarement au logis.

A l'extrémité du village des Quatre-Salines, il y avait une ferme riche ; devant la ferme, dans le verger, une belle meule de paille six fois grande comme la cabane de la mère de Jeannin. C'était là le vrai domicile du petit coquetier. Il s'était creusé un trou bien commode dans la paille, et il dormait là mieux que vous et moi.

Sa mère avait une bique (chèvre). La bique tenait dans la cabane la place du petit Jeannin ; il lui fallait bien trouver son gîte ailleurs.

Par-delà le Mont-Dol et les coteaux de Saint-Méloir-des-Ondes, l'aube teintait de blanc les contours de l'horizon, quand Jeannin arriva au bout de la grève. Il était trop tôt pour se présenter chez Simon Le Priol. Jeannin sauta tête première dans sa meule de paille et s'endormit tout d'un temps.

Le bon somme qu'il fit ! et les bons rêves ! A son réveil, la brume était déjà tombée.

« Oh ! dà ! se dit-il, le jour tarde bien à se montrer ce matin ! »

Il sortit de sa meule, attendant toujours le soleil. Ce fut la lune qui vint.

« Allons ! se dit le petit Jeannin, j'ai fait un joli somme. Il faut courir chez Simon Le Priol pour demander Simonnette en mariage. »

La route se fit gaiement. Jeannin avait son escarcelle sous sa peau de mouton. Il frappa à la porte de Simon.

« Holà ! petiot, lui dit le bonhomme quand il fut entré, depuis quand frappes-tu aux portes comme si tu étais quelque chose ? »

De fait, le petit Jeannin n'avait point coutume de frapper. Il faisait comme les chats : il entrait tout doucement sans crier gare.

S'il avait frappé ce soir, c'est qu'en effet, sans se rendre compte de cela, il se sentait devenu *quelque chose*.

« Bonjour, Simon Le Priol, dit-il avec un pied de rouge sur la joue : bonjour, dame Fanchon et la maisonnée. »

La maisonnée se composait de deux vaches et de quatre gorets, car Simonnette était dehors, ainsi que tous les Mathurin et toutes les Gothon.

Fanchon et Simon se regardèrent.

« Qu'a-t-il donc, ce petit gars-là ? demanda la métayère ; il a l'air tout affolé !

— Est-ce que tu es malade, petiot ? interrompit Simon avec bonté.

— Je vais vous dire, murmura Jeannin, il faut que vous sachiez ça tous deux, il m'est tombé un bonheur. »

La porte grinça sur ses gonds. La mâchoire de maître Vincent Gueffès se montra sur le seuil.

Ce fut dommage, car le petit Jeannin était lancé : il allait défiler son chapelet tout d'un coup.

Vincent Gueffès tira la mèche de cheveux qui pendait sur son front. C'était sa manière de saluer. Puis il s'assit, dans le foyer, sur un billot. Il fit à Jeannin un signe de tête amical.

Depuis le matin, maître Vincent Gueffès ruminait pour trouver un moyen honnête de faire pendre le petit coquetier.

Jeannin resta la bouche ouverte.

« Eh bien ! dit Fanchon, qu'est-ce que c'est que ce bonheur-là qui t'est tombé, mon petit gars ? »

Jeannin se mit à tortiller les poils de sa peau de mouton.

Gueffès vit qu'il gênait. Cela lui fit un véritable plaisir.

« Allons ! cause vite ! s'écria Simon ; crois-tu qu'on a le temps de s'occuper de toi toute la soirée ?

— Oh ! que non fait, maître Simon, répliqua Jeannin avec humilité, quoique je n'en aurais pas eu l'idée sans vous, bien sûr et bien vrai.

— Quelle idée ?

— L'idée des cinquante écus nantais.

— Est-ce que tu voudrais vendre la tête de notre bon seigneur ? » s'écria Fanchon déjà rouge d'indignation.

Maître Vincent Gueffès dressa l'oreille. Il l'avait longue.

« Pas de moitié ! dit Jeannin, employant ainsi la plus énergique négation qui soit dans le langage du pays ; le chef des soudards me l'a bien proposé, mais je n'entends pas de cette oreille-là.

— A la bonne heure !

— C'est d'autres écus, reprit Jeannin, des écus qui... que... enfin, je vas vous dire... C'est des écus, quoi ! »

Il releva la tête, tout satisfait d'avoir pu donner une explication aussi catégorique.

« Ça ne nous apprend pas... » commença maître Vincent Gueffès.

Mais Jeannin ne le laissa pas achever :

« Pour ce qui est de vous, l'homme, dit-il rudement, on ne vous parle point. Et si vous voulez causer tous deux, allez m'attendre à la porte. »

Simon et sa femme se regardèrent encore. Ce petit Jeannin, plus poltron que les poules !

Maître Gueffès essaya de sourire, ce qui produisit une grimace très laide.

Jeannin se retourna de nouveau vers le métayer et la métayère.

« Voyez-vous, dit-il en forme d'explication, je n'aime pas ce Normand-là, parce qu'il rôde toujours autour de Simonnette.

— Et qu'est-ce que ça te fait, petiot ? » demanda Simon en riant.

La figure de Jeannin exprima l'étonnement le plus sincère.

« Ce que ça me fait ! répéta-t-il ; mais je ne vous ai donc rien dit depuis que nous bavardons là ! Ça me fait que Simonnette est ma promise. »

Simon et sa femme éclatèrent de rire pour le coup.

« Oh ! le pauvre Jeannin ! s'écria Fanchon, en se tenant les côtes, il a bien sûr marché sur le trèfle à quatre feuilles ! »

Il n'en fallait pas tant pour déconcerter le petit Jeannin. Toute sa vaillance tomba et les larmes lui vinrent aux yeux.

« Dam ! fit-il, puisqu'il ne faut que cinquante écus nantais.

— Et où les pêcheras-tu, garçonnet, les cinquante écus nantais ? »

Jean tira de dessous sa peau de mouton l'escarcelle de fines mailles qui scintilla aux lueurs du foyer.

Simon et sa ménagère ouvrirent de grands yeux.

Maître Gueffès allongea le cou pour mieux voir.

« Qu'est-ce que c'est que ça ? » demandèrent à la fois Simon et Fanchon.

Jeannin souriait.

« Ah ! mais, répondit-il, quand on tient la Fée des Grèves, elle donne tout ce qu'on demande.

— La Fée des Grèves ! répétèrent les deux bonnes gens stupéfaits ; mais c'est des contes de veillée, tout ça, petiot ! »

Jeannin fit sonner les pièces d'or qui étaient dans l'escarcelle.

« Et ça, est-ce des contes ? » demanda-t-il d'un accent de triomphe.

Ce disant, le petit Jeannin ouvrit l'escarcelle et fit ruisseler les écus sur la table de la ferme. Il y en avait plus de cinquante. Simon et Fanchon étaient littéralement éblouis. Ils regardaient les écus d'un air peu rassuré.

Mais c'étaient des écus. Simon les aimait ; Fanchon aussi. Simon interrogea Fanchon de l'œil et Fanchon répondit :

« Dam ! notre homme, Jeannin est un beau petit gars, tout de même !

— Pour ça, c'est vrai, appuya Simon Le Priol en considérant Jeannin avec attention, ce qu'il n'avait jamais fait en sa vie.

— Il a de beaux yeux bleus, ce petit-là, ajouta Fanchon d'une voix presque caressante déjà.

— Et des cheveux comme une gloire ! » renchérit Simon.

Le petit Jeannin, rouge de plaisir, se laissait chatouiller. Maître Vincent Gueffès s'était levé bien doucement. Il était au centre du groupe avant qu'on n'eût songé à lui.

« A quand la noce ? » dit-il.

Son air était si narquois, que les deux bonnes gens tressaillirent.

« Ça ne te fait rien, à toi, répliqua Jeannin, puisque tu n'en seras pas de la noce. Va-t'en ! »

Maître Gueffès tira sa mèche et s'en alla, mais sur le seuil il se retourna :

« Si fait ! si fait ! petit Jeannin, dit-il sans se fâcher, tu épouseras la hart, mon mignon... et j'en serai, de la noce ! »

Il disparut. On entendit au dehors son aigre éclat de rire.

« Bah ! fit la ménagère Fanchon, jalousie !

— Rancune ! » ajouta Simon Le Priol.

Et l'on fit asseoir le petit Jeannin à la bonne place, pour causer du mariage.

Car le mariage était désormais affaire conclue. Les écus restaient sur la table auprès de l'escarcelle ouverte.

Il se fit tout à coup un grand bruit dans la campagne. Le cor sonnait, et le pas lourd des chevaux retentissait sur les cailloux. En même temps, des vagues et lointaines clameurs arrivaient par le tuyau de la cheminée.

Simon, sa femme et le petit Jeannin continuaient de causer mariage.

On heurta rudement à la porte, et l'on dit :

« De par notre seigneur le duc ! »

Simon, tout effaré, courut ouvrir.

La Noire et la Rousse bleuglaient d'effroi sur la paille.

Les hommes d'armes de Méloir entrèrent, commandés par Kéravel et conduits par maître Vincent Gueffès.

Derrière eux venait tout le village, les quatre Mathurin, les quatre Gothon, la Scolastique, trois Catiche, une Perrine et deux Joson.

Simonnette et Julien étaient toujours dehors.

« Que voulez-vous ? » demanda Simon Le Priol.

L'archer Merry le jeta sans beaucoup de façon à l'autre bout de la chambre.

« Messeigneurs, dit Vincent Gueffès, voici l'escarcelle et voilà le voleur ! »

Il montrait le petit Jeannin.

Tous les hommes d'armes reconnurent l'escarcelle du chevalier Méloir. On se saisit du pauvre Jeannin et Kéravel dit :

« Attachez la hart haut et court au pommier qui est en face ! »

On attacha la hart pour pendre le voleur.

Maître Vincent Gueffès était derrière Jeannin.

« Je t'avais bien dit, petiot, murmura-t-il, que j'en serais de la noce ! »

15

Tombelène

On dit que parfois, quand le vent du nord-ouest laboure profondément les eaux de la baie, on dit que l'œil du matelot découvre d'étranges mystères entre les deux monts et les îles de Chaussey.

Ce sont des villages entiers ensevelis sous les flots, des villages avec leurs chaumières et le clocher de leur église.

Des villages dont les noms sont :

Bourgneuf, Tommen, Saint-Étienne-en-Paluel, Saint-Louis, Maunay, Épinac, la Feillette, et d'autres encore.

Des villages noyés dont les cadavres pâles gisent dans le sable avec les débris des naufrages et les grands troncs de la forêt de Scissy.

L'océan a mis des siècles dans sa lutte sans pardon contre la pauvre terre de Bretagne. L'océan, vainqueur, dort maintenant sur le champ de bataille.

Et ce n'est pas la tradition seulement qui a conservé

souvenir de ces mortels combats. Les chartriers des familles et des monastères, les archives des villes, les cartons poudreux des garde-notes renferment une foule de titres authentiques constatant des droits de propriété sur ces domaines défunts, sur ces moissons submergées.

Tel pauvre homme court les chemins avec son bâton et sa besace, qui possède sous ces grands lacs un apanage de prince.

Des châteaux, des prairies, des futaies, de gais moulins qui caquetaient sur le bord des rivières — des cabanes paisibles dont la fumée lointaine pressait le pas fatigué du voyageur.

Les navires passent maintenant, toutes voiles déployées, à cent pieds au-dessus des demeures hospitalières. La mer a étendu sur le manoir et sur la chaumière, sur le chêne et sur le roseau, son niveau terrible, qui est la mort.

Sombre et prophétique image qui dit à l'homme Titan le néant de ses hardiesses, immense raillerie des railleries du siècle, montrant le linceul comme unique et dernière expression de l'égalité rêvée.

Tout le long de nos côtes depuis Grandville jusqu'au cap Frehel, derrière Saint-Malo, la mer conquérante a porté ses sables stériles sur l'opulence féconde des guérets.

Çà et là, un rocher reste debout, dressant sa tête noire au-dessus des vagues, et gardant son ancien nom de fief, de château, de village. Car la terre a ses ossements comme nous, et la montagne décédée laisse après soi un squelette de pierre.

Les Malouins jettent leurs filets de pêche sur les belles prairies de Césambre, et ce lieu austère où Chateaubriand a voulu son tombeau, le Grand-Bé, était autrefois le centre d'un jardin magnifique.

Nul ne saurait dire exactement le temps que la mer a mis à couvrir ces contrées. La lutte était commencée avant l'ère chrétienne. On sait que les bocages druidiques s'étendaient à huit ou dix lieues en avant de nos côtes.

Plus tard, la forêt de Scissy planta ses derniers chênes sur les falaises de Chaussey.

En ce temps-là, le Couesnon était un grand fleuve. C'était un fleuve fier, suzerain de la Sélune et suzerain de la Sée, qui lui apportaient le tribut de leurs eaux. Son embouchure était au-delà des montagnes de Chaussey, qui forment maintenant un archipel.

Il passait alors à droite du Mont-Saint-Michel, longeant les côtes actuelles de la Manche.

Ce fut bien longtemps après qu'il fit sa première *folie*, sautant de l'est à l'ouest, enlevant le Mont à la Bretagne pour le donner à la Normandie.

Si est le mont en Normandie...
Le Couesnon a fait folie.

Le mont Tombelène est plus large et moins haut que le Mont-Saint-Michel, son illustre voisin.

A l'époque où se passe notre histoire, les troupes de François de Bretagne avaient réussi à déloger les Anglais des fortifications qui tinrent si longtemps le Mont-Saint-Michel en échec. Ces fortifications étaient en partie rasées. Il n'y avait plus personne à Tombelène.

Sur la question de savoir si ce mont doit son nom à Jupiter ou à la douce victime du géant venu d'Espagne, Hélène, la nièce de Hoël, les opinions sont diverses.

Les historiens et les antiquaires prétendent que Tombelène vient de *Tumba-Beleni*.

Il faut laisser aux antiquaires et aux historiens le plaisir de développer leurs thèses respectives.

Ce qui est certain, c'est que Tombelène a sa chronique comme le Mont-Saint-Michel : seulement, sa chronique est plus vieille. Tombelène se mourait déjà quand saint Aubert vint fonder la gloire du Mont-Saint-Michel.

C'était sur le rocher de Tombelène, parmi les ruines des fortifications anglaises, que M. Hue de Maurever avait trouvé un asile, après la citation au tribunal de Dieu, donnée en la basilique du monastère.

On ne sut jamais comment Hue de Maurever s'était procuré l'habit monacal, on ne sut pas davantage comment il avait obtenu l'entrée du chœur au moment de l'absoute.

Enfin on s'expliqua difficilement comment il avait pu disparaître devant tant de regards ouverts, gagner l'escalier des galeries et fuir par cette voie si périlleuse.

Il avait fui, voilà ce qui n'était pas douteux.

Le procureur de l'abbé, le prieur des moines et toutes les

autorités du monastère s'étaient mis à la disposition du prince breton pour retrouver le fugitif.

Méloir avait fouillé le jour même tous les recoins des bâtiments claustraux, toutes les maisons de la ville, tous les trous du roc.

Peine inutile.

L'aventure devait finir mystérieusement, comme elle avait commencé.

Il faut pourtant dire que si Méloir avait encore mieux cherché, il ne fût point revenu les mains vides auprès de son seigneur ; car M. Hue n'était rien moins qu'un esprit follet.

A l'éperon occidental du Mont, il y avait une petite chapelle, restaurée depuis, et qui est placée aujourd'hui comme elle l'était alors sous l'invocation de saint Aubert.

Cette chapelle est complètement isolée. Hue de Maurever s'y était caché derrière l'autel. Quand la nuit fut venue, il traversa le bras de grève mouillée qui sépare les deux monts, et gagna Tombelène.

16

La faim

C'était l'intérieur d'une tour désemparée, formant l'extrême corne des ouvrages anglais à Tombelène, du côté opposé au Mont-Saint-Michel.

Il n'y avait plus de couverture.

Les rayons de la lune frappaient obliquement le haut des murailles, et ne pouvaient descendre jusqu'au sol encaissé, que leurs reflets éclairaient néanmoins de lueurs confuses et douteuses.

Sur le sol, il y avait une pierre recouverte avec de l'herbe arrachée aux maigres pâturages de Tombelène ; sur la pierre, un vieillard de haute taille était assis et dormait, sa grande épée entre les jambes.

Devant lui deux meurtrières écorchées par les balles et les traits de toute sorte s'ouvraient. L'une commandait la grève, l'autre voyait le Mont-Saint-Michel.

Le vieillard, qui était M. Hue de Maurever, chevalier,

seigneur du Roz, de l'Aumône et de Saint-Jean-des-Grèves, s'était adossé à la muraille même de la tour. Il avait la tête nue, et les reflets qui tombaient d'en haut mettaient des teintes argentées dans les masses de ses cheveux blancs. Sa longue barbe, blanche aussi, descendait sur sa poitrine.

Il dormait tout droit et semblait un bloc de pierre tombé de la voûte, mais tombé debout.

C'était cette même nuit où nous avons suivi la course de la Fée des Grèves, depuis le manoir de Saint-Jean jusqu'à la prison d'Aubry de Kergariou, sous les fondements du monastère.

Le ciel était pur, et c'est à peine si un souffle d'air ridait la mer à son reflux.

On n'entendait aucun bruit, sinon le flot murmurant sur le sable du rivage.

Le sommeil du vieillard était tranquille.

M. Hue de Maurever était âgé de soixante ans. Quatre ans auparavant, Gilles de Bretagne, son seigneur, l'avait exilé de sa présence, pour conseils inopportuns et remontrances trop sévères ; car M. Hue avait essayé maintes fois d'arrêter le jeune et malheureux prince sur cette pente de débauches et d'intrigues politiques qui devaient servir de prétexte à son frère.

L'arrestation de Gilles de Bretagne fut, en effet, bien regardée d'abord par le peuple.

M. Hue, dès qu'il sut le prince enfermé, revint à lui sans ordres. Il lui servit d'écuyer dans les diverses prisons où la haine de François poursuivit le malheureux jeune homme, et ne le quitta que contraint par la force, au moment où Gilles franchissait le seuil funeste du château de la Hardouinays.

Hue de Maurever était un Breton de la vieille souche : dur et fidèle comme l'acier.

Dans cette retraite qu'il s'était choisie pour fuir la vengeance de François, il n'y avait rien, ni meubles, ni vivres.

Une cruche sans eau et une croix qu'il avait fabriquée lui-même avec deux morceaux de bois, voilà quelles étaient ses richesses.

Au moment où le crépuscule du matin commençait à dessiner les objets au dehors, Hue de Maurever se réveilla en sursaut. Il étira ses membres fatigués et engourdis par la pose qu'il avait gardée dans son sommeil. Puis il s'agenouilla devant la croix de bois et dit ses oraisons.

Parmi ses oraisons, il y en avait une qui était ainsi :

« Mon Dieu ! pardonnez-moi de m'être élevé contre mon seigneur légitime le duc François de Bretagne.

« Donnez à mondit seigneur le repentir.

« Qu'il aille en votre miséricorde à l'heure de sa mort. »

Longtemps après qu'il eut achevé ces prières prononcées à haute voix, il resta sur ses genoux, la tête inclinée, un murmure aux lèvres.

Dans ce murmure revenait souvent le nom de Reine. Reine, sa fille, son amour unique, son espoir chéri.

Hue de Maurever se leva enfin. Le jour avait grandi, mais la brume matinière enveloppait le Mont-Saint-Michel, Hue pouvait sortir comme s'il eût fait nuit noire.

Il jeta de côté les planches qui barricadaient la brèche de sa tour et mit le pied dehors.

La mer baissait avec lenteur. Il y avait encore un large et rapide courant entre le Mont et Tombelène. La brume qui était légère laissait voir le flot bleuâtre à cent pas de distance.

Hue de Maurever marcha vers la rive.

« Elle n'est pas venue hier, pensait-il, ni avant-hier non plus. Mon Dieu ! lui serait-il arrivé malheur ! »

Disant cela, sa main se porta involontairement vers sa poitrine, qu'il pressa.

Ce geste n'appartenait pas à son inquiétude de père. C'était une souffrance physique qui le lui arrachait. Il avait faim. Reine devait le savoir, et Reine ne venait pas. Reine qui était la fille courageuse et dévouée !

Il ne sentit pas longtemps ce mal de la faim qui brise les plus forts, car son cœur saigna tout de suite à la pensée de sa fille.

Et la douleur morale tue bientôt la douleur physique.

Mais cette absence de Reine pouvait être expliquée. Depuis deux nuits la mer se trouvait haute à l'heure où la jeune fille traversait d'ordinaire l'espace qui sépare les deux monts. Peut-être attendait-elle, cachée quelque part dans les rochers du Mont-Saint-Michel.

Hue de Maurever allait lentement, suivant le cours de l'eau. A mesure que la raison lui donnait des motifs de penser qu'aucun malheur n'était tombé sur Reine, la faim parlait de nouveau et plus fort.

Ce n'était pas un gourmet que ce chevalier austère, il ne demandait qu'un morceau de pain. Ses forces étaient encore à peine entamées, mais son cerveau délirait déjà et il avait devant les yeux comme un mirage de festin de roi.

Oh ! les riches pièces de venaison fumante ! Les jambons, les langues de bœuf, le faisan qui garde son noble plumage !

Les pâtés, dressant sur le lin blanc leur fantasque architecture !

Et les épices, et les pyramides de fruits : la poire dorée, la pêche de velours, le raisin transparent et blond !

Et le vin vermeil qui brille dans l'or ciselé des grandes coupes !

M. Hue voyait toutes ces belles choses en marchant le long de la grève.

Un morceau de pain ! un morceau de pain !...

Ce fut comme un miracle. Au moment où M. Hue se retournait pour regagner sa retraite, car il lui semblait que le voile protecteur de la brume allait s'éclaircir ; au moment où, répondant à la fois à son anxiété de père et aux cris de son estomac en révolte, il murmurait : « Ce soir, elle viendra ! », la manne lui apparut.

Elle ne tombait point du ciel, la manne ; elle glissait sur la mer.

C'était un panier, un joli petit panier, tressé délicatement, d'où sortait le bout d'un pain de froment.

Cette fois, point d'illusion, c'était bien un pain, un bon gros pain, comme on les fait du côté de Saint-Jean.

Le panier allait, entraîné par le reflux.

M. Hue se mit vraiment à courir comme un jouvenceau. En approchant, il put voir que le bon pain était en compagnie.

Le panier contenait en outre un flacon de vin et deux volailles d'un aspect enchanteur.

M. Hue mit ses pieds dans l'eau et se disposa à saisir le bienheureux panier au passage avec la croix de son épée. Mais ses doigts se détendirent tout à coup ; son épée lui échappa : il devint plus pâle qu'un mort et poussa un cri de détresse.

Il avait reconnu le panier de Reine !

Reine ! Sans doute, elle avait essayé de traverser le bras de mer à la nage. Elle savait que son père l'attendait.

Reine ! oh ! Reine !

Le vieillard mit ses deux mains sur son visage, et des larmes coulèrent entre ses doigts tremblants.

Pendant cela le petit panier mignon allait à la dérive, emportant le pain, le flacon et le reste.

M. Hue avait manqué l'occasion. Maintenant, lors même qu'il l'eût voulu, il n'aurait pu se saisir du panier, qui commençait à s'alourdir et qui allait bientôt sombrer avec sa précieuse cargaison.

Mais M. Hue songeait bien à cela. Sa fille ! sa pauvre belle Reine !

Son cœur se déchirait. Il craignait, en levant les yeux, de voir un lambeau de robe, un voile, un débris, quelque chose d'horrible !

La brume s'était complètement éclaircie.

M. Hue prit son grand courage et regarda devant lui. Devant lui, l'eau coulait paisiblement, découvrant de plus en plus la grève.

Au loin, le Mont-Saint-Michel sortait du brouillard, majestueux et fier, avec sa couronne d'édifices hardis.

Entre lui et le Mont — dans un rayon de soleil —, une jeune fille courait, gracieuse comme une sylphide.

« Reine ! Reine ! »

La sylphide se retourna et lança un baiser à travers le bras de mer.

Le vieux Maurever leva au ciel ses yeux mouillés, et remercia Dieu.

C'était bien Reine qui courait là-bas, en s'éloignant de lui, et c'était bien le panier de Reine que le vieux Maurever avait été sur le point de saisir avec la croix de son épée.

Reine, après avoir échappé aux deux décharges de la sentinelle qui veillait sur la plate-forme du couvent, s'était perdue dans les rochers qui descendent à la mer du côté de la chapelle Saint-Aubert.

Elle avait attendu là quelque temps ; puis voyant venir les premières lueurs de l'aube, elle avait tourné le Mont pour se rapprocher de Tombelène.

Le reflux n'avait pas encore débarrassé le bras de grève qui est entre les deux rochers. Reine se trouva en face d'une sorte de fleuve au courant rapide. Le jour approchait. Elle voulut profiter de la brume et se mit vaillamment à la nage.

Mais le courant la prit dès les premières brasses. Elle fut obligée de lâcher son panier et de rebrousser chemin.

C'était vingt-quatre heures d'attente pour le vieillard qui souffrait.

Reine le savait. Elle avait le cœur bien gros, la pauvre fille, en traversant la grève ; mais outre que le reflux avait emporté ses provisions, elle ne pouvait aller à Tombelène en plein jour, sans trahir le secret de la retraite de son père.

Elle était lasse et presque découragée.

Si le petit Jeannin ne lui eût point pris l'escarcelle de Méloir, elle aurait attendu la nuit de l'autre côté d'Avranches, au bourg de Genest ou ailleurs, elle aurait acheté des provisions, et profité du bas de l'eau, vers le commencement de la nuit, pour passer à Tombelène.

Mais elle n'avait rien ; elle avait tout donné, pressée qu'elle était de s'enfuir.

Il n'était pas encore midi lorsqu'elle arriva au bourg d'Ardevon, à une demi-lieue de la rive normande du Couesnon. Elle s'enfonça dans les guérets, et le sommeil la prit, accablée de fatigue, au milieu d'un champ de froment.

Elle ne fit pas comme le petit Jeannin, qui dormit douze heures ce jour-là dans sa meule de paille. Elle s'éveilla longtemps avant le coucher du soleil, et fit le grand tour pour arriver au village de Saint-Jean à la nuit tombante.

Le manoir était désert lorsqu'elle parvint au pied du tertre.

Méloir avait parcouru les bourgs des environs pour publier, à son de trompe, l'édit ducal.

La meute de Rieux reposait en attendant la chasse de cette nuit.

Reine descendit jusqu'au village. A mesure qu'elle avançait, il lui semblait entendre un grand bruit de clameurs et de rires.

Au détour d'une haie, elle vit les pommiers du verger de maître Simon Le Priol s'éclairer d'une lueur rougeâtre.

Elle s'approcha ; la haie la protégeait contre les regards.

Elle distingua bientôt, à la lumière des torches, une foule assemblée : des paysans, des femmes et des soudards.

Un archer nouait une corde à la branche du pommier qui était devant la maison de Simon Le Priol.

Elle s'approcha encore. Elle entendit que les soudards disaient :

« Voler l'escarcelle d'un chevalier ! c'est bien le moins qu'on le pende ! »

Reine s'arrêta toute tremblante. Elle avait deviné. L'enfant qui l'avait poursuivie sur la grève allait mourir — et mourir à cause d'elle.

17

Jeannin et Simonnette

Tout le village de Saint-Jean était rassemblé devant la porte de Simon Le Priol. La maison était fermée. Elle servait de prison au petit Jeannin.

Le petit Jeannin avait les mains liées. Il était couché auprès des deux vaches.

Kéravel avait dit qu'il fallait attendre le retour de messire Méloir, au moins jusqu'à l'heure ordinaire du couvre-feu.

Gueffès n'était pas de cet avis, mais il n'avait pas voix au chapitre.

Le petit Jeannin était littéralement foudroyé. Il ne bougeait non plus que s'il eût été mort déjà. Ce coup qui le frappait au milieu de son bonheur l'avait anéanti.

Au dehors, on s'agitait, on parlait, les soldats riaient. Les gens du village, saisis d'effroi, n'avaient pas même l'idée de protester.

Simon et sa femme se tenaient immobiles au seuil de leur maison.

Tous sentaient que la disgrâce de M. Hue de Maurever, leur seigneur, leur enlevait les moyens de résister.

Derrière le compartiment de la ferme où se tenaient les bestiaux, une petite porte communiquait avec la basse-cour.

Cette porte s'ouvrit doucement et Simonnette entra dans la salle commune. Elle avait les yeux gros de larmes et les sanglots étouffaient sa poitrine.

« Oh ! pauvre petit Jeannin ! s'écria-t-elle en tombant sur la paille auprès de lui, pourquoi allais-tu après cette méchante fée ? »

Elle lui saisit les deux mains et se prit à le regarder, désespérée.

« Mourir ! mourir ! balbutia-t-elle parmi ses larmes ; mourir ! oh ! je ne veux pas que tu meures, Jeannin, mon petit Jeannin, je t'en prie ! »

Elle était comme folle.

Jeannin eut pitié.

« Écoute, dit-il, il faut te faire une raison, ma fille. Dans notre métier, tu sais bien, souvent on va en grève le matin et le soir on ne revient pas. Songe donc, si tu m'avais attendu en vain, pauvre Simonnette, auprès des petits enfants orphelins, c'est alors que tu aurais eu raison de pleurer ! »

Il était sublime de sérénité simple et douce, Jeannin qu'on accusait d'être « plus poltron que les poules ». Parmi les soldats qui raillaient au dehors, pas un n'eût vu d'un cœur si calme approcher sa dernière heure.

Ce qui l'occupait, c'était de consoler Simonnette. Mais Simonnette ne pouvait pas être consolée.

A travers la porte, on entendait les soldats qui disaient :

« Oh çà ! messire Méloir tarde bien à venir. Nous faudra-t-il donc attendre pour souper qu'on ait pendu ce petit homme ?

— Mes bons garçons, répondit maître Gueffès, qui était ce soir aimable et gai, m'est avis que messire Méloir aimerait autant trouver la besogne faite. »

Simonnette s'était retenue de pleurer pour écouter.

« Ils vont venir ! » murmura-t-elle.

Jeannin baissa la tête pour essuyer une larme à la dérobée.

« Je sais que tu es bonne, Simonnette, dit-il timidement ; là-bas, aux Quatre-Salines, il y a une pauvre vieille femme...

— Ta mère, Jeannin !

— Ma mère, c'est vrai, et j'aurais dû penser plus tôt à elle. Ma mère qui est presque aveugle et qui n'a que moi pour soutien.

— Je serai sa fille ! s'écria Simonnette.

— Le promets-tu ? demanda Jeannin qui gardait un peu d'inquiétude.

— Je le jure ! »

Le front de Jeannin se rasséréna aussitôt.

« Puisque c'est comme ça, dit-il, tu iras chez nous demain matin. Tu ne diras pas tout de suite à la vieille femme : « Dame Renée, le petit Jeannin est mort », parce que ça lui donnerait un coup, et elle n'est pas forte. Tu lui prendras les deux mains, et tu commenceras ainsi : « Dame Renée, c'est un métier bien dangereux que de courir les tangues. » Elle arrêtera son rouet pour te regarder. Tu l'embrasseras, Simonnette, et tu reprendras comme ça : « Dame Renée ; oh ! dame Renée !... »

Il s'arrêta et laissa échapper un gros soupir.

Le cœur de Simonnette se fendait.

« Oui, poursuivit encore l'enfant, qui luttait contre le navrant de cette scène avec un courage héroïque, oui... je ne sais pas, moi, Simonnette, comment tu tourneras cela ; tu es plus habile que moi, pour sûr. Ce qu'il faut, c'est la ménager, car elle aime bien son petiot, va ! Et... et... oh ! mon Dieu ! je voudrais bien qu'ils vinssent me prendre et me tuer, car cela fait trop souffrir d'attendre ! »

Au dehors, les soudards causaient pour passer le temps.

« La fée des Grèves, disait Kervoz, les laveuses de nuit, les korrigans, les femmes blanches et le reste, ce sont des mensonges, et les nigauds s'y prennent.

— Mensonges, mensonges ? grommelait Merry, quand on a vu pourtant !

— Est-ce que tu as vu, toi ?

— Sur l'échalier qui est à droite de la maison, oui, j'ai vu la Fée des Grèves.

— Y avait des années qu'on ne l'avait pas entraperçue, dit un Mathurin, ornant son langage à cause de la circonstance ; mais depuis quelques jours approchant, elle a reparu de par ici, car les écuellées de gruau s'en vont toutes les nuits, écuelles et tout. »

Un Mathurin ayant ainsi parlé, les quatre langues des Gothon brûlèrent.

« Ça, c'est vrai ! s'écrièrent-elles toutes quatre à la fois ; et chacun sait bien que quand on la rencontre en mauvais état qu'on est de péché mortel, on ne voit pas le soleil levant le lendemain matin ! »

Parmi les soudards, il n'y en avait guère qui ne fussent en mauvais état de péché mortel. Plus d'un regard furtif fouilla la nuit avec terreur.

Il y eut un silence. Pendant le silence, le malaise général augmenta. Messire Méloir tardait trop.

Les torches pâlissaient, à bout de résine.

L'archer Conan ayant secoué la sienne pour en raviver la flamme, on vit une ombre noire glisser derrière le pommier où pendait déjà le hart. Chacun écarquilla ses yeux.

Quand le jet de flamme mourut, l'ombre sembla rentrer en terre.

Soudards et paysans, tous frissonnèrent jusque dans la moelle de leurs os.

« Allons, enfants ! dit de loin Morgan, l'homme d'armes qui remplaçait Kéravel, finissons-en. Allez chercher le petit gars et mettez-lui la corde au cou vivement ! »

18

Le départ

Les soldats se mirent en devoir d'obéir à l'ordre de Morgan, mais ce fut à contrecœur. Ils avaient l'esprit frappé.

Dans la ferme, Jeannin et Simonnette étaient à genoux côte à côte. Jeannin avait prié Simonnette de l'aider à dire sa dernière prière.

Simonnette pleurait à chaudes larmes ; mais Jeannin avait encore la force de sourire, quand il la regardait.

Il priait de son mieux, demandant que sa mère eût une douce vieillesse, et Simonnette une longue vie de bonheur.

Et vraiment, ainsi agenouillé, les yeux au ciel, ce petit Jeannin avait la figure d'un ange.

Lorsque les soldats entrèrent il se releva.

« Adieu, Simonnette, dit-il, pense un petit peu à moi, et souviens-toi de ce que tu m'as juré pour ma mère.

— Oh ! Jeannin, ne t'en va pas ! » criait la jeune fille qui s'attachait à lui avec désespoir.

Simon et sa ménagère regardaient cela du dehors. Ils voyaient bien que le bonheur de leur foyer n'était plus.

Les soldats prirent Jeannin et le menèrent vers le pommier qui devait servir de potence.

Maître Vincent Gueffès se cachait derrière les Gothon. Sa mâchoire souriait diaboliquement.

« Mon joli petit Jeannin, cria-t-il comme l'enfant passait, je t'avais bien dit que je serais de la noce ! »

Une main se posa sur l'épaule du Normand. C'était la main de Simon Le Priol.

« Vincent Gueffès, dit le bonhomme, je te défends de passer jamais le seuil de ma maison. »

Gueffès se recula et grommela entre ses dents :

« Voilà qui est bien, maître Simon ! »

Il y avait une agitation singulière parmi les soudards qui attendaient sous le pommier. Ils se parlaient à voix basse et d'un accent effrayé. On entendait :

« Je te dis que je l'ai vue... une grande figure blanche et pâle sur un corps tout noir.

— Elle est là, balbutia un autre ; elle nous guette.

— Où ça ?

— Derrière la haie.

— Saint Guinou, c'est vrai ! Je vois ses yeux briller entre les feuilles. »

Les torches jetaient des lueurs ternes et mourantes qui faisaient tous les visages livides.

La lune, énorme et rouge, montrait la moitié de son disque sur le talus du chemin.

« Est-ce fait ? » cria Morgan.

Les deux soldats qui prirent le petit Jeannin pour passer son cou dans le nœud de la hart tremblaient de la tête aux pieds.

Jeannin murmura :

« Ah ! bonne fée ! bonne fée ! Elle m'avait pourtant bien dit que ces écus-là me porteraient malheur !

— Il appelle la fée ! » balbutia l'un des soldats.

L'autre lâcha prise. Le cou de Jeannin était pris dans la hart.

« Est-ce fait ? demanda encore Morgan.

— C'est fait.

— Agitez les torches, que je voie cela ! »

Les torches s'agitèrent et lancèrent de longs jets de flammes.

On vit le pauvre Jeannin suspendu au pommier.

Mais on vit aussi une belle jeune fille qui soutenait ses pieds et portait le poids de son corps.

Jeannin souriait, au lieu de rouler ses yeux et de tirer la langue comme font les patients de la hart.

Les torches avaient jeté leurs dernières lueurs. Elles s'éteignirent. Dans cette obscurité, la panique prit les soldats de Méloir, qui s'enfuirent en criant.

Ils avaient vu le pendu sourire et la Fée des Grèves qui le soutenait par les pieds.

Pas n'est besoin de dire que les Mathurin, les Gothon, les Catiche, la Scolastique et les Joson avaient devancé les soudards.

Quelques minutes après, dans la ferme barricadée, Fanchon la ménagère et Simonnette s'empressaient autour du petit Jeannin évanoui.

Simon Le Priol et Julien, son fils, étaient pensifs auprès du foyer.

Dans un coin, une femme vêtue de noir se tenait immobile.

« Il revient à lui, le pauvre gars, dit Fanchon.

— Jeannin, mon petit Jeannin ! répétait Simonnette, qui souriait et pleurait.

— On ne peut pas le rendre à ces coquins de soudards, maintenant, murmura Julien, c'est bien sûr ! »

Simon secoua la tête.

« J'avais dit que mon gendre aurait cinquante écus nantais, pensa-t-il tout haut ; mais j'avais compté sans ma fillette. Le petit gars n'a pas un denier vaillant, mais c'est tout de même, puisque ma fillette le veut, il sera mon gendre.

— Le petit gars aura les cinquante écus nantais, s'il plaît à Dieu ! » dit une voix douce dans l'ombre.

Jeannin se leva tout droit.

« C'est la voix de la bonne fée ! » s'écria-t-il.

Julien et Simonnette disaient en même temps :

« C'est la voix de notre demoiselle ! »

Ils demeurèrent un instant interdits, parce que Reine avait

passé pour morte, et que l'idée d'un fantôme vient toujours la première à l'esprit du paysan breton.

Il fallut que Reine se montrât à visage découvert.

Le petit Jeannin, tout chancelant encore, vint se mettre à genoux devant elle.

« Fée ou femme, dit-il, morte ou vivante, que Dieu vous bénisse ! »

Reine lui prit la main.

« Oh ! notre chère demoiselle est en vie, s'écria Julien, puisqu'elle prend la main du petiot ! »

Simonnette tenait déjà l'autre main de Reine et la baisait.

« Je vous aimais bien déjà, murmura-t-elle, avant que vous l'eussiez sauvé...

— Et tu m'aimes deux fois plus à présent ? interrompit Reine, qui souriait. Simon et Fanchon, mes bonnes gens, nous ferons ce mariage-là pour la Sainte-Anne. »

Le Priol et sa femme se tenaient inclinés respectueusement.

« Il me fallait bien sauver, continua Reine, ce beau petit homme-là, puisque c'était moi qui lui avais mis la corde au cou. »

Tous les regards l'interrogèrent, tandis que Jeannin murmurait confus :

« Si j'avais su que c'était vous là-bas, sur la grève, notre demoiselle, je n'aurais pas serré si fort !

— Mes amis, dit Reine, je vais vous expliquer l'énigme en deux mots : c'est moi qui avais enlevé l'escarcelle du chevalier Méloir, parce que l'escarcelle contenait le prix maudit de la vie de mon père. Jeannin, qui me prenait pour la Fée des Grèves, a exigé de moi cinquante écus d'or. J'étais pressée, car je portais des vivres à M. Hue de Maurever : j'ai jeté l'escarcelle en lui disant de bien prendre garde.

— C'est vrai, ça, interrompit Jeannin, et je ne méritais guère un si bon conseil en ce moment-là.

— C'était donc vous, noble demoiselle, que j'avais aperçue hier à la brune, par les fenêtres brisées du manoir ? demanda Julien.

— C'était moi.

— Et c'était vous aussi, notre maîtresse, ajouta Fanchon, qui emportiez le gruau que nous placions sur le seuil de nos maisons pour la Fée des Grèves ?

— C'était moi.

— Et pourquoi notre chère demoiselle, murmura Simonnette, en caressant la main de sa maîtresse et amie, n'entraitelle pas chez ses vassaux dévoués ?

— Parce qu'il s'agissait de vie et de mort, fillette, répondit Reine, qui, cette fois, ne souriait plus.

— Notre demoiselle se défiait de nous, ma sœur, dit Julien, avec un peu d'amertume ; elle se faisait passer pour morte, afin que les Le Priol ne puissent point la trahir !

— Votre demoiselle, ami Julien, répliqua Reine, a partagé vos jeux quand vous étiez enfant. Elle vous aurait confié de bon cœur sa propre vie, mais... »

Julien l'interrompit d'un geste plein de respect et mit un genou en terre auprès de Jeannin.

« Ce que notre demoiselle a fait est bien fait, dit-il ; ma langue a trahi mon cœur. »

Reine lui tendit la main, tout émue.

Il y avait l'étoffe d'un beau soldat dans ce grand et fier jeune homme qui était à genoux devant elle.

La main qu'on lui tendait, Julien Le Priol la baisa avec un enthousiasme chevaleresque.

« Je ne suis qu'un paysan, s'écria-t-il, mais je sais un lieu où il y a des épées, et si Maurever, mon seigneur, et sa fille ont besoin de mon sang, me voilà !

— Et moi aussi, me voilà ! répéta gaillardement le petit Jeannin.

— Comment, toi, petiot ! dit Reine, qui riait, attendrie, toi qui es plus poltron que les poules !

— Je ne suis plus poltron, notre demoiselle, répliqua Jeannin de la meilleure foi du monde ; je crois même que je suis brave. Depuis que j'ai vu la mort face à face, je sais ce que c'est ; je ne crains plus que le bon Dieu. Quant au diable et aux soudards, eh bien ! tenez, je m'en moque ! »

Il rejetait en arrière ses cheveux blonds d'un air mutin et ses yeux pétillaient.

Simonnette fut si contente de ce discours, qu'elle lui planta un gros baiser sur la joue.

« Et moi aussi, me voilà ! s'écria-t-elle ensuite, et mon père, et ma mère, et tout le monde ici, et tout le monde dans le village ! Ah ! Seigneur Jésus ! que je me battrais bien pour ma chère demoiselle !

— Donc, me voici à la tête d'une armée, dit Reine gaiement. Ma première opération militaire sera de diriger un convoi de vivres vers la retraite de M. Hue, que je n'ai pu joindre depuis trois jours.

— Prenons tout ce qu'il y a dans la maison et partons ! » dit Julien.

Simon Le Priol et Fanchon s'étaient mutuellement interrogés du regard. Ils étaient dévoués aussi, mais ils étaient gens d'âge.

« Bien parlé, fils, prononça Simon d'un ton ferme, quoique peut-être il eût été mieux de consulter ton père.

— Mon père ne sait pas ce que je sais, répondit le jeune homme en se tournant vers le vieux Le Priol ; je me suis mêlé aux soldats tout à l'heure. Cette vipère de Vincent Gueffès les a excités au mal. Ils disaient que le village de Saint-Jean était un nid de traîtres, et que le mieux serait d'y mettre le feu une de ces nuits.

— Ils sont les plus forts, murmura le vieillard en baissant la tête.

— Pas pour longtemps peut-être, poursuivit Julien, car je sais encore autre chose. Pendant que le chevalier Méloir repose sa meute et s'apprête à mal faire, il se dit d'étranges nouvelles du côté de la ville. Le duc François est malade et chacun regarde sa maladie comme un châtiment infligé par Dieu au fratricide. Un prêtre l'a dit en chaire dans l'église de Combourg. Si M. Hue voulait, demain, il serait à la tête de dix mille bourgeois et paysans...

— M. Hue ne voudra pas, interrompit Reine ; Hue de Maurever est un gentilhomme et un Breton. Il aimerait mieux mourir mille fois que de lever sa bannière contre son souverain légitime.

— Je vous le dis, notre demoiselle, reprit Julien, les choses iront alors sans lui, et les soudards n'ont qu'à se presser s'ils veulent avoir le temps d'incendier nos demeures. En attendant, si mon père et ma mère acceptent pour fils ce petit gars-là (il tendit la main à Jeannin), et j'en serai content, car il a un bon cœur sous sa peau de mouton percée, m'est avis qu'il nous faut prendre le large, car, demain, il fera jour, et toute cette ribaudaille, sonnant le vieux fer, n'a peur des lutins que la nuit. »

Fanchon, la ménagère, parcourut la ferme d'un regard triste.

« Voilà trente ans que je dors sous ce toit, murmura-t-elle : c'est ici que vous êtes nés tous deux, mes chers enfants.

— C'est ici que mon père est mort, dit à son tour Simon Le Priol, et aussi le père de mon père. Sur ce lit, qui est là, j'ai fermé les yeux de ma mère. Écoute-moi, fils Julien, et crois-moi : par intérêt, pour tout l'or de la terre, par crainte, avec la mort devant mes yeux, je ne quitterais point la pauvre maison des Le Priol. Je m'en vais hors d'ici parce que je veux montrer mes vieux bras à mon seigneur Hue de Maurever, et lui dire : Voilà ce qui est à vous ! »

Reine sauta au cou du vieillard et l'embrassa comme s'il eût été son père. Puis elle embrassa la ménagère Fanchon, qui essuyait ses yeux pleins de larmes.

Simonnette, le cœur gros et la main tremblante, caressait les deux belles vaches, la Rousse et la Noire.

« Allons ! allons ! dit le petit Jeannin qui grandissait en importance et prenait voix au conseil, nous reviendrons, maître Simon, nous reviendrons, dame Fanchon, Simonnette, ma mie, nous retrouverons la Noire et la Rousse. En route avant que la chasse ne commence, ou nous pourrions bien rester en chemin ! »

Ce mot frappa tout le monde. Julien s'élança vers la partie de la salle qui servait d'étable. Il appela de bonne amitié le petit Jeannin, son nouveau frère, et tous deux revinrent bientôt avec trois arbalètes et trois épées. Les paniers des femmes s'emplirent. Tout ce que la ferme avait de provisions y passa.

Tubleu ! si vous saviez comme le petit Jeannin était considérable avec sa grande épée au côté et son arbalète à l'épaule ! Il cherchait d'instinct quelque chose à friser au coin de sa lèvre. Il est vrai qu'il n'y trouvait rien.

Quand tout fut prêt, Julien ôta les barricades de la porte.

C'était une caravane, vraiment, qui partait :

Le père, la mère, Reine, Julien, Simonnette et le petit Jeannin équipé en guerre.

On fut bien encore un quart d'heure à tourner pour ne rien oublier. Puis le père Simon dit de sa plus grosse voix :

« Partons ! »

Mais il avait les yeux mouillés, le vieil homme.

Quant à Fanchon, la ménagère, on fut obligé de l'entraîner. Elle s'était agenouillée devant le crucifix de bois qui pendait à la ruelle du lit. Elle disait :

« Une minute encore, que j'achève ma prière. »

C'était comme si on l'eût menée au supplice.

Et le petit Jeannin n'avait point fait tant de façons pour aller sous le pommier.

Enfin, tout le monde était dehors. Simon referma sa porte et donna sa maison à la garde de Dieu.

Les bestiaux étaient libres dans le pâtis.

La caravane se mit en marche.

Jeannin faisait l'avant-garde, comme de raison. Les trois femmes venaient ensuite. Simon et Julien formaient l'arrière-garde.

Au premier détour du chemin, Jeannin reconnut, contre la haie, l'ombre longue et mal bâtie de maître Vincent Gueffès.

Il épaula vivement son arbalète. Mais le Normand perça la haie et se sauva en criant :

« Bon voyage ! »

19

Deux cousins

Ce Vincent Gueffès était un gaillard sans préjugés comme sans faiblesse. Il compta nos voyageurs de nuit. Ils étaient six.

Vincent Gueffès ne croyait pas à la Fée des Grèves. Il savait parfaitement le nom de la fée prétendue. Il lui en voulait à mort pour avoir sauvé le petit coquetier Jeannin.

Il en voulait au vieux Simon Le Priol, qui lui avait interdit le seuil de sa demeure. Il en voulait à Simonnette qui l'avait méprisé, il en voulait à Julien qui était beau et brave : il en voulait à tout le monde.

D'un saut, il gagna le manoir de Saint-Jean, où les soldats s'étaient installés, et pria qu'on l'introduisît auprès du chevalier Méloir.

Le chevalier Méloir venait de rentrer à son quartier général, après avoir couru les bourgs environnants pour crier l'édit ducal. Il était las et de mauvaise humeur.

Pour le distraire, Bélissan le veneur découplait les lévriers devant lui, dans la cour du manoir.

« Oh ! Tarot ! oh ! Voirot ! Fa-hi ! Rougeot ! Fa-hi ! Voyez Nantois, messire, quel jarret ! et Pivois ! et Ardois !

— Mais ce grand noir ? demanda le chevalier en montrant un énorme lévrier magnifiquement venu, qui se couchait à l'écart.

— Une belle bête, messire, répondit Bélissan ; mais paresseuse et couarde, je crois.

— Comment l'appelles-tu ?

— Je l'ai acheté d'un manant qui le tenait par le cou et qui ne savait pas son nom. Il y a bien quelque chose de griffonné sur son collier, mais du diable si j'ai appris à lire !

— Il aura nom Reinot, pour l'amour de ma dame, dit Méloir. Or ça, soupons lestement, et puis en route !... C'est encore toi, se reprit-il, en voyant qu'on lui amenait maître Vincent Gueffès.

— C'est encore moi, mon cher seigneur.

— Que veux-tu ?

— Je veux vous dire que vous allez vous mettre en route d'abord, quitte à souper ensuite.

— Explique-toi. »

Gueffès ne demandait pas mieux. Il raconta la fuite de la famille et prononça le nom de Reine.

Méloir ne le laissa pas achever.

« Quel chemin ont-ils pris ? demanda-t-il.

— La route de Normandie, mon cher seigneur.

— A cheval, têtebleu ! à cheval ! cria Méloir. Si nous arrivons avant eux au Couesnon, la fille du traître Maurever est à nous ! »

On partit. La meute s'élança au-devant des chevaux, et le lévrier noir au-devant de la meute.

Au manoir restaient huit ou dix soldats. Maître Gueffès dit alors aux soudards :

« Il y a du cidre, du vin et de l'hypocras à la ferme du vieux Simon Le Priol. »

Les soldats descendirent sans bruit de la colline. On enfonça la porte de Le Priol et on se mit à faire bombance.

De ce qui se passa en ce lieu entre Gueffès et les soldats ivres, nous ne donnerons point le détail.

Mais quand nos fugitifs, qui avaient poussé leur pointe dans les terres jusqu'au-delà d'Ardevon pour éviter les poursuites, descendirent dans le village de la Rive et entrèrent en grève, le petit Jeannin s'arrêta tout à coup. Son bras étendu montra la côte de Bretagne, dans la direction de Saint-Georges.

On voyait une grande flambée parmi les arbres.

Les Le Priol et Reine se retournèrent. Reine poussa un cri.

« Qu'est cela ? » demanda-t-elle.

Le vieux Simon fit un signe de croix.

« Que Dieu nous assiste, balbutia-t-il ; c'est au village de Saint-Jean-des Grèves. »

Fanchon fut obligée de s'asseoir sur le sable. Le cœur lui manquait.

« Femme, lui dit Simon, la maison de mon père est brûlée. Nous n'avons plus rien sur la terre, mais nous avons fait notre devoir. »

Les doigts de Julien se crispaient autour du bois de son arbalète.

Les fugitifs restèrent là cinq minutes. Puis le petit Jeannin dit :

« En avant ! »

On tourna le dos à l'incendie, et l'on se dirigea sur Tombelène.

Le vieux Simon ne se trompait point. C'était bien au village de Saint-Jean qu'avait lieu l'incendie, et c'était bien sa maison qui brûlait.

Seulement, il y avait d'autres maisons que la sienne. Maître Vincent Gueffès ne faisait jamais le mal à demi.

Pendant toute cette nuit-là, Aubry travailla de son mieux. Il avait travaillé la nuit précédente et la journée entière. La lime était bonne et Aubry avançait à la besogne.

N'eût été la posture intolérable qu'il était obligé de garder, limant d'une main, et de l'autre se soutenant à l'embrasure de la meurtrière, sa tâche aurait été vite à fin. Mais à chaque instant, ses doigts fatigués lâchaient prise. Il retombait au fond de sa cellule, suant à grosses gouttes, épuisé, haletant.

Pour retrouver du cœur, il lui fallait évoquer l'image de Reine. Mais aussi, quelle vaillance nouvelle dès que ce nom chéri venait à sa lèvre !

Ce fut une nuit de fièvre, pendant laquelle plus d'une imagination folle visita la solitude du captif. Vers le matin, la plus étrange de toutes le prit au milieu de son travail.

Ce qu'il avait prévu la veille, dans sa conversation avec Reine, arrivait. Il croyait entendre les aboiements lointains d'une meute chassant sur la grève.

C'était une illusion, sans doute. Et pourtant, chaque fois que le vent donnait, il apportait les aboiements plus distincts.

Et une fois, parmi ces aboiements, Aubry crut reconnaître celui de maître Loys, son beau lévrier noir.

La fièvre amène comme cela de bizarres illusions. Aubry reprit sa lime et travailla. La barre de fer était presque coupée.

Pourtant, elle tenait encore. L'aube se leva. Aubry se coucha sur la paille et voulut prendre un instant de sommeil.

A peine était-il endormi, que le bruit de la clé de frère Bruno, tournant dans la serrure, le réveilla en sursaut. Frère Bruno était pourtant déjà venu faire sa ronde et raconter son histoire. Ordinairement, il ne venait qu'une fois.

Allait-il prendre l'habitude de faire deux rondes par nuit, et de raconter deux histoires ? Ou bien le travail nocturne d'Aubry avait-il éveillé les soupçons ?

Avant que notre prisonnier eût eu le temps de répondre en lui-même à ces questions, un pas lourd et sonnant la ferraille succéda au bruit des verrous.

« Eh bien ! mon cousin Aubry, dit une grosse voix à la porte, nous dormons encore ! Par mon patron, il paraît que nous faisons ici la grasse matinée ! »

Aubry se leva vivement.

« Méloir ! s'écria-t-il.

— Entrez, entrez, sire chevalier, dit le frère Bruno à son tour ; ce n'est pas très grand ces cellules, mais pour ce qu'on y fait, voyez-vous, ça suffit. Je me souviens qu'en l'an trente-cinq, peu de temps après mon arrivée au monastère, il y avait un prisonnier nommé Olivier Triquetaine, lequel prisonnier était si gros, qu'on eut bien du mal à lui faire passer la porte pour entrer. Quant à sortir, il n'en sortit que dans sa bière. Cet Olivier Triquetaine était un assez joyeux compagnon. Il disait toujours le samedi soir...

— Quand vous me reconduirez, mon frère, dit Méloir en le congédiant, vous m'apprendrez au long ce que disait Olivier Triquetaine les samedis soirs.

— Bon ! fit Bruno, je n'y manquerai pas, puisque ça vous intéresse, sire chevalier. »

Il sortit et ferma la porte à triple tour.

« Sire chevalier, cria-t-il à travers la planche de chêne, à l'heure où il vous plaira de vous en aller, frappez et ne vous impatientez pas, je vais à matines.

— Peste ! dit Méloir en se tournant vers Aubry, mon cousin, tu as un geôlier de bonne humeur. Et comment te portes-tu, depuis le temps ?

— Bien, répliqua Aubry.

— Le fait est que tu n'as pas encore trop mauvaise mine.

— Que viens-tu faire ici ?

— Savoir de tes nouvelles en passant, mon cousin Aubry, et te donner une bonne poignée de main. »

Il tendit la main à Aubry, qui la repoussa.

« Oh ! oh ! fit Méloir ; sais-tu que c'est la main d'un chevalier, mon cousin ?

— Je le sais, et j'ai grand-honte pour la chevalerie.

— Qu'est-ce à dire ! » s'écria Méloir qui fronça le sourcil.

Mais il se ravisa tout de suite.

« De temps immémorial, continua-t-il, les vaincus ont eu droit d'insolence. Ne te gêne pas, mon cousin, ces murs de granit doivent bien aigrir un peu le caractère. Des captifs, des enfants et des femmes, un chevalier sait tout souffrir.

— Un chevalier ! répéta Aubry qui haussa les épaules. Et l'on se plaint que la chevalerie s'en va ! Par Notre-Dame, mon cousin, s'il y a beaucoup de gens comme toi portant éperons d'or et cœurs de coquins... »

Méloir pâlit.

« J'ai dit *cœurs de coquins*, appuya Aubry, dont la voix était calme et froide ; si tu as quelque chose dans l'âme, va-t'en, car je n'aurai pour toi que des paroles de mépris.

— Eh bien ! mon cousin Aubry, dit Méloir en riant de mauvaise grâce, j'en prends mon parti et je reste. Accable-moi, cela te soulagera. Et moi, je prierai Dieu de me compter cette humiliation, chrétiennement supportée, quand il s'agira de passer la grande épreuve. Que diable, ajouta-t-il, changeant de ton brusquement, ne pourrait-on se faire la guerre et vivre en amis pendant la trêve ? Songe donc, mon cousin Aubry, continua-t-il gaiement, je suis las comme un malheureux, j'entre au couvent pour me reposer, le prieur, comme de raison, m'offre sa table ; mais moi je lui réponds : « Mon Révérend, vous avez ici un jeune homme d'armes qui est mon cousin et que j'aime comme s'il était mon frère cadet, il est prisonnier, permettez-moi de l'aller voir. » On me fait descendre des escaliers du diable, au lieu de m'asseoir devant un bon pâté de venaison, je m'enfouis dans un trou humide ; et, pour me récompenser, tu me dis des injures.

— Je ne t'avais pas prié de venir.

— C'est vrai, mais si je venais pour t'apporter de bonnes nouvelles ?

— Je n'aimerais pas à les recevoir de toi.

— Peste ! mais c'est décidément de la haine !

— Non, prononça Aubry sans s'émouvoir ; ce n'est que du mépris. »

Méloir eut encore un petit mouvement de colère. Ce fut le dernier. On s'habitue à l'insulte comme à autre chose.

« Haine ou mépris, mon cousin Aubry, dit-il, peu m'importe ; je suis venu ici pour causer, et, de par tous les diables, nous causerons ! Prête-moi la moitié de ta paille. »

Aubry ne répondit pas.

Méloir prit une brassée de paille et la jeta à l'autre bout du cachot.

« Comme cela, poursuivit-il en s'asseyant le dos contre le roc, nous serons tous les deux à notre aise et nous ne pourrons pas nous mordre. »

Il avait débouclé son ceinturon pour s'asseoir, et son épée était près de lui.

20

La rubrique du chevalier Méloir

Il faisait grand jour maintenant, et, bien que le sol du cachot fût encaissé profondément, Aubry et le chevalier pouvaient se voir.

Le chevalier s'était arrangé de son mieux sur la paille et paraissait bien décidé à ne point abréger sa visite.

« Te souviens-tu, mon cousin Aubry, dit-il, d'une conversation que nous eûmes ensemble non loin d'ici, sur la route d'Avranches au Mont ? Tu portais la bannière de M. Gilles ; moi, je portais la bannière de Bretagne. Tu jugeais sévèrement notre seigneur le duc ; moi qui ai plus d'âge et d'expérience, j'étais plus indulgent. Nous en vînmes à parler de nos dames, car il faut toujours en venir là, et nous nous aperçûmes que nous étions rivaux. Eh bien ! Aubry, la main sur le cœur, cela me fit de la peine pour toi. »

Aubry eut un dédaigneux sourire.

« Il ne s'agit pas de cela, dit Méloir, ton sourire fait bien sous ta moustache naissante, mais comme *elle* n'est pas là, ton sourire est perdu. Il ne s'agit pas du tout, entre deux hommes qui se disputent une belle, de savoir lequel des deux elle aimera.

— De quoi s'agit-il donc ?

— Il s'agit de savoir lequel des deux en définitive sera son seigneur et maître. Or, j'avais de la peine pour toi, mon cousin Aubry, parce que je savais d'avance que tu ne gagnerais pas la partie.

— Je ne l'ai pas perdue encore », murmura Aubry.

Le regard du chevalier se fixa sur lui à la dérobée, vif et perçant. Puis il examina le cachot en détail comme s'il eût voulu guérir une crainte fâcheuse qui lui était venue tout à coup.

Cette boîte de granit était bien faite pour chasser toute inquiétude.

« Figure-toi, cousin Aubry, dit-il, qu'une idée folle vient

de me traverser la cervelle. La manière dont tu as prononcé ces paroles : « Je ne l'ai pas encore perdue », m'a sonné à l'oreille comme une menace. J'ai pensé que tu avais peut-être un moyen de trouver la clé des champs. Or, si tu la trouvais, la clé des champs, ta partie ne serait vraiment pas trop mauvaise. Mais, reprit-il avec un gros rire railleur, il te manque justement la clé des champs, mon cousin Aubry, et ce n'est pas moi qui te la donnerai ! Voilà de bonnes murailles, ma foi ! mon jeu vaut mieux que le tien. On t'aime, mais j'épouserai. N'y a-t-il pas de quoi rire ?

— Quand on est un mécréant sans foi ni honneur... commença Aubry.

— Fi donc ! tu en arrives tout de suite aux gros mots. Ta position te protège, mon cousin, ce n'est pas généreux.

— Fais-moi descendre en grève, s'écria Aubry, donne-moi une épée, et prends avec toi deux ou trois de tes routiers, tu verras si je soutiens mes paroles !

— Bien riposté ! Mais nous sommes trop vieux, mon cousin, pour nous laisser prendre ainsi. Je te tiens quitte de toute réparation. Tu es le plus vaillant écuyer du monde, voilà qui est dit. Si nous étions tous deux en lice, tu me pourfendrais, comme Arthur de Bretagne pourfendit le géant du mont Tombelène, voilà qui est convenu... En attendant, causons raison ; il me reste à t'apprendre pourquoi ta partie serait si belle, si une bonne fée venait, par aventure, briser tes fers et percer les murailles de ton cachot. Les choses ont bien marché depuis le huitième jour du présent mois de juin qui va finir. François de Bretagne est demeuré frappé de la citation solennelle à lui portée par le vieux Maurever. Il a vieilli de dix années en deux semaines. Sans cesse il pense au dix-huitième jour de juillet, qui est le jour fixé pour sa comparution devant le tribunal de Dieu. Et ses médecins ne savent pas s'il atteindra ce terme, tant la vie s'use en lui. Or, le soleil couchant n'a plus guère d'adorateurs : les mages vont au soleil qui se lève ; en ce moment où je te parle, un homme résolu qui déploierait au vent un chiffon armorié en criant le nom de M. Pierre, le futur duc, mettrait en fuite mes cavaliers et mes soudards, comme une troupe d'oies effrayées. »

Aubry baissait la tête pour cacher le feu qu'il sentait dans ses yeux.

Il songeait à son barreau de fer coupé aux trois quarts. Dans quelques heures il pouvait être libre. Il avait besoin de toute sa force pour contenir le cri de joie qui voulait s'échapper de son cœur.

Méloir, qui lui voyait ainsi la tête basse, triomphait à part soi. Il poursuivit :

« Mais qui diable songerait à jouer ce jeu, sinon toi, mon cousin Aubry ? Le vieux Maurever, qui est un saint — cela, je le proclame ! —, aimerait mieux se faire tuer cent fois que de lever la bannière de la révolte. Et notre petite Reine n'est qu'une femme après tout.

— Oh ! gronda Aubry, feignant le désespoir et la rage, être obligé de rester là comme une bête fauve dans sa cage de fer !

— C'est désolant, je ne dis pas non, car je travaille, moi, pendant ce temps-là, mon cousin Aubry. Si bas que soit le duc François, j'ai toujours bien une quinzaine devant moi, et je n'en demande pas tant, par Dieu ! Dans trois jours j'aurais fait mon affaire...

— Trois jours ! répéta Aubry plaintivement.

— Au plus tard. J'oubliais de te le dire : cette fatigue qui m'oblige à m'asseoir sur ta paille vient de ce que j'ai fait un petit tour de chasse cette nuit dans les grèves.

— Ah ! fit Aubry qui se redressa ; j'avais bien cru entendre...

— Les cris de ma meute ? interrompit Méloir. Ah ! les chiens endiablés ! Quelle vie ils ont menée ! Figure-toi qu'ils sont venus jusque dans les roches au pied du Mont. Cette nuit nous les mènerons à Tombelène. »

Un frisson courut dans le sang d'Aubry, mais il garda le silence.

« D'ailleurs, poursuivit Méloir, c'est du luxe que cette meute. Je l'ai fait venir pour me donner des airs de grandissime zèle, car je sais un coquin qui me mènera, dès que je le voudrai, à la retraite de Maurever. »

Aubry ne respirait plus.

Le chevalier s'arrangea sur la paille et chercha ses aises.

« Ce n'est pas là le principal, dit-il ; ce que je veux t'apprendre, c'est ce qui a trait à notre fameuse partie, c'est le moyen que j'emploierai pour obtenir la main de notre belle Reine.

— La violence ? murmura Aubry.

— Fi donc ! tu ne me connais pas. La belle avance de se faire craindre, pour en arriver à menacer comme un brutal ! Ce ne serait vraiment pas la peine. J'arrive à la retraite de M. Hue de Maurever, mon futur et vénéré beau-père, je l'arrête au nom du duc François, lui, sa fille et sa suite, s'il en a, par fortune, ce que je ne crois guère. Je les emmène. Tu suis bien, n'est-ce pas ? En chemin, je pousse mon cheval aux côtés du sien et je lui dis :

« — Sire chevalier, je fus de vos amis, et vous avez dû vous étonner grandement de me voir prendre le rôle qui est présentement le mien.

« Il ne répond que par un regard de dédain. J'insiste. Il m'envoie au diable. Tu vois que je mets tout au pis, mon cousin. J'insiste encore et je lui dis avec tristesse :

« — Vous m'avez bien mal jugé, Hue de Maurever. Tout ce que j'ai fait, je l'ai fait pour vous. Dès la première heure où vous avez été en danger, j'ai voulu vous sauver, fût-ce au péril de ma propre vie !

« Naturellement il ouvre une oreille, car enfin, dès qu'une énigme est posée, on aime à en savoir le mot. Moi, je salue respectueusement, et je fais mine de vouloir me retirer. Il me retient en disant :

« — Je ne vous comprends pas.

« A moins qu'il ne préfère dire :

« — Expliquez-vous.

« Je lui laisse le choix entre les deux tournures. Je reviens aussitôt d'un air humble et affectueux. Je reprends :

« — Messire Hue, j'aime votre fille... »

— Et tout à coup, il te tourne le dos, malandrin que tu es ! interrompit Aubry.

— Je crois que tu as raison, répondit tranquillement Méloir ; à cet aveu il devra me tourner le dos. C'est la crise. Mais je ne me démonte pas, et j'ajoute d'un ton pénétré :

« — Pensez-vous, messire Hue, qu'avec un pareil amour, j'aie pu, un seul instant... ?

« Il m'interrompit par un rude :

« — En voilà assez !

« Car il faut faire la part de sa mauvaise humeur. Moi, je m'écrie :

« — Ah ! messire Hue, l'accusé a du moins le droit de la défense ; au moment où je vous ai dit : J'aime votre fille, vous avez cru deviner le mobile de ma conduite, vous avez pensé : le chevalier Méloir veut nous conduire aux pieds du duc François, livrer ma tête et demander pour récompense la main de ma fille.

« Si je puis verser une larme en cet endroit, mon cousin Aubry, tout est dit ! Si je ne peux pas verser une larme, je ferai semblant de m'essuyer les yeux et je poursuivrai avec chaleur :

« — Hélas ! messire Hue, tel n'est point mon dessein. Je ne suis qu'un pauvre gentilhomme, c'est vrai, mais j'ai le cœur aussi haut qu'un roi. Mon dessein, c'était de prendre l'emploi de vous pourchasser, afin qu'un autre, moins ami, n'en fût point chargé. Mon dessein était, le premier jour comme aujourd'hui, de venir à vous et de vous dire : « La terre normande est là, sous vos pieds, messire Hue ; vous êtes libre. Que Dieu, vous garde... »

— Ah ! scélérat maudit ! s'écria Aubry, qui avait de la sueur aux tempes.

— Aimerais-tu mieux me voir te livrer au grand prévôt du duc François ? demanda Méloir en ricanant.

— Je voudrais te voir en champ clos et l'épée à la main, charlatan d'honneur !

— Puisque tu te fâches ainsi, mon cousin Aubry, interrompit Méloir en se levant, c'est que ma recette est bonne et qu'elle doit réussir. »

Aubry se leva également.

« Oui, elle est bonne, ta recette ! balbutia-t-il d'une voix entrecoupée par la fureur. Hue de Maurever, qui est la générosité même. Et peut-être que Reine, pour sauver la vie de son père...

— Par saint Méloir ! s'écria le chevalier, chacune de tes paroles me ravit d'aise, mon cousin. Il paraît décidément que j'ai touché le joint. »

La colère bouillait dans le cœur d'Aubry. L'effort même qu'il faisait pour se contenir était un aliment à sa fureur.

Méloir le regardait d'un air provocant.

« Et maintenant, reprit-il, je n'ai plus rien à te dire, mon pauvre cousin. Au revoir, et bien de la résignation je te souhaite. Quand nous nous retrouverons, je te présenterai à ma dame. »

La rage du jeune homme fit explosion en ce moment. Toute idée de prudence avait disparu en lui.

« Lâche ! lâche ! lâche ! s'écria-t-il par trois fois en s'adossant contre la porte ; tu me trouveras plus tôt que tu ne penses. Et quand tu ouvriras la bouche pour tromper le noble vieillard et sa fille, mon épée te fera rentrer le mensonge dans la gorge !

— Ah !... » fit Méloir, qui recula jusque sous la fenêtre.

Aubry aurait voulu rappeler les paroles prononcées. Mais il n'était plus temps.

« Sarpebleu ! dit Méloir, j'étais venu un peu pour cela. Il paraît que nous avons, nous aussi, des rubriques ? »

Il regarda tout autour du cachot une seconde fois et plus attentivement.

Aubry s'était recouché sur sa paille ; il ne parlait plus.

Aubry avait les mains libres ; plus d'une fois l'idée lui était venue de s'élancer sur le chevalier ; mais celui-ci était armé jusqu'aux dents, et Aubry n'avait rien pour se défendre.

Après qu'il eut fait son examen, Méloir grommela :

« Pas une fente où passer le doigt ! Ce petit-là n'est pas un farfadet, pourtant ! Ah ! fit-il en se ravisant, la meurtrière ! »

Aubry tressaillit de la tête aux pieds.

Méloir redressa sa grande taille, et comme sa tête n'atteignait pas la meurtrière, il sauta.

« Un lapin passerait bien par là ! » murmura-t-il.

Son regard sembla faire la comparaison de la largeur de la fenêtre avec l'épaisseur du corps d'Aubry.

« Si le barreau était coupé... » pensa-t-il tout haut.

Il ôta son gantelet de fer, se haussa sur ses pointes et le lança violemment contre le barreau, qui rendit un son fêlé.

« Ah ! sarpebleu ! sarpebleu ! s'écria-t-il, mon cousin, j'ai bien fait de venir ! »

Mais il n'acheva pas, parce que le jeune homme, se voyant perdu et prenant une résolution soudaine, avait profité du moment où Méloir attaquait le barreau pour s'élancer sur lui.

En un clin d'œil, Méloir fut terrassé. Aubry, qui appuyait son genou contre sa poitrine, lui mit sa propre épée sur la gorge.

« Un cri, un mot, dit-il à voix basse, et je te tue comme un chien.

— Et bien tu ferais, mon cousin Aubry, repartit Méloir, qui ne se déconcertait pas pour si peu ; tu as agi de bonne guerre... Et je n'ai pas déjà si bien fait de venir ! Mais tu peux serrer ma gorge un peu moins fort si tu veux. Je t'engage ma parole de chevalier que je n'appellerai pas au secours. »

21

Où frère Bruno se dévoile

Quand Aubry eut un peu lâché prise, Méloir avala une lampée d'air avec une satisfaction manifeste.

« Tu as un bon poignet, mon cousin, dit-il, et moi, je suis un sot. Ta rubrique vaut beaucoup mieux que la mienne. Voilà tout. Il n'y a pas de quoi se fâcher pour cela.

— Écoute, Méloir, lui répondit le jeune homme d'armes, tu étais un brave soldat autrefois, et un bon compagnon... Je n'ai pas le courage de te tuer. Je veux bien t'épargner, mais c'est à condition que tu ne me gêneras point dans l'accomplissement de mon dessein. Me promets-tu qu'une fois libre, tu ne tenteras contre moi aucune résistance ?

— Je le promets.

— Me promets-tu que tu te laisseras lier les mains et les jambes ?

— A quoi bon, mon cousin ?

— Et mettre un bâillon sur la bouche ? acheva Aubry, dont les doigts firent un petit mouvement.

— Je le promets ! je le promets ! je le promets ! dit Méloir précipitamment.

— T'engages-tu à me céder ton armure pour que je m'en revêtes sous tes yeux ?

— Mon armure ?

— Depuis les éperonnières jusqu'à la salade ?

— Ah ! cousin Aubry, mon cousin Aubry, grommela le pauvre chevalier, je ne t'aurais jamais cru si madré que cela !

— T'y engages-tu ?

— Je m'y engage.

— Sous serment ?

— Sous serment.

— A la bonne heure ! Relève-toi donc et tiens ta parole de gentilhomme. »

Pour ce qui était de se relever, Méloir ne se le fit pas dire deux fois. Quant à tenir sa parole, peut-être aurait-il trouvé quelque « exception », comme on dit au palais, s'il n'avait pas vu sa bonne épée toute nue entre les mains d'Aubry.

Sa dague restait bien encore au fourreau, mais Aubry de Kergariou était un fier homme d'armes. L'attaquer avec une dague quand il avait l'épée à la main, c'eût été folie.

Méloir se secoua, s'étira, se tâta.

« Allons, dit Aubry, en besogne ! »

Méloir fit un pas vers lui.

Aubry lui mit sans façon la pointe de l'épée entre les deux yeux.

« A distance ! dit-il. Les bons comptes font les bons amis ; ne m'approche pas, ou je te pique !

— Tu as donc défiance ?

— J'ai hâte. En besogne !

— J'y suis, mon cousin Aubry, j'y suis ! »

Méloir se mit à délacer son armure. Aubry le suivait de l'œil.

Quand Méloir eut achevé de se désarmer, ne gardant que ses chausses et son justaucorps, Aubry prit sous la paille de son lit une corde qui devait lui servir dans son évasion projetée.

« Donne tes poignets, commanda-t-il.

— Attends au moins que tu sois armé. »

Aubry eut un sourire.

« Je m'armerai quand tu seras lié, répliqua-t-il ; donne tes poignets ! »

Méloir obéit enfin, mais bien à contrecœur. Ce bon chevalier avait espéré véritablement rétablir sa partie pendant qu'Aubry ferait sa toilette. Il grommela en tendant ses poignets :

« Qui diable aurait pensé que ce petit homme-là pût jouer si serré !

— Voilà, dit Aubry, qui avait fait un beau nœud ; je te tiens quitte des pieds. Assieds-toi maintenant à ma place et réfléchis, si tu veux, aux vicissitudes du sort. »

Méloir s'assit. Il avait beaucoup l'air d'un renard qu'une poule aurait pris.

En un clin d'œil Aubry fut armé de pied en cap.

« Suis-je bien comme cela ? demanda-t-il.

— Sarpebleu ! s'écria Méloir en colère, faut-il encore que je te serve de miroir ?

— Allons ! allons ! ne te fâche pas, cousin Méloir. Une fois ou l'autre, je te rendrai tes armes. A présent, nous n'avons plus que le bâillon à mettre. »

Il était trop tard pour faire résistance. Méloir se laissa bâillonner. Mais il ne restait plus trace de son excellent caractère, il roulait dans sa tête de féroces pensées de vengeance.

Aubry lui souhaita courtoisement le bonjour et donna du gantelet dans la porte.

Il frappait à tour de bras, se souvenant que le bon frère avait dit : « Je vais à matines. » Mais il paraît que le bon frère Bruno s'était ravisé, car au premier coup la porte s'ouvrit.

Aubry ne put s'empêcher de faire un pas en arrière.

« Il était là ! pensa-t-il ; il a dû tout entendre. »

Et comme, au même instant, Méloir se leva brusquement, poussant des cris inarticulés sous son bâillon, Aubry se vit perdu.

« Qu'a donc ce maître fou ? s'écria cependant le bon frère Bruno. Sire chevalier, donnez-lui du plat de votre épée entre les deux épaules ! »

Méloir s'était élancé vers la porte. Il cherchait à mettre son visage en lumière et à se faire reconnaître du moine convers. Mais celui-ci, se tournant vers Aubry :

« Je n'ai jamais vu le prisonnier comme cela, dit-il, vous l'aurez donc fait boire, sire chevalier ? En l'an trente-neuf, nous avions un captif du nom de Thomas Créveleur, qui devint maniaque dans ce même cachot. J'ai envie de vous conter son histoire. Figurez-vous que ce Thomas Créveleur... »

Méloir se démenait furieusement.

« Sortons ! » dit Aubry, qui était tout pâle et qui s'étonnait que la méprise du frère pût se prolonger ainsi.

Le bon Bruno fit retraite aussitôt, et comme Méloir s'attachait à lui, le bon Bruno ne crut pouvoir moins faire que de communiquer à ce prisonnier récalcitrant un coup de poing paternel.

C'était un digne poignet que celui du bon moine. La poitrine de Méloir sonna comme un tambour. Il chancela et tomba sur la paille.

« Voire ! dit Bruno indigné, ce n'est pas ma besogne de caresser les fous. Je m'en suis fait mal à la deuxième phalange du doigt *annularius.* »

Aubry avait passé le seuil.

Bruno le suivit, parlant toujours et grondant de plus belle. Il ferma la porte avec soin. Cela fait, il se prit les côtes à deux mains et regarda Aubry en éclatant de rire.

Aubry ne savait que penser.

« Oh ! oh ! oh ! disait le frère Bruno, dont les yeux se remplissaient de larmes, j'en mourrai, messire Aubry, j'en mourrai ! Voilà une histoire, seigneur Dieu, une histoire comme on n'en a jamais raconté !

— Vous m'aviez donc reconnu ? balbutia Aubry déconcerté.

— Bon Jésus ! pensez-vous que j'aie la berlue ! Oh ! oh ! les côtes ! Il s'est déshabillé de lui-même, il a été bien obéissant !

— Ah çà, est-ce que vous le voyiez ?

— Le trou de la serrure, donc, messire Aubry ! Je le voyais comme je vous ai vu toute la journée d'hier limer votre barreau, et j'avais bonne envie de vous apporter une escabelle pour tenir vos pieds, car vous deviez fatiguer dans cette position-là. »

Aubry le regardait ébaubi.

« Eh bien ! mon jeune seigneur, reprit Bruno, quand vous m'aurez regardé avec des yeux d'une toise ! J'aime les bonnes histoires, moi. Et je raconterai encore celle-là dans vingt ans si je vis. D'ailleurs, vous savez bien : j'étais un soldat entier, vertubleu ! avant d'être une moitié de moine. Le vieux Maurever m'a gagné le cœur en venant jusqu'ici rabattre l'orgueil d'un meurtrier. Vous m'avez gagné le cœur, vous, en brisant votre épée pour ne la point déshonorer. Et ce coquin de Méloir, au contraire, m'échauffa les oreilles quand il fit le chien couchant, ce jour-là. Or, tout ceci me rappelle une assez gaillarde histoire qui se passa en l'an vingt-huit, derrière Bellesmes, en Normandie... »

Aubry serra tout à coup le bras du frère convers. Ils étaient sortis du corridor et débouchaient dans le cloître, où quantité de moines se promenaient.

Bruno changea de ton soudain :

« Oui, sire chevalier, dit-il avec toutes les apparences d'un respect profond, les trois cachots se font suite l'un à l'autre et sont creusés dans le roc vif. Dom Nicolas Famigot, vingt-quatrième abbé du saint monastère, fit, en outre, redorer la statue tournante de saint Michel archange, qui est au sommet du campanile. Son décès eut lieu le dix-neuvième jour de mars, en l'an 1272, et le cartulaire rapporte... »

Le cloître était traversé.

« Du diable si je sais ce que rapporte le cartulaire, messire Aubry, reprit Bruno ; le cartulaire ne contient point de bonnes aventures comme celle dont j'ai été témoin aujourd'hui. Ah ! laissez-moi rire encore un petit peu, je vous en prie. Quelle figure il avait ce Méloir ! et ses regards piteux !... Ah ! ah ! ah !... Et maintenant, je donnerais bien deux ou trois deniers pour savoir quelle vie il mène tout seul dans votre cachot ! »

Aubry ne pouvait partager l'expansive hilarité du frère servant. Son casque n'avait pas de visière. Méloir avait dû amener quelque suite avec lui au couvent : Aubry craignait de rencontrer des hommes d'armes sur son passage et d'être reconnu.

Mais Bruno avait contre sa crainte des arguments sans réplique.

« Les soudards, disait-il, ah ! ah ! je les ai vus, ce sont d'assez bons drilles. C'est moi qui les ai menés au réfectoire des laïques. Ils y sont entrés sur leurs jambes, mais il faudra les en tirer sur des civières, oui bien ! Ah ! ah ! j'ai été soldat, et je fais pénitence ! »

Frère Bruno passa sa langue sur ses lèvres, ému au souvenir de quelque bonne aventure.

Ils descendirent le grand escalier, traversèrent la salle des chevaliers, le réfectoire des moines, et arrivèrent au seuil de la salle des gardes.

« La tête haute, dit frère Bruno qui était un observateur, l'air insolent, le poing sur la hanche, c'est comme cela que marche le Méloir. »

Les gardes firent avec respect le salut des armes.

La porte extérieure s'ouvrit.

« Je suis chargé, dit le moine servant au portier, de montrer la chapelle Saint-Aubert au digne chevalier Méloir.

— Que Dieu vous accompagne ! » souhaita le frère tourier.

Et ils passèrent. Aubry respira bruyamment.

Le frère Bruno était aussi content que lui.

« Maintenant, reprit-il, où allez-vous, mon jeune seigneur ?

— Je ne puis vous le dire, répliqua Aubry.

— Ah ! si fait ! s'écria Bruno, puisque je vais avec vous.

— Comment ! vous venez avec moi ?

— Je vous suis au bout du monde !

— Mais votre habit, mon frère ?...

— Je n'ai pas fait des vœux, messire Aubry, je vous l'ai dit : je ne suis qu'une moitié de moine, et je ne me soucie pas beaucoup de vous remplacer dans le cachot creusé par dom Nicolas Famigot, vingt-quatrième abbé du mont Saint-Michel, bien que ce soit un fort bel ouvrage.

— Vous croyez qu'on vous rendrait responsable ?

— Le chevalier Méloir parlerait du coup de poing. Un beau coup de poing, messire, avez-vous vu ? Et ce soir je coucherais sur la paille. A ce sujet-là je sais une histoire...

— Mon frère Bruno, interrompit Aubry, je vais en un lieu où je n'ai pas le droit de vous emmener.

— Tournez ici, messire Aubry, répondit le convers ; mieux vaut entrer un peu en grève que de marcher dans ces roches diaboliques qui usent en deux jours la meilleure paire de sandales. Comme ça, vous ne voulez pas de mon histoire ? C'est bon, messire Aubry ; quant au lieu où vous allez, si vous ne m'y menez pas, moi, je vous y mènerai.

— Vous sauriez ?...

— Croyez-vous que le troisième carreau de mon compagnon Alain, l'archer qui veillait sur la plate-forme, il y a deux nuits, n'aurait pas mieux touché but que les deux premiers ? Mon compagnon Alain n'a jamais manqué trois coups de suite en sa vie. Et Dieu merci, on voyait la jeune fille au clair de lune comme je vous vois, messire Aubry. Heureusement, j'avais écouté au trou de la serrure, pendant que vous causiez avec elle.

— Ah ça, tu es un diable, toi ! s'écria le jeune homme d'armes, moitié riant, moitié fâché.

— Plaignez-vous ! Je saisis le bras d'Alain, mon compagnon, et je lui dis : « Voici un gobelet de vin que saint Michel archange envoie à son fidèle gardien. » Et maître Alain de relever son arbalète pour prendre la tasse. La tasse était profonde. Quand Alain, mon compagnon, l'eut retournée, la demoiselle Reine de Maurever était à l'abri, derrière l'angle de la muraille. »

Aubry lui prit la main et la serra vivement.

Frère Bruno s'arrêta et releva les manches larges de son froc.

« Regardez-moi ça, dit-il en montrant des bras d'athlète ; quand les soudards de Méloir viendront chercher le vieux de Maurever là-bas, à Tombelène, ces bras-là pourront leur faire encore bien du chagrin. Je tiens joliment une épée. Quand je n'ai pas d'épée, j'aime assez un gourdin. Quand je n'ai pas de gourdin, tenez, je m'en tire comme je peux. »

Il avait saisi à deux mains une grosse roche qu'il balança un instant au-dessus de sa tête. La roche partit comme si elle eût été lancée par une machine de guerre, et s'en alla briser un poteau planté dans le sable à trente pas de là.

Frère Bruno sourit bonnement.

« Supposez le Méloir en place du poteau, dit-il, ça lui aurait, bien sûr, ôté l'appétit pour longtemps. Mais dites-moi, mon jeune seigneur, reprit-il soudainement, avez-vous jamais ouï conter l'aventure de Joson Drelin, bedeau de la paroisse de Saint-Jouan-des-Guérets ? »

22

Comment l'histoire de Joson Drelin resta inachevée

Tout en parlant, Aubry de Kergariou et frère Bruno avaient fait le tour du Mont. Ils se trouvaient à peu près en face de Tombelène.

Aubry réfléchissait. Bruno racontait :

« Donc, au baptême des cloches de Saint-Jouan-des-Guérets, en l'an quarante-trois, ou quatre, car la mémoire n'y est plus. Ah dam ! je n'ai plus vingt-cinq ans, non, ni trente non plus ; être et avoir été, ça fait deux !

« Je disais donc qu'en l'an quarante-trois ou quatre, Joson sonna tant qu'il but beaucoup. S'il sonna tant, c'est que le sonneur était malade ; s'il but beaucoup, c'est qu'il avait grand-soif, pas vrai ? M'écoutez-vous, messire Aubry ? »

Aubry ne répondit point. Il pressait le pas, car il avait grand-hâte de voir ceux qu'il aimait. Et après tout, il ne pouvait pas renvoyer ce brave homme, qui s'était compromis pour le sauver. Pourtant, introduire un étranger dans la retraite du proscrit ! Aubry hésitait parfois.

« Allons ! marchons ferme, frère Bruno. La mer monte, et il nous faut passer à Tombelène, disait Aubry, qui voyait venir la mer ; pressons le pas !

— Saint Sauveur ! je vais pourtant de mon mieux ! »

Et frère Bruno allait reprendre son récit, lorsque Aubry le saisit rudement par les épaules et le poussa en avant.

La mer arrivait dans le lit du ruisseau qui sépare les deux monts, et frère Bruno avait déjà de l'eau jusqu'aux mollets.

Or, dans ces sables, quand on a de l'eau jusqu'aux mollets, la tête y passe souvent.

Frère Bruno se mit à rire quand il fut à pied sec.

« Messire Aubry, dit-il, je vous rends grâces. Voilà ce que c'est que de bavarder : je ne regardais pas mon chemin. Cela me rappelle l'histoire du vieux Martin de Saint-Jacut, qui fut noyé en chantant *Ma mère l'Oie...* Donc, la femme de Joson Drelin...

— Morbleu ! mon frère, s'écria Aubry, nous allons nous fâcher si vous ne laissez là une bonne fois Joson Drelin et sa femme ! »

Bruno le regarda stupéfait.

« L'histoire ne vous plaît pas, messire ? dit-il ; c'est surprenant. Mais des goûts, il ne faut point discuter, et je vais, alors, vous raconter l'aventure de Pacôme, second sommelier de l'abbé défunt.

— Ni cette aventure ni d'autres, mon frère ! Avalez votre

langue et mettez vos jambes au trot, car la mer va nous entourer.

— Oh ! répliqua le moine servant, j'aurai toujours bien le temps de vous conter ce qui advint à maître Olivier Chouesnel, syndic des peaussiers et mégisseurs de la ville d'Avranches, le jour de ses noces.

— Un mot de plus, et je vous laisse là, mon frère !

— Bon, bon, messire Aubry, ne vous fâchez pas. Je ne conte mes anecdotes qu'à ceux qui me les demandent. Et encore, bien souvent, je me fais prier, témoin ce qui m'arriva en l'an quarante-cinq, au pardon de Noyal-sur-Seiche... »

Aubry n'en voulut point entendre davantage. Il prit sa course, et le frère Bruno resta seul dans les tangues.

« Oh ! oh ! fit-il, pareille chose m'advint en Basse-Bretagne avant la guerre. Je voulus raconter l'histoire du meunier Rouan, qui vendit son âme au Malin pour une paire de meules, mais... Oh ! oh ! fit-il encore en sursaut, voici la mer pour tout de bon ! »

Cette fois, il n'entama aucune histoire et prit ses jambes à son cou.

La forteresse que les Anglais avaient construite au mont Tombelène était considérable et pouvait contenir nombreuse garnison. En partant, quelques mois avant les événements que nous mettons sous les yeux du lecteur, Knolle ou Kernol, le lieutenant de Bembroe, qui était resté le dernier à Tombelène, avec cent ou cent cinquante hommes d'armes, fit sauter les ouvrages de défense, rasa le château et mit le mont à nu.

Il ne restait debout que la partie occidentale des murailles, flanquée par la tour démantelée où nous avons vu M. Hue de Maurever dormir, son épée entre les jambes.

Ces murailles, la tour, une courtine élevée de plusieurs pieds au-dessus du sol, et le bâtiment intérieur dont le rez-de-chaussée n'avait été démoli qu'en partie, formaient encore une retraite assez vaste, qu'il était très facile de clore et de mettre à l'abri d'un coup de main, surtout à cause de cette circonstance que le reste de l'île était complètement découvert.

Au moment où Aubry de Kergariou et le frère Bruno traversaient la grève, il y avait bien des yeux inquiets fixés sur eux derrière les murailles en ruine. M. Hue de Maurever, qui était resté si longtemps seul sur le roc abandonné, avait maintenant de la compagnie, plus qu'il n'en eût voulu peut-être.

Outre sa fille Reine, les Le Priol et le petit Jeannin qui étaient arrivés au milieu de la nuit, nous trouvons à Tombelène tout le village de Saint-Jean : les quatre Gothon, les quatre Mathurin, Scolastique, les trois Catiche, les deux Joson et d'autres, dont nous ferions le dénombrement avec zèle si ces humbles pages étaient une épopée.

Les paysans du village de Saint-Jean-des-Grèves avaient émigré, parce que leurs demeures n'étaient plus qu'un monceau de cendres.

Maître Vincent Gueffès avait payé ainsi l'hospitalité reçue. Il avait dit aux soudards ivres :

« Le traître Maurever se cache dans une des maisons du village. J'en suis sûr. »

Les soldats avaient enfoncé les portes. Quand on enfonce la porte du paysan breton, si faible qu'il soit, il frappe. Les bonnes gens avaient tapé de leur mieux. Il y avait eu la bataille. Puis l'incendie.

Car c'était bien le village de Saint-Jean que Reine et les Le Priol avaient vu flamber en entrant dans la grève, de l'autre côté d'Ardevon.

Hommes, femmes, enfants, ils étaient là une quarantaine derrière les débris de la forteresse anglaise.

Comme ils se doutaient bien qu'on avait reconnu leurs traces et qu'on les relancerait, toute la nuit avait été employée au travail. Des pierres amoncelées bouchaient déjà les brèches, et une nouvelle enceinte s'élevait du côté de l'intérieur. On se préparait à un siège.

Le vieux Maurever ne s'occupait point de tout cela. Il était dans sa tour ; Reine, assise à ses pieds, mettait sa belle tête blonde sur ses genoux. Maurever était plus heureux qu'un roi.

« Reine, dit-il en caressant les doux cheveux de la jeune fille, j'ai cru que je ne te verrais plus. Quand ton panier a passé sous mes yeux emporté par le courant, mon cœur est devenu froid et comme mort. Oh ! que je t'aime, ma fille chérie ! Pour les travaux de ma longue vie, je ne demande à Dieu qu'une récompense, ton bonheur ! »

Reine couvrait ses mains de baisers.

« Toi, reprenait Maurever avec mélancolie, tu m'aimes bien aussi, je le sais. Mais l'amour des jeunes gens pleins d'espérance ne ressemble point à l'amour triste des vieillards. A mesure qu'on vieillit, Reine, la tendresse se concentre et se resserre, parce que les objets aimés deviennent plus rares. Ainsi, moi, j'ai perdu ma femme qui était une sainte, j'ai perdu tes frères qui étaient des nobles cœurs. Il ne me reste que toi. Toi, au contraire, tu prendras un mari et tu l'aimeras. Tu auras des enfants, et tu les adoreras. Que restera-t-il pour ton pauvre vieux père ?

— Ce qui restait à votre mère tant aimée quand vous fûtes époux et que vous devîntes père. »

Une larme tomba sur la barbe blanche du chevalier.

« Ma mère ! murmura-t-il, Dieu m'est témoin que je l'aimais. Oh ! Reine, pourtant ma mère est morte seule au manoir du Roz, pendant que j'étais en guerre. Promets-moi que tu seras là pour me fermer les yeux ? »

Reine ne répondit que par des baisers plus tendres.

Ç'avait été une scène touchante, lorsque le vieux proscrit, après trois jours entiers d'attente, avait revu enfin sa fille, escortée par ses fidèles vassaux. Avant de la baiser, il avait mis un genou en terre pour remercier Dieu. Puis il l'avait serrée contre sa poitrine déjà creusée par la faim. Puis encore, il avait mangé avidement au milieu des Le Priol, qui avaient des larmes plein les yeux à l'idée de ce qu'avait souffert leur pauvre seigneur.

Reine le servait, lui présentant le pain et la coupe pleine.

On les avait laissés seuls après le repas. Il y avait déjà longtemps qu'ils s'entretenaient ainsi. Un silence se fit. Le chevalier contemplait sa fille. Un sourire vint à sa lèvre austère.

« Je suis jaloux de lui, murmura-t-il.

— Lui qui vous aime tant, mon père !

— Et crois-tu que je ne l'aime pas, moi, pour lui donner ainsi mon cher trésor ! s'écria le proscrit, qui enleva Reine dans ses bras et la posa sur ses genoux comme un enfant. C'est un bon soldat, c'est un cœur généreux ; je veux bien qu'il soit mon fils. Mais je te le dis, ma Reine bien-aimée, la vieillesse est un long supplice. Nous n'acquérons plus jamais, et toujours nous perdons jusqu'au seuil de la tombe. Voici un homme fort, jeune, heureux, souriant aux promesses que l'avenir prodigue. Le monde est à lui, que fait-il ? Il vient demander au vieillard dépossédé une part de son bien suprême. Le riche a besoin de l'obole du pauvre : ainsi va la vie ! »

Il baissa la tête, et ses cheveux blancs inondèrent son front.

Reine était devenue triste à l'écouter.

« Tu l'aimes donc bien ? » demanda-t-il brusquement.

Reine se redressa.

« Oui, mon père, dit-elle d'une voix grave et lente.

— Et lui ?

— Mon père, il m'aime assez pour renoncer à moi si je lui dis : M. Hue de Maurever a besoin de sa fille et la veut garder. »

Elle n'acheva pas, parce que le vieillard l'étouffait en un baiser passionné.

« Folle ! folle ! disait-il. Oh ! le cher cœur ! Oh ! la bonne fille qui aime bien son père ! Écoutes-tu les paroles d'un fiévreux ! Je rêve, tu vois bien, je rêve ! Ce qu'il me faut, ma Reine, c'est ton bonheur, c'est le sourire à ta lèvre rose. Écoute, la vieillesse n'est si malheureuse que par son égoïsme ombrageux. Nous ne gagnons rien, disais-je. Ingrat et insensé ! Ce fils, Aubry, qui va venir remplacer mes fils décédés, n'est-ce rien ? Et ces beaux anges blonds qui ressembleront à leur mère, les enfants de ma Reine, mes petits-enfants, mes jolis amours ! »

Reine cacha dans son sein son front rougissant.

Il lui prit la tête à pleines mains et la baisa.

« Dieu est bon, dit-il en extase ; ce sont de beaux jours qui me restent ! »

A ce moment, les planches qui fermaient la tour tombèrent en dedans.

« Le chevalier Méloir et un moine ! cria Julien Le Priol essoufflé.

— Le chevalier Méloir ! » répéta Maurever, qui s'élança vers la meurtrière.

On se souvient qu'Aubry avait endossé l'armure de l'ancien porte-bannière de Bretagne.

« Noir et argent, murmura le vieux seigneur après avoir regardé, ce sont bien ses couleurs. »

Julien posa un carreau sur son arbalète.

« Je ne manque guère mon coup, messire, dit-il en épaulant son arme, et j'attends vos ordres. »

23

Dits et gestes de frère Bruno

Heureusement Reine avait de bons yeux. Elle abattit vivement, de sa blanche main, l'arbalète de Julien Le Priol qui cherchait déjà son point de mire.

« Ce n'est pas le chevalier Méloir, dit-elle.

— Et qui est-ce donc, notre demoiselle ?

— C'est Aubry de Kergariou.

— Déjà ! » murmura Maurever.

Julien sourit, débanda son arbalète et sortit.

« Si j'étais seulement gentilhomme, pensait-il en regagnant l'abri de sa famille, je voudrais qu'elle ne reconnût personne d'aussi loin que cela ! »

Il soupira un petit peu.

Et ce fut tout, car Julien était un vaillant gars dont la pensée pouvait se montrer tout entière.

L'instant d'après, Aubry entrait dans la tour. Maurever lui tendit les bras et l'appela son fils. Reine lui donna sa main.

Il fallut savoir l'histoire de ce déguisement. Aubry s'assit entre sa fiancée et son père. Cet instant-là compensait toutes les heures cruelles passées dans la cage de pierre.

« Mes fils, disait cependant Bruno aux émigrés du village de Saint-Jean, nous avons vu vos maisons brûler du haut de la plate-forme, ici près, au monastère. Moi, qui ai été soldat avant d'être moine, je connais cela. Si vous avez un verre de cidre, je boirai à votre santé, bien volontiers, mes fils, car tout le long du chemin, messire Aubry m'a forcé de lui conter des histoires. »

Jeannin lui emplit une écuelle.

« Toi, reprit Bruno en caressant la joue du petit coquetier, tu ressembles comme deux gouttes d'eau au saint Jean-Baptiste de l'église de Tinténiac, mon pays natal, et je vais te conter une histoire qui te fera grand plaisir.

— Si vous avez été soldat comme vous le dites, repartit Jeannin, mieux vaudrait nous aider dans nos travaux.

— Bien parlé, mon neveu ! s'écria Bruno, comme disait Malestroit, mon capitaine, qui eut le bras coupé par un boulet de pierre au bas de Bécherel, en l'an trente et un. Quant à vous aider, ce sera de bon cœur ; je suis ici pour cela, ne pouvant rentrer au monastère sans une immunité du prieur claustral. Voyons votre besogne. »

Il rejeta son froc en arrière et retroussa ses manches, en homme de vert travail. Jeannin, Julien, quelques Mathurin et les Joson lui montrèrent le commencement d'enceinte. Frère Bruno approuva le tracé et se mit immédiatement à l'œuvre.

Dans la courtine, étaient Simon Le Priol, sa femme, Simonnette, toutes les Gothon et autres Catiche ; Scolastique préparait le repas commun. On était triste en cet endroit-là. Simonnette avait la larme à l'œil, parce que le petit Jeannin, étant devenu un homme de guerre, ne s'occupait plus d'elle autant qu'elle l'aurait voulu.

Les choses étaient bien changées, rien que depuis l'avant-veille, jour de la Saint-Jean. Ce soir-là, souvenez-vous-en, le petit Jeannin avait ses pieds nus dans les cendres si humblement ! Et, pour une fois qu'il osa prendre la parole, on le fit taire.

Mais il avait été pendu depuis lors, et cela forme un jeune homme. Son importance grandissait à vue d'œil, les Gothon le regardaient ; les Mathurin le jalousaient. On prétendait que deux Suzon, dont nous n'avons point parlé encore à cause de l'abondance des matières, l'avaient effrontément demandé en mariage.

C'était un personnage.

« Peau-de-Mouton, mon joli blondin, lui dit frère Bruno, je me fais maître maçon, et je te prends pour ma coterie. »

A ce coup Jeannin se redressa ; sa position était désormais officielle. Il jeta un regard vers la courtine, où les femmes étaient rassemblées, et prit le pas sur tous les Mathurin.

« Je ferai de mon mieux, frère Bruno, répliqua-t-il avec une orgueilleuse modestie.

— Apporte-moi cette roche, mon garçonnet », reprit le moine en montrant une pierre presque aussi grosse que Jeannin.

Jeannin s'y prit vaillamment, mais son effort n'ébranla pas même la roche.

Les Mathurin se mirent à rire.

« Vous qui riez, dit le moine, mettez-vous quatre et faites ce que le blondin n'a pu faire. »

Les Mathurin suèrent sang et eau ; la pierre ne bougea pas.

« Oh ! oh ! s'écria le frère Bruno ; on dit que les gars du Marais ont des mains de beurre. Voyez ce que vaut la moitié d'un moine ! »

Il saisit la roche et la porta, l'espace de dix pas, jusqu'à l'enceinte improvisée. Tout en la portant, il disait :

« Personne de vous n'a connu Robin de Ploërmel, qui écrasa la queue du diable ? Je vous réciterai sa légende au souper. A présent travaillons, mes mignons, car nous aurons du nouveau cette nuit. »

Les Mathurin le contemplaient avec admiration.

Frère Bruno leur assigna leur poste de travail et entonna la ronde du pays de Vannes :

La beauté, de quoi sert-elle,
Ligèrement, belle hirondelle,
Ligèrement ?
El' sert à porter en terre,
Ligèrement, blanche bergère,
Ligèrement !

Il chantait cela, le frère Bruno, d'une belle voix de vêpres, sur un de ces airs tristes et bizarrement rythmés qu'on ne trouve qu'en Bretagne. C'était de la gaieté, mais de la gaieté bretonne, qui donne aux noces même une bonne couleur d'enterrement.

Les gars se prirent à travailler en mesure comme les matelots au cabestan. La besogne allait, le moine chantait :

As-tu la chanson nouvelle,
Ligèrement, belle hirondelle,
Ligèrement ?
La chanson du cimetière,
Ligèrement, blanche bergère,
Ligèrement !

« Holà ! les filles ! cria le frère Bruno, je ne peux pas tout faire, moi ! Venez donc chanter pendant que nous peinons. »

Les filles qui s'ennuyaient toutes seules ne demandaient pas mieux. Le troisième couplet, un peu plus lugubre que les deux premiers, s'entonna en chœur, bien joyeusement. Le quatrième où *bière* rime avec *bergère*, fut chanté en sautant. Au cinquième, on ne se sentait plus d'allégresse.

Au sixième, les Gothon, les Catiche, la Scolastique, les Suzon, Simon Le Priol et sa grave ménagère elle-même remuaient la terre en gavottant comme des bienheureux.

L'enceinte s'élevait. Quand le vieux Maurever, Aubry et Reine sortirent de la tour, ils étaient dans une véritable forteresse.

Le frère Bruno s'approcha respectueusement de M. Hue :

« Que Dieu vous bénisse, mon bon seigneur, dit-il, et la jolie demoiselle, et même messire Aubry, mon ami, qui m'a planté là en pleine grève, quoique je prisse la peine de lui raconter une histoire ou deux pour abréger le chemin. Je viens ici dérouiller mes pauvres bras qui s'engourdissaient là-haut.

— Mais si le prieur s'aperçoit de votre fuite, répliqua M. Hue, il enverra ses hommes d'armes après vous.

— Quel prieur ? Il faut distinguer : le prieur claustral, je ne dis pas ; mais il ne s'occupe pas du dehors. Quant au prieur des moines, il a porté l'armure comme moi, et la main lui démange trop souvent pour qu'il ne comprenne pas mon cas. D'ailleurs, je n'ai point prononcé de vœu, mon bon seigneur, et à mon retour je n'aurai que la discipline simple, qui est donnée par frère Eustache, mon compère. »

Le vieux Maurever fronça le sourcil.

« Je n'aime pas qu'on plaisante, même innocemment, des choses de la religion, mon frère, dit-il avec sévérité.

— Bon ! s'écria Bruno désespéré, voilà qu'on va me renvoyer avant la bagarre ! J'aurai la discipline tout de même et je ne me serai point battu ! Mon bon seigneur, ayez pitié de moi !

— Père, murmura la douce voix de Reine, il a aidé Aubry à se sauver.

— Et j'ai donné trois tours de clé sur ce coquin de Méloir,

ajouta Bruno ; saint patron, monseigneur, si vous aviez vu sa figure !

— C'est un excellent homme, dit Aubry à son tour ; sans lui, les jours de ma captivité auraient été bien durs.

— Oui, oui, s'écria Bruno, je lui ai conté de fières histoires au jeune seigneur... Et tenez, interrompit-il en prenant sans façon M. Hue par la manche, ce frère Eustache, dont je vous parlais, a eu, avant d'entrer en religion, vers l'an trente-trois, au mois d'avril, une aventure dans la ville de Guichen, entre Rennes et Redon. Il venait de vendre des poules au marché de Guer, car il tenait une métairie pour la douairière de la Bourdonnaye. C'était alors un jeune gars, éveillé comme un ver luisant.

— Assez ! frère Bruno », interrompit M. Hue.

Le pauvre moine s'arrêta court.

« Aurais-je offensé mon bon seigneur ? balbutia-t-il.

— Assez ! vous dis-je, je vous permets de rester ici avec nous. »

Bruno frappa ses mains l'une contre l'autre et poussa un long cri de joie.

« Mais à une condition, ajouta Maurever.

— Laquelle, monseigneur, laquelle ?

— C'est que, pendant votre séjour, vous ne raconterez pas une seule histoire.

— Ah ! s'écria le moine en riant de tout son cœur, voilà, par exemple, qui n'est pas difficile ! croyez-vous que je sois un bavard, Seigneur Dieu ! Cela me rappelle une aventure qui m'arriva en l'an quarante-quatre dans une auberge de la Guerche. Nous étions trois : mon cousin Jean, Michel Legris et moi. Je dis à Michel Legris : « Michel, mon fils, as-tu ouï conter l'aventure du gruyer-juré de Lamballe qui... »

Il fut interrompu par un éclat de rire que poussa en chœur toute l'assistance.

Pourquoi riait-on ? Frère Bruno ne le devina point.

« Si vous aviez attendu un petit peu, dit-il, c'est mon histoire qui vous aurait fait rire. »

Le chevalier Méloir, enfermé dans la prison d'Aubry, supporta d'abord assez gaiement son infortune. Il était philosophe. Le pis-aller, c'était quelques heures passées dans ce fâcheux état.

Mais les heures se succédaient et la philosophie du chevalier Méloir s'usait. Il était environ 10 heures du matin quand Aubry lui avait emprunté de force son costume. Midi sonna au beffroi du monastère. Puis 1 heure, puis 2 heures, puis 3.

Sarpebleu ! le chevalier Méloir perdait patience.

S'il n'avait pas eu ce diable de bâillon, il aurait appelé ; mais son bâillon était très bien attaché. Ses jambes seules étaient libres. Il s'en servit d'abord pour arpenter son cachot étroit à grands pas, puis pour lancer des coups furieux dans le chêne de la porte.

Mais c'est bien le moins que les prisonniers aient le droit de passer leur mauvaise humeur sur les portes ou les murs de leurs cabanons.

Des coups de pieds du chevalier Méloir personne ne s'inquiétait.

Vers 4 heures de l'après-midi, une clef tourna pourtant dans la serrure.

« Eh bien ! Bruno, dit une voix sur le seuil, est-ce toi qui fais tout ce tapage ? Pourquoi tes clés sont-elles au dehors ?... Mais Bruno n'est pas là... Où est-il ? »

Le malheureux Méloir n'avait garde de répondre.

Il se mit au-devant du nouveau venu, qui était frère Eustache, et qui pensa :

« Bruno a lié les mains du prisonnier avec une corde et lui a mis un bâillon sur la bouche,... c'est peut-être parce qu'il est enragé. »

Méloir poussait des sons inarticulés sous son bâillon.

« Bien sûr qu'il est enragé ! reprit Eustache. Je voudrais bien savoir ce qu'il a fait du pauvre Bruno. »

Eustache était partagé entre l'envie de faire retraite et le désir de savoir.

La curiosité finit par l'emporter. Il s'approcha de Méloir et lui dit :

« Ne me mordez pas, l'homme, ou je vous assomme avec mon trousseau de clefs. »

Cette précaution oratoire une fois prise, il détacha le bâillon du chevalier.

« Votre Bruno, s'écria aussitôt Méloir, qui écumait de rage, votre Bruno est un coquin ; vous aussi et tous ceux qui habitent ce monastère maudit. Jour de Dieu ! nous verrons si monseigneur François de Bretagne ne tirera point vengeance de cette indignité !

— Messire, dit Eustache étonné, n'est-ce point monseigneur François de Bretagne qui vous fait détenir en cette prison ? »

Méloir le poussa violemment au lieu de répondre, monta les escaliers quatre à quatre et força l'entrée du réfectoire, où le procureur de l'abbé dînait au milieu de ses moines.

Méloir montra ses mains liées et demanda raison au nom du duc de Bretagne.

Guillaume Robert le regarda en face.

« Je vous ai déjà vu dans le chœur de la basilique, messire, dit-il froidement, le jour où le fratricide fut confondu devant Dieu et devant les hommes.

— Le fratricide ! répéta Méloir, qui recula stupéfait ; est-ce de monseigneur François que vous parlez ainsi ? »

Guillaume Robert ne répondit point.

« Déliez les mains de cet homme, dit-il ; si le village qu'il a incendié hier était de Normandie au lieu d'être de Bretagne, je fais serment qu'il ne sortirait pas vivant du monastère de Saint-Michel !

— Un village incendié ! balbutia Méloir.

— Va-t'en ! lui dit encore le procureur ; ton duc a le pied droit dans la tombe. Je prie Dieu qu'il lui inspire des sentiments de pénitence.

— Il faut, en effet, que monseigneur François de Bretagne soit aux trois quarts mort et un peu plus, pour que ce moine parle de lui en ces termes, pensa Méloir ; j'ai gâté ma partie, le diable soit de moi ! »

En arrivant dans la cour, il trouva ses hommes d'armes qui l'attendaient.

Comme il allait passer la porte, son regard tomba sur deux ou trois douzaines de pauvres hères qui recevaient des aumônes de vivres sous la tour. Parmi eux, il reconnut maître Gueffès, lequel faisait bois de toutes flèches et empochait bravement le pain de Dieu.

« Viens avec moi », lui dit Méloir.

Vincent Gueffès s'inclina et obéit.

Méloir lui fit donner un cheval. On prit au galop la route du manoir de Saint-Jean. Pendant la route, Gueffès dit bien des fois à Méloir :

« Mon cher seigneur m'a ordonné de le suivre, pourquoi ? »

Méloir ne répondait pas et restait enfoncé dans sa sombre rêverie.

Arrivé en terre ferme, il se tourna brusquement vers Gueffès :

« C'est toi qui as mis le feu au village, dit-il.

— Non, messire, ce sont vos braves soldats.

— Ce doit être toi. Tu ne seras pas puni, si tu me dis où est Maurever.

— Je dirai à mon cher seigneur où est Maurever, répondit Gueffès avec assurance, et à condition qu'on me donnera : 1° cent écus d'or ; 2° la tête de ce petit malheureux, Jeannin le coquetier ; 3° la fille de Simon Le Priol, Simonnette, dont je prétends me venger quand elle sera ma femme. »

24

Gueffès s'en va en guerre

Méloir arrêta son cheval et regarda Vincent Gueffès.

Celui-ci ne baissa point les yeux.

Méloir était pâle, des gouttes de sueur perlaient à ses tempes.

« C'est comme si je vendais mon âme à Satan, murmura-t-il ; mais peu importe ! Tu auras les cent écus d'or, la tête du petit Jeannin et la jolie Simonnette.

— Quels sont mes gages ?

— Ma foi de chevalier que je te donne. »

Vincent Gueffès aurait peut-être préféré autre chose, mais il n'osa pas le dire.

« La foi d'un illustre chevalier tel que vous, répliqua-t-il, vaut toutes les garanties du monde. »

Il toucha son cheval pour se mettre sur la même ligne que Méloir et reprit :

« Le traître Maurever a maintenant de la compagnie. Les

gens du village ont été le rejoindre, après que vos soldats... car ce sont bien vos soldats qui ont mis le feu, messire. Nous trouverons donc, auprès du traître Maurever, les manants du village de Saint-Jean, plus sa fille Reine, qui se moqua si bien de vous l'autre nuit, en coupant les cordons de votre escarcelle.

— C'était Reine ! s'écria Méloir.

— Nous trouverons probablement aussi cette bouture de chevalier, messire Aubry de Kergariou. En conséquence, ce n'est plus une meute qu'il nous faut, mais une armée.

— Une armée ! dit Méloir en haussant les épaules, une armée pour réduire deux douzaines de patauds et quelques femmes. Sont-ils donc dans une forteresse ?

— Oui, messire, répondit Gueffès.

— Ils ne sont pas au couvent du Mont-Saint-Michel, je pense ! » s'écria Méloir.

Gueffès secoua la tête, en ricanant.

« Ma foi, répondit-il, s'ils n'y sont pas, c'est qu'ils n'y veulent point être ; car votre duc François est terriblement en baisse parmi les bons moines. Mais, enfin, ils n'y sont pas. Seulement, des murs du couvent qui dominent la ville, on les voit assez bien...

— Ils sont à Tombelène !

— Vous l'avez dit, messire. On les voit assez bien remuer leurs roches et clore leur enceinte. Il y a de bons bras parmi eux, mon cher seigneur, et de bonnes têtes, car leur petit fort prend tournure.

— Hommes d'armes, cria Méloir, au galop ! »

Les lourds chevaux frappèrent le sable en mesure. On passait devant le bourg de Saint-Georges.

Quand la cavalcade traversa le lieu où le pauvre village de Saint-Jean élevait naguère ses huit ou dix chaumines, Méloir détourna la tête.

Vincent Gueffès pensait :

« Toutes ces bonnes gens se moquaient de moi. On riait quand je passais. Les enfants disaient : Voici venir la mâchoire du Normand... La mâchoire avait des dents, elle a mordu, voilà tout. »

Et il regardait les places noires qui marquaient l'incendie.

La troupe de Méloir était campée maintenant dans la cour du manoir de Saint-Jean. Les soudards et archers avaient une contenance mélancolique. Bélissan, le veneur, lui-même grondait, sans motif aucun, ses grands lévriers de Rieux.

Il était pourtant arrivé dans la journée sept ou huit lances de Saint-Brieuc avec leur suite.

« Holà ! qu'on se prépare à partir ! » cria Méloir en entrant dans la cour.

D'ordinaire, ce commandement trouvait tous les soldats alertes et joyeux. Ce soir, ils s'ébranlèrent lentement et comme à contre-cœur. Ils savaient que la main de Dieu était sur le duc François de Bretagne. Tout le monde l'abandonnait à la fois. Et tout le monde attendait avec une sévère impatience le moment fatal, fixé par la citation de M. Gilles.

Au moment où le chevalier Méloir passait le seuil de la salle où étaient rassemblés ses hommes d'armes, une discussion très vive et très échauffée cessa brusquement.

Méloir n'en put entendre que quelques mots ; mais ce qui suivit fut une explication parfaitement suffisante.

Kéravel et Fontébrault se levèrent en même temps à son approche.

« Messire, lui dit Kéravel, je m'en vais retourner à mon manoir du Hueldue, devers Hennebon, sauf votre bon vouloir.

— Et pourquoi cela ? demanda le chevalier en fronçant le sourcil.

— Parce que mes moissons se font mûres, répondit le brave homme d'armes avec embarras.

— Du diable si tu te soucies de tes moissons, toi Kéravel ! Mais va-t'en où tu voudras, tu es libre.

— En vous remerciant, messire. »

Kéravel tourna les talons.

« Et toi, Fontébrault, dit Méloir, est-ce que tu aurais aussi fantaisie d'aller voir mûrir tes seigles ?

— J'ai reçu avis, répliqua gravement Fontébrault, que madame ma femme est en voie de délivrance.

— Sarpebleu ! s'écria Méloir, c'est l'affaire du médecin-chirurgien, mon compagnon.

— Sauf votre bon vouloir, messire, je vais m'en retourner du côté de Lamballe, où est ma demeure.

— Sarpebleu ! sarpebleu ! »

Fontébrault prit congé.

Méloir jeta un regard oblique sur les hommes d'armes qui restaient. Il vit Rochemesnil qui se levait.

« Toi, tu n'as ni moissons ni femme, Rochemesnil, s'écria-t-il, je te préviens qu'il y a bataille cette nuit. Si tu veux t'en aller après cela, honte à toi !

— S'il y a bataille, je reste, repartit Rochemesnil ; mais après la bataille, je m'en vais.

— Où ça ?

— Devers Guérande, où feu M. mon cousin Foulcher m'a laissé des salines sous son beau château de Carheil. »

Méloir se laissa choir sur l'unique fauteuil qui fût dans la salle.

« Sarpebleu ! sarpebleu ! sarpebleu ! » grommela-t-il par trois fois.

Et c'était preuve d'embarras majeur.

« En sommes-nous donc là déjà ? reprit-il ; je croyais que nous avions encore, au moins, une vingtaine de jours devant nous. »

Comme on le voit, entre lui et les autres, ce n'était qu'une question de semaines.

Il demeura un instant pensif ; puis il se redressa tout à coup.

« Allons, Rochemesnil, dit-il, va-t'en voir les salines que t'a laissées feu M. ton cousin Foulcher de Carheil, et que le diable t'emporte ! »

Rochemesnil ne se le fit pas répéter.

Méloir regarda ceux qui restaient.

« Voilà les brebis parties, s'écria-t-il. Il ne reste plus céans que les loups. Sarpebleu ! mes fils, une dernière danse, et qu'elle soit bonne ! Après, s'il le faut, nous aurons toute une quinzaine pour faire notre paix avec le futur duc, que saint Sauveur protège ! » ajouta-t-il en touchant la toque qui remplaçait, sur sa tête, le casque conquis par Aubry de Kergariou.

Ce bout de harangue fit un assez bon effet.

Péan, Coëtaudon, Kerbehel, Corson, Hercoat et d'autres encore se levèrent et dirent :

« Nous sommes prêts.

— Donc, commençons le bal ! » ordonna Méloir.

Chacun s'arma. On ne laissa pas un seul soldat au manoir. Bélissan fut chargé d'emmener les lévriers qu'on devait parquer sous la chapelle Saint-Aubert au Mont-Saint-Michel, afin de couper la retraite aux proscrits s'ils s'avisaient de vouloir tenter la fuite à travers les grèves.

A la nuit tombante, la cavalcade sortit du manoir, suivie par les archers et les soldats en bon ordre.

Maître Gueffès était de la partie. Son souhait se trouvait, du reste, accompli. C'était une véritable armée, une armée trois fois plus forte qu'il ne fallait, selon toute apparence, pour réduire les pauvres gens réfugiés à Tombelène.

25

Avant la bataille

A Tombelène, on avait dîné gaiement, car la gaieté se fourre partout, même dans une retraite de proscrits. Seulement, il y avait là tant de bouches largement fendues en communication directe avec d'excellents estomacs, qu'un seul repas suffit pour engloutir la presque totalité des provisions apportées.

Les quatre Gothon dévoraient. Les Mathurin étaient des gouffres. Quant aux Joson, il n'y avait guère que les Catiche qui mangeassent plus gloutonnement qu'eux.

« Ah ! ah ! dit le frère Bruno, on est goulu sur la côte bretonne ; je sais bien ça, et l'histoire de Toinon Basselet, la mailletière, le prouve du reste !

— Voyons l'histoire de Toinon la mailletière ! » crièrent en chœur les filles et les gars.

Pour la première fois de sa vie, le frère Bruno comprit le mystérieux plaisir de la résistance.

« Je vous dirai l'histoire de Toinon la mailletière à la veillée de la mi-août, répliqua-t-il. Il n'y en avait pas deux comme elle pour sauter dans le beurre frais, avec ciboule, persil, casse-pierre et civettes à la reine, les lapins de Tombelène.

— Chassons le lapin ! » s'écria Jeannin.

Chacune des quatre Gothon pensa au fond de son cœur : « Je mangerais bien du lapin ! »

Scolastique, depuis qu'elle avait atteint l'âge de garder les oies, avait envie de manger du lapin.

Le petit Jeannin s'était levé, fier comme Artaban, et enjambait déjà le mur de l'enceinte, l'arbalète à la main.

« Attends, mon fils, attends ! dit le frère Bruno. Les lapins de Tombelène sont bons, c'est vrai, mais il n'y en a plus, depuis que les Anglais ont tenu garnison dans l'île.

— Oh ! les coquins d'Anglais ! gronda le chœur.

— Ils aiment le gibier comme s'ils étaient des chrétiens, repartit Bruno. Le mieux est de gratter le sable pour trouver des coques, si nous voulons souper ce soir.

— Nous autres, ça ne fait pas grand-chose, dit Jeannin, qui n'obtint point cette fois l'approbation des Gothon ; mais M. Hue, Mlle Reine et Simonnette ne doivent manquer de rien. Hé ! ho ! les Mathurin, aux coques ! aux coques !

— Eh bien ! se disait le bon moine convers, je raconterai cette histoire-là : Le petit Jeannin du village de Saint-Jean, sous la ville de Dol, qui portait une peau de mouton comme saint Jean-Baptiste... en l'an cinquante... »

Les Mathurin, Bruno et Jeannin sortirent de l'enceinte pour aller chercher des coques au revers de Tombelène.

Pendant cela, Aubry était seul avec le vieux sire de Maurever, dans la tour démantelée. A deux pas de là, dans un angle saillant de l'ancienne ligne des murailles, Jeannin avait bâti, à l'aide de pierres et de planches apportées par les flots, une petite cabane où Reine et Simonnette étaient assises l'une auprès de l'autre.

Simon Le Priol, sa femme Fanchon et le reste de l'émigration s'abritaient du mieux qu'ils pouvaient et faisaient leurs préparatifs de nuit.

« Mon fils, disait le vieux Maurever à Aubry, ce me fut un grand crève-cœur, quand je vous vis jeter votre épée aux pieds de notre seigneur François. C'était pour l'amour de Reine qui est ma fille que vous faisiez cela, et je pensais : « Me voilà, moi, Hugues de Maurever, chevalier breton, qui enlève une bonne épée à mon duc de Bretagne ! »

— Monsieur mon père, répondit Aubry, ce que je fis ce jour-là, tous les nobles du duché le feront demain. »

Maurever courba sa tête blanche.

« Alors, puisse Dieu m'épargner le châtiment que j'ai mérité peut-être ! » murmura-t-il.

Et comme Aubry le regardait, étonné, le vieillard reprit :

« J'ai cru faire mon devoir, mais le crime de l'homme est entre l'homme et Dieu. Le crime ne change pas le droit de notre seigneur duc à qui appartient la vie de notre corps. J'ai mal fait, mon fils Aubry, j'ai mal fait, j'ai mal fait ! »

Il se frappa la poitrine durement.

« J'aurais dû rester à genoux sur les dalles du chœur, continua-t-il, et tendre mes vieilles mains aux fers. Au lieu de cela, traître que je suis, j'ai pris la fuite parce que je devinais derrière son voile de deuil le doux visage de Reine, ma fille, et que je voulais l'embrasser encore.

— Vous, un traître ! s'écria Aubry ; vous, le saint et le loyal !

— Tais-toi, enfant, tais-toi, ne blasphème pas ! Oui, je suis un traître, et Dieu m'a puni en livrant aux flammes les demeures de mes vassaux de Saint-Jean. Dans ma solitude, n'ai-je pas entendu comme un écho funeste ? Coëtivy est mort devant Cherbourg, Coëtivy, notre grand homme de guerre ! Ainsi s'en vont les Bretons vaillants, laissant leurs dépouilles dans les champs de la Normandie. Je te le dis, Aubry, je te le dis : la Bretagne commence son agonie dans la victoire, comme le duc François lui-même. Un vent souffle de l'est, qui sera une tempête. La France allongera son bras de fer... et l'on dira : C'était autrefois une noble nation que la Bretagne... »

Aubry ne comprenait pas.

Maurever poursuivait avec une exaltation croissante, les cheveux épars et les yeux au ciel :

« Maudit soit, entre tous les jours maudits, le jour où tu mourras, ô Bretagne ! Maudite soit la main qui touchera l'or de la couronne ducale ! Maudit soit le Breton qui ne donnera pas tout son sang avant de dire : Le roi de France est mon roi !

— Où est-il, ce Breton ? » s'écria Aubry.

Maurever le regarda d'un air sombre.

« Tu es jeune, tu verras cela, dit-il ; une malédiction est sortie de cette tombe où dort M. Gilles. Tu verras cela ! Nantes, la riche, et Rennes, l'illustre, et Brest, et Vannes, et le vieux Pontivy, et Fougères, et Vitré, seront des villes françaises.

— Jamais !

— Bientôt ! »

Il mit sa tête entre ses mains et ne parla plus.

Aubry n'osait l'interroger.

Au bout de quelques minutes, le vieillard s'agenouilla devant sa croix de bois et pria. Quand il eut achevé sa prière, il se retourna vers Aubry, qui demeurait immobile à la même place.

« Enfant, dit-il, si nous étions seuls tous les deux, je te prendrais par la main et nous irions ensemble vers notre seigneur lui porter notre vie. Mais nous ne sommes pas seuls. Et peut-être vaut-il mieux que cela soit ainsi, car le sang ne lave pas le sang, et l'esprit de révolte s'exalterait davantage tout autour de nos têtes tranchées. Nous allons être attaqués, sans doute : fais suivant ta conscience ; moi, je laisserai mon épée dans le fourreau.

— Moi, je défendrai Reine, s'écria Aubry, fallût-il mettre en terre Méloir et tous ses hommes d'armes ! »

Maurever croisa ses bras sur sa poitrine.

« Nous en sommes là, dit-il, chacun pour soi !... Et qui sait si ce n'est pas la loi de l'homme ! »

A ce moment, la nuit était tout à fait tombée. Le ciel n'était point clair comme la nuit précédente. La grande marée approchait, amenant avec soi les bourrasques sur terre et les nuages au ciel.

Dans leur petite cabane improvisée, Reine et Simonnette étaient seules. Simonnette s'asseyait aux pieds de Reine, à qui on avait fait un banc d'herbes et de goémons desséchés.

« Tu l'aimes donc bien, ma pauvre Simonnette ? disait Reine en souriant.

— Oh ! chère demoiselle, je ne le savais pas hier. C'est quand j'ai appris qu'on allait le pendre, que mon cœur s'est brisé. Lui, il y a longtemps, longtemps qu'il m'aime ; bien souvent je me levais la nuit pour regarder par la croisée de la ferme, et toujours je le voyais guettant sous le grand pommier qui est de l'autre côté du chemin. Le croiriez-vous, cela me faisait rire et je me disais : « Le drôle de petit gars ! le drôle de petit gars ! » Mais hier, ah ! Seigneur mon Dieu ! que j'ai pleuré ! »

Ses yeux étaient encore tout pleins de larmes.

Reine l'attira contre elle et la baisa.

« Ah ! mais j'ai pleuré, poursuivait Simonnette, qui riait parmi ses larmes, j'ai pleuré, que je n'y voyais plus du tout, notre bonne demoiselle ! Ce que c'est que de nous ! Je n'avais pas pleuré beaucoup plus quand on nous a dit que vous étiez morte. »

Elle porta la main de Reine à ses lèvres en ajoutant :

« Et pourtant, je donnerais mille fois ma vie pour l'amour de notre chère maîtresse ! Vous le croyez bien, n'est-ce pas ?

— Je le crois, ma bonne Simonnette.

— Mais quand on ne sait pas qu'on aime, voyez-vous, et que ça vient comme ça, tout d'une fois, il paraît que c'est plus fort. Figurez-vous que c'était justement aux branches du grand pommier qu'ils voulaient pendre mon pauvre Jeannin. Et si vous n'étiez pas venue... Ah ! mon Dieu ! fit-elle en s'interrompant, je le disais tantôt à Jeannin, qui fait l'homme, oui-dà, depuis qu'il a été pendu à moitié ; je lui disais : « Si tu ne te fais pas couper en morceaux pour notre demoiselle, toi, tu peux chercher une autre promise ! » Et savez-vous ce qu'il m'a répondu, car c'est étonnant comme il devient faraud !

— Que t'a-t-il répondu, ma fille ?

— Il m'a répondu : « Si tu ne parlais pas comme ça, toi, quand il s'agit de notre demoiselle, tu pourrais bien chercher un autre promis ! »

— En vérité ?

— Vrai, comme je vous le dis. Ça vous change fièrement un jeune gars, de lui mettre la corde au cou. Et vous pensez si ça m'a fait plaisir de le voir vous aimer autant que je vous aime, mademoiselle Reine ! »

Reine était distraite.

Simonnette se tut et se prit à la regarder d'un air malicieusement ingénu.

« Notre demoiselle, poursuivit-elle tout à coup, comme si une idée lui fût venue, vous ne savez pas, quand il est arrivé, les filles et les gars disaient : « Oh ! le beau jeune seigneur ! le beau jeune seigneur. »

Reine rougit légèrement.

« De qui parles-tu, ma fille ? » demanda-t-elle.

Nous ajoutons pour mémoire qu'elle savait parfaitement de qui parlait Simonnette.

« Eh mais ! répondit celle-ci, de messire Aubry, donc ! avec son casque à plume et sa cotte brillante. Les gars et les filles disaient encore : « C'est le fiancé de notre demoiselle. » Est-ce vrai, ça ?

— C'est vrai.

— Oh ! tant mieux ! s'écria Simonnette ; je voudrais tant vous voir heureuse ! Comme il doit vous aimer, le jeune gentilhomme, et comme ce sera beau de vous voir tous les deux à la chapelle du manoir ! Dieu merci, les temps durs passeront, et la joie reviendra. Voulez-vous m'accorder une grâce, mademoiselle Reine ?

— Une grâce, ma pauvre enfant, répondit Reine en secouant sa jolie tête blonde ; je ne suis guère en position d'accorder des grâces.

— Aujourd'hui, non, mais demain. C'est pour demain la grâce que j'implore. »

Reine ne put s'empêcher de sourire, tant il y avait de caressante confiance dans la voix de Simonnette.

« Eh bien ! répliqua-t-elle presque gaiement, nous t'octroyons la grâce que tu sollicites, ma fille. »

Simonnette lui couvrit les mains de baisers. Elle était joyeuse autant que si les paroles fussent tombées de la belle bouche de madame Isabeau, duchesse de Bretagne.

« Merci, ma chère demoiselle, mille fois merci, dit-elle ; la grâce que je vous demande, ce n'est pas pour moi, mais pour Jeannin, mon ami, qui ne gagnera guère à devenir mon mari, puisque notre maison est brûlée. Hélas ! mon Dieu ! ajouta-t-elle entre parenthèse, qui sait ce que sont devenues la Noire et la Rousse dans tous ces malheurs-là !

— Et que puis-je faire pour ton ami Jeannin, ma pauvre Simonnette ?

— Quand le noble Aubry sera chevalier, répondit la jeune fille, il aura besoin d'une suite. Je sais ce que vous allez me répondre : On dit que Jeannin est poltron comme les poules. C'est menti, allez, ma bonne demoiselle. Si vous aviez vu

Jeannin quand il allait mourir ! Il pensait à sa vieille mère et à moi ; il priait le bon Dieu bien doucement, comme s'il eût récité son oraison de tous les soirs, mais il ne tremblait pas. Oh ! il est brave, mon ami Jeannin, et je n'oublierai jamais l'heure que j'ai passée avec lui ; c'était moi qui pleurais, c'était lui qui me consolait.

— Quand Aubry de Kergariou sera chevalier, dit Reine, nous ferons un bel écuyer du petit Jeannin. »

Simonnette, qui n'avait pourtant pas sa langue dans sa poche, ne trouvait plus de paroles pour remercier, tant elle était heureuse.

Reine se pencha et lui mit un baiser sur le front. Les boucles légères et cendrées de ses cheveux blonds se mêlèrent à l'opulente chevelure noire de la jeune vassale. C'était un tableau gracieux et charmant.

« Écoutez ! » dit Simonnette, qui tressaillit avec violence et se leva.

Elle s'élança sur une pierre qui était en dehors du seuil et sa tête dépassa l'enceinte.

Reine était déjà auprès d'elle.

Leurs joues, qui naguère brillaient de jeunesse et de fraîcheur, étaient pareillement pâles. Tout leur corps tremblait.

Sur le sable blanc de la grève, on voyait des objets noirs qui avançaient et semblaient ramper.

La lune passa entre deux nuages. Au pied même de l'enceinte, une forme sombre se dressa lentement.

26

Le siège

Reine de Maurever et Simonnette étaient comme pétrifiées.

Au moment où Reine, qui se remit la première, ouvrait la bouche pour jeter un cri d'alarme, une main de fer la saisit par derrière.

Un homme de haute taille, que l'obscurité revenue l'empêchait de reconnaître, était debout à ses côtés.

« Silence ! murmura-t-il.

— Mon père ! » dit Reine.

Les formes noires continuaient de ramper sur le sable.

« Où est Aubry ? demanda Reine, dont le souffle s'arrêtait dans sa poitrine.

— Il dort.

— Et les gens du village ?

— Ils dorment. »

L'homme qui était au bas de la muraille en dehors de l'enceinte commençait à escalader. On l'entendait ficher sa dague entre les pierres et monter.

« Fillette, dit le vieux Maurever à Simonnette, va éveiller les tiens, mais ne fais pas de bruit. »

Simonnette se glissa le long du mur et disparut. Elle pensait :

« Mon pauvre Jeannin qui est en dehors !

— Toi, dit Maurever à Reine, va éveiller Aubry dans la tour.

— Vous resterez seul, mon père ?

— Je resterai seul.

— Tirez au moins votre épée.

— J'ai juré par le nom de Dieu que je ne tirerais pas mon épée.

— Mais cet homme qui est dehors monte, monte !

— Il descendra. Va, ma fille. »

Reine obéit.

En ce moment, la tête de l'assiégeant dépassa la muraille. Il jeta un regard au-dedans de l'enceinte.

La nuit était obscure à cause des nuages opaques et lourds qui couvraient la lune levante.

L'homme d'armes ne vit rien. Il se tourna du côté de la grève et dit tout bas :

« Avancez ! »

Les objets noirs qui rampaient sur le sable accélérèrent aussitôt leur mouvement.

Il y avait du temps déjà que M. Hue de Maurever voyait ces taches noires sur le sable. Il mit instinctivement la main à son épée, mais il la repoussa aussitôt à cause de son serment.

Il fit le tour de l'enceinte et jeta un coup d'œil satisfait sur les défenses improvisées.

« Ce moine conteur d'histoires est un précieux soldat, pensa-t-il ; les limiers ébrécheront leurs dents contre ces pierres. »

Il était arrivé ainsi derrière Reine et Simonnette au moment où les deux jeunes filles, paralysées par la terreur, cherchaient la force de crier au secours.

Maintenant, depuis que Simonnette et Reine n'étaient plus là, il restait seul, collé au mur de la cabane.

L'homme d'armes enjamba le parapet de l'enceinte, puis il chercha à s'orienter, tandis que ses compagnons montaient. Comme il descendait le long de la cabane, Hue de Maurever lui mit brusquement la main sur la bouche. L'homme d'armes voulut crier. La main du vieux Hue était un fier bâillon : la voix de l'homme d'armes s'étouffa dans son gosier.

De son autre main, M. Hue le saisit à la ceinture et le souleva comme un paquet.

« Or ça, dit-il, en se montrant sur le mur avec son fardeau, et en s'adressant à ceux qui grimpaient à l'escalade, pensez-vous avoir à faire à de vieilles femmes endormies ? J'ai juré que je ne me servirais point de mon épée contre les sujets de mon seigneur François de Bretagne ; mais avec des coquins tels que vous, pas n'est besoin d'épées : on vous chasse avec des ordures ! »

Ce disant, il lança le pauvre homme d'armes sur la tête des assaillants, qui tombèrent pêle-mêle au pied du roc.

« Oh ! le digne et brave seigneur ! s'écria le frère Bruno, qui revenait avec un sac plein de coques ; oh ! le joyeux soldat ! Voilà une histoire que je conterai longtemps ! »

L'alarme était cependant donnée. Tous les réfugiés étaient aux murailles.

Les assiégeants tirèrent quelques coups d'arquebuse et s'enfuirent en désordre.

L'homme d'armes qui avait servi de projectile fut emporté par ses compagnons.

Aubry reconnut la voix de Méloir qui disait :

« La nuit est longue. D'ici au soleil levant, nous avons le temps de leur rendre plus d'une fois la monnaie de leur pièce.

— En vous attendant, mes bons seigneurs, cria frère Bruno, qui était debout sur la muraille, nous allons passer au réfectoire.

— Je connais cette voix, dit Méloir en s'arrêtant. Conan, un coup d'arquebuse à ce braillard ! »

Un éclair s'alluma, et l'arquebuse de Conan retentit.

« Oh ! le vilain, gronda Bruno en colère ; il a troué mon

froc tout neuf. Dis donc, poursuivit-il à pleine voix, toi qu'on appelle Conan, serais-tu pas du bourg de Lesneven, auprès de Landerneau ?

— Juste ! répliqua Conan, qui rechargeait son arquebuse.

— Eh bien ! nous sommes de vieux amis, Conan ; si tu reviens, je te casserai la tête. »

Second coup d'arquebuse.

Frère Bruno dégringola et tomba dans l'enceinte.

« Il a toujours bien tiré, ce Conan de Lesneven, dit-il en essuyant sa joue qui saignait ; un peu plus il me coupait l'oreille. Allons ! les filles, faites bouillir les coques. Et vous, garçons, en sentinelles ! »

Hue de Maurever était rentré dans sa tour, refusant de prendre le commandement de la petite garnison.

Ce fut Aubry qui le remplaça.

Frère Bruno s'institua commandant en second. Il choisit pour écuyer le petit Jeannin, qui avait fourni les coques du souper et qui prit pour arme son long bâton de pêcheur, terminé par une corne de bœuf.

On établit les postes de combat. Hommes et femmes eurent de la besogne taillée en cas d'attaque. Et vraiment, il ne s'agit que de s'y mettre. Les Gothon étaient transformées en autant d'héroïnes, les Catiche frémissaient d'ardeur ; Scolastique parlait de faire une sortie.

Vers 1 heure du matin, les assiégeants reparurent ; mais ils ne venaient plus de la grève, où la mer était maintenant. Ils faisaient leurs approches par l'intérieur de l'île, du côté de la nouvelle enceinte, élevée à la hâte par le frère Bruno.

Il y avait dans le petit fort quatre ou cinq arbalétriers, dirigés par Julien Le Priol. Le vieux Simon combattait dans cette escouade.

Reine, Fanchon et Simonnette étaient seules dispensées de mettre la main à l'œuvre. Encore, Simonnette se trouvait-elle plus souvent aux murailles que dans la cabane, parce qu'elle voulait voir travailler le petit Jeannin.

Le petit Jeannin était à côté du frère Bruno, juste en face de l'ennemi. Il avait à la main sa lance à pointe de corne et ne baissait point les yeux, je vous assure.

Méloir, bien certain de ne pouvoir surprendre désormais la

place, s'approchait à découvert. Ses archers et arquebusiers commencèrent à travailler quand ils furent à cinquante pas des murailles.

« Courbez vos têtes, dit frère Bruno ; les balles et les carreaux ne font pas de mal aux pierres. »

Mais il ne fut bientôt plus temps de plaisanter. Méloir et ses hommes d'armes s'élancèrent furieusement aux murailles.

C'étaient de bons soldats, durs aux coups et jouant leur vie de grand cœur. Il y eut un instant de terrible mêlée. Sans Aubry de Kergariou et Bruno, qui se battaient comme de vrais diables, la place eût été emportée du premier assaut. Au dire de Simonnette, qui raconta souvent, depuis, ce combat mémorable, Jeannin contribua beaucoup aussi au salut de la citadelle.

Maître Vincent Gueffès essayait de s'introduire dans la citadelle par les derrières. Il n'y avait personne de ce côté. Gueffès, au contraire, était accompagné de quatre ou cinq soudards qu'il avait embauchés pour cette entreprise.

Simonnette et Fanchon se portèrent vaillamment à la rencontre de l'ennemi. La chaudière où avaient bouilli les coques était encore sur le feu. Fanchon et sa fille la prirent chacune par une anse, et maître Vincent Gueffès fut échaudé de la bonne façon.

Cet homme adroit et rempli d'astuce reçut le contenu de la chaudière sur le crâne au moment où il s'applaudissait du succès de sa ruse. Il s'enfuit en hurlant et ne revint pas.

Simonnette et Fanchon reprirent leurs places dans la cabane avec la fierté légitime que donne une action d'éclat.

Frère Bruno s'était fait une jolie massue avec la tête du mât d'un bateau pêcheur qu'il avait trouvée sur la grève. Chaque fois que son espar touchait un homme d'armes ou un archer, l'archer ou l'homme d'armes tombait.

Quand l'assaut se ralentissait et que les assiégeants se tenaient au bas des murailles, frère Bruno déposait sa massue et prenait des quartiers de roc qu'il lançait avec une vigueur homérique.

Il y avait déjà pas mal de soudards hors de combat. Aucun Mathurin, au contraire, n'avait subi le moindre accroc, et le petit Jeannin, qui manœuvrait sa lance à découvert, n'avait pas reçu une égratignure.

« Holà ! Péan, Kerbehel, Hercoat, Coëtaudon, Corson et les autres, criait incessamment Méloir ; à la rescousse ! à la rescousse !

— Holà ! Corson, Coëtaudon, Hercoat, Kerbehel, Péan et les autres, répondait le bon frère Bruno, venez faire connaissance avec Joséphine ! »

A l'exemple de tous les paladins fameux, il avait baptisé son arme. Joséphine, c'était sa jolie massue. Il la maniait avec une aisance inconcevable. Tête nue, les manches retroussées, le sourire à la bouche, il rassemblait des matériaux pour une foule d'histoires datées de l'an cinquante.

Il frappait, il parlait. Jamais vous ne vîtes d'homme si sincèrement occupé.

« Bien touché, Peau-de-Mouton, mon petit, disait-il à Jeannin ; nous ferons quelque chose de toi, c'est moi qui te le dis ! Hé ! Mathurin, le gros Mathurin ! attention à ta gauche ! Voici un routier qui grimpe comme il faut... Ma parole ! Mathurin lui a donné son compte. A toi, Mathurin, l'autre Mathurin, Mathurin-le-Roux ! On s'y perd dans ces Mathurin ! Saint Michel Archange ! ce sont des figues sèches qu'ils lancent avec leurs arbalètes. Voici un carreau qui s'est aplati sur Joséphine, et Joséphine n'a seulement pas dit : Seigneur Dieu ! Hé ! oh ! Conan de Lesneven, te souviens-tu de Jacqueline Tréfeu, qui nous fit une omelette aux rognons de faon en l'an vingt-deux, l'avant-veille de la Chandeleur ? »

Conan, qui montait à l'assaut, lui porta un grand coup de sa courte épée ; frère Bruno para, saisit Conan par les cheveux et l'attira tout près de lui.

« Hélas ! saint Jésus ! dit-il, comme te voilà vilain et changé, mon pauvre Conan, toi qui étais si gaillard en ce temps !

— Ne me tue pas, Bruno, murmura Conan.

— Te tuer, mon fils chéri ! non, du tout point. J'ai le cœur trop tendre. Et quant à l'omelette de Jacqueline Tréfeu, il n'y manquait que le beurre. »

Il avait déposé Joséphine, sa jolie massue, et tenait le malheureux Conan par les deux aisselles.

« Tiens ! tiens ! s'écria-t-il, voici Kervoz, et voici Merry, tous nos chers camarades ! A toi, Merry, mon compère ! »

Il lui donna un *coup de Conan* : Merry tomba au pied du mur, assommé aux trois quarts.

Conan criait lamentablement.

« A toi, Kervoz ! reprit frère Bruno en lui assenant un autre *coup de Conan*, qu'il employait au lieu et place de Joséphine. Oh ! les vrais gaillards ! Et comme on est bien aise de se retrouver ensemble après si longtemps, car il y a longtemps que nous ne nous sommes vus, mes compères ! »

Il fit tourner Conan comme une toupie et le lança dehors.

Les gens de Méloir disaient :

« C'est le diable déguisé en moine !

— Es-tu malade, Conan ? » demanda frère Bruno.

Pour réponse, il reçut une arquebusade dans le bras gauche. Son bras tomba le long de son flanc.

« Bien reparti, mon compagnon, s'écria-t-il ; mais ce sera ta dernière réplique ! »

Il avait saisi de la main droite un quartier de roc qui traversa la nuit en sifflant et alla écraser la tête de l'archer dans son casque.

« C'est le diable ! c'est le diable ! répétèrent les soudards épouvantés.

— Gare ! gare ! Mathurin ! le quatrième Mathurin ! cria Bruno précipitamment. Oh ! le fainéant ! il s'est laissé assommer. »

Il s'élança vers l'angle de l'enceinte où l'un des paysans venait d'être tué.

Sept ou huit hommes d'armes et soldats avaient déjà franchi le mur.

27

Où Jeannin a une idée

Pour le coup, la mêlée devint terrible. La place était forcée. Frère Bruno garda le silence pendant dix bonnes minutes. Mais Joséphine, sa jolie massue, parla pour lui.

« Salut, mon cousin Aubry, dit Méloir, qui était dans l'enceinte, je crois que nous voilà encore en partie !

— Je te provoque en combat singulier, traître et lâche que tu es ! s'écria Aubry en se posant devant lui.

— Provoque si tu veux, mon cousin Aubry, répondit Méloir en riant ; moi, j'ai autre chose à faire. Je vais voir si ma belle Reine pense un peu à son chevalier.

— Toi, son chevalier ! s'écria Aubry furieux ; tu en as menti par la gorge ! Défends-toi ! »

Il lui porta en même temps un coup d'épée au visage ; mais Méloir avait sa visière à demi rabattue. L'épée, frappant à faux contre l'acier, se brisa par la violence même du coup.

Méloir leva le fer à son tour.

« Il faut donc te payer ma dette tout de suite, mon cousin Aubry ? » dit-il.

Mais au moment où son arme retombait sur Aubry sans défense, une forme blanche glissa entre les deux combattants. L'épée de Méloir se teignit de sang.

Ce n'était pas celui d'Aubry.

« Reine ! » s'écrièrent en même temps les deux adversaires.

Reine se laissa choir sur les genoux.

« Tiens, Aubry, dit-elle d'une voix faible, je t'apporte l'épée de mon père.

— Reine ! Reine ! vous êtes blessée...

— Que Dieu soit béni, si je meurs pour toi, mon ami et mon seigneur ! » murmura la jeune fille.

Sa tête s'inclina, pâle, et sa taille s'affaissa.

Aubry, fou de douleur, se précipita sur Méloir. En même temps, Jeannin, Bruno, Julien et Simon Le Priol, tout le monde enfin, hommes et femmes, tentant un suprême effort, se ruèrent contre les assiégeants.

« Ferme ! ferme ! » commanda Bruno, dont la tête et le bras droit s'élevèrent au-dessus de la masse par deux ou trois fois.

Par deux ou trois fois l'acier cria, broyé sous le poids de son espar. Il avait fait un large cercle autour d'Aubry dont la bonne épée ruisselait.

Aubry, dégagé, fondit à son tour sur le gros des hommes d'armes, qui plièrent et se retirèrent vers l'angle de l'enceinte qui leur avait donné entrée.

« Ils sont à nous ! ils sont à nous ! » hurlait Bruno, ivre de joie.

Et Dieu sait que les gens du village incendié n'avaient pas besoin d'être excités.

Mais au moment où les hommes d'armes et les soldats qui avaient pénétré dans l'enceinte se trouvaient acculés au mur, la grande taille de M. Hue de Maurever se dressa entre eux et les défenseurs de la place.

« Assez ! dit le vieux chevalier en étendant sa main désarmée.

— Ils ont tué Mlle Reine ! s'écrièrent Jeannin, Julien et les autres.

— Assez ! » répéta le vieillard, dont la voix austère ne trembla pas.

Tout le monde s'arrêta, bien à contrecœur. Les assaillants sautèrent par-dessus le mur et s'enfuirent en menaçant.

Bruno grommela :

« En l'an cinquante, le vieux Hue de Maurever qui ouvre le piège à loup et laisse échapper la bête. Mauvaise histoire ! Jeannin, mon petit Peau-de-Mouton, ajouta-t-il, le loup qu'on laisse échapper va aiguiser ses dents, revient et mord. »

Mais Jeannin était déjà, avec Simonnette, auprès de Reine évanouie.

On porta la jeune fille dans la tour. L'épée de Méloir avait entamé la chair de son épaule, et le sang coulait sur son bras blanc.

Aubry était agenouillé près d'elle et pleurait comme une femme.

Quand elle rouvrit ses beaux yeux bleus, elle tendit l'une de ses mains à son père, l'autre à son fiancé. Son sourire était doux et heureux.

« Dieu m'a gardé tous ceux que j'aime, murmura-t-elle ; que son saint nom soit béni ! »

Ses yeux se refermèrent. Elle s'endormit pendant qu'on lui posait le premier appareil.

« Or ça, viens ici, Peau-de-Mouton, dit frère Bruno ; c'est à mon tour d'être soigné un petit peu. J'ai un bras endommagé légèrement (il montrait son bras gauche où s'ouvrait une énorme blessure) ; j'ai un carreau d'arbalète dans la cuisse droite, et un coup de coutelas à la hanche. Je prie mon saint patron pour les pauvres garçons qui m'ont fait ces divers cadeaux, car ils sont trépassés à cette heure. Dis aux Gothon de m'apporter de l'eau. Ce sont d'honnêtes filles qui tapent vertueusement et mieux que bien des hommes. Quant à des herbes médicinales ou simples, comme on les appelle dans l'usage, on n'en trouverait pas une seule sur ce rocher. Sais-tu l'histoire du roi Artus, de la belle Hélène et du géant, Peau-de-Mouton ?

— Ne parlez pas tant, mon frère Bruno, répliqua Jeannin, qui coupait une chemise en bandes pour faire des ligatures.

— Tais-toi, petit coquin, tu ne connais rien à la chirurgie. Parler fait toujours du bien. Apporte-moi cette pierre qui est là-bas et que j'ai eu grand tort de ne pas leur jeter à la tête. »

Jeannin alla vers la pierre et tâcha d'obéir. Mais il ne put seulement pas la remuer.

Frère Bruno se leva en chancelant, prit la pierre avec la seule main qu'il eût de libre, et la lança à sa place pour s'en faire un siège.

« Vous êtes tout de même un fier homme ! dit Jeannin avec admiration.

— Oh ! mon pauvre petit, répliqua Bruno plaintivement ; demain, en rentrant au couvent, j'aurai la discipline double. Mais il faut dire que je l'ai bien gagnée ! ajouta-t-il en riant dans sa barbe. Holà ! les Gothon, s'écria-t-il tout à coup, voulez-vous que je meure au bout de mon sang ? De l'eau et du linge, mes bonnes chrétiennes ? Vite ! vite ! »

Il était devenu tout pâle et la vaillante vigueur de son corps fléchissait.

Les Gothon, les Mathurin, les Catiche, Scolastique et le reste, s'empressèrent aussitôt autour de lui, car il était évidemment le roi de la partie plébéienne de la garnison. Ses blessures furent lavées et pansées tant bien que mal.

« Nous voilà bien ! dit-il ; maintenant, je recommencerais de bon cœur. Oh ! oh ! mes vrais amis, j'en ai bien vu d'autres ! Savez-vous l'histoire de Tête-d'Anguille, le meunier de l'Ile-Yon, en rivière de Vilaine ? Tête-d'Anguille était père de dix-neuf enfants, huit fils et onze filles, qu'il avait eus de sa femme Monique, laquelle était du bourg d'Acigné. Une nuit qu'il ne dormait point, il entendit son moulin parler... »

A cet endroit, une Gothon laissa échapper un ronflement

timide. Scolastique y répondit par un son de trompe mieux accusé. Trois Mathurin prirent le diapason et sonnèrent en chœur la fanfare nasale.

Le frère Bruno regarda d'un œil stupéfait son auditoire endormi. Jusqu'au petit Jeannin qui avait sa jolie tête blonde sur son épaule et qui sommeillait comme un bienheureux.

« C'est bon, gronda frère Bruno avec rancune ; ils ne sauront pas la fin de l'histoire de Tête-d'Anguille, voilà tout ! »

Il arrangea sa roche en oreiller et mêla sa basse-taille au sommeil général.

De tous les gens rassemblés dans la petite forteresse de Tombelène, il n'y en avait qu'un seul qui gardât ses yeux ouverts. C'était M. Hue. Pendant tout le reste de la nuit, on eût pu le voir faire sentinelle autour de l'enceinte, désarmé, tête nue, la prière aux lèvres.

Le crépuscule se leva. Le Mont-Saint-Michel sortit le premier de l'ombre, offrant aux reflets de l'aube naissante les ailes d'or de son archange ; puis les côtes de la Normandie et de Bretagne s'éclairèrent tour à tour.

Puis encore une sorte de vapeur légère sembla monter de la mer qui se retirait et tout se voila, sauf la statue de saint Michel, qui dominait ce large océan de brume.

Hue de Maurever était debout et immobile du côté de l'enceinte où l'escalade nocturne avait eu lieu.

En dedans des murailles, il y avait trois cadavres ; il y en avait cinq au dehors.

Hue de Maurever pensait :

« Huit chrétiens ! huit Bretons mis à mort à cause de moi ! »

Quand on s'éveilla dans la forteresse, M. Hue dit :

« Je ne passerai point une nuit de plus ici. Il y a eu trop de sang de répandu déjà. Quand viendra la brume, j'irai sur la côte de Normandie, qui voudra me suivra. »

Hue de Maurever était de ces hommes à qui on ne réplique point. Pourtant Aubry fit cette objection :

« Si Reine est trop faible pour le voyage ?

— On la portera, dit M. Hue.

— Voilà qui est bien, mon bon seigneur, reprit le frère Bruno avec respect ; mais quant à passer en Normandie, nous y sommes. M'est-il permis de donner un humble conseil ?

— Donne, l'ami, répliqua M. Hue.

— Mon conseil, le voici : les grèves, par ce troisième quartier de la lune junienne (qui signifie de juin), sont aussi claires que le jour, et souvent davantage. En cette saison, les brouillards sont diurnes (qui signifie de jour), et si j'avais à prendre la fuite, je ne choisirais certes pas les heures de nuit.

— Quel moment choisirais-tu ?

— L'heure où nous sommes.

— Où penses-tu que soit l'ennemi ?

— L'ennemi n'aura pas laissé un seul traînard à Tombelène. Il est à son repaire de Saint-Jean, de l'autre côté des grèves, ou bien il se cache parmi les rochers qui sont autour de la chapelle Saint-Aubert, à la pointe du Mont-Saint-Michel. Si mon digne seigneur me le permet, j'ajouterai une autre considération...

— Parle, mais parle vite.

— Je peux bien dire que je n'ai point le défaut de bavardage. La considération que je voulais ajouter est celle-ci : ils ont une meute qui fera merveille après nous par la nuit claire, tandis que chacun sait bien que les lévriers, comme les limiers et autres chiens de courre, perdent les trois quarts de leur flair dans la brume.

— Je n'ai jamais ouï parler de cette meute », dit M. Hue.

Aubry s'approcha.

« Monsieur mon père, répliqua-t-il, tout ce que vient d'avancer le brave frère Bruno est la vérité même. Il connaît les grèves mieux que nous, et je crois que nous pourrions, à la faveur du brouillard...

— Mais si le brouillard se lève ? » objecta Maurever.

Bruno monta sur le mur, afin d'examiner l'atmosphère attentivement.

« Le vent est tombé, dit-il ; la mer baisse, nous en avons jusqu'au flux.

— Soit donc fait suivant cet avis, conclut Maurever. Allons visiter ma fille. »

Il la trouva souriante et gaie, faisant ses préparatifs, qui ne devaient pas être bien longs.

M. Hue planta la croix de bois qui lui avait servi pour ses dévotions au point culminant du roc de Tombelène. Nous ne pouvons dire qu'elle y soit encore, mais le petit mamelon qui est au versant occidental du mont porte de nos jours le nom de Croix-Mauvers.

Le frère Bruno songeait bien un peu à déjeuner, seulement, c'était peine perdue. La brume s'épaississait. Il fallait profiter de l'occasion.

Comme on allait se mettre en route, Simonnette entra dans la tour avec son père, sa mère et le petit Jeannin, qu'elle tenait par la main.

« Que voulez-vous, bonnes gens ? demanda M. Hue.

— Monseigneur, répondit le vieux Simon, vous nous connaissez bien, nous sommes vos vassaux fidèles, les Le Priol, du village de Saint-Jean. Notre fille Simonnette que voilà est fiancée au jeune gars Jeannin.

— Ce n'est pas le moment... commença Maurever.

— C'est étonnant, pensa frère Bruno, comme il y a des gens qui sont verbeux !

— Je ne veux pas vous parler de fiançailles, monseigneur, reprit Simon ; mais le jeune Jeannin est venu à nous et nous a fait part d'une bonne idée qu'il a pour le salut de Mlle Reine, notre maîtresse, et nous l'amenons, bien qu'il ne soit point votre vassal. Parle, mon fils Jeannin. »

Jeannin était rouge comme une pomme d'api.

« Voilà, dit-il en tournant son bonnet dans ses doigts, on assure que c'est pour la demoiselle que le chevalier Méloir fait tout ce tapage-là. Dans le brouillard, qui sait ce qui peut arriver ? Moi, j'ai pensé : j'ai les cheveux comme la demoiselle, et ma barbe n'est pas encore poussée. Je pourrais bien mettre les habits de la demoiselle, et alors, en cas de malheur, ils me prendraient pour elle...

— Et s'ils te tuaient, enfant ! dit Maurever.

— Oh ! ça pourrait arriver, répliqua Jeannin en souriant, car ils seraient en colère de s'être trompés. Mais ça ne fait rien.

— Je vous dis que c'est un vrai bijou, ce Peau-de-Mouton ! s'écria Bruno enthousiasmé.

— La demoiselle serait sauvée, reprit Jeannin, voilà le principal. »

Reine de Maurever et le vieux Hue lui-même voulurent s'opposer à ce déguisement, mais il y eut contrainte, parce qu'Aubry fit un signe.

Toutes les filles, Simonnette en tête (elle avait pourtant la larme à l'œil), s'emparèrent de Reine. Jeannin passa derrière le mur.

L'instant d'après, Reine revint vêtue de la peau de mouton.

Jeannin, lui, avait le costume de la Fée des Grèves. Et il était joli comme un cœur, au dire de toutes les Gothon. Il arrangea le voile de dentelles sur ses cheveux blonds, envoya un baiser à Simonnette, qui riait et qui pleurait, et franchit le premier l'enceinte pour entrer en grève.

28

Le brouillard

Il était environ 7 heures du matin quand la mer permit de se mettre en marche.

Ces brouillards des grèves forment une couche très peu profonde, et qui souvent n'a pas deux fois la hauteur d'un homme.

En général, moins la couche de brume a d'épaisseur, plus elle est dense et impénétrable aux regards. Le brouillard des grèves est assez compact pour former autour de l'homme qui marche une sorte de barrière mouvante, possédant à peine la transparence d'un verre dépoli.

On y voit, la lumière est même la plupart du temps vive et blessante pour l'œil, répercutée qu'elle est à l'infini par les molécules blanchâtres de la brume. Mais cette sensation de la vue est vaine ; on perçoit le vide brillant, le néant éclairé. Les objets échappent ; toute forme accusée se noie dans ce milieu mou et nuageux.

Dans ce brouillard, le son s'égare, s'étouffe et meurt.

C'est quelque chose d'inerte et de lourd, qui endort l'élasticité de l'air ; c'est quelque chose de redoutable comme cette toile, blanche aussi, qui s'appelle le suaire. Ici, le courage même a la conscience de son impuissance. Le sang se fige, la force cède. On est à la fois submergé et fasciné. Et cette morne solitude, ce brouillard lugubre et gris vont se peupler de visions folles.

Il y a dans la brume des éclats de rire lointains. Des gémissements leur répondent.

« Au secours ! Seigneur Dieu ! au secours ! »

Personne ne vient.

Ils sont rares ceux qui racontent ce rêve du malheureux perdu dans les brouillards. Bien peu sont revenus pour dire ce qu'invente la fièvre à l'instant suprême.

Les réfugiés du village de Saint-Jean qui avaient passé la nuit à Tombelène n'auraient pas même dû hésiter à fuir, car il était mille fois probable que Méloir et ses soldats profiteraient du brouillard pour renouveler leur attaque.

Or, la partie du rocher où Bruno et sa petite armée s'étaient défendus si vaillammant sortait presque tout entière de la brume, qui l'entourait comme une ceinture. Les assaillants eussent attaqué cette fois à coup sûr, car ils auraient vu et seraient restés invisibles.

Au contraire, en se mettant résolument en grève, les assiégés, qui connaissaient, pour la plupart, les cours d'eau et tous les secrets des tangues, n'avaient contre eux que le brouillard.

Le brouillard devait, suivant toute vraisemblance, les protéger contre la poursuite de leurs ennemis.

Le petit Jeannin, qui avait pris d'autorité l'emploi de guide, marcha sans hésiter à l'est du Mont-Saint-Michel, dans la direction du bourg d'Ardevon, limite extrême de la Normandie.

Nous sommes bien forcés d'avouer que le petit Jeannin avait les jambes un peu trop longues pour la robe de Reine, et que ses mouvements hardis et découplés n'allaient pas au mieux avec le chaste voile qui descendait sur ses cheveux blonds.

Mais, à part ces détails, le petit Jeannin faisait une Fée des Grèves très présentable, et d'ailleurs il n'est pas mauvais qu'une fée ait en sa personne quelque chose d'excentrique. Ce serait bien la peine d'avoir un charme dans son petit doigt et de chevaucher sur des rayons de lune, si on ressemblait trait pour trait à une demoiselle de bonne maison !

Jeannin avait de beaux cheveux bouclés, de grands yeux bleus et un sourire espiègle. C'était plus qu'il ne fallait.

N'eût-il rien eu de tout cela, le brouillard, en ce moment, aurait encore suffi à déguiser la supercherie.

C'était un vrai brouillard, un brouillard « à ne pas voir son nez », comme on dit entre Avranches et Cherrueix. Pour apercevoir le sol vaguement et comme à travers une gaze, il fallait s'agenouiller.

Frère Bruno étendit son bras et sa main disparut dans la brume.

« Allons ! dit-il, voilà qui est bon ! Ça me rappelle l'aventure du bailli de Carolles et de son âne. Ils se cherchaient tous deux dans le brouillard, devant le rocher de Champeaux. L'âne et le bailli firent soixante-dix-huit fois le tour de la pierre, jusqu'à ce que M. le bailli s'avise de faire : Hi-han !

— Silence ! ordonna la voix de Maurever.

— Seigneur Jésus ! on se tait, on se tait ! répliqua le moine convers ; je pense que je ne suis pas un bavard ! »

Et il ajouta en se penchant à l'oreille d'un Mathurin quelconque :

« Devinez ce que répondit l'âne ? »

Mais le Mathurin n'était pas en humeur de rire.

« Nous approchons de la rivière, dit en ce moment le petit Jeannin ; prenez-vous par la main et ne vous quittez pas. »

Les mains se cherchèrent et se réunirent au hasard.

La caravane marcha pendant un quart d'heure environ. Au bout d'un quart d'heure, chacun sentit l'eau à ses pieds. En même temps, un bruit sourd se fit entendre sur le sable.

« Les hommes d'armes ! dit tout bas le petit Jeannin. Halte ! »

On s'arrêta.

Les chevaux approchaient. On entendit bientôt la voix de Méloir qui disait :

« De l'éperon, mes enfants, de l'éperon ! Ce brouillard-là nous la baille belle ! Nous allons prendre notre revanche cette fois !

— Excepté Reine, qui est votre dame, et le traître Maurever que nous mènerons à Nantes pieds et poings liés, répondit un homme d'armes, il ne faut pas qu'il en reste un seul pour voir le soleil de midi ! »

Reine tremblait. Les filles de Saint-Jean se serraient les unes contre les autres.

« Allons ! Bélissan, criait Méloir, découple tes lévriers, ils vont quêter dans le brouillard, et qui sait ce qu'ils trouveront ! »

Aubry serra la main de Maurever et tira son épée. Chacun crut que l'heure était venue de mourir.

Bélissan répondit :

« Je ferai tout ce que vous voudrez, sire chevalier ; mais du diable si les chiens ont du nez par ce temps-là ! Ils détaleraient à dix pas d'un homme ou d'un renard sans s'en douter. »

La cavalcade passait. Elle passa si près, que chacun, dans la petite troupe, crut sentir le vent de la course.

Bruno affirma même depuis qu'il avait vu glisser un cavalier dans la brume ; mais Bruno aimait tant à parler !

Chacun retint son souffle.

« Holà ! cria Méloir, ceci est la rivière ; dans dix minutes, nous serons à Tombelène... Mais j'ai entendu quelque chose ! »

La cavalcade s'arrêta brusquement à vingt pas des fugitifs.

Frère Bruno caressa Joséphine, sa jolie massue, qu'il n'avait eu garde de laisser dans le fort.

« C'est un de mes lévriers qui est parti, dit Bélissan ; je n'en ai plus que onze en laisse. Ho ! ho ! ho ! Noirot ! ho ! »

Une sorte de gémissement lui répondit.

« Ho ! ho ! ho ! Noirot ! ho ! » cria encore le veneur.

Cette fois il n'eut point de réponse.

« Si nous restons là, dit Méloir, nous nous ensablerons ; les pieds de mon cheval sont déjà de trois pouces dans la tangue. En avant ! »

La cavalcade reprit le galop.

Les gens de notre petite troupe étaient absolument dans la même situation que le cheval de Méloir. Partout, le long de ces grèves, mais surtout dans le voisinage des cours d'eau où se trouvent les lises ou sables mouvants, l'immobilité est périlleuse. Le sable cède sous les pieds, l'eau souterraine monte par l'effet de la pression, et l'on enfonce avec lenteur.

Rien ne peut donner l'idée de cette substance tremblante et molle qu'on appelle la tangue. La surface présente une assez grande résistance, pourvu que la pression soit instantanée et rapide.

Notre boue terrestre, les corps gras, toutes choses que nous connaissons et qui tiennent le milieu entre les matières solides et les matières liquides, ont un caractère commun ; le pied y enfonce au moment même où il s'y pose.

Ici, non. Le pied marquc à peine au premier instant, il soulève une manière d'ourlet sablonneux et relativement sec, tandis qu'à l'endroit même où la pression s'opère, l'eau monte et remplace le sable.

Si le pied quitte lestement le sol, comme cela a lieu dans une marche légère, on voit sa trace peu profonde former une petite mare qui s'efface bientôt, parce que la tangue reprend aisément son niveau.

Mais si le pied reste, il enfonce indéfiniment et plus vite à mesure que l'*immersion* (la langue n'a pas d'autre mot) a lieu.

On dit qu'un homme met bien un quart d'heure à disparaître entièrement dans les lises.

29

Où maître Vincent Gueffès est forcé d'admettre l'existence de la Fée des Grèves

Quand la cavalcade se fut éloignée, le petit Jeannin prit la parole avec précaution :

« Jamais je n'ai vu d'animal pareil ! dit-il.

— Quel animal ? demanda Aubry.

— Voyez ! » répliqua Jeannin.

Mais il n'était pas facile de voir.

Aubry s'approcha en tâtonnant, et sa main rencontra le corps tout chaud d'un énorme lévrier blanc et noir qui était étendu sur le sable.

« Maître Loys était plus grand et plus beau que cela, murmura-t-il.

— Quand Méloir a dit à son veneur de découpler les chiens, reprit Jeannin, celui-là qui était sous le vent de moi n'a fait qu'un bond et m'a pris à la gorge en grondant, mais je me méfiais. J'avais la main sur mon couteau que je lui ai plongé entre les côtes.

— Et tu n'as pas poussé un cri, petit homme ! dit Aubry en lui frappant sur l'épaule ; c'est bien, tu feras un maître soldat ! »

Jeannin rougit de plaisir.

Quelque part, dans le brouillard, Simonnette était là qui devait entendre.

« Oui, oui, dit frère Bruno, Peau-de-Mouton sera un fier soldat, c'est vrai. Il a tué un chien, à ce que je comprends, mais il en reste onze, et si M. Hue veut me permettre de parler, je vais donner un bon conseil.

— Parle, répliqua le vieux Maurever, que ces divers événements semblaient préoccuper très peu.

— Les soudards et cavaliers de ce Méloir sont maintenant à Tombelène ou bien près, pas vrai ? Eh bien ! quand ils vont voir les oiseaux dénichés, ils seront de méchante humeur. Ils ont des chiens et les chevaux vont plus vite que les hommes. Les chiens n'ont guère de nez dans le brouillard, c'est le veneur lui-même qui l'a dit ; mais on leur mettra le museau dans nos traces fraîches, et alors...

— Que faire ? demanda Maurever.

— Voilà ! j'ai vu plus d'une poursuite dans les grèves. Olivier de Plougastel, chevalier, seigneur de Plougaz, échappa aux Anglais tenant garnison à Tombelène, pas plus tard qu'en l'an quarante-deux, en suivant le cours de cette rivière où nous sommes. L'eau qui coulait sur le sable effaçait, à mesure, la trace de ses pas.

— Suivons donc la rivière ! dit Aubry.

— La rivière, en descendant, est pleine de lises, fit observer Jeannin ; en remontant, elle nous mène dans la partie la plus dangereuse des grèves. Et si nous ne nous hâtons pas de gagner la terre, ce brouillard se lèvera. Nous resterons à découvert au milieu des grèves. »

Cela était si complètement évident, que personne n'y trouva de réplique.

Le frère Bruno lui-même se gratta l'oreille et ne répondit point.

« Marchons à reculons, reprit Jeannin, le plus vite que nous pourrons. Le veneur collera son œil contre terre et voudra connaître nos traces. Ils font toujours comme cela. Quand le veneur aura connu nos traces, il voudra mettre sa raison à la place de l'instinct des chiens, et nous serons sauvés.

— Oh ! Peau-de-Mouton, s'écria Bruno, tu ne vivras pas : tu as trop d'esprit ! Allons ! vous autres, à reculons ! »

On se remit en marche, selon l'avis du petit coquetier. Dix ou douze minutes se passèrent. Maurever avait de nouveau commandé le silence.

Au bout de ce temps, Bruno quitta son poste d'arrière-garde et, sans dire un mot cette fois, traversa toute la troupe pour se rapprocher de Jeannin.

Sans le brouillard, on aurait pu voir sur la figure du frère convers une inquiétude grave. Et il ne fallait pas peu de chose pour produire cet effet-là !

« Où es-tu, petit ? demanda-t-il à voix basse, quand il se crut auprès de Jeannin.

— Ici », répliqua ce dernier.

Bruno s'avança encore jusqu'à ce qu'il pût lui prendre la main.

« Es-tu bien sûr du chemin que tu suis ? dit-il.

— Non, répondit Jeannin, dont la main était froide et la respiration haletante ; depuis deux ou trois minutes je vais à la grâce de Dieu.

— Où crois-tu être ?

— A l'orient du Mont.

— Moi, je crois que nous sommes à l'ouest ; la tangue mollit ; le vent vient de l'ouest ; et si nous étions de l'autre côté, nous ne le sentirions guère.

— C'est vrai. Tournons à gauche.

— Avertis, au moins, avant de tourner.

— Tournons à gauche ! » répéta Jeannin à haute voix.

Il n'y eut point de réponse.

Jeannin pâlit et se prit à trembler.

« Monsieur Hue ! » dit-il doucement d'abord. Puis il cria de toute sa force : « Monsieur Hue ! »

Le silence !

Sa voix tremblait comme si elle eût rencontré au passage un obstacle inerte et sourd.

Il était arrivé ceci : tout en parlant et sans y songer, le frère Bruno et Jeannin s'étaient arrêtés. Pendant cela, les fugitifs, continuant leur route, avaient passé à droite et à gauche, et ils étaient loin déjà.

Les bras de Jeannin s'affaissèrent le long de ses flancs.

« Simonnette ! et la demoiselle ! murmura-t-il.

— Allons, petit, du courage ! reprit Bruno. Si l'un de nous les retrouve, cela suffira ; prends à gauche, moi j'irai à droite. Et des jambes ! »

Ils s'élancèrent chacun dans la direction indiquée.

Deux minutes après, il leur eût été impossible de se retrouver mutuellement.

Vers ce même instant, Méloir et ses hommes d'armes arrivaient à Tombelène, qu'ils avaient manqué plusieurs fois dans le brouillard.

Bruno avait deviné juste. Dès que Méloir reconnut que les fugitifs avaient quitté leur retraite, il mit ses lévriers sur leur trace et ouvrit la chasse gaiement.

Mais bientôt un obstacle se présenta. Nous ne voulons point parler de la marche à reculons. Ceci eût été bon peut-être pour tromper des hommes, mais les chiens vont au flair et ne raisonnent guère, les heureux ! A cause de quoi ils ne commettent point d'erreurs.

L'obstacle dont il s'agit, c'était la divergence des routes suivies par le petit Jeannin d'abord, frère Bruno ensuite, enfin le gros de la caravane.

Tout le monde mit pied à terre. On s'accroupit sur le sable, on regarda la tangue de près ; on fit de son mieux.

On ne fit rien de bon. La brume semblait se rire de tout effort.

Maître Vincent Gueffès, car il était là, maître Vincent Gueffès fut le premier qui se releva.

« Le vieux Maurever est un matois. Il aura pris à gauche du Mont pour se trouver tout de suite le plus près possible de la protection française.

— Oh ! hé ! cria Bélissan, le gros de la bande a pris à droite du Mont-Saint-Michel. Allez ! chiens, allez ! »

Il pouvait y avoir du bon dans l'avis de maître Vincent Gueffès ; mais le lévrier de Bélissan le veneur entraîna tous les autres, et maître Gueffès resta seul. Il s'arrêta un instant indécis.

Dans les sables, par le brouillard, il n'est pas permis de réfléchir.

Quand maître Vincent Gueffès se ravisa et voulut suivre la troupe de Méloir, il n'était déjà plus temps. Aucun bruit n'arrivait à son oreille. Il tourna sur lui-même pour s'orienter. Seconde imprudence.

Par le brouillard dans les sables, il ne faut jamais tourner sur soi-même, à moins qu'on n'ait dans sa poche une boussole. On perd, en effet, absolument le sens de la direction, et dès qu'on l'a perdu, rien ne peut le rendre. Il n'y a là aucun objet extérieur qui puisse servir de guide.

Maître Gueffès était absolument dans la position d'un homme qui joue à colin-maillard. La bravoure n'était pas son fait. Il eut peur et se prit à courir en suivant au hasard une des lignes de pas qui partaient du centre où les deux troupes, les fugitifs d'abord, puis les hommes de Méloir, s'étaient successivement arrêtées.

Oh ! le pauvre Normand, s'il avait su ce qui l'attendait au bout du chemin, il n'aurait pas couru si vite !

Un son grave et vibrant perça le brouillard.

Maître Vincent poussa un cri de joie. C'était la cloche du monastère. Il était à cent pas du Mont.

Une forme indécise passa près de lui, si près qu'il sentit comme un frôlement. Une robe de femme, il n'y avait pas à s'y tromper !

Maître Vincent Gueffès, devenu brave tout à coup, s'élança en avant. Ce pouvait être Simonnette, ce pouvait être Mlle Reine.

Bonne prise, dans tous les cas !

Au bout d'une vingtaine d'enjambées, il vit le brouillard s'ouvrir. Le roc noir de Saint-Michel était devant lui.

Sous les fondations, entre les roches énormes, il y avait une femme, la forme que maître Gueffès avait vue passer dans la brume.

Bonne prise ! oh ! bonne prise ! maître Vincent Gueffès reconnut les vêtements de Reine de Maurever. Et derrière son voile il reconnut aussi ses cheveux blonds bouclés qui brillaient au soleil.

Il s'approcha tortueusement.

La bataille ne fut pas longue. Il paraît que les fées sont plus fortes que les Normands.

Dès le commencement du combat, maître Gueffès devint fou, car on l'entendit crier :

« Jeannin, petit Jeannin, pitié ! pitié ! »

Qu'avait-il à faire là-dedans, Jeannin, le petit coquetier des Quatre-Salines ?

Quand le brouillard se leva, vers midi, les pêcheurs trouvèrent maître Vincent Gueffès étendu sur le sable ; on lui avait tordu le cou.

30

Où l'on voit revenir maître Loys, lévrier noir

Deux ou trois fois la troupe fugitive s'était divisée, soit de parti-pris, soit par l'effet du hasard. Suivant toute apparence, les émigrés du village de Saint-Jean et M. Hue avaient essayé de marcher ensemble et quelque incident les avait séparés. Ils s'étaient perdus dans la brume et se cherchaient peut-être.

Ils ne pouvaient se soustraire désormais bien longtemps à la poursuite acharnée de Méloir et de ses lévriers.

Il est même probable que, sans les retards occasionnés par les lévriers, aux endroits de la grève où les traces se bifurquaient tout à coup, quelques traînards fussent tombés déjà au pouvoir des hommes d'armes.

Voici cependant ce qui était advenu de M. Hue et de sa suite. Aubry s'était mis à la tête de la caravane lorsqu'il avait reconnu l'absence du petit Jeannin. Aubry ne savait guère son chemin dans les sables ; il allait droit devant lui, ce qui est quelquefois le mieux.

Au bout d'une heure de marche, le bruit de la mer se fit entendre si distinctement, qu'il n'y eut point à douter. Ils avaient fait fausse route. Reine souffrait de sa blessure. La fatigue et le découragement venaient. Et le brouillard ne diminuait point.

La troupe se trouvait engagée dans cette partie des grèves qui est au nord-ouest du Mont, et où les mares abondent.

En retournant sur ses pas, Aubry laissa fléchir vers le sud la ligne qu'il suivait. Ce n'était plus du sable, c'était de la marne délayée que la troupe avait sous les pieds.

Pour éviter les mares, à fond de lises, on faisait de nombreux circuits. Les uns passaient à droite, les autres à gauche. De temps en temps, un homme ou une femme se perdait.

Une fois, Maurever appela Reine, qui ne répondit pas. Une horrible angoisse serra le cœur du vieillard.

Et à dater de cet instant, tout fut confusion parmi les fugitifs. Chacun voulut chercher Reine.

On tourna ; on perdit la voie. Puis, les groupes se détachèrent. Il y avait maintenant impossibilité de se rallier.

Hue de Maurever marchait avec son vieux vassal Simon Le Priol, qui tenait sa femme par la main.

Fanchon pleurait à chaudes larmes, la pauvre femme, parce que ses deux enfants, Julien et Simonnette, n'étaient plus là pour répondre à sa voix.

Aubry allait tout seul, fou de douleur, courant dans cette nuit éclairée, sans but, sans direction, presque sans espoir.

Les filles et les gars de Saint-Jean erraient çà et là à l'aventure.

Dans la brume, tous ces différents groupes se croisaient maintenant sans se voir. Tout était à la débandade. Et la besogne des hommes d'armes du chevalier Méloir n'en valait pas mieux pour cela. Cette foule dispersée des fugitifs n'était bonne qu'à donner le change aux chasseurs.

Aubry avait quitté ses compagnons depuis un quart d'heure, lorsqu'il crut ouïr un bruit léger derrière lui. Il s'arrêta et colla son oreille contre la tangue. Ce bruit qu'il entendait, c'était le pas des chevaux de Méloir.

Aubry chercha de quel côté il prendrait la fuite, car son premier besoin était de vivre, afin de protéger Reine.

Les pas approchaient. Aubry pouvait ouïr déjà la voix des hommes d'armes.

Il aperçut enfin une sorte de tumulus ou renflement à peine sensible. Le brouillard y était moins opaque que dans les fonds. On distinguait parfaitement le sol ; on voyait même à trois pieds à la ronde.

Au centre du mamelon, il y avait un poteau humide et

gluant, couvert de mousse marine et qui, à marée haute, indiquait le bas-fond aux petites barques des pêcheurs montois. Aubry s'était adossé contre ce poteau. Il avait à la main son épée nue.

Il se disait :

« Ah ! si j'avais seulement avec moi maître Loys, vrai Dieu ! ce serait une belle équipée ! Dix chiens pour maître Loys, dix hommes pour moi : c'est notre mesure. »

Une masse sombre saillit hors du brouillard. Aubry sentit une haleine de feu et son épaule saigna sous la griffe de Pivois.

Mais Pivois tomba éventré d'un coup d'épée à bras raccourci, que lui donna Aubry.

« Belle bête ! murmura-t-il ; c'est dommage ! »

Ardois, lancé comme une flèche, passa par-dessus le corps de Pivois. Aubry lui fendit la tête à la volée d'un coup de revers.

Rougeot, magnifique animal, brun de cotte à pèlerine rousse, avec deux feux pourpre sous la paupière, roula sur ses deux compagnons morts. Il avait le col tranché aux trois quarts.

« Vrai Dieu ! grondait maître Aubry qui s'échauffait à la besogne, les hommes ne viendront-ils pas à la fin ! »

Les hommes venaient. On entendait parfaitement le pas sourd des chevaux.

Aubry vit la silhouette d'un cavalier qui passait à sa gauche sans l'apercevoir.

Comme il ouvrait la bouche pour l'appeler, car il était en train et il avait hâte de sentir une épée grincer contre la sienne, un quatrième lévrier sortit du brouillard et fondit sur lui. Énorme, celui-là, noir de la tête aux pieds.

Il bondit littéralement par-dessus l'épée d'Aubry, tomba de l'autre côté, rebondit avant qu'Aubry eût le temps de faire volte-face et le saisit à la gorge.

Mais non point pour l'étrangler, oh ! non. Pour le caresser plutôt, doucement et tendrement, comme l'épagneul favori vient mêler ses longues soies aux longs cheveux de la châtelaine aimée. Pour le chérir, pour le baiser en gémissant de joie.

Loys ! maître Loys ! le grand, le fier, l'intrépide !

C'était lui que Bélissan avait acheté à Dinan, par hasard, pour remplacer le pauvre Ravot, mort de la poitrine.

C'était lui qu'on appelait Reinot, c'était maître Loys !

Écoutez : Aubry le baisa sur le museau, comme un enfant, comme un ami. Aubry avait une larme à la paupière.

« Seigneur Dieu ! vous êtes avec moi, s'écria-t-il sans plus se cacher, grand merci ! Hardi, Loys ! »

Puis, donnant sa voix qui vibra comme un clairon dans la brume :

« A moi, taupins ! ajouta-t-il, à moi, traîtres maudits ! Méloir ! Péan ! Coëtaudon ! Corson et d'autres, s'il y en a ! Venez ! venez ! venez ! »

Une clameur, lointaine déjà, répondit à cet appel.

Aubry était dépassé ; il aurait pu éviter la lutte. Mais ce n'était pas ce qu'il voulait.

Pendant qu'il allait combattre, qui sait si Reine n'aurait pas le temps de se sauver ? C'était quelques minutes de gagnées : le salut peut-être !

Et puis, avec maître Loys, Aubry se croyait sûr de vaincre.

Les pas des chevaux se rapprochaient. Loys se mit à côté de son maître, les jarrets ramassés, le museau dans le sable.

Le nom de Reine vint encore une fois aux lèvres d'Aubry, puis il serra sa bonne épée.

« Hardi, Loys ! »

Il y eut tout à coup un grand cliquetis de fer. Le sable se rougit autour du vieux poteau, vert de goëmon.

Les chiens étranglés hurlèrent. Les hommes d'armes repoussés blasphémèrent.

« Hardi, Loys ! maître Loys ! ils sont à nous ! »

31

Le tube miraculeux

C'était un étrange combat.

Aubry, à pied, avait, il faut le dire, tout l'avantage sur les hommes d'armes à cheval. Leste et jeune, il se servait du brouillard comme d'une machine de guerre.

Il avait quitté le mamelon où la brume était trop claire, et les hommes d'armes l'avaient suivi dans un fond, sur la tangue molle, où les sabots de leurs montures enfonçaient à chaque pas.

« Cet homme est le diable ! cria Coëtaudon, qui donnait de grands coups de lance dans le vide.

— Non pas ! c'est le chien qui est le diable ! balbutiait Kerbehel, désarçonné à demi. Il n'y a pour nous ici ni profit, ni gloire. Ce n'est pas celui-là que nous cherchons. Sus au vieux Maurever, et laissons ce ragot qui nous donne le change. »

L'avis était bon.

« Sus ! sus ! »

Et les éperons s'enfoncèrent dans le cuir des chevaux.

Il était 9 heures du matin. Le soleil prenait de la force et pompait lentement le brouillard. Un vent léger venait du large annonçant le flux. Le moment s'approchait où ce rideau immense qui cachait les grèves allait se déchirer.

Et les différentes troupes, dispersées sur les tangues, allaient se chercher, à coup sûr, se voir et se combattre.

Sur les rochers qui bordent le Mont-Saint-Michel, du côté de la Bretagne, une troupe d'hommes armés était rangée en bon ordre.

A la tête de cette troupe, se trouvait un chevalier banneret, le sire de Ligneville. Son petit bataillon et lui demeuraient immobiles, comme s'ils eussent été chargés de garder le Mont contre une attaque prochaine.

Derrière la troupe cantonnée sur les rochers, l'étendard de Saint-Michel était planté en terre, au-dessous de la bannière de France.

Un coup de vent chassa la brume qui enveloppait encore la base du roc. On vit dans les sables un vieillard entouré de quelques femmes et de quelques paysans. Presque au même instant, les hommes d'armes de Méloir sortirent de la brume refermée.

« En avant ! » dit le sire de Ligneville.

La bannière de France fit flotter au soleil ses longs plis d'argent. La troupe descendit sur la grève. Elle se mit entre les fugitifs et les hommes d'armes.

« Que venez-vous quérir sur les domaines du roi ? demanda M. de Ligneville.

— Nous venons, par la volonté de notre seigneur le duc, répondit Corson, quérir M. Hue de Maurever, coupable de trahison.

— Et portez-vous licence de franchir la frontière ?

— De par Dieu ! monsieur de Ligneville, riposta Corson, quand notre seigneur François a sauvé votre sire des griffes de l'Anglais, il a franchi la frontière sans licence. »

Ligneville fit un geste. Ses soldats se rangèrent en bataille.

Hue de Maurever perça les rangs.

« Messire, dit-il, si ces gens de Bretagne veulent s'en retourner chez eux en se contentant de ma personne et en laissant libres tous les pauvres paysans de mes anciens domaines, je suis prêt à me livrer en leurs mains.

— Donc, pour ce, franchissez la rivière de Couesnon, messire, répliqua Ligneville ; sur la terre du roi, on ne se rend qu'au roi. »

Le sire de Ligneville demanda ensuite aux Bretons :

« Qui est votre chef ?

— Notre chef est le chevalier Méloir, dirent-ils.

— J'ai entendu parler de ce chevalier Méloir, répondit M. de Ligneville ; dites-lui, pour l'honneur de la chevalerie, qu'il évite de passer à portée de ma lance, car M. l'abbé du Mont-Saint-Michel m'a donné l'ordre de le faire pendre. Monsieur Hue de Maurever, ajouta-t-il en souriant, vous êtes le prisonnier du roi. »

Avant que le vieillard pût répondre, on l'avait saisi et conduit derrière les rangs.

« Holà ! maraudaille ! s'écria Ligneville avec rudesse, maintenant hors d'ici et vitement ! »

Il s'adressait ainsi aux hommes d'armes de Méloir.

M. Hue, cependant, avait demandé aux soldats du monastère si quelques fugitifs n'avaient point déjà touché le Mont. Les réponses des soldats l'avaient à peu près rassuré sur le sort de sa fille, qui devait être en ce moment dans l'enceinte des murailles avec Aubry et les enfants de Simon Le Priol.

On monta la rampe.

Aubry et le petit Jeannin, arrivés, en effet, les premiers au monastère, attendaient avec anxiété. Ils espéraient que Reine et Simonnette étaient avec le gros de la troupe.

Hélas ! le pauvre Bruno avait l'oreille basse. Ce fut lui qui aperçut le premier M. Hue gravissant la rampe. Il courut avertir Aubry, qui s'élança au-devant du vieillard.

« Reine ! prononcèrent tous deux, en même temps, M. Hue et Aubry.

— Elle n'est pas au monastère ? demanda le vieux chevalier.

— Vous ne la ramenez pas ? » demanda Aubry à son tour.

Ce fut un moment d'angoisse cruelle.

Jeannin, l'heureux petit Jeannin, avait Simonnette dans ses bras. Mais quand il entendit que Mlle Reine était perdue, il s'arracha aux bras de Simonnette.

« Je vais rentrer en grève, dit-il ; la mer monte, il faut se hâter. »

Maurever et Aubry avaient du froid dans les veines. Ce mot : « la mer monte », les frappait au cœur.

Aubry serra la main de Jeannin et lui dit :

« Viens avec moi ! »

Mais, au lieu de descendre à la grève, il gravit précipitamment la rampe et s'élança dans l'escalier de la salle des gardes. Jeannin et Bruno le suivaient. Ils arrivèrent sur la plate-forme, Aubry et Jeannin dévoraient déjà l'espace du regard.

Le brouillard s'était levé. L'œil planait sur l'immensité des sables. Au nord-ouest, on voyait la ligne bleue de la mer qui montait. Sur la grève, rien.

Rien, sinon un point sombre et perceptible à peine qui se montrait de l'autre côté du Couesnon, à la hauteur du bourg de Saint-Georges.

Aubry le désigna du doigt à Jeannin.

« C'est trop loin, dit le petit coquetier ; on ne peut pas savoir. » Puis il ajouta : « Dans dix minutes, la mer couvrira ce point noir. »

Aubry avait au front des gouttes de sueur glacée.

« Messer Jean Connault, le prieur des moines, qui est un savant physicien, murmura le frère Bruno, a ici près, dans le clocher, un tube de bois garni de verres. J'ai mis mon œil une fois dans ce tube, et j'ai vu — n'est-ce point magie ? — j'ai vu les femmes de Cancale avec leurs coiffes et leurs gorgerettes plissées, comme si Cancale se fût avancé vers moi tout à coup, jusqu'au pied du mur à travers la mer.

— Ce bonhomme rêve ! » s'écria Aubry, qui frappa du pied.

Bruno s'élança vers le clocher et redescendit l'instant d'après avec une sorte de bâton creux, formé d'anneaux cylindriques qui s'emboîtaient les uns dans les autres.

Aubry mit son œil au hasard à l'une des extrémités. Il vit distinctement les vaches qui paissaient sur le mont Dol, à quatre lieues de là. Un cri de stupéfaction s'étouffa dans sa poitrine.

Le tube fut dirigé vers le point sombre qui tranchait sur le sable étincelant. Cette fois, Aubry laissa tomber le tube et saisit sa poitrine à deux mains.

« Reine ! Reine ! dit-il. Julien et Méloir ! »

Au risque de se briser le crâne, il se précipita à corps perdu dans l'escalier de la plate-forme.

Ceux qui le virent passer dans le réfectoire et traverser la salle des gardes en courant le prirent pour un fou.

Le cheval du sire de Ligneville était attaché au bas de la rampe. Aubry sauta en selle sans dire une parole et piqua des deux.

Bientôt, on put le voir galoper à fond de train sur la grève. Il tenait à la main la lance de Ligneville. Devant lui, un grand lévrier noir bondissait.

Ils allaient, ils allaient. C'était un tourbillon !

Jeannin avait dit :

« Dans dix minutes, la mer couvrira ce point noir. »

Ce point noir, c'était Reine.

Du sang aux éperons ! hope ! hope !

Reine... et Méloir !

Car pour Julien, Aubry avait vu, à l'aide du tube, l'épée de Méloir se plonger dans sa chair. Pauvre Julien !

Hope ! hope ! Hardi, maître Loys !

Sur la plate-forme, il y avait maintenant grande foule. Grande foule autour de M. Hue de Maurever, qui était agenouillé sur la pierre et qui levait au ciel ses mains tremblantes.

On suivait du regard la course d'Aubry. Arriverait-il à temps ?

Jeannin se demandait :

« Mais pourquoi le chevalier et la demoiselle restent-ils immobiles, si près de la mer qui monte ? »

Il prit le tube à son tour et devint plus pâle qu'un mort.

« Ils sont enlisés !... balbutia-t-il ; le chevalier a du sable jusqu'à la ceinture, et demoiselle Reine disparaît... disparaît... »

La cloche du monastère tinta le glas.

Une voix tomba des galeries supérieures. Cette voix disait :

« Il y a deux malheureux en détresse dans les tangues. Priez pour ceux qui vont mourir ! »

32

Les lises

Quand le brouillard avait enfin cédé la place aux clairs rayons du soleil de juin, le chevalier Méloir s'était trouvé seul, aux environs de la rivière de Couesnon, à deux lieues au moins de la terre ferme.

Ce que son escorte était devenue, le chevalier Méloir ne le savait point. Il était de terrible humeur. Quelque chose comme un remords grondait au fond de sa conscience, car rien n'appelle si bien le remords que l'insuccès.

Or, le chevalier Méloir était un homme trop sage pour ne pas s'avouer qu'il avait échoué honteusement. Siège et chasse avaient eu un résultat pareil.

Tout à coup, de l'autre côté du Couesnon, il aperçut deux paysans qui cheminaient.

Il s'était trop hâté de désespérer. L'un de ces paysans, en effet, avait une arbalète sur l'épaule et l'autre portait un costume qui réveilla quelques vagues souvenirs dans l'esprit du chevalier Méloir. Une peau de mouton, nouée en écharpe et qui semblait avoir fourni de longs services.

Son compagnon et lui étaient évidemment des fugitifs du village de Saint-Jean-des-Grèves. Méloir songea qu'ils pourraient le renseigner. Il leur ordonna d'arrêter.

L'enfant à la peau de mouton et le paysan qui portait une arbalète n'eurent garde d'obéir. Ils pressèrent, au contraire, leur marche.

Méloir lança son cheval.

Le jeune garçon et son compagnon semblèrent se consulter. Le premier fit un geste de lassitude désespérée. Ils s'arrêtèrent.

Le paysan banda son arbalète et se mit au-devant du jeune garçon.

« Que diable veut dire ceci ? » gronda Méloir. Puis il ajouta tout haut : « Bonnes gens, je ne vous ferai point de mal. »

Un carreau d'acier vint frapper le front de son cheval, qui se leva sur ses pieds de derrière et retomba mort.

« Maintenant fuyons ! s'écria Julien Le Priol ; ses armes le gênent, il ne nous atteindra pas. »

Oh ! certes, sans sa blessure, Reine de Maurever, qui avait trompé naguère si longtemps la poursuite du petit Jeannin, Reine eût échappé en se jouant au chevalier Méloir. Mais elle souffrait cruellement, mais elle était accablée.

Elle essaya de suivre Julien. Elle ne put et s'affaissa sur le sable.

« Sarpebleu ! s'écria Méloir exaspéré, est-ce comme cela, manant endiablé ? Dix drôles comme toi ne payeraient pas mon bon cheval. Attends ! »

Il prit son élan et vint l'épée haute sur Julien.

C'était à ce moment qu'Aubry de Kergariou mettait l'œil au télescope élémentaire, fabriqué par Messer Jean Connault, prieur des moines, et amateur de physique.

Julien attendit le chevalier de pied ferme et le blessa d'un second coup d'arbalète. Mais il n'avait que son couteau court pour détourner la longue épée de Méloir. Il fut renversé du premier choc.

« Adieu, mademoiselle Reine, dit-il en mourant, que Dieu vous protège ! Moi, j'ai fait ce que j'ai pu.

— Reine ! » s'écria Méloir, qui n'en pouvait croire ses oreilles.

Il regarda le prétendu jeune garçon, et reconnut en effet la fille de Maurever.

« Oh ! oh ! dit-il, voilà donc pourquoi ce rustre prétendait résister à un chevalier.

« Damoiselle, ajouta-t-il en s'inclinant courtoisement, vous ne faites que changer de serviteur. »

En ce moment Aubry entrait en grève, monté sur le cheval du sire de Ligneville.

Maître Loys volait, le ventre sur le sable.

Vers le nord-ouest, la ligne bleue courait aussi. Elle galopait. C'était la mer.

Le chevalier Méloir s'était approché de Reine et cherchait à la relever. Reine était presque évanouie.

Le chevalier, dans les efforts qu'il fit pour la remettre debout, ne s'aperçut point d'abord que la tangue cédait sous ses pieds. Il était armé lourdement. Quand il s'en aperçut, le sable humide touchait les agrafes de ses genouillères. Il lâcha Reine et voulut se dégager.

« Est-ce qu'il me faudra mourir ici ? » pensa-t-il tout haut.

Reine l'entendit. Elle se redressa galvanisée. Couchée comme elle l'était, et occupant une grande surface, son poids avait à peine attaqué le sable.

Pour se lever et s'enfuir, elle n'avait qu'un effort à faire. Sa belle main blanche s'appuya sur le sable pour aider le mouvement de son corps. Mais une autre main, une main de fer, se referma sur sa belle main blanche.

Méloir avait aux lèvres un sourire sinistre.

« Ceci est notre couche nuptiale, Reine de Maurever, dit-il ; j'avais juré que tu serais ma femme. »

Reine poussa un cri d'horreur.

Ce fut en ce moment que, du haut des galeries supérieures, une voix tomba sur la plate-forme du monastère et dit :

« Priez pour ceux qui vont mourir ! »

Sur la plate-forme tout le monde s'était agenouillé. Le glas tinta.

Reine n'avait poussé qu'un cri. Puis sa charmante tête blonde s'était renversée, tandis que ses grands yeux bleus se tournaient vers le ciel. Elle aussi priait.

Elle jeta un regard aux rives bretonnes. Un léger renflement de terrain lui indiqua le lieu où le manoir de Saint-Jean-des-Grèves se cachait derrière les arbres.

« Vous pensez à lui, demoiselle ? dit Méloir, qui voulait railler, mais dont les dents grinçaient.

— Pensez à Dieu ! » répliqua la jeune fille, sereine et calme, en face de la dernière heure.

On entendait le sourd grondement du flot.

Méloir avait du sable jusqu'aux seins. Sa main de fer se rivait sur le bras de Reine.

Il tourna la tête tout à coup à un bruit qui se faisait. Maître Loys bondissait dans le cours du Couesnon où était déjà la mer. Et Aubry était derrière maître Loys.

« Aubry ! Aubry ! à moi ! » s'écria Reine.

Par un effort désespéré, Méloir essaya de l'attirer à lui. Ses yeux hagards disaient quel était son dessein horrible.

« A moi, Aubry ! à moi ! répéta la jeune fille qui résistait, mais qui se sentait entraînée invinciblement.

— Je ne mourrai pas seul ! » cria Méloir.

Au moment où son autre main allait toucher le col de Reine, Aubry passa, plus rapide qu'une flèche.

Sa lance avait traversé de part en part la gorge de Méloir.

Méloir blasphéma et lâcha prise. Le sable cacha sa blessure. Il n'avait plus que la tête au-dessus de la tangue.

Et la mer mouillait déjà les vêtements de Reine qui, elle aussi, s'enlisait lentement.

Aubry sauta sur le sable et mit sa lance en travers pour assurer ses pieds. Il saisit la bride du cheval et la mit dans la gueule de maître Loys en commandant :

« Ne bouge pas ! »

Le cheval révolté fit un bond.

« Hope ! hope ! » cria Méloir d'une voix étranglée et mourante.

Maître Loys se pendit à la bride.

Le flot passa par-dessus la tête de Méloir.

Aubry tenait Reine dans ses bras. Il sauta en selle avec son fardeau.

Et maître Loys de bondir, fou de joie, dans la mer montante.

« Hope ! hope ! » cria Aubry à son tour.

L'eau jaillit sous les sabots du bon cheval.

Du chevalier Méloir, il n'était plus question. Son dernier soupir mit une bulle d'air à la surface du flot. La bulle creva. Ce fut tout.

Reine souriait dans les bras de son fiancé. Elle remerciait Dieu ardemment.

Sauvée, sauvée par Aubry ! Deux immenses joies !

Sur la plate-forme de Saint-Michel, M. Hue de Maurever remerciait Dieu, lui aussi, car grâce à la lunette miraculeuse il assistait réellement à ce drame lointain et rapide que nous venons de dénouer.

Pas par ses yeux à lui, les larmes l'aveuglaient, mais par les yeux du petit Jeannin, qui avait saisi d'autorité le tube de Messer Jean Connault, et qui ne l'eût pas cédé au roi de France en personne.

Le petit Jeannin avait dit toutes les péripéties de la course et de la lutte.

Quand Reine et Aubry furent en selle, ce fut un long cri de joie. Jeannin trépignait et la fièvre le prenait, car un ennemi restait à combattre : la mer.

« Oh ! disait-il, comme si Aubry eût pu l'entendre, à droite, messire, à droite, au nom de Dieu ! Devant vous est le fonds de Courtils. Saint Jésus ! Le chien a deviné, ils tournent à droite ! Tenez ! tenez ! les voilà qui sortent du flot... S'ils peuvent tourner la mare d'Anguil, tout est dit... Bonne Vierge ! bonne Vierge ! le flot les reprend !... Mais piquez donc, messire Aubry ; de l'éperon ! de l'éperon ! »

Il essuya la sueur de son front.

« Eh bien, ô enfant ? » murmura Maurever qui ne respirait plus.

Jeannin fut une seconde avant de répondre. Puis il quitta la lunette et se prit à cabrioler comme un fou sur la plate-forme.

« La mare est tournée, dit-il. Oh ! le brave chien ! Maintenant, vous pouvez bien aller à l'église remercier le bon Dieu. »

Une demi-heure après, Reine était sur le sein de son père.

Petit Jeannin embrassa maître Loys d'importance et lui jura une éternelle amitié.

« Voilà qui est bien, dit le frère Bruno, tout le monde est content, excepté moi. Messire Aubry sera chevalier, et Peau-de-Mouton sera écuyer de messire Aubry.

— Que demandes-tu ? s'écria M. Hue, qui avait ses lèvres sur le front de Reine ; tu es un vaillant homme !

— Je ne suis qu'un pauvre moine, messire. Pour le silence rigoureux que j'ai gardé depuis vingt-quatre heures, je vous prie d'intercéder auprès du Messer Jean Connault, afin qu'il me tienne quitte de la discipline. »

Frère Bruno eut sa grâce. En montant l'escalier de l'infirmerie, il se disait :

« Je me suis bien battu pour un seul bras cassé ! Saint Michel archange, la bonne nuit ! Si on avait pu conter, par-ci par-là, une petite aventure, je dis que la fête n'aurait pas eu sa pareille. Et cela me fait souvenir de l'histoire d'Olivier Jicquel, le bossu de Plestin, que je vais narrer par le menu au frère infirmier pour me refaire un peu la langue. »

ÉPILOGUE

Le repentir

Le 18 juillet de l'an 1450, vers 9 heures du matin, une cavalcade suivait la route d'Ancenis à Nantes, le long des bords de la Loire.

Il faisait un temps sombre et pluvieux. La magnifique rivière coulait morne et sans reflet sous le ciel noir. La cavalcade se composait d'un chevalier, d'un homme d'armes et d'une jeune dame. Quelques gens de service suivaient.

Quand la cavalcade arriva aux portes de Nantes, les gardes inclinèrent leurs hallebardes avec respect devant le chevalier, qui était d'un grand âge, et se dirent :

« Voici M. Hue de Maurever qui vient prendre sa revanche contre le duc François. »

Et le moment était bien favorable, en vérité. Le duc François se mourait d'un mal inconnu, dont les premières atteintes s'étaient déclarées en ville d'Avranches, le soir du service funèbre célébré dans la basilique du Mont-Saint-Michel, pour le repos et le salut de l'âme de M. Gilles de Bretagne.

Le 6 juin de la même année de grâce, quarante jours en çà.

Quelques vieux serviteurs restaient auprès du lit où le malheureux souverain se mourait, avec Madame Isabelle d'Écosse, sa femme, et ses deux filles.

Par la ville, on disait encore que le doigt de Dieu était là.

La cavalcade allait sous la pluie, dans les rues bordées de riches demeures.

M. Pierre de Bretagne habitait l'hôtel de Richemont, ancien fief de son frère Gilles.

A la porte de l'hôtel, il y avait foule d'hommes d'armes et de seigneurs, qui se tournaient, comme il convient à la sagesse humaine, du côté du soleil levant. Hommes d'armes et seigneurs se dirent aussi en voyant passer la cavalcade :

« Voici M. Hue de Maurever qui vient prendre sa revanche contre le duc François. »

Et n'était-ce pas justice ? Le duc François l'avait traqué comme une bête fauve. Le duc François avait mis sa tête à prix.

M. Hue pressait la marche de sa monture. A ses côtés chevauchait Reine, qui était bien pâle encore de sa blessure, mais qui était belle comme les anges de Dieu.

Aubry suivait Reine.

A deux jours de là, l'église d'Avranches s'était illuminée pour une douce fête : le mariage d'Aubry de Kergariou avec Reine de Maurever.

Mais la bénédiction nuptiale n'avait point été prononcée. Une heure avant la messe, un religieux du couvent de Dol avait dit à M. Hue :

« J'arrive de Bretagne. Notre seigneur le duc François attend sa fin le dix-huitième jour de juillet, terme de l'appel qui lui fut donné par vous au nom de feu son frère. Notre seigneur souffre bien pour mourir. Ses amis l'ont abandonné. Sa dernière heure sera dure. »

M. Hue ordonna qu'on éteignît les cierges et fît seller son cheval.

« Enfants, dit-il à Reine et à Aubry, vous avez le temps d'être heureux. »

Il partit. Et il arrivait à Nantes juste le dix-huitième jour de juillet, terme de l'appel. Il était 10 heures du matin quand la cavalcade passa devant le palais ducal.

M. Hue mit pied à terre au bas du perron avec sa fille et Aubry de Kergariou. Il entra sans prononcer une parole et prit tout droit le chemin connu de la chambre ducale.

Sur les marches de l'escalier où jadis sonnait, tout le jour durant, le pied de fer des sentinelles, il y avait un petit enfant qui pleurait.

« Le duc François est-il donc déjà mort ? demanda Hue de Maurever.

— Oh ! non, répliqua l'enfant avec un soupir ; on disait qu'il mourrait ce matin, mais il ne meurt pas encore. »

M. Hue monta les degrés. Aubry et Reine le suivirent, la tête baissée. Il poussa la porte des appartements.

Dans les appartements, ornés avec magnificence, il n'y avait personne. Seulement, trois femmes priaient devant l'autel du petit oratoire gothique. C'étaient Isabelle d'Écosse, la duchesse régnante, et ses deux filles.

Au bruit que fit en entrant M. Hue, Reine et Aubry, Madame Isabelle se retourna. Elle laissa échapper un geste d'effroi :

« Oh ! messire Hue, dit-elle en pleurant, c'est le quarantième jour. Vous n'aurez pas besoin de répéter votre appel impitoyable ! »

Les deux jeunes filles se cachaient derrière leur mère.

Cet homme était pour elle le messager de la colère de Dieu.

Hue de Maurever prit la main de la duchesse et la baisa respectueusement.

« Madame, répliqua-t-il, j'ai suivi les ordres de mon maître mourant. Maintenant, je suis l'ordre de Dieu, qui m'a dit par la voix de ma conscience : Va vers ton seigneur abandonné. Fais avec ta famille une cour à son agonie.

— Est-ce vrai, cela, messire ? s'écria Isabelle, qui se redressa.

— Je suis bien vieux, madame, et je n'ai jamais menti. »

Par un mouvement plus rapide que la pensée, la duchesse, se baissant à son tour, mit ses lèvres sur la rude main du chevalier.

« Allez ! allez ! dit-elle, notre seigneur a grand besoin d'aide à l'heure de sa mort. »

M. Hue, Aubry et Reine étaient auprès du lit de leur souverain.

François ouvrit les yeux. Son meilleur ami ne l'eût pas reconnu.

« Gilles, mon frère, prononça-t-il d'une voix brève et haletante, c'est à l'heure de midi que votre appel me fut dénoncé. A l'heure de midi, je serai à votre face, sous la main de notre Seigneur Dieu ! »

Aubry et Reine s'agenouillèrent. M. Hue resta debout.

« Gilles, mon frère, reprit le moribond, je te le jure sur le restant d'espoir que je garde de fléchir la justice divine : je t'aimais. Ce sont les méchants conseillers qui m'ont perdu. Holà ! s'écria-t-il en apercevant M. Hue ; gardes ! à moi ! »

M. Hue inclinait en silence sa tête vénérable.

François tremblait. Ses draps se mouillaient de sueur.

« Que veux-tu ? murmura-t-il.

— Faire hommage à mon seigneur, répondit Maurever, et lui apporter ma vie. »

François se souleva sur le coude.

« Je te connais, tu es un chrétien et un chevalier ; tu ne mens pas, toi ! Parle-moi de mon frère.

— Je vous parlerai de vous, s'il vous plaît, monseigneur, et de la miséricorde infinie du ciel.

— Approche, dit le duc avec brusquerie ; quand je vais mourir, veux-tu sauver mon âme ?

— Oui, sur le salut de la mienne.

— Donne-moi ta main. »

Maurever obéit. Les doigts de François étaient de marbre.

« Qui est ce jeune soldat ? » demanda-t-il en regardant Aubry.

Puis, avant qu'on eût le temps de lui répondre, il ajouta en fronçant le sourcil :

« Je le reconnais ! je le reconnais ! J'entends encore le bruit de son épée tombant sur les dalles de la basilique. C'est le premier qui m'ait abandonné !

— C'est le dernier qui vous abandonnera, monseigneur », murmura Reine doucement.

Aubry avait la main sur son cœur. Il ne répondit point.

« Lève-toi », lui dit le duc.

Aubry se leva.

« De par Dieu et monsieur saint Michel, reprit le mourant, je te fais chevalier, Aubry de Kergariou !

— Monseigneur... voulut s'écrier Aubry.

— Silence ! Soulève cette draperie qui est au-dessus du prie-Dieu. »

Le rideau glissa sur sa tringle, et l'on vit le portrait en pied de Gilles de Bretagne en costume de guerre. Le duc fit le signe de la croix.

Tout le monde resta muet.

« Écoute-moi, messire Hugues, dit le duc, dont la voix s'affermit ; il t'aimait parce que tu l'aimais. Quand mon dernier souffle s'arrêtera sur ma lèvre, et ce sera bientôt, va ! tu iras à ce portrait et tu diras : Gilles de Bretagne, au nom de Dieu, je t'adjure de pardonner à ton frère. Le feras-tu ?

— Je le ferai. »

François remit sa tête sur l'oreiller. Reine lui passa au cou son reliquaire.

M. Hue et Aubry priaient à haute voix.

Les prêtres vinrent, puis le médecin. Puis la duchesse Isabelle avec ses deux enfants.

Au premier coup de midi, François poussa un long soupir.

« Gilles de Bretagne, prononça Maurever avec force, au nom de Dieu, je t'adjure de pardonner à ton frère ! »

Le mort eut comme un sourire.

Trois jours après, Reine de Maurever était dame de Kergariou.

Le festin de noces eut lieu au manoir de Saint-Jean, dans cette salle où la Fée des Grèves avait enlevé l'escarcelle du chevalier Méloir, entouré de ses hommes d'armes. Simonnette devint, le même jour, la femme du petit Jeannin.

Et le frère Bruno fut de la noce, par licence spéciale. Cela lui rappela tant et tant de bonnes aventures, que les oreilles des convives en tintaient encore au bout de deux semaines.

Anatole Le Braz

LE SANG DE LA SIRÈNE

Anatole Le Braz (1859-1926)
Écrivain d'expression française et bretonne, folkloriste, il recueillit de nombreux contes de la tradition orale. Son œuvre la plus célèbre reste La Légende de la mort en Basse-Bretagne *(1893).* Le Sang de la sirène *parut en 1901.*

1

Les mains appuyées au bastingage, je regardais, dans le crépuscule embrumé d'un pâle matin d'octobre, se lever, deci de-là, sur les eaux, des formes d'îles aux contours imprécis, qu'on eût pu prendre aussi bien pour un fantastique troupeau de monstres. La vitesse de notre marche leur communiquait une sorte de vie mystérieuse, dans la clarté trouble du demi-jour où flottaient encore des restes de nuit. On les voyait surgir confusément et, presque aussitôt, s'atténuer, disparaître comme emportées par la fuite mouvante des houles.

L'irréalité du décor avait quelque chose d'étrange et de saisissant. Il semblait que l'on assistât peu à peu à l'éveil frissonnant de la lumière et à l'organisation du chaos... Nous entrions au cœur de ce boulevard de la mer qui s'appelle l'Iroise et que borde une double rangée de phares alignés ainsi que des réverbères. Le feu blanc de Saint-Mathieu, dressé très haut dans le ciel, clignotait derrière nous, comme une étoile qui va s'éteindre ; mais, à notre gauche, le feu rouge des Pierres-Noires continuait de brûler dans les profondeurs obscures de l'ouest et dardait sur l'abîme un reflet sanglant.

La *Louise*, un steamer de quelque cinquante tonneaux qui fait trois fois par semaine le service d'Ouessant, donnait tête baissée dans les vagues et les faisait gonfler sur ses flancs en deux bourrelets d'eau sombre, pareils à des glèbes retournées. Les vents étaient propices, on avait sorti toutes les voiles, pour aider à la machine. Nous filions grand largue, quoique d'une allure un peu heurtée. Sur le pont, une dizaine de personnes, y compris le matelot, le mousse et le capitaine. Celui-ci, svelte et vigoureux tout ensemble, le torse moulé dans un tricot de laine bleue, se tenait debout derrière la roue du gouvernail et jetait de temps à autre un ordre bref, en breton. Des femmes du Conquet, assises en groupe sur l'avant, récitaient leur rosaire en commun. Près de moi, un facteur des Postes vérifiait le contenu de son sac, classait une à une les correspondances, de menues lettres de gens de mer, ornées de timbres exotiques, avec de grosses suscriptions tremblées.

Nous liâmes conversation : il me nomma des îles qui passaient, Béniguet, Morgol, Quéménès, pauvres terres veuves, épaves d'un continent effondré.

Soudain, il dit :

— Molène !

Il me montrait du geste une haute croupe dénudée, une espèce de morne roussâtre vers lequel le vapeur inclinait maintenant sa marche.

— N'est-ce pas, continua le facteur, qu'elle mérite bien son nom d'« île chauve » ? C'est un proverbe du pays qu'il n'a jamais poussé dans Molène que deux arbres, l'un en pierre, et c'est le clocher, l'autre en fer, et c'est le mât du sémaphore.

2

Nous stoppâmes en eau profonde, au pied d'un môle arrondi. Le jour levant éclaira, en face de nous, sur la rive, une petite bourgade silencieuse, aux maisons d'aspect ancien, toutes semblables, uniformément blanchies à la chaux. Des mouettes voletaient d'un toit à l'autre, sans hâte, avec des mines familières d'oiseaux apprivoisés. Leur cris étaient toute l'animation de ce pauvre village, resté comme en détresse sur ce radeau de granit, en plein océan. Au coup de sifflet du steamer, il se fit néanmoins un remuement dans les ruelles. Quelques pêcheurs se vinrent accouder au parapet du môle ; d'autres, sautant dans un canot, s'apprêtèrent à donner la main pour le déchargement des marchandises. Le recteur lui-même franchit l'échalier du cimetière et, la pipe aux dents, descendit vers la grève. Il échangea le bonjour avec le capitaine :

— Rien de neuf sur la grande terre, Miniou ?

— Rien de neuf, monsieur le recteur.

Des rouleaux d'étoffe, des paquets d'épices, des denrées s'accumulaient dans le canot. Comme le transbordement ne s'opérait pas assez vite à son gré, Miniou reprit :

— Ils ne sont jamais pressés, vos lascars de paroissiens !

— Bah ! fit le prêtre, n'ont-ils pas l'éternité devant eux ?

Nous allions repartir et la *Louise* virait déjà sur elle-même, lorsqu'un appel retentit, un « Ohé ! » vibrant et jeune, qui déchira le grand silence. Toutes les têtes se retournèrent au cri. Une femme dévalait en courant la principale rue du village, sa robe de laine noire retroussée sur un jupon rouge, sa coiffe envolée à demi. On entendait sur le pavé caillouteux le bruit précipité de ses socques. Le capitaine bougonna, les sourcils froncés :

— Qu'est-ce qu'elle nous veut, celle-là ?

Les hommes qui garnissaient le môle, l'ayant reconnue, crièrent d'une seule voix :

— Eh ! c'est Marie-Ange !

La physionomie du capitaine s'égaya aussitôt et, se penchant dans l'ouverture de la chambre de chauffe, il commanda au mécanicien de faire machine en arrière. Les mêmes pêcheurs qui avaient transporté à terre les marchandises amenèrent jusqu'à nous Marie-Ange.

C'était une toute jeune femme, aussi fraîche, aussi gracieuse que son nom. Je la vois encore, debout dans la barque, au milieu des rameurs, rajustant sa coiffe de linon brodée de fleurs peintes, sa coiffe carrée d'Ouessantine, les bras arrondis au-dessus de sa tête, en un geste harmonieux de canéphore. La lumière rosée du matin se jouait dans ses vêtements et sur son visage dont le vent de la course avait avivé les couleurs. Sous ses paupières battantes, ses yeux brillaient. Elle était délicieuse à regarder venir de la sorte, détachée en fine silhouette sur le calme miroir des eaux, telle une apparition de légende ou quelque fée radieuse des anciens mythes de la mer... Elle saisit d'une main assurée l'échelle de bord et bondit lestement sur le pont de la *Louise*.

La toiture basse du rouf lui offrait un siège commode ; elle s'y assit, encore essoufflée, et, lissant ses cheveux, d'un blond d'aurore, qu'elle portait courts et taillés en mèches inégales, suivant la mode de son île, elle poussa un soupir d'aise, murmura doucement, d'une voix suave comme une musique :

— *Va Doué*, un peu plus !...

Elle surprit mon regard arrêté sur elle et n'acheva point. A ce moment le capitaine, qui, la manœuvre d'appareillage terminée, s'était approché par derrière à pas de loup, lui toucha brusquement l'épaule. Et, avec une rudesse familière où perçait toutefois quelque déférence :

— Hein ! la Marie-Ange, voilà ce qui s'appelle s'embarquer au saut du lit !

Elle sourit ; ses dents de nacre humide perlèrent comme des gouttes de rosée entre ses lèvres décloses.

— J'étais peut-être levée avant vous, ne vous déplaise, Joachim Miniou.

— Qu'est-ce qu'il y avait donc à Molène, ces jours-ci ? Vous n'y êtes pas venue, j'imagine, pour manger des berniques.

— Non, grand curieux !... c'était pour boire du vin chaud.

Le « vin chaud », en Bretagne, est le breuvage traditionnel avec lequel on trinque à l'heureuse délivrance des femmes en couches. Une cousine de Marie-Ange, établie à « l'île chauve », avait mis au monde, l'avant-veille, un enfant superbe, « un gars de neuf livres, Joachim !... ». Alors, comme elle était la marraine désignée, dame ! elle avait dû prendre « ses cliques et ses claques », quoique ça la dérangeât en cette saison, à cause de ses petits pois qu'elle avait à battre au fléau.

Ils ne plaisantaient plus ni l'un ni l'autre maintenant, conversaient ensemble amicalement, d'un ton posé, elle, la tête un peu renversée, lui, le coude appuyé au mât.

— Et Jean ? s'informa-t-il. Est-ce que cela va, le homard ?

Elle eut comme un subit éclat de soleil dans les profondeurs mouillées de ses yeux d'aigue-marine.

— Une pêche miraculeuse, cette semaine... à pleins casiers !... Nous avons eu cent cinquante bêtes, tant moyennes que grosses, pour notre seule part. C'est même pourquoi Jean n'a pu m'accompagner au baptême. Il est allé vendre le poisson.

— Au Conquet ?

— Non. A l'île des Saints. Il y a là-bas des mareyeurs qui paient plus cher...

Ils n'avaient rien de fort attrayant, ces propos. Je les

écoutais néanmoins d'une oreille amusée. La voix admirablement timbrée de l'« îlienne » avait quelque chose de magique et d'ensorcelant. C'était un pur charme de l'entendre : elle ne parlait pas, elle chantait. Puis, toute sa personne réalisait, sans qu'elle s'en doutât, un idéal si parfait de grâce simple, de souple harmonie, de rare et d'indéfinissable beauté !... Qu'elle dît n'importe quoi, qu'elle s'oubliât en n'importe quelle pose, elle était sûre de plaire et de captiver. On ne pouvait se défendre de contempler en elle une de ces merveilleuses architectures humaines qui sont comme le chef-d'œuvre d'une race. Et cela, il n'était pas jusqu'à Miniou, ce roulier des flots, qui ne le sentît à sa façon, car, avant de regagner son poste sur la dunette, il me chuchota au passage, assez haut cependant pour que Marie-Ange n'en perdît pas un mot :

— Vous avez de la chance, un premier voyage... Vous aurez vu la « Fleur d'Ouessant » !

L'image était d'une justesse frappante. Fleur de jeunesse, en effet, fleur de santé, de lumière et de joie, fine et robuste églantine sauvage, épanouie aux jardins de la mer. Les yeux la respiraient comme un parfum. On éprouvait, à la regarder, je ne sais quelle impression de fête, de vie libre, souriante, reposée, sans rien de factice ni de troublant. Et qu'elle était donc bien à sa place, sur ce rouf de navire, avec une voile éployée frémissant au-dessus de sa tête, et, tout à l'entour, l'immense horizon marin, débarrassé maintenant des dernières brumes, où, dans la gloire discrète d'un matin d'automne, le jour montait !

La ligne du continent, vers l'est, se découpait en un âpre relief, avec une netteté d'eau-forte. Un mince liseré d'or pâle dessinait jusqu'en ses moindres saillies l'échine sombre des grands promontoires lointains. Toute l'énergie à la fois tenace et stérile de la terre bretonne se révélait dans ces hautes masses, sabrées d'entailles profondes, et que la pourpre des porphyres marbrait de taches ensanglantées. Coren, Kermorvan, Saint-Mathieu, d'autres pointes encore barraient les confins de l'espace, pareilles à d'énormes carènes où des figures énigmatiques de roches s'érigeaient en guise d'aplustres. Leurs ombres, balancées par la houle, ondulaient doucement à leur pied. Elles nous suivirent quelque temps de la sorte ; puis, le soleil ayant franchi leur crête, elles fondirent, comme consumées par l'incendie céleste, et nous n'eûmes plus dans les yeux que l'éblouissement divin de la mer.

Qui peindra jamais avec des mots la magie d'un lever de soleil sur l'océan ? Des irisations merveilleuses couraient à la cime des vagues. Nous nous faisions l'effet de voguer sur des eaux féeriques, à travers un amoncellement invraisemblable de pierreries en fusion. On eût dit un satin transparent, déroulé à l'infini, une de ces étoffes dont parlent les contes, qui sont tissées avec des rayons et constellées de gemmes par myriades.

Je regardais en extase, comme si j'eusse été admis à contempler pour la première fois la fête de lumière que donne au monde le soleil naissant.

— Est-ce assez beau, cela ! s'écria Marie-Ange.

Elle s'était dressée sur le rouf, sa jupe claquant à la brise, ses mains jointes en un geste d'adoration. Ainsi devaient prier, en ces mêmes parages, les prêtresses des anciens rites. L'ayant vue se signer, comme après une oraison mentale, je lui demandai :

— Vous saluez l'astre, Marie-Ange ?

— Non, me répondit-elle, c'est parce que nous entrons dans le Fromveur... Tenez ! Balanec et Bannec ont glissé derrière nous.

Deux îlots verts, deux émeraudes enchâssées dans de l'or fluide, venaient, en effet, de passer au vent de la *Louise*, et presque aussitôt la marche du steamer devint plus saccadée, plus haletante, comme entravée par des flots plus lourds. On entendait, sous le pont trépidant, s'époumoner la machine. Je me penchai sur le bordage. Des lames courtes et trapues se ruaient avec une obstination de béliers contre le flanc du navire, lui arrachaient des plaintes sourdes, un gémissement caverneux. Des convulsions étranges secouaient la mer. Çà et là des trous se creusaient, des entonnoirs béants, de vastes puits d'abîme. Ils se comblaient d'ailleurs aussi vite, et c'étaient alors des accalmies soudaines, de larges champs d'ondes apaisées, réfléchissant comme des glaces immenses la splendeur du ciel. Je me remémorai les légendes qu'au temps de mon enfance des long-courriers du Trégor m'avaient contées sur le Fromveur.

Les sirènes, disaient ces hommes ingénus, initiés à tous les mystères de leur élément, les sirènes ont là leur palais. Là, elles habitent, vierges éternelles, tourmentées de désirs sans fin qu'elles s'efforcent vainement d'assouvir, car les lèvres des fils des hommes où elles voudraient boire l'amour se ferment, mortes, sous leur baiser. Déçues la veille, elles recommencent le lendemain. Les vagues sont leurs pourvoyeuses. Mais plus encore que les vagues il faut craindre ces longues écharpes flottantes qui moirent de leur azur glauque les eaux inquiètes et rebroussées du Fromveur. Ce sont les ceintures des fées mauvaises : malheur à qui se laisse envelopper dans leurs souples enlacements !...

— Croyez-vous aux sirènes, Marie-Ange ?

J'avais posé cette question très en l'air, sans y attacher d'autre importance, et je ne m'attendais certes pas au trouble qui saisit la jeune femme. Elle pâlit visiblement, sa bouche se plissa, ses beaux yeux de clarté se rembrunirent. J'avais touché, à mon insu, quelque point douloureux de son être.

— Pourquoi me demandez-vous cela ? fit-elle d'un accent quasi farouche.

— Oh ! pour rien, en vérité... Les gens de chez moi racontent sur ce Fromveur des choses si singulières !

— De quelle Bretagne êtes-vous donc ?

— De l'Armor trégorrois.

— Le pays du pain blanc, à ce qu'il paraît...

Je n'eus point à m'excuser de l'avoir blessée involontairement. Convaincue de la pureté de mes intentions, elle avait repris son sourire. Ces Bretonnes des îles ont une âme changeante comme leur mer. Marie-Ange se mit à m'interroger sur le Trégor, qu'elle ne connaissait que par ouï-dire, mais qu'elle se représentait comme une terre de délices, une terre fortunée, blonde d'épis, toute bruissante du murmure des feuillages et du chant des ruisseaux. Puis vint le tour de sa patrie à elle, la Thulé des Gaules, la sauvage et poétique Eûssa.

— Dans un instant, prononça-t-elle, vous la pourrez embrasser toute.

Ce ne fut d'abord qu'une estompe légère, à peine indiquée sur l'horizon et qui tremblait, indécise, dans les fonds vibrants du ciel. Peu à peu l'image se précisa, se matérialisa en quelque sorte. Une arête hardie courut parallèlement à la ligne des eaux. Des détails colorés surgirent, des pans de granit ouvragés comme des bas-reliefs colossaux et couronnés d'une frise d'herbe rousse. Cela donnait l'idée d'une gigantesque table de gazon portée sur de formidables assises de pierre et faisait penser à quelque autel primitif, dédié par des prêtres barbares au culte du vieil océan.

3

Ouessant n'a que deux ports accessibles ; les marins font cap sur l'un ou sur l'autre, selon les vents. Ils sont situés chacun à une extrémité de l'île : au sud-ouest, Porz-Paul, au nord-est, le Stiff. C'est à ce dernier que nous accostâmes. Il s'ouvre entre de hautes parois verticales, deux murs de falaises en surplomb qui y entretiennent une pénombre éternelle. Une cale est bâtie au fond de ce fjord minuscule. Cette cale et une barraque en appentis abritant le bateau de sauvetage, c'est tout le Stiff. Une demi-douzaine d'Ouessantines y guettaient notre arrivée, rangées près d'une chaloupe hors d'usage, en cette attitude triste et avec cet abandon résigné des membres qu'ont les îliennes au repos. Marie-Ange leur cria :

— Bonjour, les filles !

Leurs traits s'animèrent et, comme tantôt les pêcheurs de Molène, elles dirent d'une voix joyeuse :

— Eh ! c'est Marie-Ange !

Quand elle eut débarqué, ce furent des effusions, des cajoleries, un empressement comme autour d'une reine. Elle s'y déroba, du reste, au plus vite et, m'apercevant planté là un peu embarrassé de mes premiers pas sur ce sol inconnu, elle m'interpella d'un ton légèrement narquois, en femme qui se sent chez elle :

— Si vous attendez Miniou, vous savez, vous n'êtes pas près d'en avoir fini... Avant qu'il ait livré toutes les commissions !... Suivez-moi plutôt : je vous mettrai sur la route.

Je m'engageai derrière elle dans le raidillon qui, du creux

de l'anse, gagne le plateau de l'île. Elle escaladait ce sentier de chèvres, décoré du nom de chemin, avec la tranquille aisance d'une fille de là-haut, habituée à faire paître ses vaches sur le rebord glissant des précipices, au-dessus des gouffres de la mer. J'étais encore à mi-pente qu'elle avait atteint le sommet. Je la voyais debout dans le soleil : sa cotte rouge, sur laquelle, pour grimper plus allégrement, elle avait de nouveau retroussé sa jupe, flottait au vent de la cime ainsi qu'un pavillon de pourpre. Elle riait d'un rire clair, aux notes perlées, dont l'ironie même restait douce. Lorsque je l'eus rejointe, je lui dis :

— Vous devez avoir une voix de ravissement, Marie-Ange. J'aimerais bien vous entendre chanter.

Elle redevint sérieuse tout à coup.

— Dans notre île, après le mariage, les femmes ne chantent plus... plus jamais... si ce n'est le dimanche, à l'église.

— Bah ! Et pour quelle raison ?

— Oh bien ! je ne sais pas... La coutume, sans doute, la tradition des ancêtres le veut ainsi... Ce n'est donc pas de même chez vous ?

— Non. Dans nos contrées, la chanson est de tous les âges.

Elle pencha sa tête fine, réfléchit une seconde et articula lentement, avec gravité :

— C'est apparemment que nous ne sommes pas de la même race.

Cette remarque, sur ses lèvres, me causa une sorte de malaise, et j'eus soudain le sentiment qu'elle disait vrai, que, tout en cheminant là, côte à côte, nous étions en réalité séparés par un monde, qu'il y avait, entre ses origines et les miennes, un fossé immense, et comme la barrière morale d'un Fromveur. Nous marchions maintenant de plain-pied sur une aire plate, avec une impression d'être très haut, presque de planer. La route, devant nous, plus large et plus unie, filait droit à travers des chaumes. Nul accident visible de terrain. Pas un arbre, pas même un végétal arborescent. Rien qui rompît la sobre et sévère harmonie du paysage. Du point où nous étions parvenus, l'île se montrait toute, en sa nudité triste, suspendue entre ciel et mer, avec les cassures nettes de ses rivages, le brusque arrêt de ses falaises dans l'océan.

Une, deux lieues d'étendue peut-être, et cela communiquait à l'âme néanmoins l'ivresse de l'espace, le vertige de l'illimité.

On respirait dans l'air un parfum spécial, très subtil et très pénétrant, fait de mille odeurs secrètes, indiscernables, et qui vous grisait comme un philtre.

— Ne cherchez pas, me dit Marie-Ange : c'est l'arôme d'Ouessant. Il imprègne ici toutes choses, et jusqu'aux pierres des maisons.

Elles commençaient d'apparaître, les maisons : tantôt solitaires, au centre d'un courtil, tantôt groupées en menus hameaux. Les toits d'ardoises brillaient doucement, d'un éclat gris-bleu ; les cheminées pointaient, enrubannées de lichens d'or, et exhalaient, la plupart, de minces fumées tout de suite évanouies dans l'extraordinaire profondeur de l'azur. Le ciel, à mesure que nous avancions, semblait monter, s'élargir. Et, sous cette courbe infinie, dans le vaste rayonnement de la lumière, tout prenait des proportions plus grandes que nature. Pas de perspectives ni d'arrière-plans ; les distances visuelles étaient comme supprimées.

— Voilà ! fit Marie-Ange comme nous arrivions à un carrefour de petites routes au milieu des cultures, vous n'avez qu'à continuer droit devant vous. Le chemin vous conduira de lui-même. Moi, mon logis est là-bas, dans l'ouest. Puisque vous restez quelques jours, faites-moi le plaisir de m'y venir voir. Le lieu s'appelle Cadoran. C'est la plus ancienne demeure de l'île, le berceau du clan des Morvarc'h qui compte à lui seul trente familles. Mon mari, je pense, sera là pour vous recevoir et vous mènera, si vous le désirez, au rocher de Kélern où dort, dit-on, le chef de notre race, Morvarc'h le Têtu, qui fut roi de la mer.

Elle avait prononcé les derniers mots sur un ton mi-sérieux, mi-plaisant ; et, là-dessus, nous nous quittâmes. Plus d'une fois je me retournai pour la regarder s'éloigner vers l'ouest, dans la direction de ce Cadoran dont je ne cessais de me répéter machinalement le nom, comme s'il y avait dans ces trois syllabes sonores je ne sais quelle vertu de mystère et d'enchantement. Lorsque enfin la belle îlienne eut disparu à mes yeux, masquée sans doute par quelque déclivité du sol, il me sembla qu'avec ses clairs cheveux d'ambre autour de son pur visage un peu de la splendeur du jour s'en était allé... Une voix aiguë cria derrière moi :

— Si vous voulez monter, monsieur... Il y a de la place, et vous arriverez du moins en même temps que votre valise.

Celle qui m'interpellait de la sorte était une petite vieille, à la figure encore fraîche, embéguinée dans un étroit capuchon noir d'où s'échappaient, sur un fichu également noir, des mèches grisonnantes pareilles à une filasse d'étoupe non cardée. Elle était assise ou plutôt accroupie dans un diminutif de charrette que traînait un diminutif de cheval. Du geste, elle me désignait près d'elle un coin de banc inoccupé, en avant d'un monceau de paquets, parmi lesquels mon modeste bagage de collecteur de légendes et de chansons. Je compris qu'en déclinant son offre je chagrinerais cette brave femme et je me juchai tant bien que mal à ses côtés. Elle poussa un cri guttural, assez analogue au coup de sifflet des courlis ; le poney ouessantin secoua ses oreilles velues, et nous partîmes au trot, escortés par des vols blonds d'alouettes qui se levaient, à notre approche, du milieu des sillons et se dispersaient au-dessus de nos têtes, dans l'air calme.

La vieille cependant m'expliquait que c'était elle la « commissionnaire » de l'île.

— Nola Glaquin, monsieur, pour vous servir... Si les vents portent vers le Stiff, le jour du vapeur, vite j'attelle Minouric et je viens... Ah ! nous en avons fait, des voyages, cette petite bête et moi !... Pas grande non plus, la charrette, que ce farceur de Miniou a surnommée la diligence, mais tout de même on n'y est point trop mal, n'est-ce pas ?

Mon Dieu, non, sauf qu'elle roulait un peu, sur son essieu criard, comme une barque désemparée.

Je demandai brusquement à Nola Glaquin :

— Çà, dites-moi, qui est-ce au juste, Marie-Ange ?

— Ah ! ah ! fit-elle avec un rire jeunet qui plissa son visage et brida ses yeux, je vous attendais là... Quand je vous ai vus marcher côte à côte, en avant de moi, puis vous séparer à la croix des routes, j'ai songé en moi-même : « Allons ! encore un que la joliesse de Marie-Ange aura ensorcelé ! »... Oh bien ! ne vous défendez pas !... Elle est comme cela, voyez-vous. Les cœurs vont à elle, ainsi que les abeilles volent au sureau. Il y a comme une bénédiction sur cette femme. Tous, dans l'île, nous l'adorons... Un peintre, l'été dernier, voulut faire son portrait pour le montrer aux gens de Paris. Elle s'y refusa. Car elle est modeste autant que gracieuse. Et vaillante, donc !... Si vous saviez le gai ménage qu'ils font, son mari et elle, là-bas, à la pointe Sauvage, dans leur maison de Cadoran !... Elle a épousé Jean Morvarc'h, des Morvarc'h de Kélern, un fier gars, breveté pilote au service, mais homardier de son état...

Ici, Nola Glasquin s'interrompit pour faire un signe de croix, et je l'entendis qui marmonnait entre ses dents :

— Dieu le garde, le cher homme !

Après un silence elle reprit de sa voix ordinaire :

— Un enfant leur est né à la Chandeleur, un vrai chérubin, aussi beau qu'un jour de mai... Et voilà, monsieur. L'histoire de Marie-Ange est l'histoire d'une femme heureuse. Il n'y a que celles-là qui vaillent la peine d'être contées... Hue, Minouric !

La vieille Nola se tut. Le paysage commençait à changer d'aspect. La steppe roussie se parsemait d'oasis herbeuses, d'un vert intense, où des moutons à peine aussi gros que des agnelets paissaient en cercle, retenus par des longes à un piquet central. Des moulins à vent, construits en planches goudronnées, se faisaient signe de place en place, du geste uniforme de leurs ailes qui, sur des lambeaux de toile à voile, exhibaient d'anciens matricules de bateaux. Les maisons se dressaient plus nombreuses. D'aucunes bordaient la route : on pouvait lire au-dessus des portes l'inscription gravée en relief dans la pierre du linteau et respirer l'odeur des passe-roses qui jonchaient encore les seuils de leurs pétales effeuillés. Sur les murets des courtils séchaient, alignées au soleil, les bouses de vache qui sont, avec le bois d'épave, l'unique combustible d'Ouessant. Des cloches toutes voisines tintaient l'angélus de midi. Cinq minutes plus tard, nous étions au bourg de Porz-Paul.

— Six sous et une régalade ! me répondit l'obligeante commissionnaire, lorsque, dans la salle basse de l'hôtel Stéphan, je m'offris à lui payer son dû.

Et, quand nous eûmes trinqué ensemble, à la façon bretonne :

— Vous savez, je ne vous ai pas tout dit... Si Marie-Ange vous intéresse, trouvez quelqu'un qui veuille bien vous conter l'histoire de la Sirène... moi, je ne peux pas : dans ma position, il faut vivre en bons termes avec tout le monde.

4

Je fus édifié le soir même, par un simple hasard... J'avais passé la plus grande partie de l'après-dînée à errer dans les roches de Loqueltaz. C'est le site peut-être le plus merveilleux de l'île. Les jeux de la nature semblent y avoir obéi aux lois d'une esthétique grandiose : les granits colossaux se sont comme organisés d'eux-mêmes en une sorte de cathédrale d'avant les âges, en un sanctuaire fruste, formidable et prestigieux. Piliers, arceaux, fenêtres ouvertes sur l'infini de l'espace, rien ne manque à l'ornementation de ce temple sans date, chef-d'œuvre des forces primitives. Pour voûte, le ciel ; pour tapis, un gazon moelleux comme un velours. La mer, qui y pénètre par une large fissure, forme des espèces de vasques d'eau lustrale qui ont dû servir, dans les temps barbares, à de mystérieuses ablutions.

Il est probable, en effet, que le vieux naturalisme celtique eut, en cette majestueuse enceinte de roches, un de ses asiles consacrés. Aujourd'hui encore, les mères y amènent les enfants mâles, dès qu'ils sont en état de marcher, et, après leur avoir fait faire trois fois le tour de l'enclos, les plongent dans le premier flux, à l'heure de la marée montante. C'est une façon de les vouer à la mer, mais aussi de les rendre invulnérables à ses maléfices. Ils sont désormais sous la protection de saint Gildas — en breton Veltaz — qui passe, dans la croyance populaire, pour avoir vécu de longues années en ce lieu et pour l'avoir « exorcisé ».

— Autrefois, monsieur, douze vierges, belles de corps comme des anges, mais perverses d'âme comme des démons, avaient ici leur résidence d'été. L'hiver, elles s'en allaient on ne savait où, derrière les grandes brumes, par le chemin des orages. Mais, sitôt que les clairs soleils commençaient à luire, on les voyait soudain reparaître ; elles arrivaient en nageant, le buste soulevé hors des ondes et les vagues avaient l'air d'être les plis de leur vêtement. Jamais elles ne prenaient terre, car, sorties des eaux, elles n'étaient capables que de ramper. Elles demeuraient donc dans les piscines qui sont au bas des roches ; mais là, tout le jour — et toute la nuit, s'il faisait lune —, elles se livraient à leurs ébats. Leur principale occupation était de chanter. Elles chantaient des choses douces, de longs appels d'amour, propres à séduire le cœur des jeunes hommes, et le cœur des jeunes hommes s'attendrissait à les entendre. Beaucoup se damnèrent pour les douze fées. Il y en eut qui, pour les suivre, plantèrent là leurs promises et même leurs vieux parents à l'article de la mort. C'est alors que Dieu prit l'île en pitié et lui envoya saint Veltaz. Le saint, qui était évêque, donna son anneau à baiser aux « Sœurs de la mer ». Elles en reçurent aux lèvres une telle brûlure qu'elles se dispersèrent en hurlant. Depuis, elles ne se sont plus montrées en ces parages, du moins au dire des anciens.

Ainsi me parlait une pastoure, la seule créature humaine que j'eusse rencontrée aux abords de ce désert, une fillette d'une quinzaine d'années, je pense, mais contrefaite et nouée, la figure cousue de scrofules, les yeux étrangement tristes et profonds. Elle paissait la vache d'un des guetteurs du sémaphore, à ce qu'elle m'apprit, et s'était mise à marcher près de moi, tirant sa bête à qui la mélancolique tombée du soir arrachait des meuglements plaintifs.

Une légère buée grise voilait peu à peu les choses. Les maisons lointaines semblaient se tapir au ras de la lande. L'île apparaissait comme enfermée dans des murailles immenses, les murailles mouvantes de la mer. On percevait de grands bruits d'orgues, épars dans les étendues invisibles. Sur une hauteur, en face de nous, le phare électrique du Créac'h venait de s'allumer ; et cela ne fut pas sans ajouter encore à la solennité de l'heure, cette soudaine flambée pâle, au haut de cette énorme stèle, d'aspect funéraire, bariolée d'un peinturlurage macabre où le noir alterne avec le blanc.

Peureuse et frissonnante sous sa cape de laine brune, la fillette continuait :

— Elles ne se sont plus montrées dans ces parages, mais, du côté de Kélern, on les entend toujours et même, par claire nuit, on les peut voir qui tordent aux rayons de la lune, pour les sécher, leurs longues chevelures ruisselantes. Seulement, elles ne sont plus que onze, les Morganes...

— Ah ! Et qu'est devenue la douzième ?

— La douzième ?... Je vais vous le dire... Les anciens prétendent qu'il y a cent ans, mille ans peut-être, l'homme de Cadoran la pêcha dans ses filets ; par mégarde, selon les uns, mais plutôt parce que la fée avait résolu de se faire prendre. Elle aimait d'amour cet homme, qui était le plus fier et le plus beau des gars d'Ouessant. Quand il l'eut tirée sur le sable, elle lui dit : « Laisse-moi être ta femme, à la manière des filles de ta race, et je te ferai roi de la mer. » Elle parlait d'une voix si douce, avec des gestes si câlins, qu'il ne se sentit pas le courage de la repousser, comme sans doute il aurait dû faire. Puis, d'être roi de la mer, cela le tentait. Cependant il hésitait encore : « Comment deviendrais-tu ma femme, puisque tu n'as que la moitié du corps d'une chrétienne ? » Elle répondit : « Porte-moi dans tes bras jusqu'au seuil de ta maison et ne t'inquiète pas d'autre chose. » Elle était froide comme l'embrun de novembre quand il la prit sur sa poitrine, entre ses bras ; mais, dès qu'ils furent sur le chemin de Cadoran, sa chair tiédit et les écailles de ses hanches et de ses jambes se mirent à tomber. Devant la maison, elle pria l'homme de la déposer sur la traverse du seuil, et aussitôt elle marcha toute seule, jusqu'au lit...

La fillette s'interrompit, comme effrayée de confier ces choses à un « étranger », au milieu du silence plus vaste et parmi les grandes formes troubles des pierres de Loqueltaz au crépuscule.

— Et ils s'épousèrent ? demandai-je.

Elle reprit, mais en baissant la voix :

— Oui et non. Ce furent des noces singulières. D'après les conditions du contrat, paraît-il, la fée ne devait appartenir au pêcheur que la nuit. Un peu avant l'aube, elle se levait, gagnait la mer, retournait à sa vie ancienne, s'en allait au large rejoindre ses sœurs. Cela dura quelque temps de la sorte. Tout prospérait au maître de Cadoran ; les vagues lui apportaient, jusque dans l'aire de sa demeure, les poissons et les épaves ; les vents et les courants lui obéissaient comme à un roi. Il était heureux et riche. Une enfant superbe, de tous points semblable à sa mère, lui était née. Que pouvait-il souhaiter de plus ?... Eh bien ! il trouva que ce n'était pas encore assez. Un matin, comme la prime aube allait poindre, il dit à la fée : « Ne te lève pas, je te prie : je veux que tu sois mienne à la clarté du soleil aussi bien que dans les ténèbres de la nuit ! » Tristement elle lui répondit : « Ne me demande point une telle chose. Ce serait notre malheur à tous deux et le malheur de notre postérité. — Si tu me refuses, insista-t-il, c'est donc que tu ne m'aimes point. » Ce mot fit à la Morgane une peine si profonde qu'elle s'évanouit, et, quand elle reprit ses sens, le jour avait paru !... Et depuis...

— Depuis ?...

— Une fatalité pèse sur la race de la Sirène.

— Elle existe donc toujours, cette race ?

— C'est le clan le plus nombreux de l'île. Hommes et femmes, ils sont, du même nom, plus de quatre-vingts.

— Et quelle est cette fatalité qui pèse sur eux ?

— C'est très difficile à expliquer, voyez-vous...

Le vrai, c'est que la petite îlienne se souciait médiocrement de me fournir ces explications. Volontiers elle eût brisé là l'entretien.

Je dus lui arracher les phrases par lambeaux, sans compter qu'il y avait dans son breton d'Ouessantine quantité d'idiotismes qui me déroutaient... En résumé, voici : de génération en génération, le sang immortel de la Sirène de Cadoran s'épanouit en un type unique, un délicieux type de femme, d'une séduction irrésistible et d'un charme exquis. Ce sont comme autant de réincarnations successives de la primitive aïeule, dans lesquelles revivent ses formes adorables, le mystère inquiétant de son âme double, la magie de ses gestes et de sa voix, tous les prestiges de sa beauté. Une bénédiction, selon le mot de Nola Glaquin, semble, en effet, être sur elles. C'est une joie rien que de les contempler. Elles ne sont pas seulement la parure de leur clan, elles sont l'orgueil de toute l'île. On les recherche, on les entoure, on les fête, on a pour elles mille attentions, mille prévenances. Mais, ce qui ne se dit pas, du moins tout haut, c'est qu'à ces hommages rustiques il se mêle une grande part de pitié. La « fille de la Sirène » n'est pas tant un objet d'admiration que de plainte. Un implacable destin la guette, embusqué là-bas dans les menaçantes solitudes des eaux.

A peine mariée à quelque franc gars de la mer, issu, suivant l'usage insulaire, de sa parenté, elle est frappée tout à coup, brutalement, en plein bonheur.

Un beau jour, le mari s'embarque pour la pêche, comme d'habitude. Il fait temps joli, brise douce et ciel clair. Nul accident ne semble à craindre. Le soir est venu, la nuit tombe, l'homme ne rentre pas... Que s'est-il passé ? Cela, c'est le secret des Sirènes. Une fois de plus elles ont châtié la trahison de leur douzième sœur. Et, tandis que la veuve crie, du haut des roches, appelant celui qu'elle ne reverra plus, on les entend au loin qui rient et qui chantent, qui chantent à voix légère :

Hou ! Hou ! la mer s'éveille
Le vent souffle au suroît...

Rarement les flots rendent le cadavre ; encore ne jettent-ils à la côte que ses membres épars, ses « épaves ».

— Çà ! demandai-je, comme nous allions nous séparer, la pastoure pour prendre le sentier du sémaphore, moi pour continuer vers le bourg, présentement, c'est bien Marie-Ange, n'est-ce pas ?...

Elle ne me laissa point achever :

— Chut ! fit-elle, dans la maison qui est là, sur votre droite, habite son beau-père, le vieux Morvarc'h, Paôl-Vraz, comme nous l'appelons...

Ses dernières paroles furent :

— Si j'étais de vous, je pousserais, cette nuit, jusqu'aux grèves de Kélern. Il y aura clarté d'étoiles et de lune, par conséquent sabbat de Sirènes, à moins que la sagesse des anciens ne mente... Moi, j'aime mieux croire que d'aller voir...

L'instant d'après, je passais devant la maison de Paôl-Vraz. La chandelle était sur la table et, par le cadre étroit de la fenêtre, dans l'entrebâillement des petits rideaux de serge rouge, j'aperçus le vieux, qui, servi par sa vieille, se disposait à souper en paix.

5

Je n'ai point poussé jusqu'aux grèves de Kélern, mais, tout de même, les mystérieux chants des Sirènes ont bercé mes songes, toute la nuit, dans l'antique « grand'chambre » de l'hôtel Stéphan, dont les meubles surannés et disparates ont chacun leur physionomie, leur histoire, et je dirai volontiers leur langage, car ils ont l'air de converser entre eux, dans les ténèbres, avec des craquements étranges, comme sous l'effort des souvenirs. Je les ai longtemps écoutés, en une demi-somnolence, lumière éteinte et les yeux clos. Un bahut de forme arabe disait : « Je suis né sur les confins des déserts du Sud et j'ai vécu d'abord dans l'entrepont d'une felouque barbaresque. Des artisans bruns, au ciseau patient et délicat, ont sculpté de graves sentences sur mes flancs. »

« Moi, intervenait une armoire massive ayant le teint de cuivre des hommes de son pays, j'ai grandi sur l'autre rive du monde : un soleil plus riche y donne aux arbres une sève couleur de sang. J'ai couru des mers immenses à bord d'une frégate amirale. J'ai vu les guerres et les combats des hommes : je puis exhiber des entailles aussi glorieuses que des blessures. »

Ou bien c'était une glace, marbrée de plaques livides comme un front de malade, dont le pâle et mélancolique sourire signifiait : « Accrochée à une paroi de chêne lustré, dans le salon d'un transatlantique, j'ai miré d'exquis visages de passagères, des gestes élégants, d'harmonieuses attitudes. Où dorment-elles maintenant, les belles voyageuses, sur quel lit d'algues ou de sable, à quelles profondeurs d'océan ?... »

Tous des échappés de naufrages, ces meubles de provenances si diverses, et qui évoquaient, dans l'atmosphère si calme de cette chambre bretonne soigneusement entretenue comme un reliquaire, d'affreuses visions d'équipages en détresse, de noyés hagards, de lourds navires sombrés... Je me suis réveillé au bruit des cloches carillonnant le premier son de la messe.

C'est dimanche.

Même temps qu'hier : un ciel tout neuf, la limpidité des matinées de Bretagne en octobre, une lumière idéale, élyséenne, une lumière finement bleutée. La ruelle, devant ma fenêtre, s'ouvre sur une filtrée de mer assoupie où des barques se balancent doucement.

Les gens des hameaux commencent à déboucher de toutes les directions, hommes et femmes tout de noir vêtus, figures maigres et graves qui défilent sans hâte, en silence. Ils se suivent par groupes, par familles, comme aux anciennes époques des migrations patriarcales, les vieux en tête et, en dernier lieu, les enfants. Charmantes pour la plupart, les fillettes, avec leurs coiffes d'aïeules sur leurs boucles blondes, frisées comme des goémons et qu'on n'a pas écourtées encore, avec leurs châles clairs, semés de fleurs peintes, dont les couleurs éclatent joyeusement parmi le noir des autres costumes.

L'église est en haut de la bourgade. On y monte par un chemin que bordent d'un côté des façades grises, cabarets ou maisons de marchands, de l'autre une rangée d'ormes malingres, les seuls arbres de l'île, tout frissonnants des atteintes de l'automne et comme minés par un mal secret, par une obscure nostalgie de plantes en exil. Le mur du cimetière les abrite des vents du nord, mais les étouffe aussi dans son ombre.

Et le voici, ce cimetière. Un arpent de quelques acres, un champ des morts, frère des courtils disséminés dans la campagne voisine, autour de la demeure des vivants, avec cette unique différence qu'il est planté de croix et que l'herbe y foisonne à plaisir, en touffes plus vertes et plus épaisses. J'y entre en compagnie du syndic, quartier-maître retraité, le plus paterne des hommes, malgré son parler brusque, ses jurons empruntés à toutes les langues et sa dure face boucanée de forban. Comme je lui marque quelque étonnement de l'exiguïté de ce cimetière, si peu en rapport avec le chiffre de la population qui, d'après les statistiques, excède deux mille âmes, il me montre là-bas la mer étincelante, les eaux immenses.

— Et ce cimetière-là, dit-il, qu'est-ce que vous en faites ?...

Nous cheminons à travers les tombes. « Ci-gît Renée Mezmeur... Ci-gît Jeanne-Yvonne Malgorn... » Des noms de femmes, toujours, rien que des noms de femmes, sauf, deci de-là, quelque sépulture isolée de vieillard avec la mention « décédé au bout de son âge, muni des sacrements de l'Église », sauf aussi des tertres minuscules, à peine plus renflés que des taupinières, recouvrant des restes anonymes, des dépouilles d'enfants morts avant d'avoir pu prendre leur part de la tâche familiale et qui, dès lors, sont comme s'ils n'avaient pas été.

Au milieu de l'enclos, le syndic m'arrête auprès d'un monument de forme bizarre, assez semblable aux édicules qui surmontent, en Bretagne, les fontaines sacrées.

— Penchez-vous et regardez.

J'applique les yeux à un grillage en fer garnissant une manière de lucarne et, dans le fond d'un trou d'ombre, je finis par distinguer un monceau d'objets moisis ayant de vagues apparences de croix.

— Des croix, oui bien, acquiesce le syndic, des croix de cire vierge... Et il y en a, vous pouvez voir ! Encore la plupart, détrempées par l'humidité, ne sont-elles plus qu'une bouillie...

— Et pourquoi sont-elles là ? Qu'est-ce qu'elles représentent ?

— Ils ont des idées comme ça, dans ce pays... Quand un des leurs périt en mer et que les courants ne ramènent point le cadavre, ils font tout de même un simulacre d'enterrement, avec curés, chantres, enfants de chœur et toute la boutique. On façonne une croix de cire qui est censée être le mort, et sur laquelle le recteur prononce l'absoute. Après quoi, il l'enferme dans une espèce d'armoire, contre le mur de l'église, et elle reste là, avec pas mal d'autres, ses pareilles, jusqu'au soir de la Toussaint, où on les vide en pagaille dans ce trou... Ça fait l'affaire des prêtres, vous pensez... Paraît, d'ailleurs, que sans ça le noyé ne se tient pas tranquille : c'est, toutes les nuits, des cris, des hurlements, des insultes, un branle-bas du tonnerre de Dieu... Mais le plus drôle, c'est le nom qu'ils donnent à la cérémonie, un nom comme en latin, que je n'ai jamais entendu qu'ici. Ils appellent ça un *proella*.

Je lui fais répéter le mot à plusieurs reprises... *Proella ! proella !...* Vocable étrange et qui éveille, en effet, dans l'esprit de soudaines réminiscences latines. Comment ne point songer tout de suite à *procella*, au terme qui, dans la langue des mariniers de Rome, désignait la bourrasque, la tempête, la fureur déchaînée des vents ? Et comment n'être pas séduit par cette étymologie, trop simple sans doute pour être vraie, mais si suggestive en sa simplicité ?... Mon compagnon, cependant, m'entraîne vers l'église ; tout en affectant de s'exprimer avec désinvolture sur le compte du clergé de l'île, il n'est pas homme à manquer la messe, et le « troisième son » achève de tinter.

— Nous ne trouverons pas de chaises ! affirme-t-il, non sans humeur.

De fait, force nous est de rester debout, près de la porte. La nef est comble. Un grand vieillard nous offre l'eau bénite. Où donc ai-je déjà vu ce profil antique, ce nez busqué, ces lèvres minces, et, sur l'orbite profonde, ce sourcil majestueux ? La barre d'appui de son siège porte son nom gravé au fer rouge par quelque forgeron du village. Je lis : *P. Morvarc'h, de Pern-Izella*, et, dans ma pensée, repasse en silhouette crépusculaire la maison de la lande avec, derrière sa vitre éclairée, l'image du vieux qui soupait... L'office est commencé. Une houle moutonneuse de têtes et d'épaules ondule sous le geste du prêtre, au moment de l'*aspergès...* Épaules vastes, têtes énergiques et candides tout ensemble, au front carré. Les hommes occupent le haut de l'église, en avant du chœur ; au-delà, à partir de la chaire jusque sous le cintre du porche, c'est la blancheur inclinée des coiffures féminines où le jour multicolore des vitraux met des irisations de soleil sur la mer. Des capuchons de veuves forment par places de mystérieux écueils noirs. Tout ce monde prie en silence, égrène des rosaires polis par de longs frottements, ou s'absorbe dans des missels surannés qui gardent je ne sais quelle odeur des piétés d'autrefois entre leurs feuillets déteints.

Des deux côtés du maître-autel sont les statues en bois de saint Pôl et de saint Gildas, les deux évangélistes de la contrée. Ils sont l'un et l'autre représentés en évêques, mitre d'or et chasuble d'or, robe violette et gants violets. Mais le peuple ne veut voir en eux que des marins, des marins qui « naviguaient » dans des barques de pierre, à l'épreuve de tout naufrage, et qui tenaient des lèvres mêmes de Dieu le verbe d'enchantement, la parole qui endort les flots...

Brusquement, dans un intervalle des psalmodies liturgiques, éclate le cantique en breton par lequel on a coutume, chaque dimanche, d'invoquer ces patrons jumeaux de l'île, les grands thaumaturges ouessantins :

O vous qui vîntes d'Hibernie
Sur le chemin des eaux traîtresses,
Pôl et Gildas, vous qui savez
Nos vœux, nos périls, nos angoisses...

Ce sont des voix de femmes qui ont entonné la strophe, là-bas, dans la tribune, au fond de la nef, et les hommes reprennent le refrain. Cette double mélopée en langue locale est d'un effet saisissant. Les gosiers rudes des pêcheurs roulent les syllabes avec un bruit de galets. Et, dès qu'ils se sont tus, c'est comme une accalmie ; le chant semble décroître, s'éloigner, ainsi que la mer à l'heure du reflux, mais pour s'enfler de nouveau, peu à peu, en des accents d'une tristesse ardente, d'une langueur douloureuse et passionnée. A ces moments-là, une voix domine toutes les autres, nage, pour ainsi dire, au-dessus d'elles et les conduit. Je l'ai promptement reconnue ; j'en ai encore, dans les oreilles, depuis hier, le timbre fluide, cette caresse ondoyante et sonore, délicieuse comme un attouchement clandestin de toute l'âme. Pas de doute possible : celle qui chante de la sorte, c'est Marie-Ange. Je ne la distingue point parmi ses compagnes et, néanmoins, *je la vois*. Je la vois dans le passé des légendes. Elle est redevenue l'Océanide, l'être inconstant et divin, née des rêves de l'humanité primitive dans les lointains illuminés de la mer. Elle s'avance au rythme des vagues. Ses yeux glauques laissent transparaître les mystérieux fonds de roches où s'élaborèrent, à l'aube du monde, les premiers germes de la vie. Sa chevelure, à demi végétale, exhale un parfum si fort que tout l'univers en est embaumé. Sa chair, de nuances changeantes, revêt tour à tour les teintes délicates du matin et les tons embrasés du soir. Elle est une et multiple. L'haleine du vent chante sur ses lèvres. Tout en elle est harmonie, sa démarche flottante, ses attitudes, les mouvements de sa tête, les gestes arrondis de ses bras. Son corps entier n'est qu'une chanson...

— Oui, c'est un beau cantique, n'est-ce pas ?... Tant mieux, si ça vous a fait plaisir.

— Beaucoup, beaucoup de plaisir, Marie-Ange.

Nous nous sommes rencontrés dans le cimetière, à la sortie de la messe et elle s'est arrêtée à causer avec moi, un instant, avant d'aller dire sa prière sur « ses tombes ». Elle m'apparaît plus radieuse encore que la veille, sous sa coiffe de linon brodé, repassée de frais et fleurant une fine odeur de lavande. Une croix d'argent brille sur le drap noir du justin, du corsage à basques qui enserre son buste. Sa jupe, de même étoffe, descend à plis droits ; la brise gonfle la soie de son tablier. Ses yeux sont de la couleur du ciel, bleus, céruléens peut-être, avec des reflets dorés. Je la compare mentalement avec les îliennes, ses compatriotes, agenouillées autour de nous sur les dalles de l'enclos funèbre : elle a vraiment quelque chose d'exquis et de rare qui n'est qu'à elle, et qui se manifeste dans son visage, dans ses mains, dans l'élégance native de toute sa personne... Le syndic qui nous a rejoints s'informe de Jean.

Elle l'attendait hier soir, à la marée de six heures, mais sans doute qu'il aura jugé à propos de passer son dimanche à l'île des Saints. Il a un ami là-bas, un qui était avec lui au service, sur l'*Intrépide*. Alors, il s'en reviendra probablement cette nuit.

— Les vents sont bons, n'est-ce pas, monsieur Gavran ?

— Oh ! fait le syndic, il y en a encore pour quinze jours au moins de ce temps doux. Gare après, par exemple !

— A qui le dites-vous ! Ce sera la lune de novembre, la lune des défunts.

Le vieux Morvarc'h traverse la grande allée. Marie-Ange s'écrie :

— Le père !... Je vous quitte...

Et, me tirant une révérence à la mode ancienne :

— A vous revoir, vous !... Je vous ferai goûter du vin de Cadoran... Demandez au syndic !

— Je te crois... du vin du pays des Sirènes ! grommelle entre haut et bas maître Gavran.

Elle vient d'aborder Paôl-Vraz et tous deux se dirigent maintenant vers le monument des « disparus ». Il y a foule, du reste, autour de l'étrange cénotaphe ; des femmes principalement, tout le noir troupeau des veuves prosternées à même le sol ; quelques hommes aussi, debout, pétrissant leurs bérets entre leurs gros doigts, l'air moins dévotieux que distraits, l'esprit perdu, les yeux ailleurs.

— A quoi pensez-vous qu'ils songent, syndic ?

— A rien et à tout... Est-ce qu'on sait ?... Peut-être à leurs décédés, peut-être à eux-mêmes... à la croix de cire qu'ils auront là, tôt ou tard, tandis que leurs carcasses pourriront au large... et peut-être à la ration d'eau-de-vie qu'ils vont boire, à la soûlerie qui les attend. Voyez plutôt...

Sur tout le parcours, de l'église à l'hôtel, les auberges sont pleines. Selon l'énergique expression du syndic, les îliens célèbrent « la messe du vin ardent ». Ils trinquent sans bruit, alignés devant les comptoirs, puis, d'un geste uniforme, égouttent sur le parquet les verres vides. Des pièces sombres et tristes, meublées seulement de tonneaux, nous soufflent au passage, par leurs portes ouvertes, une haleine empestée d'alcool. Dans le voisinage de la Poste, nous croisons un pêcheur qui titube.

— Allons ! tu as encore mis, ce matin, ta chemise d'ivrogne ? gronde le syndic en sa langue imagée, de son accent bourru.

Et l'homme de répondre :

— C'est la faute à la mer, monsieur Gavran... La mer est salée !

Tout en remontant la rue, de son pas somnambulique, il se répète à lui-même, avec une insistance plaintive, mêlée de résignation :

— La mer est salée !... La mer est salée !...

6

Lundi.

Un ciel pommelé, capitonné de petits nuages blancs, très doux.

Parti à la découverte dans l'île, je comptais bien, en marchant à l'ouest, aboutir après quelques détours à la maison de Marie-Ange, dont les filles de mon hôtesse m'avaient fait cette description :

— Vous verrez d'abord un calvaire en pierre : sur la base se lit le nom des Morvarc'h. Vous prendrez le sentier qui est à droite et vous arriverez à deux piliers, restes d'un ancien portail, comme à l'entrée des maisons de nobles. De là, vous apercevrez l'aire et, un peu en contrebas, le logis... D'ailleurs, il vous faudrait vraiment de la bonne volonté pour vous perdre.

J'ai gardé de cette journée de flânerie solitaire à travers la grande steppe ouessantine un souvenir pâle, indécis, vaguement triste, tout empreint de la mélancolie de ces petites ouates immobiles qui moutonnaient aux plages du ciel. Je connus alors une Eûssa languide à laquelle les récits de ceux qui la visitèrent, même en des saisons plus propices, ne m'avaient point préparé. Il y a en elle un charme dolent qui ne se révèle qu'en automne, par les temps moites, sous un soleil qui sent approcher sa fin et qui se voile au moment de mourir. J'eus l'impression d'une terre enchantée par un sommeil magique, d'un pays de rêve, empire de quelque fée invisible, de quelque Belle aux Flots Dormant.

Le silence était si profond, si absolu, qu'on ne pouvait se défendre d'une sorte d'inquiétude, d'une angoisse analogue à celle qui prend, dit-on, les voyageurs européens dans les forêts sans oiseaux des îles des mers australes. L'océan même se taisait ou, pour me servir d'une métaphore ouessantine, « ravalait son bruit ».

Les spectacles ordinaires de la vie en ces parages se déroulaient cependant, mais comme en songe.

L'incessante théorie des steamers (il en passe, en moyenne, quatre-vingts par jour) promenait à l'horizon, sur la courbe des eaux, de lointaines et lentes fumées qui faisaient penser à des feux de nomades, le long d'une route infinie. Et les moulins à vent, épars au milieu des cultures, semblaient tendre leurs bras vers ces inconnus, leur adresser des appels muets, comme hantés, eux aussi, d'une fièvre de voyage, d'un besoin de partir, de s'arracher au sol, d'ouvrir librement dans l'espace leurs ailes d'oiseaux cloués.

La solitude était grande. J'errai des heures sans voir une âme. Les hommes avaient pris la mer, dès le matin ; les enfants étaient en classe et les femmes vaquaient, j'imagine, à des besognes d'intérieur, derrière les portes closes. A tout hasard, je poussai une de ces portes : elle céda, en faisant entendre une faible plainte, et je me trouvai dans un logis obscur où filtrait à peine un jour malade, un jour verdâtre, émané d'une fenêtre étroite comme un hublot. Je demandai :

— Suis-je bien dans la direction de Cadoran ?

Rien ne me répondit. Je perçus toutefois, dans le silence, un froissement de litière remuée. J'avançai de quelques pas et, sur le grabat, au coin de l'âtre, je distinguai une forme étendue qui essayait de se soulever sans y réussir. C'était un vieillard, perclus de tous les membres, à demi enlisé dans la mort. Il bredouilla je ne sais quoi d'inintelligible. Je m'enfuis.

Les rebords de l'île, en cette région, se rebroussent ainsi qu'une énorme vague immobilisée. Une écume de pierre en hérisse la crête, masquant l'abîme. Je devais avoir atteint le canton désigné par Nola Glaquin du nom de pointe Sauvage. J'obliquai vers l'occident et j'arrivai près d'une croix. Dans le granit effrité de la base s'apercevaient les restes d'une inscription : je ne m'attardai point à la déchiffrer, et, prenant à droite, je m'engageai dans une espèce d'avenue dont l'accès était plus ou moins protégé par deux pans de murs en ruine. Des mauves géantes y étalaient leurs feuilles décolorées, et cela sentait l'abandon, le désert, l'ancienne chose humaine retombée à l'état de nature. Je marchais sur un tapis de camomille.

Une habitation se montra, une maison défunte, un cadavre de maison. La maçonnerie subsistait, à peu près intacte, faite de blocs mal équarris, liés d'un épais ciment. Mais la charpente, le toit, les châssis des fenêtres avaient disparu. Je franchis le seuil. Une chèvre allaitait ses chevreaux parmi les ronces. Assise sur la pierre du foyer où se voyait encore la trace des anciens feux, une enfant déguenillée épelait à haute voix un texte breton ; la surprise que je lui causai fit tomber son livre de ses genoux, et elle resta immobile à me regarder avec de grands yeux inquiets et farouches. Je fus longtemps avant d'obtenir d'elle une réponse. Enfin, elle se décida.

C'était bien ici Cadoran, mais Cadoran-le-Vieil, où, comme il était aisé de voir, personne ne demeurait plus. L'autre — le vrai — était encore à un bon bout de marche, plus en surplomb sur la mer. Je m'étais trompé de croix. J'aurais dû attendre d'être à la Croix-Neuve pour bifurquer...

— A qui appartiennent ces ruines ?

— Elles n'ont plus de propriétaires. Les Morvarc'h qui habitaient ici sont tous décédés et leur bien est tombé dans le commun.

— Qu'est-ce donc qui leur arriva ?

— On dit comme ça que c'est le malheur qui a passé sur eux. Et cela devait être. L'homme avait épousé une Morgane, une femme du sang de la Sirène...

L'enfant avait repris son livre, ses « heures », comme elle disait, un catéchisme en dialecte léonard. Je la laissai à ses psalmodies et regagnai la route. Un instant, je délibérai si je continuerais dans l'ouest, vers l'autre Cadoran, le Cadoran de Marie-Ange. Mais, maintenant, cela ne me tentait plus.

J'éprouvais une sorte d'énervement : l'effet de ma déconvenue, sans doute, de cette arrivée singulière dans un logis abandonné, hanté par de lugubres souvenirs. D'ailleurs, le soleil baissait, et j'avais convié à dîner, pour le soir, quelques-unes des notabilités de l'île, dont l'instituteur et le syndic. Je coupai droit devant moi, à travers champs. La tour à bandes noires et blanches du Créac'h me servait de point de repère pour m'orienter.

Sur les vastes étendues muettes, un recueillement immense planait. Il y avait comme une attente solennelle dans les choses. De grands oiseaux de mer aux ailes alourdies passaient en s'appelant d'un cri bref.

Aux approches de Porz-Paul, je croisai le recteur en surplis, précédé d'un enfant de chœur qui faisait tinter une clochette. Des femmes, à genoux aux deux bords du chemin, disaient :

— C'est à Kérinou, paraît-il, que va le bon Dieu.

— Oui, le vieux Naour est sur sa fin.

— Tant mieux, le pauvre paralytique ! Il a gagné sa tombe, celui-là !...

7

Nous achevions de prendre le café, dans la salle basse de l'hôtel Stéphan, les fenêtres ouvertes sur la nuit, une nuit pâle et tiède, une de ces étranges nuits d'occident où l'haleine de la mer semble arriver toute chaude encore de la grande fournaise embrasée des tropiques. Il devait être neuf heures environ : à l'église, là-haut, le couvre-feu venait de sonner. Le syndic, la pipe aux lèvres, nous contait un naufrage récent, celui de la *Miranda*.

— Un beau navire, ma foi !... L'équipage fut recueilli par un lougre de Perros... Huit jours après, je reçus la visite du capitaine. C'était un Allemand de Hambourg, un petit homme châtain avec des lunettes, l'air d'un savant plutôt que d'un long-courrier. L'agent de la compagnie d'assurances faisait l'office d'interprète. Nous allâmes ensemble jeter un coup d'œil à la carcasse du vapeur, qui s'était enferré à pic sur « la Jument ». L'arrière seul avait été submergé, l'avant était resté presque intact. Le capitaine voulut à toute force y pénétrer. Nous l'attendîmes dans le canot. Il reparut au bout de quelques minutes, tenant un objet sans forme enveloppé dans un numéro du *Times*. Nous nous demandions : « Qu'est-ce qu'il peut bien avoir trouvé ? » Ça sentait une pourriture du diable... Devinez ce que c'était ? Le carlin du bord, oublié par mégarde, au moment du sinistre, dans le sauve-qui-peut ! Une charogne, quoi !... Croyez-vous qu'il lui fit faire une caisse et qu'il l'a emporté en Allemagne !...

— Dites donc, Gavran, observa l'instituteur, vous rappelez-vous que nous étions attablés ici même, comme ce soir, la nuit où la *Miranda* fit côte ?

— C'est pourtant vrai... Mais quelle brume, hein ! quoiqu'on fût en juillet, dans le mois clair !

— Vous rappelez-vous aussi les propos de Nola Glaquin, à qui vous aviez offert un grog ?

— Nola Glaquin, la « commissionnaire » ? demandai-je.

— Une vieille folle ! opina le syndic. Figurez-vous qu'elle prétend savoir un couple de jours à l'avance tous les malheurs qui doivent se produire en mer, dans un rayon de six lieues à l'entour de l'île. On l'a surnommée, à cause de cela, Strew an Ankou, la Mouette de la Mort. Les gens vous affirmeront qu'elle converse avec les goélands dans leur langue. Ce qui est sûr, c'est que le chaume de sa maison est tout englué de la fiente de ces oiseaux. Quand ils sont blessés, elle les soigne, et quelquefois les guérit, grâce à des onguents dont elle a le secret. En retour, ils lui font part des nouvelles du large... Le soir en question, comme elle se trouvait par hasard à l'hôtel, je l'invitai à trinquer avec nous. Son verre vidé, elle me dit : « Complaisance pour complaisance, monsieur Gavran. Ne vous endormez pas trop profondément cette nuit, si vous ne voulez pas avoir à vous réveiller en sursaut. Il y aura du fourbi sur la côte. » Nous nous mîmes à rire, l'instituteur et moi. Une heure plus tard, le phare du Créac'h tirait le canon pour avertir les hommes du bateau de sauvetage... Est-ce bien cela, magister ?

— Parfaitement, syndic.

Le greffier de la justice de paix, un îlien long, mince, fluet, à mine ecclésiastique, ancien élève du collège de Saint-Pol et séminariste manqué, insinua d'un ton doux et conciliant :

— Elle a certainement des lumières spéciales, cette Nola Glaquin. Je pourrais, moi qui suis du pays, vous citer une foule d'exemples de son extraordinaire sagacité. Écoutez seulement celui-ci, qui m'est personnel. Il y avait deux jours que mon père était parti pour Camaret. Nola Glaquin passa en charrette devant notre porte, se rendant au Stiff. Ma mère, qui n'avait aucune inquiétude, lui dit gaiement, en manière de salut : « Vous n'entrez pas allumer votre pipe, Nola ? » — Vous savez qu'elle fume comme un homme. — « Hélas !

répondit-elle, en hochant la tête, ne plaisantez pas, Renée-Anne ; vous m'aurez peut-être chez vous plus tôt que vous ne pensez. » Le soir même, je dus l'aller quérir : on faisait la veillée funèbre autour du cadavre de mon père, noyé dans les parages des Pierres-Noires.

— Ah ! oui, car il faut vous dire, fit en s'adressant à moi le syndic, elle est la « veilleuse » attitrée de l'île. En fait d'oremus, elle rendrait des points à tous les sacristains du monde. C'est toujours elle qu'on charge de réciter les paroles d'apaisement sur l'âme du mort, dans les *proellas*.

— Et quels accents elle trouve ! prononça l'instituteur. J'étais au dernier *proella,* chez les Hénoret, de Kergoff... Je vois encore Nola Glaquin, la main droite étendue au-dessus de la croix de cire : « Les eaux méchantes ont gardé ta dépouille ; tes ossements ne reposeront point dans la terre d'Eûssa. Mais ton âme est ici, ton âme est au milieu de nous. Nous sentons son souffle sur nos faces... » C'était à donner le frisson ; à un moment surtout, quand, faisant parler le défunt, la bonne femme...

Il s'interrompit. La porte de la salle venait de s'entrebâiller.

— Monsieur le syndic, il y a quelqu'un qui vous demande, murmurait d'une voix tremblante d'émotion la plus jeune des demoiselles Stéphan.

Maître Gavran eut un juron formidable.

— Dites à ce particulier qu'il m'embête, grogna-t-il, et que les bureaux sont fermés jusqu'à demain six heures.

La jeune fille, pour toute réponse, se contenta d'ouvrir la porte toute grande, puis s'effaça pour laisser entrer un gaillard d'une stature énorme, vêtu d'une vareuse trop courte, sa chemise quadrillée de matelot débordant par-dessus ses grègues qui lui flottaient dans les jambes, mal rattachées aux reins par une ficelle. Il s'efforçait de les retenir d'une main et balançait, de l'autre, un haillon de laine sale qui avait dû être primitivement un béret. Ce fut l'instituteur qui reconnut d'abord le personnage :

— Hé ! c'est Maout-Eûssa, le second de Jean Morvarc'h !...

Maout-Eûssa, qui veut dire « bélier d'Ouessant », était bien le sobriquet qui convenait à cette tête étroite, allongée, quelque peu stupide, où les cheveux et la barbe se confondaient en une seule toison d'un brun roux. L'homme, cependant, promenait sur nous un regard de bête peureuse, cherchant le syndic. Moi, le nom de Jean Morvarc'h m'avait fait dresser l'oreille, et je n'attendais pas sans anxiété ce qui allait sortir de la bouche de ce rustre, messager d'on ne savait quoi d'imprévu et peut-être de tragique.

— Je viens pour la déclaration, articula-t-il enfin, péniblement.

Maître Gavran bondit de sa chaise.

— Hein ? tu dis ?... Parle, voyons ! Qu'est-ce qu'il y a de cassé ?

L'homme inclina son mufle velu, et, de sa poitrine d'hercule s'exhala un *hi !* plaintif, un sanglot d'enfant. La même appréhension, la même certitude nous oppressa tous. Il me sembla, quant à moi, que je ne respirais plus et que cette salle d'auberge s'était épaissie subitement, comme si toute la mer pesante, la mer de plomb, s'y fût ruée d'un coup. La lumière de la lampe me parut verte, vertes aussi, d'un vert sinistre, les faces de mes compagnons de table. Lorsque je repense à cette scène, je me demande si je ne l'ai pas rêvée ; et tous les détails néanmoins m'en sont demeurés extrêmement précis.

— Alors ?... interrogea le syndic.

Il s'arrêta, toussa pour raffermir sa voix qui s'enrouait, puis, délibérément :

— Alors, ce n'est pas ton patron qui t'envoie ?

Maout-Eûssa secoua sa tête crépue. Son grand corps oscillait. Le greffier poussa un siège derrière lui ; il s'y laissa tomber. Le syndic, saisissant une bouteille d'eau-de-vie qui était là, parmi les tasses, lui en versa une pleine rasade ; il la vida d'un trait, essuya sa lippe du revers de sa manche et dit, en montrant le couloir :

— Il y a le mousse... Nous sommes venus ensemble... Ça ne vous fait rien, n'est-ce pas, que je l'appelle ? C'est lui le premier qui s'est aperçu de la chose...

Il héla :

— Vônik !

Nous vîmes entrer un garçon joufflu, d'un rouge pourpre, à qui l'ample ciré d'homme dont il était enveloppé donnait l'aspect d'un Esquimau ou d'un Groenlandais, d'un nain difforme des régions polaires. Il se coula, se blottit contre le géant affalé. Dans son visage dru, aux teintes de chair saumurée, ses yeux bleus, étonnamment bleus, luisaient ainsi que deux flaques d'eau marine. Le matelot, tout tremblant lui-même, se mit à l'encourager :

— N'aie pas peur, Vônik... Qu'est-ce que tu veux ?... Il faut bien faire la déclaration.

Gavran s'était rassis. L'instituteur rassemblait en un menu tas les miettes de pain éparses devant lui sur la nappe. Le greffier, les mains jointes, faisait craquer les articulations de ses longs doigts osseux. Dans le cadre de la porte, la mère Stéphan et ses filles se serraient en un groupe compact, la figure tendue, geignant des *Va Doué ! Va Doué !* à voix basse.

— Voilà comme c'est arrivé, commença l'homme.

Et il entama un récit traînant, diffus, avec des incohérences, des répétitions, un pêle-mêle de circonstances parasites où s'embrouillait sa pauvre cervelle et où jamais, sans le secours de Vônik, il n'eût été possible de voir clair. Il en ahanait, le malheureux ; sa sueur roulait avec ses larmes.

En gros, l'histoire était celle-ci.

Le samedi soir, la pêche vendue, l'argent touché, Jean Morvarc'h leur avait dit :

— Tenez tout prêt. Nous partirons à l'aube.

Puis il s'en était allé coucher à terre, chez son ami Porzmoguer, un îlien de là-bas, qui avait été avec lui sur l'*Intrépide*. Le lendemain, contrordre : on ne devait plus lever l'ancre qu'au jusant de nuit, pour ne pas froisser les gens de l'île des Saints qui regardent comme un sacrilège de naviguer le jour du dimanche. Alors, on fut à la messe en lande, avec les Porzmoguer, vieux et jeunes. Avec eux aussi l'on dîna : dîner copieux, suivi de plusieurs tournées, ici et là, dans les débits du bourg de Sein. Le « patron » était gai, très en train, de grosses pièces blanches plein les poches, les mareyeurs ayant payé bon prix. On avait donc bu « comme ça », mais pas trop, « n'est-ce pas, Vônik ? — Oh ! non, pas trop ! » A la mer baissante, on avait pris congé. Temps joli, nuit de lune et d'étoiles ; l'eau du Raz, unie comme un étang, à peine ridée par un souffle irrégulier de brise. Il n'y avait qu'à laisser porter, et, si l'on ne marchait pas vite, du moins on marchait sûrement. Morvarc'h dit :

— On veillera chacun son tour. Allongez-vous et dormez. Je tiens la barre. Quand je sentirai le sommeil venir, je réveillerai Maout-Eûssa.

Ils s'étaient étendus sur le dos, dans le fond de la barque. Jean, pour se distraire, et aussi pour combattre les influences de la nuit, s'était mis à chanter une chanson française apprise au service, une chanson drôle dont Porzmoguer, dans la journée, lui avait remémoré les couplets. Il était question là-dedans d'un quartier-maître.

Qui n'savait pas nager,
Qui n'savait pas nager.

Largue les ris dans la grand'voile,
Largue les ris dans les huniers...

Bercés à ce refrain, ils avaient clos leurs paupières et, dame ! ils n'avaient plus eu conscience de rien ! « N'est-ce pas, Vônik ? » Ils voguaient l'un et l'autre dans le muet pays des songes. Combien d'heures leurs esprits restèrent-ils absents, ils ne l'eussent su dire... Tout à coup le mousse s'était dressé en sursaut, il avait cru entendre dans son sommeil la voix du patron...

Ici le matelot poussa du coude le garçonnet :

— Explique la chose, Vônik.

— Je crois bien que c'était la voix du patron, fit Vônik, mais je n'en suis pas sûr... Peut-être aussi que c'était une autre voix. Je n'avais pas encore tout à fait mes idées... Et puis cela me semblait venir de loin, de très loin... Nous filions à ce moment vent arrière ; la voile était en travers du bateau. Je me glissai en rampant sous le gui pour demander à Morvarc'h ce qu'il me voulait. Je vis qu'il n'était plus là... A la barre, il n'y avait personne !... Alors, j'interpellai Maout-Eûssa, même qu'il me répondit : « Voilà, patron !... »

— Oui, poursuivit le matelot, je pensais que c'était Morvarc'h qui me hélait pour mon tour de quart. Quand j'ai su le malheur, je suis resté un instant comme si l'on m'avait donné un coup d'aviron sur la tête... Vônik me dit : « M'est avis que nous faisons un drôle de chemin ! » Je pris le gouvernail et nous virâmes de bord. « Le patron n'a pas pu couler à pic, pensions-nous ; il est trop bon nageur. On le sauvera peut-être... » Le ciel était clair, la mer plus claire encore que le ciel, à croire qu'il y avait des lumières par en dessous. Nous fouillâmes dans toutes les directions... Rien !... Alors nous nous mîmes à appeler de toutes nos forces, l'un après l'autre : « Morvarc'h !... Jean Morvarc'h !... » Ça résonnait comme dans une église. Deux ou trois fois il nous sembla que quelque chose, très loin, nous répondait : un bruit long, triste, et qui finissait soudain comme un rire. Cela venait tantôt d'un côté, tantôt de l'autre. Et cependant, à des milles, la mer était vide. Alors — il faut tout dire — la peur nous saisit, une peur d'entre peau et chair, une peur glacée...

— Je l'aurais juré ! grommela le syndic. Les Morganes, n'est-ce pas ? Des bêtises !

L'homme reprit, avec un accent plus ferme :

— Nous n'en avons pas moins louvoyé dans ces parages jusqu'au jour. Il n'y a pas de reproches à nous faire, monsieur le syndic. Des heures durant, nous avons cherché le cadavre et, si nous ne l'avons pas ramené, ce n'est point notre faute. C'est la mer qui n'a pas voulu... Quand le soleil a été haut, j'ai dit : « Il n'y a plus qu'à réciter le *De profundis* et à s'en aller. — S'en aller ! a fait Vônik, mais par où ? » Nous avions dû dériver dans l'ouest, au diable, pendant que nous dormions. Nulle terre en vue. J'ai mis le cap sur le soleil. Puis, une bande de goélands a passé, des goélands des îles, selon Vônik, filant vers le nord-est. Alors, nous avons tenu la même route qu'eux. Sur le soir un feu nous est apparu qui semblait bondir hors de l'eau, par intervalles, comme un marsouin. Nous avons reconnu le Créac'h, et nous voici... Ah ! c'est un malheur bien étrange, n'est-ce pas, messieurs ?

Il plongea sa figure dans la loque qui lui servait de béret et recommença de pleurer, de pleurer sans bruit.

— Rentrez chez vous, prononça maître Gavran. Je me charge d'annoncer l'accident à Paôl-Vraz...

La belle, l'admirable nuit, et de quelle puissante impression de repos !

Accoudé sur le rebord de l'étroite croisée, dans la chambre

des meubles-épaves, je regardais, au fond d'un firmament vertigineux, scintiller des myriades d'étoiles ardentes, d'un éclat aigu, toute une joaillerie céleste de saphirs, d'améthystes, d'émeraudes, de rubis. La voie lactée semblait le lit d'un fleuve à sec, avec, pour sables, une poussière de diamants. A mes pieds, le village dormait et, derrière moi, dans une immensité de silence, je sentais, j'entendais le sommeil de l'île. Seul retentissait le timbre des heures, disant la vigilance des horloges dans la paix tombale des maisons assoupies.

Et toujours les mêmes bouffées tièdes apportaient les mêmes parfums, la respiration des continents en fleur, là-bas, à des milliers de lieues, de l'autre côté de l'Atlantique...

La belle, l'admirable nuit !... Où pouvait bien rouler maintenant le corps inerte de Jean Morvarc'h ?

Un pas sonna dans l'écho de la rue. Je me penchai hors de la fenêtre ; une grande forme sombre traversa le bourg, hâtant sa marche. Elle disparut dans les chemins qui mènent vers l'ouest ; et je compris que c'était Paôl-Vraz, qui, en sa qualité de chef de famille, allait, sans plus attendre, selon l'usage, réveiller dans son lit clos de jeune épousée la nouvelle veuve de Cadoran.

8

Plus d'une semaine s'est passée depuis l'événement. Les caprices du ciel occidental ont donné tort aux prévisions optimistes du syndic : les vents ont tourné au suroît, le temps s'est mis à la pluie. Des troupeaux de nuées grises, aux pis lourds, se lèvent avec l'aube, des lointains de la mer. Et ce sont des journées tristes, humides, les jours sans lumière et sans vie des commencements d'hiver en Bretagne. Je vais quelquefois, l'après-midi, chez des conteuses qu'on m'a signalées. Des vieilles, pour la plupart, de manières accueillantes et fines. Elles m'offrent du lait fermenté, des galettes, me font asseoir en face de l'âtre, devant un feu de bouse desséchée qui brasille sans flamme, et, tout en cardant de la laine, me débitent d'une voix douce, au bruit grinçant des peignes de fer, de lamentables récits, des histoires d'intersignes, de morts étranges, de naufrages, lugubres à faire frissonner.

Une d'elles, la vieille Tual, que tout le monde appelle « marraine », habite au hameau de Saint-Guennolé, sur un haut promontoire farouche qu'enveloppent, ces temps-ci, d'une perpétuelle fumée d'eau les embruns fouettés du Fromveur.

Je ne m'y rends jamais sans apercevoir, campée debout à l'extrême pointe de la falaise, une noire silhouette d'homme, pareille à quelque gigantesque cormoran, les pans de la veste battant comme des ailes toutes prêtes à s'envoler.

Il m'intrigue, à la fin, ce mystérieux personnage, montant je ne sais quelle faction solitaire devant l'abîme. J'ai résolu d'en avoir le cœur net, et, par un sentier glissant, je m'aventure jusqu'à lui. Les coudes en l'air, les mains placées en abat-jour au-dessus des yeux, il fouille d'un regard obstiné la morne étendue mouvante. Il ne m'a pas entendu venir, absorbé qu'il est dans sa contemplation, et aussi à cause des grands fracas sourds du ressac contre l'énorme paroi de pierre.

— Pardon, brave homme...

Il se retourne tout d'une pièce, me dévisage, les sourcils froncés, puis, soulevant son large feutre :

— Faites excuse, dit-il. Vous êtes le monsieur de l'église, n'est-ce pas ? Je ne pouvais guère m'attendre à vous rencontrer ici : les îliens eux-mêmes se risquent rarement sur le sommet du Veilgoz.

Moi non plus je ne m'attendais pas à me trouver en présence du vieux Morvarc'h, et j'en demeure d'abord quelque peu décontenancé. Nous nous touchons la main, tristement. Je ne l'ai pas revu depuis la catastrophe. Rien de changé en lui. C'est la même physionomie sèche et grave, la même majesté tranquille. Je lui demande des nouvelles de Marie-Ange ; il me répond d'un ton calme :

— Je pense qu'elle va aussi bien que possible, quoique les femmes, vous savez... Le recteur va tous les jours lui faire visite. En de telles occurrences, il n'y a que la religion...

— Et vous, Paôl-Vraz ?

— Moi, vous voyez, je guette... Je guette le corps de mon fils.

Il s'exprime d'une voix lente, en son breton scandé d'Ouessantin. Aucune émotion ne fait trembler ses lèvres minces, toutes jaunes du jus de la chique. Il me montre du doigt une des stries blanches qui zèbrent de leur teinte plus claire les grisailles du sombre océan.

— C'est par cette route que le flot le ramènera, s'il doit revenir... Quiconque se noie dans le chenal du Four atterrit nécessairement à la grève de Veilgoz.

Elle est là, sous nos pieds, cette grève, à soixante-dix mètres de profondeur. On n'y peut accéder qu'en barque et, lorsqu'un cadavre s'y échoue, il faut le hisser à l'aide d'une corde ; trop mûr, il se dépèce aux aspérités de la falaise, membre à membre.

— Voilà huit jours, ajoute le vieux Morvarc'h, que je viens me poster ici, à chaque marée, et demain encore, je viendrai... Mais, passé demain, plus d'espoir. Il ne restera plus qu'à faire une croix de cire pour le *proella* !

Il est retombé à son immobilité de sentinelle funèbre, les yeux au loin.

Nous causons de lui chez les Tual ; « marraine » dit :

— Paôl-Vraz !... Il se débrouille aussi bien dans la marche des courants que nous autres dans la direction des chemins de l'île. C'est de race, chez ces Morvarc'h. Ils ont l'œil qui perce la brume, l'œil qui pénètre jusqu'au cœur des eaux. Que voulez-vous ? C'est un don. Mais ils le paient, les infortunés !... Paôl-Vraz a eu quatre fils, quatre joyaux ! L'aîné a déserté aux Amériques, je ne sais où ; deux autres dorment quelque part, sous les herbes des colonies. Et voilà Jean !... Dieu fasse que celui-là, du moins, le cimetière ait sa dépouille !... A supposer que les Morganes... Suffit !

Il n'est bruit dans Ouessant que de cette mort, mais on se cache pour en parler. Ce sont des chuchotements de lèvre à oreille, des demi-confidences, des discussions aussi entre marins, dans les cabarets, devant les comptoirs, avec de soudains éclats de voix brusquement réprimés. Il m'arrive de surprendre des bouts de phrase :

— Tu admets qu'on se laisse glisser comme ça ? Allons donc !

— Alors, tu crois aux Morganes, toi ?

— Puisque le mousse cependant les a vues... oui, vues !... Et ces rires, hein ! ces rires, sur la mer ?...

La légende est déjà dans l'œuf. Couvée lentement, au cours des longs soirs désœuvrés de l'hiver, elle planera, l'été prochain, sur toute l'île ; et ceux qui, dans les saisons futures, viendront étudier après moi le folklore d'Ouessant, recueilleront sur le trépas de Jean Morvarc'h bien des affirmations singulières, bien des détails insoupçonnés.

9

— Ainsi, vous repassez votre bréviaire, Nola.

— Il faut bien... C'est pour me donner du ton, monsieur le syndic. Et si ça vous démange de me payer un verre, ne vous gênez pas.

— Combien en avez-vous déjà bus ?

— Je vous dirai le quantième ce sera, quand vous l'aurez offert.

Maître Gavran aime à taquiner la commissionnaire sur ce qu'il appelle son « péché mignon ». Elle lui répond, d'ailleurs, avec usure. J'assiste au colloque du haut des marches de l'escalier. On vient de m'appeler à table, pour le repas du soir. Il est sept heures environ. Dehors, c'est la nuit hâtive, la pluie intermittente, la rafale, le ciel inclément. Je ne suis pas plutôt descendu que le syndic me demande à brûle-pourpoint :

— Vous en êtes, n'est-ce pas ?

— De quoi donc ?

— Mais... du *proella,* chez Marie-Ange.

— Le monsieur lui doit bien cela, insinue Nola Glaquin, en relevant pour s'essuyer la bouche le coin de son tablier. Était-elle assez jolie pourtant, l'autre samedi, lorsque vous alliez côte à côte, dans la montée du Stiff !... Jolie et alerte, en ses bas blancs, la jupe troussée !... Elle était comme une lumière, vous souvenez-vous ?... comme un feu follet de la mer. Ah ! elle est cruellement changée, la pauvre ! Elle ne boit ni ne mange. Vous ne la reconnaîtrez plus quand vous la verrez...

On entend dans la rue des grincements de portes qui s'ouvrent, la cantilène lugubre d'une voix qui glapit. Et la vieille de s'écrier :

— Seigneur Dieu ! les annonciateurs !... A tantôt, là-bas !... N'oubliez pas de vous munir d'un fanal...

Je m'informe auprès du syndic :

— Alors, c'est pour ce soir, ce *proella* ?

— Dame ! nous sommes à la fin du neuvième jour, et l'on n'a rien trouvé.

— Et je ne serai pas indiscret ?...

— Au contraire. On vous saura le plus grand gré de cette marque d'estime... Prenez le temps de souper. Moi je vais quérir une lanterne et, si vous voulez, dans une demi-heure, nous partirons ensemble.

A peine s'est-il esquivé que les dalles du couloir retentissent d'un bruit de sabots cloutés.

— Ne vous étonnez pas, me dit la fille qui me sert : ce sont les annonciateurs.

Ils sont là trois ou quatre hommes, tête nue, et qui hurlent en chœur, d'un ton lamentable :

— Paix et prospérité à ceux de cette maison ! Priez pour la pauvre âme de Jean Morvarc'h. Vous êtes avertis, de la part de ses proches, que son *proella* sera célébré cette nuit, au manoir de Cadoran.

Madame Stéphan leur verse, selon l'usage, une rasade d'eau-de-vie, et ils s'en vont. Mais, longtemps encore, leur plainte traîne dans le noir des ténèbres extérieures, mêlée au crépitement de l'ondée et aux grands souffles irréguliers de la tempête. Des mots, toujours les mêmes, vous arrivent comme à travers un cauchemar :

— Morvarc'h... *proella*... Cadoran !...

On dirait je ne sais quelle litanie barbabe criée dans une langue inconnue.

Nous nous sommes mis en route, sous la pluie. Un pêcheur du voisinage m'a prêté son ciré des gros temps, si raide qu'on le croirait en métal ; les trombes d'eau sonnent là-dessus comme sur du zinc. Nous avançons péniblement. N'était le fanal du syndic, on ne verrait goutte. A l'entour du cercle de lumière vacillante qu'il projette, se meuvent des ombres immenses, impénétrables, comme si nous marchions dans l'obscurité d'une forêt de rêve, parmi des fantômes d'arbres agités par les vents. La mer roule des bruits effrayants. On songe à quelque chasse diabolique, au loin, avec des grondements, des abois, des galops de bêtes invisibles, des décharges soudaines, un hallali féroce rugi à pleine trompe par toutes les puissances de l'abîme.

— Oh ! fait maître Gavran, ce n'est rien... Un petit prélude seulement !... Venez en décembre, en janvier ; vous entendrez d'autres concerts !

Par instants, il y a comme des pauses, des accalmies inattendues, d'inquiétants silences, pendant lesquels nous percevons, un peu de tous côtés, des appels de voix humaines ; des lanternes se croisent, des saluts s'échangent :

— Vous y avez été, les gars ?

— Oui bien. Et vous aussi, vous allez ?

— Nous allons !

Cela est d'une impression très mystérieuse, ces gens qui vont ou qui reviennent, ces conversations qu'on saisit sans voir personne, et surtout cette procession de fanaux qui passent, brillent, disparaissent, comme une sarabande d'insectes phosphorescents dans l'épaisseur flottante des ténèbres. Mais le plus extraordinaire, ce sont les phares, celui du Stiff sur notre droite, celui du Créac'h à notre gauche. On ne distingue que leurs feux qui ont l'air de brûler dans le vide, au-dessus des lourdes masses d'ombre. Ils ajoutent encore, si possible, à l'horreur de cette nature déchaînée, achèvent de lui donner je ne sais quoi de chaotique, d'absurde et de fou. Le Stiff fait l'effet d'une lune blafarde, barbouillée de sang, qui tournerait sur elle-même, en proie au vertige de l'épouvante, tandis qu'à l'autre bout de l'île, le Créac'h semble une comète clouée dans l'espace, et qui s'impatiente et qui bondit.

— Nous sommes à la pointe Sauvage, annonce le syndic.

On le sent aux embruns qui vous cinglent, à cette poussière de sel répandue dans la nuit, comme un grésil, et dont l'âcreté vous pénètre, s'infiltre en vous par tous les pores ; on le sent surtout au tumulte des eaux, à leur grincement parmi les galets, à leurs longues détonations sourdes dans les anfractuosités des roches, presque sous nos pieds.

Une lueur fixe, un point de clarté dans un amas de ténèbres immobiles... C'est là. Nous sommes arrivés.

La même disposition que dans la plupart des demeures ouessantines : un couloir étroit donnant accès, d'un côté, dans une espèce de magasin où se gardent les provisions, les outils agricoles des femmes, les engins de pêche des hommes ; de l'autre, dans une salle plus spacieuse, à la fois cuisine, réfectoire et chambre à coucher. C'est dans celle-ci que nous entrons ou, du moins, que nous essayons d'entrer, car elle regorge de monde, d'îliennes accroupies sur leurs talons, d'îliens debout, fronts découverts et les bras croisés, dans l'attitude de la prière. Force nous est de faire station à la porte, d'attendre la fin de l'oraison bretonne. J'explore des yeux cet intérieur où le hasard m'avait empêché de venir quelques jours plus tôt, alors qu'on y pouvait respirer encore l'atmosphère accueillante et tiède des logis heureux. Il est bien tel que je me le représentais d'après ce qu'on m'en avait dit ; c'est bien le nid de mouette que je rêvais à Marie-Ange. Les murs sont badigeonnés de frais, les meubles luisent ; une boiserie blanche à filets verts encadre le foyer. Dans l'angle de gauche voici le lit nuptial, désormais le lit du veuvage ; des courtines d'indienne à fleurs le décorent. Sur le banc à forme de coffre, par lequel on y monte, repose un de ces berceaux primitifs, en chêne sculpté, où les anciens imagiers de Bretagne s'ingéniaient à tailler en relief des figurines de saintes, protectrices de l'enfance... Mais la prière s'est tue : un remous se fait dans l'assistance, et le vieux Morvarc'h s'avance vers nous. Il me marque en termes fort décents combien il me sait gré de m'être dérangé, en dépit de l'orage.

— Suivez-moi, dit-il.

Et il nous ouvre un passage derrière la foule qui, du reste, commence à s'éclaircir, à s'écouler au dehors, l'oraison finie, pendant qu'un flot de nouveaux arrivants se presse sur nos pas.

Je me trouve devant une table massive dont un lit à deux étages m'avait jusqu'à présent dérobé la vue. Une nappe à franges la recouvre. Au milieu, sur un oreiller servant de coussin, est couchée à plat une croix de cire jaune, grossièrement façonnée et qui garde encore l'empreinte des doigts malhabiles qui l'ont pétrie. Au chevet de la croix, une photographie, « le portrait du défunt », me souffle le syndic. Elle remonte à quelques années déjà, au temps où Jean Morvarc'h « naviguait à l'État » et courait le monde sur la *Melpomène*. C'est une photographie peinte, ainsi que les aime le goût naïf des gens de mer. Les yeux, jadis, furent teintés de bleu de Prusse, les pommettes et les lèvres, de carmin. Mais la couleur, les traits, les contours mêmes du corps, tout cela est pâli, effacé, devenu lointain et comme noyé en des profondeurs d'eau. Mystérieuse et spectrale image de quelqu'un d'englouti !... Une mite promène sous le verre du cadre ses élytres d'argent.

Une vieille, qui se tient au haut bout de la table, le dos à la fenêtre, et qui n'est autre que Nola Glaquin, coiffée de la capeline de deuil, me tend un rameau de goémon vert trempé dans de l'eau bénite, pour que j'en asperge la croix du *proella*. Elle dit :

— *Requiescat in pace !*

Et, comme il se doit, je réponds :

— *Amen !*

Le même cérémonial s'accomplit pour le syndic, puis pour chacune des personnes qui défilent derrière nous, en sorte que c'est un perpétuel fredon de paroles latines parmi des susurrements discrets de conversations à demi-voix.

— Vous désirez peut-être saluer la veuve ? me demande Paôl-Vraz.

De l'autre côté de la table, du « tréteau funèbre », pour parler comme les Bretons, trois femmes sont assises sur des escabeaux, enveloppées toutes trois en des mantes pareilles, d'épaisses mantes de drap noir aux plis rigides, dont les cagoules rabattues ne laissent rien voir du visage incliné sur la poitrine. La coutume veut, paraît-il, qu'en de telles occurrences la « nouvelle veuve » se fasse assister des deux veuves de l'île chez lesquelles furent célébrés les plus récents *proellas*.

J'essaie de reconnaître la tournure de Marie-Ange, mais en vain : les trois figures immobiles et voilées demeurent énigmatiques, semblables à trois Parques, à trois déesses de la mort, ensevelies dans leurs longs vêtements funèbres. Leurs mains mêmes sont ramassées sous l'étoffe. D'ailleurs, il fait sombre dans ce recoin, mal éclairé d'un reflet trouble par les deux cierges qui brûlent sur la table, en des flambeaux d'église, de hauts flambeaux de fer forgé.

— Marie-Ange, dit Paôl-Vraz, c'est le monsieur...

Une des femmes, celle qui est le plus près de l'âtre, entrouvre sa mante, me tend la main et articule d'une voix sourde un faible : « Merci ! »... C'est tout. La tête n'a pas fait un mouvement, le capuchon noir qui couvre le visage ne s'est point relevé.

Le logis cependant, à demi vidé tout à l'heure, s'est rempli de nouveau, envahi par une fournée de proches, d'amis, d'invités et, sans doute aussi, de curieux. Nola Glaquin annonce :

— Nous allons réciter un *De profundis*...

Nous nous asseyons sur le banc, contre le lit clos. Ce serait manquer à la bienséance que de sortir, une fois commencée la prière. A ma gauche, sur le berceau de chêne, dort d'un paisible et blanc sommeil le dernier rejeton des Morvarc'h de Cadoran. La commissionnaire avait raison : c'est un enfant superbe. Des frisons d'un blond cendré — les cheveux de lumière de Marie-Ange — auréolent déjà son petit front obstiné, creusé entre les sourcils d'un sillon vertical. Il y a comme une énergie naissante dans l'expression encore indécise de ses traits. Il dort bravement, les poings en l'air. Le vieux psaume murmuré à l'intention des mânes paternels lui est une chanson de nourrice peu différente des antiques ballades en langue bretonne dont il a coutume, aux soirs ordinaires, d'être bercé. Il dort dans sa couchette à forme de barque, en attendant que d'autres barques l'emportent sur les mêmes eaux où son père a sombré... Puissent les Sirènes du Fromveur, les légendaires ennemies de sa race, lui être plus clémentes !

Je les avais oubliées, tout à la pensée de me trouver face à face avec Marie-Ange ; mais elles sont là qui ne cessent de hurler autour de la demeure, les mystérieuses puissances de la tempête, ouvrières de destruction et de mort. Elles ébranlent les vitres, elles font cliqueter les ardoises du toit et, parfois, par le tuyau de la cheminée, soufflent jusque dans la salle leur haleine vivante, humide et salée. Lorsque Nola Glaquin prononce le *requiescat in pace* final, c'est un hou ! strident, sauvage, le rire démoniaque des vents et de la mer qui éclate en guise de *amen*.

Nous nous disposons à nous lever, mais Paôl-Vraz nous retient.

— Voyons, pas avant le *prezec* ! insiste-t-il.

— Il n'est donc pas encore prononcé ? demande le syndic.

— Non. Tous les membres de la famille n'étaient pas arrivés.

Docilement nous reprenons nos places, le syndic, par devoir, pour obéir à la tradition, et moi, pour faire comme lui, mais non sans un vif intérêt de curiosité. Au fond, puisque l'occasion m'en était offerte, il m'en eût coûté de ne point l'entendre, ce *prezec*, cette espèce de vocéro ouessantin, avec la commissionnaire de l'île pour vocératrice.

— Mais d'abord, si vous mangiez quelque chose ? nous propose le vieux Morvarc'h... C'est l'heure du repas de minuit.

Une agape est servie, paraît-il, dans l'autre pièce : du pain, du lard, des viandes fumées, et le mets national, le *far*, un mélange de farine d'orge, de pommes de terre râpées et de pruneaux secs, cuit dans un chaudron sous la cendre. Nous déclinons l'invitation. Le vieux s'éloigne, va conférer avec Marie-Ange, puis grimpe l'escalier qui mène à l'étage, pour redescendre l'instant d'après, portant une fiole encrassée, au col brunâtre, qu'enrubannent des algues flétries.

— Si vous ne mangez pas, vous boirez, fait-il. Ceci, monsieur, c'est du vin de la mer. Ma belle-fille avait mis la bouteille de côté pour quand vous viendriez. Vous deviez la vider avec Jean. Nous trinquerons, si vous voulez bien, au repos de son âme.

Cela est dit simplement, sans vaine sentimentalité, mais d'un ton qui ne manque pas de noblesse. Et nous buvons le vin d'épave en commémoration de l'épave humaine que la tourmente roule à cette heure, Dieu sait où !...

Nola Glaquin, qui vient de réparer ses forces, rentre du bas bout de la maison, suivie de la plupart des autres « veilleurs ». Elle a les lèvres humides, les yeux brillants.

— L'eau vulnéraire ! marmonne le syndic. Pour être à la hauteur, il faut qu'elle soit moitié soûle !

Et l'eau vulnéraire, ce *gin* de Bretagne, doit être, en effet, pour beaucoup dans l'animation singulière de la vieille femme ; mais on y sent autre chose encore, une ivresse spéciale et quasi prophétique, une sorte de délire sacré. Au lieu de regagner le poste qu'elle occupait jusque-là dans l'embrasure de la fenêtre, elle se campe debout au pied de la table, et chacun fait cercle derrière elle. Seules les trois veuves, hiératiquement accroupies dans leur coin d'ombre, n'ont pas bougé. Le silence est profond ; la rafale même a fait trêve, et la mer, qui sans doute a baissé, n'est plus qu'une grande rumeur solennelle, un tonnerre lointain, dans l'espace. Nola commence :

— Au nom du Père, du Fils et du Saint-Esprit, je vais dire le *prezec* de Jean Morvarc'h...

Un arrêt de quelques secondes. Toutes les oreilles sont tendues, et c'est à peine si l'on ose respirer. La vocératrice se recueille, le regard fixé sur la photographie du mort. Et soudain, comme d'une écluse ouverte, le torrent de sa parole se précipite. C'est d'un débit à la fois entraînant et monotone. Cela rappelle le récitatif adopté par les acteurs bretons dans la représentation des mystères. Les notes élevées alternent avec les notes basses, suivant un mode large et simple, tour à tour fougueux et plaintif. Et, dans ce dialecte sonore d'Ouessant, cette mélopée tantôt aiguë, tantôt gémissante, a le charme d'un sortilège barbare, je ne sais quelle vertu d'incantation.

— Ne dites pas, s'écrie la prêcheuse au début de son improvisation, ne dites pas : « Le bonheur est sur cette demeure. » Le bonheur est comme les goélands. Il se pose ici, puis là, entre deux vols ; mais il fait son nid dans des lieux inconnus...

Où semblait-il que l'on dût être plus heureux qu'en ce manoir de Cadoran, « un des plus anciens de l'île » ? Des champs au soleil, une barque solide sur la mer, des piles de linge dans les armoires et, entre les piles de linge, des piles d'écus accumulés par la sagesse des vieux parents. Un homme robuste et travailleur, une femme économe et gaie, un enfant bien venu... Les perfections de Jean Morvarc'h, Nola les énumère en ces termes :

— Il était doux envers sa femme, respectueux envers le chef de sa famille et ne souhaitant point sa mort pour jouir plus promptement de ses biens, serviable envers ses voisins, point avare avec ses matelots et ses domestiques...

A ce moment, derrière nous, au fond de la pièce, un sanglot retentit, un soupir long et triste, comme une plainte de bête battue. Je me retourne et, par-dessus les têtes, au dernier rang des auditeurs, j'aperçois le mufle de Maout-Eûssa — de Maout-Eûssa à qui je n'avais plus songé depuis le soir tragique, et dont le crâne aplati, les mâchoires proéminentes dessinent sur la blancheur éclairée de la muraille un mélancolique profil de chameau.

— Pas plus fier qu'il ne faut avec le pauvre monde, continue, sans s'interrompre, l'évocatrice, toujours le premier à l'ouvrage, sur la semaine, le premier à la messe, le dimanche ; ne s'attardant jamais à l'auberge après le couvre-feu ; cher à ses proches, estimé de ses semblables, plein de déférence pour son recteur ; un homme modèle, enfin — et le voilà parti !...

Nola glisse très vite sur la catastrophe. Elle s'arrange de façon à ménager les susceptibilités des Morvarc'h, tout en sauvegardant les droits de la légende.

— Les autres s'en vont dans un coup de temps, dans un coup de mer... Lui s'en est allé par mer belle, sous une nuit d'étoiles. Ne dites pas : « La mer est traîtresse ! » La mer n'est pas plus traîtresse que la terre. Quand la mort commande, il faut obéir. La mort est la reine du monde. Ainsi Dieu l'a voulu, depuis la faute du premier père. Que sa sainte volonté soit bénie !...

La passe dangereuse franchie sans encombre, la prêcheuse se livre toute à l'inspiration qui l'emporte. Les yeux enfiévrés, la voix haletante, elle interpelle le « disparu ».

— Les flots t'ont pris, et ne t'ont point rendu à ceux qui te pleurent... Mais tu ne seras point leur jouet : car, avec la cire des abeilles, nous avons fait pour toi la croix du repos. Vois, nous célébrons ton *proella*... Moi, Nola Glaquin, qui te parle, je sais que tu m'entends ! Tu es ici où nous sommes, où sont tes proches, où sont tes amis. Tu es dans la croix où nos prières t'ont enfermé. Nous te porterons à la chapelle du cimetière, et là, tu feras ton purgatoire jusqu'au jour du dernier jugement... Tu quitteras tout à l'heure cette maison, comme si tu avais trépassé dans ton lit. Un prêtre mènera ton deuil, et les chants de la mort seront chantés sur ta dépouille. Prends congé des tiens, pauvre âme, de celui-ci, ton père, qui t'a nourri, de celle-ci, ta femme, que tu as tant aimée, de ton fils, qui est ton sang, et de nous tous qui avons sur toi jeté l'eau bénite. La paix de Dieu soit avec ton *anaon* ! Ainsi soit-il !

Une sueur abondante baigne le visage enflammé de Nola, colle à ses tempes les mèches de ses cheveux gris... Tandis qu'on s'empresse autour d'elle, nous gagnons la porte, heureux de secouer au vent de la nuit les images lugubres dont nous avons le cerveau hanté, d'échapper à cette atmosphère de sépulcre, de respirer l'air du dehors, purifié par la tempête, où circule déjà la fraîcheur saine, le virginal frisson du matin.

— Tenez, fait le syndic, les vents ont calmi... Les barques pourront sortir.

10

Elles furent vraiment imposantes, ces obsèques fictives de Jean Morvarc'h. Dès le point du jour, aussitôt que la veillée funèbre eut pris fin, les glas se mirent à tinter, non seulement à l'église paroissiale, mais dans tous les sanctuaires de l'île ; puis, sur les huit heures, on vit s'avancer le cortège, un long fleuve noir précédé, comme d'un ourlet d'écume, par les ecclésiastiques et les chantres en surplis. Il venait à travers les pâtis, à travers les chaumes, grossi sans cesse de nouveaux affluents que déversaient les routes, les fermes, les hameaux du parcours. La mer, houleuse encore, tendait tout l'horizon d'une large bande d'azur sombre, lamée d'argent. Un soleil blanc — le soleil des lendemains de grande pluie en Bretagne — luisait dans le ciel nettoyé.

Au milieu de la nef, le catafalque était dressé. On y déposa la croix de cire que portaient, couchée sur un brancard, quatre pêcheurs homardiers du clan des Morvarc'h. Et l'office commença... Je songeais à l'avant-dernier dimanche, au moutonnement des coiffes claires, aujourd'hui endeuillées, aux voix douces des femmes entonnant du haut de la tribune le cantique des saints d'Eûssa, à celle surtout qui, s'élevant soudain, les domina toutes, et dont la vibration vous effleurait l'âme comme d'un toucher surnaturel...

La musique de cette voix, il me fut donné de l'entendre encore, au moment de quitter l'église ; mais le timbre en était brisé.

C'était sous le porche. Debout entre les deux veuves, ses guides et ses soutiens dans la montée de son dur calvaire, Marie-Ange recevait les condoléances de la foule et les embrassades de sa parenté. Je m'approchai à mon tour, quand le gros de l'assistance se fut dispersé. Pas plus que la veille, elle ne leva vers moi son visage, encapuchonné dans son manteau. Elle me reconnut pourtant et me dit :

— J'ai su, par la petite gardeuse de chèvres, votre visite manquée de l'autre lundi... Hélas ! si vous revenez un jour, à Cadoran-le-Neuf comme à Cadoran-le-Vieil ce sera, sans doute, la même ruine !...

Je balbutiai de vagues paroles, et ce furent tous nos adieux.

Elle s'en retourna là-bas, dans l'ouest. Je partis, de mon côté, par le premier vapeur... Oh ! le triste chant des Sirènes, à la pointe Sauvage, et combien amer, en automne, le parfum des fleurs d'Ouessant !

Anatole Le Braz

LES NOCES NOIRES DE GUERNAHAM

1

Le pardon finissait. L'ombre hâtive des nuits d'octobre était descendue sur la petite bourgade bretonne, dénouant les danses, dispersant les couples, le long des routes crépusculaires, à travers le silence des campagnes endormies. Emmanuel Prigent, dont le cœur n'avait pas encore parlé et qui n'avait pas de « douce » à ramener chez elle, demeura un instant sur la place à regarder l'« homme aux chansons » rassembler ses feuilles volantes ; puis, après une courte discussion avec lui-même, il s'achemina vers l'auberge.

Il se sentait triste... La solitude, sans doute ; peut-être aussi une raison plus intime, certain malaise d'âme qui, depuis quelque temps, assombrissait sa pensée, ne lui permettait plus de jouir de la vie, béatement, comme par le passé. En vain s'était-il efforcé de réagir contre ce singulier état d'esprit dont sa cervelle obscure de paysan ne parvenait même pas à débrouiller les causes. Qu'est-ce donc qui avait pu altérer ainsi en lui, peu à peu, la belle source de joie de ses vingt-cinq ans ? Il s'était rendu au pardon de Saint-Sauveur avec l'espoir d'y rencontrer une somnambule, une « voyante » assez lucide pour l'éclairer sur son cas. Connaître sa peine, comme dit le proverbe, c'est déjà la moitié de la guérison. La vieille sibylle qu'il était allé consulter dans son chariot, là-bas, derrière la fontaine, n'avait su que lui débiter des niaiseries, des fariboles, les mêmes exactement qu'elle avait contées à vingt autres, comme de lui assurer, par exemple, qu'il se languissait d'amour et que, seule, une brune aurait la vertu de dissiper son mal. Amoureux, lui ! Ah bien ! elle pouvait se flatter de lire dans les cœurs, la somnambule ! Jamais

Nota. — On appelle « Noces noires », en certains cantons de la montagne bretonne, les secondes noces d'une veuve ou d'un veuf, sans doute parce qu'il en est qui conservent le deuil pour se remarier.

encore il n'avait regardé une femme autrement que pour le plaisir, du temps qu'il était soldat. C'était si vrai qu'à Guernaham — où, de domestique principal, il était passé chef de labour depuis la mort du maître —, les servantes, blessées de ce qu'il ne faisait aucune attention à leurs agaceries, l'avaient surnommé Prigent le Dédaigneux. Non qu'il professât pour le sexe le dédain qu'on lui attribuait : il n'avait pas les idées tournées de ce côté, voilà tout. Il avait bien assez à s'occuper par ailleurs : un domaine d'environ trente journaux de terres arables à tenir en état, un personnel volontiers indocile, sinon récalcitrant, à manier et à conduire, tout cela dans une maison où il n'était lui-même qu'un subalterne, et sous la direction d'une jeune veuve sans expérience, à peine émancipée du couvent par quelques mois d'un mariage qui n'avait été pour elle qu'une agonie, qu'une passion, et dont elle n'avait pas fini de se remettre !... Pauvre Renée-Anne, si frêle, si menue et, comme on dit à la campagne, si « demoiselle », comment son père, le vieux Guyomar, avait-il pu la laisser épouser ce Constant Dagorn, cette brute ?...

2

C'est à Lyon-sur-Rhône — où il était pour lors en garnison — qu'Emmanuel avait appris les noces de sa parente ; car elle était un peu sa cousine à la mode de Bretagne, cette riche héritière, les Prigent et les Guyomar ayant mêlé leurs sangs autrefois, quand les ancêtres dont il était issu faisaient encore figure parmi les notables de la paroisse.

— La malheureuse ! s'était-il écrié, en repliant la lettre qui lui avait apporté la nouvelle.

Il ne connaissait que trop le Dagorn, pour s'être rencontré avec lui en maintes occasions, aux charrois d'automne, aux assemblées de printemps ; et tout de suite sa première pensée avait été pour plaindre la délicate Renée-Anne de tomber entre les mains de ce rustre, de cette espèce d'hercule paysan qui tenait moins de l'homme que du taureau dont il avait la force, les colères aveugles et aussi la stupidité. Jamais, toutefois, il n'eût osé concevoir, même d'un tel être, les abominables violences auxquelles il dut assister à Guernaham. Le hasard avait voulu qu'à son retour du service la place de valet de charrue fût vacante chez Constant Dagorn. « Personne n'y reste, affirmait-on de toutes parts au soldat libéré : mieux vaut se faire ramasseur de crottin sur les routes que d'accepter de vivre dans un pareil enfer ! » Ce fut peut-être la raison qui, plus encore que la nécessité d'assurer sa subsistance, décida Emmanuel Prigent à se présenter. Dès qu'il eut exposé le but de sa démarche, il crut lire une sorte de gratitude attendrie dans le regard que fixa sur lui Renée-Anne. Quant à Dagorn, dont l'haleine empestait l'alcool, il marqua une satisfaction guoguenarde de voir s'offrir chez lui, comme domestique, un jeune homme de sa parenté. « Tope là ! » bégaya-t-il d'une voix pâteuse, et, pour arroser le pacte, il força le nouveau « charrueur » de vider avec lui une bouteille de genièvre aux trois quarts bue depuis le matin.

Car, les dernières lueurs d'une intelligence qui n'avait jamais brillé que d'une flamme incertaine, il achevait de les perdre dans l'ivrognerie, le misérable ! Et d'autres vices lui étaient venus, des vices abjects, innommables, qui n'étaient plus d'un chrétien, mais d'une bête... Oh ! ce premier hiver à Guernaham ! Emmanuel en avait gardé une impression sinistre. Il couchait, selon l'usage, dans l'écurie, avec les chevaux. Parfois, très avant dans la nuit, le matin déjà proche, il entendait Dagorn entrer, en s'épaulant aux murs, dans le logis d'habitation que les maîtres occupaient seuls. Et de l'intérieur de la cuisine, où était leur lit — le lit héréditaire, à gauche de l'âtre —, s'échappaient soudain des jurements, des vociférations obscènes, suivis d'un bruit sourd de piétinements et de coups. Alors, entre ses draps de toile bise, tout son corps bouillait : il brûlait d'envie de se lever, de courir au monstre, de l'empoigner à la nuque et de lui ployer la tête à terre, comme on fait pour les bœufs affolés. Mais il n'osait, à cause de Renée-Anne. Il sentait confusément que son intervention, en ces occurrences pénibles, l'eût froissée au plus profond de ses pudeurs de femme. Il n'avait pas été sans remarquer de quelle réserve, chaque jour plus hautaine, elle s'enveloppait dans son martyre. Ne poussait-elle pas l'héroïsme jusqu'à prendre devant son père la défense de son mari, jusqu'à feindre aux regards du monde des gestes d'une tendresse câline pour ce bourreau bestial et répugnant ?

Une nuit, cependant, par extraordinaire, elle avait appelé Emmanuel à son aide. Ivre mort, le Dagorn avait buté contre la marche du seuil et s'était allongé à la renverse, la face baignant à demi dans le purin de la cour. Trop faible pour soulever cette masse, Renée-Anne vint heurter à l'huis de la crèche, héla doucement son cousin. A eux deux ils avaient transporté l'homme dans le lit et lavé ses souillures immondes. Puis, après quelques paroles de remerciement, la jeune femme, en congédiant Emmanuel, avait ajouté :

— Inutile d'ébruiter la chose, n'est-ce pas ?... C'est, d'ailleurs, la première fois que cela arrive. D'ordinaire, il tient mieux la boisson.

Cette chute avait dû casser quelque ressort vital dans la puissante organisation de Constant Dagorn. A partir de ce moment, on le vit décliner de jour en jour. Ses muscles de fer s'amollirent, sa chair énorme coula, des taches de lèpre cadavérique se montrèrent çà et là sur sa peau, comme si le travail de la mort était commencé. Il ne parut plus aux champs, renonça même à se traîner aux cabarets d'alentour. Mais, au lieu de s'éteindre, sa fureur de boire s'était exaspérée. Il s'imaginait puiser dans les bouteilles un élixir de vie capable de réparer les forces qui l'abandonnaient. Il avait des regards, des gestes de fou. Des luxures étranges, nées de l'alcool, hantaient son cerveau. On était aux mois tièdes, dans la saison des foins. Le débraillement des faneuses qui rentraient en sueur, leur chemise de chanvre collée à leurs seins, excitait chez lui des rires convulsifs, faisait passer dans ses yeux des désirs effrayants de damné. Et, le soir, après la clôture des portes, les scènes de ménage continuaient de plus belle.

— Il ne crèvera pas avant de l'avoir tuée ! se disait le charrueur en prêtant l'oreille à ce sabbat, à cette horrible « messe noire » dont Renée-Anne était l'hostie douloureuse, farouchement résignée.

S'il n'avait bondi à son secours, malgré elle, certain soir de juillet, on l'eût assurément couchée morte, le lendemain, dans le cimetière de la paroisse. Il frémissait encore d'indignation, à ce souvenir, et aussi d'une autre sorte de trouble qu'il ne s'expliquait pas... C'était un dimanche. Il s'était attardé au bourg à jouer aux quilles. En traversant l'aire pour gagner son étable, il vit la fenêtre de la cuisine éclairée. Par instants, une ombre passait, avec des gesticulations bizarres. Une curiosité le prit, une irrésistible envie de *savoir*. Il s'approcha sur la pointe des pieds, appuya son front à la vitre et demeura quelques minutes hébété, refusant d'en croire ses yeux, figé comme devant le spectacle d'une abomination de l'enfer. Cette brute satanique de Dagorn allait et venait d'un bout à l'autre de la pièce, un grand fouet de charroi dans sa main droite et, tordue comme une longe autour de son poignet gauche, la brune chevelure de Renée-Anne dont le corps, presque entièrement dévêtu, traînait sur les dalles, tout strié par les coups de fouet d'un réseau de marbrures sanguinolentes... Briser un carreau, faire sauter l'espagnolette intérieure, franchir la fenêtre et la table, terrasser le monstre abasourdi par la brusquerie de l'attaque, ce fut pour Emmanuel Prigent l'affaire de vingt secondes. Avec la courroie du fouet, il garrotta solidement les jambes de l'homme : « Toi, murmura-t-il, d'ici quelque temps tu ne bougeras plus ! » Mais, quand il fut pour soulever le corps évanoui de la jeune femme, il hésita, perdit la tête, ne sut que s'agenouiller auprès d'elle, et l'appeler tout bas, d'une voix peureuse, d'une voix qui tremblait :

— Renée-Anne !... Renée-Anne !...

Sa gorge, quasi enfantine, était découverte, laissait voir un coin de chair blanche, d'une pâleur nacrée. Il se dépouilla de sa veste et l'étendit religieusement sur elle. Dans ce mouvement, ses doigts la frôlèrent ; elle rouvrit les yeux. Alors, lui, par crainte qu'elle ne lui sût mauvais gré d'être là et de l'avoir surprise en ce désordre, il s'enfuit...

Ni le lendemain, ni jamais depuis, Renée-Anne n'avait fait une allusion à ce qui avait pu se passer. Quant au Dagorn, il eût été fort en peine de manifester un ressentiment quelconque. Sa fureur d'avoir été mis, par son domestique, momentanément hors d'état de nuire lui était montée à la tête en un transport de sang. Et, du coup, pensée, mémoire, l'usage même de la parole, tout était parti. Il avait pourtant vécu des semaines encore, soigné, veillé par sa femme, tandis que sa propre parenté faisait allumer des cierges devant saint Tu-pé-du, pour lui obtenir un prompt trépas. La délivrance était enfin venue, un jour d'août, comme on achevait de battre la moisson. Et ç'avait été un soulagement universel qui se fût peut-être traduit d'une façon peu décente, n'eût été le respect d'un chacun pour la tristesse sans affectation de Renée-Anne, la « nouvelle veuve ».

Le soir même des obsèques, celle-ci avait pris à part Emmanuel Prigent.

— Tu es un peu de notre famille, lui dit-elle, et je n'ai pas été sans voir que tu avais de l'intérêt pour nos champs. Veux-tu me continuer tes services ? Tu auras la surveillance de la terre et tes gages seront doublés.

Il avait fait oui de la tête, sans pouvoir proférer une parole de remerciement, dans l'émotion de sa surprise et de sa joie. Car il s'était attaché à ce Guernaham « où personne ne restait », et tout lui en était devenu cher, la maison, les granges, les étables, les labours, jusqu'aux cressonnières des douves, dans les chemins creux, jusqu'aux semis de lande, sur le talus. Renée-Anne l'eût prié, ma foi ! d'y demeurer pour rien, fût-ce en qualité de gardeur de vaches, qu'il eût accepté... Or, voici que depuis deux mois, il y commandait en maître, sur les hommes et sur les harnais. Les débuts, certes, avaient été pénibles : les autres domestiques s'étaient obstinés longtemps à ne considérer en lui qu'un de leurs pairs, discutant ses ordres, se refusant même à les accomplir. Mais il avait fini par dompter les plus rebelles. Si l'on grommelait parfois encore, quand il avait le dos tourné, du moins on obéissait. De l'avis du vieux Guyomar, le père de la veuve, qui faisait une apparition chez elle de temps à autre, jamais les choses n'avaient aussi bien marché à Guernaham. Renée-Anne, de son côté, se montrait ravie. Bref, il n'avait de toute manière qu'à se louer de sa condition présente. Pourquoi donc cette amertume qui, insensiblement, s'était levée en lui, gagnant toute l'âme et voilant d'une tristesse subtile les pacifiques images de son bonheur ?

3

— Cela va toujours, au manoir ? demanda Jozon Thépaut, l'aubergiste, lorsqu'il aperçut dans le cadre de la porte la haute silhouette élancée du charrueur.

— Toujours, répondit Emmanuel d'une voix distraite.

Il promena son regard dans la salle, cherchant quelque figure de connaissance parmi les groupes de buveurs attablés. Mais les jeunes hommes de son âge étaient tous partis reconduire leurs danseuses à la maison familiale, ainsi qu'il est de mode en Bretagne, les soirs de pardon. Il n'y avait là que des « étrangers », des gens des paroisses avoisinantes, venus en pèlerinage à Saint-Sauveur, et qui, leurs ablutions terminées à la fontaine, s'arrosaient maintenant l'intérieur du corps, selon le rite, tandis que les montures bridées et sellées piaffaient d'impatience dans la cour. Emmanuel allait s'asseoir à l'écart quand, du fond de la pièce, un paysan qu'il n'avait pas remarqué l'interpella :

— Çà ! dit l'homme, tu as donc pris de l'orgueil en prenant du grade, que tu ne daignes plus saluer ton ancien ?

Le charrueur riposta en riant :

— Dame ! tu me tournais le dos, Jean Marzin, et ton nom n'est pas écrit sur le collet de ta veste.

Ce Jean Marzin était précisément le valet de ferme qu'il avait remplacé à Guernaham. Ils rapprochèrent leurs tabourets et se mirent à deviser à la façon bretonne, par phrases courtes, interrompues de longs silences.

— Et où es-tu gagé pour l'instant ? demanda Emmanuel.

— A trois lieues d'ici, dans la montagne, chez les Menguy de Rozviliou.

— Tout de même, tu n'as pas voulu manquer le pardon de Saint-Sauveur ?

— Oh ! ce n'est pas moi... c'est mon jeune maître... Il m'a dit, sur les deux heures, cet après-midi, d'atteler le char à bancs... Et nous n'avons pas langui en route, je t'assure. Mais s'il était pressé d'arriver, il n'est pas pressé de repartir, en revanche. L'angélus du soir est sonné, et je l'attends encore.

— Il faut bien qu'on s'acquitte de toutes ses dévotions, mon cher.

— Oui, des dévotions à Notre-Dame du mariage !... Et sais-tu dans quelle église ? Au fait, tu l'as peut-être rencontré.

— Moi ? Où ça ?

— A Guernaham, donc !

Emmanuel se sentit devenir tout pâle. On lui eût porté un coup de poing entre les deux yeux, en plein visage, qu'il n'eût pas éprouvé une commotion plus violente. L'autre, attentif seulement à bourrer sa pipe, continua d'un ton calme :

— Je prévoyais cela. Depuis les funérailles de Dagorn, il n'était guère de jour qu'il ne m'interrogeât sur Guernaham, sur la contenance du domaine, sur la valeur des terres et celle du bétail... Quand, au carrefour des Cinq-Croix, il a tiré sur la bride de la jument pour la lancer dans la descente de Saint-Sauveur, je me suis dit : « Ça y est : il va nouer commerce avec la veuve ! » Il faut croire que sa conversation n'aura point paru déplaisante, puisqu'elle dure encore, la nuit tombée. Qu'est-ce que tu en penses, camarade ?

— Rien, sinon que Renée-Anne n'est peut-être pas assez guérie de son premier mari pour avoir tant hâte d'en prendre un second.

— Le Menguy est beau garçon et, comme il a été aux écoles de la ville, il sait la manière de parler aux femmes... Ça te vexe donc, que tu te lèves ?

Le charrueur, un peu nerveux, venait de vider son verre d'un trait. Marzin poursuivit :

— Certes, tu as tout à gagner à ce que le veuvage de ta maîtresse ne finisse jamais... Il est plus agréable de commander que d'obéir... Mais Renée-Anne a vingt-deux ans et Guernaham, si j'ai bonne mémoire, compte sous blé, sous taillis et sous lande, plus de cinquante journaux... Va, si ce n'est pas Menguy, ce sera un autre !

— Soit, conclut Emmanuel. En attendant, j'ai mes bêtes à soigner... Bonsoir, Marzin !

— Bonne chance, Prigent !

C'était, dehors, une douce nuit d'arrière-saison, ouatée de

petites nues floconneuses, avec des trous de ciel, d'un bleu d'ardoise, où clignotaient des lueurs d'étoiles. Le charrueur traversa rapidement la place, contourna le mur du cimetière, et, les dernières maisons de la bourgade dépassées, s'arrêta brusquement pour respirer avec force, humant l'air de tous côtés, comme indécis sur la direction à prendre. Le chemin de Guernaham s'amorçait à droite, entre deux hauts talus au-dessus desquels s'arrondissaient en voûte des frondaisons encore touffues de chênes nains et de coudriers. C'est par là qu'il rentrait d'habitude, pour être plus vite rendu à la ferme. Mais, cette fois, au moment de s'y engager, le cœur lui faillit. Il songea qu'il allait peut-être s'y croiser avec le fils de Rozviliou, et cette idée lui fut pénible. Il se sentait une colère sourde contre cet homme dont, quelques minutes plus tôt, il soupçonnait à peine l'existence.

— C'est étrange, se dit-il, je n'ai pas bu de quoi troubler la cervelle d'un oiseau et j'ai pourtant comme une fureur d'eau-de-vie dans les veines. Le mieux est de faire le grand tour, par les champs. La fraîcheur me calmera.

Il poussa plus avant, sur la route vicinale de Saint-Sauveur à Lannion, jusqu'à un échalier de pierre par où l'on pénétrait dans les cultures. Ses pieds baignèrent dans l'humidité des gazons. Des chanvres qu'on avait laissés en terre pour porter graine lui frôlèrent le visage de leur rosée. Peu à peu, la marche détendit ses nerfs et la vertu apaisante des choses nocturnes agit sur sa fièvre à la façon d'un baume. Ses pensées se tassèrent en lui, comme les tranquilles nuées d'argent, là-haut, dans la profondeur du ciel automnal ; et, tout en cheminant, il se raisonna... Pourquoi donc en voudrait-il au Menguy ? Est-ce que ce n'était pas le droit d'un chacun de fréquenter à Guernaham ?... Il y faudrait peut-être sa permission maintenant !... Qu'avait-il, dans la maison, qui fût à lui ? Ses hardes, et voilà tout ! Un maigre baluchon de domestique qu'il avait apporté à la main, noué dans un mouchoir, et qu'il remporterait de même, un jour à venir, quand on n'aurait plus besoin de ses services !... Alors ! de quoi se mêlait-il ?

« Va, si ce n'est pas Menguy, ce sera un autre !... »

Cette phrase de Jean Marzin lui frappa de nouveau l'oreille, comme chuchotée par les esprits invisibles de la nuit. Il se la répéta mentalement, à plusieurs reprises, oh ! sans animosité (il n'en avait plus contre personne), mais avec un sentiment si douloureux qu'il lui sembla que cela lui faisait mal dans tout l'être. *Un autre !... Un autre !...* C'était pourtant certain que, tôt ou tard, Renée-Anne se remarierait avec un autre. Et cet autre ne serait pas lui !... Du coup, il vit clair dans l'inexplicable tristesse qui, depuis des semaines, depuis des mois, lui assombrissait l'âme. Une sorte de percée lumineuse se fit en lui, pareille à ces puits de firmament, constellés d'astres, qui s'ouvraient entre les rebords immobiles des nuages, au-dessus de sa tête. Ce fut comme le jaillissement impétueux d'une eau souterraine, d'une source cachée. La somnambule d'auprès de la fontaine avait dit juste : il aimait... Guernaham, les labours, les bêtes, qu'ils devinssent le lot de n'importe qui, cela lui était égal. Mais Renée-Anne, si on le privait d'elle, il n'avait plus qu'à mourir !

Par bonheur, il avait atteint l'aire de la ferme, car il n'aurait plus eu la force d'aller. Une meule de foin était là, creusée à sa base en forme de grotte, à cause des brassées de provende qu'on en tirait journellement pour les chevaux. Emmanuel s'y blottit, et, enfoui dans la litière odorante, se mit à sangloter désespérément comme un orphelin sans demeure, comme un pauvre enfant perdu.

4

— Vous seriez mieux dans votre lit pour cuver le vin du pardon, disait une voix de femme, un peu tremblante, avec quelque chose, dans l'accent, de sévère et de contristé tout ensemble.

Le charrueur écarta l'énorme chien de garde qui lui promenait la langue sur la face, léchant ses larmes, secoua le foin qui s'était accroché à ses vêtements et se tint debout devant Renée-Anne. Elle était éclairée comme d'un nimbe par la lune, dont le disque bleuâtre commençait à dépasser la cime des pins plantés en bordure de l'aire, pour la protéger des vents d'est. Droite et mince en sa longue robe noire et sous son grand châle de veuve, elle reprit :

— Quand j'ai vu que la nuit s'avançait, j'ai craint qu'il ne vous fût arrivé malheur. Alors, j'ai détaché Turc et je lui ai dit : « Cherche ! » Il y a plus de deux heures que votre soupe vous attend auprès du feu. Vous êtes comme les autres, paraît-il : boire vous empêche d'avoir faim.

— Vous vous trompez, Renée-Anne, répondit Emmanuel en rompant lui aussi, à l'exemple de sa cousine, avec le tutoiement qui leur était habituel et que l'usage autorise, du reste, en Bretagne, entre gens de toute condition. Ce n'est certainement pas ce que j'ai bu à l'auberge qui aurait pu me couper l'appétit.

Elle eut un léger haussement d'épaules. Puis, d'un ton quelque peu radouci :

— Viens donc. Tu mangeras, si tu veux. En tout cas, avant que tu te couches, j'ai à te consulter.

Elle se dirigea vers la ferme où Emmanuel ne tarda pas à la rejoindre, après qu'il eut ramené Turc au chenil, situé de l'autre côté des bâtiments, contre le porche de la cour principale. Les sentiments les plus divers et les plus confus se disputaient l'âme du charrueur. La désobligeante et si injuste supposition de Renée-Anne l'avait blessé au vif. Ivre ! Elle l'avait cru ivre ! Et cela, tandis que navré d'amour... Non ! vrai, ce n'était pas le moment de le traiter de la sorte... Mais, tout aussitôt, il réfléchissait que, faible encore et de santé si débile, elle avait eu la bonté de veiller pour l'attendre, de lui garder au feu sa soupe chaude, et finalement de s'inquiéter de lui jusqu'à se mettre à sa recherche, sans autre escorte que le vieux chien, malgré l'heure peu rassurante, malgré la nuit. Toute sa rancune fondait à cette pensée. Restait néanmoins un point noir : cette consultation !... C'était donc bien pressé et bien grave, que Renée-Anne tenait à s'en expliquer sur-le-champ ? Qu'allait-elle lui demander ou lui apprendre ? Ses accordailles peut-être... avec le fils de Rozviliou !... Il en avait une sueur froide, une sueur d'angoisse, au point qu'il dut s'éponger le front du revers de sa manche avant d'attaquer l'écuellée de potage fumant que la veuve venait de déposer devant lui sur la table.

Elle, cependant, assise sur le banc de son lit clos, près de l'âtre, enveloppait de cendre les tisons, de façon que la braise couvât jusqu'au lendemain et qu'on n'eût, au lever, qu'à en raviver la flamme. Après quelques minutes d'un silence troublé seulement par les grands coups sourds du balancier de l'horloge, s'étant aperçue qu'Emmanuel ne mangeait plus, elle se rapprocha.

— C'est ta faute, dit-elle, si j'ai porté sur toi un mauvais jugement... Une autre fois, épargne-moi ces peurs. Quelle idée aussi d'aller te fourrer dans le foin, en cette saison !

— J'ai su que tu avais du monde. J'ai craint d'être un gêneur, de tomber mal à propos.

Elle repartit du ton le plus naturel :

— En quoi, un gêneur ? Est-ce que tu n'es pas pour moi comme si tu étais de la maison ?... Et moi qui priais l'aîné des Menguy de patienter jusqu'à ton retour, sûre que tu rentrerais au brun de nuit ! Car c'est tout le monde que j'ai eu, ce Menguy. Il paraît que leur froment n'a presque pas donné de paille, cette année, dans la montagne. Il en voudrait quelques milliers et nous céderait une paire de bœufs en échange, de leurs bœufs de là-haut, petits et trapus. J'ai répondu que je ne pouvais rien décider sans toi, que ces sortes de choses te regardaient. Comme tu n'arrivais pas, les étoiles déjà claires, il a pris congé, non sans beaucoup d'ennui. Il a grand défaut de cette paille et souhaite de l'avoir dès demain, si nous consentons au marché. Qu'en dis-tu, Emmanuel ?

— Je dis qu'au prix où sont les bœufs tu aurais tort de refuser le cadeau de Menguy.

— Le cadeau ?... fit la jeune femme dont les joues pâles se colorèrent d'une rougeur subite. Je n'ai, s'il te plaît, de cadeaux à recevoir ni du fils Menguy, ni de personne.

— Il n'y a pas d'autre nom pour désigner une offre aussi invraisemblable, prononça le charrueur, ou bien il faut que l'aîné des Rozviliou soit un benêt.

Son irritation de tantôt lui était revenue et vibrait, malgré lui, dans sa voix. Renée-Anne fixa sur lui ses beaux yeux graves.

— Tu m'étonnes, dit-elle. Est-ce que tu subirais les influences de la lune, par hasard ?... J'ignore ce que tu peux avoir contre Jérôme Menguy. Je l'ai trouvé, quant à moi, d'une tenue parfaite et d'une conversation fort agréable. C'est au moins un homme bien appris. On voit qu'il a reçu de l'instruction et qu'il lui en est resté quelque chose. Ce n'est pas pour dire, Emmanuel Prigent, mais il serait à souhaiter qu'il y eût dans nos campagnes beaucoup de paysans comme celui-là.

— C'est assez pour toi qu'il y en ait un ! ricana le laboureur.

Chacune des phrases de Renée-Anne avait pénétré en lui jusqu'aux fibres profondes, irritant sa plaie secrète, son amour douloureux et saignant. Il ajouta le plus posément qu'il put avec un calme affecté :

— Tu voudras bien, je pense, me garder cet hiver encore à Guernaham. L'hiver est une mauvaise saison pour se placer... D'ailleurs, la loi ne te permet pas de te remarier avant la Pentecôte.

Rencognée dans l'embrasure de la fenêtre, Renée-Anne écoutait son cousin sans comprendre. A quoi tout cela rimait-il ? Les dernières paroles enfin l'éclairèrent. Une stupeur attristée se peignit sur son visage et deux larmes tremblèrent à la pointe de ses grands cils. Mais elle se ressaisit aussi vite et, d'un violent effort, maîtrisa son émotion.

— Emmanuel, déclara-t-elle d'une voix ferme, quand nous avons fait nos conventions, je t'ai dit : « Tu auras tout pouvoir sur les hommes et sur les travaux des champs. » Il ne me souvient pas que je t'aie chargé du soin de ma conduite. Mêle-toi donc de ce qui te regarde. Je t'ai choisi pour être mon chef de culture, non pour être mon confesseur. Je te croyais plus de sens et un cœur moins brutal. Il m'avait semblé remarquer en toi une générosité native qui t'élevait à mes yeux au-dessus de ton état. Mais il y a décidément un savoir-vivre qui ne s'apprend ni à la caserne, ni au labour. Tu m'as outragée grossièrement. A cause de ton ignorance des usages, je te pardonne. Seulement, tiens-toi pour averti. Une autre fois, je ne pardonnerai plus... Et maintenant, va te coucher. J'entends que, demain, au chant du coq, il y ait quatre charretées de paille en route pour Rozviliou.

Le charrueur n'essaya pas de répliquer. Il avait la tête brûlante et vide, la gorge serrée, la vue si trouble qu'il n'aperçut même pas la lanterne allumée que Renée-Anne lui tendait. Il sortit de la cuisine en chancelant, suivit le couloir à tâtons et, la porte tirée derrière lui, se laissa tomber sur les marches extérieures. Il n'avait plus ni sentiment, ni pensée. C'était comme s'il eût assisté, mort lui-même, à la mort, à la fin de tout. La nuit muette, la mélancolique nuit d'automne où fermentaient de vagues odeurs de moisissure et de décomposition lui apparut comme un sépulcre immense, et les astres, là-haut, avec leurs dures et froides lueurs d'acier, lui firent l'effet de clous épars dans le couvercle d'un vaste cercueil.

Soudain, de l'autre côté de la muraille, dans la maison, une voix douce commença :

— *Ma Doué, mé gréd fermamant...* [1]

C'était Renée-Anne qui récitait ses grâces, avant de se mettre au lit. D'une lèvre machinale, il répondit : *Amen !* Puis, à travers le tapis de fougères séchées qui jonchaient la cour, il gagna l'écurie.

5

La Saint-Sauveur clôt l'ère des pardons, dans cette région fromentale du haut Trégor qui fait lisière entre les dernières pentes des monts d'Arrée et les plateaux ondulés du « pays de la mer ». Passé la Saint-Sauveur, adieu les réjouissances ! Les « mois noirs » sont proches. Dans les fermes aisées, les domestiques les voient venir, non seulement sans appréhension, mais avec un secret plaisir. L'hiver est, pour eux, le temps du repos. S'il coupe court aux divertissements publics, aux assemblées en plein air, il est aussi le père des journées brèves et des longues soirées paisibles au coin du feu. Les semailles terminées, à vrai dire on ne travaille plus : on « bricole ». Quelques talus à réparer avant l'époque des grandes pluies, les routes à empierrer, les chaumes des toits à consolider contre les rafales, le lin sec à broyer dans la

1. Mon Dieu, je crois fermement...

grange, c'est à peu près toute la besogne, depuis les glas de la commémoration des défunts jusqu'à la procession des cierges, à la Chandeleur. La nuit, libre à chacun de dormir, s'il lui plaît, ses dix heures d'affilée. Dès la tombée des ténèbres, la soupe est sur la table, ou bien la chaudronnée de bouillie, sur son trépied de bois, au milieu de la cuisine. Après le repas, la prière en commun, ainsi qu'aux vieux âges patriarcaux. Puis, qui veut se retire. Le plus souvent, on préfère veiller avec les maîtres.

Elles sont le charme de la vie rustique, en Bretagne, ces veillées, et la manifestation peut-être la plus significative de l'antique esprit des clans. Il n'y a pas, en effet, que les gens de la maison à y prendre part. Toute demeure de quelque conséquence devient un lieu de rendez-vous traditionnel pour les paysans moins fortunés d'alentour. On s'y achemine par bandes, de tout le parage. Les hommes apportent du chanvre à éfibrer, les femmes arrivent leur fuseau à la main et la quenouille attachée par un ruban sous l'aisselle. Chacun s'installe où il trouve place. Quiconque se présente est le bien accueilli. Il n'y a d'exception pour personne, pas même pour les mendiants en quête d'un gîte ni pour la race aventureuse des colporteurs de chansons ou des marchands d'images. A tous la ménagère dit, sur un ton en quelque sorte sacramentel :

— Prenez un escabeau et approchez-vous du feu.

Ce sont de véritables assises nocturnes, et qui ne laissent pas d'avoir une certaine solennité. Nul ne parle qu'à son tour, et s'il y est invité par le maître du logis. Celui-ci préside avec une simplicité débonnaire, du fond de son fauteuil de chêne massif, érigé comme un trône à l'un des angles du foyer. De temps à autre, durant les intervalles de silence où l'on bourre les pipes, il cligne de l'œil à sa femme pour qu'elle fasse circuler, dans l'écuelle de terre jaune, le cidre chaud, délieur de langues...

L'hiver d'avant, à Guernaham, on n'avait guère eu de cœur à veiller. La présence de Dagorn, les soirs où il ne s'oubliait pas dans les auberges mal famées des environs, était pour tous une cause de gêne, sinon d'épouvante. On tremblait sans cesse qu'il ne se livrât à quelque excentricité dangereuse.

N'avait-il pas eu l'idée, une fois, par manière de plaisanterie, de mettre le feu à la veste en peau de mouton du pâtre ? Absent, il terrorisait encore les âmes. C'est à peine si l'on osait respirer, dans la crainte de le voir entrer tout à coup, les yeux hagards, le bâton levé, en proie à toutes les démences de l'alcool. D'ailleurs, n'aurait-on pas eu cette angoisse, la pâle et silencieuse figure de Renée-Anne, abîmée en d'amères songeries, eût suffi à bannir des veillées de Guernaham toute expansion et toute joie. L'ombre de sa tristesse gagnait autour d'elle tous les visages, et l'on baissait la voix, pour échanger de rares propos, comme dans la chambre d'un agonisant ou d'un mort.

Il n'en allait plus de même cette année, Dieu merci ! Le stupide et monstrueux Dagorn gisait à cette heure dans le cimetière du bourg, enfoui à plusieurs pieds de profondeur, sous une énorme dalle de granit bleu dont le tailleur de pierre qui l'avait sculptée avait dit, en la cimentant :

— Du diable si celle-ci ne le maintient pas en repos pour jamais !

Quant à la veuve, si elle avait encore un peu son air de fleur qu'un sabot de rustre a froissée, on la sentait toutefois redressée à demi, riche déjà d'une sève nouvelle et ne demandant qu'à s'épanouir... Dès qu'on sut dans le quartier que les veillées d'hiver étaient commencées à Guernaham, les gens accoururent ; et non seulement ceux du voisinage, mais quantité d'autres, des points les plus éloignés. Beaucoup de jeunes hommes, dans le nombre, des fils de bonnes familles paysannes, déserteurs de leurs propres manoirs. Ceux-là, les servantes se faisaient un malin plaisir de les taquiner à mots couverts :

— C'est donc que notre chandelle éclaire mieux, s'informaient-elles, ou qu'il fait plus chaud à notre foyer ?

Personne, au reste, n'ignorait qu'ils venaient pour les beaux yeux de la veuve, avec le secret espoir qu'elle finirait bien, un jour ou l'autre, par se décider en faveur de l'un d'eux. Elle les recevait le plus obligeamment du monde, en maîtresse de maison qui connaît ses devoirs, mais sans jamais se départir à leur endroit de ses façons de « demoiselle » un peu fière, qui excluaient par avance toute familiarité. Cette réserve, loin de les mécontenter, stimula leur zèle ; ils n'en furent que plus assidus. La patience est une vertu bretonne. Puis, quoi qu'il advînt, c'étaient toujours quelques bonnes heures à passer ; le lieu était confortable, la compagnie récréative, et le cidre de Guernaham réputé à juste titre pour être le meilleur du canton.

Seul Emmanuel Prigent s'abstint de paraître à ces réunions. Pourquoi ? Il en avait donné à Renée-Anne une raison assez médiocre. C'était peu de jours après la fameuse nuit du pardon de Saint-Sauveur — des jours pendant lesquels ils s'étaient renfermés l'un vis-à-vis de l'autre, lui, dans un mutisme sombre, elle, dans une attitude distante et presque glacée. Brusquement, un samedi soir, le premier samedi de novembre, comme il rentrait avec les chevaux d'une lande qu'il avait entrepris de défricher pour occuper son hiver, il avait trouvé Renée-Anne qui le guettait adossée, malgré la fraîcheur, à l'un des ormes de l'avenue.

— Emmanuel, descends ; j'ai besoin de te parler.

Il avait sauté à bas de la jument qu'il montait et ils avaient cheminé côte à côte, sous les grands arbres noirs, d'où se détachaient, au moindre souffle de vent, des tourbillons de feuilles flétries.

— Voici. Bien que je ne sois guère d'humeur à me complaire en des sociétés nombreuses, je sais ce que mon rang m'impose, et qu'il y a des coutumes établies auxquelles mon deuil même ne m'autorise pas à me dérober. La porte de Guernaham sera donc ouverte, dès lundi, à quiconque y voudra veiller. Seulement, je ne suis pas encore très en état de faire les honneurs de chez moi, comme il conviendrait. J'ai pensé que, si je t'en priais, tu m'y aiderais peut-être... L'année dernière, sans toi, on serait mort d'ennui... Et puis, il est bon qu'il y ait un homme, quelqu'un d'écouté, comme toi, capable de diriger la conversation et, s'il est nécessaire, de la retenir, quelqu'un enfin qui... Bref, je te demande, tant que dureront ces veillées, d'occuper en face de moi, à droite de l'âtre, le siège vacant du maître qui n'est plus.

Contrairement à l'attente de la jeune femme qui ne doutait point qu'une telle démarche — surtout après ce qui s'était passé entre eux — ne le flattât dans son amour-propre, le charrueur avait répondu, en hochant la tête :

— Je regrette beaucoup, Renée-Anne, mais je ne puis accepter. Je n'assisterai pas aux veillées de Guernaham, cet hiver.

— Ah !... Tu as la bouderie longue, Emmanuel.

— Je ne te boude pas... Je n'ai contre toi aucun mauvais sentiment... aucun, en vérité ! répéta-t-il avec un accent profond ; je désire avoir à moi mes nuits, voilà tout.

Et, montrant les chevaux qui suivaient au bout de leurs longes, les paupières mi-closes, les jarrets gourds :

— Demande plutôt à ces bêtes ; quand on a peiné, tout le jour, à défricher de la lande, on n'a plus envie de rien, si ce n'est de sommeil. A qui est le premier au travail, il est permis d'être le premier au lit.

— C'est juste, avait déclaré la veuve d'un ton sec.

Alors, lui, avec une bonhomie feinte :

— D'ailleurs, sois tranquille, ce n'est pas les chefs de veillée qui te manqueront. Tu n'auras que l'embarras du choix. Il t'en viendra de partout et, quel que soit celui que tu désignes, il remplira toujours mieux qu'un domestique le fauteuil du maître défunt.

Ils arrivaient au portail. Elle lui avait tourné les talons sans répondre.

6

L'abstention du charrueur prêta, dans les débuts, à des commentaires de toutes sortes. Le personnel de la ferme surtout, qui le jalousait, en prit prétexte pour se gausser à ses dépens.

— Il est devenu trop « monsieur », affirmaient les valets de labour ; il croirait s'abaisser, voyez-vous, s'il teillait benoîtement du chanvre en notre compagnie.

Les servantes, d'esprit plus subtil et de langue plus acérée, insinuaient :

— Il y a peut-être, pour Emmanuel le Dédaigneux, des veillées plus intéressantes que celles de Guernaham.

Et elles faisaient remarquer que depuis le pardon de Saint-Sauveur il n'était plus le même, ce Prigent. Pour sûr, il devait avoir des chagrins de cœur. Il ne riait plus, il parlait à peine. Le pâtre ne prétendait-il pas l'avoir vu entrer dans la carriole peinte de la somnambule, derrière la fontaine sacrée ? Il avait, d'ailleurs, les yeux qui ne trompent point, les yeux tristes de ceux qui aiment. Il était touché, l'insensible ! S'il se retirait, sitôt soupé, dans son écurie, ce n'était point pour dormir, non-da ! mais pour rêver en paix de sa douce..., à moins que ce ne fût pour la rejoindre sournoisement, à travers la nuit.

Ces commérages des femmes de sa maison agaçaient Renée-Anne, quoi qu'elle fît pour y demeurer indifférente.

— Si pourtant vous parliez d'autre chose ! dit-elle, un soir, avec une irritation mal contenue.

Il ne fut plus question du charrueur ; mais par un revirement singulier, du jour où l'on cessa de s'occuper de lui, il hanta constamment la pensée de la veuve. C'est en vain que les visages nouveaux affluaient à Guernaham, y apportant l'écho des bruits du dehors, la rumeur variée de tous les racontars de la paroisse. Ni l'empressement de tout ce monde, ni les histoires plus ou moins drôles qu'il débitait n'avaient le don de distraire Renée-Anne. Elle souriait aux gens sans les voir, écoutait leurs discours sans les entendre. Elle n'avait plus en tête qu'Emmanuel. Si c'était cependant vrai qu'il aimât ?... Eh ! mon Dieu, n'était-il pas libre !... Oui, mais pourquoi se cacher d'elle, pourquoi lui mentir ? Et, quand elle lui avait demandé de veiller avec elle, bien gentiment, pourquoi ne lui avoir point répondu en toute franchise : « Excuse-moi ; j'ai promis ailleurs » ?

Mentait-il, au fait ? Elle n'eut plus de repos qu'elle ne s'en fût assurée. Une nuit donc, feignant d'avoir omis une communication d'importance à faire au charrueur, elle prit un fanal, gagna l'écurie, qui n'était jamais fermée qu'au loquet, et se coula le long d'un des bat-flancs, jusqu'au lit, sorte de couchette primitive dressée à l'aide de quelques planches, sans autre garniture qu'une couette de balle d'avoine sur un monceau de paille de seigle, avec des mèches de foin, que les râteliers laissaient pendre au-dessus du chevet, en guise de courtines.

Réveillés de leur somnolence par cette lumière inattendue, les chevaux s'ébrouèrent, mais, de remuement d'homme, il n'y en eut point. Le lit était vide et n'avait pas même été défait.

— Le misérable ! Le misérable ! murmura Renée-Anne.

Une douleur aiguë, lancinante, venait de lui traverser le cœur. Elle eut peur de s'abattre là, pour ne se relever plus, et se sauva en courant, suivie du long regard étonné des bêtes. Sur le seuil du manoir, elle s'arrêta, refoula des larmes près de jaillir, et, pour donner le change aux veilleurs, dit d'une voix suffoquée :

— C'est extraordinaire, ce que la bise pique à cette heure !... J'en ai les paupières bleuies et l'haleine coupée... Il y a certainement de la neige dans le temps...

Elle tombait, en effet, à quinze ou vingt nuits de là, elle tombait par menus flocons serrés, la neige, en ce morne soir de décembre où la veuve de Constant Dagorn, sous prétexte de dévotions à remplir, aux approches de la Noël, avait fait mine de se diriger vers le bourg, vêtue de sa mante de deuil à grande cagoule noire, bordée d'un large ruban de satin. Le ciel était bas et fermé, la terre rigide et d'une pâleur funèbre sous toutes ces ouates blanches qui pleuvaient. Le porche de la cour franchi, Renée-Anne, au lieu de s'engager dans l'avenue, se glissa dans une antique bâtisse effondrée, débris du four banal de Guernaham, aux âges seigneuriaux.

Depuis qu'elle avait eu la preuve de ce qu'elle appelait à part soi la « trahison » du charrueur, elle avait résolu de pénétrer le secret de ses fugues nocturnes. Dût l'intempérie achever de briser sa poitrine si délicate, elle s'était juré de savoir : elle saurait !... Et voici que, tapie en embuscade derrière le four en ruine, elle guettait, toute grelottante, le passage de cet homme détesté. Car elle le détestait, oui ; que dis-je ? elle l'avait en horreur, et c'était bien son intention de le lui crier à la face, pas plus tard que demain, de le lui crier devant tous et, après, de lui montrer la porte :

— Retournez d'où vous venez, Emmanuel Prigent. Je sais à qui vous donnez vos nuits... Sortez ! Ma maison n'est pas faite pour des débaucheurs de filles, pour des galvaudeux !...

Et, ces injures mêmes lui paraissant trop faibles, elle s'ingéniait, pour tromper l'attente, à en imaginer de pires encore.

Une ombre se dessina dans l'ombre du porche : c'était lui. Renée-Anne l'eût reconnu entre vingt autres rien qu'au souple balancement de sa taille. Elle le laissa prendre quelque avance, puis s'élança sans bruit sur ses traces. Afin de mieux amortir ses pas dans la neige, elle avait ôté ses socques, ne gardant que ses chaussons feutrés. Il se trouva qu'elle avait dit juste, ce tantôt, en annonçant aux gens de Guernaham qu'elle se rendait au bourg. C'est, en effet, dans cette direction que l'entraînait Emmanuel. Jusqu'à ce qu'il eût atteint la voie charretière qui aboutit à la route vicinale, il marcha vite, en homme qui ne se soucie pas d'être rencontré — si vite que la fermière, forcée de se dissimuler autant que possible dans l'ombre des talus, désespéra presque de le suivre. Heureusement qu'une fois sorti des terres du domaine, il ralentit son allure. Il cheminait sans hâte, maintenant, avec un air de crânerie tranquille, en sifflotant un refrain de chambrée, appris du temps qu'il était soldat. Lorsqu'on fut entré dans Saint-Sauveur, Renée-Anne, à la lueur que projetaient sur la neige les vitres des maisons, s'aperçut qu'il portait à la main un petit paquet noué d'une ficelle, comme en ont les « clercs » paysans, quand ils se rendent aux villes d'études, Tréguier, Plouguernével, ou Saint-Pol.

Cette idée — d'Emmanuel Prigent, déguisé en « clerc » et gagnant le collège, ses livres sous le bras — la fit sourire malgré elle. Des livres, à lui ! Qu'en eût-il fait, le pauvre garçon ? Ne lui avait-il pas confié, naguère, qu'au régiment il était souvent obligé de recourir à des camarades pour déchiffrer les passages douteux des lettres que ses parents lui faisaient écrire par le magister ? C'était même, avant les incidents de cet hiver, une des rares choses qui la fâchaient en lui.

— Quel dommage, lui disait-elle parfois, d'un ton de gronderie amicale —, quel dommage que tu n'aies pas plus de goût à t'instruire ! Je suis sûre que ce n'est pas la capacité qui te manque, mais l'ambition et la volonté.

A quoi il avait coutume de répondre, avec le fatalisme insouciant des hommes de sa race :

— L'instruction, cela n'est bon que pour les maîtres, Renée-Anne.

Eh ! mais, où donc venait-il de disparaître à l'improviste, le charrueur ?... La place de Saint-Sauveur est bordée, d'un côté, par le cimetière au centre duquel s'écrase, parmi les croix des tombes, la lourde toiture de l'église que la neige drapait silencieusement d'un fin suaire d'argent mat. Du côté opposé, deux maisons forment saillie : l'une, grise et basse, avec cette enseigne en lettres noires sur un ruban de chaux blanche : « Au rendez-vous des Lurons, Café, Cidre, Liqueurs », — c'est l'auberge de Jozon Thépaut ; l'autre, massive, ventrue, sans âge et sans style, une clochette de chapelle suspendue à la façade, sous un auvent d'ardoises, — c'est l'école communale.

Le premier mouvement de Renée-Anne fut de jeter un coup d'œil dans l'auberge. Que de stations douloureuses elle avait faites là, devant l'étroite fenêtre aux rideaux de percaline rouge, du temps où, toute jeune épousée, elle tentait de disputer son mari à cette hideuse maîtresse, tueuse des corps et des âmes, l'eau-de-vie !... Deux ou trois consommateurs jouaient aux cartes, autour d'un tapis en loques. Mais celui qu'elle frissonnait déjà d'y trouver n'y était point.

Elle s'enfonça dans la venelle qui sépare les deux bâtiments, poussa une barrière à claire-voie, fit quelques pas dans la cour sablée sur laquelle s'ouvre la résidence de l'instituteur. De nombreuses empreintes de sabots faisaient sentier à travers la neige récente ; les baies des classes découpaient de larges rectangles de lumière jaunâtre sur le sol.

— C'est vrai, songea la veuve, les écoles du soir sont commencées depuis la Toussaint.

Et une exclamation soudaine s'échappa de ses lèvres :

— Serait-il Dieu possible qu'il les fréquentât !...

Incrédule encore, et soulevée néanmoins comme par une force surnaturelle d'allégresse et d'espoir, elle se haussa jusqu'à l'une des grandes baies vitrées... Une douzaine d'adolescents — des garçonnets du bourg, de jeunes apprentis auxquels s'étaient joints quelques pastoureaux des fermes les plus rapprochées — s'appliquaient, de-ci-de-là, dans la vaste pièce, à écrire sous la dictée du sous-maître dont on voyait la mince silhouette étriquée aller et venir entre les bancs. Le regard de Renée-Anne ne s'arrêta même pas sur eux, attiré tout de suite, par une sorte de magnétisme, vers un groupe de deux personnages qui se tenaient debout contre la muraille du fond, les yeux fixés sur le tableau noir où s'alignaient des colonnes de chiffres. Ils tournaient tous deux le dos à la veuve ; mais, court, râblé, avec ses longues mèches grisonnantes et, sur le sommet du crâne, sa calvitie ronde, en forme de tonsure sacerdotale, l'instituteur n'était pas facile à méconnaître. Et, quant à l'autre, si svelte, avec sa maigreur nerveuse, sa droiture élancée de chêneau de haute futaie, comment Renée-Anne ne l'eût-elle point nommé, ne fût-ce qu'à la façon désinvolte dont il laissait pendre sur l'épaule sa veste en peau de bique, dans une pose noble et simple tout ensemble de saint Jean-Baptiste adulte ?

Il appuyait la craie sur le tableau, d'un geste un peu rude, en énonçant à mi-voix les calculs. Et, brusquement, il parut à Renée-Anne que les signes qu'il traçait agissaient sur elle comme les formules enchantées d'une mystérieuse cabalistique d'amour. Ses derniers scrupules tombèrent, ses dernières velléités de résistance furent vaincues. Pas un instant, elle ne douta qu'Emmanuel n'eût repris le chemin de l'école pour s'élever jusqu'à elle, pour la mériter. Emue aux larmes de ce qu'il y avait de troublant et de fort dans l'hommage secret de cette passion silencieuse, elle s'en revint à pas lents vers le manoir, et, cette fois, ne craignit point de laisser voir aux veilleurs de Guernaham qu'elle avait pleuré.

7

Elle dut s'aliter à la suite de cette équipée. On trembla même pour ses jours : le médecin fut quelque temps sans oser répondre de son salut. Elle seule ne tremblait pas, sûre qu'elle ne mourrait point, qu'elle ne pouvait pas mourir. Un élixir était en elle, plus puissant que toutes les drogues, contre lequel les influences malignes de la fièvre étaient incapables de prévaloir... Au premier duvet qui se montra sur les ramilles des saules, elle était sur pied, et son visage refleurit de couleurs saines qui embaumaient le renouveau.

Aussitôt commença vers Guernaham la procession des tailleurs, émissaires attitrés des accordailles bretonnes. Ils arrivaient, une gaule blanche en main, une guirlande de lierre enroulée autour de leur chapeau. C'étaient des parleurs insinuants et diserts. Chacun d'eux vantait à sa manière les mérites de son client, avec force citations de proverbes et de vers de chansons.

— Il n'y a qu'un Dieu dans le ciel, Renée-Anne ; il n'y a non plus qu'une saison pour l'amour.

La veuve souriait, emplissait de cidre mousseux l'écuelle du messager :

— Dites à celui qui vous envoie que les coucous de Guernaham n'ont pas encore chanté. Plus tard, nous verrons.

Ils s'en allaient, mi-grognons, mi-contents.

L'été vint et, avec lui, l'anniversaire du trépas de Dagorn. Ces commémorations funèbres sont, en Bretagne, l'occasion d'agapes solennelles auxquelles il est d'usage de convoquer, non seulement la parenté, mais toutes les personnes qui sont en relations d'amitié ou d'affaires avec la famille du défunt. Un joli matin d'août, pommelé de roses et de lilas, la cour de Guernaham offrit le spectacle d'un champ de foire, couvert de tilburys et de chars à bancs, les brancards en l'air, les chevaux abandonnés à la libre pâture dans les luzernes et les trèfles d'alentour. La grange, transformée en salle de festin, avait peine à contenir les cent cinquante invités qui s'étaient rendus à l'appel de Renée-Anne.

Tout ce monde mangeait ferme et buvait de même. En pareille occurrence, c'est une obligation, un devoir de piété envers le mort. Sur la fin du repas, des servantes entrèrent, qui apportaient de l'hydromel, dans les jarres. Alors, le vieux Guyomar, qui trônait au haut bout de la table, se leva et fit le signe de la croix. Tous les assistants l'imitèrent, en silence.

— *De profundis ad te clamavi...*

Il débita tout le psaume avec une espèce de majesté biblique, puis, quand les convives eurent donné les derniers répons :

— Renée-Anne, dit-il, maintenant que l'âme de Constant Dagorn est en paix, je t'adjure de rompre ton veuvage. Demande à ceux qui sont ici présents : tu aurais tort de t'obstiner dans le deuil ; il n'est pas bon que la place du maître demeure plus longtemps vacante à Guernaham.

La jeune femme articula d'une voix claire :

— Je n'attendais que ce moment pour vous faire connaître publiquement mon choix.

Elle plongea son verre dans une des jarres d'hydromel et, après l'avoir approché de ses lèvres, elle marcha devant elle, à travers la grange... Ils étaient tous là, les prétendants riches qui recherchaient sa main, et, parmi eux, Menguy lui-même, l'homme de la montagne, le fils aîné de Rozviliou. Elle ne fit mine de le voir, ni lui, ni les autres, alla droit vers le charrueur, debout à l'extrémité opposée, dans le groupe des domestiques. Il était blême ; ses paupières battaient.

— Veux-tu boire après moi ? prononça-t-elle en lui tendant le verre.

Il le saisit d'un geste convulsif, le vida d'un trait et, l'ayant retourné, en laissa tomber, comme par manière de libation, la dernière goutte sur le sol. Telles furent les fiançailles de Renée-Anne Guyomar et d'Emmanuel Prigent.

Pierre Loti

PÊCHEUR D'ISLANDE

A MADAME ADAM
(JULIETTE LAMBER)
Hommage d'affection filiale.
PIERRE LOTI.

Pierre Loti (1850-1923)
Né à Rochefort, il rêva dès l'enfance d'horizons lointains, devint officier de marine, écrivain, académicien. Il est l'un des premiers peintres français de l'âpre beauté de la Bretagne. Il écrivit Mon frère Yves *en 1883.* Pêcheur d'Islande *parut en 1886.*

PREMIÈRE PARTIE

1

Ils étaient cinq, aux carrures terribles, accoudés à boire, dans une sorte de logis sombre qui sentait la saumure et la mer. Le gîte, trop bas pour leurs tailles, s'effilait par un bout, comme l'intérieur d'une grande mouette vidée ; il oscillait faiblement, en rendant une plainte monotone, avec une lenteur de sommeil.

Dehors, ce devait être la mer et la nuit, mais on n'en savait trop rien : une seule ouverture coupée dans le plafond était fermée par un couvercle en bois, et c'était une vieille lampe suspendue qui les éclairait en vacillant.

Il y avait du feu dans un fourneau ; leurs vêtements mouillés séchaient, en répandant de la vapeur qui se mêlait aux fumées de leurs pipes de terre.

Leur table massive occupait toute leur demeure ; elle en prenait très exactement la forme, et il restait juste de quoi se couler autour pour s'asseoir sur des caissons étroits scellés aux murailles de chêne. De grosses poutres passaient au-dessus d'eux, presque à toucher leurs têtes ; et, derrière leurs dos, des couchettes qui semblaient creusées dans l'épaisseur de la charpente s'ouvraient comme des niches d'un caveau pour mettre les morts. Toutes ces boiseries étaient grossières et frustes, imprégnées d'humidité et de sel ; usées, polies par les frottements de leurs mains.

Ils avaient bu, dans leurs écuelles, du vin et du cidre, aussi la joie de vivre éclairait leurs figures, qui étaient franches et braves. Maintenant ils restaient attablés et devisaient, en breton, sur des questions de femmes et de mariages.

Contre un panneau de fond, une Sainte Vierge en faïence était fixée sur une planchette, à une place d'honneur. Elle était un peu ancienne, la patronne de ces marins, et peinte avec un art encore naïf. Mais les personnages en faïence se conservent beaucoup plus longtemps que les vrais hommes ; aussi sa robe rouge et bleu faisait encore l'effet d'une petite chose très fraîche au milieu de tous les gris sombres de cette pauvre maison de bois. Elle avait dû écouter plus d'une ardente prière, à des heures d'angoisses ; on avait cloué à ses pieds deux bouquets de fleurs artificielles et un chapelet.

Les cinq hommes étaient vêtus pareillement, un épais tricot de laine bleue serrant le torse et s'enfonçant dans la ceinture du pantalon ; sur la tête, l'espèce de casque en toile goudronnée qu'on appelle *suroît* (du nom de ce vent de sud-ouest qui dans notre hémisphère amène les pluies).

Ils étaient d'âges divers. Le *capitaine* pouvait avoir quarante ans ; trois autres, de vingt-cinq à trente. Le dernier, qu'ils appelaient Sylvestre ou Lurlu, n'en avait que dix-sept. Il était déjà un homme, pour la taille et la force ; une barbe noire, très fine et très frisée, couvrait ses joues ; seulement il avait gardé ses yeux d'enfant, d'un gris bleu, qui étaient extrêmement doux et tout naïfs.

Très près les uns des autres, faute d'espace, ils paraissaient éprouver un vrai bien-être, ainsi tapis dans leur gîte obscur.

... Dehors, ce devait être la mer et la nuit, l'infinie désolation des eaux noires et profondes. Une montre de cuivre, accrochée au mur, marquait onze heures, onze heures du soir sans doute ; et, contre le plafond de bois, on entendait le bruit de la pluie.

Ils traitaient très gaîment entre eux ces questions de mariage, — mais sans rien dire qui fût déshonnête. Non, c'étaient des projets pour ceux qui étaient encore garçons, ou bien des histoires drôles arrivées dans *le pays,* pendant des fêtes de noces. Quelquefois ils lançaient bien, avec un bon rire, une allusion un peu trop franche au plaisir d'aimer. Mais l'amour, comme l'entendent les hommes ainsi trempés, est toujours une chose saine, et dans sa crudité même il demeure presque chaste.

Cependant Sylvestre s'ennuyait, à cause d'un autre appelé Jean (un nom que les Bretons prononcent Yann), qui ne venait pas.

En effet, où était-il donc ce Yann ; toujours à l'ouvrage là-haut ? Pourquoi ne descendait-il pas prendre un peu de sa part de la fête ?

— Tantôt minuit, pourtant, dit le capitaine.

Et, en se redressant debout, il souleva avec sa tête le couvercle de bois, afin d'appeler par là ce Yann. Alors une lueur très étrange tomba d'en haut.

— Yann ! Yann !... Eh ! l'*homme* !

L'*homme* répondit rudement du dehors.

Et, par ce couvercle un instant entrouvert, cette lueur si pâle qui était entrée ressemblait bien à celle du jour. — « Bientôt minuit... » Cependant c'était bien comme une lueur de soleil, comme une lueur crépusculaire renvoyée de très loin par des miroirs mystérieux.

Le trou refermé, la nuit revint, la petite lampe pendue se remit à briller jaune, et on entendit l'*homme* descendre avec de gros sabots par une échelle de bois.

Il entra, obligé de se courber en deux comme un gros ours, car il était presque un géant. Et d'abord il fit une grimace, en se pinçant le bout du nez à cause de l'odeur âcre de la saumure.

Il dépassait un peu trop les proportions ordinaires des hommes, surtout par sa carrure qui était droite, comme une barre ; quand il se présentait de face, les muscles de ses épaules, dessinés sous son tricot bleu, formaient comme deux boules en haut de ses bras. Il avait de grands yeux bruns très mobiles, à l'expression sauvage et superbe.

Sylvestre, passant ses bras autour de ce Yann, l'attira contre lui par tendresse, à la façon des enfants ; il était fiancé à sa sœur et le traitait comme un grand frère. L'autre se laissait caresser avec un air de lion câlin, en répondant par un bon sourire à dents blanches.

Ses dents, qui avaient eu chez lui plus de place pour s'arranger que chez les autres hommes, étaient un peu espacées et semblaient toutes petites. Ses moustaches blondes étaient assez courtes, bien que jamais coupées ; elles étaient frisées très serré en deux petits rouleaux symétriques au-dessus de ses lèvres qui avaient des contours fins et exquis ; et puis elles s'ébouriffaient aux deux bouts, de chaque côté des coins profonds de sa bouche. Le reste de sa barbe était tondu ras, et ses joues colorées avaient gardé un velouté frais, comme celui des fruits que personne n'a touchés.

On remplit de nouveau les verres, quand Yann fut assis, et on appela le mousse pour rebourrer les pipes et les allumer. Cet allumage était une manière pour lui de fumer un peu. C'était un petit garçon robuste, à la figure ronde, un peu le cousin de tous ces marins qui étaient plus ou moins parents entre eux ; en dehors de son travail assez dur, il était l'enfant gâté du bord. Yann le fit boire dans son verre, et puis on l'envoya se coucher.

Après, on reprit la grande conversation des mariages :

— Et toi, Yann, demanda Sylvestre, quand est-ce ferons-nous tes noces ?

— Tu n'as pas honte, dit le capitaine, un homme si grand comme tu es, à vingt-sept ans, pas marié encore ! Les filles, qu'est-ce qu'elles doivent penser quand elles te voient ?

Lui répondit, en secouant d'un geste très dédaigneux pour les femmes ses épaules effrayantes :

— Mes noces à moi, je les fais à la nuit ; d'autres fois, je les fais à l'heure ; c'est suivant.

Il venait de finir ses cinq années de service à l'État, ce Yann. Et c'est là, comme matelot canonnier de la flotte, qu'il avait appris à parler le français et à tenir des propos sceptiques. — Alors il commença de raconter ses noces dernières, qui, paraît-il, avaient duré quinze jours.

C'était à Nantes, avec une chanteuse. Un soir, revenant de la mer, il était entré un peu gris dans un Alcazar. Il y avait à la porte une femme qui vendait des bouquets énormes au prix d'un louis de vingt francs. Il en avait acheté un, sans trop savoir qu'en faire, et puis, tout de suite en arrivant, il l'avait lancé à tour de bras, *en plein par la figure,* à celle qui chantait sur la scène, — moitié déclaration brusque, moitié ironie pour cette poupée peinte qu'il trouvait par trop rose. La femme était tombée du coup ; après, elle l'avait adoré pendant près de trois semaines.

— Même, dit-il, quand je suis parti, elle m'a fait cadeau de cette montre en or.

Et, pour la leur faire voir, il la jetait sur la table comme un méprisable joujou.

C'était conté avec des mots rudes et des images à lui. Cependant cette banalité de la vie civilisée détonnait beaucoup au milieu de ces hommes primitifs, avec ces grands silences de la mer qu'on devinait autour d'eux ; avec cette lueur de minuit, entrevue par en haut, qui avait apporté la notion des étés mourants du pôle.

Et puis ces manières de Yann faisaient de la peine à Sylvestre et le surprenaient. Lui était un enfant vierge, élevé dans le respect des sacrements par une vieille grand-mère, veuve d'un pêcheur du village de Ploubazlanec. Tout petit, il allait chaque jour avec elle réciter un chapelet, à genoux sur la tombe de sa mère. De ce cimetière, situé sur la falaise, on voyait au loin les eaux grises de la Manche où son père avait disparu autrefois dans un naufrage. — Comme ils étaient pauvres, sa grand-mère et lui, il avait dû de très bonne heure naviguer à la pêche, et son enfance s'était passée au large. Chaque soir il disait encore ses prières et ses yeux avaient gardé une candeur religieuse. Il était beau, lui aussi, et, après Yann, le mieux planté du bord. Sa voix très douce et ses intonations de petit enfant contrastaient un peu avec sa haute taille et sa barbe noire ; comme sa croissance s'était faite très vite, il se sentait presque embarrassé d'être devenu tout d'un coup si large et si grand. Il comptait se marier bientôt avec la sœur de Yann, mais jamais il n'avait répondu aux avances d'aucune fille.

A bord, ils ne possédaient en tout que trois couchettes — une pour deux — et ils y dormaient à tour de rôle, en se partageant la nuit.

Quand ils eurent fini leur fête — célébrée en l'honneur de l'Assomption de la Vierge leur patronne — il était un peu plus de minuit. Trois d'entre eux se coulèrent pour dormir dans les petites niches noires qui ressemblaient à des sépulcres, et les trois autres remontèrent sur le pont reprendre le grand travail interrompu de la pêche ; c'était Yann, Sylvestre et un de leur pays appelé Guillaume.

Dehors il faisait jour, éternellement jour.

Mais c'était une lumière pâle, pâle, qui ne ressemblait à rien ; elle traînait sur les choses comme des reflets de soleil mort. Autour d'eux, tout de suite commençait un vide immense qui n'était d'aucune couleur, et en dehors des planches de leur navire, tout semblait diaphane, impalpable, chimérique.

L'œil saisissait à peine ce qui devait être la mer : d'abord cela prenait l'aspect d'une sorte de miroir tremblant qui n'aurait aucune image à refléter ; en se prolongeant, cela paraissait devenir une plaine de vapeur — et puis, plus rien ; cela n'avait ni horizon ni contours.

La fraîcheur humide de l'air était plus intense, plus pénétrante que du vrai froid, et, en respirant, on sentait très fort le goût de sel. Tout était calme et il ne pleuvait plus ; en haut, des nuages informes et incolores semblaient contenir cette lumière latente qui ne s'expliquait pas ; on voyait clair, en ayant cependant conscience de la nuit, et toutes ces pâleurs des choses n'étaient d'aucune nuance pouvant être nommée.

Ces trois hommes qui se tenaient là vivaient depuis leur enfance sur ces mers froides, au milieu de leurs fantasmagories qui sont vagues et troubles comme des visions. Tout cet infini changeant, ils avaient coutume de le voir jouer autour de leur étroite maison de planches, et leurs yeux y étaient habitués autant que ceux des grands oiseaux du large.

Le navire se balançait lentement sur place, en rendant toujours sa même plainte, monotone comme une chanson de Bretagne répétée en rêve par un homme endormi. Yann et Sylvestre avaient préparé très vite leurs hameçons et leurs lignes, tandis que l'autre ouvrait un baril de sel et, aiguisant son grand couteau, s'asseyait derrière eux pour attendre.

Ce ne fut pas long. A peine avaient-ils jeté leurs lignes dans cette eau tranquille et froide, ils les relevèrent avec des poissons lourds, d'un gris luisant d'acier.

Et toujours, et toujours, les morues vives se faisaient prendre ; c'était rapide et incessant, cette pêche silencieuse. L'autre éventrait, avec son grand couteau, aplatissait, salait, comptait, et la saumure qui devait faire leur fortune au retour s'empilait derrière eux, toute ruisselante et fraîche.

Les heures passaient monotones, et, dans les grandes régions vides du dehors, lentement la lumière changeait ; elle semblait maintenant plus réelle. Ce qui avait été un crépuscule blême, une espèce de soir d'été hyperborée, devenait à présent, sans intermède de nuit, quelque chose comme une aurore, que tous les miroirs de la mer reflétaient en vagues traînées roses...

— C'est sûr que tu devrais te marier, Yann, dit tout à coup

Sylvestre, avec beaucoup de sérieux cette fois, en regardant dans l'eau. (Il avait l'air de bien en connaître quelqu'une en Bretagne qui s'était laissé prendre aux yeux bruns de son grand frère, mais il se sentait timide en touchant à ce sujet grave.)

— Moi !... Un de ces jours, oui, je ferai mes noces — et il souriait, ce Yann, toujours dédaigneux, roulant ses yeux vifs — mais avec aucune des filles du pays ; non, moi, ce sera avec la mer, et je vous invite tous, ici tant que vous êtes, au bal que je donnerai...

Ils continuèrent de pêcher, car il ne fallait pas perdre son temps en causeries : on était au milieu d'une immense peuplade de poissons, d'un *banc* voyageur, qui, depuis deux jours, ne finissait pas de passer.

Ils avaient tous veillé la nuit d'avant et attrapé, en trente heures, plus de mille morues très grosses ; aussi leurs bras forts étaient las, et ils s'endormaient. Leur corps veillait seul, et continuait de lui-même sa manœuvre de pêche, tandis que, par instants, leur esprit flottait en plein sommeil. Mais cet air du large qu'ils respiraient était vierge comme aux premiers jours du monde, et si vivifiant que, malgré leur fatigue, ils se sentaient la poitrine dilatée et les joues fraîches.

La lumière matinale, la lumière vraie, avait fini par venir ; comme au temps de la Genèse, elle s'était *séparée d'avec les ténèbres* qui semblaient s'être tassées sur l'horizon, et restaient là en masses très lourdes ; en y voyant si clair, on s'apercevait bien à présent qu'on sortait de la nuit — que cette lueur d'avant avait été vague et étrange comme celle des rêves.

Dans le ciel très couvert, très épais, il y avait çà et là des déchirures, comme des percées dans un dôme, par où arrivaient de grands rayons couleur d'argent rose.

Les nuages inférieurs étaient disposés en une bande d'ombre intense, faisant tout le tour des eaux, emplissant les lointains d'indécision et d'obscurité. Ils donnaient l'illusion d'un espace fermé, d'une limite ; ils étaient comme des rideaux tirés sur l'infini, comme des voiles tendus pour cacher de trop gigantesques mystères qui eussent troublé l'imagination des hommes. Ce matin-là, autour du petit assemblage de planches qui portait Yann et Sylvestre, le monde changeant de dehors avait pris un aspect de recueillement immense ; il s'était arrangé en sanctuaire, et les gerbes de rayons, qui entraient par les traînées de cette voûte de temple, s'allongeaient en reflets sur l'eau immobile comme sur un parvis de marbre. Et puis, peu à peu, on vit s'éclairer très loin une autre chimère : une sorte de découpure rosée très haute, qui était un promontoire de la sombre Islande...

Les noces de Yann avec la mer !... Sylvestre y repensait, tout en continuant de pêcher sans plus oser rien dire. Il s'était senti triste en entendant le sacrement du mariage ainsi tourné en moquerie par son grand frère ; et puis surtout, cela lui avait fait peur, car il était superstitieux.

Depuis si longtemps il y songeait, à ces noces de Yann ! Il avait rêvé qu'elles se feraient avec Gaud Mével — une blonde de Paimpol — et que, lui, aurait la joie de voir cette fête avant de partir pour le service, avant cet exil de cinq années, au retour incertain, dont l'approche inévitable commençait à lui serrer le cœur...

Quatre heures du matin. Les autres, qui étaient restés couchés en bas, arrivèrent tous trois pour les relever. Encore un peu endormis, humant à pleine poitrine le grand air froid, ils montaient en achevant de mettre leurs longues bottes, et ils fermaient les yeux, éblouis d'abord par tous ces reflets de lumière pâle.

Alors Yann et Sylvestre firent rapidement leur premier déjeuner du matin avec des biscuits ; après les avoir cassés à coups de maillet, ils se mirent à les croquer d'une manière très bruyante, en riant de les trouver si durs. Ils étaient redevenus tout à fait gais à l'idée de descendre dormir, d'avoir bien chaud dans leurs couchettes, et, se tenant l'un l'autre par la taille, ils s'en allèrent jusqu'à l'écoutille, en se dandinant sur un air de vieille chanson.

Avant de disparaître par ce trou, ils s'arrêtèrent à jouer avec un certain Turc, le chien du bord, un terre-neuvien tout jeune, qui avait d'énormes pattes encore gauches et enfantines. Ils l'agaçaient de la main ; l'autre les mordillait comme un loup, et finit par leur faire du mal. Alors Yann, avec un froncement de colère dans ses yeux changeants, le repoussa d'un coup trop fort qui le fit s'aplatir et hurler.

Il avait le cœur bon, ce Yann, mais sa nature était restée un peu sauvage, et quand son être physique était seul en jeu, une caresse douce était souvent chez lui très près d'une violence brutale.

2

Leur navire s'appelait la *Marie,* capitaine Guermeur. Il allait chaque année faire la grande pêche dangereuse dans ces régions froides où les étés n'ont plus de nuits.

Il était très ancien, comme la Vierge de faïence sa patronne. Ses flancs épais, à vertèbres de chêne, étaient éraillés, rugueux, imprégnés d'humidité et de saumure ; mais sains encore et robustes, exhalant les senteurs vivifiantes du goudron. Au repos il avait un air lourd, avec sa membrure massive, mais quand les grandes brises d'ouest soufflaient, il retrouvait sa vigueur légère, comme les mouettes que le vent réveille. Alors il avait sa façon à lui de *s'élever à la lame* et de rebondir, plus lestement que bien des jeunes, taillés avec les finesses modernes.

Quant à eux, les six hommes et le mousse, ils étaient des *Islandais* (une race vaillante de marins qui est répandue surtout au pays de Paimpol et de Tréguier, et qui s'est vouée de père en fils à cette pêche-là).

Ils n'avaient presque jamais vu l'été de France.

A la fin de chaque hiver, ils recevaient avec les autres pêcheurs, dans le port de Paimpol, la bénédiction des départs. Pour ce jour de fête, un reposoir, toujours le même, était construit sur le quai ; il imitait une grotte en rochers et, au milieu, parmi des trophées d'ancres, d'avirons et de filets, trônait, douce et impassible, la Vierge, patronne des marins, sortie pour eux de son église, regardant toujours, de génération en génération, avec ses mêmes yeux sans vie, les heureux pour qui la saison allait être bonne — et les autres, ceux qui ne devaient pas revenir.

Le saint sacrement, suivi d'une procession lente de femmes et de mères, de fiancées et de sœurs, faisait le tour du port, où tous les navires islandais, qui s'étaient pavoisés, saluaient du pavillon au passage. Le prêtre, s'arrêtant devant chacun d'eux, disait les paroles et faisait les gestes qui bénissent.

Ensuite ils partaient tous, comme une flotte, laissant le pays presque vide d'époux, d'amants et de fils. En s'éloignant, les équipages chantaient ensemble, à pleines voix vibrantes, les cantiques de Marie Étoile-de-la-Mer.

Et chaque année, c'était le même cérémonial de départ, les mêmes adieux.

Après, recommençait la vie du large, l'isolement à trois ou quatre compagnons rudes, sur des planches mouvantes, au milieu des eaux froides de la mer hyperborée.

Jusqu'ici, on était revenu — la Vierge Étoile-de-la-Mer avait protégé ce navire qui portait son nom.

La fin d'août était l'époque de ces retours. Mais la *Marie* suivait l'usage de beaucoup d'Islandais, qui est de toucher seulement à Paimpol, et puis de descendre dans le golfe de Gascogne où l'on vend bien sa pêche, et dans les îles de sable à marais salants où l'on achète le sel pour la campagne prochaine.

Dans ces ports du Midi, que le soleil chauffe encore, se répandent pour quelques jours les équipages robustes, avides de plaisir, grisés par ce lambeau d'été, par cet air tiède ; — par la terre et par les femmes.

Et puis, avec les premières brumes de l'automne on rentre au foyer, à Paimpol ou dans les chaumières éparses du pays de Goëlo, s'occuper pour un temps de famille et d'amour, de mariages et de naissances. Presque toujours on trouve là des petits nouveau-nés, conçus l'hiver d'avant, et qui attendent des parrains pour recevoir le sacrement du baptême : — il faut beaucoup d'enfants à ces races de pêcheurs que l'Islande dévore.

3

A Paimpol, un beau soir de cette année-là, un dimanche de juin, il y avait deux femmes très occupées à écrire une lettre.

Cela se passait devant une large fenêtre qui était ouverte et dont l'appui, en granit ancien et massif, portait une rangée de pots de fleurs.

Penchées sur leur table, toutes deux semblaient jeunes ; l'une avait une coiffe extrêmement grande, à la mode d'autrefois ; l'autre, une coiffe toute petite, de la forme nouvelle qu'ont adoptée les Paimpolaises : — deux amoureuses, eût-on dit, rédigeant ensemble un message tendre pour quelque bel *Islandais.*

Celle qui dictait — la grande coiffe — releva la tête, cherchant ses idées. Tiens ! elle était vieille, très vieille, malgré sa tournure jeunette, ainsi vue de dos sous un petit châle brun. Mais tout à fait vieille : une bonne grand-mère d'au moins soixante-dix ans. Encore jolie par exemple, et encore fraîche, avec les pommettes bien roses, comme certains vieillards ont le don de les conserver. Sa coiffe, très basse sur le front et sur le sommet de la tête, était composée de deux ou trois larges cornets en mousseline qui semblaient s'échapper les uns des autres et retombaient sur la nuque. Sa figure vénérable s'encadrait bien dans toute cette blancheur et dans ces plis qui avaient un air religieux. Ses yeux, très doux, étaient pleins d'une bonne honnêteté. Elle n'avait plus trace de dents, plus rien, et, quand elle riait, on voyait à la place ses gencives rondes qui avaient un petit air de jeunesse. Malgré son menton, qui était devenu « en pointe de sabot » (comme elle avait coutume de dire), son profil n'était pas trop gâté par les années ; on devinait encore qu'il avait dû être régulier et pur comme celui des saintes d'église.

Elle regardait par la fenêtre, cherchant ce qu'elle pourrait bien raconter de plus pour amuser son petit-fils.

Vraiment il n'existait pas ailleurs, dans tout le pays de Paimpol, une autre bonne vieille comme elle, pour trouver des choses aussi drôles à dire sur les uns ou les autres, ou même sur rien du tout. Dans cette lettre, il y avait déjà trois ou quatre histoires impayables — mais sans la moindre malice, car elle n'avait rien de mauvais dans l'âme.

L'autre, voyant que les idées ne venaient plus, s'était mise à écrire soigneusement l'adresse :

A monsieur Moan, Sylvestre,
à bord de la Marie, capitaine Guermeur,
dans la mer d'Islande par Reykjavik.

Après, elle aussi releva la tête pour demander :

— C'est-il fini, grand-mère Moan ?

Elle était bien jeune, celle-ci, adorablement jeune, une figure de vingt ans. Très blonde — couleur rare en ce coin de Bretagne où la race est brune ; très blonde, avec des yeux d'un gris de lin à cils presque noirs. Ses sourcils, blonds autant que ses cheveux, étaient comme repeints au milieu d'une ligne plus rousse, plus foncée, qui donnait une expression de vigueur et de volonté. Son profil, un peu court, était très noble, le nez prolongeant la ligne du front avec une rectitude absolue, comme dans les visages grecs. Une fossette profonde, creusée sous la lèvre inférieure, en accentuait délicieusement le rebord ; — et de temps en temps, quand une pensée la préoccupait beaucoup, elle la mordait, cette lèvre, avec ses dents blanches d'en haut, ce qui faisait courir sous la peau fine des petites traînées plus rouges. Dans toute sa personne svelte, il y avait quelque chose de fier, de grave aussi un peu, qui lui venait des hardis marins d'Islande ses ancêtres. Elle avait une expression d'yeux à la fois obstinée et douce.

Sa coiffe était en forme de coquille, descendait bas sur le front, s'y appliquant presque comme un bandeau, puis se relevant beaucoup des deux côtés, laissant voir d'épaisses nattes de cheveux roulées en colimaçon au-dessus des oreilles — coiffure conservée des temps très anciens et qui donne encore un air d'autrefois aux femmes paimpolaises.

On sentait qu'elle avait été élevée autrement que cette pauvre vieille à qui elle prêtait le nom de grand-mère, mais qui, de fait, n'était qu'une grand-tante éloignée, ayant eu des malheurs.

Elle était la fille de M. Mével, un ancien Islandais, un peu forban, enrichi par des entreprises audacieuses sur mer.

Cette belle chambre où la lettre venait de s'écrire était la sienne : un lit tout neuf à la mode des villes avec des rideaux en mousseline, une dentelle au bord ; et, sur les épaisses murailles, un papier de couleur claire atténuant les irrégularités du granit. Au plafond, une couche de chaux blanche recouvrait des solives énormes qui révélaient l'ancienneté du logis ; — c'était une vraie maison de bourgeois aisés, et les fenêtres donnaient sur cette vieille place grise de Paimpol où se tiennent les marchés et les pardons.

— C'est fini, grand-mère Yvonne ? Vous n'avez plus rien à lui dire ?

— Non, ma fille, ajoute seulement, je te prie, le bonjour de ma part au fils Gaos.

Le fils Gaos !... autrement dit Yann... Elle était devenue très rouge, la belle jeune fille fière, en écrivant ce nom-là.

Dès que ce fut ajouté au bas de la page d'une écriture courue, elle se leva en détournant la tête, comme pour regarder dehors quelque chose de très intéressant sur la place.

Debout elle était un peu grande ; sa taille était moulée comme celle d'une élégante dans un corsage ajusté ne faisant pas de plis. Malgré sa coiffe, elle avait un air de demoiselle. Même ses mains, sans avoir cette excessive petitesse étiolée qui est devenue une beauté par convention, étaient fines et blanches, n'ayant jamais travaillé à de grossiers ouvrages.

Il est vrai, elle avait bien commencé par être une petite Gaud courant pieds nus dans l'eau, n'ayant plus de mère, allant presque à l'abandon pendant ces saisons de pêche que son père passait en Islande ; jolie, rose, dépeignée, volontaire, têtue, poussant vigoureuse au grand souffle âpre de la Manche. En ce temps-là, elle était recueillie par cette pauvre grand-mère Moan, qui lui donnait Sylvestre à garder pendant ses dures journées de travail chez les gens de Paimpol.

Et elle avait une adoration de petite mère pour cet autre tout petit qui lui était confié, dont elle était l'aînée d'à peine dix-huit mois ; aussi brun qu'elle était blonde, aussi soumis et câlin qu'elle était vive et capricieuse.

Elle se rappelait ce commencement de sa vie, en fille que la richesse ni les villes n'avaient grisée : il lui revenait à l'esprit comme un rêve lointain de liberté sauvage, comme un ressouvenir d'une époque vague et mystérieuse où les grèves avaient plus d'espace, où certainement les falaises étaient plus gigantesques...

Vers cinq ou six ans, encore de très bonne heure pour elle l'argent étant venu à son père, qui s'était mis à acheter et à revendre des cargaisons de navire, elle avait été emmenée par lui à Saint-Brieuc, et plus tard à Paris. — Alors, de petite Gaud, elle était devenue une *mademoiselle Marguerite,* grande, sérieuse, au regard grave. Toujours un peu livrée à elle-même dans un autre genre d'abandon que celui de la grève bretonne, elle avait conservé sa nature obstinée d'enfant. Ce qu'elle savait des choses de la vie lui avait été révélé bien au hasard, sans discernement aucun ; mais une dignité innée, excessive, lui avait servi de sauvegarde. De temps en temps elle prenait des allures de hardiesse, disant aux gens, bien en face, des choses trop franches qui surprenaient, et son beau regard clair ne s'abaissait pas toujours devant celui des jeunes hommes ; mais il était si honnête et si indifférent que ceux-ci ne pouvaient guère s'y méprendre, ils voyaient bien tout de suite qu'ils avaient affaire à une fille sage, fraîche de cœur autant que de figure.

Dans ces grandes villes, son costume s'était modifié beaucoup plus qu'elle-même. Bien qu'elle eût gardé sa coiffe, que les Bretonnes quittent difficilement, elle avait vite appris à s'habiller d'une autre façon. Et sa taille autrefois libre de petite pêcheuse, en se formant, en prenant la plénitude de ses beaux contours germés au vent de la mer, s'était amincie par le bas dans de longs corsets de demoiselle.

Tous les ans, avec son père, elle revenait en Bretagne — l'été seulement comme les baigneuses — retrouvant pour quelques jours ses souvenirs d'autrefois et son nom de Gaud (qui en breton veut dire Marguerite) ; un peu curieuse peut-être de voir ces Islandais dont on parlait tant, qui n'étaient jamais là, et dont chaque année quelques-uns de plus manquaient à l'appel ; entendant partout causer de cette Islande qui lui apparaissait comme un gouffre lointain — et où était à présent celui qu'elle aimait...

Et puis un beau jour elle avait été ramenée pour tout à fait au pays de ces pêcheurs, par un caprice de son père, qui avait voulu finir là son existence et habiter comme un bourgeois sur cette place de Paimpol.

La bonne vieille grand-mère, pauvre et proprette, s'en alla en remerciant, dès que la lettre fut relue et l'enveloppe fermée. Elle demeurait assez loin, à l'entrée du pays de Ploubazlanec, dans un hameau de la côte, encore dans cette même chaumière où elle était née, où elle avait eu ses fils et ses petits-fils.

En traversant la ville, elle répondait à beaucoup de monde

qui lui disait bonsoir : elle était une des anciennes du pays, débris d'une famille vaillante et estimée.

Par des miracles d'ordre et de soins, elle arrivait à paraître à peu près bien mise, avec de pauvres robes raccommodées, qui ne tenaient plus. Toujours ce petit châle brun de Paimpolaise, qui était sa tenue d'habillé et sur lequel retombaient depuis une soixantaine d'années les cornets de mousseline de ses grandes coiffes : son propre châle de mariage, jadis bleu, reteint pour les noces de son fils Pierre, et depuis ce temps-là ménagé pour les dimanches, encore bien présentable.

Elle avait continué de se tenir droite dans sa marche, pas du tout comme les vieilles ; et vraiment malgré ce menton un peu trop remonté, avec ces yeux si bons et ce profil si fin, on ne pouvait s'empêcher de la trouver bien jolie.

Elle était très respectée, et cela se voyait, rien que dans les bonsoirs que les gens lui donnaient.

En route elle passa devant chez son *galant,* un vieux soupirant d'autrefois, menuisier de son état ; octogénaire, qui maintenant se tenait toujours assis devant sa porte tandis que les jeunes, ses fils, rabotaient aux établis. — Jamais il ne s'était consolé, disait-on, de ce qu'elle n'avait voulu de lui ni en premières ni en secondes noces ; mais avec l'âge, cela avait tourné en une espèce de rancune comique, moitié maligne, et il l'interpellait toujours :

— Eh bien ! la belle, quand ça donc qu'il faudra aller vous *prendre mesure ?...*

Elle remercia, disant que non, qu'elle n'était pas encore décidée à se faire faire ce costume-là. Le fait est que ce vieux, dans sa plaisanterie un peu lourde, parlait de certain costume en planches de sapin par lequel finissent tous les habillements terrestres...

— Allons, quand vous voudrez, alors ; mais ne vous gênez pas, la belle, vous savez...

Il lui avait déjà fait cette même facétie plusieurs fois. Et aujourd'hui elle avait peine à en rire : c'est qu'elle se sentait plus fatiguée, plus cassée par sa vie de labeur incessant — et elle songeait à son cher petit-fils, son dernier, qui, à son retour d'Islande, allait partir pour le service. — Cinq années !... S'en aller en Chine peut-être, à la guerre !... Serait-elle bien là, quand il reviendrait ? — Une angoisse la prenait à cette pensée... Non, décidément, elle n'était pas si gaie qu'elle en avait l'air, cette pauvre vieille, et voici que sa figure se contractait horriblement comme pour pleurer...

C'était donc possible cela, c'était donc vrai, qu'on allait bientôt le lui enlever, ce dernier petit-fils... Hélas ! mourir peut-être toute seule, sans l'avoir revu... On avait bien fait quelques démarches (des messieurs de la ville qu'elle connaissait) pour l'empêcher de partir, comme soutien d'une grand-mère presque indigente qui ne pourrait bientôt plus travailler. Cela n'avait pas réussi — à cause de l'autre, Jean Moan le déserteur, un frère aîné de Sylvestre dont on ne parlait plus dans la famille, mais qui existait tout de même quelque part en Amérique, enlevant à son cadet le bénéfice de l'exemption militaire. Et puis on avait objecté sa petite pension de veuve de marin ; on ne l'avait pas trouvée assez pauvre.

Quand elle fut rentrée, elle dit longuement ses prières, pour tous ses défunts, fils et petits-fils ; ensuite elle pria aussi, avec une confiance ardente, pour son petit Sylvestre, et essaya de s'endormir, songeant au costume en planches, le cœur affreusement serré de se sentir si vieille au moment de ce départ...

L'autre, la jeune fille, était restée assise près de sa fenêtre, regardant sur le granit des murs les reflets jaunes du couchant, et, dans le ciel, les hirondelles noires qui tournoyaient. Paimpol était toujours très mort, même le dimanche, par ces longues soirées de mai ; des jeunes filles, qui n'avaient seulement personne pour leur faire un peu la cour, se promenaient deux par deux, trois par trois, rêvant aux galants d'Islande...

« ... Le bonjour de ma part au fils Gaos... » Cela l'avait beaucoup troublée d'écrire cette phrase et ce nom qui, à présent, ne voulait plus la quitter.

Elle passait souvent les soirées à cette fenêtre, comme une demoiselle. Son père n'aimait pas beaucoup qu'elle se promenât avec les autres filles de son âge et qui, autrefois, avaient été de sa condition. Et puis, en sortant du café, quand il faisait les cent pas en fumant sa pipe avec d'autres anciens marins comme lui, il était content d'apercevoir là-haut, à sa fenêtre encadrée de granit, entre les pots de fleurs, sa fille installée dans cette maison de riches.

Le fils Gaos !... Elle regardait malgré elle du côté de la mer, qu'on ne voyait pas, mais qu'on sentait là tout près, au bout de ces petites ruelles par où remontaient des bateliers. Et sa pensée s'en allait dans les infinis de cette chose toujours attirante, qui fascine et qui dévore ; sa pensée s'en allait là-bas, très loin dans les mers polaires, où naviguait la *Marie, capitaine Guermeur.*

Quel étrange garçon que ce fils Gaos !... fuyant, insaisissable maintenant, après s'être avancé d'une manière à la fois si osée et si douce.

....

Ensuite, dans sa longue rêverie, elle repassait les souvenirs de son retour en Bretagne, qui était de l'année dernière.

Un matin de décembre, après une nuit de voyage, le train venant de Paris les avait déposés, son père et elle, à Guingamp, au petit jour brumeux et blanchâtre, très froid, frisant encore l'obscurité. Alors elle avait été saisie par une impression inconnue : cette vieille petite ville, qu'elle n'avait jamais traversée qu'en été, elle ne la reconnaissait plus ; elle y éprouvait comme la sensation de plonger tout à coup dans ce qu'on appelle, à la campagne : *les temps* — les temps lointains du passé. Ce silence, après Paris ! Ce train de vie tranquille de gens d'un autre monde, allant dans la brume à leurs toutes petites affaires ! Ces vieilles maisons en granit sombre, noires d'humidité et d'un reste de nuit ; toutes ces choses bretonnes — qui la charmaient à présent qu'elle aimait Yann — lui avaient paru ce matin-là d'une tristesse bien désolée. Des ménagères matineuses ouvraient déjà leurs portes, et, en passant, elle regardait dans ces intérieurs anciens, à grande cheminée, où se tenaient assises, avec des poses de quiétude, des aïeules en coiffe qui venaient de se lever. Dès qu'il avait fait un peu plus jour, elle était entrée dans l'église pour dire ses prières. Et comme elle lui avait semblé immense et ténébreuse, cette nef magnifique — et différente des églises parisiennes, avec ses piliers rudes usés à la base par les siècles, sa senteur de caveau, de vétusté, de salpêtre ! Dans un recul profond, derrière des colonnes, un cierge brûlait, et une femme se tenait agenouillée devant, sans doute pour faire un vœu ; la lueur de cette flammèche grêle se perdait dans le vide incertain des voûtes... Elle avait retrouvé là tout à coup, en elle-même, la trace d'un sentiment bien oublié : cette sorte de tristesse et d'effroi qu'elle éprouvait jadis, étant toute petite, quand on la menait à la première messe des matins d'hiver, dans l'église de Paimpol.

Ce Paris, elle ne le regrettait pourtant pas, bien sûr, quoiqu'il y eût là beaucoup de choses belles et amusantes. D'abord, elle s'y trouvait presque à l'étroit, ayant dans les veines ce sang des coureurs de mer. Et puis, elle s'y sentait une étrangère, une déplacée : les Parisiennes, c'étaient ces femmes dont la taille mince avait aux reins une cambrure artificielle, qui connaissaient une manière à part de marcher, de se trémousser dans des gaines baleinées ; et elle était trop intelligente pour avoir jamais essayé de copier de plus près ces choses. Avec ses coiffes, commandées chaque année à la faiseuse de Paimpol, elle se trouvait mal à l'aise dans les rues de Paris, ne se rendant pas compte que, si on se retournait tant pour la voir, c'est qu'elle était très charmante à regarder.

Il y en avait, de ces Parisiennes, dont les allures avaient une distinction qui l'attirait, mais elle les savait inaccessibles, celles-là. Et les autres, celles de plus bas, qui auraient consenti à lier connaissance, elle les tenait dédaigneusement à l'écart, ne les jugeant pas dignes. Elle avait donc vécu sans amies, presque sans autre société que celle de son père, souvent affairé, absent. Elle ne regrettait pas cette vie de dépaysement et de solitude.

Mais c'est égal, ce jour d'arrivée, elle avait été surprise d'une façon pénible par l'âpreté de cette Bretagne, revue en plein hiver. Et la pensée qu'il faudrait faire encore quatre ou cinq heures de voiture, s'enfouir beaucoup plus avant dans ce pays morne pour arriver à Paimpol, l'avait inquiétée comme une oppression.

Tout l'après-midi de ce même jour gris, ils avaient en effet voyagé, son père et elle, dans une vieille petite diligence crevassée, ouverte à tous les vents ; passant à la nuit tombante dans des villages tristes, sous des fantômes d'arbres suant la brume en gouttelettes fines. Bientôt, il avait fallu allumer les lanternes ; alors on n'avait plus rien vu — que deux traînées d'une nuance bien verte de feu de Bengale qui semblaient courir de chaque côté en avant des chevaux, et qui étaient les lueurs de ces deux lanternes jetées sur les interminables haies du chemin. — Comment tout à coup cette verdure, si verte, en décembre ?... D'abord étonnée, elle se pencha pour mieux voir, puis il lui sembla reconnaître et se rappeler : les ajoncs, les éternels ajoncs marins des sentiers et des falaises, qui ne jaunissent jamais dans le pays de Paimpol. En même temps commençait à souffler une brise plus tiède, qu'elle croyait reconnaître aussi, et qui sentait la mer...

Vers la fin de la route, elle avait été tout à fait réveillée et amusée par cette réflexion qui lui était venue :

« Tiens, puisque nous sommes en hiver, je vais les voir, cette fois, les beaux pêcheurs d'Islande. »

En décembre, ils devaient être là, revenus tous, les frères, les fiancés, les amants, les cousins, dont ses amies, grandes et petites, l'entretenaient tant, à chacun de ses voyages d'été, pendant les promenades du soir. Et cette idée l'avait tenue occupée, pendant que ses pieds se glaçaient dans l'immobilité de la carriole...

En effet, elle les avait vus... et maintenant son cœur lui avait été pris par l'un d'eux...

4

La première fois qu'elle l'avait aperçu, lui, ce Yann, c'était le lendemain de son arrivée, au *pardon des Islandais,* qui est le 8 décembre, jour de la Notre-Dame de Bonne-Nouvelle, patronne des pêcheurs — un peu après la procession, les rues sombres encore tendues de draps blancs sur lesquels étaient piqués du lierre et du houx, des feuillages et des fleurs d'hiver.

A ce pardon, la joie était lourde et un peu sauvage, sous un ciel triste. Joie sans gaîté, qui était faite surtout d'insouciance et de défi ; de vigueur physique et d'alcool ; sur laquelle pesait, moins déguisée qu'ailleurs, l'universelle menace de mourir.

Grand bruit dans Paimpol ; sons de cloches et chants de

prêtres. Chansons rudes et monotones dans les cabarets ; vieux airs à bercer les matelots ; vieilles complaintes venues de la mer, venues je ne sais d'où, de la profonde nuit des temps. Groupes de marins se donnant le bras, zigzaguant dans les rues, par habitude de rouler et par commencement d'ivresse, jetant aux femmes des regards plus vifs après les longues continences du large. Groupes de filles en coiffes blanches de nonnain, aux belles poitrines serrées et frémissantes, aux beaux yeux remplis des désirs de tout un été. Vieilles maisons de granit enfermant ce grouillement de monde ; vieux toits racontant leurs luttes de plusieurs siècles contre les vents d'ouest, contre les embruns, les pluies, contre tout ce que lance la mer ; racontant aussi des histoires chaudes qu'ils ont abritées, des aventures anciennes d'audace et d'amour.

Et un sentiment religieux, une impression de passé, planant sur tout cela, avec un respect du culte antique, des symboles qui protègent, de la Vierge blanche et immaculée. A côté des cabarets, l'église au perron semé de feuillages, tout ouverte en grande baie sombre, avec son odeur d'encens, avec ses cierges dans son obscurité, et ses ex-voto de marins partout accrochés à la sainte voûte. A côté des filles amoureuses, les fiancées de matelots disparus, les veuves de naufragés, sortant des chapelles des morts, avec leurs longs châles de deuil et leurs petites coiffes lisses ; les yeux à terre, silencieuses, passant au milieu de ce bruit de vie, comme un avertissement noir. Et là tout près, la mer toujours, la grande nourrice et la grande dévorante de ces générations vigoureuses, s'agitant elle aussi, faisant son bruit, prenant sa part de la fête...

De toutes ces choses ensemble, Gaud recevait l'impression confuse. Excitée et rieuse, avec le cœur serré dans le fond, elle sentait une espèce d'angoisse la prendre, à l'idée que ce pays maintenant était redevenu le sien pour toujours. Sur la place, où il y avait des jeux et des saltimbanques, elle se promenait avec ses amies qui lui nommaient, de droite et de gauche, les jeunes hommes de Paimpol ou de Ploubazlanec. Devant des chanteurs de complaintes, un groupe de ces « Islandais » était arrêté, tournant le dos. Et d'abord, frappée par l'un d'eux qui avait une taille de géant et des épaules presque trop larges, elle avait simplement dit, même avec une nuance de moquerie :

— En voilà un qui est grand !

Il y avait à peu près ceci de sous-entendu dans sa phrase :

« Pour celle qui l'épousera quel encombrement, dans son ménage, un mari de cette carrure ! »

Lui s'était retourné comme s'il l'eût entendue et, de la tête aux pieds, il l'avait enveloppée d'un regard rapide qui semblait dire :

« Quelle est celle-ci qui porte la coiffe de Paimpol, et qui est si élégante et que je n'ai jamais vue ? »

Et puis, ses yeux s'étaient abaissés vite, par politesse, et il avait de nouveau paru très occupé des chanteurs, ne laissant plus voir de sa tête que les cheveux noirs, qui étaient assez longs et très bouclés derrière, sur le cou.

Ayant demandé sans gêne le nom d'une quantité d'autres, elle n'avait pas osé pour celui-là. Ce beau profil à peine aperçu ; ce regard superbe et un peu farouche ; ces prunelles brunes légèrement fauves, courant très vite sur l'opale bleuâtre de ses yeux, tout cela l'avait impressionnée et intimidée aussi.

Justement c'était ce « fils Gaos » dont elle avait entendu parler chez les Moan comme d'un grand ami de Sylvestre ; le soir de ce même pardon, Sylvestre et lui, marchant bras dessus bras dessous, les avaient croisés, son père et elle, et s'étaient arrêtés pour dire bonjour...

... Ce petit Sylvestre, il était tout de suite redevenu pour elle une espèce de frère. Comme des cousins qu'ils étaient, ils avaient continué de se tutoyer — il est vrai, elle avait hésité d'abord, devant ce grand garçon de dix-sept ans ayant déjà une barbe noire ; mais, comme ses bons yeux d'enfant si doux n'avaient guère changé, elle l'avait bientôt assez reconnu pour s'imaginer ne l'avoir jamais perdu de vue. Quand il venait à Paimpol, elle le retenait à dîner le soir ; c'était sans conséquence, et il mangeait de très bon appétit, étant un peu privé chez lui...

... A vrai dire, ce Yann n'avait pas été très galant pour elle, pendant cette première présentation — au détour d'une petite rue grise toute jonchée de rameaux verts. Il s'était borné à lui ôter son chapeau, d'un geste presque timide bien que très noble ; puis l'ayant parcourue de son même regard rapide, il avait détourné les yeux d'un autre côté, paraissant être mécontent de cette rencontre et avoir hâte de passer son chemin. Une grande brise d'ouest, qui s'était levée pendant la procession, avait semé par terre des rameaux de buis et jeté sur le ciel des tentures gris-noir... Gaud, dans sa rêverie de souvenir, revoyait très bien tout cela : cette tombée triste de la nuit sur cette fin de pardon ; ces draps blancs piqués de fleurs qui se tordaient au vent le long des murailles ; ces groupes tapageurs d'« Islandais », gens de vent et de tempête, qui entraient en chantant dans les auberges, se garant contre la pluie prochaine ; surtout ce grand garçon, planté debout devant elle, détournant la tête, avec un air ennuyé et troublé de l'avoir rencontrée... Quel changement profond s'était fait en elle depuis cette époque !...

Et quelle différence entre le bruit de cette fin de fête et la tranquillité d'à présent ! Comme ce même Paimpol était silencieux et vide ce soir, pendant le long crépuscule tiède de mai qui la retenait à sa fenêtre, seule, songeuse et énamourée !...

5

La seconde fois qu'ils s'étaient vus, c'était à des noces. Ce fils Gaos avait été désigné pour lui donner le bras. D'abord elle s'était imaginé en être contrariée : défiler dans la rue avec ce garçon, que tout le monde regarderait à cause de sa haute taille, et qui du reste ne saurait probablement rien lui dire en route !... Et puis il l'intimidait, celui-là, décidément, avec son grand air sauvage.

A l'heure dite, tout le monde étant déjà réuni pour le cortège, ce Yann n'avait point paru. Le temps passait, il ne venait pas, et déjà on parlait de ne point l'attendre. Alors elle s'était aperçue que, pour lui seul, elle avait fait toilette ; avec n'importe quel autre de ces jeunes hommes, la fête, le bal, seraient pour elle manqués et sans plaisir...

A la fin il était arrivé, en belle tenue lui aussi, s'excusant sans embarras auprès des parents de la mariée. Voilà : de grands bancs de poissons, qu'on n'attendait pas du tout, avaient été signalés d'Angleterre comme devant passer le soir, un peu au large d'Aurigny ; alors tout ce qu'il y avait de bateaux dans Ploubazlanec avait appareillé en hâte. Un émoi dans les villages, les femmes cherchant leurs maris dans les cabarets, les poussant pour les faire courir ; se démenant elles-mêmes pour hisser les voiles, aider à la manœuvre, enfin un vrai *branle-bas* dans le pays...

Au milieu de tout ce monde qui l'entourait, il racontait avec une extrême aisance ; avec des gestes à lui, des roulements d'yeux, et un beau sourire qui découvrait ses dents brillantes. Pour exprimer mieux la précipitation des appareillages, il jetait de temps en temps au milieu de ses phrases un certain petit *hou !* prolongé, très drôle — qui est un cri de matelot donnant une idée de vitesse et ressemblant au son flûté du vent. Lui qui parlait avait été obligé de se chercher un remplaçant bien vite et de le faire accepter par le patron de la barque auquel il s'était loué pour la saison d'hiver. De là venait son retard, et, pour n'avoir pas voulu manquer les noces, il allait perdre toute sa part de pêche.

Ces motifs avaient été parfaitement compris par les pêcheurs qui l'écoutaient et personne n'avait songé à lui en vouloir ; — on sait bien, n'est-ce pas ? que, dans la vie, tout est plus ou moins dépendant des choses imprévues de la mer, plus ou moins soumis aux changements du temps et aux migrations mystérieuses des poissons. Les autres Islandais qui étaient là regrettaient seulement de n'avoir pas été avertis assez tôt pour profiter, comme ceux de Ploubazlanec, de cette fortune qui allait passer au large.

Trop tard à présent, tant pis, il n'y avait plus qu'à offrir son bras aux filles. Les violons commençaient dehors leur musique et gaîment on s'était mis en route.

D'abord il ne lui avait dit que de ces galanteries sans portée, comme on en conte pendant les fêtes de mariage aux jeunes filles que l'on connaît peu. Parmi ces couples de la noce, eux seuls étaient des étrangers l'un pour l'autre ; ailleurs dans le cortège, ce n'étaient que cousins et cousines, fiancés et fiancées. Des amants, il y en avait bien quelques paires aussi ; car, dans ce pays de Paimpol, on va très loin en amour, à l'époque de la rentrée d'Islande. (Seulement on a le cœur honnête, et l'on s'épouse après.)

Mais le soir, pendant qu'on dansait, la causerie étant revenue entre eux deux sur ce grand passage de poissons, il lui avait dit brusquement, la regardant dans les yeux en plein, cette chose inattendue :

— Il n'y a que vous dans Paimpol — et même dans le monde — pour m'avoir fait manquer cet appareillage ; non, sûr que pour aucune autre, je ne me serais dérangé de ma pêche, mademoiselle Gaud...

Étonnée d'abord que ce pêcheur osât lui parler ainsi, à elle qui était venue à ce bal un peu comme une reine, et puis charmée délicieusement, elle avait fini par répondre :

— Je vous remercie, monsieur Yann ; et moi-même, je préfère être avec vous qu'avec aucun autre.

Ç'avait été tout. Mais, à partir de ce moment jusqu'à la fin des danses, ils s'étaient mis à se parler d'une façon différente, à voix plus basse et plus douce...

On dansait à la vielle, au violon, les mêmes couples presque toujours ensemble. Quand lui venait la reprendre, après avoir par convenance dansé avec quelque autre, ils échangeaient un sourire d'amis qui se retrouvent et continuaient leur conversation d'avant qui était très intime. Naïvement, Yann racontait sa vie de pêcheur, ses fatigues, ses salaires, les difficultés d'autrefois chez ses parents, quand il avait fallu élever les quatorze petits Gaos dont il était le frère aîné. — A présent, ils étaient tirés de la peine, surtout à cause d'une épave que leur père avait rencontrée en Manche, et dont la vente leur avait rapporté dix mille francs, part faite à l'État ; cela avait permis de construire un premier étage au-dessus de leur maison — laquelle était à la pointe du pays de Ploubazlanec, tout au bout des terres, au hameau de Pors-Even, dominant la Manche, avec une vue très belle.

— C'était dur, disait-il, ce métier d'Islande : partir comme ça dès le mois de février, pour un tel pays, où il fait si froid et si sombre, avec une mer si mauvaise...

... Toute leur conversation du bal, Gaud, qui se la rappelait comme chose d'hier, la repassait lentement dans sa mémoire, en regardant la nuit de mai tomber sur Paimpol. S'il n'avait pas eu des idées de mariage, pourquoi lui aurait-il appris tous ces détails d'existence, qu'elle avait écoutés un peu comme fiancée ? Il n'avait pourtant pas l'air d'un garçon banal aimant à communiquer ses affaires à tout le monde...

— ... Le métier est assez bon tout de même, avait-il dit, et, pour moi, je n'en changerais toujours pas. Des années, c'est huit cents francs ; d'autres fois douze cents, que l'on me donne au retour et que je porte à notre mère.

— Que vous portez à votre mère, monsieur Yann ?

— Mais oui, toujours tout. Chez nous, les Islandais, c'est l'habitude comme ça, mademoiselle Gaud. (Il disait cela comme une chose bien due et toute naturelle.) Ainsi, moi, vous ne croiriez pas, je n'ai presque jamais d'argent. Le dimanche c'est notre mère qui m'en donne un peu quand je viens à Paimpol. Pour tout c'est la même chose. Ainsi, cette année, notre père m'a fait faire ces habits neufs que je porte, sans quoi je n'aurais jamais voulu venir aux noces ; oh ! non, sûr, je ne serais pas venu vous donner le bras avec mes habits de l'an dernier...

Pour elle, accoutumée à voir des Parisiens, ils n'étaient peut-être pas très élégants, ces habits neufs d'Yann, cette veste très courte, ouverte sur un gilet d'une forme un peu ancienne ; mais le torse qui se moulait dessous était irréprochablement beau, et alors le danseur avait grand air tout de même.

En souriant, il la regardait bien dans les yeux, chaque fois qu'il avait dit quelque chose, pour voir ce qu'elle en pensait. Et comme son regard restait bon et honnête, tandis qu'il racontait tout cela pour qu'elle fût bien prévenue qu'il n'était pas riche !

Elle aussi lui souriait, en le regardant toujours bien en face ; répondant très peu de chose, mais écoutant avec toute son âme, toujours plus étonnée et attirée vers lui. Quel mélange il était, de rudesse sauvage et d'enfantillage câlin ! Sa voix grave, qui avec d'autres était brusque et décidée, devenait, quand il lui parlait, de plus en plus fraîche et caressante ; pour elle seule, il savait la faire vibrer avec une extrême douceur, comme une musique voilée d'instruments à cordes.

Et quelle chose singulière et inattendue, ce grand garçon avec ses allures désinvoltes, son aspect terrible, toujours traité chez lui en petit enfant et trouvant cela naturel ; ayant couru le monde, toutes les aventures, tous les dangers, et conservant pour ses parents cette soumission respectueuse, absolue.

Elle le comparait avec d'autres, avec trois ou quatre freluquets de Paris, commis, écrivassiers ou je ne sais quoi, qui l'avaient poursuivie de leurs adorations, pour son argent. Et celui-ci lui semblait être ce qu'elle avait connu de meilleur, en même temps qu'il était le plus beau.

Pour se mettre davantage à sa portée, elle avait raconté que, chez elle aussi, on ne s'était pas toujours trouvé à l'aise comme à présent ; que son père avait commencé par être pêcheur d'Islande, et gardait beaucoup d'estime pour les Islandais ; qu'elle-même se rappelait avoir couru pieds nus, étant toute petite — sur la grève — après la mort de sa pauvre mère...

... Oh ! cette nuit de bal, la nuit délicieuse, décisive et unique dans sa vie — elle était déjà presque lointaine, puisqu'elle datait de décembre et qu'on était en mai. Tous les beaux danseurs d'alors pêchaient à présent là-bas, épars sur la mer d'Islande — y voyant clair, au pâle soleil, dans leur solitude immense, tandis que l'obscurité se faisait tranquillement sur la terre bretonne.

Gaud restait à sa fenêtre. La place de Paimpol, presque fermée de tous côtés par des maisons antiques, devenait de plus en plus triste avec la nuit ; on n'entendait guère de bruit nulle part. Au-dessus des maisons, le vide encore lumineux du ciel semblait se creuser, s'élever, se séparer davantage des choses terrestres — qui maintenant, à cette heure crépusculaire, se tenaient toutes en une seule découpure noire de pignons et de vieux toits. De temps en temps une porte se fermait, ou une fenêtre ; quelque ancien marin, à la démarche roulante, sortait d'un cabaret, s'en allait par les petites rues sombres ; ou bien quelques filles attardées rentraient de la promenade avec des bouquets de fleurs de mai. Une, qui connaissait Gaud, en lui disant bonsoir, leva bien haut vers elle au bout de son bras une gerbe d'aubépine comme pour la lui faire sentir ; on voyait encore un peu dans l'obscurité transparente ces légères touffes de fleurettes blanches. Il y avait du reste une autre odeur douce qui était montée des jardins et des cours, celle des chèvrefeuilles fleuris sur le granit des murs

— et aussi une vague senteur de goémon, venue du port. Les dernières chauves-souris glissaient dans l'air, d'un vol silencieux, comme les bêtes des rêves.

Gaud avait passé bien des soirées à cette fenêtre, regardant cette place mélancolique, songeant aux Islandais qui étaient partis, et toujours à ce même bal...

... Il faisait très chaud sur la fin de ces noces, et beaucoup de têtes de valseurs commençaient à tourner. Elle se le rappelait, lui, dansant avec d'autres, des filles ou des femmes dont il avait dû être plus ou moins l'amant ; elle se rappelait sa condescendance dédaigneuse pour répondre à leurs appels... Comme il était différent avec celles-là !...

Il était un charmant danseur, droit comme un chêne de futaie, et tournant avec une grâce à la fois légère et noble, la tête rejetée en arrière. Ses cheveux bruns, qui étaient en boucles, retombaient un peu sur son front et remuaient au vent des danses ; Gaud, qui était assez grande, en sentait le frôlement sur sa coiffe, quand il se penchait vers elle pour mieux la tenir pendant les valses rapides.

De temps en temps, il lui montrait d'un signe sa petite sœur Marie et Sylvestre, les deux fiancés, qui dansaient ensemble. Il riait, d'un air très bon, en les voyant tous deux si jeunes, si réservés l'un près de l'autre, se faisant des révérences, prenant des figures timides pour se dire bien bas des choses sans doute très aimables. Il n'aurait pas permis qu'il en fût autrement, bien sûr ; mais c'est égal, il s'amusait, lui, coureur et entreprenant qu'il était devenu, de les trouver si naïfs ; il échangeait alors avec Gaud des sourires d'intelligence intime qui disaient : « Comme ils sont gentils et drôles à regarder, *nos* deux petits frères !... »

On s'embrassait beaucoup à la fin de la nuit : baisers de cousins, baisers de fiancés, baisers d'amants, qui conservaient malgré tout un bon air franc et honnête, là, à pleine bouche, et devant tout le monde. Lui ne l'avait pas embrassée, bien entendu ; on ne se permettait pas cela avec la fille de M. Mével ; peut-être seulement la serrait-il un peu plus contre sa poitrine, pendant ces valses de la fin, et elle, confiante, ne résistait pas, s'appuyait au contraire, s'étant donnée de toute son âme. Dans ce vertige subit, profond, délicieux, qui l'entraînait tout entière vers lui, ses sens de vingt ans étaient bien pour quelque chose, mais c'était son cœur qui avait commencé le mouvement.

« Avez-vous vu cette effrontée, comme elle le regarde ? » disaient deux ou trois belles filles, aux yeux chastement baissés sous des cils blonds ou noirs, et qui avaient parmi les danseurs un amant pour le moins ou bien deux. En effet elle le regardait beaucoup, mais elle avait cette excuse, c'est qu'il était le premier, l'unique des jeunes hommes à qui elle eût jamais fait attention dans sa vie.

En se quittant le matin, quand tout le monde était parti à la débandade, au petit jour glacé, ils s'étaient dit adieu d'une façon à part, comme deux promis qui vont se retrouver le lendemain. Et alors, pour rentrer, elle avait traversé cette même place avec son père, nullement fatiguée, se sentant alerte et joyeuse, ravie de respirer, aimant cette brume gelée du dehors et cette aube triste, trouvant tout exquis et tout suave.

... La nuit de mai était tombée depuis longemps ; les fenêtres s'étaient toutes peu à peu fermées, avec de petits grincements de leurs ferrures. Gaud restait toujours là, laissant la sienne ouverte. Les rares derniers passants, qui distinguaient dans le noir la forme blanche de sa coiffe, devaient dire : « Voilà une fille qui, pour sûr, rêve à son galant. » Et c'était vrai, qu'elle y rêvait — avec une envie de pleurer par exemple ; ses petites dents blanches mordaient ses lèvres, défaisaient constamment ce pli qui soulignait en bas le contour de sa bouche fraîche. Et ses yeux restaient fixes dans l'obscurité, ne regardant rien des choses réelles...

... Mais, après ce bal, pourquoi n'était-il pas revenu ? Quel changement en lui ? Rencontré par hasard, il avait l'air de la fuir, en détournant ses yeux dont les mouvements étaient toujours si rapides.

Souvent elle en avait causé avec Sylvestre, qui ne comprenait pas non plus.

— C'est pourtant bien avec celui-là que tu devrais te marier, Gaud, disait-il, si ton père le permettait, car tu n'en trouverais pas dans le pays un autre qui le vaille. D'abord je te dirai qu'il est très sage, sans en avoir l'air ; c'est fort rare quand il se grise. Il fait bien un peu son têtu quelquefois, mais dans le fond il est tout à fait doux. Non, tu ne peux pas savoir comme il est bon. Et un marin ! à chaque saison de pêche les capitaines se disputent pour l'avoir...

La permission de son père, elle était bien sûre de l'obtenir, car jamais elle n'avait été contrariée dans ses volontés. Cela lui était donc bien égal qu'il ne fût pas riche. D'abord, un marin comme ça, il suffirait d'un peu d'argent d'avance pour lui faire suivre six mois les cours de cabotage, et il deviendrait un capitaine à qui tous les armateurs voudraient confier des navires.

Cela lui était égal aussi qu'il fût un peu un géant ; être trop fort, ça peut devenir un défaut chez une femme, mais pour un homme cela ne nuit pas du tout à la beauté.

Par ailleurs elle s'était informée, sans en avoir l'air, auprès des filles du pays qui savaient toutes les histoires d'amour : on ne lui connaissait point d'engagements ; sans paraître tenir à l'une plus qu'à l'autre, il allait de droite et de gauche, à Lézardrieux aussi bien qu'à Paimpol, auprès des belles qui avaient envie de lui.

Un soir de dimanche, très tard, elle l'avait vu passer sous ses fenêtres, reconduisant et serrant de près une certaine Jeannie Caroff, qui était jolie assurément, mais dont la réputation était fort mauvaise. Cela, par exemple, lui avait fait un mal cruel.

On lui avait assuré aussi qu'il était très emporté ; qu'étant gris un soir, dans un certain café de Paimpol où les Islandais font leurs fêtes, il avait lancé une grosse table en marbre au travers d'une porte qu'on ne voulait pas lui ouvrir...

Tout cela, elle le lui pardonnait : on sait bien comment sont les marins, quelquefois, quand ça les prend... Mais, s'il avait le cœur bon, pourquoi était-il venu la chercher, elle qui ne songeait à rien, pour la quitter après ; quel besoin avait-il eu de la regarder toute une nuit, avec ce beau sourire qui semblait si franc, et de prendre cette voix douce pour lui faire des confidences comme à une fiancée ? A présent elle était incapable de s'attacher à un autre et de changer. Dans ce même pays, autrefois, quand elle était tout à fait une enfant, on avait coutume de lui dire pour la gronder qu'elle était une mauvaise petite, entêtée dans ses idées comme aucune autre ; cela lui était resté. Belle demoiselle à présent, un peu sérieuse et hautaine d'allures, que personne n'avait façonnée, elle demeurait dans le fond toute pareille.

Après ce bal, l'hiver dernier s'était passé dans cette attente de le revoir, et il n'était même pas venu lui dire adieu avant le départ d'Islande. Maintenant qu'il n'était plus là, rien n'existait pour elle ; le temps ralenti semblait se traîner — jusqu'à ce retour d'automne pour lequel elle avait formé ses projets d'en avoir le cœur net et d'en finir...

... Onze heures à l'horloge de la mairie — avec cette sonorité particulière que les cloches prennent pendant les nuits tranquilles des printemps.

A Paimpol, onze heures, c'est très tard ; alors Gaud ferma sa fenêtre et alluma sa lampe pour se coucher...

Chez ce Yann, peut-être bien était-ce seulement de la sauvagerie ; ou, comme lui aussi était fier, était-ce la peur d'être refusé, la croyant trop riche ?... Elle avait déjà voulu le lui demander elle-même tout simplement ; mais c'était Sylvestre qui avait trouvé que ça ne pouvait pas se faire, que ce ne serait pas très bien pour une jeune fille de paraître si hardie. Dans Paimpol, on critiquait déjà son air et sa toilette...

... Elle enlevait ses vêtements avec la lenteur distraite d'une fille qui rêve : d'abord sa coiffe de mousseline, puis sa robe élégante, ajustée à la mode des villes, qu'elle jeta au hasard sur une chaise.

Ensuite son long corset de demoiselle, qui faisait causer les gens, par sa tournure parisienne. Alors sa taille, une fois libre, devint plus parfaite ; n'étant plus comprimée, ni trop amincie par le bas, elle reprit ses lignes naturelles, qui étaient pleines et douces comme celles des statues en marbre ; ses mouvements en changeaient les aspects, et chacune de ses poses était exquise à regarder.

La petite lampe, qui brûlait seule à cette heure avancée, éclairait avec un peu de mystère ses épaules et sa poitrine, sa forme admirable qu'aucun œil n'avait jamais regardée et qui allait sans doute être perdue pour tous, se dessécher sans être jamais vue, puisque ce Yann ne la voulait pas pour lui...

Elle se savait jolie de figure, mais elle était bien inconsciente de la beauté de son corps. Du reste, dans cette région de la

Bretagne, chez les filles des pêcheurs islandais, c'est presque de race, cette beauté-là ; on ne la remarque plus guère, et même les moins sages d'entre elles, au lieu d'en faire parade, auraient une pudeur à la laisser voir. Non, ce sont les raffinés des villes qui attachent tant d'importance à ces choses pour les mouler ou les peindre...

Elle se mit à défaire les espèces de colimaçons en cheveux qui étaient enroulés au-dessus de ses oreilles et les deux nattes tombèrent sur son dos comme deux serpents très lourds. Elle les retroussa en couronne sur le haut de sa tête — ce qui était commode pour dormir — alors, avec son profil droit, elle ressemblait à une vierge romaine.

Cependant ses bras restaient relevés, et, en mordant toujours sa lèvre, elle continuait de remuer dans ses doigts les tresses blondes — comme un enfant qui tourmente un jouet quelconque en pensant à autre chose ; après, les laissant encore retomber, elle se mit très vite à les défaire pour s'amuser, pour les étendre ; bientôt elle en fut couverte jusqu'aux reins, ayant l'air de quelque druidesse de forêt.

Et puis, le sommeil étant venu tout de même, malgré l'amour et malgré l'envie de pleurer, elle se jeta brusquement dans son lit, en se cachant la figure dans cette masse soyeuse de ses cheveux, qui était déployée à présent comme un voile...

Dans sa chaumière de Ploubazlanec, la grand-mère Moan, qui était, elle, sur l'autre versant plus noir de la vie, avait fini aussi par s'endormir, du sommeil glacé des vieillards, en songeant à son petit-fils et à la mort.

Et, à cette même heure, à bord de la *Marie* — sur la mer Boréale qui était ce soir-là très remuante — Yann et Sylvestre, les deux désirés, se chantaient des chansons, tout en faisant gaîment leur pêche à la lumière sans fin du jour...

6

. . . .

Environ un mois plus tard. — En juin.

Autour de l'Islande, il fait cette sorte de temps rare que

les matelots appellent le *calme blanc* ; c'est-à-dire que rien ne bougeait dans l'air, comme si toutes les brises étaient épuisées, finies.

Le ciel s'était couvert d'un grand voile blanchâtre, qui s'assombrissait par le bas, vers l'horizon, passait aux gris plombés, aux nuances ternes de l'étain. Et là-dessous, les eaux inertes jetaient un éclat pâle, qui fatiguait les yeux et qui donnait froid.

Cette fois-là, c'étaient des moires, rien que des moires changeantes qui jouaient sur la mer ; des cernes très légers, comme on en ferait en soufflant contre un miroir. Toute l'étendue luisante semblait couverte d'un réseau de dessins vagues qui s'enlaçaient et se déformaient ; très vite effacés, très fugitifs.

Éternel soir ou éternel matin, il était impossible de dire : un soleil qui n'indiquait plus aucune heure, restait là toujours, pour présider à ce resplendissement de choses mortes, il n'était lui-même qu'un autre cerne, presque sans contours, agrandi jusqu'à l'immense par un halo trouble.

Yann et Sylvestre, en pêchant à côté l'un de l'autre, chantaient *Jean-François de Nantes,* la chanson qui ne finit plus — s'amusant de sa monotonie même et se regardant du coin de l'œil pour rire de l'espèce de drôlerie enfantine avec laquelle ils reprenaient perpétuellement les couplets, en tâchant d'y mettre un entrain nouveau à chaque fois. Leurs joues étaient roses sous la grande fraîcheur salée ; cet air qu'ils respiraient était vivifiant et vierge ; ils en prenaient plein leur poitrine, à la source même de toute vigueur et de toute existence.

Et pourtant, autour d'eux, c'étaient des aspects de non-vie, de monde fini ou pas encore créé ; la lumière n'avait aucune chaleur ; les choses se tenaient immobiles et comme refroidies à jamais, sous le regard de cette espèce de grand œil spectral qui était le soleil.

La *Marie* projetait sur l'étendue une ombre qui était très longue comme le soir, et qui paraissait verte, au milieu de ces surfaces polies reflétant les blancheurs du ciel ; alors, dans toute cette partie ombrée qui ne miroitait pas, on pouvait distinguer par transparence ce qui se passait sous l'eau : des poissons innombrables, des myriades et des myriades, tous pareils, glissant doucement dans la même direction, comme ayant un but dans leur perpétuel voyage. C'étaient les morues qui exécutaient leurs évolutions d'ensemble, toutes en long dans le même sens, bien parallèles, faisant un effet de hachures grises, et sans cesse agitées d'un tremblement rapide, qui donnait un air de fluidité à cet amas de vies silencieuses. Quelquefois, avec un coup de queue brusque, toutes se retournaient en même temps, montrant le brillant de leur ventre argenté ; et puis le même coup de queue, le même retournement, se propageait dans le banc tout entier par ondulations lentes, comme si des milliers de lames de métal eussent jeté, entre deux eaux, chacune un petit éclair.

Le soleil, déjà très bas, s'abaissait encore ; donc c'était le soir décidément. A mesure qu'il descendait dans les zones couleur de plomb qui avoisinaient la mer, il devenait jaune, et son cercle se dessinait plus net, plus réel. On pouvait le fixer avec les yeux, comme on fait pour la lune.

Il éclairait pourtant ; mais on eût dit qu'il n'était pas du tout loin dans l'espace ; il semblait qu'en allant, avec un navire, seulement jusqu'au bout de l'horizon, on eût rencontré là ce gros ballon triste, flottant dans l'air à quelques mètres au-dessus des eaux.

La pêche allait assez vite ; en regardant dans l'eau reposée, on voyait très bien la chose se faire : les morues venir mordre, d'un mouvement glouton ; ensuite se secouer un peu, se sentant piquées, comme pour mieux se faire accrocher le museau. Et, de minute en minute, vite, à deux mains, les pêcheurs rentraient leur ligne — rejetant la bête à qui devait l'éventrer et l'aplatir.

La flottille des Paimpolais était éparse sur ce miroir tranquille, animant ce désert. Çà et là, paraissaient les petites voiles lointaines, déployées pour la forme puisque rien ne soufflait, et très blanches, se découpant en clair sur les grisailles des horizons.

Ce jour-là, ç'avait l'air d'un métier si calme, si facile, celui de pêcheur d'Islande ; — un métier de demoiselle.

. . . .

Jean-François de Nantes ;
Jean-François,
Jean-François !

Ils chantaient, les deux grands enfants.

Et Yann s'occupait bien peu d'être si beau et d'avoir la mine si noble. D'ailleurs, enfant seulement avec Sylvestre, ne chantant et ne jouant jamais qu'avec celui-là ; renfermé au contraire avec les autres, et plutôt fier et sombre — très doux pourtant quand on avait besoin de lui ; toujours bon et serviable, quand on ne l'irritait pas.

Eux chantaient cette chanson-là ; les deux autres, à quelques pas plus loin, chantaient autre chose, une autre mélopée faite aussi de somnolence, de santé et de vague mélancolie.

On ne s'ennuyait pas et le temps passait.

En bas, dans la cabine, il y avait toujours du feu, couvant au fond du fourneau de fer, et le couvercle de l'écoutille était maintenu fermé pour procurer des illusions de nuit à ceux qui avaient besoin de sommeil. Il leur fallait très peu d'air pour dormir, et les gens moins robustes, élevés dans les villes, en eussent désiré davantage. Mais quand la poitrine profonde s'est gonflée tout le jour à même l'atmosphère infinie, elle s'endort, elle aussi, après, et ne remue presque plus ; alors on peut se tapir dans n'importe quel petit trou comme font les bêtes.

On se couchait après le quart, par fantaisie, à des moments quelconques, les heures n'important plus dans cette clarté continuelle. Et c'étaient toujours de bons sommes, sans agitations, sans rêves, qui reposaient de tout.

Quand par hasard l'idée était aux femmes, cela par exemple agitait les dormeurs : en se disant que dans six semaines la pêche allait finir, et qu'ils en posséderaient bientôt des nouvelles, ou des anciennes déjà aimées, ils rouvraient tout grands leurs yeux.

Mais cela venait rarement ; ou bien alors on y songeait plutôt à la manière honnête : on se rappelait les épouses, les fiancées, les sœurs, les parentes... Avec l'habitude de la continence, les sens aussi s'endorment — pendant des périodes bien longues...

. . . .

Jean-François de Nantes ;
Jean-François,
Jean-François !

... Ils regardaient à présent, au fond de leur horizon gris, quelque chose d'imperceptible. Une petite fumée, montant des eaux comme une queue microscopique, d'un autre gris, un tout petit peu plus foncé que celui du ciel. Avec leurs yeux exercés à sonder les profondeurs, ils l'avaient vite aperçue :

— Un vapeur, là-bas !

— J'ai idée, dit le capitaine en regardant bien, j'ai idée que c'est un vapeur de l'État — le croiseur qui vient faire sa ronde...

Cette vague fumée apportait aux pêcheurs des nouvelles de France et, entre autres, certaine lettre de vieille grand-mère, écrite par une main de belle jeune fille.

Il se rapprocha lentement ; bientôt on vit sa coque noire — c'était bien le croiseur, qui venait faire un tour dans ces fiords de l'ouest.

En même temps, une légère brise qui s'était levée, piquante à respirer, commençait à marbrer par endroits la surface des eaux mortes ; elle traçait sur le luisant miroir des dessins d'un bleu vert, qui s'allongeaient en traînées, s'étendaient comme des éventails, ou se ramifiaient en forme de madrépores ; cela se faisait très vite avec un bruissement, c'était comme un signe de réveil présageant la fin de cette torpeur immense. Et le ciel, débarrassé de son voile, devenait clair ; les vapeurs, retombées sur l'horizon, s'y tassaient en amoncellements de ouates grises, formant comme des murailles molles autour de la mer. Les deux glaces sans fin entre lesquelles les pêcheurs étaient — celle d'en haut et celle d'en bas — reprenaient leur transparence profonde, comme si on eût essuyé les buées qui les avaient ternies. Le temps changeait, mais d'une façon rapide qui n'était pas bonne.

Et, de différents points de la mer, de différents côtés de l'étendue, arrivaient des navires pêcheurs : tous ceux de France qui rôdaient dans ces parages, des Bretons, des Normands, des Boulonnais ou des Dunkerquois. Comme des oiseaux qui rallient à un rappel, ils se rassemblaient à la suite de ce croiseur ; il en sortait même des coins vides de l'horizon, et leurs petites ailes grisâtres apparaissaient partout. Ils peuplaient tout à fait le pâle désert.

Plus de lente dérive, ils avaient tendu leurs voiles à la fraîche brise nouvelle et se donnaient de la vitesse pour s'approcher.

L'Islande, assez lointaine, était apparue aussi, avec un air de vouloir s'approcher comme eux ; elle montrait de plus en plus nettement ses grandes montagnes de pierres nues — qui n'ont jamais été éclairées que par côté, par en dessous et comme à regret. Elle se continuait même par une autre Islande de couleur semblable qui s'accentuait peu à peu — mais qui était chimérique, celle-ci, et dont les montagnes plus gigantesques n'étaient qu'une condensation de vapeurs. Et le soleil, toujours bas et traînant, incapable de monter au-dessus des choses, se voyait à travers cette illusion d'île, tellement qu'il paraissait posé devant et que c'était pour les yeux un aspect incompréhensible. Il n'avait plus de halo, et son disque rond ayant repris des contours très accusés, il semblait plutôt quelque pauvre planète jaune, mourante, qui se serait arrêtée là indécise, au milieu d'un chaos...

Le croiseur, qui avait stoppé, était entouré maintenant de la pléiade des Islandais. De tous ces navires se détachaient des barques, en coquille de noix, lui amenant à bord des hommes rudes aux longues barbes, dans des accoutrements assez sauvages.

Ils avaient tous quelque chose à demander, un peu comme les enfants, des remèdes pour de petites blessures, des réparations, des vivres, des lettres.

D'autres venaient de la part de leurs capitaines se faire mettre aux fers, pour quelque mutinerie à expier ; ayant tous été au service de l'État, ils trouvaient la chose bien naturelle. Et quand le faux-pont étroit du croiseur fut encombré par quatre ou cinq de ces grands garçons étendus la boucle au pied, le vieux maître qui les avait cadenassés, leur dit : « Couche-toi de travers donc, mes fils, qu'on puisse passer », ce qu'ils firent docilement, avec un sourire.

Il y avait beaucoup de lettres cette fois, pour ces Islandais. Entre autres, deux pour la *Marie, capitaine Guermeur,* l'une à *monsieur Gaos, Yann,* la seconde à *monsieur Moan, Sylvestre* (celle-ci arrivée par le Danemark à Reykjavik, où le croiseur l'avait prise).

Le vaguemestre, puisant dans son sac en toile à voile, leur faisait la distribution, ayant quelque peine souvent à lire les adresses qui n'étaient pas toutes mises par des mains très habiles.

Et le commandant disait :

— Dépêchez-vous, dépêchez-vous, le baromètre baisse.

Il s'ennuyait un peu de voir toutes ces petites coquilles de noix amenées à la mer, et tant de pêcheurs assemblés dans cette région peu sûre.

Yann et Sylvestre avaient l'habitude de lire leurs lettres ensemble.

Cette fois, ce fut au soleil de minuit, qui les éclairait du haut de l'horizon toujours avec son même aspect d'astre mort.

Assis tous deux à l'écart, dans un coin du pont, les bras enlacés et se tenant par les épaules, ils lisaient très lentement, comme pour se mieux pénétrer des choses du pays qui leur étaient dites.

Dans la lettre d'Yann, Sylvestre trouva des nouvelles de Marie Gaos, sa petite fiancée ; dans celle de Sylvestre, Yann lut les histoires drôles de la vieille grand-mère Yvonne, qui n'avait pas sa pareille pour amuser les absents ; et puis le dernier alinéa qui le concernait : « Le bonjour de ma part au fils Gaos. »

Et, les lettres finies de lire, Sylvestre timidement montrait la sienne à son grand ami, pour essayer de lui faire apprécier la main qui l'avait tracée :

— Regarde, c'est une très belle écriture, n'est-ce pas, Yann ?

Mais Yann, qui savait très bien quelle était cette main de jeune fille, détourna la tête en secouant ses épaules, comme pour dire qu'on l'ennuyait à la fin avec cette Gaud.

Alors Sylvestre replia soigneusement le pauvre petit papier dédaigné, le remit dans son enveloppe et le serra dans son tricot contre sa poitrine, se disant tout triste :

« Bien sûr, ils ne se marieront jamais... Mais qu'est-ce qu'il peut avoir comme ça contre elle ?... »

... Minuit avait sonné à la cloche du croiseur. Et ils restaient toujours là, assis, songeant au pays, aux absents, à mille choses, dans un rêve...

A ce moment, l'éternel soleil, qui avait un peu trempé son bord dans les eaux, recommença à monter lentement.

Et ce fut le matin...

DEUXIÈME PARTIE

1

Il avait aussi changé d'aspect et de couleur, le soleil d'Islande, et il ouvrait cette nouvelle journée par un matin sinistre. Tout à fait dégagé de son voile, il avait pris de grands rayons, qui traversaient le ciel comme des jets, annonçant le mauvais temps prochain.

Il faisait trop beau depuis quelques jours, cela devait finir. La brise soufflait sur ce conciliabule de bateaux, comme éprouvant le besoin de l'éparpiller, d'en débarrasser la mer ; et ils commençaient à se disperser, à fuir comme une armée en déroute — rien que devant cette menace écrite en l'air, à laquelle on ne pouvait plus se tromper.

Cela soufflait toujours plus fort, faisant frissonner les hommes et les navires.

Les lames, encore petites, se mettaient à courir les unes après les autres, à se grouper ; elles s'étaient marbrées d'abord d'une écume blanche qui s'étalait dessus en bavures ; ensuite, avec un grésillement, il en sortait des fumées ; on eût dit que ça cuisait, que ça brûlait ; — et le bruit aigre de tout cela augmentait de minute en minute.

On ne pensait plus à la pêche, mais à la manœuvre seulement. Les lignes étaient depuis longtemps rentrées. Ils se hâtaient tous de s'en aller — les uns, pour chercher un abri dans les fiords, tenter d'arriver à temps ; d'autres, préférant dépasser la pointe sud d'Islande, trouvant plus sûr de prendre le large et d'avoir devant eux de l'espace libre pour filer vent arrière. Ils se voyaient encore un peu les uns les autres ; çà et là, dans les creux de lames, des voiles surgissaient, pauvres petites choses mouillées, fatiguées, fuyantes — mais tenant debout tout de même, comme ces jouets d'enfant en moelle de sureau que l'on couche en soufflant dessus, et qui toujours se redressent.

La grande panne de nuages, qui s'était condensée à l'horizon de l'ouest avec un aspect d'île, se défaisait maintenant par le haut, et les lambeaux couraient dans le ciel. Elle semblait inépuisable, cette panne, le vent l'étendait, l'allongeait, l'étirait, en faisait sortir indéfiniment des rideaux obscurs, qu'il déployait dans le clair ciel jaune, devenu d'une lividité froide et profonde.

Toujours plus fort, ce grand souffle qui agitait toute chose.

Le croiseur était parti vers les abris d'Islande ; les pêcheurs restaient seuls sur cette mer remuée qui prenait un air mauvais et une teinte affreuse. Ils se pressaient, pour leurs dispositions de gros temps. Entre eux les distances augmentaient ; ils allaient se perdre de vue.

Les lames, frisées en volutes, continuaient de se courir après, de se réunir, de s'agripper les unes les autres pour devenir toujours plus hautes, et, entre elles, les vides se creusaient.

En quelques heures, tout était labouré, bouleversé dans cette région la veille si calme, et, au lieu du silence d'avant, on était assourdi de bruit. Changement à vue que toute cette agitation d'à présent, inconsciente, inutile, qui s'était faite si vite. Dans quel but tout cela ?... Quel mystère de destruction aveugle !...

Les nuages achevaient de se déplier en l'air, venant toujours de l'ouest, se superposant, empressés, rapides, obscurcissant tout. Quelques déchirures jaunes restaient seules, par lesquelles le soleil envoyait d'en bas ses derniers rayons en gerbes. Et l'eau, verdâtre maintenant, était de plus en plus zébrée de baves blanches.

A midi, la *Marie* avait tout à fait pris son allure de mauvais temps ; ses écoutilles fermées et ses voiles réduites, elle bondissait souple et légère ; au milieu du désarroi qui commençait, elle avait un air de jouer comme font les gros marsouins que les tempêtes amusent. N'ayant plus que la misaine, elle *fuyait devant le temps,* suivant l'expression de marine qui désigne cette allure-là.

En haut, c'était devenu entièrement sombre, une voûte

fermée, écrasante — avec quelques charbonnages plus noirs étendus dessus en taches informes ; cela semblait presque un dôme immobile, et il fallait regarder bien pour comprendre que c'était au contraire en plein vertige de mouvement : grandes nappes grises, se dépêchant de passer, et sans cesse remplacées par d'autres qui venaient du fond de l'horizon ; tentures de ténèbres, se dévidant comme d'un rouleau sans fin...

Elle fuyait devant le temps, la *Marie,* fuyait, toujours plus vite — et le temps fuyait aussi — devant je ne sais quoi de mystérieux et de terrible. La brise, la mer, la *Marie,* les nuages, tout était pris d'un même affolement de fuite et de vitesse dans le même sens. Ce qui détalait le plus vite, c'était le vent ; puis les grosses levées de houle, plus lourdes, plus lentes, courant après lui ; puis la *Marie* entraînée dans ce mouvement de tout. Les lames la poursuivaient, avec leurs crêtes blêmes qui se roulaient dans une perpétuelle chute, et elle — toujours rattrapée, toujours dépassée — leur échappait tout de même, au moyen d'un sillage habile qu'elle se faisait derrière, d'un remous où leur fureur se brisait.

Et dans cette allure de *fuite*, ce qu'on éprouvait surtout, c'était une illusion de légèreté ; sans aucune peine ni effort, on se sentait bondir. Quand la *Marie* montait sur ces lames, c'était sans secousse comme si le vent l'eût enlevée ; et sa redescente après était comme une glissade, faisant éprouver ce tressaillement du ventre qu'on a dans les chutes simulées des « chars russes » ou dans celles imaginaires des rêves. Elle glissait comme à reculons, la montagne fuyante se dérobant sous elle pour continuer de courir, et alors elle était replongée dans un de ces grands creux qui couraient aussi ; sans se meurtrir, elle en touchait le fond horrible, dans un éclaboussement d'eau qui ne la mouillait même pas, mais qui fuyait comme tout le reste ; qui fuyait et s'évanouissait en avant comme de la fumée, comme rien...

Au fond de ces creux, il faisait plus noir, et après chaque lame passée, on regardait derrière soi arriver l'autre ; l'autre encore plus grande, qui se dressait toute verte par transparence ; qui se dépêchait d'approcher, avec des contournements furieux, des volutes prêtes à se refermer, un air de dire : « Attends que je t'attrape, et je t'engouffre... »

... Mais non : elle vous soulevait seulement, comme d'un haussement d'épaule on enlèverait une plume ; et, presque doucement, on la sentait passer sous soi, avec son écume bruissante, son fracas de cascade.

Et ainsi de suite, continuellement. Mais cela grossissait toujours. Ces lames se succédaient, plus énormes, en longues chaînes de montagnes dont les vallées commençaient à faire peur. Et toute cette folie de mouvement s'accélérait, sous un ciel de plus en plus sombre, au milieu d'un bruit plus immense.

C'était bien du très gros temps, et il fallait veiller. Mais, tant qu'on a devant soi de l'espace libre, de l'espace pour courir ! Et puis, justement la *Marie,* cette année-là, avait passé sa saison dans la partie la plus occidentale des pêcheries d'Islande ; alors toute cette fuite dans l'est était autant de bonne route faite pour le retour.

Yann et Sylvestre étaient à la barre, attachés par la ceinture. Ils chantaient encore la chanson de *Jean-François de Nantes* ; grisés de mouvement et de vitesse, ils chantaient à pleine voix, riant de ne plus s'entendre au milieu de tout ce déchaînement de bruits, s'amusant à tourner la tête pour chanter contre le vent et perdre haleine.

— Eh ben ! les enfants, ça sent-il le renfermé, là-haut ? leur demandait Guermeur, passant sa figure barbue par l'écoutille entrebâillée, comme un diable prêt à sortir de sa boîte.

Oh ! non, ça ne sentait pas le renfermé, pour sûr.

Ils n'avaient pas peur, ayant la notion exacte de ce qui est *maniable*, ayant confiance dans la solidité de leur bateau, dans la force de leurs bras. Et aussi dans la protection de cette Vierge de faïence qui, depuis quarante années de voyages en Islande, avait dansé tant de fois cette mauvaise danse-là, toujours souriante entre ses bouquets de fausses fleurs...

Jean-François de Nantes ;
Jean-François,
Jean-François !

En général, on ne voyait pas loin autour de soi ; à quelques centaines de mètres, tout paraissait finir en espèces d'épouvantes vagues, en crêtes blêmes qui se hérissaient, fermant la vue. On se croyait toujours au milieu d'une scène restreinte, bien que perpétuellement changeante ; et, d'ailleurs, les choses étaient noyées dans cette sorte de fumée d'eau qui fuyait en nuage, avec une extrême vitesse, sur toute la surface de la mer.

Mais, de temps à autre, une éclaircie se faisait vers le nord-ouest d'où une *saute de vent* pouvait venir : alors une lueur frisante arrivait de l'horizon ; un reflet traînant, faisant paraître plus sombre le dôme de ce ciel, se répandait sur les crêtes blanches agitées. Et cette éclaircie était triste à regarder ; ces lointains entrevus, ces échappées serraient le cœur davantage en donnant trop bien à comprendre que c'était le même chaos partout, la même fureur — jusque derrière ces grands horizons vides et infiniment au-delà : l'épouvante n'avait pas de limites, et on était seul au milieu !

Une clameur géante sortait des choses comme un prélude d'apocalypse jetant l'effroi des fins de monde. Et on y distinguait des milliers de voix ; d'en haut, il en venait de sifflantes ou de profondes, qui semblaient presque lointaines à force d'être immenses : cela, c'était le vent, la grande âme de ce désordre, la puissance invisible menant tout. Il faisait peur, mais il y avait d'autres bruits, plus rapprochés, plus matériels, plus menaçants de détruire, que rendait l'eau tourmentée, grésillant comme sur des braises...

Toujours cela grossissait.

Et, malgré leur allure de fuite, la mer commençait à les couvrir, à les *manger,* comme ils disaient : d'abord des embruns fouettant de l'arrière, puis de l'eau à paquets, lancée avec une force à tout briser. Les lames se faisaient toujours plus hautes, plus follement hautes, et pourtant elles étaient déchiquetées à mesure, on en voyait de grands lambeaux verdâtres, qui étaient de l'eau retombante que le vent jetait partout. Il en tombait de lourdes masses sur le pont, avec un bruit claquant, et alors la *Marie* vibrait tout entière comme de douleur. Maintenant on ne distinguait plus rien, à cause de toute cette bave blanche, éparpillée ; quand les rafales gémissaient plus fort, on la voyait courir en tourbillons plus épais — comme, en été, la poussière des routes. Une grosse pluie, qui était venue, passait aussi tout en biais, horizontale, et ces choses ensemble sifflaient, cinglaient, blessaient comme des lanières.

Ils restaient tous deux à la barre, attachés et se tenant ferme, vêtus de leurs *cirages,* qui étaient durs et luisants comme des peaux de requins ; ils les avaient bien serrés au cou, par des ficelles goudronnées, bien serrés aux poignets et aux chevilles pour ne pas laisser d'eau passer, et tout ruisselait sur eux, qui enflaient le dos quand cela tombait plus dru, en s'arc-boutant bien pour ne pas être renversés. La peau des joues leur cuisait et ils avaient la respiration à toute minute coupée. Après chaque grande masse d'eau tombée, ils se regardaient — en souriant, à cause de tout ce sel amassé dans leur barbe.

A la longue pourtant, cela devenait une extrême fatigue, cette fureur qui ne s'apaisait pas, qui restait toujours à son même paroxysme exaspéré. Les rages des hommes, celles des bêtes s'épuisent et tombent vite ; il faut subir longtemps, longtemps celles des choses inertes qui sont sans cause et sans but, mystérieuses comme la vie et comme la mort.

Jean-François de Nantes ;
Jean-François,
Jean-François !

A travers leurs lèvres devenues blanches, le refrain de la vieille chanson passait encore, mais comme une chose aphone, reprise de temps à autre inconsciemment. L'excès de mouvement et de bruit les avait rendus ivres ; ils avaient beau être jeunes, leurs sourires grimaçaient sur leurs dents entrechoquées par un tremblement de froid ; leurs yeux, à demi fermés sous les paupières brûlées qui battaient, restaient fixes dans une atonie farouche. Rivés à leur barre comme deux arcs-boutants de marbre, ils faisaient, avec leurs mains crispées et bleuies, les efforts qu'il fallait, presque sans penser, par simple habitude des muscles. Les cheveux ruisselants, la bouche contractée, ils étaient devenus étranges, et en eux reparaissait tout un fond de sauvagerie primitive.

Ils ne se voyaient plus ! Ils avaient conscience seulement d'être encore là, à côté l'un de l'autre. Aux instants plus dangereux, chaque fois que se dressait, derrière, la montagne d'eau nouvelle, surplombante, bruissante, horrible, heurtant leur bateau avec un grand fracas sourd, une de leurs mains s'agitait pour un signe de croix involontaire. Ils ne songeaient plus à rien, ni à Gaud, ni à aucune femme, ni à aucun mariage. Cela durait depuis trop longtemps, ils n'avaient plus de pensées ; leur ivresse de bruit, de fatigue et de froid obscurcissait tout dans leur tête. Ils n'étaient plus que deux piliers de chair raidie qui maintenaient cette barre ; que deux bêtes vigoureuses cramponnées là par instinct pour ne pas mourir.

2

....

... C'était en Bretagne, après la mi-septembre, par une journée déjà fraîche. Gaud cheminait toute seule sur la lande de Ploubazlanec, dans la direction de Pors-Even.

Depuis près d'un mois, les navires islandais étaient rentrés — moins deux qui avaient disparu dans ce coup de vent de juin. Mais la *Marie* ayant tenu bon, Yann et tous ceux du bord étaient au pays, tranquillement.

Gaud se sentait très troublée, à l'idée qu'elle se rendait chez ce Yann.

Une seule fois elle l'avait vu depuis le retour d'Islande ; c'était quand on était allé, tous ensemble, conduire le pauvre petit Sylvestre, à son départ pour le service. (On l'avait accompagné jusqu'à la diligence, lui, pleurant un peu, sa vieille grand-mère pleurant beaucoup, et il était parti pour rejoindre le quartier de Brest.) Yann, qui était venu aussi pour embrasser son petit ami, avait fait mine de détourner les yeux quand elle l'avait regardé, et, comme il y avait beaucoup de monde autour de cette voiture, — d'autres inscrits qui s'en allaient, des parents assemblés pour leur dire adieu — il n'y avait pas eu moyen de se parler.

Alors elle avait pris à la fin une grande résolution, et, un peu craintive, s'en allait chez les Gaos.

Son père avait eu jadis des intérêts communs avec celui d'Yann (de ces affaires compliquées qui, entre pêcheurs comme entre paysans, n'en finissent plus) et lui redevait une centaine de francs pour la vente d'une barque qui venait de se faire *à la part*.

— Vous devriez, avait-elle dit, me laisser lui porter cet argent, mon père ; d'abord je serais contente de voir Marie Gaos ; puis je ne suis jamais allée si loin en Ploubazlanec, et cela m'amuserait de faire cette grande course.

Au fond, elle avait une curiosité anxieuse de cette famille d'Yann, où elle entrerait peut-être un jour, de cette maison, de ce village.

Dans une dernière causerie, Sylvestre, avant de partir, lui avait expliqué à sa manière la sauvagerie de son ami :

— Vois-tu, Gaud, c'est parce qu'il est comme cela ; il ne veut se marier avec personne, par idée à lui ; il n'aime bien que la mer, et même, un jour, par plaisanterie, il nous a dit lui avoir promis le mariage.

Elle lui pardonnait donc ses manières d'être, et, retrouvant toujours dans sa mémoire son beau sourire franc de la nuit du bal, elle se reprenait à espérer.

Si elle le rencontrait là, au logis, elle ne lui dirait rien, bien sûr ; son intention n'était point de se montrer si osée. Mais lui, la revoyant de près, parlerait peut-être...

3

Elle marchait depuis une heure, alerte, agitée, respirant la brise saine du large.

Il y avait de grands calvaires plantés aux carrefours des chemins.

De loin en loin, elle traversait de ces petits hameaux de marins qui sont toute l'année battus par le vent, et dont la couleur est celle des rochers. Dans l'un, où le sentier se rétrécissait tout à coup entre des murs sombres, entre de hauts toits en chaume pointus comme des huttes celtiques, une enseigne de cabaret la fit sourire : « Au cidre chinois », et on avait peint deux magots en robe vert et rose, avec des queues, buvant du cidre. Sans doute une fantaisie de quelque ancien matelot revenu de là-bas... En passant, elle regardait tout ; les gens qui sont très préoccupés par le but de leur voyage s'amusent toujours plus que les autres aux mille détails de la route.

Le petit village était loin derrière elle maintenant, et, à

mesure qu'elle s'avançait sur ce dernier promontoire de la terre bretonne, les arbres se faisaient plus rares autour d'elle, la campagne plus triste.

Le terrain était ondulé, rocheux, et, de toutes les hauteurs, on voyait la grande mer. Plus d'arbres du tout à présent ; rien que la lande rase, aux ajoncs verts, et, çà et là, les divins crucifiés découpant sur le ciel leurs grands bras en croix, donnant à tout ce pays l'air d'un immense lieu de justice.

A un carrefour, gardé par un de ces christs énormes, elle hésita entre deux chemins qui fuyaient entre des talus d'épines.

Une petite fille qui arrivait se trouva à point pour la tirer d'embarras :

— Bonjour, mademoiselle Gaud !

C'était une petite Gaos, une petite sœur d'Yann. Après l'avoir embrassée, elle lui demanda si ses parents étaient à la maison.

— Papa et maman, oui. Il n'y a que mon frère Yann, dit la petite sans aucune malice, qui est allé à Loguivy ; mais je pense qu'il ne sera pas tard dehors.

Il n'était pas là, lui ! Encore ce mauvais sort qui l'éloignait d'elle partout et toujours. Remettre sa visite à une autre fois, elle y pensa bien. Mais cette petite qui l'avait vue en route, qui pourrait parler... Que penserait-on de cela à Pors-Even ? Alors elle décida de poursuivre, en musant le plus possible afin de lui donner le temps de rentrer.

A mesure qu'elle approchait de ce village d'Yann, de cette pointe perdue, les choses devenaient toujours plus rudes et plus désolées. Ce grand air de mer qui faisait les hommes plus forts, faisait aussi les plantes plus basses, courtes, trapues, aplaties sur le sol dur. Dans le sentier, il y avait des goémons qui traînaient par terre, feuillages *d'ailleurs,* indiquant qu'un autre monde était voisin. Ils répandaient dans l'air leur odeur saline.

Gaud rencontrait quelquefois des passants, gens de mer, qu'on voyait à longue distance dans ce pays nu, se dessinant, comme agrandis, sur la ligne haute et lointaine des eaux. Pilotes ou pêcheurs, ils avaient toujours l'air de guetter au loin, de veiller sur le large ; en la croisant, ils lui disaient bonjour. Des figures brunies, très mâles et décidées, sous un bonnet de marin.

L'heure ne passait pas, et vraiment elle ne savait que faire pour allonger sa route ; ces gens s'étonnaient de la voir marcher si lentement.

Ce Yann, que faisait-il à Loguivy ? Il courtisait les filles peut-être...

Ah ! si elle avait su comme il s'en souciait peu, des belles ! De temps en temps, si l'envie lui en prenait de quelqu'une, il n'avait en général qu'à se présenter. Les *fillettes de Paimpol,* comme dit la vieille chanson islandaise, sont un peu folles de leur corps, et ne résistent guère à un garçon aussi beau. Non, tout simplement, il était allé faire une commande à certain vannier de ce village, qui avait seul dans le pays la bonne manière pour tresser les *casiers* à prendre les homards. Sa tête était très libre d'amour en ce moment.

Elle arriva à une chapelle, qu'on apercevait de loin sur une hauteur. C'était une chapelle toute grise, très petite et très vieille ; au milieu de l'aridité d'alentour, un bouquet d'arbres, gris aussi et déjà sans feuilles, lui faisait des cheveux, des cheveux jetés tous du même côté, comme par une main qu'on y aurait passée.

Et cette main était celle aussi qui fait sombrer les barques des pêcheurs, main éternelle des vents d'ouest qui couche, dans le sens des lames et de la houle, les branches tordues des rivages. Ils avaient poussé de travers et échevelés, les vieux arbres, courbant le dos sous l'effort séculaire de cette main-là.

Gaud se trouvait presque au bout de sa course, puisque c'était la chapelle de Pors-Even ; alors elle s'y arrêta, pour gagner encore du temps.

Un petit mur croulant dessinait autour un enclos enfermant des croix. Et tout était de la même couleur, la chapelle, les arbres et les tombes ; le lieu tout entier semblait uniformément hâlé, rongé par le vent de la mer ; un même lichen grisâtre, avec ses taches d'un jaune pâle de soufre, couvrait les pierres, les branches noueuses, et les saints en granit qui se tenaient dans les niches du mur.

Sur une de ces croix de bois, un nom était écrit en grosses lettres : Gaos. — *GAOS, JOËL, quatre-vingts ans.*

Ah ! oui, le grand-père ; elle savait cela. La mer n'en avait pas voulu, de ce vieux marin. Du reste, plusieurs des parents d'Yann devaient dormir dans cet enclos, c'était naturel, et elle aurait dû s'y attendre ; pourtant ce nom lu sur cette tombe lui faisait une impression pénible.

Afin de perdre un moment de plus, elle entra dire une prière sous ce porche antique, tout petit, usé, badigeonné de chaux blanche. Mais là elle s'arrêta, avec un plus fort serrement de cœur.

Gaos ! encore ce nom, gravé sur une des plaques funéraires comme on en met pour garder le souvenir de ceux qui meurent au large.

Elle se mit à lire cette inscription :

En mémoire de
GAOS, JEAN-LOUIS,
âgé de 24 ans, matelot à bord de la Marguerite,
disparu en Islande, le 3 août 1877.
Qu'il repose en paix !

L'Islande — toujours l'Islande ! — Partout, à cette entrée de chapelle, étaient clouées d'autres plaques de bois, avec des noms de marins morts. C'était le coin des naufragés de Pors-Even, et elle regretta d'y être venue, prise d'un pressentiment noir. A Paimpol, dans l'église, elle avait vu des inscriptions pareilles ; mais ici, dans ce village, il était plus petit, plus fruste, plus sauvage, le tombeau vide des pêcheurs islandais. Il y avait de chaque côté un banc de granit, pour les veuves, pour les mères : et ce lieu bas, irrégulier comme une grotte, était gardé par une bonne Vierge très ancienne, repeinte en rose, avec de gros yeux méchants, qui ressemblait à Cybèle, déesse primitive de la terre.

Gaos ! encore !

En mémoire de
GAOS, FRANÇOIS,
époux de Anne-Marie Le GOASTER,
capitaine à bord du Paimpolais,
perdu en Islande du 1er au 3 avril 1877,
avec vingt-trois hommes composant son équipage.
Qu'ils reposent en paix !

Et, en bas, deux os de mort en croix, sous un crâne noir avec des yeux verts, peinture naïve et macabre, sentant encore la barbarie d'un autre âge.

Gaos ! partout ce nom !

Un autre Gaos s'appelait Yves, *enlevé du bord de son navire et disparu aux environs de Norden-Fiord, en Islande, à l'âge de 22 ans.* La plaque semblait être là depuis de longues années ; il devait être bien oublié, celui-là...

En lisant, il lui venait pour ce Yann des élans de tendresse douce, et un peu désespérée aussi. Jamais, non, jamais il ne serait à elle ! Comment le disputer à la mer, quand tant d'autres Gaos y avaient sombré, des ancêtres, des frères, qui devaient avoir avec lui des ressemblances profondes ?

Elle entra dans la chapelle, déjà obscure, à peine éclairée par ses fenêtres basses aux parois épaisses. Et là, le cœur plein de larmes qui voulaient tomber, elle s'agenouilla pour prier devant des saints et des saintes énormes, entourés de fleurs grossières, et qui touchaient la voûte avec leur tête. Dehors, le vent qui se levait commençait à gémir, comme rapportant au pays breton la plainte des jeunes hommes morts.

Le soir approchait ; il fallait pourtant bien se décider à faire sa visite et s'acquitter de sa commission.

Elle reprit sa route et, après s'être informée dans le village, elle trouva la maison des Gaos, qui était adossée à une haute falaise ; on y montait par une douzaine de marches en granit. Tremblant un peu à l'idée que Yann pouvait être revenu, elle traversa le jardinet où poussaient des chrysanthèmes et des véroniques.

En entrant, elle dit qu'elle apportait l'argent de cette barque vendue, et on la fit asseoir très poliment pour attendre le retour du père, qui lui signerait son reçu. Parmi tout ce monde qui était là, ses yeux cherchèrent Yann, mais elle ne le vit point.

On était fort occupé dans la maison. Sur une grande table bien blanche, on taillait déjà à la pièce, dans du coton neuf, des costumes appelés *cirages,* pour la prochaine saison d'Islande.

— C'est que, voyez-vous, mademoiselle Gaud, il leur en faut à chacun deux rechanges complets pour là-bas.

On lui expliqua comment on s'y prenait après pour les peindre et les cirer, ces tenues de misère. Et, pendant qu'on lui détaillait la chose, ses yeux parcouraient attentivement ce logis des Gaos.

Il était aménagé à la manière traditionnelle des chaumières bretonnes ; une immense cheminée en occupait le fond, et des lits en armoire s'étageaient sur les côtés. Mais cela n'avait pas l'obscurité ni la mélancolie de ces gîtes des laboureurs, qui sont toujours à demi enfouis au bord des chemins ; c'était clair et propre, comme en général chez les gens de mer.

Plusieurs petits Gaos étaient là, garçons ou filles, tous frères d'Yann — sans compter deux grands qui naviguaient. Et, en plus, une bien petite blonde, triste et proprette, qui ne ressemblait pas aux autres.

— Une que nous avons adoptée l'an dernier, expliqua la mère ; nous en avions déjà beaucoup pourtant ; mais, que voulez-vous, mademoiselle Gaud ! son père était de la *Marie-Dieu-t'aime,* qui s'est perdue en Islande à la saison dernière, comme vous savez — alors, entre voisins, on s'est partagé les cinq enfants qui restaient et celle-ci nous est échue.

Entendant qu'on parlait d'elle, la petite adoptée baissait la tête et souriait en se cachant contre le petit Laumec Gaos, qui était son préféré.

Il y avait un air d'aisance partout dans la maison, et la fraîche santé se voyait épanouie sur toutes ces joues roses d'enfants.

On mettait beaucoup d'empressement à recevoir Gaud — comme une belle demoiselle dont la visite était un honneur pour la famille. Par un escalier de bois blanc tout neuf, on la fit monter dans la chambre d'en haut qui était la gloire du logis. Elle se rappelait bien l'histoire de la construction de cet étage ; c'était à la suite d'une trouvaille de bateau abandonné faite en Manche par le père Gaos et son cousin le pilote ; la nuit du bal, Yann lui avait raconté cela.

Cette chambre de l'épave était jolie et gaie dans sa blancheur toute neuve ; il y avait deux lits à la mode des villes, avec des rideaux en perse rose ; une grande table au milieu. Par la fenêtre, on voyait tout Paimpol, toute la rade, avec les *Islandais* là-bas, au mouillage — et la passe par où ils s'en vont.

Elle n'osait pas questionner, mais elle aurait bien voulu

savoir où dormait Yann ; évidemment, tout enfant, il avait dû habiter en bas, dans quelqu'un de ces antiques lits en armoire. Mais, à présent, c'était peut-être ici, entre ces beaux rideaux roses. Elle aurait aimé être au courant des détails de sa vie, savoir surtout à quoi se passaient ses longues soirées d'hiver...

... Un pas un peu lourd dans l'escalier la fit tressaillir.

Non, ce n'était pas Yann, mais un homme qui lui ressemblait malgré ses cheveux déjà blancs, qui avait presque sa haute stature et qui était droit comme lui : le père Gaos rentrant de la pêche.

Après l'avoir saluée et s'être enquis des motifs de sa visite, il lui signa son reçu, ce qui fut un peu long, car sa main n'était plus, disait-il, très assurée. Cependant il n'acceptait pas ces cent francs comme un payement définitif, le désintéressant de cette vente de barque ; non, mais comme un acompte seulement ; il en recauserait avec M. Mével. Et Gaud, à qui l'argent importait peu, fit un petit sourire imperceptible : allons, bon, cette histoire n'était pas encore finie, elle s'en était bien doutée ; d'ailleurs, cela l'arrangeait d'avoir encore des affaires mêlées avec les Gaos.

On s'excusait presque, dans la maison, de l'absence d'Yann, comme si on eût trouvé plus honnête que toute la famille fût là assemblée pour la recevoir. Le père avait peut-être même deviné, avec sa finesse de vieux matelot, que son fils n'était pas indifférent à cette belle héritière ; car il mettait un peu d'insistance à toujours reparler de lui :

— C'est bien étonnant, disait-il, il n'est jamais si tard dehors. Il est allé à Loguivy, mademoiselle Gaud, acheter des casiers pour prendre des homards ; comme vous savez, c'est notre grande pêche de l'hiver.

Elle, distraite, prolongeait sa visite, ayant cependant conscience que c'était trop, et sentant un serrement de cœur lui venir à l'idée qu'elle ne le verrait pas.

— Un homme sage comme lui, qu'est-ce qu'il peut bien faire ? Au cabaret, il n'y est pas, bien sûr ; nous n'avons pas cela à craindre avec notre fils. — Je ne dis pas, une fois de temps en temps, le dimanche, avec des camarades... Vous savez, mademoiselle Gaud, les marins... Eh ! mon Dieu, quand on est jeune homme, n'est-ce pas, pourquoi s'en priver tout à fait ?... Mais la chose est bien rare avec lui, c'est un homme sage, nous pouvons le dire.

Cependant la nuit venait ; on avait replié les *cirages* commencés, suspendu le travail. Les petits Gaos et la petite adoptée, assis sur des bancs, se serraient les uns aux autres, attristés par l'heure grise du soir, et regardaient Gaud, ayant l'air de se demander :

« A présent, pourquoi ne s'en va-t-elle pas ? »

Et, dans la cheminée, la flamme commençait à éclairer rouge, au milieu du crépuscule qui tombait.

— Vous devriez rester manger la soupe avec nous, mademoiselle Gaud.

Oh ! non, elle ne le pouvait pas ; le sang lui monta tout à coup au visage à la pensée d'être restée si tard. Elle se leva et prit congé.

Le père d'Yann s'était levé, lui aussi, pour l'accompagner un bout de chemin, jusqu'au-delà de certain bas-fond isolé où de vieux arbres font un passage noir.

Pendant qu'ils marchaient près l'un de l'autre, elle se sentait prise pour lui de respect et de tendresse ; elle avait envie de lui parler comme à un père, dans des élans qui lui venaient ; puis les mots s'arrêtaient dans sa gorge, et elle ne disait rien.

Ils s'en allaient, au vent froid du soir qui avait l'odeur de la mer, rencontrant çà et là, sur la rase lande, des chaumières déjà fermées, bien sombres, sous leur toiture bossue, pauvres nids où des pêcheurs étaient blottis ; rencontrant les croix, les ajoncs et les pierres.

Comme c'était loin, ce Pors-Even, et comme elle s'y était attardée !

Quelquefois ils croisaient des gens qui revenaient de Paimpol ou de Loguivy ; en regardant approcher ces silhouettes d'hommes, elle pensait chaque fois à lui, à Yann ; mais c'était aisé de le reconnaître à distance et vite elle était déçue. Ses pieds s'embarrassaient dans de longues plantes brunes, emmêlées comme des chevelures, qui étaient les goémons traînant à terre.

A la croix de Plouëzoc'h elle salua le vieillard, le priant de retourner. Les lumières de Paimpol se voyaient déjà, et il n'y avait plus aucune raison d'avoir peur.

Allons, c'était fini pour cette fois... Et qui sait à présent quand elle verrait Yann ?...

Pour retourner à Pors-Even, les prétextes ne lui auraient pas manqué, mais elle aurait eu trop mauvais air en recommençant cette visite. Il fallait être plus courageuse et plus fière. Si seulement Sylvestre, son petit confident, eût été là encore, elle l'aurait chargé peut-être d'aller trouver Yann de sa part, afin de le faire s'expliquer. Mais il était parti, et pour combien d'années ?...

4

— Me marier ? disait Yann à ses parents le soir, me marier ? Eh ! donc, mon Dieu, pour quoi faire ? — Est-ce que je serai jamais si heureux qu'ici avec vous ? Pas de soucis, pas de contestations avec personne et la bonne soupe toute chaude chaque soir, quand je rentre de la mer... Oh ! je comprends bien, allez, qu'il s'agit de celle qui est venue à la maison aujourd'hui. D'abord, une fille si riche, en vouloir à de pauvres gens comme nous, ça n'est pas assez clair à mon gré. Et puis ni celle-là ni une autre, non, c'est tout réfléchi, je ne me marie pas, ça n'est pas mon idée.

Ils se regardèrent en silence, les deux vieux Gaos, désappointés profondément ; car, après en avoir causé ensemble, ils croyaient être bien sûrs que cette jeune fille ne refuserait pas leur beau Yann. Mais ils ne tentèrent point d'insister, sachant combien ce serait inutile. Sa mère surtout baissa la tête et ne dit plus mot ; elle respectait les volontés de ce fils, de cet aîné qui avait presque rang de chef de famille ; bien qu'il fût toujours très doux et très tendre avec elle, soumis plus qu'un enfant pour les petites choses de la vie, il était depuis longtemps son maître absolu pour les grandes, échappant à toute pression avec une indépendance tranquillement farouche.

Il ne veillait jamais tard, ayant l'habitude, comme les autres pêcheurs, de se lever avant le jour. Et après souper, dès huit heures, ayant jeté un dernier coup d'œil de satisfaction à ses casiers de Loguivy, à ses filets neufs, il commença de se déshabiller, l'esprit en apparence fort calme ; puis il monta se coucher, dans le lit à rideaux de perse rose qu'il partageait avec Laumec, son petit frère.

5

... Depuis quinze jours, Sylvestre, le petit confident de Gaud, était au quartier de Brest ; — très dépaysé, mais très sage ; portant crânement son col bleu ouvert et son bonnet à pompon rouge ; superbe en matelot, avec son allure roulante et sa haute taille ; dans le fond, regrettant toujours sa bonne vieille grand-mère et resté l'enfant innocent d'autrefois.

Un seul soir il s'était grisé, avec des *pays*, parce que c'est l'usage : ils étaient rentrés au quartier, toute une bande se donnant le bras, en chantant à tue-tête.

Un dimanche aussi, il était allé au théâtre dans les galeries hautes. On jouait un de ces grands drames où les matelots, s'exaspérant contre le traître, l'accueillent avec un *hou !* qu'ils poussent tous ensemble et qui fait un bruit profond comme le vent d'ouest. Il avait surtout trouvé qu'il y faisait très chaud, qu'on y manquait d'air et de place ; une tentative pour enlever son paletot lui avait valu une réprimande de l'officier de service. Et il s'était endormi sur la fin.

En rentrant à la caserne, passé minuit, il avait rencontré des dames d'un âge assez mûr, coiffées en cheveux, qui faisaient les cent pas sur leur trottoir.

— Écoute ici, joli garçon, disaient-elles avec de grosses voix rauques.

Il avait bien compris tout de suite ce qu'elles voulaient, n'étant point si naïf qu'on aurait pu le croire. Mais le souvenir, évoqué tout à coup, de sa vieille grand-mère et de Marie Gaos l'avait fait passer devant elles très dédaigneux, les toisant du haut de sa beauté et de sa jeunesse avec un sourire de moquerie enfantine. Elles avaient même été fort étonnées, les belles, de la réserve de ce matelot :

— As-tu vu celui-là !... Prends garde, sauve-toi, mon fils ; sauve-toi vite, l'on va te manger.

Et le bruit de choses fort vilaines qu'elles lui criaient s'était perdu dans la rumeur vague qui emplissait les rues, par cette nuit de dimanche.

Il se conduisait à Brest comme en Islande, comme au large, il restait vierge. — Mais les autres ne se moquaient pas de lui, parce qu'il était très fort, ce qui inspire le respect aux marins.

6

Un jour on l'appela au bureau de sa compagnie ; on avait à lui annoncer qu'il était désigné pour la Chine, pour l'escadre de Formose !...

Il se doutait depuis longtemps que ça arriverait, ayant entendu dire à ceux qui lisaient les journaux que, par là-bas, la guerre n'en finissait plus. A cause de l'urgence du départ, on le prévenait en même temps qu'on ne pourrait pas lui donner la permission accordée d'ordinaire, pour les adieux, à ceux qui vont en campagne : dans cinq jours, il faudrait faire son sac et s'en aller.

Il lui vint un trouble extrême : c'était le charme des grands voyages, de l'inconnu, de la guerre ; aussi l'angoisse de tout quitter, avec l'inquiétude vague de ne plus revenir.

Mille choses tourbillonnaient dans sa tête. Un grand bruit se faisait autour de lui, dans les salles du quartier, où quantité d'autres venaient d'être désignés aussi pour cette escadre de Chine.

Et vite il écrivit à sa pauvre vieille grand-mère, vite, au crayon, assis par terre, isolé dans une rêverie agitée, au milieu du va-et-vient et de la clameur de tous ces jeunes hommes qui, comme lui, allaient partir.

....

— Elle est un peu ancienne, son amoureuse ! disaient les autres, deux jours après, en riant derrière lui ; c'est égal, ils ont l'air de bien s'entendre tout de même.

Ils s'amusaient de le voir, pour la première fois, se promener dans les rues de Recouvrance avec une femme au bras, comme tout le monde, se penchant vers elle d'un air tendre, lui disant des choses qui avaient l'air tout à fait douces.

Une petite personne à la tournure assez alerte, vue de dos — des jupes un peu courtes, par exemple, pour la mode du jour ; un petit châle brun, et une grande coiffe de Paimpolaise.

Elle aussi, suspendue à son bras, se retournait vers lui pour le regarder avec tendresse.

— Elle est un peu ancienne, l'amoureuse !

Ils disaient cela, les autres, sans grande malice, voyant bien que c'était une bonne vieille grand-mère, venue de la campagne.

... Venue en hâte, prise d'une épouvante affreuse, à la nouvelle du départ de son petit-fils : car cette guerre de Chine avait déjà coûté beaucoup de marins au pays de Paimpol.

Ayant réuni toutes ses pauvres petites économies, arrangé dans un carton sa belle robe des dimanches et une coiffe de rechange, elle était partie pour l'embrasser au moins encore une fois.

Tout droit elle avait été le demander à la caserne, et d'abord l'adjudant de sa compagnie avait refusé de le laisser sortir.

— Si vous voulez réclamer, allez, ma bonne dame, allez vous adresser au capitaine, le voilà qui passe.

Et carrément, elle y était allée. Celui-ci s'était laissé toucher.

— Envoyez Moan *se changer,* avait-il dit.

Et Moan, quatre à quatre, était monté se mettre en toilette de ville — tandis que la bonne vieille, pour l'amuser, comme toujours, faisait par-derrière à cet adjudant une fine grimace impayable, avec une révérence.

Ensuite, quand il reparut, le petit-fils bien décolleté dans sa tenue de sortie, elle avait été émerveillée de le trouver si beau : sa barbe noire, qu'un coiffeur lui avait taillée, était en pointe à la mode des marins cette année-là, les liettes de sa chemise ouverte étaient frisées menu, et son bonnet avait de longs rubans qui flottaient terminés par des ancres d'or.

Un instant elle s'était imaginé voir son fils Pierre qui, vingt ans auparavant, avait été lui aussi gabier de la flotte, et le souvenir de ce long passé déjà enfui derrière elle, de tous ces morts, avait jeté furtivement sur l'heure présente une ombre triste.

Tristesse vite effacée. Ils étaient sortis bras dessus bras dessous, dans la joie d'être ensemble ; et c'est alors que, la prenant pour son amoureuse, on l'avait jugée « un peu ancienne ».

Elle l'avait emmené dîner, en partie fine, dans une auberge tenue par des Paimpolais, qu'on lui avait recommandée comme n'étant pas trop chère. Ensuite, se donnant le bras toujours, ils étaient allés dans Brest, regarder les étalages des boutiques. Et rien n'était si amusant que tout ce qu'elle trouvait à dire pour faire rire son petit-fils — en breton de Paimpol que les passants ne pouvaient pas comprendre.

....

Elle était restée trois jours avec lui, trois jours de fête sur lesquels pesait un *après* bien sombre, autant dire trois jours de grâce.

Et enfin il avait bien fallu repartir, s'en retourner à Ploubazlanec. C'est que d'abord elle était au bout de son pauvre argent. Et puis Sylvestre embarquait le surlendemain, et les matelots sont toujours consignés inexorablement dans les quartiers, la veille des grands départs (un usage qui semble à première vue un peu barbare, mais qui est une précaution nécessaire contre les *bordées* qu'ils ont tendance à courir au moment de se mettre en campagne).

Oh ! ce dernier jour !... Elle avait eu beau faire, beau chercher dans sa tête pour dire encore des choses drôles à son petit-fils, elle n'avait rien trouvé, non, mais c'étaient des larmes qui avaient envie de venir, les sanglots qui, à chaque instant, lui montaient à la gorge. Suspendue à son bras, elle lui faisait mille recommandations qui, à lui aussi, donnaient l'envie de pleurer. Et ils avaient fini par entrer dans une église pour dire ensemble leurs prières.

C'est par le train du soir qu'elle s'en était allée. Pour économiser, ils s'étaient rendus à pied à la gare ; lui, portant son carton de voyage et la soutenant de son bras fort sur lequel elle s'appuyait de tout son poids. Elle était fatiguée, fatiguée, la pauvre vieille ; elle n'en pouvait plus, de s'être tant surmenée pendant trois ou quatre jours. Le dos tout courbé sous son châle brun, ne trouvant plus la force de se redresser, elle n'avait plus rien de jeunet dans la tournure et sentait bien toute l'accablante lourdeur de ses soixante-seize ans. A l'idée que c'était fini, que dans quelques minutes il faudrait le quitter, son cœur se déchirait d'une manière affreuse. Et c'était en Chine qu'il s'en allait, là-bas, à la tuerie ! Elle l'avait encore là, avec elle : elle le tenait encore de ses deux pauvres mains... et cependant il partirait ; ni toute sa volonté, ni toutes ses larmes, ni tout son désespoir de grand-mère ne pouvaient rien pour le garder !...

Embarrassée de son billet, de son panier de provisions, de ses mitaines, agitée, tremblante, elle lui faisait ses recommandations dernières auxquelles il répondait tout bas par de petits *oui* bien soumis, la tête penchée tendrement vers elle, la regardant avec ses bons yeux doux, son air de petit enfant.

— Allons, la vieille, il faut vous décider si vous voulez partir !

La machine sifflait. Prise de frayeur de manquer le train, elle lui enleva des mains son carton — puis laissa retomber la chose à terre, pour se pendre à son cou dans un embrassement suprême.

On les regardait beaucoup dans cette gare, mais ils ne donnaient plus envie de sourire à personne. Poussée par les employés, épuisée, perdue, elle se jeta dans le premier compartiment venu, dont on lui referma brusquement la portière sur les talons, tandis que, lui, prenait sa course légère de matelot, décrivait une courbe d'oiseau qui s'envole, afin de faire le tour et d'arriver à la barrière, dehors, à temps pour la voir passer.

Un grand coup de sifflet, l'ébranlement bruyant des roues — la grand-mère passa. — Lui, contre cette barrière, agitait avec une grâce juvénile son bonnet à rubans flottants, et elle, penchée à la fenêtre de son wagon de troisième, faisait signe avec son mouchoir pour être mieux reconnue. Si longtemps qu'elle put, si longtemps qu'elle distingua cette forme bleu-noir qui était encore son petit-fils, elle le suivit des yeux, lui jetant de toute son âme cet « au revoir » toujours incertain que l'on dit aux marins quand ils s'en vont.

Regarde-le bien, pauvre vieille femme, ce petit Sylvestre ; jusqu'à la dernière minute, suis bien sa silhouette fuyante, qui s'efface là-bas pour jamais...

Et, quand elle ne le vit plus, elle retomba assise, sans souci de froisser sa belle coiffe, pleurant à sanglots, dans une angoisse de mort...

Lui, s'en retournait lentement, tête baissée, avec de grosses larmes descendant sur ses joues. La nuit d'automne était venue, le gaz allumé partout, la fête des matelots commencée. Sans prendre garde à rien, il traversa Brest, puis le pont de Recouvrance, se rendant au quartier.

— Écoute ici, joli garçon, disaient déjà les voix enrouées de ces dames qui avaient commencé leurs cent pas sur les trottoirs.

Il rentra se coucher dans son hamac, et pleura tout seul, dormant à peine jusqu'au matin.

7

....

... Il avait pris le large, emporté très vite sur des mers inconnues, beaucoup plus bleues que celle de l'Islande.

Le navire qui le conduisait en extrême Asie avait ordre de se hâter, de brûler les relâches.

Déjà il avait conscience d'être bien loin, à cause de cette vitesse qui était incessante, égale, qui allait toujours, presque sans souci du vent ni de la mer. Étant gabier, il vivait dans sa mâture, perché comme un oiseau, évitant ces soldats entassés sur le pont, cette cohue d'en bas.

On s'était arrêté deux fois sur la côte de Tunis, pour prendre encore des zouaves et des mulets ; de très loin il avait aperçu des villes blanches sur des sables ou des montagnes. Il était même descendu de sa hune pour regarder curieusement des hommes très bruns, drapés de voiles blancs, qui étaient venus dans des barques pour vendre des fruits : les autres lui avaient dit que c'était ça, les Bédouins.

Cette chaleur et ce soleil, qui persistaient toujours, malgré la saison d'automne, lui donnaient l'impression d'un dépaysement extrême.

Un jour, on était arrivé à une ville appelée Port-Saïd. Tous les pavillons d'Europe flottaient dessus au bout de longues hampes, lui donnant un air de Babel en fête, et des sables miroitants l'entouraient comme une mer. On avait mouillé là à toucher les quais, presque au milieu des longues rues à maisons de bois. Jamais, depuis le départ, il n'avait vu si clair et de si près le monde du dehors, et cela l'avait distrait, cette agitation, cette profusion de bateaux.

Avec un bruit continuel de sifflets et de sirènes à vapeur, tous ces navires s'engouffraient dans une sorte de long canal, étroit comme un fossé, qui fuyait en ligne argentée dans l'infini de ces sables. Du haut de sa hune, il les voyait s'en aller comme en procession pour se perdre dans les plaines.

Sur ces quais circulaient toute espèce de costumes ; des hommes en robes de toutes les couleurs, affairés, criant, dans le grand coup de feu du transit. Et le soir, aux sifflets diaboliques des machines, étaient venus se mêler les tapages confus de plusieurs orchestres, jouant des choses bruyantes comme pour endormir les regrets déchirants de tous les exilés qui passaient.

Le lendemain, dès le soleil levé, ils étaient entrés eux aussi dans l'étroit ruban d'eau entre les sables, suivis d'une queue de bateaux de tous les pays. Cela avait duré deux jours, cette promenade à la file dans le désert ; puis une autre mer s'était ouverte devant eux, et ils avaient repris le large.

On marchait à toute vitesse toujours ; cette mer plus chaude avait à sa surface des marbrures rouges et quelquefois l'écume battue du sillage avait la couleur du sang. Il vivait presque tout le temps dans sa hune, se chantant tout bas à lui-même *Jean-François de Nantes,* pour se rappeler son frère Yann, l'Islande, le bon temps passé.

Quelquefois, dans le fond des lointains pleins de mirages, il voyait apparaître quelque montagne de nuance extraordinaire. Ceux qui menaient le navire connaissaient sans doute, malgré l'éloignement et le vague, ces caps avancés des continents qui sont comme des points de repère éternels sur les grands chemins du monde. Mais, quand on est gabier, on navigue emporté comme une chose, sans rien savoir, ignorant les distances et les mesures sur l'étendue qui ne finit pas.

Lui, n'avait que la notion d'un éloignement effroyable qui augmentait toujours ; mais il en avait la notion très nette, en regardant de haut ce sillage, bruissant, rapide, qui fuyait derrière ; en comptant depuis combien durait cette vitesse qui ne se ralentissait ni jour ni nuit.

En bas, sur le pont, la foule, les hommes entassés à l'ombre des tentes, haletaient avec accablement. L'eau, l'air, la lumière avaient pris une splendeur morne, écrasante ; et la fête éternelle de ces choses était comme une ironie pour les êtres, pour les existences organisées qui sont éphémères.

... Une fois, dans sa hune, il fut très amusé par des nuées de petits oiseaux, d'espèce inconnue, qui vinrent se jeter sur le navire comme des tourbillons de poussière noire. Ils se laissaient prendre et caresser, n'en pouvant plus. Tous les gabiers en avaient sur leurs épaules.

Mais bientôt les plus fatigués commencèrent à mourir.

... Ils mouraient par milliers, sur les vergues, sur les sabords, ces tout petits, au soleil terrible de la mer Rouge.

Ils étaient venus de par-delà les grands déserts, poussés par un vent de tempête. Par peur de tomber dans cet infini bleu qui était partout, ils s'étaient abattus, d'un dernier vol épuisé, sur ce bateau qui passait. Là-bas, au fond de quelque région lointaine de la Libye, leur race avait pullulé dans des amours exubérantes. Leur race avait pullulé sans mesure, et il y en avait eu trop ; alors la mère aveugle, et sans âme, la mère nature, avait chassé d'un souffle cet excès de petits oiseaux avec la même impassibilité que s'il se fût agi d'une génération d'hommes.

Et ils mouraient tous sur ces ferrures chaudes du navire : le pont était jonché de leurs petits corps qui hier palpitaient de vie, de chants et d'amour... Petites loques noires, aux plumes mouillées, Sylvestre et les gabiers les ramassaient, étendant dans leurs mains, d'un air de commisération, ces fines ailes bleuâtres — et puis les poussaient au grand néant de la mer, à coups de balai...

Ensuite passèrent des sauterelles, filles de celles de Moïse, et le navire en fut couvert.

Puis on navigua encore plusieurs jours dans du bleu inaltérable où on ne voyait plus rien de vivant — si ce n'est des poissons quelquefois, qui volaient au ras de l'eau...

8

... De la pluie, à torrents, sous le ciel lourd et tout noir — c'était l'Inde, Sylvestre venait de mettre le pied sur cette terre-là, le hasard l'ayant fait choisir à bord pour compléter l'*armement* d'une baleinière.

A travers l'épaisseur des feuillages, il recevait l'ondée tiède, et regardait autour de lui les choses étranges. Tout était magnifiquement vert ; les feuilles des arbres étaient faites comme des plumes gigantesques, et les gens qui se promenaient avaient de grands yeux veloutés qui semblaient se fermer sous le poids de leurs cils. Le vent qui poussait cette pluie sentait le musc et les fleurs.

Des femmes lui faisaient signe de venir : quelque chose comme le *Écoute ici, joli garçon,* entendu maintes fois dans Brest. Mais, au milieu de ce pays enchanté, leur appel était troublant et faisait passer des frissons dans la chair. Leurs poitrines superbes se bombaient sous les mousselines transparentes qui les drapaient ; elles étaient fauves et polies comme du bronze.

Hésitant encore, et pourtant fasciné par elles, il s'avançait déjà, peu à peu, pour les suivre...

... Mais voici qu'un petit coup de sifflet de marine, modulé en trilles d'oiseau, le rappela brusquement dans sa baleinière qui allait repartir.

Il prit sa course — et adieu les belles de l'Inde. Quand on se retrouva au large le soir, il était encore vierge comme un enfant.

Après une nouvelle semaine de mer bleue, on s'arrêta dans un autre pays de pluie et de verdure. Une nuée de bonshommes jaunes, qui poussaient des cris, envahit tout de suite le bord, apportant du charbon dans des paniers.

— Alors, nous sommes donc déjà en Chine ? demanda Sylvestre, voyant qu'ils avaient tous des figures de magot et des queues.

On lui dit que non ; encore un peu de patience : ce n'était que Singapour. Il remonta dans sa hune, pour éviter la poussière noirâtre que le vent promenait, tandis que le charbon des milliers de petits paniers s'entassait fiévreusement dans les soutes.

Enfin on arriva un jour dans un pays appelé Tourane, où se trouvait au mouillage une certaine *Circé* tenant un blocus. C'était le bateau auquel il se savait depuis longtemps destiné, et on l'y déposa avec son sac.

Il y retrouva des *pays,* même deux *Islandais* qui, pour le moment, étaient canonniers.

Le soir, par ces temps toujours chauds et tranquilles où il n'y avait rien à faire, ils se réunissaient sur le pont, isolés des autres, pour former ensemble une petite Bretagne de souvenir.

Il dut passer cinq mois d'inaction et d'exil dans cette baie triste, avant le moment désiré d'aller se battre.

9

....

Paimpol — le dernier jour de février — veille du départ des pêcheurs pour l'Islande.

Gaud se tenait debout contre la porte de sa chambre, immobile et devenue très pâle.

C'est que Yann était en bas, à causer avec son père. Elle l'avait vu venir, et elle entendait vaguement résonner sa voix.

Ils ne s'étaient pas rencontrés de tout l'hiver, comme si une fatalité les eût toujours éloignés l'un de l'autre.

Après sa course à Pors-Even, elle avait fondé quelque espérance sur le *pardon des Islandais*, où l'on a beaucoup d'occasions de se voir et de causer, sur la place, le soir, dans les groupes. Mais, dès le matin de cette fête, les rues étant déjà tendues de blanc, ornées de guirlandes vertes, une mauvaise pluie s'était mise à tomber à torrents, chassée de l'ouest par une brise gémissante sur Paimpol, on n'avait jamais vu le ciel si noir. « Allons, ceux de Ploubazlanec ne viendront pas », avaient dit tristement les filles qui avaient leurs amoureux de ce côté-là. Et en effet ils n'étaient pas venus, ou bien s'étaient vite enfermés à boire. Pas de procession, pas de promenade, et elle, le cœur plus serré que de coutume, était restée derrière ses vitres toute la soirée, écoutant ruisseler l'eau des toits et monter du fond des cabarets les chants bruyants des pêcheurs.

Depuis quelques jours, elle avait prévu cette visite d'Yann, se doutant bien que, pour cette affaire de vente de barque non encore réglée, le père Gaos, qui n'aimait pas venir à Paimpol, enverrait son fils. Alors elle s'était promis qu'elle irait à lui, ce que les filles ne font pas d'ordinaire, qu'elle lui parlerait pour en avoir le cœur net. Elle lui reprocherait de l'avoir troublée, puis abandonnée, à la manière des garçons qui n'ont pas d'honneur. Entêtement, sauvagerie, attachement au métier de la mer, ou crainte d'un refus... si tous ces obstacles indiqués par Sylvestre étaient les seuls, ils pourraient bien tomber, qui sait ! après un entretien franc comme serait le leur. Et alors, peut-être, reparaîtrait son beau sourire, qui arrangerait tout — ce même sourire, qui l'avait tant surprise et charmée l'hiver d'avant, pendant certaine nuit de bal passée tout entière à valser entre ses bras. Et cet espoir lui rendait du courage, l'emplissait d'une impatience presque douce.

De loin, tout paraît toujours si facile, si simple à dire et à faire.

Et, précisément, cette visite d'Yann tombait à une heure choisie : et elle était sûre que son père, en ce moment assis à fumer, ne se dérangerait pas pour le reconduire ; donc, dans le corridor où il n'y aurait personne elle pourrait avoir enfin son explication avec lui.

Mais voici qu'à présent, le moment venu, cette hardiesse lui semblait extrême. L'idée seulement de le rencontrer, de le voir face à face au pied de ces marches la faisait trembler. Son cœur battait à se rompre... Et dire que, d'un moment à l'autre cette porte en bas allait s'ouvrir — avec le petit bruit grinçant qu'elle connaissait bien — pour lui donner passage !

Non, décidément, elle n'oserait jamais ; plutôt se consumer d'attente et mourir de chagrin, que tenter une chose pareille. Et déjà elle avait fait quelques pas pour retourner au fond de sa chambre, s'asseoir et travailler.

Mais elle s'arrêta encore, hésitante, effarée, se rappelant que c'était demain le départ pour l'Islande, et que cette occasion de le voir était unique. Il faudrait donc, si elle la manquait, recommencer des mois de solitude et d'attente, languir après son retour, perdre encore tout un été de sa vie...

En bas, la porte s'ouvrit : Yann sortait ! Brusquement résolue, elle descendit en courant l'escalier, et arriva, tremblante, se planter devant lui.

— Monsieur Yann, je voudrais vous parler, s'il vous plaît.

— A moi !... mademoiselle Gaud ?... dit-il en baissant la voix, portant la main à son chapeau.

Il la regardait d'un air sauvage, avec ses yeux vifs, la tête rejetée en arrière, l'expression dure, ayant même l'air de se demander si seulement il s'arrêterait. Un pied en avant, prêt à fuir, il plaquait ses larges épaules à la muraille, comme pour être moins près d'elle dans ce couloir étroit où il se voyait pris.

Glacée, alors, elle ne retrouvait plus rien de ce qu'elle avait préparé pour lui dire : elle n'avait pas prévu qu'il pourrait lui faire cet affront-là, de passer sans l'avoir écoutée...

— Est-ce que notre maison vous fait peur, monsieur Yann ? demanda-t-elle d'un ton sec et bizarre, qui n'était pas celui qu'elle voulait avoir.

Lui, détournait les yeux, regardant dehors. Ses joues étaient devenues très rouges, une montée de sang lui brûlait le visage, et ses narines mobiles se dilataient à chaque respiration, suivant les mouvements de sa poitrine, comme celles des taureaux.

Elle essaya de continuer :

— Le soir du bal où nous étions ensemble, vous m'aviez dit au revoir comme on ne le dit pas à une indifférente... Monsieur Yann, vous êtes sans mémoire donc... Que vous ai-je fait ?...

... Le mauvais vent d'ouest qui s'engouffrait là, venant de la rue, agitait les cheveux d'Yann, les ailes de la coiffe de Gaud, et, derrière eux, fit furieusement battre une porte. On était mal dans ce corridor pour parler des choses graves. Après ces premières phrases, étranglées dans sa gorge, Gaud restait muette, sentant tourner sa tête, n'ayant plus d'idées. Ils s'étaient avancés vers la porte de la rue, lui, fuyant toujours.

Dehors, il ventait avec un grand bruit et le ciel était noir. Par cette porte ouverte, un éclairage livide et triste tombait en plein sur leurs figures. Et une voisine d'en face les regardait : qu'est-ce qu'ils pouvaient se dire, ces deux-là, dans ce corridor, avec des airs si troubles ? qu'est-ce qui se passait donc chez les Mével ?

— Non, mademoiselle Gaud, répondit-il à la fin en se dégageant avec une aisance de fauve. — Déjà j'en ai entendu dans le pays, qui parlaient sur nous... Non, mademoiselle Gaud... Vous êtes riche, nous ne sommes pas gens de la même classe. Je ne suis pas un garçon à venir chez vous, moi.

Et il s'en alla...

Ainsi tout était fini, fini à jamais. Et elle n'avait même rien dit de ce qu'elle voulait dire, dans cette entrevue qui n'avait réussi qu'à la faire passer à ses yeux pour une effrontée... Quel garçon était-il donc, ce Yann, avec son dédain des filles, son dédain de l'argent, son dédain de tout !...

Elle restait d'abord clouée sur place, voyant les choses remuer autour d'elle, avec du vertige...

Et puis une idée, plus intolérable que toutes, lui vint comme un éclair : des camarades d'Yann, des Islandais, faisaient les cent pas sur la place, l'attendant ! S'il allait leur raconter cela, s'amuser d'elle, comme ce serait un affront encore plus odieux ! Elle remonta vite dans sa chambre, pour les observer à travers ses rideaux...

Devant la maison, elle vit en effet le groupe de ces hommes. Mais ils regardaient tout simplement le temps, qui devenait de plus en plus sombre, et faisaient des conjectures sur la grande pluie menaçante, disant :

— Ce n'est qu'un grain ; entrons boire, tandis que ça passera.

Et puis ils plaisantèrent à haute voix sur Jeannie Caroff, sur différentes belles ; mais aucun ne se retourna vers sa fenêtre.

Ils étaient gais tous, excepté lui qui ne répondait pas, ne souriait pas, mais demeurait grave et triste. Il n'entra point boire avec les autres et, sans plus prendre garde à eux ni à la pluie commencée, marchant lentement sous l'averse comme quelqu'un absorbé dans une rêverie, il traversa la place dans la direction de Ploubazlanec...

Alors elle lui pardonna tout, et un sentiment de tendresse sans espoir prit la place de l'amer dépit qui lui était d'abord monté au cœur.

Elle s'assit, la tête dans ses mains. Que faire à présent ?

Oh ! S'il avait pu l'écouter rien qu'un moment ; plutôt, s'il pouvait venir là, seul avec elle dans cette chambre où on se parlerait en paix, tout s'expliquerait peut-être encore.

Elle l'aimait assez pour oser le lui avouer en face. Elle lui dirait : « Vous m'avez cherchée quand je ne vous demandais rien ; à présent, je suis à vous de toute mon âme si vous me voulez ; voyez, je ne redoute pas de devenir la femme d'un pêcheur, et cependant, parmi les garçons de Paimpol, je n'aurais qu'à choisir si j'en désirais un pour mari ; mais je vous aime, vous, parce que, malgré tout, je vous crois meilleur que les autres jeunes hommes ; je suis un peu riche, je sais que je suis jolie ; bien que j'aie habité dans les villes, je vous jure que je suis une fille sage, n'ayant jamais rien fait de mal ; alors, puisque je vous aime tant, pourquoi ne me prendriez-vous pas ? »

... Mais tout cela ne serait jamais exprimé, jamais dit qu'en rêve : il était trop tard, Yann ne l'entendait point. Tenter de lui parler une seconde fois... oh ! non ! pour quelle espèce de créature la prendrait-il, alors !... Elle aimerait mieux mourir.

Et demain, ils partaient tous pour l'Islande !

Seule dans sa belle chambre, où entrait le jour blanchâtre de février, ayant froid, assise au hasard sur une des chaises rangées le long du mur, il lui semblait voir crouler le monde, avec les choses présentes et les choses à venir, au fond d'un vide morne, effroyable, qui venait de se creuser partout autour d'elle.

Elle souhaitait être débarrassée de la vie, être déjà couchée bien tranquille sous une pierre, pour ne plus souffrir... Mais, vraiment, elle lui pardonnait, et aucune haine n'était mêlée à son amour désespéré pour lui...

10

....

La mer, la mer grise.

Sur la grand-route non tracée qui mène, chaque été, les pêcheurs en Islande, Yann filait doucement depuis un jour.

La veille, quand on était parti au chant des vieux cantiques, il soufflait une brise du sud, et tous les navires, couverts de voiles, s'étaient dispersés comme des mouettes.

Puis cette brise était devenue plus molle, et les marches

s'étaient ralenties ; des bancs de brume voyageaient au ras des eaux.

Yann était peut-être plus silencieux que d'habitude. Il se plaignait du temps trop calme et paraissait avoir besoin de s'agiter, pour chasser de son esprit quelque obsession. Il n'y avait pourtant rien à faire, qu'à glisser tranquillement au milieu de choses tranquilles ; rien qu'à respirer et à se laisser vivre. En regardant, on ne voyait que des grisailles profondes ; en écoutant, on n'entendait que du silence...

... Tout à coup, un bruit sourd, à peine perceptible, mais inusité et venu d'en dessous avec une sensation de raclement, comme en voiture lorsque l'on serre les freins des roues ! Et la *Marie,* cessant sa marche, demeura immobilisée...

Échoués !!! où et sur quoi ? Quelque banc de la côte anglaise, probablement. Aussi, on ne voyait rien depuis la veille au soir, avec ces brumes en rideaux.

Les hommes s'agitaient, couraient, et leur excitation de mouvement contrastait avec cette tranquillité brusque, figée, de leur navire. Voilà, elle s'était arrêtée à cette place, la *Marie,* et n'en bougeait plus. Au milieu de cette immensité de choses fluides, qui, par ces temps mous, semblaient n'avoir même pas de consistance, elle avait été saisie par je ne sais quoi de résistant et d'immuable qui était dissimulé sous ces eaux ; elle y était bien prise et risquait peut-être d'y mourir.

Qui n'a vu un pauvre oiseau, une pauvre mouche s'attraper par les pattes à de la glu ?

D'abord on ne s'en aperçoit guère ; cela ne change pas leur aspect ; il faut savoir qu'ils sont pris par en dessous et en danger de ne s'en tirer jamais.

C'est quand ils se débattent ensuite, que la chose collante vient souiller leurs ailes, leur tête, et que, peu à peu, ils prennent cet air pitoyable d'une bête en détresse qui va mourir.

Pour la *Marie,* c'était ainsi ; au commencement cela ne paraissait pas beaucoup ; elle se tenait bien un peu inclinée, il est vrai, mais c'était en plein matin, par un beau temps calme ; il fallait *savoir* pour s'inquiéter et comprendre que c'était grave.

Le capitaine faisait un peu pitié, lui qui avait commis la faute en ne s'occupant pas assez du point où l'on était : il secouait ses mains en l'air, en disant : *« Ma Doué ! ma Doué ! »* sur un ton de désespoir.

Tout près d'eux, dans une éclaircie, se dessina un cap qu'ils ne reconnaissaient pas bien. Il s'embruma presque aussitôt : on ne le distingua plus.

D'ailleurs, aucune voile en vue, aucune fumée. — Et pour le moment, ils aimaient presque mieux cela : ils avaient grande crainte de ces sauveteurs anglais qui viennent de force vous tirer de peine à leur manière, et dont il faut se défendre comme des pirates.

Ils se démenaient tous, changeant, chavirant l'arrimage. Turc, leur chien, qui ne craignait pourtant pas les mouvements de la mer, était très émotionné, lui aussi, par cet incident : ces bruits d'en dessous, ces secousses dures quand la houle passait, et puis ces immobilités, il comprenait très bien que tout cela n'était pas naturel, et se cachait dans les coins, la queue basse.

Après, ils amenèrent des embarcations pour mouiller des ancres, essayer de se *déhaler,* en réunissant toutes leurs forces sur des amarres — une rude manœuvre qui dura dix heures d'affilée — et, le soir venu, le pauvre bateau, arrivé le matin si propre et pimpant, prenait déjà mauvaise figure, inondé, souillé, en plein désarroi. Il s'était débattu, secoué de toutes les manières, et restait toujours là, cloué comme un bateau mort.

....

La nuit allait les prendre, le vent se levait et la houle était plus haute ; cela tournait mal, quand, tout à coup, vers six heures, les voilà dégagés, partis, cassant les amarres qu'ils avaient laissées pour se tenir... Alors on vit les hommes courir comme des fous de l'avant à l'arrière en criant :

— Nous flottons !

Ils flottaient en effet ; mais comment dire cette joie-là, de *flotter ;* de se sentir s'en aller, redevenir une chose légère, vivante, au lieu d'un commencement d'épave qu'on était tout à l'heure !

Et, du même coup, la tristesse d'Yann s'était envolée aussi. Allégé comme son bateau, guéri par la saine fatigue de ses bras, il avait retrouvé son air insouciant, secoué ses souvenirs.

Le lendemain matin, quand on eut fini de relever les ancres, il continua sa route vers sa froide Islande, le cœur en apparence aussi libre que dans ses premières années.

11

....

On distribuait un courrier de France, là-bas, à bord de la *Circé,* en rade d'Ha-Long, à l'autre bout de la terre. Au milieu d'un groupe serré de matelots, le vaguemestre appelait à haute voix les noms des heureux qui avaient des lettres. Cela se passait le soir, dans la batterie, en se bousculant autour d'un fanal.

« Moan, Sylvestre ! » — Il y en avait une pour lui, une qui était bien timbrée de Paimpol — mais ce n'était pas l'écriture de Gaud. — Qu'est-ce que cela voulait dire ? Et de qui venait-elle ?

L'ayant tournée et retournée, il l'ouvrit craintivement.

Ploubazlanec, ce 5 mars 1884.

Mon cher petit-fils,

....

C'était bien de sa bonne vieille grand-mère ; alors il respira mieux. Elle avait même apposé au bas sa grosse signature apprise par cœur, toute tremblée et écolière : *Veuve Moan.*

Veuve Moan. Il porta le papier à ses lèvres, d'un mouvement irréfléchi, et embrassa ce pauvre nom comme une sainte amulette. C'est que cette lettre arrivait à une heure suprême de sa vie : demain matin, dès le jour, il partait pour aller au feu.

On était au milieu d'avril ; Bac-Ninh et Hong-Hoa venaient d'être pris. Aucune grande opération n'était prochaine dans ce Tonkin — pourtant les renforts qui arrivaient ne suffisaient pas — alors on prenait à bord des navires tout ce qu'ils pouvaient encore donner pour compléter les compagnies de marins déjà débarquées. Et Sylvestre, qui avait langui longtemps dans les croisières et les blocus, venait d'être désigné avec quelques autres pour combler des vides dans ces compagnies-là.

En ce moment, il est vrai, on parlait de paix ; mais quelque chose leur disait tout de même qu'ils débarqueraient encore à temps pour se battre un peu. Ayant arrangé leurs sacs, terminé leurs préparatifs, et fait leurs adieux, ils s'étaient promenés toute la soirée au milieu des autres qui restaient, se sentant grandis et fiers auprès de ceux-là ; chacun à sa manière manifestait ses impressions de départ, les uns graves, un peu recueillis ; les autres se répandant en exubérantes paroles.

Sylvestre, lui, était assez silencieux et concentrait en lui-même son impatience d'attente ; seulement quand on le regardait, son petit sourire contenu disait bien : « Oui, j'en suis en effet, et c'est pour demain matin. » La guerre, le feu, il ne s'en faisait encore qu'une idée incomplète ; mais cela le fascinait pourtant, parce qu'il était de vaillante race.

... Inquiet de Gaud, à cause de cette écriture étrangère, il cherchait à s'approcher d'un fanal pour pouvoir bien lire. Et c'était difficile au milieu de ces groupes d'hommes demi-nus, qui se pressaient là, pour lire aussi, dans la chaleur irrespirable de cette batterie...

Dès le début de sa lettre, comme il l'avait prévu, la grand-mère Yvonne expliquait pourquoi elle avait été obligée de recourir à la main peu experte d'une vieille voisine :

Mon cher enfant, je ne te fais pas écrire cette fois par ta cousine, parce qu'elle est bien dans la peine. Son père a été pris de mort subite, il y a deux jours. Et il paraît que toute sa fortune a été mangée, à de mauvais jeux d'argent qu'il avait faits cet hiver dans Paris. On va donc vendre sa maison et ses meubles. C'est une chose à laquelle personne ne s'attendait dans le pays. Je pense, mon cher enfant, que cela va te faire comme à moi beaucoup de peine.

Le fils Gaos te dit bien le bonjour ; il a renouvelé engagement avec le capitaine Guermeur, toujours sur la Marie, et le départ pour l'Islande a eu lieu d'assez bonne heure cette année. Ils ont appareillé le 1er du courant, l'avant-veille du grand malheur arrivé à notre pauvre Gaud, et ils n'en ont pas eu connaissance encore.

Mais tu dois bien penser, mon cher fils, qu'à présent c'est fini, nous ne les marierons pas ; car ainsi elle va être obligée de travailler pour gagner son pain...

... Il resta atterré ; ces mauvaises nouvelles lui avaient gâté toute sa joie d'aller se battre...

TROISIÈME PARTIE

1

. . . .

Dans l'air, une balle qui siffle !... Sylvestre s'arrête court, dressant l'oreille...

C'est sur une plaine infinie, d'un vert tendre et velouté de printemps. Le ciel est gris, pesant aux épaules.

Ils sont là six matelots armés, en reconnaissance au milieu des fraîches rizières, dans un sentier de boue...

... Encore !... ce même bruit dans le silence de l'air ! — Bruit aigre et ronflant, espèce de *dzinn* prolongé, donnant bien l'impression de la petite chose méchante et dure qui passe là tout droit, très vite, et dont la rencontre peut être mortelle.

Pour la première fois de sa vie, Sylvestre écoute cette musique-là. Ces balles qui vous arrivent sonnent autrement que celles que l'on tire soi-même : le coup de feu, parti de loin, est atténué, on ne l'entend plus ; alors on distingue mieux ce petit bourdonnement de métal, qui file en traînée rapide, frôlant vos oreilles...

... Et *dzinn* encore, et *dzinn !* Il en pleut maintenant, des balles. Tout près des marins, arrêtés net, elles s'enfoncent dans le sol inondé de la rizière, chacune avec un petit *flac* de grêle, sec et rapide, et un léger éclaboussement d'eau.

Eux se regardent, en souriant comme d'une farce drôlement jouée, et ils disent :

— Les Chinois ! (Annamites, Tonkinois, Pavillons-Noirs, pour les matelots, tout cela, c'est de la même famille chinoise.)

Et comment rendre ce qu'ils mettent de dédain, de vieille rancune moqueuse, d'entrain pour se battre, dans cette manière de les annoncer : « Les Chinois ! »

Deux ou trois balles sifflent encore, plus rasantes, celles-ci ; on les voit ricocher, comme des sauterelles dans l'herbe. Cela n'a pas duré une minute, ce petit arrosage de plomb, et déjà cela cesse. Sur la grande plaine verte, le silence absolu revient, et nulle part on n'aperçoit rien qui bouge.

Ils sont tous les six encore debout, l'œil au guet, prenant le vent, ils cherchent d'où cela a pu venir.

De là-bas, sûrement, de ce bouquet de bambous, qui fait dans la plaine comme un îlot de plumes, et derrière lesquels apparaissent, à demi cachées, des toitures cornues. Alors ils y courent ; dans la terre détrempée de la rizière, leurs pieds s'enfoncent ou glissent ; Sylvestre, avec ses jambes plus longues et plus agiles, est celui qui court devant.

Rien ne siffle plus ; on dirait qu'ils ont rêvé...

Et comme, dans tous les pays du monde, certaines choses sont toujours et éternellement les mêmes — le gris des ciels couverts, la teinte fraîche des prairies au printemps — on croirait voir les champs de France, avec des jeunes hommes courant là gaîment, pour tout autre jeu que celui de la mort.

Mais, à mesure qu'ils s'approchent, ces bambous montrent mieux la finesse exotique de leur feuillée, ces toits de village accentuent l'étrangeté de leur courbure, et des hommes jaunes, embusqués derrière, avancent, pour regarder, leurs figures plates contractées par la malice et la peur... Puis brusquement, ils sortent en jetant un cri, et se déploient en une longue ligne tremblante, mais décidée et dangereuse.

— Les Chinois ! disent encore les matelots, avec leur même brave sourire.

Mais c'est égal, ils trouvent cette fois qu'il y en a beaucoup, qu'il y en a trop. Et l'un d'eux, en se retournant, en aperçoit d'autres, qui arrivent par-derrière, émergeant d'entre les herbages.

. . . .

... Il fut très beau, dans cet instant, dans cette journée, le petit Sylvestre ; sa vieille grand-mère eût été fière de le voir si guerrier !

Déjà transfiguré depuis quelques jours, bronzé, la voix changée, il était là comme dans un élément à lui. A une minute d'indécision suprême, les matelots, éraflés par les balles, avaient presque commencé ce mouvement de recul qui eût été leur mort à tous ; mais Sylvestre avait continué d'avancer ; ayant pris son fusil par le canon, il tenait tête à tout un groupe, fauchant de droite et de gauche, à grands coups de crosse qui assommaient. Et, grâce à lui, la partie avait changé de tournure : cette panique, cet affolement, ce je ne sais quoi, qui décide aveuglément de tout, dans ces petites batailles non dirigées, était passé du côté des Chinois ; c'étaient eux qui avaient commencé à reculer.

... C'était fini, maintenant, ils fuyaient. Et les six matelots, ayant rechargé leurs armes à tir rapide, les abattaient à leur aise ; il y avait des flaques rouges dans l'herbe, des corps effondrés, des crânes versant leur cervelle dans l'eau de la rizière.

Ils fuyaient tout courbés, rasant le sol, s'aplatissant comme des léopards. Et Sylvestre courait après, déjà blessé deux fois, un coup de lance à la cuisse, une entaille profonde dans le bras ; mais ne sentant rien que l'ivresse de se battre, cette ivresse non raisonnée qui vient du sang vigoureux, celle qui donne aux simples le courage superbe, celle qui faisait les héros antiques.

Un, qu'il poursuivait, se retourna pour le mettre en joue, dans une inspiration de terreur désespérée. Sylvestre s'arrêta, souriant, méprisant, sublime, pour le laisser décharger son arme, puis se jeta un peu sur la gauche, voyant la direction du coup qui allait partir. Mais, dans le mouvement de détente, le canon de ce fusil dévia par hasard dans le même sens. Alors, lui, sentit une commotion à la poitrine, et, comprenant bien ce que c'était, par un éclair de pensée, même avant toute douleur, il détourna la tête vers les autres marins qui suivaient, pour essayer de leur dire, comme un vieux soldat, la phrase consacrée : « Je crois que j'ai mon compte ! » Dans la grande aspiration qu'il fit, venant de courir, pour prendre, avec sa bouche, de l'air plein ses poumons, il en sentit entrer aussi, par un trou à son sein droit, avec un petit bruit horrible, comme dans un soufflet crevé. En même temps, sa bouche s'emplit de sang, tandis qu'il lui venait au côté une douleur aiguë, qui s'exaspérait vite, vite, jusqu'à être quelque chose d'atroce et d'indicible.

Il tourna sur lui-même deux ou trois fois, la tête perdue

de vertige et cherchant à reprendre son souffle au milieu de tout ce liquide rouge dont la montée l'étouffait — et puis, lourdement, dans la boue, il s'abattit.

2

....

Environ quinze jours après, comme le ciel se faisait déjà plus sombre à l'approche des pluies, et la chaleur plus lourde sur ce Tonkin jaune, Sylvestre, qu'on avait rapporté à Hanoï, fut envoyé en rade d'Ha-Long et mis à bord d'un navire-hôpital qui rentrait en France.

Il avait été longtemps promené sur divers brancards, avec des temps d'arrêt dans des ambulances. On avait fait ce qu'on avait pu ; mais, dans ces conditions mauvaises, sa poitrine s'était remplie d'eau, du côté percé, et l'air entrait toujours, en gargouillant, par ce trou qui ne se fermait pas.

On lui avait donné la médaille militaire et il en avait eu un moment de joie.

Mais il n'était plus le guerrier d'avant, à l'allure décidée, à la voix vibrante et brève. Non, tout cela était tombé devant la longue souffrance et la fièvre amollissante. Il était redevenu enfant, avec le mal du pays ; il ne parlait presque plus, répondant à peine d'une petite voix douce, presque éteinte. Se sentir si malade, et être si loin, si loin ; penser qu'il faudrait tant de jours et de jours avant d'arriver au pays — vivrait-il seulement jusque-là, avec ses forces qui diminuaient ?... Cette notion d'effroyable éloignement était une chose qui l'obsédait sans cesse ; qui l'oppressait à ses réveils — quand, après les heures d'assoupissements, il retrouvait la sensation affreuse de ses plaies, la chaleur de sa fièvre et le petit bruit soufflant de sa poitrine crevée. Aussi il avait supplié qu'on l'embarquât, au risque de tout.

Il était très lourd à porter dans son cadre ; alors, sans le vouloir, on lui donnait des secousses cruelles en le charroyant.

A bord de ce transport qui allait partir, on le coucha dans l'un des petits lits de fer alignés à l'hôpital et il recommença en sens inverse sa longue promenade à travers les mers.

Seulement, cette fois, au lieu de vivre comme un oiseau dans le plein vent des hunes, c'était dans les lourdeurs d'en bas, au milieu des exhalaisons de remèdes, de blessures et de misères.

Les premiers jours, la joie d'être en route avait amené en lui un peu de mieux. Il pouvait se tenir soulevé sur son lit avec des oreillers, et de temps en temps il demandait sa boîte. Sa boîte de matelot était le coffret de bois blanc, acheté à Paimpol, pour mettre ses choses précieuses ; on y trouvait les lettres de la grand-mère Yvonne, celles d'Yann et de Gaud, un cahier où il avait copié des chansons du bord, et un livre de Confucius en chinois, pris au hasard d'un pillage, sur lequel, au revers blanc des feuillets, il avait inscrit le journal naïf de sa campagne.

Le mal pourtant ne s'améliorait pas et, dès la première semaine, les médecins pensèrent que la mort ne pouvait plus être évitée.

... Près de l'équateur maintenant, dans l'excessive chaleur des orages. Le transport s'en allait, secouant ses lits, ses blessés et ses malades ; s'en allait toujours vite, sur une mer remuée, tourmentée encore comme au renversement des moussons.

Depuis le départ d'Ha-Long, il en était mort plus d'un, qu'il avait fallu jeter dans l'eau profonde, sur ce grand chemin de France ; beaucoup de ces petits lits s'étaient débarrassés déjà de leur pauvre contenu.

Et ce jour-là, dans l'hôpital mouvant, il faisait très sombre : on avait été obligé, à cause de la houle, de fermer les mantelets en fer des sabords, et cela rendait plus horrible cet étouffoir de malades.

Il allait plus mal, lui ; c'était la fin. Couché toujours sur son côté percé, il le comprimait des deux mains, avec tout ce qui lui restait de force, pour immobiliser cette eau, cette décomposition liquide dans ce poumon droit, et tâcher de respirer seulement avec l'autre. Mais cet autre aussi, peu à peu, s'était pris par voisinage, et l'angoisse suprême était commencée.

Toute sorte de visions du pays hantaient son cerveau mourant ; dans l'obscurité chaude, des figures aimées ou affreuses venaient se pencher sur lui ; il était dans un perpétuel rêve d'halluciné, où passaient la Bretagne et l'Islande.

Le matin, il avait fait appeler le prêtre, et celui-ci, qui était un vieillard habitué à voir mourir les matelots, avait été surpris de trouver, sous cette enveloppe si virile, la pureté d'un petit enfant.

Il demandait de l'air, de l'air ; mais il n'y en avait nulle part ; les manches à vent n'en donnaient plus ; l'infirmier, qui l'éventait tout le temps avec un éventail à fleurs chinoises, ne faisait que remuer sur lui des buées malsaines, des fadeurs déjà cent fois respirées, dont les poitrines ne voulaient plus.

Quelquefois, il lui prenait des rages désespérées pour sortir de ce lit, où il sentait si bien la mort venir ; d'aller au plein vent là-haut, essayer de revivre... Oh ! les autres, qui couraient dans les haubans, qui habitaient dans les hunes !... Mais tout son grand effort pour s'en aller n'aboutissait qu'à un soulèvement de sa tête et de son cou affaibli — quelque chose comme ces mouvements incomplets que l'on fait pendant le sommeil. — Eh ! non, il ne pouvait plus ; il retombait dans les mêmes creux de son lit défait, déjà englué là par la mort ; et chaque fois, après la fatigue d'une telle secousse, il perdait pour un instant conscience de tout.

Pour lui faire plaisir, on finit par ouvrir un sabord, bien que ce fût encore dangereux, la mer n'étant pas assez calmée. C'était le soir, vers six heures. Quand cet auvent de fer fut soulevé, il entra de la lumière seulement, de l'éblouissante lumière rouge. Le soleil couchant apparaissait à l'horizon avec une extrême splendeur, dans la déchirure d'un ciel sombre ; sa lueur aveuglante se promenait au roulis, et il éclairait cet hôpital en vacillant, comme une torche que l'on balance.

De l'air, non, il n'en vint point ; le peu qu'il y en avait dehors était impuissant à entrer ici, à chasser les senteurs de la fièvre. Partout, à l'infini, sur cette mer équatoriale, ce n'était qu'humidité chaude, que lourdeur irrespirable. Pas d'air nulle part, pas même pour les mourants qui haletaient.

... Une dernière vision l'agita beaucoup : sa vieille grand-mère, passant sur un chemin, très vite, avec une expression d'anxiété déchirante ; la pluie tombait sur elle, de nuages bas et funèbres ; elle se rendait à Paimpol, mandée au bureau de la marine pour y être informée qu'il était mort.

Il se débattait maintenant ; il râlait. On épongeait aux coins de sa bouche de l'eau et du sang, qui étaient remontés de sa poitrine, à flots, pendant ses contorsions d'agonie. Et le soleil magnifique l'éclairait toujours ; au couchant, on eût dit l'incendie de tout un monde, avec du sang plein les nuages ; par le trou de ce sabord ouvert entrait une large bande de feu rouge, qui venait finir sur le lit de Sylvestre, faire un nimbe autour de lui.

... A ce moment, ce soleil se voyait aussi là-bas, en Bretagne, où midi allait sonner. Il était bien le même soleil, et au même instant précis de sa durée sans fin ; là, pourtant, il avait une couleur très différente ; se tenant plus haut dans un ciel bleuâtre, il éclairait d'une douce lumière blanche la grand-mère Yvonne, qui travaillait à coudre, assise sur sa porte.

En Islande, où c'était le matin, il paraissait aussi, à cette même minute de mort. Pâli davantage, on eût dit qu'il ne parvenait à être vu là que par une sorte de tour de force d'obliquité. Il rayonnait tristement, dans un fiord où dérivait la *Marie,* et son ciel était cette fois d'une de ces puretés hyperboréennes qui éveillent des idées de planètes refroidies n'ayant plus d'atmosphère. Avec une netteté glacée, il accentuait les détails de ce chaos de pierres qui est l'Islande : tout ce pays, vu de la *Marie,* semblait plaqué sur un même plan et se tenir debout. Yann, qui était là, éclairé un peu étrangement lui aussi, pêchait comme d'habitude, au milieu de ces aspects lunaires.

... Au moment où cette traînée de feu rouge, qui entrait par ce sabord de navire, s'éteignit, où le soleil équatorial disparut tout à fait dans les eaux dorées, on vit les yeux du petit-fils mourant se chavirer, se retourner vers le front comme pour disparaître dans la tête. Alors on abaissa dessus les paupières avec leurs longs cils — et Sylvestre redevint très beau et calme, comme un marbre couché...

3

... Aussi bien, je ne puis m'empêcher de conter cet enterrement de Sylvestre que je conduisis moi-même là-bas, dans l'île de Singapour. On en avait assez jeté d'autres dans la mer de Chine pendant les premiers jours de la traversée ; comme cette terre malaise était là tout près, on s'était décidé à le garder quelques heures de plus pour l'y mettre.

C'était le matin, de très bonne heure, à cause du terrible soleil. Dans le canot qui l'emporta, son corps était recouvert du pavillon de France. La grande ville étrange dormait encore quand nous accostâmes la terre. Un petit fourgon, envoyé par le consul, attendait sur le quai ; nous y mîmes Sylvestre et la croix de bois qu'on lui avait faite à bord ; la peinture en était encore fraîche, car il avait fallu se hâter, et les lettres blanches de son nom coulaient sur le fond noir.

Nous traversâmes cette Babel au soleil levant. Et puis ce fut une émotion, de retrouver là, à deux pas de l'immonde grouillement chinois, le calme d'une église française. Sous cette haute nef blanche, où j'étais seul avec mes matelots, le *Dies irae* chanté par un prêtre missionnaire résonnait comme une douce incantation magique. Par les portes ouvertes, on voyait des choses qui ressemblaient à des jardins enchantés, des verdures admirables, des palmes immenses ; le vent secouait les grands arbres en fleurs, et c'était une pluie de pétales d'un rouge de carmin qui tombaient jusque dans l'église.

Après, nous sommes allés au cimetière, très loin. Notre petit cortège de matelots était bien modeste, le cercueil toujours recouvert du pavillon de France. Il nous fallut traverser des quartiers chinois, un fourmillement de monde jaune ; puis des faubourgs malais, indiens, où toute sorte de figures d'Asie nous regardaient passer avec des yeux étonnés.

Ensuite, la campagne, déjà chaude ; des chemins ombreux où volaient d'admirables papillons aux ailes de velours bleu.

Un grand luxe de fleurs, de palmiers ; toutes les splendeurs de la sève équatoriale. Enfin, le cimetière : des tombes mandarines, avec des inscriptions multicolores, des dragons et des monstres ; d'étonnants feuillages, des plantes inconnues. L'endroit où nous l'avons mis ressemble à un coin des jardins d'Indra.

Sur sa terre, nous avons planté cette petite croix de bois qu'on lui avait faite à la hâte pendant la nuit :

SYLVESTRE MOAN
DIX-NEUF ANS

Et nous l'avons laissé là, pressés de repartir à cause de ce soleil qui montait toujours, nous retournant pour le voir, sous ses arbres merveilleux, sous ses grandes fleurs.

4

Le transport continuait sa route à travers l'océan Indien. En bas, dans l'hôpital flottant, il y avait encore des misères enfermées. Sur le pont, on ne voyait qu'insouciance, santé et jeunesse. Alentour, sur la mer, une vraie fête d'air pur et de soleil.

Par ces beaux temps d'alizés, les matelots, étendus à l'ombre des voiles, s'amusaient avec leurs perruches, à les faire courir. (Dans ce Singapour d'où ils venaient, on vend aux marins qui passent toute sorte de bêtes apprivoisées.)

Ils avaient tous choisi des bébés de perruches, ayant de petits airs enfantins sur leurs figures d'oiseau ; pas encore de queue, mais déjà vertes, oh ! d'un vert admirable. Les papas et les mamans avaient été verts ; alors elles, toutes petites, avaient hérité inconsciemment cette couleur-là ; posées sur ces planches si propres du navire, elles ressemblaient à des feuilles très fraîches tombées d'un arbre des tropiques.

Quelquefois on les réunissait toutes ; alors elles s'observaient entre elles, drôlement ; elles se mettaient à tourner le cou en tous sens, comme pour s'examiner sous différents aspects. Elles marchaient comme des boiteuses, avec des petits trémoussements comiques, partant tout d'un coup très vite, empressées, on ne sait pour quelle patrie ; et il y en avait qui tombaient.

Et puis les guenons apprenaient à faire des tours, et c'était un autre amusement. Il y en avait de tendrement aimées, qui étaient embrassées avec transport, et qui se pelotonnaient tout contre la poitrine dure de leurs maîtres en les regardant avec des yeux de femme, moitié grotesques, moitié touchantes.

Au coup de trois heures, les fourriers apportèrent sur le pont deux sacs de toile, scellés de gros cachets en cire rouge, et marqués au nom de Sylvestre ; c'était pour vendre à la criée — comme le règlement l'exige pour les morts — tous ses vêtements, tout ce qui lui avait appartenu au monde. Et les matelots, avec entrain, vinrent se grouper autour ; à bord d'un navire-hôpital, on en voit assez souvent, de ces ventes de sac, pour que cela n'émotionne plus. Et puis, sur ce bateau, on avait si peu connu Sylvestre.

Ses vareuses, ses chemises, ses maillots à raies bleues, furent palpés, retournés et puis enlevés à des prix quelconques, les acheteurs surfaisant pour s'amuser.

Vint le tour de la petite boîte sacrée, qu'on adjugea cinquante sous. On en avait retiré, pour remettre à la famille, les lettres et la médaille militaire ; mais il y restait le cahier de chansons, le livre de Confucius, et le fil, les boutons, les aiguilles, toutes les petites choses disposées là par la prévoyance de grand-mère Yvonne pour réparer et recoudre.

Ensuite le fourrier, qui exhibait les objets à vendre, présenta deux petits bouddhas, pris dans une pagode pour être donnés à Gaud, et si drôles de tournure qu'il y eut un fou rire quand on les vit apparaître comme dernier lot. S'ils riaient, les marins, ce n'était pas par manque de cœur, mais par irréflexion seulement.

Pour finir, on vendit les sacs, et l'acheteur entreprit aussitôt de rayer le nom inscrit dessus pour mettre le sien à la place.

Un soigneux coup de balai fut donné après, afin de bien débarrasser ce pont si propre des poussières ou des débris de fil tombés de ce déballage.

Et les matelots retournèrent gaîment s'amuser avec leurs perruches et leurs singes.

5

....

Un jour de la première quinzaine de juin, comme la vieille Yvonne rentrait chez elle, des voisines lui dirent qu'on était venu la demander de la part du commissaire de l'inscription maritime.

C'était quelque chose concernant son petit-fils, bien sûr ; mais cela ne lui fit pas du tout peur. Dans les familles des *gens de mer*, on a souvent affaire à l'*Inscription* ; elle donc, qui était fille, femme, mère de marin, connaissait ce bureau depuis tantôt soixante ans.

C'était au sujet de sa délégation, sans doute ; ou peut-être un petit décompte de la *Circé* à toucher au moyen de sa *procure*. Sachant ce qu'on doit à M. le commissaire, elle fit sa toilette, prit sa belle robe et une coiffe blanche, puis se mit en route sur les deux heures.

Trottinant assez vite et menu dans ces sentiers de falaise, elle s'acheminait vers Paimpol, un peu anxieuse tout de même, à la réflexion, à cause de ces deux mois sans lettre.

Elle rencontra son vieux galant, assis à une porte, très tombé depuis les froids de l'hiver.

— Eh bien ?... Quand vous voudrez, vous savez ; faut pas vous gêner, la belle !... (Encore ce costume en planches, qu'il avait dans l'idée.)

Le gai temps de juin souriait partout autour d'elle. Sur les hauteurs pierreuses, il n'y avait toujours que les ajoncs ras aux fleurs jaune d'or ; mais dès qu'on passait dans les bas-fonds abrités contre le vent de la mer, on trouvait tout de suite la belle verdure neuve, les haies d'aubépine fleurie, l'herbe haute et sentant bon. Elle ne voyait guère tout cela, elle, si vieille, sur qui s'étaient accumulées les saisons fugitives, courtes à présent comme des jours...

Autour des hameaux croulants aux murs sombres il y avait des rosiers, des œillets, des giroflées et, jusque sur les hautes toitures de chaume et de mousse, mille petites fleurs qui attiraient les premiers papillons blancs.

Ce printemps était presque sans amour, dans ce pays d'Islandais, et les belles filles de race fière que l'on apercevait, rêveuses, sur les portes, semblaient darder très loin au-delà des objets visibles leurs yeux bruns ou bleus. Les jeunes hommes, à qui allaient leurs mélancolies et leurs désirs, étaient à faire la grande pêche, là-bas, sur la mer hyperborée...

Mais c'était un printemps tout de même, tiède, suave, troublant, avec de légers bourdonnements de mouches, des senteurs de plantes nouvelles.

Et tout cela, qui est sans âme, continuait de sourire à cette vieille grand-mère qui marchait de son meilleur pas pour aller apprendre la mort de son dernier petit-fils. Elle touchait à l'heure terrible où cette chose, qui s'était passée si loin sur la mer chinoise, allait lui être dite ; elle faisait cette course sinistre que Sylvestre, au moment de mourir, avait devinée et qui lui avait arraché ses dernières larmes d'angoisse : sa bonne vieille grand-mère, mandée à l'*Inscription* de Paimpol pour apprendre qu'il était mort ! — Il l'avait vue très nettement passer, sur cette route, s'en allant bien vite, droite, avec son petit châle brun, son parapluie et sa grande coiffe. Et cette apparition l'avait fait se soulever et se tordre avec un déchirement affreux, tandis que l'énorme soleil rouge de l'équateur, qui se couchait magnifiquement, entrait par le sabord de l'hôpital pour le regarder mourir.

Seulement, de là-bas, lui, dans sa vision dernière, s'était figuré sous un ciel de pluie cette promenade de pauvre vieille, qui, au contraire, se faisait au gai printemps moqueur...

En approchant de Paimpol, elle se sentait devenir plus inquiète, et pressait encore sa marche.

La voilà dans la ville grise, dans les petites rues de granit où tombait ce soleil, donnant le bonjour à d'autres vieilles, ses contemporaines, assises à leur fenêtre. Intriguées de la voir, elles disaient :

— Où va-t-elle comme ça si vite, en robe du dimanche, un jour sur semaine ?

M. le commissaire de l'inscription ne se trouvait pas chez lui. Un petit être très laid, d'une quinzaine d'années, qui était son commis, se tenait assis à son bureau. Étant trop mal venu pour faire un pêcheur, il avait reçu de l'instruction et passait ses jours sur cette même chaise, en fausses manches noires, grattant son papier.

Avec un air d'importance, quand elle lui eut dit son nom, il se leva pour prendre, dans un casier, des pièces timbrées.

Il y en avait beaucoup... qu'est-ce que cela voulait dire ? Des certificats, des papiers portant des cachets, un livret de marin jauni par la mer, tout cela ayant comme une odeur de mort...

Il les étalait devant la pauvre vieille, qui commençait à trembler et à voir trouble. C'est qu'elle avait reconnu deux de ces lettres que Gaud écrivait pour elle à son petit-fils, et qui étaient revenues là, non décachetées... Et ça s'était passé ainsi vingt ans auparavant, pour la mort de son fils Pierre : les lettres étaient revenues de la Chine chez M. le commissaire, qui les lui avait remises...

Il lisait maintenant d'une voix doctorale :

— Moan, Jean-Marie-Sylvestre, inscrit à Paimpol, folio 213, numéro matricule 2091, décédé à bord du *Bien-Hoa* le 14...

— Quoi ?... Qu'est-ce qui lui est arrivé, mon bon monsieur ?...

— Décédé !... Il est décédé, reprit-il.

Mon Dieu, il n'était sans doute pas méchant, ce commis ; s'il disait cela de cette manière brutale, c'était plutôt manque de jugement, inintelligence de petit être incomplet. Et, voyant qu'elle ne comprenait pas ce beau mot, il s'exprima en breton :

— *Marw éo !...*

— *Marw éo !...* (Il est mort...)

Elle répéta après lui, avec son chevrotement de vieillesse, comme un pauvre écho fêlé redirait une phrase indifférente.

C'était bien ce qu'elle avait à moitié deviné, mais cela la faisait trembler seulement ; à présent que c'était certain, ça n'avait pas l'air de la toucher. D'abord sa faculté de souffrir s'était vraiment un peu émoussée, à force d'âge, surtout depuis ce dernier hiver. La douleur ne venait plus tout de suite. Et puis quelque chose se chavirait pour le moment dans sa tête, et voilà qu'elle confondait cette mort avec d'autres : elle en avait tant perdu, de fils !... Il lui fallut un instant pour bien entendre que celui-ci était son dernier, si chéri, celui à qui se rapportaient toutes ses prières, toute sa vie, toute son attente, toutes ses pensées, déjà obscurcies par l'approche sombre de l'*enfance*...

Elle éprouvait une honte aussi à laisser paraître son désespoir devant ce petit monsieur qui lui faisait horreur : est-ce que c'était comme ça qu'on annonçait à une grand-mère la mort de son petit-fils !... Elle restait debout, devant ce bureau, raidie, torturant les franges de son châle brun avec ses pauvres vieilles mains gercées de laveuse.

Et comme elle se sentait loin de chez elle !... Mon Dieu, tout ce trajet qu'il faudrait faire, et faire décemment, avant d'atteindre le gîte de chaume où elle avait hâte de s'enfermer — comme les bêtes blessées qui se cachent au terrier pour mourir. C'est pour cela aussi qu'elle s'efforçait de ne pas trop penser, de ne pas encore bien comprendre, épouvantée surtout d'une route si longue.

On lui remit un mandat pour aller toucher, comme héritière, les trente francs qui lui revenaient de la vente du sac de Sylvestre ; puis les lettres, les certificats et la boîte contenant la médaille militaire. Gauchement elle prit tout cela avec ses doigts qui restaient ouverts, le promena d'une main dans l'autre, ne trouvant plus ses poches pour le mettre.

Dans Paimpol, elle passa tout d'une pièce et ne regardant personne, le corps un peu penché comme qui va tomber, entendant un bourdonnement de sang à ses oreilles — et se hâtant, se surmenant, comme une pauvre machine déjà très ancienne qu'on aurait remontée à toute vitesse pour la dernière fois, sans s'inquiéter d'en briser les ressorts.

Au troisième kilomètre, elle allait toute courbée en avant, épuisée ; de temps à autre, son sabot heurtait quelque pierre qui lui donnait dans la tête un grand choc douloureux. Et elle se depêchait de se terrer chez elle, de peur de tomber et d'être rapportée...

6

La vieille Yvonne qui est soûle !

Elle était tombée, et les gamins lui couraient après. C'était justement en entrant dans la commune de Ploubazlanec, où il y a beaucoup de maisons le long de la route. Tout de même elle avait eu la force de se relever et, clopin-clopant, se sauvait avec son bâton.

— La vieille Yvonne qui est soûle !

Et des petits effrontés venaient la regarder sous le nez en riant. Sa coiffe était tout de travers.

Il y en avait, de ces petits, qui n'étaient pas bien méchants dans le fond — et quand ils l'avaient vue de plus près, devant cette grimace de désespoir sénile, s'en retournaient tout attristés et saisis, n'osant plus rien dire.

Chez elle, la porte fermée, elle poussa un cri de détresse qui l'étouffait, et se laissa tomber dans un coin, la tête au mur. Sa coiffe lui était descendue sur les yeux ; elle la jeta par terre — sa pauvre belle coiffe, autrefois si ménagée. Sa dernière robe des dimanches était toute salie, et une mince queue de cheveux, d'un blanc jaune, sortait de son serre-tête, complétant un désordre de pauvresse...

....

Gaud, qui venait pour s'informer, la trouva le soir ainsi, toute décoiffée, laissant pendre les bras, la tête contre la pierre, avec une grimace et un *hi ! hi ! hi !* plaintif de petit enfant ; elle ne pouvait presque pas pleurer : les trop vieilles grand-mères n'ont plus de larmes dans leurs yeux taris.

— Mon petit-fils qui est mort !

Et elle lui jeta sur les genoux les lettres, les papiers, la médaille.

Gaud parcourut d'un coup d'œil, vit que c'était bien vrai, et se mit à genoux pour prier.

Elles restèrent là ensemble, presque muettes, les deux femmes, tant que dura ce crépuscule de juin — qui est très long en Bretagne et qui là-bas, en Islande, ne finit plus. Dans la cheminée, le grillon qui porte bonheur leur faisait tout de même sa grêle musique. Et la lueur jaune du soir entrait par la lucarne, dans cette chaumière des Moan que la mer avait tous pris, qui étaient maintenant une famille éteinte...

A la fin, Gaud disait :

— Je viendrai, moi, ma bonne grand-mère, demeurer avec vous ; j'apporterai mon lit qu'on m'a laissé, je vous garderai, je vous soignerai, vous ne serez pas toute seule...

Elle pleurait son petit ami Sylvestre, mais dans son chagrin elle se sentait distraite involontairement par la pensée d'un autre : — celui qui était reparti pour la grande pêche.

Ce Yann, on allait lui faire savoir que Sylvestre était mort ; justement les *chasseurs* devaient bientôt partir. Le pleurerait-il seulement ?... Peut-être que oui, car il l'aimait bien... Et au milieu de ses propres larmes, elle se préoccupait de cela beaucoup, tantôt s'indignant contre ce garçon dur, tantôt s'attendrissant à son souvenir, à cause de cette douleur qu'il allait avoir, lui aussi, et qui était comme un rapprochement entre eux deux ; — en somme, le cœur tout rempli de lui...

7

... Un soir pâle d'août, la lettre qui annonçait à Yann la mort de son frère finit par arriver à bord de la *Marie* sur la mer d'Islande — c'était après une journée de dure manœuvre et de fatigue excessive, au moment où il allait descendre pour souper et dormir. Les yeux alourdis de sommeil, il lut cela en bas, dans le réduit sombre, à la lueur jaune de la petite lampe ; et, dans le premier moment, lui aussi resta insensible, étourdi, comme quelqu'un qui ne comprendrait pas bien. Très renfermé, par fierté, pour tout ce qui concernait son cœur, il cacha la lettre dans son tricot bleu, contre sa poitrine, comme les matelots font, sans rien dire.

Seulement il ne se sentait plus le courage de s'asseoir avec les autres pour manger la soupe ; alors, dédaignant même de leur expliquer pourquoi, il se jeta sur sa couchette et, du même coup, s'endormit.

Bientôt il rêva de Sylvestre mort, de son enterrement qui passait...

Aux approches de minuit — étant dans cet état d'esprit particulier aux marins qui ont conscience de l'heure dans le sommeil et qui sentent venir le moment où on les fera lever pour le quart — il voyait cet enterrement encore. Et il disait :

« Je rêve ; heureusement ils vont me réveiller mieux et ça s'évanouira. »

Mais quand une rude main fut posée sur lui, et qu'une

voix se mit à dire : « Gaos ! — allons, debout, la *relève !* » il entendit sur sa poitrine un léger froissement de papier — petite musique sinistre affirmant la réalité de la mort. — Ah ! oui, la lettre !... c'était vrai, donc ! — et déjà ce fut une impression plus poignante, plus cruelle, et, en se dressant vite, dans son réveil subit, il heurta contre les poutres son front large.

Puis il s'habilla et ouvrit l'écoutille pour aller là-haut prendre son poste de pêche...

8

Quand Yann fut monté, il regarda tout autour de lui, avec ses yeux qui venaient de dormir, le grand cercle familier de la mer.

Cette nuit-là, c'était l'immensité présentée sous ses aspects les plus étonnamment simples, en teintes neutres, donnant seulement des impressions de profondeur.

Cet horizon, qui n'indiquait aucune région précise de la terre, ni même aucun âge géologique, avait dû être tant de fois pareil depuis l'origine des siècles, qu'en regardant il semblait vraiment qu'on ne vît rien — rien que l'éternité des choses qui *sont* et qui ne peuvent se dispenser d'*être.*

Il ne faisait même pas absolument nuit. C'était éclairé faiblement, par un reste de lumière, qui ne venait de nulle part. Cela bruissait comme par habitude, rendant une plainte sans but. C'était gris, d'un gris trouble qui fuyait sous le regard. — La mer, pendant son repos mystérieux et son sommeil, se dissimulait sous les teintes discrètes qui n'ont pas de nom.

Il y avait en haut des nuées diffuses ; elles avaient pris des formes quelconques, parce que les choses ne peuvent guère n'en pas avoir ; dans l'obscurité, elles se confondaient presque pour n'être qu'un grand voile.

Mais, en un point de ce ciel, très bas, près des eaux, elles faisaient une sorte de marbrure plus distincte, bien que très lointaine ; un dessin mou, comme tracé par une main distraite ; combinaison de hasard, non destinée à être vue, et fugitive, prête à mourir. — Et cela seul, dans tout cet ensemble, paraissait signifier quelque chose ; on eût dit que la pensée mélancolique, insaisissable, de tout ce néant, était inscrite là — et les yeux finissaient par s'y fixer, sans le vouloir.

Lui, Yann, à mesure que ses prunelles mobiles s'habituaient à l'obscurité du dehors, il regardait de plus en plus cette marbrure unique du ciel ; elle avait forme de quelqu'un qui s'affaisse, avec deux bras qui se tendent. Et à présent qu'il avait commencé à voir là cette apparence, il lui semblait que ce fût une vraie ombre humaine, agrandie, rendue gigantesque à force de venir de loin.

Puis, dans son imagination où flottaient ensemble les rêves indicibles et les croyances primitives, cette ombre triste, effondrée au bout de ce ciel de ténèbres, se mêlait peu à peu au souvenir de son frère mort, comme une dernière manifestation de lui.

Il était coutumier de ces étranges associations d'images, comme il s'en forme surtout au commencement de la vie, dans la tête des enfants... Mais les mots, si vagues qu'ils soient, restent encore trop précis pour exprimer ces choses ; il faudrait cette langue incertaine qui se parle quelquefois dans les rêves, et dont on ne retient au réveil que d'énigmatiques fragments n'ayant plus de sens.

A contempler ce nuage, il sentait venir une tristesse profonde, angoissée, pleine d'inconnu et de mystère, qui lui glaçait l'âme ; beaucoup mieux que tout à l'heure, il comprenait maintenant que son pauvre petit frère ne reparaîtrait jamais, jamais plus ; le chagrin, qui avait été long à percer l'enveloppe robuste et dure de son cœur, y entrait à présent jusqu'à pleins bords. Il revoyait la figure douce de Sylvestre, ses bons yeux d'enfant ; à l'idée de l'embrasser, quelque chose comme un voile tombait tout à coup entre ses paupières, malgré lui — et d'abord il ne s'expliquait pas bien ce que c'était, n'ayant jamais pleuré dans sa vie d'homme. — Mais les larmes commençaient à couler lourdes, rapides, sur ses joues ; et puis des sanglots vinrent soulever sa poitrine profonde.

Il continuait de pêcher très vite, sans perdre son temps ni rien dire, et les deux autres, qui l'écoutaient dans ce silence, se gardaient d'avoir l'air d'entendre, de peur de l'irriter, le sachant si renfermé et si fier.

... Dans son idée à lui, la mort finissait tout...

Il lui arrivait bien, par respect, de s'associer à ces prières qu'on dit en famille pour les défunts ; mais il ne croyait à aucune survivance des âmes.

Dans leurs causeries entre marins, ils disaient tous cela, d'une manière brève et assurée, comme une chose bien connue de chacun ; ce qui pourtant n'empêchait pas une vague appréhension des fantômes, une vague frayeur des cimetières, une confiance extrême dans les saints et les images qui protègent, ni surtout une vénération innée pour la terre bénite qui entoure les églises.

Ainsi Yann redoutait pour lui-même d'être pris par la mer, comme si cela anéantissait davantage — et la pensée que Sylvestre était resté là-bas, dans cette terre lointaine d'en dessous, rendait son chagrin plus désespéré, plus sombre.

Avec son dédain des autres, il pleura sans aucune contrainte ni honte, comme s'il eût été seul.

... Au-dehors, le vide blanchissait lentement, bien qu'il fût à peine deux heures ; et en même temps il paraissait s'étendre, s'étendre, devenir plus démesuré, se creuser d'une manière plus effrayante. Avec cette espèce d'aube qui naissait, les yeux s'ouvraient davantage et l'esprit plus éveillé concevait mieux l'immensité des lointains ; alors les limites de l'espace visible étaient encore reculées et fuyaient toujours.

C'était un éclairage très pâle, mais qui augmentait ; il semblait que cela vînt par petits jets, par secousses légères ; les choses éternelles avaient l'air de s'illuminer par transparence, comme si des lampes à flamme blanche eussent été montées peu à peu, derrière les informes nuées grises — montées discrètement, avec des précautions mystérieuses, de peur de troubler le morne repos de la mer.

Sous l'horizon, la grande lampe blanche, c'était le soleil, qui se traînait sans force, avant de faire au-dessus des eaux sa promenade lente et froide, commencée dès l'extrême matin...

Ce jour-là, on ne voyait nulle part de tons roses d'aurore, tout restait blême et triste. Et, à bord de la *Marie,* un homme pleurait, le grand Yann...

Ces larmes de son frère sauvage, et cette plus grande mélancolie du dehors, c'était l'appareil de deuil employé pour le pauvre petit héros obscur, sur ces mers d'Islande où il avait passé la moitié de sa vie...

Quand le plein jour vint, Yann essuya brusquement ses yeux avec la manche de son tricot de laine et ne pleura plus. Ce fut fini. Il semblait complètement repris par le travail de la pêche, par le train monotone des choses réelles et présentes, comme ne pensant plus à rien.

Du reste, les lignes donnaient beaucoup et les bras avaient peine à suffire.

Autour des pêcheurs, dans les fonds immenses, c'était un nouveau changement à vue. Le grand déploiement d'infini, le grand spectacle du matin était terminé, et maintenant les lointains paraissaient au contraire se rétrécir, se refermer sur eux. Comment donc avait-on cru voir tout à l'heure la mer si démesurée ? L'horizon était à présent tout près, et il semblait même qu'on manquât d'espace. Le vide se remplissait de voiles ténus qui flottaient, les uns plus vagues que des buées, d'autres aux contours presque visibles et comme frangés. Ils tombaient mollement, dans un grand silence, comme des mousselines blanches n'ayant pas de poids ; mais il en descendait de partout en même temps, aussi l'emprisonnement là-dessous se faisait très vite, et cela oppressait, de voir ainsi s'encombrer l'air respirable.

C'était la première brume d'août qui se levait. En quelques minutes le suaire fut uniformément dense, impénétrable ; autour de la *Marie,* on ne distinguait plus rien qu'une pâleur humide où se diffusait la lumière et où la mâture du navire semblait même se perdre.

— De ce coup, la voilà arrivée, la sale brume, dirent les hommes.

Ils connaissaient depuis longtemps cette inévitable compagne de la seconde période de pêche ; mais aussi cela annonçait la fin de la saison d'Islande, l'époque où l'on fait route pour revenir en Bretagne.

En fines gouttelettes brillantes, cela se déposait sur leur barbe ; cela faisait luire d'humidité leur peau brunie. Ceux qui se regardaient d'un bout à l'autre du bateau se voyaient troubles comme des fantômes ; par contre, les objets très rapprochés apparaissaient plus crûment sous cette lumière fade et blanchâtre. On prenait garde de respirer la bouche ouverte ; une sensation de froid et de mouillé pénétrait les poitrines.

En même temps, la pêche allait de plus en plus vite, et on ne causait plus, tant les lignes donnaient ; à tout instant, on entendait tomber à bord de gros poissons, lancés sur les planches avec un bruit de fouet ; après, ils se trémoussaient rageusement en claquant de la queue contre le bois du pont ; tout était éclaboussé de l'eau de la mer et des fines écailles argentées qu'ils jetaient en se débattant. Le marin qui leur fendait le ventre avec son grand couteau, dans sa précipitation, s'entaillait les doigts, et son sang bien rouge se mêlait à la saumure.

9

Ils restèrent, cette fois, dix jours d'affilée pris dans la brume épaisse, sans rien voir. La pêche continuait d'être bonne et, avec tant d'activité, on ne s'ennuyait pas. De temps en temps, à intervalles réguliers, l'un d'eux soufflait dans une trompe de corne d'où sortait un bruit pareil au beuglement d'une bête sauvage.

Quelquefois, du dehors, du fond des brumes blanches, un autre beuglement lointain répondait à leur appel. Alors on veillait davantage. Si le cri se rapprochait, toutes les oreilles se tendaient vers ce voisin inconnu, qu'on n'apercevrait sans doute jamais et dont la présence était pourtant un danger. On faisait des conjectures sur lui ; il devenait une occupation, une société, et, par envie de le voir, les yeux s'efforçaient à percer les impalpables mousselines blanches qui restaient tendues partout dans l'air.

Puis il s'éloignait, les beuglements de sa trompe mouraient dans le lointain sourd ; alors on se retrouvait seul dans le silence, au milieu de cet infini de vapeurs immobiles. Tout était imprégné d'eau ; tout était ruisselant de sel et de saumure. Le froid devenait plus pénétrant ; le soleil s'attardait davantage à traîner sous l'horizon ; il y avait déjà de vraies nuits d'une ou deux heures, dont la tombée grise était sinistre et glaciale.

Chaque matin on sondait avec un plomb la hauteur des eaux, de peur que la *Marie* ne se fût trop rapprochée de l'île d'Islande. Mais toutes les *lignes* du bord filées bout à bout n'arrivaient pas à toucher le lit de la mer : on était donc bien au large, et en belle eau profonde.

La vie était saine et rude ; ce froid plus piquant augmentait le bien-être du soir, l'impression de gîte bien chaud qu'on éprouvait dans la cabine en chêne massif, quand on y descendait pour souper ou pour dormir.

Dans le jour, ces hommes, qui étaient plus cloîtrés que des moines, causaient peu entre eux. Chacun, tenant sa ligne, restait pendant des heures et des heures à son même poste invariable, les bras seuls occupés au travail incessant de la pêche. Ils n'étaient séparés les uns des autres que de deux ou trois mètres, et ils finissaient par ne plus se voir.

Ce calme de la brume, cette obscurité blanche endormaient l'esprit. Tout en pêchant, on se chantait pour soi-même quelque air du pays à demi-voix, de peur d'éloigner les poissons. Les pensées se faisaient plus lentes et plus rares ; elles semblaient se distendre, s'allonger en durée afin d'arriver à remplir le temps sans y laisser des vides, des intervalles de non-être. On n'avait plus du tout l'idée aux femmes, parce qu'il faisait déjà froid ; mais on rêvait à des choses incohérentes ou merveilleuses, comme dans le sommeil, et la trame de ces rêves était aussi peu serrée qu'un brouillard...

Ce brumeux mois d'août, il avait coutume de clore ainsi chaque année, d'une manière triste et tranquille, la saison d'Islande. Autrement c'était toujours la même plénitude de vie physique, gonflant les poitrines et faisant aux marins des muscles durs.

Yann avait bien retrouvé tout de suite ses façons d'être habituelles, comme si son grand chagrin n'eût pas persisté : vigilant et alerte, prompt à la manœuvre et à la pêche, l'allure désinvolte comme qui n'a pas de soucis ; du reste, communicatif à ses heures seulement — qui étaient rares — et portant toujours la tête aussi haute avec son air à la fois indifférent et dominateur.

Le soir, au souper, dans le logis fruste que protégeait la Vierge de faïence, quand on était attablé, le grand couteau en main, devant quelque bonne assiettée toute chaude, il lui arrivait, comme autrefois, de rire aux choses drôles que les autres disaient.

En lui-même, peut-être, s'occupait-il un peu de cette Gaud, que Sylvestre lui avait sans doute donnée pour femme dans ses dernières petites idées d'agonie — et qui était devenue une pauvre fille à présent, sans personne au monde... Peut-être bien surtout, le deuil de ce frère durait-il encore dans le fond de son cœur...

Mais ce cœur d'Yann était une région vierge, difficile à gouverner, peu connue, où se passaient des choses qui ne se révélaient pas au-dehors.

10

Un matin, vers trois heures, tandis qu'ils rêvaient tranquillement sous leur suaire de brume, ils entendirent comme des bruits de voix dont le timbre leur sembla étrange et non connu d'eux. Ils se regardèrent, les uns les autres, ceux qui étaient sur le pont, s'interrogeant d'un coup d'œil :

— Qui est-ce qui a parlé ?

Non, personne ; personne n'avait rien dit.

Et, en effet, cela avait bien eu l'air de sortir du vide extérieur.

Alors, celui qui était chargé de la trompe, et qui l'avait négligée depuis la veille, se précipita dessus, en se gonflant de tout son souffle pour pousser le long beuglement d'alarme.

Cela seul faisait déjà frissonner, dans ce silence. Et puis, comme si, au contraire, une apparition eût été évoquée par ce son vibrant de cornemuse, une grande chose imprévue s'était dessinée en grisaille, s'était dressée menaçante, très haut tout près d'eux : des mâts, des vergues, des cordages, un dessin de navire qui s'était fait en l'air, partout à la fois et d'un même coup, comme ces fantasmagories pour effrayer qui, d'un seul jet de lumière, sont créées sur des voiles tendus. Et d'autres hommes apparaissaient là, à les toucher, penchés sur le rebord, les regardant avec des yeux très ouverts, dans un réveil de surprise et d'épouvante...

Ils se jetèrent sur des avirons, des mâts de rechange, des gaffes — tout ce qui se trouva dans la drome de long et de solide — et les pointèrent en dehors pour tenir à distance cette chose et ces visiteurs qui leur arrivaient. Et les autres aussi, effarés, allongeaient vers eux d'énormes bâtons pour les repousser.

Mais il n'y eut qu'un craquement très léger dans les vergues, au-dessus de leurs têtes, et les mâtures, un instant accrochées, se dégagèrent aussitôt sans aucune avarie ; le choc, très doux par ce calme, était tout à fait amorti ; il avait été si faible même, que vraiment il semblait que cet autre navire n'eût pas de masse et qu'il fût une chose molle, presque sans poids...

Alors, le saisissement passé, les hommes se mirent à rire ; ils se reconnaissaient entre eux :

— Ohé ! de la *Marie.*

— Eh ! Gaos, Laumec, Guermeur !

L'apparition, c'était la *Reine-Berthe*, capitaine Larvoër, aussi de Paimpol ; ces matelots étaient des villages d'alentour ; ce grand-là, tout en barbe noire, montrant ses dents dans son rire, c'était Kerjégou, un de Ploudaniel ; et les autres venaient de Plounès ou de Plounérin.

— Aussi, pourquoi ne sonniez-vous pas de votre trompe, bande de sauvages ? demandait Larvoër de la *Reine-Berthe.*

— Eh bien, et vous donc, bande de pirates et d'écumeurs, *mauvaise poison* de la mer ?...

— Oh ! nous... c'est différent ; *ça nous est défendu de faire du bruit.* (Il avait répondu cela avec un air de sous-entendre quelque mystère noir ; avec un sourire drôle, qui, par la suite, revint souvent en tête à ceux de la *Marie* et leur donna à penser beaucoup.)

Et puis comme s'il en eût dit trop long, il finit par cette plaisanterie :

— Notre corne à nous, c'est celui-là, en soufflant dedans, qui nous l'a crevée.

Et il montrait un matelot à figure de triton, qui était tout en cou et tout en poitrine, trop large, bas sur jambes, avec je ne sais quoi de grotesque et d'inquiétant dans sa puissance difforme.

Et pendant qu'on se regardait là, attendant que quelque brise ou quelque courant d'en dessous voulût bien emmener l'un plus vite que l'autre, séparer les navires, on engagea une causerie. Tous appuyés en bâbord, se tenant en respect au bout de leurs longs morceaux de bois, comme eussent fait des assiégés avec des piques, ils parlèrent des choses du pays, des dernières lettres reçues par les « chasseurs », des vieux parents et des femmes.

— Moi, disait Kerjégou, la *mienne* me marque qu'elle vient d'avoir son petit que nous attendions ; ça va nous en faire la douzaine tout à l'heure.

Un autre avait eu deux jumeaux, et un troisième annonçait le mariage de la belle Jeannie Caroff — une fille très connue des Islandais — avec certain vieux richard infirme, de la commune de Plourivo.

Ils se voyaient comme à travers des gazes blanches, et il semblait que cela changeât aussi le son des voix qui avait quelque chose d'étouffé et de lointain.

Cependant Yann ne pouvait détacher ses yeux d'un de ces pêcheurs, un petit homme déjà vieillot qu'il était sûr de n'avoir jamais vu nulle part et qui pourtant lui avait dit tout de suite : « Bonjour, mon grand Yann ! » avec un air d'intime connaissance ; il avait la laideur irritante des singes, avec leur clignotement de malice dans ses yeux perçants.

— Moi, disait encore Larvoër, de la *Reine-Berthe*, on m'a marqué la mort du petit-fils de la vieille Yvonne Moan, de Ploubazlanec, qui faisait son service à l'État, comme vous savez, sur l'escadre de Chine ; un bien grand dommage !

Entendant cela, les autres de la *Marie* se tournèrent vers Yann pour savoir s'il avait déjà connaissance de ce malheur.

— Oui, dit-il d'une voix basse, l'air indifférent et hautain, c'était sur la dernière lettre que mon père m'a envoyée.

Ils le regardaient tous, dans la curiosité qu'ils avaient de son chagrin, et cela l'irritait.

Leurs propos se croisaient à la hâte, au travers du brouillard pâle, pendant que fuyaient les minutes de leur bizarre entrevue.

— Ma femme me marque en même temps, continuait Larvoër, que la fille de M. Mével a quitté la ville pour demeurer à Ploubazlanec et soigner la vieille Moan, sa grand-tante ; elle s'est mise à travailler à présent, en journée chez le monde, pour gagner sa vie. D'ailleurs, j'avais toujours eu dans l'idée, moi, que c'était une brave fille, et une courageuse, malgré ses airs de demoiselle et ses falbalas.

Alors, de nouveau, on regarda Yann, ce qui acheva de lui déplaire, et une couleur rouge lui monta aux joues sous son hâle doré.

Par cette appréciation sur Gaud fut clos l'entretien avec ces gens de la *Reine-Berthe* qu'aucun être vivant ne devait plus jamais revoir. Depuis un instant, leurs figures semblaient déjà plus effacées, car leur navire était moins près, et, tout à coup, ceux de la *Marie* ne trouvèrent plus rien à pousser, plus rien au bout de leurs longs morceaux de bois ; tous leurs « espars », avirons, mâts ou vergues, s'agitèrent en cherchant dans le vide, puis retombèrent les uns après les autres lourdement dans la mer, comme de grands bras morts. On rentra donc ces défenses inutiles : la *Reine-Berthe*, replongée dans la brume profonde, avait disparu brusquement tout d'une pièce, comme s'efface l'image d'un transparent derrière lequel la lampe a été soufflée. Ils essayèrent de la héler, mais rien ne répondit à leurs cris — qu'une espèce de clameur moqueuse à plusieurs voix, terminée en un gémissement qui les fit se regarder avec surprise...

Cette *Reine-Berthe* ne revint point avec les autres Islandais et, comme ceux du *Samuel-Azénide* avaient rencontré dans un fiord une épave non douteuse (son couronnement d'arrière avec un morceau de sa quille), on ne l'attendit plus ; dès le mois d'octobre, les noms de tous ses marins furent inscrits dans l'église sur des plaques noires.

Or, depuis cette dernière apparition, dont les gens de la *Marie* avaient bien retenu la date, jusqu'à l'époque du retour, il n'y avait eu aucun mauvais temps dangereux sur la mer d'Islande, tandis que, au contraire, trois semaines auparavant, une bourrasque d'ouest avait emporté plusieurs marins et deux navires. On se rappela alors le sourire de Larvoër et, en rapprochant toutes ces choses, on fit beaucoup de conjectures ; Yann revit plus d'une fois, la nuit, le marin au clignotement de singe, et quelques-uns de la *Marie* se demandèrent craintivement si, ce matin-là, ils n'avaient point causé avec des trépassés.

11

L'été s'avança et, à la fin d'août, en même temps que les premiers brouillards du matin, on vit les Islandais revenir.

Depuis trois mois déjà, les deux abandonnées habitaient ensemble, à Ploubazlanec, la chaumière des Moan ; Gaud avait pris place de fille dans ce pauvre nid de marins morts. Elle avait envoyé là tout ce qu'on lui avait laissé après la vente de la maison de son père : son beau lit *à la mode des villes* et ses belles jupes de différentes couleurs. Elle avait fait elle-même sa nouvelle robe noire d'une façon plus simple et portait, comme la vieille Yvonne, une coiffe de deuil en mousseline épaisse ornée seulement de plis.

Tous les jours, elle travaillait à des ouvrages de couture chez les gens riches de la ville et rentrait à la nuit, sans être distraite en chemin par aucun amoureux, restée un peu hautaine, et encore entourée d'un respect de demoiselle ; en lui disant bonsoir, les garçons mettaient, comme autrefois, la main à leur chapeau.

Par les beaux crépuscules d'été, elle s'en revenait de Paimpol, tout le long de cette route de falaise, aspirant le grand air marin qui repose. Les travaux d'aiguille n'avaient pas eu le temps de la déformer — comme d'autres, qui vivent toujours penchées de côté sur leur ouvrage — et, en regardant la mer, elle redressait la belle taille souple qu'elle tenait de race ; en regardant la mer, en regardant le large, tout au fond duquel était Yann...

Cette même route menait chez lui. En continuant un peu, vers certaine région plus pierreuse et plus balayée par le vent, on serait arrivé à ce hameau de Pors-Even où les arbres, couverts de mousses grises, croissent tout petits entre les pierres et se couchent dans le sens des rafales d'ouest. Elle n'y retournerait sans doute jamais, dans ce Pors-Even, bien qu'il fût à moins d'une lieue ; mais, une fois dans sa vie, elle y était allée et cela avait suffi pour laisser un charme sur tout son chemin ; Yann, d'ailleurs, devait souvent y passer et, de sa porte, elle pourrait le suivre allant ou venant sur la lande rase, entre les ajoncs courts. Donc elle aimait toute cette région de Ploubazlanec ; elle était presque heureuse que le sort l'eût rejetée là : en aucun autre lieu du pays elle n'eût pu se faire à vivre.

A cette saison de fin d'août, il y a comme un alanguissement de pays chaud qui remonte du midi vers le nord ; il y a des soirées lumineuses, des reflets du grand soleil d'ailleurs qui viennent traîner jusque sur la mer bretonne. Très souvent, l'air est limpide et calme, sans aucun nuage nulle part.

Aux heures où Gaud s'en revenait, les choses se fondaient déjà ensemble pour la nuit, commençaient à se réunir et à former des silhouettes. Çà et là, un bouquet d'ajoncs se dressait sur une hauteur entre deux pierres, comme un panache ébouriffé ; un groupe d'arbres tordus formait un amas sombre dans un creux, ou bien, ailleurs, quelque hameau à toits de paille dessinait au-dessus de la lande une petite découpure bossue. Aux carrefours, les vieux christs qui gardaient la campagne étendaient leurs bras noirs sur les calvaires, comme de vrais hommes suppliciés, et, dans le lointain, la Manche se détachait en clair, en grand miroir jaune sur un ciel qui était déjà obscurci par le bas, déjà ténébreux vers l'horizon. Et dans ce pays, même ce calme, même ces beaux temps, étaient mélancoliques ; il restait, malgré tout, une inquiétude planant sur les choses ; une anxiété venue de la mer à qui tant d'existences étaient confiées et dont l'éternelle menace n'était qu'endormie.

Gaud, qui songeait en chemin, ne trouvait jamais assez longue sa course de retour au grand air. On sentait l'odeur salée des grèves, et l'odeur douce de certaines fleurs qui croissent sur les falaises entre les épines maigres. Sans la grand-mère Yvonne qui l'attendait au logis, volontiers elle se serait attardée dans ces sentiers d'ajoncs, à la manière de ces belles demoiselles qui aiment à rêver, les soirs d'été, dans les parcs.

En traversant ce pays, il lui revenait bien aussi quelques souvenirs de sa petite enfance ; mais comme ils étaient effacés à présent, reculés, amoindris par son amour ! Malgré tout, elle voulait considérer ce Yann comme une sorte de fiancé — un fiancé fuyant, dédaigneux, sauvage, qu'elle n'aurait jamais ; mais à qui elle s'obstinerait à rester fidèle en esprit, sans plus confier cela à personne. Pour le moment, elle aimait à le savoir en Islande ; là, au moins, la mer le lui gardait dans ses cloîtres profonds et il ne pouvait se donner à aucune autre...

Il est vrai qu'un de ces jours il allait revenir, mais elle envisageait aussi ce retour avec plus de calme qu'autrefois. Par instinct, elle comprenait que sa pauvreté ne serait pas un motif pour être plus dédaignée — car il n'était pas un garçon comme les autres. — Et puis cette mort du petit Sylvestre était une chose qui les rapprochait décidément. A son arrivée, il ne pourrait manquer de venir sous leur toit pour voir la grand-mère de son ami ; et elle avait décidé qu'elle serait là pour cette visite, il ne lui semblait pas que ce fût manquer de dignité ; sans paraître se souvenir de rien, elle lui parlerait comme à quelqu'un que l'on connaît depuis longtemps ; elle lui parlerait même avec affection comme à un frère de Sylvestre, en tâchant d'avoir l'air naturel. Et qui sait ? il ne serait peut-être pas impossible de prendre auprès de lui une place de sœur, à présent qu'elle allait être si seule au monde ; de se reposer sur son amitié ; de la lui demander comme un soutien, en s'expliquant assez pour qu'il ne crût plus à aucune arrière-pensée de mariage. Elle le jugeait sauvage seulement, entêté dans ses idées d'indépendance, mais doux, franc, et capable de bien comprendre les choses bonnes qui viennent tout droit du cœur.

Qu'allait-il éprouver, en la retrouvant là, pauvre dans cette chaumière presque en ruine ?... Bien pauvre, oh ! oui, car la grand-mère Moan, n'étant plus assez forte pour aller en journées aux lessives, n'avait plus rien que sa pension de veuve ; il est vrai, elle mangeait bien peu maintenant, et toutes deux pouvaient encore s'arranger pour vivre sans demander rien à personne...

La nuit était toujours tombée quand elle arrivait au logis ; avant d'entrer, il fallait descendre un peu, sur des roches usées, la chaumière se trouvant en contrebas de ce chemin de Ploubazlanec, dans la partie de terrain qui s'incline vers la grève. Elle était presque cachée sous son épais toit de paille brune, tout gondolé, qui ressemblait au dos de quelque énorme bête morte effondrée sous ses poils durs. Ses murailles avaient la couleur sombre et la rudesse des rochers, avec des mousses et du cochléaria formant de petites touffes vertes. On montait les trois marches gondolées du seuil, et on ouvrait le loquet intérieur de la porte au moyen d'un bout de corde de navire qui sortait par un trou. En entrant, on voyait d'abord en face de soi la lucarne, percée comme dans l'épaisseur d'un rempart, et donnant sur la mer d'où venait une dernière clarté jaune pâle. Dans la grande cheminée flambaient des brindilles odorantes de pin et de hêtre, que la vieille Yvonne ramassait dans ses promenades le long des chemins ; elle-même était là assise, surveillant leur petit souper ; dans son intérieur, elle portait un serre-tête seulement, pour ménager ses coiffes ; son profil, encore joli, se découpait sur la lueur rouge de son feu. Elle levait vers Gaud ses yeux jadis bruns, qui avaient pris une couleur passée, tournée au bleuâtre, et qui étaient troubles, incertains, égarés de vieillesse. Elle disait toutes les fois la même chose :

— Ah ! mon Dieu, ma bonne fille, comme tu rentres tard ce soir...

— Mais non, grand-mère, répondait doucement Gaud qui y était habituée. Il est la même heure que les autres jours.

— Ah !... me semblait à moi, ma fille, me semblait qu'il était plus tard que de coutume.

Elles soupaient sur une table devenue presque informe à force d'être usée, mais encore épaisse comme le tronc d'un chêne. Et le grillon ne manquait jamais de leur recommencer sa petite musique à son d'argent.

Un des côtés de la chaumière était occupé par des boiseries grossièrement sculptées et aujourd'hui toutes vermoulues ; en s'ouvrant, elles donnaient accès dans des étagères où plusieurs générations de pêcheurs avaient été conçus, avaient dormi, et où les mères vieillies étaient mortes.

Aux solives noires du toit s'accrochaient des ustensiles de ménage très anciens, des paquets d'herbes, des cuillers de bois, du lard fumé ; aussi de vieux filets, qui dormaient là depuis le naufrage des derniers fils Moan, et dont les rats venaient la nuit couper les mailles.

Le lit de Gaud, installé dans un angle avec ses rideaux de

mousseline blanche, faisait l'effet d'une chose élégante et fraîche, apportée dans une hutte de Celte.

Il y avait une photographie de Sylvestre en matelot, dans un cadre, accrochée au granit du mur. Sa grand-mère y avait attaché sa médaille militaire, avec une de ces paires d'ancres en drap rouge que les marins portent sur la manche droite, et qui venait de lui ; Gaud lui avait aussi acheté à Paimpol une de ces couronnes funéraires en perles noires et blanches dont on entoure, en Bretagne, les portraits des défunts. C'était là son petit mausolée, tout ce qu'il avait pour consacrer sa mémoire, dans son pays breton...

Les soirs d'été, elles ne veillaient pas, par économie de lumière ; quand le temps était beau, elles s'asseyaient un moment sur un banc de pierre, devant la maison, et regardaient le monde qui passait dans le chemin un peu au-dessus de leur tête.

Ensuite la vieille Yvonne se couchait dans son étagère d'armoire, et Gaud, dans son lit de demoiselle ; là, elle s'endormait assez vite, ayant beaucoup travaillé, beaucoup marché, et songeant au retour des Islandais en fille sage, résolue, sans un trouble trop grand...

12

Mais un jour, à Paimpol, entendant dire que la *Marie* venait d'arriver, elle se sentit prise d'une espèce de fièvre. Tout son calme d'attente l'avait abandonnée ; ayant brusqué la fin de son ouvrage, sans savoir pourquoi, elle se mit en route plus tôt que de coutume — et, dans le chemin, comme elle se hâtait, elle le reconnut de loin qui venait à l'encontre d'elle.

Ses jambes tremblaient et elle les sentait fléchir. Il était déjà tout près, se dessinant à vingt pas à peine, avec sa taille superbe, ses cheveux bouclés sous son bonnet de pêcheur. Elle se trouvait prise si au dépourvu par cette rencontre, que vraiment elle avait peur de chanceler, et qu'il s'en aperçût ; elle en serait morte de honte à présent... Et puis elle se croyait mal coiffée, avec un air fatigué pour avoir fait son ouvrage trop vite ; elle eût donné je ne sais quoi pour être cachée dans les touffes d'ajoncs, disparue dans quelque trou de fouine. Du reste, lui aussi avait eu un mouvement de recul, comme pour essayer de changer de route. Mais c'était trop tard : ils se croisèrent dans l'étroit chemin.

Lui, pour ne pas la frôler, se rangea contre le talus, d'un bond de côté comme un cheval ombrageux qui se dérobe, en la regardant d'une manière furtive et sauvage.

Elle aussi, pendant une demi-seconde, avait levé les yeux, lui jetant malgré elle-même une prière et une angoisse. Et, dans ce croisement involontaire de leurs regards, plus rapide qu'un coup de feu, ses prunelles gris de lin avaient paru s'élargir, s'éclairer de quelque grande flamme de pensée, lancer une vraie lueur bleuâtre, tandis que sa figure était devenue toute rose jusqu'aux tempes, jusque sous les tresses blondes.

Il avait dit en touchant son bonnet :

— Bonjour, mademoiselle Gaud !

— Bonjour, monsieur Yann, répondit-elle.

Et ce fut tout ; il était passé. Elle continua sa route, encore tremblante, mais sentant peu à peu, à mesure qu'il s'éloignait, le sang reprendre son cours et la force revenir...

Au logis, elle trouva la vieille Moan assise dans un coin, la tête entre ses mains, qui pleurait, qui faisait son *hi ! hi ! hi !* de petit enfant, toute dépeignée, sa queue de cheveux tombée de son serre-tête comme un maigre écheveau de chanvre gris.

— Ah ! ma bonne Gaud, c'est le fils Gaos que j'ai rencontré du côté de Plouherzel, comme je m'en retournais de ramasser mon bois ; alors nous avons parlé de mon pauvre petit, tu penses bien. Ils sont arrivés ce matin de l'Islande et, dès ce midi, il était venu pour me faire une visite pendant que j'étais dehors. Pauvre garçon, il avait les larmes aux yeux lui aussi... Jusqu'à ma porte, qu'il a voulu me raccompagner, ma bonne Gaud, pour me porter mon petit fagot...

Elle écoutait cela, debout, et son cœur se serrait à mesure : ainsi, cette visite de Yann, sur laquelle elle avait tant compté pour lui dire tant de choses, était déjà faite, et ne se renouvellerait sans doute plus ; c'était fini...

Alors la chaumière lui sembla plus désolée, la misère plus dure, le monde plus vide — et elle baissa la tête avec une envie de mourir.

13

L'hiver vint peu à peu, s'étendit comme un linceul qu'on laisserait très lentement tomber. Les journées grises passèrent après les journées grises, mais Yann ne reparut plus — et les deux femmes vivaient bien abandonnées.

Avec le froid, leur existence était plus coûteuse et plus dure.

Et puis la vieille Yvonne devenait difficile à soigner. Sa pauvre tête s'en allait ; elle se fâchait maintenant, disait des méchancetés et des injures ; une fois ou deux par semaine, cela la prenait, comme les enfants à propos de rien.

Pauvre vieille !... Elle était encore si douce dans ses bons jours clairs, que Gaud ne cessait de la respecter ni de la chérir. Avoir toujours été bonne, et finir par être mauvaise ; étaler, à l'heure de la fin, tout un fonds de malice qui avait dormi durant la vie, toute une science de mots grossiers qu'on avait cachée, quelle dérision de l'âme et quel mystère moqueur !

Elle commençait à chanter aussi, et cela faisait encore plus de mal à entendre que ses colères ; c'étaient, au hasard des choses qui lui revenaient en tête, des *oremus* de messe, ou bien des couplets très vilains qu'elle avait entendus jadis sur le port, répétés par des matelots. Il lui arrivait d'entonner les *Fillettes de Paimpol* ; ou bien, en balançant la tête et battant la mesure avec son pied, elle prenait :

Mon mari vient de partir ;
Pour la pêche d'Islande, mon mari vient de partir,
Il m'a laissée sans le sou,
Mais... trala, trala la lou...
J'en gagne !
J'en gagne !...

Chaque fois, cela s'arrêtait tout court, en même temps que ses yeux s'ouvraient bien grands dans le vague en perdant toute expression de vie — comme ces flammes déjà mourantes qui s'agrandissent subitement pour s'éteindre. Et après, elle baissait la tête, restait longtemps caduque, en laissant pendre la mâchoire d'en bas à la manière des morts.

Elle n'était plus bien propre non plus, et c'était un autre genre d'épreuve sur lequel Gaud n'avait pas compté.

Un jour, il lui arriva de ne plus se souvenir de son petit-fils.

— Sylvestre ? Sylvestre ?... disait-elle à Gaud, en ayant l'air de chercher qui ce pouvait bien être ; ah dame ! ma bonne, tu comprends, j'en ai eu tant quand j'étais jeune, des garçons, des filles, des filles et des garçons, qu'à cette heure, ma foi !...

Et, en disant cela, elle lançait en l'air ses pauvres mains ridées, avec un geste d'insouciance presque libertine...

Le lendemain, par exemple, elle se souvenait bien de lui ; et en citant mille petites choses qu'il avait faites ou qu'il avait dites, toute la journée elle le pleura.

Oh ! ces veillées d'hiver, quand les branchages manquaient pour faire du feu ! Travailler ayant froid, travailler pour gagner sa vie, coudre menu, achever avant de dormir les ouvrages rapportés chaque soir de Paimpol.

La grand-mère Yvonne, assise dans la cheminée, restait tranquille, les pieds contre les dernières braises, les mains ramassées sous son tablier. Mais, au commencement de la soirée, il fallait toujours tenir des conversations avec elle.

— Tu ne me dis rien, ma bonne fille, pourquoi ça donc ? Dans mon temps à moi, j'en ai pourtant connu de ton âge qui savaient causer. Me semble que nous n'aurions pas l'air si triste, là, toutes les deux, si tu voulais parler un peu.

Alors Gaud racontait des nouvelles quelconques qu'elle avait apprises en ville, ou disait les noms des gens qu'elle avait rencontrés en chemin, parlait de choses qui lui étaient bien indifférentes à elle-même, comme, du reste, tout au monde à présent, puis s'arrêtait au milieu de ses histoires quand elle voyait la pauvre vieille endormie.

Rien de vivant, rien de jeune autour d'elle dont la fraîche jeunesse appelait la jeunesse. Sa beauté allait se consumer, solitaire et stérile...

Le vent de la mer, qui arrivait de partout, agitait sa lampe, et le bruit des lames s'entendait là comme dans un navire ;

en l'écoutant, elle y mêlait le souvenir toujours présent et douloureux de Yann, dont ces choses étaient le domaine ; durant les grandes nuits d'épouvante, où tout était déchaîné et hurlant dans le noir du dehors, elle songeait avec plus d'angoisse à lui.

Et puis seule, toujours seule avec cette grand-mère qui dormait, elle avait peur quelquefois et regardait dans les coins obscurs, en pensant aux marins ses ancêtres, qui avaient vécu dans ces étagères d'armoires, qui avaient péri au large pendant des semblables nuits, et dont les âmes pouvaient revenir ; elle ne se sentait pas protégée contre la visite de ces morts par la présence de cette si vieille femme qui était déjà presque des leurs...

Tout à coup, elle frémissait de la tête aux pieds, en entendant partir du coin de la cheminée un petit filet de voix cassé, flûté, comme étouffé sous terre. D'un ton guilleret qui donnait froid à l'âme, la voix chantait :

Pour la pêche d'Islande, mon mari vient de partir,
Il m'a laissée sans le sou,
Mais... trala, trala la lou...

Et alors elle subissait ce genre particulier de frayeur que cause la compagnie des folles.

La pluie tombait, tombait, avec un petit bruit incessant de fontaine ; on l'entendait presque sans répit ruisseler dehors sur les murs. Dans le vieux toit de mousse, il y avait des gouttières qui, toujours aux mêmes endroits, infatigables, monotones, faisaient le même tintement triste ; elles détrempaient par places le sol du logis, qui était de roches et de terre battue avec des graviers et des coquilles.

On sentait l'eau partout autour de soi, elle vous enveloppait de ses masses froides, infinies : une eau tourmentée, fouettante, s'émiettant dans l'air, épaississant l'obscurité, et isolant encore davantage les unes des autres les chaumières éparses du pays de Ploubazlanec.

Les soirées de dimanche étaient pour Gaud les plus sinistres, à cause d'une certaine gaîté qu'elles apportaient ailleurs : c'étaient des espèces de soirées joyeuses, même dans ces petits hameaux perdus de la côte ; il y avait toujours, ici ou là, quelque chaumière fermée, battue par la pluie noire, d'où partaient des chants lourds. Au-dedans, des tables alignées pour les buveurs ; des marins se séchant à des flambées fumeuses ; les vieux se contentant avec de l'eau-de-vie, les jeunes courtisant des filles, tous allant jusqu'à l'ivresse, et chantant pour s'étourdir. Et, près d'eux, la mer, leur tombeau de demain, chantait aussi, emplissant la nuit de sa voix immense...

Certains dimanches, des bandes de jeunes hommes, qui sortaient de ces cabarets-là ou revenaient de Paimpol, passaient dans le chemin, près de la porte des Moan ; c'étaient ceux qui habitaient à l'extrémité des terres, vers Pors-Even. Ils passaient très tard, échappés des bras des filles, insouciants de se mouiller, coutumiers des rafales et des ondées. Gaud tendait l'oreille à leurs chansons et à leurs cris — très vite noyés dans le bruit des bourrasques ou de la houle — cherchant à démêler la voix de Yann, se sentant trembler ensuite quand elle s'imaginait l'avoir reconnue.

N'être pas revenu les voir, c'était mal de la part de ce Yann ; et mener une vie joyeuse, si près de la mort de Sylvestre — tout cela ne lui ressemblait pas ! Non elle ne le comprenait plus décidément — et, malgré tout, ne pouvait se détacher de lui ni croire qu'il fût sans cœur.

Le fait est que, depuis son retour, sa vie était bien dissipée.

D'abord il y avait eu la tournée habituelle d'octobre dans le golfe de Gascogne — et c'est toujours pour ces Islandais une période de plaisir, un moment où ils ont dans leur bourse un peu d'argent à dépenser sans souci (de petites avances pour s'amuser, que les capitaines donnent sur les grandes parts de pêche, payables seulement en hiver).

On était allé, comme tous les ans, chercher du sel dans les îles, et lui s'était repris d'amour, à Saint-Martin-de-Ré, pour certaine fille brune, sa maîtresse du précédent automne. Ensemble ils s'étaient promenés, au dernier gai soleil, dans les vignes rousses toutes remplies du chant des alouettes, tout embaumées par les raisins mûrs, les œillets des sables et les senteurs marines des plages ; ensemble ils avaient chanté et dansé des rondes à ces veillées de vendange où l'on se grise, d'une ivresse amoureuse et légère, en buvant le vin doux.

Ensuite, la *Marie* ayant poussé jusqu'à Bordeaux, il avait retrouvé, dans un grand estaminet tout en dorures, la belle chanteuse à la montre, et s'était négligemment laissé adorer pendant huit nouveaux jours.

Revenu en Bretagne au mois de novembre, il avait assisté à plusieurs mariages de ses amis, comme garçon d'honneur, tout le temps dans ses beaux habits de fête, et souvent ivre après minuit, sur la fin des bals. Chaque semaine, il lui arrivait quelque aventure nouvelle, que les filles s'empressaient de raconter à Gaud, en exagérant.

Trois ou quatre fois, elle l'avait vu de loin venir en face d'elle sur ce chemin de Ploubazlanec, mais toujours à temps pour l'éviter ; lui aussi du reste, dans ces cas-là, prenait à travers la lande. Comme par une entente muette, maintenant ils se fuyaient.

14

A Paimpol, il y a une grosse femme appelée Mme Tressoleur ; dans une des rues qui mènent au port, elle tient un cabaret fameux parmi les Islandais, où des capitaines et des armateurs viennent enrôler des matelots, faire leur choix parmi les plus forts, en buvant avec eux.

Autrefois belle, encore galante avec les pêcheurs, elle a des moustaches à présent, une carrure d'homme et la réplique hardie. Un air de cantinière, sous une grande coiffure blanche de nonnain ; en elle, un je ne sais quoi de religieux, qui persiste quand même parce qu'elle est Bretonne. Dans sa tête, les noms de tous les marins du pays tiennent comme sur un registre ; elle connaît les bons, les mauvais, sait au plus juste ce qu'ils gagnent et ce qu'ils valent.

Un jour de janvier, Gaud, ayant été mandée pour lui faire une robe, vint travailler là, dans une chambre, derrière la salle aux buveurs...

Chez cette dame Tressoleur, on entre par une porte aux massifs piliers de granit, qui est en retrait sous le premier étage de la maison, à la mode ancienne ; quand on l'ouvre, il y a presque toujours quelque rafale engouffrée dans la rue qui la pousse, et les arrivants font des entrées brusques, comme lancés par une lame de houle. La salle est basse et profonde, passée à la chaux blanche et ornée de cadres dorés où se voient des navires, des abordages, des naufrages. Dans un angle, une Vierge en faïence est posée sur une console, entre des bouquets artificiels.

Ces vieux murs ont entendu vibrer bien des chants puissants de matelots, ont vu s'épanouir bien des gaîtés lourdes et sauvages — depuis les temps reculés de Paimpol, en passant par l'époque agitée des corsaires, jusqu'à ces Islandais de nos jours très peu différents de leurs ancêtres. Et bien des existences d'hommes ont été jouées, engagées là, entre deux ivresses, sur ces tables de chêne.

Gaud, tout en cousant cette robe, avait l'oreille à une conversation sur les choses d'Islande qui se tenait derrière la cloison entre Mme Tressoleur et deux *retraités* assis à boire.

Ils discutaient, les vieux, au sujet de certain beau bateau tout neuf, qu'on était en train de gréer dans le port : jamais elle ne serait parée, cette *Léopoldine,* à faire la campagne prochaine.

— Eh ! mais si, ripostait l'hôtesse, bien sûr qu'elle sera parée ! — Puisque je vous dis, moi, qu'elle a pris équipage hier : tous ceux de l'ancienne *Marie*, de Guermeur, qu'on va vendre pour la démolir ; cinq *jeunes personnes,* qui sont venues s'engager là, devant moi — à cette table, — signer avec ma plume — ainsi ! — Et des *bel'hommes*, je vous jure : Laumec, Tugdual Caroff, Yvon Duff, le fils Keraez, de Tréguier — et le grand Yann Gaos, de Pors-Even, qui en vaut bien trois !

La *Léopoldine !...* Le nom, à peine entendu, de ce bateau qui allait emporter Yann, s'était fixé d'un seul coup dans la mémoire de Gaud, comme si on l'y eût martelé pour le rendre plus ineffaçable.

Le soir, revenue à Ploubazlanec, installée à finir son ouvrage à la lumière de sa petite lampe, elle retrouvait dans sa tête ce mot-là toujours, dont la seule consonance l'impressionnait comme une chose triste. Les noms des personnes et ceux des navires ont une physionomie par eux-mêmes, presque un sens. Et ce *Léopoldine,* mot nouveau, inusité, la poursuivait avec une persistance qui n'était pas naturelle, devenait une sorte d'obsession sinistre. Non, elle s'était attendue à voir Yann repartir encore sur la *Marie* qu'elle avait visitée jadis, qu'elle connaissait, et dont la Vierge avait protégé pendant de longues années les dangereux voyages ; et voici que ce changement, cette *Léopoldine,* augmentait son angoisse.

Mais, bientôt, elle en vint à se dire que pourtant cela ne la regardait plus, que rien de ce qui le concernait, lui, ne devait plus la toucher jamais. Et, en effet, qu'est-ce que cela pouvait lui faire, qu'il fût ici ou ailleurs, sur un navire ou sur un autre, parti ou de retour ?... Se sentirait-elle plus malheureuse, ou moins, quand il serait en Islande ; lorsque l'été serait revenu, tiède, sur les chaumières désertées, sur les femmes solitaires et inquiètes ; — ou bien quand un nouvel automne commencerait encore, ramenant une fois de plus les pêcheurs ?... Tout cela pour elle était indifférent, semblable, également sans joie et sans espoir. Il n'y avait plus aucun lien entre eux deux, aucun motif de rapprochement, puisque même il oubliait le pauvre petit Sylvestre ; donc il fallait bien comprendre que c'en était fait pour toujours de ce seul rêve, de ce seul désir de sa vie ; elle devait se détacher de Yann, de toutes les choses qui avaient trait à son existence, même de ce nom d'Islande qui vibrait encore avec un charme si douloureux à cause de lui ; chasser absolument ces pensées, tout balayer ; se dire que c'était fini, fini à jamais...

Avec douceur elle regarda cette pauvre vieille femme endormie, qui avait encore besoin d'elle, mais qui ne tarderait pas à mourir. Et alors, après, à quoi bon vivre, à quoi bon travailler, et pour quoi faire ?...

Le vent d'ouest s'était levé dehors ; les gouttières du toit avaient recommencé, sur ce grand gémissement lointain, leur bruit tranquille et léger de grelot de poupée. Et ses larmes aussi se mirent à couler, larmes d'orpheline et d'abandonnée, passant sur ses lèvres avec un petit goût amer, descendant silencieusement sur son ouvrage, comme ces pluies d'été qu'aucune brise n'amène, et qui tombent tout à coup, pressées et pesantes, de nuages trop remplis ; alors n'y voyant plus, se sentant brisée, prise de vertige devant le vide de sa vie, elle replia le corsage ample de cette dame Tressoleur et essaya de se coucher.

Dans son pauvre beau lit de demoiselle, elle frissonna en s'étendant : il devenait chaque jour plus humide et plus froid — ainsi que toutes les choses de cette chaumière. — Cependant, comme elle était très jeune, tout en continuant de pleurer, elle finit par se réchauffer et s'endormir.

15

Des semaines sombres avaient passé encore, et on était déjà aux premiers jours de février, par un assez beau temps doux.

Yann sortait de chez l'armateur, venant de toucher sa part de pêche du dernier été, quinze cents francs, qu'il emportait pour les remettre à sa mère, suivant la coutume de famille. L'année avait été bonne, et il s'en retournait content.

Près de Ploubazlanec, il vit un rassemblement au bord de la route : une vieille, qui gesticulait avec son bâton, et autour d'elle des gamins ameutés qui riaient... La grand-mère Moan !... La bonne grand-mère que Sylvestre adorait, toute traînée et déchirée, devenue maintenant une de ces vieilles pauvresses imbéciles qui font des attroupements sur les chemins !... Cela lui causa une peine affreuse.

Ces gamins de Ploubazlanec lui avaient tué son chat, et elle les menaçait de son bâton, très en colère et en désespoir :

— Ah ! s'il avait été ici, lui, mon pauvre garçon, vous n'auriez pas osé, bien sûr, mes vilains drôles !...

Elle était tombée, paraît-il, en courant après eux pour les battre ; sa coiffe était de côté, sa robe pleine de boue, et ils disaient encore qu'elle était grise (comme cela arrive bien en Bretagne à quelques pauvres vieux qui ont eu des malheurs).

Yann savait, lui, que ce n'était pas vrai, et qu'elle était une vieille respectable ne buvant jamais que de l'eau.

— Vous n'avez pas honte ? dit-il aux gamins, très en colère lui aussi, avec sa voix et son ton qui imposaient.

Et, en un clin d'œil, tous les petits se sauvèrent, penauds et confus, devant le grand Gaos.

Gaud, qui justement revenait de Paimpol, rapportant de l'ouvrage pour la veillée, avait aperçu cela de loin, reconnu sa grand-mère dans ce groupe. Effrayée, elle arriva en courant pour savoir ce que c'était, ce qu'elle avait eu, ce qu'on avait pu lui faire — et comprit, voyant leur chat qu'on avait tué.

Elle leva ses yeux francs vers Yann, qui ne détourna pas les siens ; ils ne songeaient plus à se fuir cette fois ; devenus seulement très roses tous deux, lui aussi vite qu'elle, d'une même montée de sang à leurs joues, ils se regardaient, avec un peu d'effarement de se trouver si près ; mais sans haine, presque avec douceur, réunis qu'ils étaient dans une commune pensée de pitié et de protection.

Il y avait longtemps que les enfants de l'école lui en voulaient, à ce pauvre matou défunt, parce qu'il avait la figure noire, un air de diable ; mais c'était un très bon chat, et, quand on le regardait de près, on lui trouvait au contraire la mine tranquille et câline. Ils l'avaient tué avec des cailloux et son œil pendait. La pauvre vieille, en marmottant toujours des menaces, s'en allait tout émue, toute branlante, emportant par la queue, comme un lapin, ce chat mort.

— Ah ! mon pauvre garçon, mon pauvre garçon... s'il était encore de ce monde, on n'aurait pas osé me faire ça, non bien sûr !...

Il lui était sorti des espèces de larmes qui coulaient dans ses rides ; et ses mains, à grosses veines bleues, tremblaient.

Gaud l'avait recoiffée au milieu, tâchait de la consoler avec des paroles douces de petite fille. Et Yann s'indignait ; si c'était possible, que des enfants fussent si méchants ! Faire une chose pareille à une pauvre vieille femme ! Les larmes lui en venaient presque, à lui aussi. — Non point pour ce matou, il va sans dire : les jeunes hommes rudes comme lui, s'ils aiment bien à jouer avec les bêtes, n'ont guère de sensiblerie pour elles ; mais son cœur se fendait, à marcher là derrière cette grand-mère en enfance, emportant son pauvre chat par la queue. Il pensait à Sylvestre, qui l'avait tant aimée ; au chagrin horrible qu'il aurait eu, si on lui avait prédit qu'elle finirait ainsi, en dérision et en misère.

Et Gaud s'excusait, comme étant chargée de sa tenue :

— C'est qu'elle sera tombée, pour être si sale, disait-elle tout bas ; sa robe n'est plus bien neuve, c'est vrai, car nous ne sommes pas riches, monsieur Yann ; mais je l'avais encore raccommodée hier, et ce matin quand je suis partie, je suis sûre qu'elle était propre et en ordre.

Il la regarda alors longuement, beaucoup plus touché peut-être par cette petite explication toute simple qu'il ne l'eût été par d'habiles phrases, des reproches et des pleurs. Ils continuaient de marcher l'un près de l'autre, se rapprochant de la chaumière des Moan. — Pour jolie, elle l'avait toujours été comme personne, il le savait fort bien, mais il lui parut qu'elle l'était encore davantage depuis sa pauvreté et son deuil. Son air était devenu plus sérieux, ses yeux gris de lin avaient l'expression plus réservée et semblaient malgré cela vous pénétrer plus avant, jusqu'au fond de l'âme. Sa taille aussi avait achevé de se former. Vingt-trois ans bientôt ; elle était dans tout son épanouissement de beauté.

Et puis elle avait à présent la tenue d'une fille de pêcheur, sa robe noire sans ornements et une coiffe tout unie ; son air de demoiselle, on ne savait plus bien d'où il lui venait ; c'était quelque chose de caché en elle-même et d'involontaire dont on ne pouvait plus lui faire reproche ; peut-être seulement son corsage, un peu plus ajusté que celui des autres, par habitude d'autrefois, dessinant mieux sa poitrine ronde et le haut de ses bras... Mais non, cela résidait plutôt dans sa voix tranquille et dans son regard.

16

Décidément il les accompagnait — jusque chez elles sans doute.

Ils s'en allaient tous trois, comme pour l'enterrement de ce chat, et cela devenait presque un peu drôle, maintenant, de les voir ainsi passer en cortège ; il y avait sur les portes des bonnes gens qui souriaient. La vieille Yvonne au milieu, portant la bête ; Gaud à sa droite, troublée et toujours très rose ; le grand Yann à sa gauche, tête haute, et pensif.

Cependant la pauvre vieille s'était presque subitement apaisée en route ; d'elle-même, elle s'était recoiffée et, sans plus rien dire, elle commençait à les observer alternativement l'un et l'autre ; du coin de son œil qui était redevenu clair.

Gaud ne parlait pas non plus, de peur de donner à Yann une occasion de prendre congé ; elle eût voulu rester sur ce bon regard doux qu'elle avait reçu de lui, marcher les yeux fermés pour ne plus voir rien autre chose, marcher ainsi bien longtemps à ses côtés dans un rêve qu'elle faisait, au lieu d'arriver si vite à leur logis vide et sombre où tout allait s'évanouir.

A la porte, il y eut une de ces minutes d'indécision pendant lesquelles il semble que le cœur cesse de battre. La grand-mère entra sans se retourner ; puis Gaud, hésitante, et Yann, par-derrière, entra aussi...

Il était chez elles, pour la première fois de sa vie ; sans but, probablement ; qu'est-ce qu'il pouvait vouloir ?... En passant le seuil, il avait touché son chapeau, et puis, ses yeux ayant rencontré d'abord le portrait de Sylvestre dans sa petite couronne mortuaire en perles noires, il s'en était approché lentement comme d'une tombe.

Gaud était restée debout, appuyée des mains à leur table. Il regardait maintenant tout autour de lui, et elle le suivait dans cette sorte de revue silencieuse qu'il passait de leur pauvreté. Bien pauvre, en effet, malgré son air rangé et honnête, le logis de ces deux abandonnées qui s'étaient réunies. Peut-être, au moins, éprouverait-il pour elle un peu de bonne pitié, en la voyant redescendue à cette même misère, à ce granit fruste et à ce chaume. Il n'y avait plus de la richesse passée, que le lit blanc, le beau lit de demoiselle, et involontairement les yeux de Yann revenaient là...

Il ne disait rien... Pourquoi ne s'en allait-il pas ?... La vieille grand-mère, qui était encore si fine à ses moments lucides, faisait semblant de ne pas prendre garde à lui. Donc ils restaient debout l'un devant l'autre, muets et anxieux, finissant par se regarder comme pour quelque interrogation suprême.

Mais les instants passaient et, à chaque seconde écoulée, le silence semblait entre eux se figer davantage. Et ils se regardaient toujours plus profondément, comme dans l'attente solennelle de quelque chose d'inouï qui tardait à venir.

....

— Gaud, demanda-t-il à demi-voix grave, si vous voulez toujours...

Qu'allait-il dire ?... On devinait quelque grande décision,

brusque comme étaient les siennes, prise là tout à coup, et osant à peine être formulée...

— Si vous voulez toujours... La pêche s'est bien vendue cette année, et j'ai un peu d'argent devant moi...

Si elle voulait toujours !... Que lui demandait-il ? avait-elle bien entendu ? Elle était anéantie devant l'immensité de ce qu'elle croyait comprendre.

Et la vieille Yvonne, de son coin là-bas, dressait l'oreille, sentant du bonheur approcher...

— Nous pourrions faire notre mariage, mademoiselle Gaud, si vous vouliez toujours...

... Et puis il attendit sa réponse, qui ne vint pas... Qui donc pouvait l'empêcher de prononcer ce oui ?... Il s'étonnait, il avait peur, et elle s'en apercevait bien. Appuyée des deux mains à la table, devenue toute blanche, avec des yeux qui se voilaient, elle était sans voix, ressemblait à une mourante très jolie...

— Eh bien, Gaud, réponds donc ! dit la vieille grand-mère qui s'était levée pour venir à eux. Voyez-vous, ça la surprend, monsieur Yann ; il faut l'excuser ; elle va réfléchir et vous répondre tout à l'heure... Asseyez-vous, monsieur Yann, et prenez un verre de cidre avec nous...

Mais non, elle ne pouvait pas répondre, Gaud ; aucun mot ne lui venait plus, dans son extase... C'était donc vrai qu'il était bon, qu'il avait du cœur. Elle le trouvait là, son vrai Yann, tel qu'elle n'avait jamais cessé de le voir en elle-même, malgré sa dureté, malgré son refus sauvage, malgré tout. Il l'avait dédaignée longtemps, il l'acceptait aujourd'hui — et aujourd'hui qu'elle était pauvre ; c'était son idée à lui sans doute, il avait eu quelque motif qu'elle saurait plus tard ; en ce moment, elle ne songeait pas du tout à lui en demander compte, non plus qu'à lui reprocher son chagrin de deux années. Tout cela, d'ailleurs, était si oublié, tout cela venait d'être emporté si loin, en une seconde, par le tourbillon délicieux qui passait sur sa vie !... Toujours muette, elle lui disait son adoration rien qu'avec ses yeux, tout noyés, qui le regardaient avec une extrême profondeur, tandis qu'une grosse pluie de larmes commençait à descendre le long de ses joues...

— Allons, Dieu vous bénisse ! mes enfants, dit la grand-mère Moan. Et moi, je lui dois un grand merci, car je suis encore contente d'être devenue si vieille, pour avoir vu ça avant de mourir.

Ils restaient toujours là, l'un devant l'autre, se tenant les mains et ne trouvant pas de mots pour se parler ; ne connaissant aucune parole qui fût assez douce, aucune phrase ayant le sens qu'il fallait, aucune qui leur semblât digne de rompre leur délicieux silence.

— Embrassez-vous, au moins, mes enfants... Mais c'est qu'ils ne se disent rien !... Ah ! mon Dieu, les drôles de petits-enfants que j'ai là par exemple !... Allons, Gaud, dis-lui donc quelque chose, ma fille. De mon temps à moi, me semble qu'on s'embrassait, quand on s'était promis...

Yann ôta son chapeau, comme saisi tout à coup d'un grand respect inconnu, avant de se pencher pour embrasser Gaud — et il lui sembla que c'était le premier vrai baiser qu'il eût jamais donné de sa vie.

Elle aussi l'embrassa, appuyant de tout son cœur ses lèvres fraîches, inhabiles aux raffinements des caresses, sur cette joue de son fiancé que la mer avait dorée. Dans les pierres du mur, le grillon leur chantait le bonheur ; il tombait juste, cette fois, par hasard. Et le pauvre petit portrait de Sylvestre avait un air de leur sourire, du milieu de sa couronne noire. Et tout paraissait s'être subitement vivifié et rajeuni dans la chaumière morte. Le silence s'était rempli de musiques inouïes ; même le crépuscule pâle d'hiver, qui entrait par la lucarne, était devenu comme une belle lueur enchantée...

— Alors, c'est au retour d'Islande que vous allez faire ça, mes bons enfants ?

Gaud baissa la tête. l'Islande, la *Léopoldine* — c'est vrai, elle avait déjà oublié ces épouvantes dressées sur la route. — Au retour d'Islande !... comme ce serait long ! Encore tout cet été d'attente craintive. Et Yann, battant le sol du bout de son pied, à petits coups rapides, devenu fort pressé lui aussi, comptait en lui-même très vite, pour voir si, en se dépêchant bien, on n'aurait pas le temps de se marier avant ce départ : tant de jours pour réunir les papiers, tant de jours pour publier les bans à l'église ; oui, cela ne mènerait jamais qu'au 20 ou

25 du mois pour les noces, et, si rien n'entravait, on aurait donc encore une grande semaine à rester ensemble après.

— Je m'en vais toujours commencer par prévenir notre père, dit-il, avec autant de hâte que si les minutes mêmes de leur vie étaient maintenant mesurées et précieuses...

QUATRIÈME PARTIE

1

Les amoureux aiment toujours beaucoup s'asseoir ensemble sur les bancs, devant les portes, quand la nuit tombe.

Yann et Gaud pratiquaient cela, eux aussi. Chaque soir, c'était à la porte de la chaumière des Moan, sur le vieux banc de granit, qu'ils se faisaient leur cour.

D'autres ont le printemps, l'ombre des arbres, les soirées tièdes, les rosiers fleuris. Eux n'avaient rien que des crépuscules de février descendant sur un pays marin, tout d'ajoncs et de pierres. Aucune branche de verdure au-dessus de leur tête, ni alentour, rien que le ciel immense, où passaient lentement des brumes errantes. Et pour fleurs, des algues brunes, que les pêcheurs, en remontant de la grève, avaient entraînées dans le sentier avec leurs filets.

Les hivers ne sont pas rigoureux dans cette région tiédie par des courants de la mer ; mais c'est égal, ces crépuscules amenaient souvent des humidités glacées et d'imperceptibles petites pluies qui se déposaient sur leurs épaules.

Ils restaient tout de même, se trouvant très bien là. Et ce banc, qui avait plus d'un siècle, ne s'étonnait pas de leur amour, en ayant déjà vu bien d'autres ; il en avait bien entendu, des douces paroles, sortir, toujours les mêmes, de génération en génération, de la bouche des jeunes, et il était habitué à voir les amoureux revenir plus tard, changés en vieux branlants et en vieilles tremblotantes, s'asseoir à la même place — mais dans le jour alors, pour respirer encore un peu d'air et se chauffer à leur dernier soleil.

De temps en temps, la grand-mère Yvonne mettait la tête

à la porte pour les regarder. Non pas qu'elle fût inquiète de ce qu'ils faisaient ensemble, mais par affection seulement, pour le plaisir de les voir, et aussi pour essayer de les faire rentrer. Elle disait :

— Vous aurez froid, mes bons enfants, vous attraperez du mal. *Ma Doué, ma Doué,* rester dehors si tard, je vous demande un peu, ça a-t-il du bon sens ?

Froid !... Est-ce qu'ils avaient froid, eux ? Est-ce qu'ils avaient seulement conscience de quelque chose en dehors du bonheur d'être l'un près de l'autre ?

Les gens qui passaient, le soir, dans le chemin, entendaient un léger murmure à deux voix, mêlé au bruissement que la mer faisait en dessous, au pied des falaises. C'était une musique très harmonieuse, la voix fraîche de Gaud alternait avec celle de Yann qui avait des sonorités douces et caressantes dans des notes graves. On distinguait aussi leurs deux silhouettes tranchant sur le granit du mur auquel ils étaient adossés : d'abord le blanc de la coiffe de Gaud, puis toute sa forme svelte en robe noire et, à côté d'elle, les épaules carrées de son ami. Au-dessus d'eux, le dôme bossu de leur toit de paille et, derrière tout cela, les infinis crépusculaires, le vide incolore des eaux et du ciel...

Ils finissaient tout de même par rentrer s'asseoir dans la cheminée, et la vieille Yvonne, tout de suite endormie, la tête tombée en avant, ne gênait pas beaucoup ces deux jeunes qui s'aimaient. Ils recommençaient à se parler à voix basse, ayant à se rattraper de deux ans de silence ; ayant besoin de se presser beaucoup pour se faire cette cour, puisqu'elle devait si peu durer.

Il était convenu qu'ils habiteraient chez cette grand-mère Yvonne qui, par testament, leur léguait sa chaumière ; pour le moment, ils n'y faisaient aucune amélioration, faute de temps, et remettaient au retour d'Islande leur projet d'embellir un peu ce pauvre nid par trop désolé.

2

Un soir, il s'amusait à lui citer mille petites choses qu'elle avait faites ou qui lui étaient arrivées depuis leur première rencontre ; il lui disait même les robes qu'elle avait eues, les fêtes où elle était allée.

Elle l'écoutait avec une extrême surprise. Comment donc savait-il tout cela ? Qui se serait imaginé qu'il y avait fait attention et qu'il était capable de le retenir ?...

Lui, souriait, faisant le mystérieux, et racontait encore d'autres petits détails, même des choses qu'elle avait presque oubliées.

Maintenant, sans plus l'interrompre, elle le laissait dire, avec un ravissement inattendu qui la prenait tout entière ; elle commençait à deviner, à comprendre : c'est qu'il l'avait aimée, lui aussi, tout ce temps-là !... Elle avait été sa préoccupation constante ; il lui en faisait l'aveu naïf à présent !...

Et alors qu'est-ce qu'il avait eu, mon Dieu ; pourquoi l'avait-il tant repoussée, tant fait souffrir ?

Toujours ce mystère qu'il avait promis d'éclaircir pour elle, mais dont il reculait sans cesse l'explication, avec un air embarrassé et un commencement de sourire incompréhensible.

....

Ils allèrent à Paimpol un beau jour, avec la grand-mère Yvonne, pour acheter la robe de noces.

Parmi les beaux costumes de demoiselle qui lui restaient d'autrefois, il y en avait qui auraient très bien pu être arrangés pour la circonstance, sans qu'on eût besoin de rien acheter. Mais Yann avait voulu lui faire ce cadeau, et elle ne s'en était pas trop défendue : avoir une robe donnée par lui, payée avec l'argent de son travail et de sa pêche, il lui semblait que cela la fît déjà un peu son épouse.

Ils la choisirent noire, Gaud n'ayant pas fini le deuil de son père. Mais Yann ne trouvait rien d'assez joli dans les étoffes qu'on déployait devant eux. Il était un peu hautain vis-à-vis des marchands et, lui qui autrefois ne serait entré pour rien au monde dans aucune des boutiques de Paimpol, ce jour-là s'occupait de tout, même de la forme qu'aurait cette robe ; il voulut qu'on y mît de grandes bandes de velours pour la rendre plus belle.

3

Un soir qu'ils étaient assis sur leur banc de pierre dans la solitude de leur falaise où la nuit tombait, leurs yeux s'arrêtèrent par hasard sur un buisson d'épines — le seul d'alentour — qui croissait entre les rochers au bord du chemin. Dans la demi-obscurité, il leur sembla distinguer sur ce buisson de légères petites houppes blanches :

— On dirait qu'il est fleuri, dit Yann.

Et ils s'approchèrent pour s'en assurer.

Il était tout en fleur. N'y voyant pas beaucoup, ils le touchèrent, vérifiant avec leurs doigts la présence de ces petites fleurettes qui étaient tout humides de brouillard. Et alors, il leur vint une première impression hâtive de printemps ; du même coup, ils s'aperçurent que les jours avaient allongé ; qu'il y avait quelque chose de plus tiède dans l'air, de plus lumineux dans la nuit.

Mais comme ce buisson était en avance ! Nulle part dans le pays, au bord d'aucun chemin, on n'en eût trouvé un pareil. Sans doute, il avait fleuri là exprès pour eux, pour leur fête d'amour...

— Oh ! nous allons en cueillir alors ! dit Yann.

Et, presque à tâtons, il composa un bouquet entre ses mains rudes ; avec le grand couteau de pêcheur qu'il portait à sa ceinture, il enleva soigneusement les épines, puis il le mit au corsage de Gaud :

— Là, comme une mariée, dit-il en se reculant, comme pour voir, malgré la nuit, si cela lui seyait bien.

Au-dessous d'eux, la mer très calme déferlait faiblement sur les galets de la grève, avec un petit bruissement intermittent, régulier comme une respiration de sommeil ; elle semblait indifférente, ou même favorable, à cette cour qu'ils se faisaient là tout près d'elle.

Les jours leur paraissaient longs dans l'attente des soirées, et ensuite, quand ils se quittaient sur le coup de dix heures, il leur venait un petit découragement de vivre, parce que c'était déjà fini...

Il fallait se hâter, se hâter pour les papiers, pour tout, sous peine de n'être pas prêt et de laisser fuir le bonheur devant soi, jusqu'à l'automne, jusqu'à l'avenir incertain...

Leur cour, faite le soir dans ce lieu triste, au bruit continuel de la mer, et avec cette préoccupation un peu enfiévrée de la marche du temps, prenait de tout cela quelque chose de particulier et de presque sombre. Ils étaient des amoureux différents des autres, plus graves, plus inquiets dans leur amour.

Il ne disait toujours pas ce qu'il avait eu pendant deux ans contre elle et, quand il était reparti le soir, ce mystère tourmentait Gaud. Pourtant il l'aimait bien, elle en était sûre.

C'était vrai, qu'il l'avait de tout temps aimée, mais pas comme à présent : cela augmentait dans son cœur et dans sa tête comme une marée qui monte, qui monte, jusqu'à tout remplir. Il n'avait jamais connu cette manière d'aimer quelqu'un.

De temps en temps, sur le banc de pierre, il s'allongeait, presque étendu, jetait la tête sur les genoux de Gaud, par câlinerie d'enfant pour se faire caresser, et puis se redressait bien vite, par convenance. Il eût aimé se coucher par terre à ses pieds, et rester là, le front appuyé sur le bas de sa robe. En dehors de ce baiser de frère qu'il lui donnait en arrivant et en partant, il n'osait pas l'embrasser. Il adorait le je ne sais quoi invisible qui était en elle, qui était son âme, qui se manifestait à lui dans le son pur et tranquille de sa voix, dans l'expression de son sourire, dans son beau regard limpide...

Et dire qu'elle était en même temps une femme de chair, plus belle et plus désirable qu'aucune autre ; qu'elle lui appartiendrait bientôt d'une manière aussi complète que ses maîtresses d'avant, sans cesser pour cela d'être *elle-même !*... Cette idée le faisait frissonner jusqu'aux moelles profondes ; il ne concevait pas bien d'avance ce que serait une pareille ivresse, mais il n'y arrêtait pas sa pensée, par respect, se demandant presque s'il oserait commettre ce délicieux sacrilège...

4

Un soir de pluie, ils étaient assis près l'un de l'autre dans la cheminée, et leur grand-mère Yvonne dormait en face d'eux. La flamme qui dansait dans les branchages du foyer faisait promener au plafond noir leurs ombres agrandies.

Ils se parlaient bien bas, comme font tous les amoureux. Mais il y avait, ce soir-là, de longs silences embarrassés, dans leur causerie. Lui surtout ne disait presque rien, et baissait la tête avec un demi-sourire, cherchant à se dérober aux regards de Gaud.

C'est qu'elle l'avait pressé de questions, toute la soirée, sur ce mystère qu'il n'y avait pas moyen de lui faire dire, et cette fois il se voyait pris ; elle était trop fine et trop décidée à savoir ; aucun faux-fuyant ne le tirerait plus de ce mauvais pas.

— De méchants propos qu'on avait tenus sur mon compte ? demandait-elle.

Il essaya de répondre oui. De méchants propos, oh !... on en avait tenu beaucoup dans Paimpol, et dans Ploubazlanec...

Elle demanda quoi. Il se troubla et ne sut pas dire. Alors elle vit bien que ce devait être autre chose.

— C'était ma toilette, Yann ?

Pour la toilette, il est sûr que cela y avait contribué : elle en faisait trop, pendant un temps, pour devenir la femme d'un simple pêcheur. Mais enfin il était forcé de convenir que ce n'était pas tout.

— Était-ce parce que, dans ce temps-là, nous passions pour riches ? Vous aviez peur d'être refusé ?

— Oh ! non, pas cela.

Il fit cette réponse avec une si naïve sûreté de lui-même, que Gaud en fut amusée. Et puis il y eut de nouveau un silence pendant lequel on entendit dehors le bruit gémissant de la brise et de la mer.

Tandis qu'elle l'observait attentivement, une idée commençait à lui venir, et son expression changeait à mesure :

— Ce n'était rien de tout cela, Yann ; alors quoi ? dit-elle en le regardant tout à coup dans le blanc des yeux, avec le sourire d'inquisition irrésistible de quelqu'un qui a deviné.

Et lui détourna la tête, en riant tout à fait.

Ainsi, c'était bien cela, elle avait trouvé : de raison, il ne pouvait pas lui en donner, parce qu'il n'y en avait pas, il n'y en avait eu jamais. Eh bien, oui, tout simplement il avait fait son têtu (comme Sylvestre disait jadis), et c'était tout. Mais voilà aussi, on l'avait tourmenté avec cette Gaud ! Tout le monde s'y était mis, ses parents, Sylvestre, ses camarades islandais, jusqu'à Gaud elle-même. Alors il avait commencé à dire non, obstinément non, tout en gardant au fond de son cœur l'idée qu'un jour, quand personne n'y penserait plus, cela finirait certainement par être oui.

Et c'était pour cet enfantillage de son Yann que Gaud avait langui, abandonnée pendant deux ans, et désiré mourir...

Après le premier mouvement, qui avait été de rire un peu, par confusion d'être découvert, Yann regarda Gaud avec de bons yeux graves qui, à leur tour, interrogeaient profondément : lui pardonnerait-elle au moins ? Il avait un si grand remords aujourd'hui de lui avoir fait tant de peine, lui pardonnerait-elle ?...

— C'est mon caractère qui est comme cela, Gaud, dit-il. Chez nous, avec mes parents, c'est la même chose. Des fois, quand je fais ma tête dure, je reste pendant des huit jours comme fâché avec eux, presque sans parler à personne. Et pourtant je les aime bien, vous le savez, et je finis toujours par leur obéir dans tout ce qu'ils veulent, comme si j'étais encore un enfant de dix ans... Si vous croyez que ça faisait mon affaire, à moi, de ne pas me marier ! Non, cela n'aurait plus duré longtemps dans tous les cas, Gaud, vous pouvez me croire.

Oh ! si elle lui pardonnait ! Elle sentait tout doucement des larmes lui venir, et c'était le reste de son chagrin d'autrefois qui finissait de s'en aller à cet aveu de son Yann. D'ailleurs, sans toute sa souffrance d'avant, l'heure présente n'eût pas été si délicieuse ; à présent que c'était fini, elle aimait presque mieux avoir connu ce temps d'épreuve.

Maintenant tout était éclairci entre eux deux ; d'une manière inattendue, il est vrai, mais complète : il n'y avait plus aucun bras et, leurs têtes s'étant rapprochées, ils restèrent là longtemps, leurs joues appuyées l'une sur l'autre, n'ayant plus besoin de rien s'expliquer ni de rien se dire. Et en ce moment, leur étreinte était si chaste que, la grand-mère Yvonne s'étant réveillée, ils demeurèrent devant elle comme ils étaient, sans aucun trouble.

....

5

C'était six jours avant le départ pour l'Islande. Leur cortège de noces s'en revenait de l'église de Ploubazlanec, pourchassé par un vent furieux, sous un ciel chargé et tout noir.

Au bras l'un de l'autre, ils étaient beaux tous deux, marchant comme des rois, en tête de leur longue suite, marchant comme dans un rêve. Calmes, recueillis, graves, ils avaient l'air de ne rien voir, de dominer la vie, d'être au-dessus de tout. Ils semblaient même être respectés par le vent, tandis que, derrière eux, ce cortège était un joyeux désordre de couples rieurs, que de grandes rafales d'ouest tourmentaient. Beaucoup de jeunes, chez lesquels aussi la vie débordait ; d'autres, déjà grisonnants, mais qui souriaient encore en se rappelant le jour de leurs noces et leurs premières années. Grand-mère Yvonne était là et suivait aussi, très éventée, mais presque heureuse, au bras d'un vieil oncle de Yann qui lui disait des galanteries anciennes ; elle portait une belle coiffe neuve qu'on lui avait achetée pour la circonstance et toujours son petit châle, reteint une troisième fois — en noir, à cause de Sylvestre.

Et le vent secouait indistinctement tous ces invités ; on voyait des jupes relevées et des robes retournées ; des chapeaux et des coiffes qui s'envolaient.

A la porte de l'église, les mariés s'étaient acheté, suivant la coutume, des bouquets de fausses fleurs pour compléter leur toilette de fête. Yann avait attaché les siennes au hasard sur sa poitrine large, mais il était de ceux à qui tout va bien. Quant à Gaud, il y avait de la demoiselle encore dans la façon dont ces pauvres fleurs grossières étaient piquées en haut de son corsage — très ajusté, comme autrefois, sur sa forme exquise.

Le violonaire qui menait tout ce monde, affolé par le vent, jouait à la diable ; ses airs arrivaient aux oreilles par bouffées, et, dans le bruit des bourrasques, semblaient une petite musique drôle, plus grêle que les cris d'une mouette.

Tout Ploubazlanec était sorti pour les voir. Ce mariage avait quelque chose qui passionnait les gens, et on était venu de loin à la ronde ; aux carrefours des sentiers, il y avait partout des groupes qui stationnaient pour les attendre. Presque tous les « Islandais » de Paimpol, les amis de Yann, étaient là postés. Ils saluaient les mariés au passage ; Gaud répondait en s'inclinant légèrement comme une demoiselle, avec sa grâce sérieuse, et, tout le long de sa route, elle était admirée.

Et les hameaux d'alentour, les plus perdus, les plus noirs, même ceux des bois, s'étaient vidés de leurs mendiants, de leurs estropiés, de leurs fous, de leurs idiots à béquilles. Cette gent était échelonnée sur le parcours, avec des musiques, des accordéons, des vielles ; ils tendaient leurs mains, leurs sébiles, leurs chapeaux, pour recevoir des aumônes que Yann leur lançait avec son grand air noble, et Gaud, avec son joli sourire de reine. Il y avait de ces mendiants qui étaient très vieux, qui avaient des cheveux gris sur des têtes vides n'ayant jamais rien contenu ; tapis dans les creux des chemins, ils étaient de la même couleur que la terre d'où ils semblaient n'être qu'incomplètement sortis, et où ils allaient rentrer bientôt sans avoir eu de pensées ; leurs yeux égarés inquiétaient comme le mystère de leurs existences avortées et inutiles. Ils regardaient passer, sans comprendre, cette fête de la vie pleine et superbe...

On continua de marcher au-delà du hameau de Pors-Even, et de la maison des Gaos. C'était pour se rendre, suivant l'usage traditionnel des mariés du pays de Ploubazlanec, à la chapelle de la Trinité, qui est comme au bout du monde breton.

Au pied de la dernière et extrême falaise, elle pose sur un seuil de roches basses, tout près des eaux, et semble déjà appartenir à la mer. Pour y descendre, on prend un sentier de chèvre parmi des blocs de granit. Et le cortège de noces se répandit sur la pente de ce cap isolé, au milieu des pierres, les paroles joyeuses ou galantes se perdant tout à fait dans le bruit du vent et des lames.

Impossible d'atteindre cette chapelle ; par ce gros temps, le passage n'était pas sûr, la mer venait trop près pour frapper ses grands coups. On voyait bondir très haut ses gerbes blanches qui, en retombant, se déployaient pour tout inonder.

Yann, qui s'était le plus avancé, avec Gaud appuyée à son bras, recula le premier devant les embruns. En arrière, son cortège restait échelonné sur les roches, en amphithéâtre, et lui, semblait être venu là pour présenter sa femme à la mer ; mais celle-ci faisait mauvais visage à la mariée nouvelle.

En se retournant, il aperçut le violonaire, perché sur un rocher gris et cherchant à rattraper, entre deux rafales, son air de contredanse.

— Ramasse ta musique, mon ami, lui dit-il ; la mer nous en joue d'une autre qui marche mieux que la tienne...

En même temps commença une grande pluie fouettante qui menaçait depuis le matin. Alors ce fut une débandade folle avec des cris et des rires pour grimper sur la haute falaise et se sauver chez les Gaos...

6

Le dîner de noces se fit chez les parents d'Yann, à cause de ce logis de Gaud, qui était bien pauvre.

Ce fut en haut, dans la grande chambre neuve, une tablée de vingt-cinq personnes autour des mariés ; des sœurs et des frères ; le cousin Gaos le pilote ; Guermeur, Keraez, Yvon Duff, tous ceux de l'ancienne *Marie*, qui étaient de la *Léopoldine* à présent ; quatre filles d'honneur très jolies, leurs nattes de cheveux disposées en rond au-dessus des oreilles, comme autrefois les impératrices de Byzance, et leur coiffe blanche à la nouvelle mode des jeunes, en forme de conque marine ; quatre garçons d'honneur, tous Islandais, bien plantés, avec de beaux yeux fiers.

Et en bas aussi, bien entendu, on mangeait et on cuisinait ; toute la queue du cortège s'y était entassée en désordre, et des femmes de peine, louées à Paimpol, perdaient la tête devant la grande cheminée encombrée de poêles et de marmites.

Les parents d'Yann auraient souhaité pour leur fils une femme plus riche, c'est bien sûr ; mais Gaud était connue à présent pour une fille sage et courageuse ; et puis, à défaut de sa fortune perdue, elle était la plus belle du pays, et cela les flattait de voir les deux époux si assortis.

Le vieux père, en gaîté après la soupe, disait de ce mariage :

— Ça va faire encore des Gaos, on n'en manquait pourtant pas dans Ploubazlanec !

Et, en comptant sur ses doigts, il expliquait à un oncle de la mariée comment il y en avait tant de ce nom-là : son père, qui était le plus jeune de neuf frères, avait eu douze enfants, tous mariés avec des cousines, et ça en avait fait, tout ça, des Gaos, malgré les disparus d'Islande !...

— Pour moi, dit-il, j'ai épousé aussi une Gaos ma parente, et nous en avons fait encore quatorze à nous deux.

Et à l'idée de cette peuplade, il se réjouissait, en secouant sa tête blanche.

Dame ! il avait eu de la peine pour les élever, ses quatorze petits Gaos ; mais à présent ils se débrouillaient, et puis ces dix mille francs de l'épave les avaient mis vraiment bien à leur aise.

En gaîté aussi, le voisin Guermeur racontait ses tours joués *au service* [1], des histoires de Chinois, d'Antilles, de Brésil, faisant écarquiller les yeux aux jeunes qui allaient y aller.

Un de ses meilleurs souvenirs, c'était une fois, à bord de l'*Iphigénie,* on faisait le plein des soutes à vin, le soir, à la brune ; et la manche en cuir, par où ça passait pour descendre, s'était crevée. Alors, au lieu d'avertir, on s'était mis à boire à même jusqu'à plus soif ; ça avait duré deux heures, cette fête ; à la fin ça coulait plein la batterie ; tout le monde était soûl !

Et ces vieux marins, assis à table, riaient de leur rire bon enfant avec une pointe de malice.

— On crie contre le *service,* disaient-ils ; eh bien ! il n'y a encore que là, pour faire des tours pareils !

Dehors, le temps ne s'embellissait pas, au contraire ; le vent, la pluie, faisaient rage dans une épaisse nuit. Malgré

1. Les hommes de la côte appellent ainsi leur temps de matelot dans la marine de guerre.

les précautions prises, quelques-uns s'inquiétaient de leur bateau, ou de leur barque amarrée dans le port, et parlaient de se lever pour aller y voir.

Cependant un autre bruit, beaucoup plus gai à entendre, arrivait d'en bas où les plus jeunes de la noce soupaient les uns sur les autres : c'étaient les cris de joie, les éclats de rire des petits-cousins et des petites-cousines, qui commençaient à se sentir très émoustillés par le cidre.

On avait servi des viandes bouillies, des viandes rôties, des poulets, plusieurs espèces de poissons, des omelettes et des crêpes.

On avait causé pêche et contrebande, discuté toute sorte de façons pour attraper les messieurs douaniers, qui sont, comme on sait, les ennemis des hommes de mer.

En haut, à la table d'honneur, on se lançait même à parler d'aventures drôles.

Ceci se croisait, en breton, entre ces hommes qui, tous, à leur époque, avaient roulé le monde.

— A Hong-Kong, les *maisons*, tu sais bien, les *maisons* qui sont là, en montant dans les petites rues...

— Ah ! oui, répondait du bout de la table un autre qui les avait fréquentées — oui, en tirant sur la droite quand on arrive ?

— C'est ça ; enfin chez les dames chinoises, quoi !... Donc, nous avions *consommé* là-dedans, à trois que nous étions... Des vilaines femmes, *ma Doué,* mais vilaines !...

— Oh ! pour vilaines, je te crois, dit négligemment le grand Yann qui, lui aussi, dans un moment d'erreur, après une longue traversée, les avait connues, ces Chinoises.

— Après, pour payer, qui est-ce qui en avait des piastres ?... Cherche, cherche dans les poches — ni moi, ni toi, ni lui — plus le sou personne ! — Nous faisons des excuses, en promettant de revenir. (Ici, il contournait sa rude figure bronzée et minaudait comme une Chinoise très surprise.) Mais la vieille, pas confiante, commence à miauler, à faire le diable, et finit par nous griffer avec ses pattes jaunes. (Maintenant, il singeait ces voix pointues de là-bas et grimaçait comme cette vieille en colère, tout en roulant ses yeux qu'il avait retroussés par le coin avec ses doigts.) Et voilà les deux

Chinois, les deux... enfin les deux patrons de la boîte, tu me comprends — qui ferment la grille à clef, nous dedans ! Comme de juste, on te les empoigne par la queue pour les mettre en danse la tête contre les murs. — Mais crac ! il en sort d'autres par tous les trous, au moins une douzaine qui se relèvent les manches pour nous tomber dessus — avec des airs de se méfier tout de même. — Moi, j'avais justement mon paquet de cannes à sucre, achetées pour mes provisions de route ; et c'est solide, ça ne casse pas, quand c'est vert ; alors tu penses, pour cogner sur les magots, si ça nous a été utile...

Non, décidément il ventait trop fort ; en ce moment les vitres tremblaient sous une rafale terrible, et le conteur, ayant brusqué la fin de son histoire, se leva pour aller voir sa barque.

Un autre disait :

— Quand j'étais quartier-maître canonnier, en fonctions de caporal d'armes sur la *Zénobie,* à Aden, un jour, je vois les marchands de plumes d'autruche qui montent à bord (imitant l'accent de là-bas) : « Bonjour, caporal d'armes ; nous pas voleurs, nous bons marchands. » D'un *paravirer* je te les fais redescendre quatre à quatre : « Toi, bon marchand, que je dis, apporte un peu d'abord un bouquet de plumes pour me faire cadeau ; nous verrons après si on te laissera monter avec ta pacotille. » Et je m'en serais fait pas mal d'argent au retour, si je n'avais pas été si bête ! (douloureusement) mais, tu sais, dans ce temps j'étais jeune homme... Alors, à Toulon, une connaissance à moi qui travaillait dans les modes...

Allons, bon, voici qu'un des petits frères d'Yann, un futur Islandais, avec une bonne figure rose et des yeux vifs, tout d'un coup se trouve malade pour avoir bu trop de cidre. Bien vite il faut l'emporter, le petit Laumec, ce qui coupe court au récit des perfidies de cette modiste pour avoir ces plumes...

Le vent dans la cheminée hurlait comme un damné qui souffre ; de temps en temps, avec une force à faire peur, il secouait toute la maison sur ses fondements de pierre.

— On dirait que ça le fâche, parce que nous sommes en train de nous amuser, dit le cousin pilote.

— Non, c'est la mer qui n'est pas contente, répondit Yann, en souriant à Gaud — parce que je lui avais promis mariage.

Cependant, une sorte de langueur étrange commençait à les prendre tous deux ; ils se parlaient plus bas, la main dans la main, isolés au milieu de la gaîté des autres. Lui, Yann, connaissant l'effet du vin sur les sens, ne buvait pas du tout ce soir-là. Et il rougissait à présent, ce grand garçon, quand quelqu'un de ses camarades islandais disait une plaisanterie de matelot sur la nuit qui allait suivre.

Par instants aussi il était triste, en pensant tout à coup à Sylvestre... D'ailleurs, il était convenu qu'on ne devait pas danser à cause du père de Gaud et à cause de lui.

On était au dessert ; bientôt allaient commencer les chansons. Mais avant, il y avait les prières à dire, pour les défunts de la famille ; dans les fêtes de mariage, on ne manque jamais à ce devoir de religion, et quand on vit le père Gaos se lever en découvrant sa tête blanche, il se fit du silence partout :

— Ceci, dit-il, est pour Guillaume Gaos, mon père.

Et, en se signant, il commença pour ce mort la prière latine :

— *Pater noster, qui es in cælis, sanctificetur nomen tuum...*

Un silence d'église s'était maintenant propagé jusqu'en bas, aux tablées joyeuses des petits. Tous ceux qui étaient dans cette maison répétaient en esprit les mêmes mots éternels.

— Ceci est pour Yves et Jean Gaos, mes frères, perdus dans la mer d'Islande... Ceci est pour Pierre Gaos, mon fils, naufragé à bord de la *Zélie*...

Puis, quand tous ces Gaos eurent chacun leur prière, il se tourna vers la grand-mère Yvonne :

— Ceci, dit-il, est pour Sylvestre Moan.

Et il en récita une autre encore. Alors Yann pleura.

— ... *Sed libera nos a malo. Amen.*

Les chansons commencèrent après. Des chansons apprises *au service*, sur le gaillard d'avant, où il y a, comme on sait, beaucoup de beaux chanteurs :

Un noble corps, pas moins, que celui des zouaves,
Mais chez nous les braves
Narguent le destin,
Hurrah ! hurrah ! vive le vrai marin !

Les couplets étaient dits par un des garçons d'honneur,

d'une manière tout à fait langoureuse qui allait à l'âme ; et puis le chœur était repris par d'autres belles voix profondes.

Mais les nouveaux époux n'entendaient plus que du fond d'une sorte de lointain ; quand ils se regardaient, leurs yeux brillaient d'un éclat trouble, comme des lampes voilées ; ils se parlaient de plus en plus bas, la main toujours dans la main, et Gaud baissait souvent la tête, prise peu à peu, devant son maître, d'une crainte plus grande et plus délicieuse.

Maintenant le cousin pilote faisait le tour de la table pour servir d'un certain vin à lui ; il l'avait apporté avec beaucoup de précautions, caressant la bouteille couchée, qu'il ne fallait pas remuer, disait-il.

Il en raconta l'histoire : un jour de pêche, une barrique flottait toute seule au large ; pas moyen de la ramener, elle était trop grosse ; alors ils l'avaient crevée en mer, remplissant tout ce qu'il y avait à bord de pots et de moques. Impossible de tout emporter. On avait fait des signes aux autres pilotes, aux autres pêcheurs ; toutes les voiles en vue s'étaient rassemblées autour de la trouvaille.

— Et j'en connais plus d'un qui était soûl, en rentrant le soir à Pors-Even.

Toujours le vent continuait son bruit affreux. En bas, les enfants dansaient des rondes ; il y en avait bien quelques-uns de couchés — des tout petits Gaos, ceux-ci — mais les autres faisaient le diable, menés par le petit Fantec[1] et le petit Laumec[2], voulant absolument aller sauter dehors, et, à toute minute, ouvrant la porte à des rafales furieuses qui soufflaient les chandelles.

Lui, le cousin pilote, finissait l'histoire de son vin ; pour son compte, il en avait eu quarante bouteilles ; il priait bien qu'on n'en parlât pas, à cause de M. le commissaire de l'inscription maritime, qui aurait pu lui chercher une affaire pour cette épave non déclarée.

— Mais voilà, disait-il, il aurait fallu les soigner, ces bouteilles ; si on avait pu les tirer au clair, ça serait devenu tout à fait du vin supérieur ; car, certes, il y avait dedans

1. En français : François.
2. En français : Guillaume.

beaucoup plus de jus de raisin que dans toutes les caves des débitants de Paimpol.

Qui sait où il avait poussé, ce vin de naufrage ? Il était fort, haut en couleur, très mêlé d'eau de mer, et gardait le goût âcre du sel. Il fut néanmoins trouvé très bon, et plusieurs bouteilles se vidèrent.

Les têtes tournaient un peu ; le son des voix devenait plus confus et les garçons embrassaient les filles.

Les chansons continuaient gaîment ; cependant on n'avait guère l'esprit tranquille à ce souper, et les hommes échangeaient des signes d'inquiétude à cause du mauvais temps qui augmentait toujours.

Dehors le bruit sinistre allait son train, pis que jamais. Cela devenait comme un seul cri, continu, renflé, menaçant, poussé à la fois, à plein gosier, à cou tendu, par des milliers de bêtes enragées.

On croyait aussi entendre de gros canons de marine tirer dans le lointain leurs formidables coups sourds : et cela, c'était la mer qui battait de partout le pays de Ploubazlanec — non, elle ne paraissait pas contente, en effet, et Gaud se sentait le cœur serré par cette musique d'épouvante, que personne n'avait commandée pour leur fête de noces.

Sur les minuit, pendant une accalmie, Yann, qui s'était levé doucement, fit signe à sa femme de venir lui parler.

C'était pour s'en aller chez eux... Elle rougit, prise d'une pudeur, confuse de s'être levée... Puis elle dit que ce serait impoli, s'en aller tout de suite, laisser les autres.

— Non, répondit Yann, c'est le père qui l'a permis ; nous pouvons.

Et il l'entraîna.

Ils se sauvèrent furtivement.

Dehors ils se trouvèrent dans le froid, dans le vent sinistre, dans la nuit profonde et tourmentée. Ils se mirent à courir, en se tenant par la main. Du haut de ce chemin de falaise, on devinait sans les voir les lointains de la mer furieuse, d'où montait tout ce bruit. Ils couraient tous deux, cinglés en plein visage, le corps penché en avant, contre les rafales, obligés quelquefois de se retourner, la main devant la bouche, pour reprendre leur respiration que ce vent avait coupée.

D'abord, il l'enlevait presque par la taille, pour l'empêcher de traîner sa robe, de mettre ses beaux souliers dans toute cette eau qui ruisselait par terre ; et puis il la prit à son cou tout à fait, et continua de courir encore plus vite... Non, il ne croyait pas tant l'aimer ! Et dire qu'elle avait vingt-trois ans ; lui bientôt vingt-huit ; que, depuis deux ans au moins, ils auraient pu être mariés, et heureux comme ce soir.

Enfin ils arrivèrent chez eux, dans leur pauvre petit logis au sol humide, sous leur toit de paille et de mousse ; et ils allumèrent une chandelle que le vent leur souffla deux fois.

La vieille grand-mère Moan, qu'on avait reconduite chez elle avant de commencer les chansons, était là, couchée depuis deux heures dans son lit en armoire dont elle avait refermé les battants ; ils s'approchèrent avec respect et la regardèrent par les découpures de sa porte afin de lui dire bonsoir si par hasard elle ne dormait pas encore. Mais ils virent que sa figure vénérable demeurait immobile et ses yeux fermés ; elle était endormie ou feignait de l'être pour ne pas les troubler.

Alors ils se sentirent seuls l'un à l'autre.

Ils tremblaient tous deux, en se tenant les mains. Lui se pencha d'abord vers elle pour embrasser sa bouche : mais Gaud détourna les lèvres par ignorance de ce baiser-là, et, aussi chastement que le soir de leurs fiançailles, les appuya au milieu de la joue d'Yann, qui était froidie par le vent, tout à fait glacée.

Bien pauvre, bien basse, leur chaumière, et il y faisait très froid. Ah ! si Gaud était restée riche comme anciennement, quelle joie elle aurait eue à arranger une jolie chambre, non pas comme celle-ci sur la terre nue... Elle n'était guère habituée encore à ces murs de granit brut, à cet air rude qu'avaient les choses ; mais son Yann était là avec elle ; alors, par sa présence, tout était changé, transfiguré, et elle ne voyait plus que lui...

Maintenant leurs lèvres s'étaient rencontrées, et elle ne détournait plus les siennes. Toujours debout, les bras noués pour se serrer l'un à l'autre, ils restaient là muets, dans l'extase d'un baiser qui ne finissait plus. Ils mêlaient leurs respirations un peu haletantes, et ils tremblaient tous deux plus fort, comme dans une ardente fièvre. Ils semblaient être sans force pour rompre leur étreinte, et ne connaître rien de plus, ne désirer rien au-delà de ce long baiser.

Elle se dégagea enfin, troublée tout à coup :

— Non, Yann !... grand-mère Yvonne pourrait nous voir !

Mais lui, avec un sourire, chercha les lèvres de sa femme encore et les reprit bien vite entre les siennes, comme un altéré à qui on a enlevé sa coupe d'eau fraîche.

Le mouvement qu'ils avaient fait venait de rompre le charme de l'hésitation délicieuse. Yann, qui, aux premiers instants, se serait mis à genoux comme devant la Vierge sainte, se sentit redevenir sauvage ; il regarda furtivement du côté des vieux lits en armoire, ennuyé d'être aussi près de cette grand-mère, cherchant un moyen sûr pour ne plus être vu ; toujours sans quitter les lèvres exquises, il allongea le bras derrière lui, et, du revers de la main, éteignit la lumière comme avait fait le vent.

Alors, brusquement, il l'enleva dans ses bras ; avec sa manière de la tenir, la bouche toujours appuyée sur la sienne, il était comme un fauve qui aurait planté ses dents dans une proie. Elle abandonnait son corps, à cet enlèvement qui était impérieux et sans résistance possible, tout en restant doux comme une longue caresse enveloppante : il l'emportait dans l'obscurité vers le beau lit blanc *à la mode des villes* qui devait être leur lit nuptial...

Autour d'eux, pour leur premier coucher de mariage, le même invisible orchestre jouait toujours.

Houhou !... houhou !... Le vent tantôt donnait en plein son bruit caverneux avec un tremblement de rage ; tantôt répétait sa menace plus bas à l'oreille, comme par un raffinement de malice, avec des petits sons filés, en prenant la voix flûtée d'une chouette.

Et la grande tombe des marins était tout près, mouvante, dévorante, battant les falaises de ses mêmes coups sourds. Une nuit ou l'autre, il faudrait être pris là-dedans, s'y débattre, au milieu de la frénésie des choses noires et glacées — ils le savaient...

Qu'importe ! pour le moment, ils étaient à terre, à l'abri de toute cette fureur inutile et retournée contre elle-même. Alors, dans le logis pauvre et sombre où passait le vent, ils se donnèrent l'un à l'autre, sans souci de rien ni de la mort, enivrés, leurrés délicieusement par l'éternelle magie de l'amour...

7

Ils furent mari et femme pendant six jours.

En ce moment de départ, les choses d'Islande occupaient tout le monde. Des femmes de peine empilaient le sel pour la saumure dans les soutes des navires ; les hommes disposaient les gréements et, chez Yann, la mère, les sœurs travaillaient du matin au soir à préparer les *suroîts,* les *cirages,* tout le trousseau de campagne. Le temps était sombre, et la mer, qui sentait l'équinoxe venir, était remuante et troublée.

Gaud subissait ces préparatifs inexorables avec angoisse, comptant les heures rapides des journées, attendant le soir où, le travail fini, elle avait son Yann pour elle seule.

Est-ce que, les autres années, il partirait aussi ? Elle espérait bien qu'elle saurait le retenir, mais elle n'osait pas, dès maintenant, lui en parler... Pourtant il l'aimait bien, lui aussi ; avec ses maîtresses d'avant, jamais il n'avait connu rien de pareil ; non, ceci était différent ; c'était une tendresse si confiante et si fraîche, que les mêmes baisers, les mêmes étreintes, avec elle étaient *autre chose* ; et, chaque nuit, leurs deux ivresses d'amour allaient s'augmentant l'une par l'autre, sans jamais s'assouvir quand le matin venait.

Ce qui la charmait comme une surprise, c'était de le trouver si doux, si enfant, ce Yann qu'elle avait vu quelquefois à Paimpol faire son grand dédaigneux avec des filles amoureuses. Avec elle, au contraire, il avait toujours cette même courtoisie qui semblait toute naturelle chez lui, et elle adorait ce bon sourire qu'il lui faisait, dès que leurs yeux se rencontraient. C'est que, chez ces simples, il y a le sentiment, le respect inné de la majesté de *l'épouse* ; un abîme la sépare de l'amante, chose de plaisir, à qui, dans un sourire de dédain, on a l'air ensuite de rejeter les baisers de la nuit. Gaud était l'épouse, elle, et, dans le jour, il ne se souvenait plus de leurs caresses, qui semblaient ne pas compter tant ils étaient une même chair tous deux et pour toute la vie.

... Inquiète, elle l'était beaucoup dans son bonheur, qui lui semblait quelque chose de trop inespéré, d'instable comme les rêves...

D'abord, est-ce que ce serait bien durable, chez Yann, cet amour ?... Parfois elle se souvenait de ses maîtresses, de ses emportements, de ses aventures, et alors elle avait peur : lui garderait-il toujours cette tendresse infinie, avec ce respect si doux ?...

Vraiment, six jours de mariage, pour un amour comme le leur, ce n'était rien ; rien qu'un petit acompte enfiévré pris sur le temps de l'existence — qui pouvait encore être si long devant eux ! A peine avaient-ils pu se parler, se voir, comprendre qu'ils s'appartenaient. — Et tous leurs projets de vie ensemble, de joie tranquille, d'arrangement de ménage, avaient été forcément remis au retour...

Oh ! les autres années, à tout prix l'empêcher de repartir pour cette Islande !... Mais comment s'y prendre ? Et que feraient-ils alors pour vivre, étant si peu riches l'un et l'autre ?... Et puis il aimait tant son métier de mer...

Elle essayerait malgré tout, les autres fois, de le retenir ; elle y mettrait toute sa volonté, toute son intelligence et tout son cœur. Être femme d'Islandais, voir approcher tous les printemps avec tristesse, passer tous les étés dans l'anxiété douloureuse ; non, à présent qu'elle l'adorait au-delà de ce qu'elle eût imaginé jamais, elle se sentait prise d'une épouvante trop grande en songeant à ces années à venir...

Ils eurent une journée de printemps, une seule. C'était la veille de l'appareillage, on avait fini de mettre le gréement en ordre à bord, et Yann resta tout le jour avec elle. Ils se promenèrent bras dessus bras dessous dans les chemins, comme font les amoureux, très près l'un de l'autre et se disant mille choses. Les bonnes gens en souriant les regardaient passer :

— C'est Gaud, avec le grand Yann de Pors-Even... Des mariés d'hier !

Un vrai printemps, ce dernier jour, c'était particulier et étrange de voir tout à coup ce grand calme, et plus un seul nuage dans ce ciel habituellement tourmenté. Le vent ne soufflait de nulle part. La mer s'était faite très douce ; elle était partout du même bleu pâle, et restait tranquille. Le soleil brillait d'un grand éclat blanc, et le rude pays breton s'imprégnait de cette lumière comme d'une chose fine et rare ; il semblait s'égayer et revivre jusque dans ses plus profonds lointains. L'air avait pris une tiédeur délicieuse sentant l'été, et on eût dit qu'il s'était immobilisé à jamais, qu'il ne pouvait plus y avoir de jours sombres ni de tempêtes. Les caps, les baies, sur lesquels ne passaient plus les ombres changeantes des nuages, dessinaient au soleil leurs grandes lignes immuables ; ils paraissaient se reposer, eux aussi, dans des tranquillités ne devant pas finir... Tout cela comme pour rendre plus douce et éternelle leur fête d'amour — et on voyait déjà des fleurs hâtives, des primevères le long des fossés, ou des violettes, frêles et sans parfum.

Quand Gaud demandait :

— Combien de temps m'aimeras-tu, Yann ?

Lui, répondait, étonné, en la regardant bien en face avec ses beaux yeux francs :

— Mais, Gaud, toujours...

Et ce mot, dit très simplement par ses lèvres un peu sauvages, semblait avoir là son vrai sens d'éternité.

Elle s'appuyait à son bras. Dans l'enchantement du rêve accompli, elle se serrait contre lui, inquiète toujours — le sentant fugitif comme un grand oiseau de mer... Demain, l'envolée au large !... Et cette première fois il était trop tard, elle ne pouvait rien pour l'empêcher de partir...

De ces chemins de falaise où ils se promenaient, on dominait tout ce pays marin, qui paraissait être sans arbres, tapissé d'ajoncs ras et semé de pierres. Les maisons des pêcheurs étaient posées çà et là sur les rochers avec leurs vieux murs de granit, leurs toits de chaume, très hauts et bossus, verdis par la pousse nouvelle des mousses ; et, dans l'extrême éloignement, la mer, comme une grande vision diaphane, décrivait son cercle immense et éternel qui avait l'air de tout envelopper.

Elle s'amusait à lui raconter les choses étonnantes et merveilleuses de ce Paris, où elle avait habité ; mais lui, très dédaigneux, ne s'y intéressait pas.

— Si loin de la côte, disait-il, en tant de terres, tant de

terres... ça doit être malsain. Tant de maisons, tant de monde... Il doit y avoir des mauvaises maladies, dans ces villes ; non, je ne voudrais pas vivre là-dedans, moi, bien sûr.

Et elle souriait, s'étonnant de voir combien ce grand garçon était un enfant naïf.

Quelquefois ils s'enfonçaient dans ces replis du sol où poussent de vrais arbres qui ont l'air de s'y tenir blottis contre le vent du large. Là, il n'y avait plus de vue ; par terre, des feuilles mortes amoncelées et de l'humidité froide, le chemin creux, bordé d'ajoncs verts, devenait sombre sous les branchages, puis se resserrait entre les murs de quelque hameau noir et solitaire, croulant de vieillesse, qui dormait dans ce bas-fond ; et toujours quelque crucifix se dressait bien haut devant eux, parmi les branches mortes, avec son grand Christ de bois rongé comme un cadavre, grimaçant sa douleur sans fin.

Ensuite le sentier remontait, et, de nouveau, ils dominaient les horizons immenses, ils retrouvaient l'air vivifiant des hauteurs et de la mer.

Lui, à son tour, racontait l'Islande, les étés pâles et sans nuit, les soleils obliques qui ne se couchent jamais. Gaud ne comprenait pas bien et se faisait expliquer.

— Le soleil fait tout le tour, tout le tour, disait-il en promenant son bras étendu sur le cercle lointain des eaux bleues. Il reste toujours bien bas, parce que, vois-tu, il n'a pas du tout de force pour monter ; à minuit, il traîne un peu son bord dans la mer, mais tout de suite il se relève et il continue de faire sa promenade ronde. Des fois, la lune aussi paraît à l'autre bout du ciel ; alors ils travaillent tous deux, chacun de son bord, et on ne les connaît pas trop l'un de l'autre, car ils se ressemblent beaucoup dans ce pays.

Voir le soleil à minuit !... Comme ça devait être loin, cette île d'Islande. Et les fiords ? Gaud avait lu ce mot inscrit plusieurs fois parmi les noms des morts dans la chapelle des naufragés ; il lui faisait l'effet de désigner une chose sinistre.

— Les fiords, répondait Yann — des grandes baies, comme ici celle de Paimpol par exemple ; seulement il y a autour des montagnes si hautes, si hautes, qu'on ne voit jamais où elles finissent, à cause des nuages qui sont dessus. Un triste pays, va, Gaud, je t'assure. Des pierres, des pierres, rien que des pierres, et les gens de l'île ne connaissent point ce que c'est que les arbres. A la mi-août, quand notre pêche est finie, il est grand temps de repartir, car alors les nuits commencent, et elles allongent très vite ; le soleil tombe au-dessous de la terre sans pouvoir se relever, et il fait nuit chez eux, là-bas, pendant tout l'hiver.

» Et puis, disait-il, il y a aussi un petit cimetière, sur la côte, dans un fiord, tout comme chez nous, pour ceux du pays de Paimpol qui sont morts pendant les saisons de pêche, ou qui sont disparus en mer ; c'est en terre bénite aussi bien qu'à Pors-Even, et les défunts ont des croix en bois toutes pareilles à celles d'ici, avec leurs noms écrits dessus. Les deux Goazdiou, de Ploubazlanec, sont là, et aussi Guillaume Moan, le grand-père de Sylvestre.

Et elle croyait le voir, ce petit cimetière au pied des caps désolés, sous la pâle lumière rose de ces jours ne finissant pas. Ensuite, elle songeait à ces mêmes morts sous la glace et sous le suaire noir de ces nuits longues comme les hivers.

— Tout le temps, tout le temps pêcher ? demandait-elle, sans se reposer jamais ?

— Tout le temps. Et puis il y a la manœuvre à faire, car la mer n'est pas toujours belle par là. Dame ! on est fatigué le soir, ça donne appétit pour souper et, des jours, l'on dévore.

— Et on ne s'ennuie jamais ?

— Jamais ! dit-il, avec un air de conviction qui lui fit mal ; à bord, au large, moi, le temps ne me dure pas, jamais !

Elle baissa la tête, se sentant plus triste, plus vaincue par la mer.

CINQUIÈME PARTIE

1

... A la fin de cette journée de printemps qu'ils avaient eue, la nuit tombante ramena le sentiment de l'hiver et ils rentrèrent dîner devant leur feu, qui était une flambée de branchages.

Leur dernier repas ensemble !... Mais ils avaient encore toute une nuit à dormir entre les bras l'un de l'autre, et cette attente les empêchait d'être déjà tristes.

Après dîner, ils retrouvèrent encore un peu l'impression douce du printemps, quand ils furent dehors sur la route de Pors-Even : l'air était tranquille, presque tiède, et un reste de crépuscule s'attardait à traîner sur la campagne.

Ils allèrent faire visite à leurs parents, pour les adieux de Yann, et revinrent de bonne heure se coucher, ayant le projet de se lever tous deux au petit jour.

....

2

....

Le quai de Paimpol, le lendemain matin, était plein de monde. Les départs d'Islandais avaient commencé depuis l'avant-veille et, à chaque marée, un groupe nouveau prenait le large. Ce matin-là, quinze bateaux devaient sortir avec la *Léopoldine,* et les femmes de ces marins, ou les mères, étaient toutes présentes pour l'appareillage. — Gaud s'étonnait de se trouver mêlée à elles, devenue une femme d'Islandais elle aussi, et amenée là pour la même cause fatale. Sa destinée venait de se précipiter tellement en quelques jours, qu'elle avait à peine eu le temps de se bien représenter la réalité des choses ; en glissant sur une pente irrésistiblement rapide, elle était arrivée à ce dénouement-là, qui était inexorable, et qu'il fallait subir à présent — comme faisaient les autres, les habituées.

Elle n'avait jamais assisté de près à ces scènes, à ces adieux. Tout cela était nouveau et inconnu. Parmi ces femmes, elle n'avait point de pareille et se sentait isolée, différente ; son passé de *demoiselle,* qui subsistait malgré tout, la mettait à part.

Le temps était resté beau sur ce jour des séparations ; au large seulement une grosse houle lourde arrivait de l'ouest, annonçant du vent, et de loin on voyait la mer, qui attendait tout ce monde, briser dehors.

... Autour de Gaud, il y en avait d'autres qui étaient, comme elle, bien jolies et bien touchantes avec leurs yeux pleins de larmes ; il y en avait aussi de distraites et de rieuses, qui n'avaient pas de cœur ou qui pour le moment n'aimaient personne. Des vieilles, qui se sentaient menacées par la mort, pleuraient en quittant leurs fils ; des amants s'embrassaient longuement sur les lèvres, et on entendait des matelots gris chanter pour s'égayer, tandis que d'autres montaient à leur bord d'un air sombre, s'en allant comme à un calvaire.

Et il se passait des choses sauvages : des malheureux qui avaient signé leur engagement par surprise, quelque jour dans un cabaret, et qu'on embarquait par force à présent ; leurs propres femmes et des gendarmes les poussaient. D'autres enfin, dont on redoutait la résistance à cause de leur grande force, avaient été enivrés par précaution. On les apportait sur des civières et, au fond des cales des navires, on les descendait comme des morts.

Gaud s'épouvantait de les voir passer : avec quels compagnons allait-il donc vivre, son Yann ? et puis quelle chose terrible était-ce donc, ce métier d'Islande, pour s'annoncer de cette manière et inspirer à des hommes de telles frayeurs ?...

Pourtant il y avait aussi des marins qui souriaient ; qui sans doute aimaient comme Yann la vie au large et la grande pêche. C'étaient les bons, ceux-là ; ils avaient la mine noble et belle ; s'ils étaient garçons, ils s'en allaient insouciants, jetant un dernier coup d'œil sur les filles ; s'ils étaient mariés, ils embrassaient leurs femmes ou leurs petits avec une tristesse douce et le bon espoir de revenir plus riches. Gaud se sentit un peu rassurée en voyant qu'ils étaient tous ainsi à bord de cette *Léopoldine*, qui avait vraiment un équipage de choix.

Les navires sortaient deux par deux, quatre par quatre, traînés dehors par des remorqueurs. Et alors, dès qu'ils s'ébranlaient, les matelots, découvrant leur tête, entonnaient à pleine voix le cantique de la Vierge : « Salut, Étoile-de-la-Mer ! » Sur le quai, des mains de femmes s'agitaient en l'air pour de derniers adieux, et des larmes coulaient sur les mousselines des coiffes.

Dès que la *Léopoldine* fut partie, Gaud s'achemina d'un pas rapide vers la maison des Gaos. Une heure et demie de marche le long de la côte, par les sentiers familiers de Ploubazlanec, et elle arriva là-bas, tout au bout des terres, dans sa famille nouvelle.

La *Léopoldine* devait mouiller en grande rade devant ce Pors-Even, et n'appareiller définitivement que le soir ; c'était donc là qu'ils s'étaient donné un dernier rendez-vous. En effet, il revint, dans la yole de son navire ; il revint pour trois heures lui faire ses adieux.

A terre, où l'on ne sentait point la houle, c'était toujours le même beau temps printanier, le même ciel tranquille. Ils sortirent un moment sur la route, en se donnant le bras ; cela rappelait leur promenade d'hier, seulement la nuit ne devait plus les réunir. Ils marchaient sans but, en rebroussant vers Paimpol, et bientôt se trouvèrent près de leur maison, ramenés là insensiblement sans y avoir pensé ; ils entrèrent donc encore une dernière fois chez eux, où la grand-mère Yvonne fut saisie de les voir reparaître ensemble.

Yann faisait des recommandations à Gaud pour différentes petites choses qu'il laissait dans leur armoire ; surtout pour ses beaux habits de noces : les déplier de temps en temps et les mettre au soleil. — A bord des navires de guerre les matelots apprennent ces soins-là. — Et Gaud souriait de le voir faire son entendu ; il pouvait être bien sûr pourtant que tout ce qui était à lui serait conservé et soigné avec amour.

D'ailleurs, ces préoccupations étaient secondaires pour eux ; ils en causaient pour causer, pour se donner le change à eux-mêmes...

Yann raconta qu'à bord de la *Léopoldine,* on venait de tirer au sort les postes de pêche et que, lui, était très content d'avoir gagné l'un des meilleurs. Elle se fit expliquer cela encore, ne sachant presque rien des choses d'Islande.

— Vois-tu, Gaud, dit-il, sur le *plat-bord* de nos navires, il y a des trous qui sont percés à certaines places et que nous appelons *trous de mecques ;* c'est pour y planter des petits supports à rouet dans lesquels nous passons nos lignes. Donc, avant de partir, nous jouons ces trous-là aux dés, ou bien avec des numéros brassés dans le bonnet du mousse. Chacun de nous gagne le sien et, pendant toute la campagne après, l'on n'a plus le droit de planter sa ligne ailleurs, l'on ne change plus. Eh bien, mon poste, à moi, se trouve sur l'arrière du bateau qui est, comme tu dois savoir, l'endroit où l'on prend le plus de poissons ; et puis il touche aux grands haubans où l'on peut toujours attacher un bout de toile, un *cirage,* enfin un petit abri quelconque, pour la figure, contre toutes ces neiges ou ces grêles de là-bas ; cela sert, tu comprends ; on n'a pas la peau si brûlée, pendant les mauvais grains noirs, et les yeux voient plus longtemps clair.

... Ils se parlaient bas, bas, comme par crainte d'effaroucher les instants qui leur restaient, de faire fuir le temps plus vite. Leur causerie avait le caractère à part de tout ce qui va inexorablement finir ; les plus insignifiantes petites choses qu'ils se disaient semblaient devenir ce jour-là mystérieuses et suprêmes...

A la dernière minute du départ, Yann enleva sa femme entre ses bras et ils se serrèrent l'un contre l'autre sans plus rien dire, dans une longue étreinte silencieuse.

Il s'embarqua, les voiles grises se déployèrent pour se tendre à un vent léger qui se levait dans l'ouest. Lui, qu'elle reconnaissait encore, agita son bonnet d'une manière convenue. Et longtemps elle regarda, en silhouette sur la mer, s'éloigner son Yann. — C'était lui encore, cette petite forme humaine debout, noire sur le bleu cendré des eaux — et déjà vague, perdue dans cet éloignement où les yeux qui persistent à fixer se troublent et ne voient plus...

... A mesure que s'en allait cette *Léopoldine,* Gaud, comme attirée par un aimant, suivait à pied le long des falaises.

Il lui fallut s'arrêter bientôt, parce que la terre était finie ; alors elle s'assit, au pied d'une dernière grande croix, qui est là plantée parmi les ajoncs et les pierres. Comme c'était un point élevé, la mer vue de là semblait avoir des lointains qui montaient, et on eût dit que cette *Léopoldine,* en s'éloignant, s'élevait peu à peu, toute petite sur les pentes de ce cercle immense. Les eaux avaient de grandes ondulations lentes — comme les derniers contrecoups de quelque tourmente formidable qui se serait passée ailleurs, derrière l'horizon ; mais dans le champ profond de la vue, où Yann était encore, tout demeurait paisible.

Gaud regardait toujours, cherchant à bien fixer dans sa mémoire la physionomie de ce navire, sa silhouette de voilure et de carène, afin de le reconnaître de loin, quand elle reviendrait, à cette même place, l'attendre.

Des levées énormes de houle continuaient d'arriver de l'ouest, régulièrement l'une après l'autre, sans arrêt, sans trêve, renouvelant leur effort inutile, se brisant sur les mêmes rochers, déferlant aux mêmes places pour inonder les mêmes grèves. Et à la longue, c'était étrange, cette agitation sourde des eaux avec cette sérénité de l'air et du ciel ; c'était comme si le lit des mers, trop rempli, voulait déborder et envahir les plages.

Cependant la *Léopoldine* se faisait de plus en plus diminuée, lointaine, perdue. Des courants sans doute l'entraînaient, car les brises de cette soirée étaient faibles et pourtant elle s'éloignait vite. Devenue une petite tache grise, presque un point, elle allait bientôt atteindre l'extrême bord du cercle des choses visibles et entrer dans ces au-delà infinis où l'obscurité commençait à venir.

Quand il fut sept heures du soir, la nuit tombée, le bateau disparu, Gaud rentra chez elle, en somme assez courageuse, malgré les larmes qui lui venaient toujours. Quelle différence, en effet, et quel vide plus sombre s'il était parti encore comme les deux autres années, sans même un adieu ! Tandis qu'à présent tout était changé, adouci ; il était tellement à elle son Yann, elle se sentait si aimée malgré ce départ, qu'en s'en revenant toute seule au logis, elle avait au moins la consolation et l'attente délicieuse de cet *au revoir* qu'ils s'étaient dit pour l'automne.

3

L'été passa, triste, chaud, tranquille. Elle, guettant les premières feuilles jaunies, les premiers rassemblements d'hirondelles, la pousse des chrysanthèmes.

Par les paquebots de Reykjavik et par les chasseurs, elle lui écrivit plusieurs fois ; mais on ne sait jamais bien si ces lettres arrivent.

A la fin de juillet, elle en reçut une de lui. Il l'informait qu'il était en bonne santé à la date du 10 courant, que la saison de la pêche s'annonçait excellente et qu'il avait déjà quinze cents poissons pour sa part. D'un bout à l'autre, c'était dit dans le style naïf et calqué sur le modèle uniforme de toutes les lettres de ces Islandais à leur famille. Les hommes élevés comme Yann ignorent absolument la manière d'écrire les mille choses qu'ils pensent, qu'ils sentent ou qu'ils rêvent. Étant plus cultivée que lui, elle sut donc faire la part de cela et lire entre les lignes la tendresse profonde qui n'était pas exprimée. A plusieurs reprises dans le courant de ses quatre pages, il lui donnait le nom d'épouse, comme trouvant plaisir à le répéter. Et d'ailleurs, l'adresse seule : *A Madame Marguerite Gaos, maison Moan, en Ploubazlanec,* était déjà une chose qu'elle relisait avec joie. Elle avait encore eu si peu le temps d'être appelée : *Madame Marguerite Gaos !...*

4

Elle travailla beaucoup pendant ces mois d'été.

Les Paimpolaises, qui d'abord s'étaient méfiées de son talent d'ouvrière improvisée, disant qu'elle avait de trop belles mains de demoiselle, avaient vu, au contraire, qu'elle excellait à leur faire des robes qui avantageaient la tournure ; alors elle était devenue presque une couturière en renom.

Ce qu'elle gagnait passait à embellir le logis — pour son retour. L'armoire, les vieux lits à étagères, étaient réparés, cirés, avec des ferrures luisantes ; elle avait arrangé leur lucarne sur la mer avec une vitre et des rideaux ; acheté une couverture neuve pour l'hiver, une table et des chaises.

Tout cela, sans toucher à l'argent que son Yann lui avait laissé en partant et qu'elle gardait intact, dans une petite boîte chinoise, pour le lui montrer à son arrivée.

Pendant les veillées d'été, aux dernières clartés des jours, assise devant la porte avec la grand-mère Yvonne, dont la tête et les idées allaient sensiblement mieux pendant les chaleurs, elle tricotait pour Yann un beau maillot de pêcheur en laine bleue ; il y avait, aux bordures du col et des manches, des merveilles de points compliqués et ajourés ; la grand-mère Yvonne, qui avait été jadis une habile tricoteuse, s'était rappelé peu à peu ces procédés de sa jeunesse pour les lui enseigner. Et c'était un ouvrage qui avait pris beaucoup de laine car il fallait un maillot très grand pour Yann.

Cependant, le soir surtout, on commençait à avoir conscience de l'accourcissement des jours ; certaines plantes, qui avaient donné toute leur pousse en juillet, prenaient déjà un air jaune, mourant, et les scabieuses violettes refleurissaient au bord des chemins, plus petites sur de plus longues tiges ; enfin les derniers jours d'août arrivèrent, et un premier navire islandais apparut un soir, à la pointe de Pors-Even. La fête du retour était commencée.

On se porta en masse sur la falaise pour le recevoir ; — lequel était-ce ?

C'était le *Samuel-Azénide ;* — toujours en avance celui-là.

— Pour sûr, disait le vieux père d'Yann, la *Léopoldine* ne va pas tarder ; là-bas, je connais ça, quand un commence à partir, les autres ne tiennent plus en place.

5

Ils revenaient, les Islandais. Deux la seconde journée, quatre le surlendemain, et puis douze la semaine suivante. Et, dans le pays, la joie revenait avec eux, et c'était fête ches les épouses, chez les mères : fête aussi dans les cabarets, où les belles filles paimpolaises servent à boire aux pêcheurs.

La *Léopoldine* restait du groupe des retardataires ; il en manquait encore dix. Cela ne pouvait tarder, et Gaud à l'idée que, dans un délai extrême de huit jours qu'elle se donnait pour ne pas avoir de déception, Yann serait là, Gaud était dans une délicieuse ivresse d'attente, tenant le ménage bien en ordre, bien propre et bien net, pour le recevoir.

Tout rangé, il ne lui restait rien à faire, et d'ailleurs elle commençait à n'avoir plus la tête à grand-chose dans son impatience.

Trois des retardataires arrivèrent encore, et puis cinq. Deux seulement manquaient toujours à l'appel.

— Allons, lui disait-on en riant, cette année, c'est la *Léopoldine* ou la *Marie-Jeanne* qui *ramasseront les balais* du retour.

Et Gaud se mettait à rire, elle aussi, plus animée et plus jolie, dans sa joie de l'attendre.

....

Cependant les jours passaient.

Elle continuait de se mettre en toilette, de prendre un air gai, d'aller sur le port causer avec les autres. Elle disait que c'était tout naturel, ce retard. Est-ce que cela ne se voyait pas chaque année ? Oh ! d'abord, de si bons marins, et deux si bons bateaux !

Ensuite, rentrée chez elle, il lui venait le soir de premiers petits frissons d'anxiété, d'angoisse.

Est-ce que vraiment c'était possible, qu'elle eût peur, si tôt ?... Est-ce qu'il y avait de quoi ?...

Et elle s'effrayait, d'avoir déjà peur...

6

Le 10 du mois de septembre !... Comme les jours s'enfuyaient !

Un matin où il y avait déjà une brume froide sur la terre, un vrai matin d'automne, le soleil levant la trouva assise de très bonne heure sous le porche de la chapelle des naufragés, au lieu où vont prier les veuves — assise, les yeux fixes, les tempes serrées comme dans un anneau de fer.

Depuis deux jours, ces brumes tristes de l'aube avaient commencé, et ce matin-là Gaud s'était réveillée avec une inquiétude plus poignante, à cause de cette impression d'hiver... Qu'avait donc cette journée, cette heure, cette minute, de plus que les précédentes ?... On voit très bien des bateaux retardés de quinze jours, même d'un mois.

Ce matin-là avait bien quelque chose de particulier, sans doute, puisqu'elle était venue pour la première fois s'asseoir sour ce porche de chapelle, et relire les noms des jeunes hommes morts.

En mémoire de
GAOS, YVON, perdu en mer
aux environs de Norden-Fiord...
....

Comme un grand frisson, en entendit une rafale de vent se lever de la mer, et en même temps, sur la voûte, quelque chose s'abattre comme une pluie : les feuilles mortes !... Il en entra toute une volée sous ce porche ; les vieux arbres ébouriffés du préau se dépouillaient, secoués par ce vent du large. — L'hiver qui venait !...

... perdu en mer
aux environs de Norden-Fiord,
dans l'ouragan du 4 au 5 août 1880...
....

Elle lisait machinalement, et par l'ogive de la porte, ses yeux cherchaient au loin la mer : ce matin-là, elle était très vague, sous la brume grise, et une panne suspendue traînait sur les lointains comme un grand rideau de deuil.

Encore une rafale, et des feuilles mortes qui entraient en dansant. Une rafale plus forte, comme si ce vent d'ouest, qui avait jadis semé ces morts sur la mer, voulait encore tourmenter jusqu'à ces inscriptions qui rappelaient leurs noms aux vivants.

Gaud regardait, avec une persistance involontaire, une place vide, sur le mur, qui semblait attendre ; avec une obsession terrible, elle était poursuivie par l'idée d'une plaque neuve qu'il faudrait peut-être mettre là, bientôt, avec un autre nom que, même en esprit, elle n'osait pas redire dans un pareil lieu.

Elle avait froid, et restait assise sur le banc de granit, la tête renversée contre la pierre.

... perdu aux environs de Norden-Fiord,
dans l'ouragan du 4 au 5 août 1880,
à l'âge de 23 ans...
Qu'il repose en paix !

L'Islande lui apparaissait, avec le petit cimetière de là-bas — l'Islande lointaine, lointaine, éclairée par en dessous au soleil de minuit... Et tout à coup — toujours à cette même place vide du mur qui semblait attendre — elle eut, avec une netteté horrible, la vision de cette plaque neuve à laquelle elle songeait : une plaque fraîche, une tête de mort, des os en croix et au milieu, dans un flamboiement, un nom, le nom adoré, *Yann Gaos !...* Alors elle se dressa tout debout, en poussant un cri rauque de la gorge, comme une folle...

Dehors, il y avait toujours sur la terre la brume grise du matin ; et les feuilles mortes continuaient d'entrer en dansant.

Des pas dans le sentier ! — Quelqu'un venait ? — Alors elle se leva, bien droite ; d'un tour de main, rajusta sa coiffe, se composa une figure. Les pas se rapprochaient, on allait entrer. Vite elle prit un air d'être là par hasard, ne voulant pas encore, pour rien au monde, ressembler à une femme de naufragé.

Justement c'était Fante Floury, la femme du second de la *Léopoldine*. Elle comprit tout de suite, celle-ci, ce que Gaud faisait là ; inutile de feindre avec elle. Et d'abord elles restèrent muettes l'une devant l'autre, les deux femmes, épouvantées davantage et s'en voulant de s'être rencontrées dans un même sentiment de terreur, presque haineuses.

— Tous ceux de Tréguier et de Saint-Brieuc sont rentrés depuis huit jours, dit enfin Fante, impitoyable, d'une voix sourde et comme irritée.

Elle apportait un cierge pour faire un vœu.

— Ah ! oui... un vœu... Gaud n'avait pas encore voulu y songer, à ce moyen des désolées. Mais elle entra dans la chapelle derrière Fante, sans rien dire, et elles s'agenouillèrent près l'une de l'autre comme deux sœurs.

A la Vierge Étoile-de-la-Mer, elles dirent des prières ardentes, avec toute leur âme. Et puis bientôt on n'entendit plus qu'un bruit de sanglots, et leurs larmes pressées commencèrent à tomber sur la terre...

Elles se relevèrent plus douces, plus confiantes. Fante aida Gaud qui chancelait et, la prenant dans ses bras, l'embrassa.

Ayant essuyé leurs larmes, arrangé leurs cheveux, épousseté le salpêtre et la poussière des dalles sur leur jupon à l'endroit des genoux, elles s'en allèrent sans plus rien se dire, par des chemins différents.

7

Cette fin de septembre ressemblait à un autre été, un peu mélancolique seulement. Il faisait vraiment si beau cette année-là que, sans les feuilles mortes qui tombaient en pluie triste par les chemins, on eût dit le gai mois de juin. Les maris, les fiancés, les amants étaient revenus, et partout c'était la joie d'un second printemps d'amour...

Un jour enfin, l'un des deux navires retardataires d'Islande fut signalé au large. Lequel ?...

Vite, les groupes de femmes s'étaient formés, muets, anxieux, sur la falaise.

Gaud, tremblante et pâlie, était là, à côté du père de son Yann.

— Je crois fort, disait le vieux pêcheur, je crois fort que c'est eux ! Un liston rouge, un hunier à rouleau, ça leur ressemble joliment toujours ; qu'en dis-tu, Gaud, ma fille ?

» Et pourtant non, reprit-il, avec un découragement soudain ; non, nous nous trompons encore, le bout-dehors n'est pas pareil et ils ont un foc d'artimon. Allons, pas eux pour cette fois, c'est la *Marie-Jeanne.* Oh ! mais bien sûr, ma fille, ils ne tarderont pas.

Et chaque jour venait après chaque jour ; et chaque nuit arrivait à son heure, avec une tranquillité inexorable.

Elle continuait de se mettre en toilette, un peu comme une insensée, toujours par peur de ressembler à une femme de naufragé, s'exaspérant quand les autres prenaient avec elle un air de compassion et de mystère, détournant les yeux pour ne pas croiser en route de ces regards qui la glaçaient.

Maintenant elle avait pris l'habitude d'aller dès le matin tout au bout des terres, sur la haute falaise de Pors-Even, passant par-derrière la maison paternelle de son Yann, pour n'être pas vue par la mère ni les petites sœurs. Elle s'en allait toute seule à l'extrême pointe de ce pays de Ploubazlanec qui se découpe en corne de renne sur la Manche grise, et s'asseyait là tout le jour au pied d'une croix isolée qui domine les lointains immenses des eaux...

Il y en a ainsi partout, de ces croix de granit, qui se dressent sur les falaises avancées de cette terre des marins, comme pour demander grâce : comme pour apaiser la grande chose mouvante, mystérieuse, qui attire les hommes et ne les rend plus, et garde de préférence les plus vaillants, les plus beaux.

Autour de cette croix de Pors-Even, il y avait les landes éternellement vertes, tapissées d'ajoncs courts. Et, à cette hauteur, l'air de la mer était très pur, ayant à peine l'odeur salée des goémons, mais rempli des senteurs délicieuses de septembre.

On voyait se dessiner très loin, les unes par-dessus les autres, toutes les découpures de la côte, la terre de Bretagne finissait en pointes dentelées qui s'allongeaient sur le tranquille néant des eaux.

Au premier plan, des roches criblaient la mer ; mais au-delà, rien ne troublait plus son poli de miroir ; elle menait un tout petit bruit caressant, léger et immense, qui montait du fond de toutes les baies. Et c'étaient des lointains si calmes, des profondeurs si douces ! Le grand néant bleu, le tombeau des Gaos, gardait son mystère impénétrable, tandis que des brises, faibles comme des souffles, promenaient l'odeur des genêts ras qui avaient refleuri au dernier soleil d'automne.

A certaines heures régulières, la mer baissait, et des taches s'élargissaient partout, comme si lentement la Manche se vidait ; ensuite, avec la même lenteur, les eaux remontaient et continuaient leur va-et-vient éternel, sans aucun souci des morts.

Et Gaud, assise au pied de sa croix, restait là, au milieu de ces tranquillités, regardant toujours, jusqu'à la nuit tombée, jusqu'à ne plus rien voir.

8

Septembre venait de finir. Elle ne prenait plus aucune nourriture, elle ne dormait plus.

A présent, elle restait chez elle, et se tenait accroupie, les mains entre les genoux, la tête renversée et appuyée au mur derrière. A quoi bon se lever, à quoi bon se coucher ? Elle se jetait sur son lit sans retirer sa robe, quand elle était trop épuisée. Autrement elle demeurait là, toujours assise, transie ; ses dents claquaient de froid, dans cette immobilité ; toujours elle avait cette impression d'un cercle de fer lui serrant les tempes ; elle sentait ses joues qui se tiraient, sa bouche était sèche, avec un goût de fièvre, et à certaines heures elle poussait un gémissement rauque du gosier, répété par saccades, longtemps, longtemps, tandis que sa tête se frappait contre le granit du mur.

Ou bien elle l'appelait par son nom, très tendrement, à voix basse, comme s'il eût été là tout près, et lui disait des mots d'amour.

Il lui arrivait de penser à d'autres choses qu'à lui, à de toutes petites choses insignifiantes ; de s'amuser par exemple à regarder l'ombre de la Vierge en faïence et du bénitier s'allonger lentement, à mesure que baissait la lumière, sur la haute boiserie de son lit. Et puis des rappels d'angoisse revenaient plus horribles, et elle recommençait son cri, en battant le mur de sa tête...

Et toutes les heures du jour passaient, l'une après l'autre, et toutes les heures du soir, et toutes celles de la nuit, et toutes celles du matin. Quand elle comptait depuis combien de temps il aurait dû revenir, une terreur plus grande la prenait ; elle ne voulait plus connaître ni les dates, ni les noms des jours.

Pour les naufrages d'Islande, on a des indications ordinairement ; ceux qui reviennent ont vu de loin le drame ; ou bien ils ont trouvé un débris, un cadavre, ils ont quelque indice pour tout deviner. Mais non, de la *Léopoldine* on n'avait rien vu, on ne savait rien. Ceux de la *Marie-Jeanne*, les derniers qui l'avaient aperçue le 2 août, disaient qu'elle avait dû s'en aller pêcher plus loin vers le nord, et après, cela devenait le mystère impénétrable.

Attendre, toujours attendre, sans rien savoir ! Quand viendrait le moment où vraiment elle n'attendrait plus ? Elle ne le savait même pas, et à présent elle avait presque hâte que ce fût bientôt.

Oh ! s'il était mort, au moins qu'on eût la pitié de le lui dire !...

Oh ! le voir, tel qu'il était en ce moment même — lui, ou ce qui restait de lui !... Si seulement la Vierge tant priée, ou quelque autre puissance comme elle, voulait lui faire la grâce, par une sorte de double vue, de le lui montrer, son Yann ! — lui vivant, manœuvrant pour rentrer — ou bien son corps roulé par la mer... pour être fixée au moins ! pour savoir !!!...

Quelquefois il lui venait tout à coup le sentiment d'une voile surgissant du bout de l'horizon : la *Léopoldine,* approchant, se hâtant d'arriver ! Alors elle faisait un premier mouvement irréfléchi pour se lever, pour courir regarder le large, voir si c'était vrai...

Elle retombait assise. Hélas ! où était-elle en ce moment, cette *Léopoldine ?* où pouvait-elle bien être ? Là-bas, sans doute, là-bas dans cet effroyable lointain de l'Islande, abandonnée, émiettée, perdue...

Et cela finissait par cette vision obsédante, toujours la même : une épave éventrée et vide, bercée sur une mer silencieuse d'un gris rose ; bercée lentement, lentement, sans bruit, avec une extrême douceur, par ironie, au milieu d'un grand calme d'eaux mortes.

9

Deux heures du matin.

C'était la nuit surtout qu'elle se tenait attentive à tous les pas qui s'approchaient : à la moindre rumeur, au moindre son inaccoutumé, ses tempes vibraient ; à force d'être tendues aux choses du dehors, elles étaient devenues affreusement douloureuses.

Deux heures du matin. Cette nuit-là comme les autres, les mains jointes, et les yeux ouverts dans l'obscurité, elle écoutait le vent faire sur la lande son bruit éternel.

Des pas d'homme tout à coup, des pas précipités dans le chemin ! A pareille heure, qui pouvait passer ? Elle se dressa, remuée jusqu'au fond de l'âme, son cœur cessant de battre...

On s'arrêtait devant la porte, on montait les petites marches de pierre...

Lui !... Oh ! joie du ciel, lui ! On avait frappé, est-ce que ce pouvait être un autre !... Elle était debout, pieds nus ; elle, si faible depuis tant de jours, avait sauté lestement comme les chattes, les bras ouverts pour enlacer le bien-aimé. Sans doute la *Léopoldine* était arrivée de nuit, et mouillée en face dans la baie de Pors-Even — et lui, il accourait ; elle arrangeait tout cela dans sa tête avec une vitesse d'éclair. Et maintenant, elle se déchirait les doigts aux clous de la porte, dans sa rage pour retirer ce verrou qui était dur...

....

— Ah !... Et puis elle recula lentement, affaissée, la tête retombée sur la poitrine. Son beau rêve de folle était fini. Ce n'était que Fantec, leur voisin... Le temps de bien comprendre que ce n'était que lui, que rien de son Yann n'avait passé dans l'air, elle se sentit replongée comme par degrés dans son même gouffre, jusqu'au fond de son même désespoir affreux.

Il s'excusait, le pauvre Fantec : sa femme, comme on savait, était au plus mal, et à présent, c'était leur enfant qui étouffait dans son berceau, pris d'un mauvais mal de gorge ; aussi il était venu demander du secours, pendant que lui irait d'une course chercher le médecin à Paimpol.

Qu'est-ce que tout cela lui faisait, à elle ? Devenue sauvage dans sa douleur, elle n'avait plus rien à donner aux peines des autres. Effondrée sur un banc, elle restait devant lui les yeux fixes, comme une morte, sans lui répondre, ni l'écouter ni seulement le regarder. Qu'est-ce que cela lui faisait, les choses que racontait cet homme ?

Lui, comprit tout alors ; il devina pourquoi on lui avait ouvert cette porte si vite, et il eut pitié pour le mal qu'il venait de lui faire.

Il balbutia un pardon :

— C'est vrai, qu'il n'aurait pas dû la déranger... elle !...

— Moi ! répondit Gaud vivement — et pourquoi donc *pas moi*, Fantec ?

La vie lui était revenue brusquement, car elle ne voulait pas encore être une désespérée aux yeux des autres, elle ne le voulait absolument pas. Et puis, à son tour, elle avait pitié de lui ; elle s'habilla pour le suivre et trouva la force d'aller soigner son petit enfant.

Quand elle revint se jeter sur son lit, à quatre heures, le sommeil la prit un moment parce qu'elle était très fatiguée. Mais cette minute de joie immense avait laissé dans sa tête une empreinte qui, malgré tout, était persistante ; elle se réveilla bientôt avec une secousse, se dressant à moitié, au souvenir de quelque chose... Il y avait eu du nouveau concernant son Yann... Au milieu de la confusion des idées qui revenaient, vite elle cherchait dans sa tête, elle cherchait ce que c'était...

Ah ! rien, hélas ! — non, rien que Fantec.

Et une seconde fois, elle retomba tout au fond de son même abîme. Non, en réalité, il n'y avait rien de changé dans son attente morne et sans espérance.

Pourtant, l'avoir senti là si près, c'était comme si quelque chose émané de lui était revenu flotter alentour ; c'était ce qu'on appelle, au pays breton, un *pressigne ;* et elle écoutait plus attentivement les pas du dehors, pressentant que quelqu'un allait peut-être arriver qui parlerait de lui.

En effet, quand il fit jour, le père d'Yann entra. Il ôta son bonnet, releva ses beaux cheveux blancs, qui étaient en boucles comme ceux de son fils, et s'assit près de lit de Gaud.

Il avait le cœur angoissé, lui aussi ; car son Yann, son beau Yann, était son aîné, son préféré, sa gloire. Mais il ne désespérait pas, non vraiment, il ne désespérait pas encore. Il se mit à rassurer Gaud d'une manière très douce : d'abord les derniers rentrés d'Islande parlaient tous de brumes très épaisses qui avaient bien pu retarder le navire ; et puis surtout il lui était venu une idée : une relâche aux îles Féroé, qui sont des îles lointaines situées sur la route et d'où les lettres mettent très longtemps à venir ; cela lui était arrivé à lui-même, il y avait une quarantaine d'années, et sa pauvre défunte mère avait déjà fait dire une messe pour son âme... Un si beau bateau, la *Léopoldine,* presque neuf, et de si forts marins qu'ils étaient tous à bord...

La vieille Moan rôdait autour d'eux tout en hochant la tête ; la détresse de sa petite-fille lui avait presque rendu de la force et des idées ; elle rangeait le ménage, regardant de temps en temps le petit portrait jauni de son Sylvestre accroché au granit du mur, avec ses ancres de marine et sa couronne funéraire en perles noires ; non, depuis que le métier de mer lui avait pris son petit-fils, à elle, elle n'y croyait plus, au retour des marins ; elle ne priait plus la Vierge que par crainte, du bout de ses pauvres vieilles lèvres, lui gardant une mauvaise rancune dans le cœur.

Mais Gaud écoutait avidement ces choses consolantes, ses grands yeux cernés regardaient avec une tendresse profonde ce vieillard qui ressemblait au bien-aimé ; rien que de l'avoir là, près d'elle, c'était une protection contre la mort, et elle se sentait plus rassurée, plus rapprochée de son Yann. Ses larmes tombaient, silencieuses et plus douces, et elle redisait en elle-même ses prières ardentes à la Vierge Étoile-de-la-Mer.

Une relâche là-bas, dans ces îles, pour des avaries peut-être ; c'était une chose possible en effet. Elle se leva, lissa ses cheveux, fit une sorte de toilette, comme s'il pouvait revenir. Sans doute tout n'était pas perdu, puisqu'il ne désespérait pas, lui, son père. Et, pendant quelques jours, elle se remit encore à attendre.

C'était bien l'automne, l'arrière-automne, les tombées de nuit lugubre où, de bonne heure, tout se faisait noir dans la vieille chaumière, et noir aussi alentour, dans le vieux pays breton.

Les jours eux-mêmes semblaient n'être plus que des crépuscules ; des nuages immenses, qui passaient lentement, venaient faire tout à coup des obscurités en plein midi. Le vent bruissait constamment, c'était comme un son lointain de grandes orgues d'église, jouant des airs méchants ou désespérés ; d'autres fois, cela se rapprochait tout près contre la porte, se mettant à rugir comme les bêtes.

Elle était devenue pâle, pâle, et se tenait toujours plus

affaissée, comme si la vieillesse l'eût déjà frôlée de son aile chauve. Très souvent elle touchait les effets de son Yann, ses beaux habits de noces, les dépliant, les repliant comme une maniaque — surtout un de ses maillots en laine bleue qui avait gardé la forme de son corps ; quand on le jetait doucement sur la table, il dessinait de lui-même, comme par habitude, les reliefs de ses épaules et de sa poitrine ; aussi à la fin elle l'avait posé tout seul sur une étagère de leur armoire, ne voulant plus le remuer pour qu'il gardât plus longtemps cette empreinte.

Chaque soir, des brumes froides montaient de la terre ; alors elle regardait par sa fenêtre la lande triste, où des petits panaches de fumée blanche commençaient à sortir çà et là des chaumières des autres : là partout les hommes étaient revenus, oiseaux voyageurs ramenés par le froid. Et, devant beaucoup de ces feux, les veillées devaient être douces ; car le renouveau d'amour était commencé avec l'hiver dans tout ce pays des Islandais...

Cramponnée à l'idée de ces îles où il avait pu relâcher, ayant repris une sorte d'espoir, elle s'était remise à l'attendre...

....

10

Il ne revint jamais.

Une nuit d'août, là-bas, au large de la sombre Islande, au milieu d'un grand bruit de fureur, avaient été célébrées ses noces avec la mer.

Avec la mer, qui autrefois avait été aussi sa nourrice ; c'était elle qui l'avait bercé, qui l'avait fait adolescent large et fort — et ensuite elle l'avait repris, dans sa virilité superbe, pour elle seule. Un profond mystère avait enveloppé ces noces monstrueuses. Tout le temps, des voiles obscurs s'étaient agités au-dessus, des rideaux mouvants et tourmentés, tendus pour cacher la fête ; et la fiancée donnait de la voix, faisait toujours son plus grand bruit horrible pour étouffer les cris. — Lui, se souvenant de Gaud, sa femme de chair, s'était défendu, dans une lutte de géant, contre cette épousée de tombeau. Jusqu'au moment où il s'était abandonné, les bras ouverts pour la recevoir, avec un grand cri profond comme un taureau qui râle, la bouche déjà emplie d'eau ; les bras ouverts, étendus et raidis pour jamais.

Et à ses noces, ils y étaient tous, ceux qu'il avait conviés jadis. Tous, excepté Sylvestre, qui, lui, s'en était allé dormir dans des jardins enchantés — très loin, de l'autre côté de la Terre...

Roger Vercel

REMORQUES

Roger Vercel (1894-1957)
Né au Mans, professeur au collège de Dinan, il obtint le prix Goncourt en 1934 pour Capitaine Conan. Remorques, *paru en 1935, fut adapté au cinéma par Jean Grémillon et Jacques Prévert.*

1

L'ouragan cernait la chambre. On l'eût dite hissée au sommet d'une tour carrée, tant le vent appuyait sur ses quatre faces. Il lançait, par poignées, contre les vitres, une pluie dure, et, en même temps, il secouait la porte, rebroussait les ardoises claquantes du toit, emplissait la maison de chocs et de rumeurs, si bien que l'on suivait sa course tout le long des murs, au-dessus du plafond, sous le plancher.

Cela criait de partout, des cris d'égorgés, des hurlements à bouche béante qui se déchiquetaient en râles, puis une tenue longue montait, ainsi que l'acclamation d'une foule forcenée. Et tout ce qui pouvait vibrer tremblait comme si des hordes de singes furieux logés partout avaient tout secoué, les vitres des impostes, les tabliers fracassants des cheminées, les loquets, les lames des contrevents, jusqu'aux chevrons qui grinçaient en pliant sous la pression des toits. La vieille maison s'essoufflait dans le tourbillon des huées ; chacun de ces glapissements pointus lui arrachait un lambeau, on ne savait quoi, qui cédait, cassait, croulait. Mais jamais l'on ne cessait d'entendre, sous les plaintes des choses violentées, sous les sifflets et les clameurs de la bise, le passage inlassable d'un puissant souffle égal : l'air de tout un pays qui s'enfuyait.

Et pourtant, le petit bruit aride que fit la femme en tournant la page du journal domina facilement, dans la chambre, tous les vacarmes du dehors. Chaque soir, couchée, elle lisait ainsi l'*Ouest-Éclair*, sous la lampe voilée d'un taffetas jaune. Ses doigts fragiles et pâles s'allongeaient à plat sur la feuille que relevait le gros édredon bleu. Le visage détendu s'abandonnait maintenant à toute la lassitude du jour, un visage négligé que cette femme, visiblement, ne disputait plus à l'usure, un visage émouvant où se confondaient la douceur et la fatigue. Point encore de rides, mais un appauvrissement des chairs meurtries, la lente consomption des joues qui se vidaient, un front maigre sous les cheveux sans couleur. Pourtant, le menton droit, le cou élancé avaient gardé leur ligne délicate. La bouche, les derniers traits que la vieillesse efface, restait fine et jeune encore, mais une souffrance sourde et tenace la griffait aux commissures. Les yeux gris-bleu qui, délaissant le fait divers, regardaient maintenant vers la fenêtre, étaient de ces yeux instables et trop clairs qu'une femme dérobe d'instinct parce qu'elle se sait à chaque instant trahie par la transparente sincérité de leurs regards.

Elle écouta longuement la tempête et demanda, anxieuse :

— Tu entends ?

— Oui.

De l'homme qui répondait, couché sur le flanc et qui avait ramené le couvre-pieds jusque sur son oreille, il ne demeurait visible qu'une chevelure noire lustrée, qui s'argentait à la tempe.

Elle reprit :

— J'ai bien peur que tu n'aies une drôle de nuit, mon pauvre chéri !

Il grommela, déjà à moitié endormi :

— Probable !...

Puis une préoccupation revint à la surface de son sommeil et, d'une voix plus claire :

— As-tu acheté des bouchons ?

— Oui... mais tu ne comptes pas mettre ton vin en bouteilles par ce temps... Le voyageur t'avait dit un temps sec !

— Je crois que tu pourras l'attendre longtemps, ton temps sec !...

La pluie fouaillait les vitres comme des jets puissants de pompes et, dans l'intervalle des bourrasques, on entendait son ruissellement sur les toits, sa course à pleines gouttières, son vaste écoulement. On sentait qu'au dehors la terre débordait et que ces trombes d'eau furieuse noyaient tout.

La femme saisit la poire qui pendait au bout de son fil blanc, le long de la colonne du lit Directoire, et éteignit l'électricité. Il n'y eut plus que la raie blême de la fenêtre.

— A propos de bouchons, reprit-elle, je ne voulais pas te le dire, mais, tout de même, il vaut mieux que tu le saches : en allant les commander, j'ai rencontré Le Gall, à Recouvrance.

— Tu as rencontré Le Gall !

La voix sonnait dans l'ombre avec une force, une netteté d'articulation scandée, stupéfaite, à la fois, et menaçante.

— Oui. Avec la femme de la Civette... Il m'a très bien vue : il a rougi. Naturellement, il a fait celui qui ne me voyait pas...

— A Recouvrance ? A quelle heure ?

— Vers les trois heures.

L'homme, tout à fait réveillé, remua, se retourna :

— Je m'en doutais !... Attends, il prendra la planche demain matin, celui-là !

Elle se désola :

— Je ne suis qu'une bête de t'avoir dit cela, ce soir ! Tu vas encore t'énerver et mal dormir...

— Tu as très bien fait ! Comme ça, ce sera réglé à la première heure. Le petit saligaud !...

— C'est un gamin, tu sais. Là-dedans, c'est elle la coupable... Je t'assure qu'il est pourtant bien gentil et bien serviable ! Et puis, il se mettrait au feu pour toi !...

Il cria :

— Ah ! ça, je m'en fous, par exemple !

— Oh !...

Elle avait eu un sursaut, une contraction brusque du corps tout entier, une aspiration brève et sifflante. Il demanda d'une voix toute changée, qu'une compassion sincère ralentissait, feutrait :

— Qu'est-ce qu'il y a ? Ça te reprend ? Ça ne va pas, ce soir ?

Elle répondit d'une voix courte :

— Mais si... c'est passé... Je t'assure, mon petit, que tu aurais dû me laisser mettre le lit-cage dans la salle à manger ! Je serais sûre, au moins, de ne pas te réveiller ! Tu as tant besoin de ton sommeil.

— Pour que tu te fasses du chagrin toute la nuit ? Jamais de la vie ! Si tu ne peux pas dormir, tu n'as qu'à allumer, à lire... et ne pas rester des heures éveillée, à faire quoi ?

— Je t'écoute dormir.

— Jolie distraction ! Et toutes les sottises qui te trottent par la tête !

— Ce ne sont pas des sottises... C'est tellement triste de n'avoir plus de forces, plus de goût à rien, d'être devenue vieille tout d'un coup, à quarante ans !...

Frappé de ce qu'elle venait de dire et qu'il n'avait encore pensé qu'avec précaution, avec, aussi, une espèce de honte, il répliqua hâtivement, la hâte de quelqu'un qui se cache :

— Tu es folle !

Elle chercha sa main, la serra dans les siennes.

— Regarde comme mes doigts sont froids : il y en a deux que je ne sens plus... Mon pauvre chéri, tu n'as plus qu'une vieille bonne femme !

Il répéta :

— Tu es folle !

Et comme sa voix était revenue de sa surprise, qu'elle sonnait à peu près juste, il ajouta, en forçant un peu l'enjouement :

— Ce n'est pas très gentil pour moi qui ai juste six ans de plus que toi !...

— Oh ! toi, tu es plus jeune qu'à trente ans ! Tiens, Mme Raoul me le disait encore hier.

— Elle a soixante-dix ans : elle est mauvais juge !...

— Les jeunes ne s'y trompent pas non plus !...

— Qui ça ?

— Ne serait-ce que la femme de Tanguy... Il n'y a qu'à la voir te regarder.

Il coupa brusquement :

— Oh ! celle-là !...

Elle supplia :

— Tu ne prendras jamais de maîtresse, dis ?...

La voix était si désolée qu'il comprit aussitôt qu'elle lui livrait, avec cette supplication absurde, la plus tenace de ses angoisses et il s'écria, dans une indignation facile qui ne put la tromper autant qu'elle l'eût voulu :

— Mais qu'est-ce que c'est que ces histoires-là ? Qu'est-ce qu'on a été te raconter ?

— Rien ! Tu sais bien qu'on n'oserait jamais me dire la moindre des choses sur ton compte... Mais, la nuit, on pense à tant de malheurs... Tu me le promets ?

— Tu ne voudrais pas que je te réponde, non ?

— Ça me ferait tant de mal ! Quand je ne serai plus là...

D'un geste qui raflait tout le panneau du lit, il attrapa le fil électrique, ralluma et la vit tout en larmes. Il saisit un verre d'eau, préparé sur le marbre de la table de nuit, fit tomber d'un tube un cachet, et ordonna :

— Tu vas m'avaler ça, et dormir !

Quand il eut éteint de nouveau, elle pria :

— Donne-moi ta main...

Une heure peut-être passa : c'était lui qui ne dormait plus...

Le coup violent frappé à la porte ne réveilla qu'à demi la malade que le somnifère écrasait, mais lui, s'était assis comme s'il avait été déclenché.

— Qu'est-ce que c'est ?

— S.O.S., capitaine !

— Bon, j'y vais...

Il alluma et sauta du lit. Ses vêtements étaient soigneusement pliés sur une chaise. Il s'habilla avec une étonnante rapidité. Debout, il était grand, un torse droit serré dans une vareuse de drap noir. Pas de carrure : la pente des épaules qui dégageaient le cou lui gardait une silhouette étonnamment jeune. Un visage rasé, de teint marin, à la fois sanguin et bilieux, tons vermeil et ivoire : l'air du large et les conserves échauffantes. Les yeux ardoise, dès qu'ils se posaient, prenaient une fixité dure. Le nez paysan, large de base, apparaissait, mais de profil seulement, assez fortement busqué, et l'on suivait le ressaut des maxillaires jusqu'au menton bref. Il aplatit rapidement ses cheveux avant d'enfoncer la casquette timbrée d'une ancre, puis il éteignit.

Quand il se pencha sur sa femme, que ses lèvres effleurèrent au front, elle demanda, sans pouvoir encore s'arracher à la torpeur de la drogue :

— Tu pars ?

Il répondit tout bas :

— Dors...

Elle murmura avec effort :

— Pour longtemps ?

— Je ne sais pas... mais avec ce temps-là, c'est probable... Dors.

Comme il atteignait la porte, elle recommanda d'une voix incertaine :

— Ne laisse pas sortir le chat...

Dans l'escalier, il s'arrêta subitement sous l'ampoule électrique qui charbonnait à l'angle du mur.

— Avec le véronal, pensa-t-il, demain matin ou même cette nuit, elle ne se rappellera plus que je suis parti...

Il songeait à sa stupeur quand elle se réveillerait seule, que son bras ne le trouverait plus le long d'elle. Il arracha une feuille à son calepin, y griffonna quelques mots et rentra dans la chambre. Sans bruit, en quelques pas sûrs qui ne le heurtèrent ni à l'armoire, ni à la chaise longue, ni à l'angle du lit, il atteignit le fond de la pièce, enroula le papier autour du fil électrique, au-dessus de la respiration rapide et un peu sifflante de la dormeuse, puis il ressortit et referma avec précaution. Dans le couloir, le chat blanc s'allongeait le long du mur, sournoisement, derrière son pas, guettant l'entrebâillement de la porte, mais à l'instant juste, il arrêta du pied la détente de la bête, la rejeta sans violence mais fermement jusqu'au milieu du corridor et se glissa dans la rue.

La nuit, la pluie, le vent le frappèrent ensemble, l'éblouissant comme une lumière trop vive. Sa maison ouvrait sur le quai du Commerce où luisait la lueur fixe des becs électriques.

Au-delà de leur clarté s'étendait un espace que l'on pressentait extraordinairement vaste et vide. C'était de là qu'accouraient le vent et la pluie. Des feux blancs, des feux verts, des feux rouges piquaient cette fosse sans contours, et ces feux montaient et descendaient inexplicablement. Ce ne fut qu'après avoir dépassé le long mur d'un dock que le capitaine Renaud, commandant le remorqueur de sauvetage *Cyclone*, en station d'assistance à Brest, aperçut son bateau.

Il était violemment illuminé. A l'avant de la passerelle, une lampe de cinq cents bougies projetait sa lumière crue sur le gaillard et l'énorme treuil autour duquel les hommes s'empressaient. Deux autres lampes, à l'arrière, plongeaient dans le chaos puissant des pompes, des canons à incendie, des arceaux de remorque. Des lampes baladeuses étaient encore accrochées en girandoles sur le pont, aux portemanteaux des embarcations, aux batayoles de la passerelle. Le bateau éclatant s'enfonçait sous le quai, se relevait. La cheminée, très haute, ne parvenait pas à bien cacher ses étincelles que le vent aplatissait, rabattait sur l'arrière.

Le capitaine monta droit au poste de t.s.f., une cabine qui ouvrait sur le château-milieu, près de la chambre à cartes. Le chef radio y était assis, un crayon en main, un cahier sous les doigts, le casque aux oreilles. Quand le capitaine entra, il se leva, repoussa un peu les écouteurs, et ce fut seulement après qu'il serra la main tendue.

— Alors, Gouédic, qu'est-ce que c'est ?

— Un vapeur grec, capitaine. Par 46, 44 nord et 6,50 ouest. Avarie de gouvernail.

— Vous avez leur appel ?

— Voilà, capitaine.

Il tendit le cahier.

— Le moral a l'air d'être bas, dit Renaud... Ils se sont informés des conditions ?

— Je leur ai demandé si nous étions d'accord : « *No cure no pay* », en leur passant l'avis de départ. Ils ont répondu : « Accepté aux conditions du Lloyd, mais vite, sommes à bout. »

— Parfait... Le Gall n'est pas là ?

— Il vient de sortir à l'instant, capitaine.

— Dès qu'il sera revenu, vous me l'enverrez.

Il redescendit et s'en alla dans sa cabine, à l'avant. En traversant le pont, il croisa des hommes silencieux, déjà engoncés dans les cirés et qui s'affairaient aux besognes d'appareillage. Ils vérifiaient la fermeture des panneaux et des claires-voies, tendaient des prélarts et ne marquaient son passage qu'en se rangeant avec déférence. Seul, le maître d'équipage, Kerlo, s'avança, leva sa casquette et dit :

— Bonsoir, capitaine.

Puis il tendit la main.

Renaud entra dans sa chambre, décrocha une longue capote de toile cirée noire, l'endossa, se coiffa d'un très vieux chapeau mou, enroula une serviette éponge autour de son cou, en prit deux autres dans sa petite commode, les fourra dans ses vastes poches. C'étaient le costume et la coiffure qu'il avait éprouvés les meilleurs, car le suroît, en se raccordant au ciré, serrait trop les oreilles et gênait pour entendre. Lorsque la serviette était trempée, il en changeait... Puis il se déchaussa, mit des chaussons de basane et enfila ses énormes bottes de mer qui montaient jusqu'au haut des cuisses.

Le second, Tanguy, l'attendait sur la passerelle supérieure. On y serait en pleine tempête, sauf aux deux extrémités où se dressaient deux guérites ouvertes, faites comme les abris des locomotives et percées comme elles de deux fenêtres rondes. Sur l'avant, un long pavois de toile brune montait jusqu'au menton des trois hommes debout qui saluèrent.

— Alors, Tanguy ?...

— On est paré, capitaine.

Cela coûtait quatre-vingt-dix-mille francs par mois à la Compagnie, cette réponse du second. Toute l'année, nuit et jour, sans en excepter un seul jour, le *Cyclone* était prêt à prendre la mer, dix minutes après qu'un S.O.S. lui parvenait du large. Pour garder sa pression, il brûlait à quai, immobile, des tonnes et des tonnes de charbon, dans les foyers de ses trois chaudières, devant lesquelles veillaient toujours trois chauffeurs. L'équipage ne quittait pas le bord.

Les deux opérateurs de t.s.f., eux, vivaient dans leur poste. La nuit, l'un écoutait, l'autre dormait sur un canapé, à portée de la main de son camarade. Quand cette main l'empoignait et le secouait, il se levait, courait alerter l'équipage et les sous-officiers à l'avant, puis le capitaine et le second dans leurs maisons du quai, à cent mètres du bateau. A tous, il criait les trois lettres d'appel, cet S.O.S. qui était comme la formule magique du bord, y déchaînait une activité précise et rapide. Le bateau s'illuminait, on poussait les feux, le chef radio télégraphiait aux naufragés : « Nous partons. » Ce « nous » signifiait : « Notre treuil qui peut soulever cent vingt tonnes, nos douze pompes capables de noyer votre incendie ou d'affranchir vos cales, nos dix-huit cents chevaux, nos remorques de cinquante mille francs qui vous traîneront jusqu'au quai, nos trente hommes, presque tous médaillés de sauvetage, notre capitaine à qui le président de la République a donné la Légion d'honneur en Sorbonne, à qui les consuls ont apporté des croix danoises, anglaises et italiennes. »

Tanguy déclara :

— Avec ce suroît, ça ne sera pas commode de décoller !...

Le vent du sud-ouest appuyait en effet le *Cyclone* au quai. Ses bourrelets épais, mal protégés par des pneus bourrés de paille, y frottaient durement aux levées et aux retombées de la houle. La coque raclait la pierre comme un taureau le bat-flanc de l'étable. Après s'être penché pour regarder aux deux bouts de son remorqueur, le capitaine gronda :

— Et naturellement, une gabarre devant, une autre derrière ! Qu'est-ce qu'il fout donc, l'officier de port ?

Il était interdit, en effet, d'amarrer les barques près du *Cyclone* afin de ne point gêner ses manœuvres de sortie. Mais par ce temps pourri, où la rade n'était pas sûre, les rafiaux s'attachaient où ils le pouvaient. Renaud, qui regardait avec rancune un mât danser sous son étrave, déclara :

— Si on lui casse le cul, ils viendront se plaindre à moi...

Et tourné vers Tanguy :

— Faites tout larguer, sauf la garde montante arrière.

Le *Cyclone* battit alors doucement, forçant sur sa dernière amarre. La manœuvre appelait l'arrière vers le quai, et le remorqueur écarta de l'avant.

— Larguez tout !

En même temps, le chadburn sonnait :

— En avant toute !

Renaud fouettait son bateau, afin de gouverner dès le premier mètre. L'étrave qui fonçait frappa durement une barque joufflue qui s'était jetée dessous, au coup de roulis. L'homme de barre fit remarquer tranquillement :

— Je crois qu'on lui emporte un peu de sa peinture...

Renaud haussa les épaules :

— Ça en fera toujours un qui ne reviendra pas tout de suite s'amarrer sous mon nez.

Les lampes aveuglantes s'éteignirent, le *Cyclone* ne garda que ses feux de route. Il doublait les môles de la rade de commerce quand Le Gall, le téséfiste en second, arriva sur la passerelle.

— Vous m'avez fait demander, capitaine ?

C'était un grand garçon athlétique qui, dans cette nuit oscillante, n'était plus qu'une ombre massive dressée en haut de l'échelle, mais qui, le jour, au repos, devenait un beau gars vigoureux, à cheveux châtains, aux traits droits, mais dont on ne rencontrait point facilement le regard.

Les deux pas que fit Renaud sur l'étroite passerelle l'amenèrent face à face avec l'homme debout contre l'abri de tribord :

— Où étiez-vous tantôt à trois heures, Le Gall ?

— A trois heures ?

La voix se tenait en garde, tâtait, évitait de s'engager.

— Si vous l'avez oublié, je m'en vais vous le dire. A trois heures vous étiez à Recouvrance, à trois quarts d'heure du bateau... Et puis, ça ne me plaît pas de voir un garçon de vingt-trois ans promener une femme qui, en s'y prenant de bonne heure, aurait pu être sa mère...

— Ça me regarde ! gronda l'autre.

— D'accord... Ce n'est pas moi qu'on traitera de maquereau... Pourtant, ce qu'on dit de mon équipage me regarde un peu, et je n'aime pas voir mes sous-officiers nager à pleines nageoires !... Mais ce qui me regarde, tout à fait, c'est que vous soyez à votre poste. Vous saviez à quoi vous vous engagiez, en venant ici ? Vous le saviez ?...

— Je n'ai pas été parti plus d'une demi-heure...

Renaud se rapprocha encore de lui et le roulis, qui déjà saisissait le bateau, les jetait poitrine contre poitrine :

— Une demi-heure ! Tais-toi ! Tu sais mieux qu'un autre ce que ça peut valoir, une demi-heure, ici !... Tu nous as vus vingt fois risquer de tout casser pour gagner dix minutes !... Je t'aurais fait prendre la planche tout de suite, avec ton sac, si j'avais pu te remplacer au pied levé ! Comme j'ai besoin de toi, je t'emmène, mais au premier manquement, je te fous à quai ! Tu peux disposer !...

L'ombre dense qu'il chassait décrut dans l'échelle, et le capitaine revint, encore soulevé de colère, à sa place, vers tribord, entre le chadburn et les porte-voix.

— Vous avez entendu ça, Tanguy ?

Le second souleva ses larges épaules.

— J'en ai débarqué quarante, en six mois, quand j'ai pris le commandement, cria le capitaine dans la bourrasque. Si nous n'étions pas partis ce soir, il ne compterait plus à bord !

Le Gall avait enfreint la loi capitale du *Cyclone*, celle qui enchaînait, à chaque heure de chaque jour, l'équipage tout entier au bateau. Le bateau, lui, était toujours prêt à prendre la mer, armé et sous pression. Amarré au quai d'un grand port, sous une grande ville, il cloîtrait ses trente hommes qui mangeaient, couchaient, vivaient à bord et ne s'en écartaient que de cinquante mètres, à des heures fixées, pour aller boire dans les deux cafés du quai qui leur étaient concédés. De là, ils bondissaient sur le remorqueur au premier signal de la sirène. On en citait qui n'avaient point achevé leur verre, mais c'était une légende...

La nuit, Renaud multipliait les appels comme dans une chambrée de caserne. Il descendait dans les deux postes du gaillard d'avant, où quinze hommes s'allongeaient à la file dans leurs couchettes, de longues gouttières de bois, dont la courbe épousait le flanc du bateau. Puis, il frappait chez les sous-officiers, aux portes des cabines exiguës qui s'ouvraient tout le long de la coursive d'avant. Chaque fois qu'il avait constaté une absence, un renvoi immédiat s'en était suivi. Comme il s'en vantait, quarante mises à quai avaient gravé chez les autres le respect absolu de la consigne. Ainsi que les pompiers des grandes villes, le piquet d'incendie des casernes, ils ne dormaient qu'en alerte et prêts à gagner le large. Un absent, lors d'un départ, c'était ce départ retardé, entravé, une affaire compromise, — car les sauvetages du *Cyclone* étaient aussi des affaires — parfois des hommes, en mer, qui coulaient avec une épave.

Le capitaine, comme les autres, ne lâchait point le quai. Il demeurait toujours à portée de la sirène et ne manquait jamais, quand il quittait le bord, de dire :

— Je serai chez moi, à la douane, au café, chez le capitaine de port, afin qu'on sût toujours où le retrouver.

Jamais il ne s'était permis une promenade : elle eût pu devenir une forfaiture. Sa vie, à terre, était bornée par son bateau, le quai et les maisons du quai, ces maisons du quai du Commerce accroupies sous les hauts jardins et les rampes qui montent à la ville, minable morceau de banlieue, maisons tavelées qui semblent transportées des abords fumeux d'une gare et impudemment alignées au grand air.

— Au moins, disaient d'elles les hommes du *Cyclone*, on n'y est pas empoisonné par les « fayots » !

Ils nommaient ainsi les quartiers-maîtres de la flotte, pour les haricots qu'ils prodiguent à l'ordinaire des équipages. Les marins de l'État, en effet, dédaignaient de descendre sur les quais du Commerce.

Le voisinage des croiseurs et des avisos aidait pourtant les matelots du remorqueur à respecter les inflexibles consignes du bord. L'air, autour d'eux, restait imprégné de discipline ; ils y voyaient alignées les fumées de l'escadre, il retentissait des sonneries réglementaires. Les jeunes, ceux qui étaient encore tout près du service, trouvaient ainsi l'occasion de maintes comparaisons, toutes à l'honneur de leur vie nouvelle. Les vieux qui avaient navigué au long cours étaient habitués à demeurer ainsi cloués aux navires. Tous appréciaient les avantages de cette croisière au bord d'un quai où arrivaient les journaux, les lettres, leurs femmes, le dimanche. N'étaient-ils pas bien payés et décemment nourris ?

Mais, surtout, ils étaient possédés par l'esprit de corps. Pas un n'avait honte de se montrer fier de son bateau et de son métier. On pouvait les appeler « hardis sauveteurs » sans leur sembler ridicule : ils étaient ceux qui sortent quand les autres rentrent. On parlait d'eux, à chaque tempête, sur le quai et dans les journaux. La marine de guerre leur témoignait une déférence flatteuse et leur accordait dans le port de nombreux privilèges. Et l'émulation jouait : le *Cyclone* était mieux tenu qu'un torpilleur. L'équipage ne s'ennuyait jamais, car après chaque sortie, le remorqueur de haute mer revenait à sa position d'attente, assez mal en point pour fournir à tout le monde du travail urgent. L'été était plus dangereux, à cause du long chômage, mais Renaud leur accordait, à tour de rôle, une permission de quinze jours. Quand il avait eu trié sans pitié son équipage, il s'était flatté de l'avoir rivé à ses tôles, de le trouver tout entier, à toute heure, paré, comme son remorqueur, à prendre le large.

C'est pourquoi, la faute de Le Gall l'échauffait d'une colère indignée :

— Un t.s.f. !

Il y en avait deux à bord : le chef, Gouédic, d'Audierne, une figure si large qu'il semblait qu'il se la tirât de deux doigts en crochet passés dans les joues. C'était la conscience même : cinq ans sur les chalutiers de Terre-Neuve où il faut être aussi toujours à l'affût, afin de capter les indications que se donnent, en code, les bateaux concurrents. Sur les Bancs, en effet, quand deux collègues bavardent de façon anormale, on a beau ne pas les comprendre, on est alerté et l'on s'en va, au gonio, voir ce qui se passe de si intéressant dans leur coin...

Les t.s.f. !... Personne, sur le *Cyclone*, n'était attaché de si court à son poste. A chaque minute du jour et de la nuit, l'un d'eux devait être à l'écoute, sur le château, entre les embarcations de sauvetage, dans la baraque trapue que surmontait, comme une girouette trop grêle, le losange du goniomètre. Le veilleur était assis devant une table, le casque aux oreilles, le manipulateur du morse sous la main. Et son fauteuil tournait comme un tabouret de piano, afin de le placer devant un coffre-fort de tôle noire à manettes, l'émetteur. En arrière, deux banquettes, des lits de moleskine brune, s'allongeaient sous le volant du gonio.

Or, toute la vie, toute la fortune du bateau étaient suspendues à cette écoute perpétuelle qui ne devait laisser fuir ni un point ni un trait émis du large. On contait avec terreur, chez les t.s.f., que l'opérateur d'un remorqueur concurrent, descendu, un matin, après une nuit de veille, à la cuisine, pour y avaler, en hâte, une tasse de café, avait laissé échapper, pendant ses trois minutes d'absence, le S.O.S. d'un grand cargo dont le sauvetage avait rapporté un million et demi au *Cyclone*, beaucoup plus éloigné, pourtant, du vapeur en détresse. La compagnie avait mis à quai le capitaine et tous les officiers du bord.

S.O.S. !... Trois points, trois traits, trois points : un appel précipité qui s'essouffle, puis insiste... Les postes côtiers avaient sur-le-champ imposé le silence à tous les bateaux, et sitôt connue la position du navire en danger, le *Cyclone* qui seul avait le droit de parler l'avait attaqué : « Ici, *Cyclone*, remorqueur de dix-huit cents chevaux, demande si vous avez besoin d'assistance ? »

Le Grec avait répondu :

— Accepte assistance aux conditions du Lloyd...

— S'il avait fallu partir sans ce gamin, pensait Renaud, Gouédic aurait dû s'appuyer peut-être soixante heures d'écoute !...

On doublait le feu vert de la rade-abri, car le *Cyclone* avait le privilège de traverser ces domaines de la marine de guerre, quand Le Gall reparut sur la passerelle.

— Capitaine, annonça-t-il d'une voix domptée, ils disent que leur bateau a beaucoup souffert et que la mer les mange. Ils demandent qu'on se presse.

Renaud se détourna :

— Vous répondrez ceci : « Faisons route sur vous à toute allure. Courage ! »

Puis il ajouta après un rire bref qui lui leva les épaules :

— Pour bien faire, avec ceux-là, comme avec les autres, il faudrait être arrivé avant d'être parti !

2

Le *Cyclone* sortit par la passe de l'Ouest. A tribord, les lampes de Recouvrance et de Saint-Pierre clignotaient à travers l'averse, et à bâbord, la longue jetée de la rade fusait avec un roulement de canonnade. Elle était devenue un mur de geysers furieux, mais exactement alignés.

Sur la passerelle, les embruns cinglaient, et Renaud noua plus étroitement sa serviette éponge... Le *Cyclone* fonçait vers des éclairs blancs et obstinés : les éclats du phare de Portzic. C'était la borne de l'aventure...

Dès l'entrée du Goulet, le remorqueur se heurta vraiment pour la première fois, cette nuit-là, à la mer et au vent. La passe ouvrait devant lui un large torrent d'écume qui accourait contre son étrave. Il régnait, dans ce détroit, une effervescence chaotique de déversoir, et un immense bruit d'eau bouillante l'emplissait. A l'avant, les premiers coups de mer s'ouvrirent en hauts éventails blêmes, les premières lames s'écrasèrent en tonnant, contre les tôles.

Les yeux de Renaud s'étaient rivés à l'avant. A chaque sauvetage, son attention s'attachait ainsi à l'avant pendant l'aller, à l'arrière, lors du retour, car c'était à l'arrière que se jouait la partie décisive, l'arrière où se fixait la remorque qui traînait le bateau « sauveté ».

Mais, tant qu'on naviguait le nez vers le large, la vie du remorqueur dépendait de son étrave, de sa haute étrave dressée à six mètres au-dessus de l'eau, et derrière laquelle tout le navire se défilait en lignes obliques, jusqu'à son arrière rond, sa croupe basse solidement assise sur la mer. Cette étrave énorme avait fasciné Renaud, le jour où il était allé à Tunis, avec les ingénieurs de la Compagnie, visiter le *Cyclone*.

C'était un brise-glace russe, une épave plus rouillée qu'un vieux fourneau et qui avait pourri tranquillement, pendant des années, dans l'eau tiède des bassins. Des échelles rongées pendaient des passerelles, en pointes de herse. Des pustules d'acier s'écaillaient sous le doigt tout le long de la coque et le pied enfonçait dans le bois spongieux du pont. Les ingénieurs revenus sur le quai faisaient la grimace. Celui qui s'était attardé à la visite des machines assurait pourtant qu'elles étaient en état. Mais, Renaud, lui, ne quittait pas du regard l'étrave épaisse et coupante comme un coin d'acier, une étrave faite pour labourer les icefields et crever les packs. Il avait, du premier coup, jugé ce bateau à sa carrure, ainsi qu'il jugeait les hommes, et il avait assuré :

— Avec deux millions, vous en ferez le plus beau remorqueur d'Europe !

L'option avait été aussitôt levée télégraphiquement, à la grande stupeur de la Marine militaire, qui, depuis plus d'un an, assemblait des commissions pour étudier la transformation éventuelle du bâtiment en mouilleur de mines...

Maintenant on doublait Mengam, un feu rouge dressé au milieu du Goulet, si exactement au milieu qu'on ne pouvait croire à un écueil et qu'on était tenté de rendre grâce aux Ponts et Chaussées, pour avoir ainsi planté cette lanterne avec tant de justesse. Elle semblait y régler la circulation... En réalité, un sacré caillou, qui embêtait fortement Renaud à chaque rentrée, parce que le bateau désemparé qu'il traînait à bout de laisse manquait, à tous coups, d'aller s'y écraser le nez, comme un ivrogne sur un bec de gaz.

Mengam doublé, l'étrave se mit au travail. Le *Cyclone* accentua son allure de pioche. Avec ces vents de la partie sud-ouest, il fonçait mer et vent debout. On était donc abonné, pour tout le voyage, à ce tangage heurté et brutal de bateau court que chaque lame soulève pour l'asséner. On brimbalerait ainsi autour de l'axe, et maussadement, de même que ces poutres mises en bascule par des gosses et qui leur cognent les fesses à chaque retombée.

— Ah mais !... dit Renaud.

Il venait de relever le feu du Petit Minou, et vraiment il s'étonnait de trouver une mer pareille dès la sortie du Goulet : elle était montée d'un coup sur le bateau, de géantes colonnes d'eau jaillies à l'avant et qui s'abattaient sur vous comme des arbres.

— Je crois qu'on va embarquer de la plume, déclara l'homme de barre.

Le capitaine, les yeux brûlés, le ventre massé par la rambarde, n'apercevait de son remorqueur qu'une île noire qu'il poussait devant lui : son gaillard d'avant, vaguement distinct et qui émergeait seul. L'eau clapotait avec force sur le pont, jetée au tangage contre le gaillard et le château. Et cette eau intérieure que le bateau emportait, secouait, qui se ruait partout, contre les pavois, les capots, les portes des coursives, cette eau-là était la seule que l'on pût surveiller de la passerelle. Assurément, la mer devait être énorme, mais on ne le voyait pas. On l'imaginait seulement aux mouvements excédés du bateau qui boitait de plus en plus bas.

A chaque pointe que l'on doublait, le suroît, devant qui tombait une barrière, renforçait son attaque. Il frappait maintenant les tôles et les visages comme un projectile ininterrompu. Il arrivait à ce degré de force et de ténacité où son appui, ses poussées sont ressenties comme le choc d'un poing et le coup d'une arme. Il devenait impossible, sur la passerelle, de croire que ce ne fût simplement qu'un souffle. Les quatre hommes qui étaient là, debout, pour voir, pour guetter des feux, et qui devaient y rester, sous le ciel noir, sous les coups de l'ouragan, sous le fouet des embruns plus cinglant que les jets dont les dompteurs martèlent les fauves quand ils se battent à mort, ces hommes, capitaine, second, timonier, homme de veille, comprirent tous les quatre à la fois, que la partie serait une des plus dures de toutes celles qu'ils avaient jouées. Mais ils gardaient, tous les quatre, une assiette que les cabrades incohérentes du bateau n'avaient point encore surprise. Ils collaient aux planches comme des mouches ! Pourtant, lorsque l'homme de barre qui ne s'était point effacé à temps, eut reçu sur tout le corps un coup de mer qui sembla le mouler, il jura, en crachant :

— Les sacrées garces, on ne les voit que quand elles vous tombent sur le paletot !

Renaud n'exposait que ses yeux ouverts au ras du pavois qui, tant bien que mal, garantissait la bouche et le corps. Aussi pleurait-il sans interruption, sous son chapeau gorgé d'eau et flasque comme un champignon pourri. Le vent lui secouait des tôles aux oreilles, ces crépitements métalliques qui tambourinent seulement aux plus grandes vitesses des tempêtes. les jours où les anémomètres semblent délirer. Il songea :

— Qu'est-ce que ce sera par le travers de Saint-Mathieu ?

Car chaque sortie était graduée. Une mer de plus en plus creuse les attendait sur trois seuils : à l'entrée du Goulet, à sa sortie, et enfin à la pointe extrême du monde, quand la dernière terre abandonne à cette pointe Saint-Mathieu, où commence l'Iroise. C'est entre deux sinistres îles, Sein et Ouessant, le corridor Manche-Atlantique, tout plein de courants d'air et d'eau. Le sens des lames s'y renverse deux fois par jour, au flux et au reflux, oscillant entre deux barrières de brisants, la chaussée de Sein au sud, au nord les Pierres Noires, Ouessant et ses nébuleuses d'écueils. C'était l'ordinaire champ de bataille du *Cyclone*, mais cette fois, on en sortirait pour s'en aller dans le suroît passer le licol à ce Grec désemparé.

En sentant se creuser dans son ventre le vide d'une interminable chute, Renaud pensa :

— Les hommes seront malades !...

Cela leur arrivait presque à chaque sortie, comme à tant de marins qui reprennent la mer, et quand ils la reprenaient, elle n'était jamais bonne à prendre ! Puis, on ne leur laissait pas le temps de s'y habituer : on les ramenait à quai dès que ça allait mieux !... Et ce n'était pas une des moindres originalités de cet étonnant bateau, que ces matelots, verts comme des Parisiens, qui y travaillaient, les dents serrées sur des nausées.

— Plus on dégueule, plus y a à faire ! constatait Kerlo, le maître d'équipage.

Car la mer leur démolissait à la fois l'estomac et le bateau...

On passa la Parquette vers une heure du matin, une pierre à feu vert que Renaud entrevit avec plaisir. Il avançait, et bon train ! Parmi tant de mouvements absurdes qui le secouaient il y en avait tout de même d'utiles qui mangeaient de la route ! Dans cette nuit de poix, on avait l'impression de faire du surplace, mais les feux vous prouvaient le contraire. On gagnait ses milles, brasse par brasse, et on en était fier comme de l'argent gagné sou à sou.

Cependant, on sentait que l'on n'avait plus les flancs couverts par aucune terre protectrice, qu'on était désormais livré au déchaînement des espaces, à l'enveloppement de la nuit furieuse. Car le vent avait débordé le bateau et se refermait derrière lui. Ce n'était plus seulement son appui dur sur le visage, son passage brutal sur les joues et les oreilles qu'il collait à la tête. Il frappait maintenant de dos comme de face et les lames jaillissaient le long du bateau tout entier. Le *Cyclone* titubait dans des chutes soudaines de l'avant, retombait à contretemps dans la mer comme dans un mur ; des chocs dangereux l'ébranlaient. Sur la passerelle, les quatre hommes oscillaient d'une hanche sur l'autre au bout de leurs bras rivés à la rambarde.

— Pourvu que ça tienne !

L'attention inquiète du capitaine se diffusait déjà sur toute la surface du bateau. Si dès le début on encaissait des coups pareils !... La coque était solide comme une enclume, mais le pont y laisserait des morceaux !...

— Allez voir un peu, Tanguy, si ça étale partout !

Le second revint un quart d'heure après, son inspection faite :

— Un panneau de la cale II enfoncé. C'est paré.

Renaud lui cria à l'oreille :

— Les embarcations n'ont pas bougé ?

— Non !

Ils s'étaient parlé visage contre visage, et Renaud, à la lueur de la lampe de timonerie, avait revu la bouche désastreuse de son second, la lèvre supérieure coupée jusqu'aux dents par le bec-de-lièvre que la moustache cachait mal, une seconde bouche verticale, qui remuait lorsqu'il parlait, et la narine étalée, plate, descendue vers la fente.

Avec cette bouche, Tanguy ne parlait guère... Il était redouté des hommes, comme tous les chefs affreux qui veulent faire rentrer, par la crainte, la raillerie dans les gorges. A Brest, il vivait sur le bateau, en disparaissait à peine à l'heure des repas. Il y passait de longues heures, la nuit, et couchait même souvent dans sa cabine. Pourtant, il était marié et habitait deux pièces dans le quartier du port, rue de Madagascar, marié à un bout de femme effrontée qui, affirmait l'équipage, lui en faisait porter. Il était devenu courant de dire sur le *Cyclone*, les jours où ça fraîchissait : « Un temps à démâter le second. » Car ils lui octroyaient, comme ramure, des mâts et des vergues.

Mais, en vérité, Renaud qui connaissait les femmes, et s'y serait encore frotté volontiers, à l'occasion, n'eussent été sa situation et tous les embêtements qu'amène la rigolade, Renaud s'était toujours demandé si la petite Tanguy allait au-delà du badinage énorme. Sans doute, elle ne parlait que par allusions égrillardes, en vous plantant dans les yeux ses yeux luisants. Il l'avait entendue, à l'heure de l'apéritif, tenir tête à une tablée d'officiers du commerce, leur tirer des « oh ! oh ! » de maquignons par ses équivoques éhontées, répondre avec précision à des questions d'une cordiale obscénité, mais il en avait conclu, seulement, avec ses camarades qui en riaient encore sur le quai : « Elle est rudement rigolote ! » Il savait que ceux et celles qui disent des bêtises n'en font pas toujours, et que les vraies dévergondées sont plus retenues en paroles. Tanguy qui accompagnait sa femme ce jour-là et qu'elle avait mis, comme de juste, en cause, s'était contenté de hausser placidement les épaules :

— Elle serait malade, si elle ne disait plus de blagues !...

Lui n'en disait jamais. Renaud ne se souvenait pas d'avoir vu s'éclairer ses yeux mornes, et de sa bouche à encoche, on n'imaginait pas un sourire... Dans ses relations avec l'équipage, il lui suffisait le plus souvent d'un mot pour stimuler les lenteurs, presser l'exécution d'un ordre, s'enquérir de son exécution ; il disait : « Alors ? »... Mais ce mot qu'il éructait dans tous les coins du remorqueur, qu'il jetait dans les porte-voix, dans les coursives, dans les postes, au moindre retard, au moindre flottement, devenait dans sa bouche monstrueuse un aboiement rauque et puissant, un « Halaud », que coupaient ses dents et qui laissait, quelques secondes, ses joues gonflées, ses babines frémissantes. A la mer, splendide, et d'une force de taureau intelligent. Un coup d'œil infaillible pour envoyer l'amarre au navire « sauveté ». Jamais Renaud ne l'avait entendu jurer, comme si jamais ça n'en avait valu la peine. Jamais Tanguy n'avait injurié ni tutoyé un homme, et pour cela aussi, ils le redoutaient. Un jour qu'une lame sourde l'avait aux trois quarts assommé en le projetant contre les arceaux de remorque, il s'était relevé sur les genoux, sur les mains, en repoussant vers leur travail, d'un « Alors ? » qu'il arrachait comme un cri de l'instinct, les hommes qui, afin de le relever, avaient lâché leur grelin. Renaud lui portait la même estime qu'à sa machine et à son étrave. C'était pour lui un magnifique instrument de travail mais, en dehors du service, il ne se souvenait, dans leurs conversations, que de l'avoir entendu répondre : « Non », « Oui » et « Ça se pourrait », qu'il disait comme « Je m'en fous ! » Le capitaine savait encore que le second était capable de rester debout sur la passerelle plus longtemps que lui, sans dormir ; il l'en respectait. Il avait aussi depuis longtemps deviné que si Tanguy se taisait, ce n'était pas stupidité mais fierté et méfiance : or, il ne détestait point que l'on fût méfiant...

A deux heures, par le travers des Pierres Noires, Gouédic, le chef t.s.f. apparut sur la passerelle mieux rincée qu'un caillebotis de bains-douches et, n'y trouvant que le second, demanda :

— Le capitaine ?...

Tanguy fit un signe de tête brusque qui montrait la gauche, et le bras de Renaud dépassa, pour appeler, de l'abri de bâbord. Il venait de se réfugier dans la guérite, car le *Cyclone* embarquait de plus en plus, et les coups de mer fouaillaient la passerelle de navigation. On n'y recevait pas le plein coup, mais c'était la crête de la lame, la brûlure de la mèche du fouet, et Renaud qui se savait là pour trente heures, au moins, avait jugé inutile de se faire abrutir continûment par ces chocs : ils finissent par vous loger dans le crâne une somnolence tenace. Pour atteindre les porte-voix, il n'avait qu'un pas à faire, un autre pour aller au compas, et au moins il veillait la route à couvert des directs de la mer et de l'ouragan. Il s'étayait là-dedans, des coudes et des genoux, afin de n'être pas trop massé par les deux parois de l'abri. En se serrant dans le cercueil, il y fit une place au chef t.s.f., et il eut, tout contre ses yeux, la face large du télégraphiste qu'on eût dite vraiment déformée dans la boule d'un jardin. Gouédic récita :

— Ils viennent de signaler : « Télégraphiez à quelle heure vous serez sur nous, parce que les matelots sont démoralisés. »

— Tiens, dit Renaud, il n'a pas trop d'amour-propre, le collègue ! Qu'on ne puisse plus rien tirer des hommes, ça arrive... Qu'on le télégraphie à toute la terre, c'est moins courant !... Répondez-lui : à dix heures.

— Bien, capitaine... On n'a pas besoin de bottes aujourd'hui, ajouta le téséfiste, en regardant l'eau s'abattre à seaux sur la passerelle.

C'était là une plaisanterie courante : elle signifiait que les bottes étaient inutiles, puisque la mer embarquait dedans !...

— Vous avez le bon métier, Gouédic, assura Renaud : être assis bien au sec, à écouter bavarder les copains...

— Sauf que ma bouteille d'acide s'en est cassée dans la danse, et qu'elle m'a tout brûlé les mains. On dirait que ça fraîchit encore !...

Il se laissa glisser rapidement le long de l'échelle, pour tenter de passer entre deux lames.

En annonçant son arrivée pour dix heures, le capitaine du *Cyclone* mentait. Il savait qu'en mettant les choses au mieux, en supposant, ce dont il doutait de plus en plus, qu'on pût garder cette allure de casse-tout, il ne serait pas sur le Grec avant midi ou une heure. Mais ces mensonges faisaient partie du sauvetage : il était de son devoir de relever le moral des équipages en détresse, et il n'y manquait jamais. Cependant, il eut l'impression d'avoir déjà menti une fois avant celle-ci... Il n'eut point le loisir d'y réfléchir, car à un plongeon presque à pic du remorqueur, la volée d'une lame lui renfonça les yeux dans le crâne, lui griffa les joues, lui entonna de l'eau jusqu'au fond de la gorge, une grande goulée qu'il faillit avaler comme un mousse, et qu'il ne rattrapa qu'en se raclant l'œsophage. Ce n'était pas l'instant de penser à ses petites affaires de famille !

Une lueur blême et diffuse montait de la mer battue, hachée. Le *Cyclone* était devenu plus distinct, et quand il s'enlevait pesamment à la lame, Renaud découvrait tous les détails de l'avant, les remous autour de la cale, les chocs contre les panneaux du gaillard, le mât de misaine gainé d'explosions jusqu'à la hune de vigie, la pyramide noire du grand treuil, même la double poulie de l'éperon étonnamment précise. Il s'aperçut alors qu'une lune rouge et démesurée venait d'affleurer les nuages et qu'elle courait dans le ciel.

Elle roulait, elle aussi, dans les houles des nuées que le vent dispersait en embruns de vapeur. C'était la grande lune rousse et brûlée des nuits d'ouragan. Il ne fit que l'entrevoir, ainsi qu'un naufrage de bateau en feu : elle fut aussitôt submergée par le déchaînement noir du ciel. Il ne resta d'elle que cette lueur larvaire et glacée que brassait la mer.

— Si on n'avait pas l'habitude, pensa Renaud, il y aurait de quoi vous foutre la frousse !...

— Capitaine !

C'était encore Gouédic.

— Ils viennent d'envoyer, capitaine : « S'il vous plaît, venez aussi vite que vous pourrez. Bateau couvert par la mer souffre énormément. A quelle heure serez-vous ici ? »

Renaud répondit, comme s'il dictait, en scandant bien :

— Signalez-leur : « Nous forçons l'allure, serons sur vous dans la matinée. Redonnez votre position. »

Cinq minutes après, le chef t.s.f. était de retour sur la passerelle :

— Vous parlez de clients ! grommela-t-il. Le temps que je m'amène ici, ils ont encore repassé à Le Gall : « Mais dépêchez-vous ! Tout le monde à bout. Bateau donne de la bande. Perdus si n'arrivez pas. » Qu'est-ce qu'ils veulent qu'on y fasse ? A moins de leur envoyer la remorque par t. s. f.

Renaud cria, dans le vent et les écroulements d'eau, des phrases qu'il ponctuait d'un balancement lourd de tout le corps.

— Dites-leur que nous poussons les feux... que nous serons sur eux très vite... qu'alors ils n'auront plus rien à craindre... Qu'ils tiennent jusqu'au jour !... Il n'y a pas de récif là où ils sont... Arrangez-leur ça comme vous voudrez, Gouédic, répétez-le sur tous les tons, mais parlez, mon vieux, parlez-leur tant que vous pourrez, même pour ne rien dire.

Il avait compris qu'il fallait leur donner, comme à des

gosses, le réconfort d'encouragements incessants, leur répéter : « Je viens, j'arrive. Tenez bon, j'arrive... » Il savait que les Nordiques sont discrets, qu'ils ont comme la pudeur d'avouer leurs avaries, leur danger. Quand il avait sauvé des Norvégiens et des Danois, une fois données les indications de position, ils se taisaient pendant des heures, et c'était lui qui devait attaquer leur poste... Il se souvenait de ce Danois qui dérivait sur Molène, après avoir cassé ses deux ancres et qui, au bout de deux heures de silence, cinq minutes avant d'aller s'ouvrir sur Pen-Ven-Guen, avait télégraphié : « Vous ne pouvez plus rien pour nous. Inutile de continuer votre route. Merci beaucoup. Adieu ! »

Mais les équipages du sud étaient impressionnables et bavards. Ils avaient, sans cesse, besoin d'exhortations. Renaud ne s'en indignait pas, car son métier avait fait de lui un spécialiste des paniques. Même parmi les meilleurs, il avait trouvé des êtres vidés, déchus, qui s'abandonnaient entre ses bras, des fous parfois, d'autres qui pleuraient, d'autres qu'il fallait charger comme des quartiers de frigo.

C'était normal que les ponts des navires en détresse ne fussent point pavoisés de héros, de matelots de romans empressés à mettre leurs frusques des grands dimanches pour couler en beauté et en chantant. Il était encore bien plus beau d'y rencontrer des hommes capables, après soixante ou quatre-vingts heures de bataille, de découvrir, sous leur épuisement, la force de mailler une remorque...

Après une embardée plus dure qui arracha le capitaine de l'abri et l'envoya sur le ventre, mesurer la passerelle, le porte-voix des machines siffla.

Renaud, après avoir débouché l'oreille de cuivre, entendit :

— Allo, capitaine... Je voudrais bien diminuer, capitaine... Elle est folle !... Et pourtant, qu'est-ce qu'on a scié, comme fromage !...

Scier du fromage, c'est manœuvrer d'avant en arrière le levier d'admission de la vapeur, en fermant quand l'hélice évente, en ouvrant quand elle replonge...

La voix insista :

— Est-ce qu'on peut diminuer ? Ça cogne à tout faire sauter !...

Renaud savait son chef mécanicien, Lauran, incapable d'exagération : il connaissait trop, lui aussi, son métier de fabricant de vitesse et l'urgence d'avaler des nœuds quand on courait sur un bateau. Il avait averti parce qu'il le *devait*, pas avant ! Le risque, dans la machinerie, comme sur tout le *Cyclone*, on l'acceptait sans un mot, mais le danger immédiat, cela se signalait. Renaud, qui avait déjà écouté le propulseur ronfler subitement lorsqu'il émergeait, et qui avait entendu les chocs violents frappés dans la machine, aux replongées de l'hélice, s'attendait depuis longtemps à cette demande. Il répondit donc :

— Diminuez de quelques tours, mais tout juste, car ils m'ont l'air malades !

La barque filait ses onze nœuds forts, on tomba à dix, puis à neuf, mais par ce temps, contre cette mer debout, c'était encore une jolie allure ! Tout de suite, le tangage diminua, la violence des rencontres, mer contre remorqueur, faiblit. Le *Cyclone*, moins pressé, prit le temps de s'enlever, de monter tant bien que mal sur la lame, au lieu de passer au travers : il s'ensuivit une accalmie relative, bien que la mer grossît encore. Alors le capitaine traversa la passerelle, marchant comme il marchait à quinze mois, en glissant de côté, en s'accrochant, main après main, à la rambarde. Le pont, sous ses pieds, était un talus à pic qui renversait à chaque instant le sens de la pente, Renaud alla heurter le second dans l'abri de tribord pour lui dire :

— Veillez cinq minutes, Tanguy. Je descends voir le baromètre...

Puis, comme il aimait les situations nettes, et ne voulait point mettre son repos sur le compte du service, il ajouta :

— Et fumer une cigarette en bas.

Il descendit dans la chambre de veille, sur la passerelle inférieure et, la porte refermée, il fut, comme à chaque fois qu'il entrait là par gros temps, satisfait et décontenancé de ne plus sentir ni le vent, ni la pluie, de trouver dans cet endroit clos et bien éclairé, une réplique sèche et parfaitement précise de ce qu'il venait de quitter en haut et qui était noir et ruisselant. Il y avait là, comme en haut, un compas, un chadburn, une boîte de morse et un second poste de timonerie.

Tout cela formait le prolongement perpendiculaire des mêmes appareils qu'il venait de laisser là-haut, noyés, comme des cailloux dans un courant. Il regarda autour de lui, avec complaisance, ainsi qu'un général contemple ses réserves. Derrière la barre, le long de la chambre à cartes, s'allongeait un canapé de moleskine noire. C'était là qu'il venait parfois s'étendre quelques minutes, lorsqu'il était resté debout tout un jour, toute une nuit. Le baromètre était suspendu dans un angle. Il s'en approcha : il descendait toujours et marquait 745. La ligne rouge que traçait le style avait même, depuis une heure, amorcé une pente qui ressemblait de plus en plus à une chute verticale. Renaud pensa : « Nous n'avons pas vu le pire. » Il connaissait les tempêtes d'avril et savait qu'il leur faut un jour tout entier pour bien s'établir.

— Heureusement, songea-t-il encore, qu'il fera jour pour lui passer la remorque, mais il dansera une sacrée danse au bout de la ficelle !

Il s'assit sur le canapé et roula une cigarette. Le tangage le lançait en avant, lui cassant le buste ; c'étaient les demi-chutes de ceux qui luttent contre le sommeil. Et pourtant, il n'avait nulle envie de dormir. La somnolence ne le gagnerait pas tant que durerait sa mission. Mais après les sauvetages, il dormait dix-huit heures... à moins qu'il ne repartît sitôt rentré, comme cela se produisait souvent.

Dans cette chambre bien éclairée, les mouvements furieux du court bateau se traduisaient de façon particulièrement nette. Rien n'échappait à l'attention, ni la montée abrupte du plancher, ni ses soudaines descentes, ni aucun des angles insensés que faisaient les objets longs, colonnes du chadburn et du compas, axe de la barre, avec la verticale, cette verticale dressée dans l'instinct humain, qui cède rarement chez un homme jeté à terre, et ne cède jamais chez le marin. Renaud ne s'arrêta point à ce branle-bas familier, car il n'était occupé que des étroites vitres de l'avant où la mer cognait. Du verre double, mais qui sonnait désagréablement sous les coups. Il fit claquer sa langue, mécontent, et dit tout haut :

— Ça va bien finir par crever !

Il lui était arrivé deux fois déjà de revenir avec cette passerelle arrachée, sans avoir pu en sauver un morceau.

— Tenez, capitaine.

Le cuisinier venait d'apparaître comme par miracle et il remplissait un bol de bouillon chaud.

Renaud ne regarda pas l'homme, il regarda le bol.

— Ça, apprécia-t-il, c'est du beau travail !...

Il fallait Royer, en effet, pour verser sans gâter par ce temps ! L'homme sourit, une grimace rapide qui entailla le coin de sa bouche hérissée d'une brosse courte de barbe. Il portait un béret basque graisseux, et dans ses yeux bigles bougeait une flamme maligne. Avec les grands voiliers, il avait roulé d'Australie à Portland et à « Frisco ». Au cap Horn, il avait hissé des marmitées d'eau chaude en haut des mâts, pour dégeler les poulies, et pendant trente-deux jours, il avait nourri tout un équipage avec du blé moulu dans un moulin à café, un moulin qui tournait vingt-quatre heures sur vingt-quatre, afin que Royer pût enfourner du pain de son. Il avait été dix ans le cuisinier de Renaud et l'avait suivi sur le *Cyclone*, après la mort du dernier long-courrier à voiles.

Il tendait toujours son bol :

— Ça m'a l'air de mollir un peu, s'pas capitaine ?

Renaud se mit à rire franchement :

— Que tu trouves, toi ?... Ces sacrés cuistots, ça ne se doute jamais du temps qu'il fait !...

Il ajouta, en lui jetant un coup d'œil moqueur :

— Avant qu'on ne soit rentré, tu pourrais peut-être encore grimper sur ton fourneau !...

Royer, qui n'aimait pas qu'on lui rappelât ce souvenir, haussa les épaules :

— Pour ça, faudrait encore un de ces sacrés timoniers qui prennent l'est pour le suet et s'en viennent sur bâbord à treize nœuds ! On n'en fait plus de comme ça, heureusement !

C'était arrivé sur un voilier chargé de pétrole, chargement léger et navire mal lesté. Après la faute du timonier, le bateau debout à la lame était tombé en travers et s'était couché sur le côté. L'eau montait jusqu'à la porte de la chambre de veille, quand Royer s'était levé tranquillement pour faire son pain. Entré par la claire-voie, il avait trouvé sa cuisine pleine d'eau. Il avait alors débouché le dalot pour l'évacuer, mais au lieu de s'écouler, l'eau était rentrée à force, « gros comme moi par le corps », racontait-il, car l'écoutille était sous l'eau, elle aussi, et Royer ne s'en doutait pas. Il lui avait fallu grimper sur son fourneau, en tenant embrassé le tuyau, et le bosco l'avait retiré de là par la peau du cou lorsque l'eau lui arrivait aux lèvres. Mais seul, Renaud pouvait lui rappeler sans risques cette humiliation...

Comme le capitaine ne se hasardait pas à prendre le bol où le bouillon tanguait, Royer dit :

— Il faut boire, tant que c'est chaud.

— Je vais en mettre la moitié par terre et m'envoyer le reste dans le cou...

Or, Renaud n'aimait à paraître maladroit devant personne. Il se décida pourtant, mais tandis qu'il buvait, en renversant généreusement, Royer annonça, sans malice apparente :

— La prochaine fois, je vous l'apporterai dans une bouteille.

— Pourquoi pas un biberon ?

Royer le regarda, et quand il fixait quelqu'un de ce regard-là, ses yeux semblaient presque droits tant ils devenaient judicieux.

— Dame ! dit-il, je saurais encore ! Mme Renaud m'avait bien montré à les faire !...

— C'est vrai...

Le cuisinier reprit le bol, et comme Renaud mettait sa cigarette aux lèvres, Royer offrit du feu en annonçant :

— Quand M. Tanguy sera descendu, je lui monterai du bouillon. Vous serez gentil de lui dire, capitaine.

Car le cuisinier était le seul de l'équipage qui eût pour le second des égards et des attentions. Quand on s'en étonnait, il répondait seulement :

— Y a des chances que je n'aie pas navigué trente-cinq ans sans m'y connaître en vaches et en bons gars !...

Resté seul, Renaud se souvint brusquement de celle qu'à propos de biberon, Royer venait d'évoquer. C'était sur un voilier revenant de Portland, quand la chienne du bateau avait été écrasée, que Mme Renaud et Royer avaient élevé ses chiots au biberon et au lait condensé. Car Yvonne Renaud était de tous les voyages, de ces grands voyages qui duraient plus d'une année... C'était la fille d'un armateur, et lui, avant son mariage, n'était que second sur un vieux caboteur qui traînait, le long des mers du Nord, sa panse bourrée de blé. Mais il était aussi le marin jeune, déluré, bien tourné, à qui les filles, sur les quais, faisaient des yeux blancs de congre mort, et qui, sans autre instruction que les cours du soir, savait se tenir et parler comme un monsieur, grâce à une finesse innée et à beaucoup d'ambition. Il se sentait fort et de la race des chefs.

C'était elle qui l'avait remarqué, elle qui, adroitement, l'avait fait présenter à son père. Renaud avait d'abord été flatté, dans sa vanité de petit paysan, par l'amour de cette jolie fille riche, élevée en demoiselle et qui jouait du piano. Mais, dès qu'à son tour, il l'avait aimée avec la fougueuse énergie qu'il apportait à toutes ses belles entreprises, il avait mieux mesuré la différence des conditions, les préjugés qu'il devrait vaincre et le découragement l'avait saisi. Alors, Yvonne, sans l'avoir prévenu, au cours d'une visite banale, avait déclaré, devant lui, à son père qu'elle l'exigeait pour mari. Elle avait tenu tête, avec une inflexible douceur, aux refus forcenés de l'armateur qui avait à peu près jeté dehors le présomptueux futur. Un an plus tard, vaincu par la tranquille obstination d'Yvonne, le père l'avait rappelé, jugé, lui avait confié sa fille et son meilleur bateau. Yvonne s'y était embarquée : elle avait imposé cette condition à Renaud dès les premières entrevues, de le suivre au bout du monde. Pendant les années du long cours, elle avait ainsi accompagné son mari sur les grands voiliers confortables, où l'on trouvait de vastes salons avec des glaces et un piano. Les compagnies et les armateurs accordaient parfois ce privilège aux capitaines dont ils étaient sûrs. Leurs femmes étaient traitées à bord avec un respect et des prévenances qui ne se relâchaient jamais. Mme Renaud, en particulier, avait joui sur les long-courriers d'un prestige dont Royer, le cuisinier, conservait le souvenir attendri :

— Jamais un mot plus haut que l'autre, proclamait-il quand il l'évoquait. Toujours là pour te faire refiler un quart de vin en rab, pour te torcher un gâteau les jours de fête, et même pour te sauver la mise à un retour de bordée... Une femme qui t'appelait « Monsieur » et qui aurait mieux aimé crever que de te demander une chose à quoi elle n'avait pas droit... Une femme comme ça, un homme en rencontre quand il lui tombe un œil !...

Renaud, qui eût préféré se passer de second que de partir sans elle, n'avait jamais bien distingué les raisons qui donnaient tant de prix à sa présence. Il les résumait en disant :

— Autrement, ce ne serait plus vivre !...

Cela signifiait qu'il n'entendait point sacrifier une part de sa vie à l'autre, son intérieur à son métier, devenir un de ces veufs provisoires, de ces capitaines long-courriers sur qui pesaient parfois si lourdement le vide et l'ennui de la mer. Il possédait une bonne et jolie femme, un bon bateau : il voulait les deux ensemble, l'une sur l'autre, et s'estimait fort d'être parvenu à les réunir. La jalousie des camarades le flattait :

— Il ne te manque rien, à toi, grand cochon ! Tu n'as pas besoin d'aller à Pine Street !...

Pine Street, le quartier réservé de San Francisco... Et pourtant, ce n'était pas à ce corps mince, capable d'enserrements de liane, qu'il songeait, lorsqu'il exigeait de ses armateurs la présence d'Yvonne à son bord. C'était à cette présence même, au sentiment de plénitude qu'elle lui apportait... Sans doute, ils avaient eu de belles nuits de jeunesse sur les grands voiliers, des nuits de gros temps, où entre deux manœuvres, il descendait chez elle, y conquérir l'orgueil de lui faire, dans ses baisers, oublier la mer tonnante ; d'autres où la tendresse d'Yvonne le pénétrait enfin, comme l'eau une vieille coque, et l'attendrissait jusqu'au bord des larmes, de ces nuits lucides où l'on descend en soi assez pour se trouver un instant de niveau avec l'amour profond d'une femme qui répète : « Jamais tu ne sauras combien je t'aime ! »

Il ne l'avait, en effet, jamais su. Elle l'aimait comme elle était châtain clair, et au point d'avoir pu lui cacher, pendant des années de navigation, ses fatigues et ses accablements de prisonnière. Royer, lui, l'avait vue souvent pleurer, mais il ne l'avait jamais dit et le capitaine ne l'avait jamais su... Dans ses découragements brusques, après ses colères brisantes, après les mauvaises affaires et les déboires des escales, Renaud la retrouvait calme et apaisante. Souvent, après s'en être irrité, il la payait de ce regard qu'il avait, les lendemains de tornade, pour les mers étales et les ciels purs. Il l'aimait d'être ainsi, mais ne l'en remerciait point.

— Es-tu assez heureuse d'avoir un caractère comme le tien !...

Elle souriait. Elle ne lui avait jamais laissé deviner combien elle mesurait son orgueilleuse faiblesse d'homme, et que ce qui la soutenait, c'était justement la certitude de lui être partout et toujours indispensable. Il ne l'avait pas même pressenti pendant la guerre où il avait porté son cafard et sa nostalgie au compte de son mauvais bateau, de son détestable équipage, de son écœurant métier de dragueur de mines !

Après l'armistice, elle l'avait encore suivi aux Kerguelen, où il était allé, plusieurs années, pêcher l'huile de phoque sur un bateau à autoclaves. Elle avait été malade de dégoût, au milieu de cet abattoir marin où l'on tuait les éléphants de mer par dizaines de mille avec des merlins de boucher. Elle fuyait les chantiers où Renaud les dépeçait, fondait leur graisse pour fabriquer des crèmes de beauté, ces crèmes dont les réclames amusaient tant le capitaine lorsqu'il y lisait que telle star n'acceptait à aucun prix de se graisser le museau avec autre chose que de l'huile de phoque...

Quand son mari avait pris le commandement du *Cyclone*, Yvonne avait loué un petit appartement de quatre pièces, à plafond bas, sur le port de Brest.

Et c'était là que s'était produit ce naufrage brusque dont le souvenir s'imposait maintenant à Renaud plus que la présence de la tempête, plus que la pensée du bateau en perdition vers lequel il courait. Yvonne, en quelques semaines, était devenue une vieille femme ! Pouvait-on même encore dire une femme, puisque c'était aux organes mêmes de la femme que la maladie avait mordu, que le bistouri avait tranché ?... Quand il était allé la chercher à la clinique, qu'il l'avait revue habillée, debout, il avait été saisi d'une vraie panique, parce qu'on lui remettait pour sa femme une étrangère qui ressemblait dérisoirement à celle qu'il avait amenée, une caricature desséchée d'Yvonne. Le médecin l'avait pris à part :

— Beaucoup de précautions... Usure précoce... Elle restera une malade... Un cœur très fatigué, inquiétant... à surveiller de très près !...

Et lui qui si souvent répétait, avec un égoïsme candide qui la faisait rire :

— Tu as six ans de moins que moi. Comme ça, je suis sûr de t'avoir toujours jeune !...

Elle avait perdu sa force, toute sa force ! Il avait découvert, ces deux dernières semaines, une femme puérile, nerveuse, impressionnable, et qui reculait devant les efforts les plus faciles et les plus courts. Elle qui, un soir de typhon, sur un bateau crevé, debout dans la cabine, avec de l'eau jusque sous les bras, l'avait embrassé, en lui disant sans crier, sans pleurer : « Cette fois mon chéri, c'est fini ! »... Ce soir, tout à l'heure, c'était elle-même qui avouait sa déchéance : « Tu n'as plus qu'une vieille femme ! » Et, dit par elle, avec cet accent, cela chassait tout espoir, c'était vrai, irrémédiablement ! Renaud en était resté écrasé. Maintenant encore, il n'avait pas épuisé la stupeur de cet instant...

Il écoutait, sous lui, le grondement rythmé de sa machine qui vissait dans la mer une hélice géante, et lançait le bateau musclé contre les lames, un bateau qui ramassait dans sa courte taille une force prodigieuse de poussée et d'arrachement.

Et il sentait grandir une inquiétude anxieuse : lui qui avait toujours tant aimé la force, la sienne et celle des autres, comment se tiendrait-il, maintenant qu'il allait être, à son tour, le maître responsable d'une épave ? Car c'était là, mieux que sur les bateaux solides, qu'on voyait les hommes et les salauds.

3

Le jour ne se leva vraiment qu'à sept heures, et la première chose qu'ils virent, ce fut que leur bateau dégouttait d'écume ainsi qu'un cheval fourbu. Elle s'était collée partout où le jet de la mer ne lavait pas, en gros tampons jaunes troués comme par des doigts. La lumière semblait dissoute dans la mer et battue dans son eau sale, car l'on n'en voyait pas trace dans l'air opaque qui ruisselait dans ce que l'on continuait, par habitude, d'appeler le ciel. Les embruns giclaient parmi le déluge des averses et bouchaient toute vue. A peine si, parfois, du haut d'une lame, on entrevoyait, à un demi-mille, le mur noir et mouvant des grains qui crevaient sans répit. L'espace tout entier ronflait, une vibration de moteur démesurée, et des falaises d'eau croulaient sur le pont, sur la passerelle sans cesse recouverte : un vrai seuil de cataracte. Renaud regarda sa montre et nota l'heure dans sa mémoire, avec cette indication : « Mer énorme ». C'était la plus grosse épithète de ses rapports, mais il lui arrivait, comme à un écrivain, de regretter que les mots ne fussent point à la taille des choses.

— Ça vaut tous les jours le cap Horn, pensa-t-il.

Il n'avait vu que là-bas et ici des lames d'un pareil creux. Il se rappela l'aspect de son quatre-mâts quand il entreprenait de doubler la Corne, un navire clos comme un coffre-fort, les écoutilles, les portes condamnées, qu'on calfatait encore avec des tresses suiffées, les manœuvres sur des passerelles volantes établies à deux mètres au-dessus du pont où se heurtaient des tonnes d'eau... Il cria dans le porte-voix des machines :

— Diminuez de cinq tours.

Vraiment, on n'était plus dessus, on était dedans ! L'avant ressemblait à une tête de noyé, une grosse tête noire qui tentait obstinément de se soulever, de revenir à flot, mais que des coups terribles renfonçaient à chaque tentative. Des lames sourdes s'abattaient avec des mouvements bas et courbes de pattes griffues, et le *Cyclone* nageait entre deux eaux, ainsi qu'un poisson malade, dont le dos crève la surface... Les yeux de Renaud lui cuisaient ; il sentait ses joues dures, comme après la cocaïne du dentiste.

Et le Grec, depuis trois heures, appelait comme un enragé. Il appelait surtout, sans la moindre pudeur, les autres remorqueurs concurrents, le *Tourbillon* de Belle-Ile, le *Buffle* de Saint-Nazaire, le *Hollandais* de Camaret. Ils refusaient d'ailleurs tous de se déranger, sachant bien que le *Cyclone*, avec son avance de dix heures, crocherait le premier dans l'épave, et qu'ils en seraient, eux, pour leurs avaries et leur charbon. Mais cela n'empêchait pas l'*Alexandros*, c'était le nom du cargo en détresse, d'émettre sans relâche des télégrammes d'homme saoul. Jusqu'à cinq heures, il était resté à peu près décent : « Voulons votre assistance immédiatement. Quand serez-vous ici, capitaine ? » Ou bien : « Si n'arrivez pas, serons par le fond avant deux heures. A quelle heure serez-vous ici ? »

Pourtant, un de leurs radios avait fait ouvrir de grands yeux à Renaud : « Mais dépêchez-vous. Si tardez ainsi, serez responsable de notre perte. »

Ce radio, Le Gall avait tenu à l'apporter sur le cahier, pour bien montrer qu'il n'inventait rien, que ce n'était pas une blague ! Et Renaud, à qui l'on venait pourtant d'annoncer que sa claire-voie était défoncée, s'était payé cinq minutes de bon temps. Il avait appelé Tanguy pour lui faire part de la chose, et le second avait redit son éternel : « Alors ! »..., mais cette fois, avec une stupéfaction sincère.

Et ce n'était que le début ! D'autres radios invraisemblables avaient suivi, des appels à des gens impossibles, à tout ce qui flottait ou pouvait flotter à deux cents milles à la ronde, des adieux à n'en plus finir, mais surtout des reproches véhéments au capitaine du *Cyclone* pour la lenteur de son bateau, le secours dérisoire qu'il offrait : « Regrettons avoir accepté votre assistance. Autres compagnies plus rapides et énergiques. » Et toujours : « A quelle heure serez-vous ici ? » Alors, Renaud qui, au risque de tout casser, était remonté à dix nœuds, avait aussitôt diminué de vitesse, non point par représailles, mais par connaissance des hommes. Il s'était dit : « Puisqu'ils m'engueulent, ils ne doivent pas être si bas qu'ils l'annoncent !... »

Maintenant, il observait son bateau désert. L'homme de barre qui ne pouvait plus tenir debout, juste dans l'axe des coups de mer, s'était depuis longtemps réfugié sur la passerelle inférieure. Renaud ne voulait point encore y descendre. Il s'était abrité côte à côte avec Tanguy dans la vigie de bâbord, et n'en sortait que pour aller au compas, veiller la route. Tous deux guettaient, le visage encadré par l'étroite fenêtre, tels un mécanicien et un chauffeur de rapide. Ils ne parlaient pas, abrutis par ces dix heures de chocs. Leur pensée faisait eau ; encore vigilante, mais trop engourdie pour devancer l'événement, elle se contentait de rebondir quand elle était frappée. A chaque coup de mer, le capitaine, en essuyant ses yeux pleins de sel, songeait :

— Du dégât !... Probable !...

Puis, lorsque, après plusieurs minutes, personne n'était venu lui annoncer une avarie sérieuse, il pensait seulement :

— Ça a tenu...

Mais il le pensait de façon morne, avec indifférence. Le vent lui râpait les paupières et les lèvres. Il avait soif, mais savait qu'il ne faut jamais commencer à boire quand on doit veiller.

— Tiens, une mouette !...

Tanguy la montrait qui s'était abattue sur le bout du grand treuil d'avant. Avec ce temps, elle venait de loin : la tempête avait dû l'arracher des pointes ouest de l'Espagne. Là où elle se posait, elle était perdue. Sur la passerelle, on l'aurait ramassée... Quand l'avant eut été coiffé par une lame, on ne la revit plus.

— C'était une rieuse à tête noire, dit Renaud.

Puis il ajouta, alarmé par la mort de l'oiseau :

— Allez donc dire à Kerlo que, s'il faut que ses bonshommes sortent, il fasse attention de ne pas les faire enlever. Voilà que ça fraîchit encore...

Tout l'équipage, toute la vie du bateau s'étaient retranchés dans le château-milieu. L'avant et l'arrière, les carrés, les postes, les logements, tout cela était aussi lointain, aussi inaccessible, pour l'instant, que les cabarets du quai de la Douane. Les hommes s'étaient réfugiés partout où l'on pouvait s'abriter, d'où l'on pouvait partir au signal. Ils s'étaient bloqués dans les deux coursives, à l'entrée des machines, dans la chambre du servo-moteur, dans le trou aux escarbilles, aux deux portes de la cuisine. Car la cuisine étroite et longue, qui réunissait les deux corridors de tôle des coursives, devenait, par sa position, à ces heures d'attente, un des points vitaux du navire, une manière de seconde passerelle. Le bosco s'y tenait presque en permanence. Il passait d'une porte à l'autre, repoussait les hommes qui embarrassaient, afin d'aller voir, après chaque grand coup, le gâchis que cela avait pu faire.

Le bosco du *Cyclone* devait avoir plus de quarante ans. Alors que tous les maîtres d'équipage sont des forts-à-bras qui s'imposent par leurs muscles, leur puissance d'arrachement ou de levier, celui-là, avec sa figure maigre et glabre, ses yeux jaunes, ne tirait son prestige que de l'autorité de sa parole et du mystère qui l'entourait. On prétendait qu'il avait commandé des cargos, qu'il était riche et faisait le métier pour son plaisir et peut-être pour oublier des choses... Personne, à la manœuvre, ne lui avait vu les mains, car c'était le seul maître d'équipage au monde qui travaillât ganté, de gros gants épais d'automobiliste qu'il enfilait avec ses bottes et ne quittait plus. Il assurait que ça glissait moins, mais les matelots savaient qu'il ne tenait plus à rien de la vie qu'à garder des pattes de monsieur.

S'il crochait lui-même rarement dans l'obstacle, il était admirable de décision aux instants les plus critiques, et son coup d'œil était vanté. Qu'une embarcation fût arrachée de ses bossoirs, il montrait instantanément les points exacts où il fallait la saisir, l'instant précis où le mouvement du bateau aiderait à la remettre en place. Et à ce fragment de seconde, le « saille » qu'il poussait était si aigu et vibrant, qu'il tendait du même coup tous les muscles de ses hommes. Il les avait rompus à conjuguer exactement leurs efforts, et il leur répétait un mot que tous ne comprenaient pas bien :

— Ça doit se faire comme une attaque d'orchestre !

A terre, il buvait, seul, sans sortir de sa cabine, et Renaud le tolérait. Un jour, cependant, il lui avait dit :

— S'il fallait sortir maintenant, comme vous voilà, Kerlo, et si, une fois sorti, il fallait se mettre tout de suite au travail, qui mènerait les hommes ?

A compter de ce jour, Kerlo n'avait plus bu, il avait lu, et c'était pire ! Rien que des bouquins de types dégoûtés !... Il racontait, après cela, aux hommes, que le mieux était d'enjamber la lisse quand on avait, comme lui, assez vécu pour savoir ce que la vie pouvait être garce avec les meilleurs gars du monde. Renaud alarmé était accouru, il avait abattu, d'un revers de main, une pile de livres :

— Foutez-moi ces conneries-là en l'air, mon vieux, et noyez votre cafard si vous en avez !... J'aime encore mieux vous emmener plein que de vous repêcher dans le bassin !

Kerlo avait remercié, avait rebu, et tout était rentré dans l'ordre...

Lorsque Tanguy lui eut transmis la recommandation du

capitaine, de veiller à ce que les hommes ne fussent pas emportés pendant leur travail, il haussa les épaules, mécontent :

— Si ça m'arrivait par ma faute d'en perdre un, je le rattraperais moi-même ou je resterais à lui tenir compagnie !

Il le disait, en essayant de cueillir, dans la cuisinière, une braise pour coiffer sa pipe, et Royer qu'il gênait prit un bout de journal, l'alluma — il appelait cela un filibus — et le lui tendit :

— V'là du feu. Poussez-vous de là, monsieur Kerlo...

Royer, en effet, surveillait attentivement l'énorme marmite d'aluminium que le tangage éprouvait. Ce faisant, il confectionnait des sandwiches au saucisson, qu'il refilait aux hommes, car il n'était pas question, par ce temps, de repas réguliers. Chacun attrapait un morceau et mordait dedans, quitte à le fourrer dans sa poche si le travail l'exigeait. Et le cuisinier, qui était un bavard plein de souvenirs, ne manquait jamais, à ces heures où son auditoire était à la fois nombreux et muselé par la mangeaille qu'il dispensait, de lui infliger des récits choisis dans les fastes de la marine en bois, où il avait bourlingué dix-huit ans. Comme sa cuisine ruait et qu'il avait les plus grandes peines du monde à empêcher sa marmite de cracher partout et de se retourner, cul pour tête, il jugea l'instant venu d'évoquer les longues bonaces et les beaux loisirs de la voile.

— Quand vous arriviez dans les alizés, de Madère jusqu'au cap Vert, c'est là que vous pouviez dire que vous étiez tombé dans le bon coin ! Vous filiez vent sous vergue, sans presque manœuvrer. Un homme à la barre, un autre au bossoir, et ça marchait !... Les autres avaient monté leurs paillasses sur le panneau, et ça ronflait de six heures du soir à huit heures du matin ! On ne se réveillait que pour le lavage !...

Il se tut, parce que soudain, on appela au taud de la baleinière qui venait d'être arraché. Un sacré travail !... On traîna d'abord devant le bosco un prélart où il tailla, de son couteau à gaine qu'il portait toujours suspendu au derrière. Puis on s'en alla le ficeler sur l'embarcation... Dans le vent fou, la toile dure formait poche, promenait les hommes à genoux. Ils ne lâchaient pas le morceau qui battait de l'aile, comme un albatros pris à la ligne et menaçait de leur faire passer la lisse... On emmaillota pourtant la baleinière, on lui tourna, autour du ventre, un bout d'orin.

Quand ils revinrent, dix minutes plus tard, s'abriter de nouveau dans les coursives, Royer demanda :

— La baleinière décoiffée ?... Tant qu'elle ne se balade pas en long et en travers... J'en ai vu une, une fois, qui a aplati trois bonshommes. Elle vous courait après sur le pont, la garce, à croire qu'elle avait le diable à bord ! Comme capitaine, t'avais sur la barque, un quatre-mâts de trois mille cinq cents tonnes, une sacrée vieille crasse de soixante-douze ans, qui avait été marchand de tabac ! Lui fallait deux hommes sous les bras pour le tenir sur le pont... En qualité de vieillard, il avait ramassé la touille de tafia sous sa couchette, et il la sifflait à ta santé. Il y en a eu comme ça qui saligotaient la navigation !...

Un homme l'interrompit pour lui demander du pain. Il lui en tailla un large morceau.

— Vis bien, conseilla-t-il. Tu mourras gras !

Puis il enchaîna :

— Le capitaine-là, ça me rappelle un autre pauvre failli jean-foutre de lieutenant, un grand « sanctificetur »...

Mais le bosco criait dans la coursive :

— La porte tribord de passerelle vient de s'arracher... Tout le monde dessus !...

Sa tête apparut dans l'embrasure, le temps d'ordonner :

— Un coup de main, cuistot, pour dégager ça.

Le cuisinier arracha sa marmite du feu, la cala dans un coin et sortit. C'était la règle, c'était dans le contrat : l'équipage tout entier, même le t.s.f. au repos, même les chauffeurs, les mécaniciens et le cuisinier, devait donner la main aux matelots de pont dans les coups durs. On ne les appelait que lorsque l'affaire était sérieuse et qu'on travaillait pour sa vie.

Quand il arriva à l'entrée de la coursive, qu'il apparut en plein air, Royer dit avec beaucoup de considération, en contemplant le pont ravagé, les débris affalés au-dessus de sa tête :

— Quelle furie de temps !

C'était comme l'attaque générale du bateau. Dans la machinerie, le chef criait qu'un paquet de mer, passé, au coup d'acculée, par la descente, venait de l'envahir. Deux panneaux d'écoutille étaient arrachés sur le pont avant. Le hauban tribord arrière avait cassé son ridoir et, faisant fouet, cinglait dangereusement. Une autre ruée avait brisé les carreaux de la claire-voie, et faussé les batayoles avant. On eût dit le dépeçage du bateau par un tir enfin réglé, dont toutes les salves portaient. Le *Cyclone* sonnait, fumait sous des coups à le défoncer. Des trombes le parcouraient de l'avant à l'arrière. Les lames ne se cabraient plus pour s'asséner de tout leur poids. C'étaient à présent des volées obliques et basses, qui semblaient dirigées par une volonté féroce de détruire tout ce qui dépassait de ce bateau. L'air et l'eau sifflaient, crissaient, comme une colossale chaudière crevée et crachant sa vapeur.

Renaud laissa porter pour couvrir le travail et Kerlo lança ses hommes sur le pont, dans le torrent. De son doigt ganté, il désignait les matelots, formait des groupes à qui il montrait la besogne.

— Et accrochez-vous, hein !

Car il fallait d'abord lutter contre des forces effrayantes d'arrachement, cette aspiration de l'eau en fuite qui hume le corps tout entier, ne laisse pas un centimètre de ce corps sans le pomper... « Cinq doigts pour sa vie, cinq doigts pour l'armateur » : l'ancienne loi des voiliers où les hommes, à trente mètres de haut, avec 90° de ballant, s'accrochaient d'une main à l'étrier, pendant que l'autre étouffait la toile, l'ancienne loi de sauvegarde redevenait en vigueur. Ils travaillaient couchés, assis, à genoux, un bras ou une jambe replié sur un espart. Ceux qui besognaient de la scie et de la pince dans les débris de la passerelle, s'attachaient à ce qu'ils allaient couper, arracher. Et comme Renaud l'avait prévu, plus de la moitié d'entre eux avaient le mal de mer, de pauvres gueules creuses, jaunes sous la crasse. Mais sans s'arrêter de tordre ou de scier, ils vomissaient sur leurs mains. Certains, et c'étaient les plus forts que Kerlo avait choisis, se battaient contre les gros morceaux et sous les coups directs de la mer ; ceux-là frappaient tête basse, aveuglés, comme des boxeurs groggy. Et plusieurs saignaient...

On ne put toutefois refermer la brèche de la passerelle, car on clouait du dedans, et les coups de mer repoussaient les pointes. Renaud décida :

— On se laissera laver... Ça déchargera par la porte de bâbord.

De nouveau, les hommes regagnèrent leurs abris. Royer, qui rapportait une bosse au front, et s'était cogné de tous ses os à la lisse et au treuil, grondait :

— J'attendrai, pour remettre ça, qu'il me soit poussé des crochets aux pattes, comme aux morpions !...

Mais il oublia ses maux personnels en retrouvant sa marmite vide qui roulait par la cuisine. Il l'avait lestée d'une gueuse de fonte, aussi ce naufrage l'écrasait :

— Ben, dit-il, voilà une chose qui ne m'était jamais arrivée !

Il gémit, en regardant clapoter contre ses bottes son bouillon mêlé à de l'eau de mer qui venait de la coursive ; le tangage y remuait des yeux dorés.

— Un bouillon qui était déjà tout cuit !...

— De quoi que tu te plains ? dit un homme très grand, qui restait courbé sous le linteau de la porte de fer, le v'là salé !...

Mais il le dit sans rire, sans vouloir faire rire, d'une voix morne qui semblait parler ailleurs.

— C'est pourtant des choses, grommela Royer, qui n'arrivaient jamais sur un voilier, parce qu'avec un voilier tu prenais la lame, comprends-tu, tu ne butais pas dedans comme ce sacré maudit tramway...

Il revenait à sa marotte, on le laissa dire. Ça n'empêchait personne de dormir autour de lui, debout, au chaud...

Mais quelque chose lui tomba sur l'épaule et l'interrompit, des doigts minuscules s'accrochaient à son cache-nez de laine et le secouaient comme une corde de cloche.

— Allons, Lucie, dit-il, va te coucher !

C'était la guenon du bord, la mascotte du *Cyclone*.

Le jour où Royer l'avait sauvée sur un voilier caboteur, il avait bien failli terminer là sa vie aventureuse. Elle se balançait, insouciante, dans les haubans du bateau qui coulait bas. On avait croché, avec bien du mal, dans les huit hommes d'équipage, on avait oublié la petite bête. Alors Royer s'était affalé, au tangage dans le canot qui avait amené les naufragés.

En voyant, de la passerelle, son cuistot nager dans les lames énormes, Renaud avait piqué une des grandes colères de sa vie... Heureusement, un coup de roulis avait jeté la guenon à l'eau, assez près du canot plein comme un baquet. Royer assurait avoir vu, à ce moment, la bête appliquer ses petits poings fermés sur ses yeux et pleurer comme un enfant... Il lui avait lancé un de ses avirons au risque de tomber vingt fois en travers. Les singes ne savent pas nager, mais la guenon s'était accrochée à la pale. Et Royer était allé la cueillir à la godille, avec l'aviron qui lui restait. Quand on l'avait rehissé à bord avec sa conquête, Renaud blême de rage lui avait dit :

— Fous le camp ! Tu recevrais mon poing dans la gueule !

Jamais, sur le *Cyclone*, le capitaine n'avait touché, du bout du doigt, à un homme, mais sur les voiliers, comme Renaud le rappelait volontiers lui-même, il fallait avoir le dessus, et pour cela, cogner le plus dur... Royer, qui se souvenait de l'avoir vu régler ses comptes au pancrace, avec les indésirables de son bord, avait disparu sans hésitation.

Mais c'était plus fort que lui. Il ne pouvait voir se noyer des animaux ! Les chevaux et les cochons naufragés surtout, lui crevaient le cœur, les chevaux parce qu'ils se débattent contre la mort avec une terreur affreuse à voir, qu'ils veulent se dresser, se cabrer sur l'eau, que leurs hennissements deviennent peu à peu des cris humains et qu'ils ne coulent qu'au bout d'une demi-heure d'agonie furieuse ; le cochon, parce qu'il tient sur l'eau plus longtemps encore, mais en se déchirant la gorge avec ses pattes de devant dont la nage trop haute rode hâtivement son lard, et qu'il ne coule qu'au milieu d'un grand cercle d'eau ensanglantée...

La guenon, restée accrochée aux mailles roses du cache-nez, montrait à terre, avec des cris désolés, la marmite échouée, et qui roulait bruyamment sur le ciment de la cuisine. Royer fut réconforté de voir comment elle partageait son sentiment sur l'importance du désastre !

— Ça n'a pas plus gros de cervelle qu'un œuf de pigeon, et ça comprend mieux les choses que n'importe lequel de ces faillis pieds de choux !

Il se fouilla pour trouver dans des débris de tabac une amande qu'il donna à Lucie, puis il s'occupa de renflouer sa marmite et d'évacuer son bouillon.

Vers onze heures du matin, les grains s'espacèrent, mais la mer n'avait rien cédé : les tempêtes sont longues comme des maladies, elles épuisent les vigueurs et les patiences. On n'y résiste que grâce à l'épuisement qui rend les hommes insensibles comme elles... On somnolait un peu sur le *Cyclone*. Renaud était descendu sur la passerelle inférieure. Par la porte arrachée, la mer y entrait comme chez elle.

— Une baignoire ! disait Renaud à qui, souvent, l'eau venait jusqu'au ventre.

L'armoire aux pavillons était crevée et toute la série multicolore s'en allait dans le courant d'une porte à l'autre. Des coups de mer arrivaient aussi sur l'avant, et ceux-là s'appliquaient aux vitres étroites en masses d'eau si profondes, que l'on se croyait devant les bacs d'un aquarium... Pas de vue ! On n'apercevait que les revers glauques et froids des vagues qui passaient sur le navire, le glissement luisant de leur course.

Et il semblait, à chaque fois, que la passerelle ainsi rebroussée par la montée verticale de la colonne d'eau allait la suivre dans son élan, s'enlever, elle aussi, dans l'aspiration de cette force dont on entendait le frottement puissant, dont on sentait presque la brutale succion. A ce premier temps du rythme colossal, à cette levée de la mer, il se faisait un « pchittt » énorme, un souffle de monstrueuse fusée qui, plus encore que les tonnerres des écroulements, quand la lame retombait, imposait la crainte et l'immobilité. On ne remuait qu'au retrait de l'eau, quand tout ruisselait, que des rideaux liquides retombaient le long des vitres.

— Et on tient quand même les dix nœuds, dit Renaud. Oui, on doit les tenir à peu près... Dans une heure, on verra le Grec...

Il ajouta :

— Ça fait longtemps qu'il nous fiche la paix !... Si je ne savais pas qu'il a accroché un Anglais de passage, je croirais, en vérité, qu'il a coulé bas !

Maintes fois, en effet, Renaud trouvait près des bateaux désemparés, un vapeur accouru à ses S.O.S. et qui restait là, comme un garde-malade près d'un agonisant, en attendant l'arrivée du médecin. Il ne pouvait rien, ni remorquer, ni approcher d'assez près le bateau ataxique, dangereux comme toutes les épaves, pour lui être d'un secours efficace. Mais il restait là, il veillait patiemment, et l'équipage en détresse pouvait toujours croire que si le pont s'enfonçait sous leurs pieds, ils seraient aussitôt recueillis par le collègue. Il leur parlait. Parfois, il parlait pour eux quand leur t.s.f. était hors de cause et qu'ils ne pouvaient plus se faire entendre qu'à vue, par les signaux du scott.

Cet Anglais, positif et qui, lui, voyait le Grec, avait d'ailleurs, par un simple télégramme, remis les choses au point et précisé la situation mieux que tous les bavardages de la nuit. Il avait signalé : « *Alexandros*, cargo de sept mille tonnes, chargement de charbon, désemparé de son gouvernail, bande légère à tribord. Navire neuf. Machine intacte, pont ravagé mais étanche. »

C'était grave, assurément. C'eût été mortel, par ce temps, pour un petit bateau, ou près des côtés avec une dérive qui l'eût sûrement jeté au plein. Mais, un bateau neuf, dont les œuvres vives tenaient, une cargaison qui ne roulerait jamais assez pour vous coller le bâtiment sur le flanc, la pointe des mâts à tremper dans l'eau, comme Renaud en avait vu, cela redevenait possible !...

Le télégramme lui avait fait plaisir. Après les criailleries du cargo, il avait vraiment craint d'arriver trop tard !... Cela survenait, parfois... Un t.s.f., la figure chavirée, grimpait sur la passerelle et tendait un dernier papier : « Nous coulons ! », mais le plus souvent, c'étaient des mots tronqués, un bafouillage tragique, les soubresauts d'une main démente, et qu'il avait écoutés au casque, les dents serrées, la gorge nouée, comme on écoute un râle d'agonie... Alors, le poste du *Cyclone* attaquait, pendant des heures, le silence ; il répétait sans se lasser les lettres de l'indicatif d'appel... Rien ne répondait plus, et quand le remorqueur arrivait sur la position indiquée, elle était vide, jusqu'à l'horizon. Renaud croisait alors longuement sur le lieu du naufrage, cherchant une épave, un canot peut-être, un homme encore soutenu par sa ceinture de sauvetage. Si c'était la nuit, il attendait le jour, après avoir exploré les lames des feux de ses projecteurs. Puis, à regret, il virait de bord, remettait le cap sur Brest en annonçant son échec. Échec double, vies perdues et détestable affaire : cent mille francs de frais et le manque à gagner. Car si Renaud avait de bon cœur risqué déjà vingt fois d'aller au plein pour sauver l'équipage d'un bateau condamné à couler, il n'était point, comme ceux des canots de sauvetage, un sauveteur désintéressé. Ce qu'il voulait avant tout, c'était ramener à quai le bateau malade afin de pouvoir lui présenter la note. Or, ce matin, d'après le témoignage de l'Anglais, la note serait forte, car elle se proportionnait toujours à la valeur du bateau et de sa cargaison. Sept mille tonnes, un cargo neuf, une cargaison de charbon ; il ferait bon crocher dedans !

En attendant, on ne serait sur lui qu'au début de l'après-midi ! Et il fallait s'estimer heureux de n'avoir qu'une heure de retard sur l'horaire prévu, car à deux reprises, le capitaine avait été sur le point de prendre une cape courante, de céder à la mer et au vent. Prendre la cape, c'était diminuer de vitesse jusqu'à ce que le bateau reculât, en présentant l'épaule, une garde de boxeur fourbu. On dérivait dans le lit du vent, en se protégeant par son propre remous, par la trace de sa fuite. On souffrait moins, mais on faisait de la route à rebours ! Renaud ne s'y était résigné qu'une fois, un jour qu'il avait eu deux hommes d'enlevés !...

Il tira sa montre :

— Midi.

Il faisait à peu près nuit dans la cage de verre. De la neige, maintenant, accourait, sans jamais parvenir à toucher les vitres, mais elle dessinait en tourbillons fous les élans et les voltes du vent. En haut, c'était noir violâtre, un ciel opaque qui paraissait saturé de foudre. Pourtant, le second qui revenait de la chambre à cartes, annonça :

— ... romètre remonte.

Et il alla regarder aux vitres, l'air embêté et absent.

L'homme de barre gronda :

— En attendant, il fait noir comme chez le diable !

Puis ce fut Gouédic, les épaules hautes, qui secouait ses manches pleines d'eau :

— Est-elle froide, la garce !

Il ajouta :

— Cochon de printemps !

Il venait dire que d'autres bateaux demandaient du secours, qu'il captait des S.O.S. à la pelle !

Renaud hocha la tête et répondit avec une férocité inconsciente :

— On n'y peut rien !... Les bons coups arrivent toujours tous ensemble. On ne peut pas tous les ramasser !...

Ce sacré Grec l'avait entraîné loin : vingt heures de route ! Le temps de le ramener à toute petite allure et les autres seraient tirés d'affaire... C'était la mi-avril. Le beau temps allait s'établir, la morte-saison d'été. Il n'y aurait plus à compter que sur les bouchons de brume... Un incendie, peut-être, par-ci, par-là...

On se défendait, sur le *Cyclone*, d'espérer, de souhaiter la tourmente... Il y régnait, à cet égard, une sorte d'hypocrite pudeur. On n'allait tout de même pas crier de joie, comme les oiseaux de mer, à l'approche des tempêtes, quand ils espèrent du poisson tué ! Mais tous savaient que le bateau héroïque était un bateau monstrueux qui vivait du malheur des autres. Et pourtant : ils sauvaient les vies gratis, et à leurs frais. Or, ça coûtait gros et c'était dangereux !

Renaud se fit énumérer par le t.s.f. la position des autres navires en détresse. Aucun coup double possible !... Tandis que Gouédic lisait avec difficulté, car les embruns avaient délayé son crayon bleu, le capitaine crut entendre le second qui, le nez collé à sa vitre, grondait :

— Saloperie d'invention !...

Appliqué à la t.s.f., c'était fou à tel point que Renaud cria :

— Qu'est-ce que vous dites, Tanguy ?

— Râââh.

Renaud pensa que cela voulait dire « rien ». Cela ressemblait à ces rauquements que jette au dompteur, avant de sauter sur le tabouret, un fauve excédé. C'était dit avec le même lancé brusque de la tête hargneuse. Gouédic regarda le capitaine, qui lui fit signe de continuer. Il n'avait pas le temps d'essayer de comprendre...

Dans cette cabine obscure, ils se tenaient comme des ivrognes, ils titubaient, avec de brusques rentrées du ventre, des oscillations, des cambrements des reins, des fléchissements brutaux sur les hanches, une gymnastique grotesque et lourde.

La lueur boueuse passée par les vitres ne touchait que les nez, les fronts, les pommettes et les mentons ; elle y accrochait quelques touches plus claires, qui creusaient davantage l'ombre des faces, leur faisaient à tous des visages de charbonniers en cours de lavage.

Royer entra. Il tenait un de ces bouteillons à couvercle profond, qui s'emboîte bien et ne s'arrache pas. Il portait, sur le dos, une boîte de facteur à couvercle de zinc, dont il était l'inventeur orgueilleux, et qu'il posa avec précaution près du chadburn. Il l'ouvrit, elle contenait des quarts d'aluminium et des sandwiches pour géants.

— Au jus ! cria-t-il. Y a tout juste le temps de casser la croûte, avant de se mettre à travailler...

« Se mettre à travailler... » Le mot ne surprit personne. On n'avait encore rien fait que d'aller au chantier...

4

Ce fut le second, toujours collé à sa vitre, qui aperçut d'abord, vers trois heures, la fumée de l'Anglais en veille. Il le désigna dans le suroît, d'un coup de menton, et aussitôt le capitaine cria, dans le porte-voix des t.s.f., un télégramme de remerciements. Il ne manquait jamais à ce devoir de politesse, qui était comme la prise en charge officielle du naufragé. Il congédiait aimablement le navire assistant et prenait sur lui la responsabilité entière du sauvetage. En même temps, il annonça son arrivée à l'*Alexandros*, qu'il ne voyait pas encore. Il lui demanda de se préparer à prendre la remorque, de démailler sa chaîne, afin d'y mailler le câble d'acier qu'il lui enverrait sitôt qu'il serait sur lui.

— On va remonter, Tanguy, ordonna-t-il. On n'y voit rien, ici. D'ailleurs, ça calmit un peu.

Son œil exercé ne s'y trompait pas : il se faisait comme un palier dans la tempête. Renaud s'en apercevait à ce que les lames, depuis quelques instants, embarquaient mal. Le *Cyclone*, à l'avant et à l'arrière, emmenait toujours deux baquets débordants d'une eau cahotante, mais les coups de mer jaillis à la proue devenaient de plus petit calibre et ne coiffaient plus que son gaillard. Aussi, le capitaine donna l'ordre d'augmenter de dix tours.

Quand il eut gravi l'échelle de la passerelle de navigation, et que de l'abri de tribord il eut braqué ses jumelles sur l'horizon, il aperçut l'Anglais qui s'éloignait déjà dans l'est. En même temps, au fond d'une lame, il découvrit le cargo grec.

Il était tombé en travers et ressemblait à un écueil flottant, où la mer brisait. Un écueil... C'était ainsi que toujours apparaissaient les navires en perdition, devant un écran blême de lames qui montaient jusqu'à hauteur des mâts. Ils n'avaient plus ni avant, ni arrière à opposer aux chocs et tous donnaient de la bande, car leur cargaison roulait du côté où le vent et la mer les poussaient. Ceux qui, déjà, buvaient par leurs panneaux crevés s'enfonçaient d'un bout ou de l'autre, selon la cale qui était noyée. Et ceux-là faisaient corps avec la mer, lui appartenaient à un tel point que le travail des dix-huit cents chevaux du *Cyclone* semblait incapable de les en arracher.

Renaud avait vu des cadavres à terre, mais rien ne lui imposait l'idée de la mort comme ces épaves qui recevaient avec une stupidité de trépassé les pires coups des lames sans réagir, sans se garer. A ces instants, devant ces grands corps de navires inertes, le capitaine et tout l'équipage du *Cyclone* sentaient avec plus d'orgueil vibrer sous eux la force de leur bateau râblé. Plus d'un songeait à l'hélice gigantesque, une hélice de paquebot, qu'ils avaient tous admirée longuement, quand le remorqueur carénait en cale sèche, et qui les poussait avec fermeté, comme une main qui, empoignant le bateau par l'arrière, le menait à son but à travers et malgré tout. La certitude d'opposer au déchaînement des mers une force encore supérieure, de demeurer maîtres de l'ouragan au point d'emporter l'épave qu'il tenait, grisait les plus frustes et leur inspirait, à l'heure de la rencontre, une audace à la mesure de la redoutable besogne qui allait commencer.

— On va s'atteler, les gars, et il viendra ! promettait Kerlo, dont les yeux flambaient.

Le *Cyclone* n'était plus qu'à un demi-mille du cargo et, dans la cabine de t.s.f., l'émetteur crépitait :

— Je vais vous passer la remorque. Stop. Êtes-vous prêts à la prendre ? Stop. Avez-vous disposé votre chaîne ?

Dans les jumelles de Renaud, le pont du Grec paraissait, comme l'avait dit l'Anglais, absolument dévasté. La passerelle était arrachée, une embarcation brisée pendait encore, retenue par on ne savait quoi. Des portemanteaux vides secouaient un bout de filin dans le vent. Le château central disparaissait sous des ruines hachées, un enchevêtrement de câbles et de ferraille tordue. Renaud aperçut une manche à air curieusement démolie, dont le haut ne tenait plus que par une étroite bande de tôle, et qui battait au roulis, saluant mécaniquement de sa difforme tête noire.

Tout ce qu'on voyait du cargo appartenait à la mer : elle s'y asseyait. Incliné comme une digue, son pont n'était plus qu'un haut déversoir par où, sans fin, l'eau descendait. Elle en ruisselait comme d'une vasque. L'*Alexandros* se soulevait pourtant encore à la lame, car, l'Anglais l'avait attesté, ses panneaux avaient tenu, et c'était une jolie réclame pour le constructeur !...

Sur le *Cyclone*, le travail commençait. Pendant le voyage, la remorque lovée sur le pont, un énorme cylindre de chanvre et d'acier, avait fait des siennes. Elle avait sauté sur la lisse et brisé les saisines. Il fallait, maintenant, la dérouler, la présenter, et c'était déjà une besogne écrasante. Elle valait cinquante mille francs. Il y en avait cinq comme elle dans la cale et une de rechange sur le pont. Celle qui allait servir était déjà engagée sur le tambour de remorque.

Quand le moment était venu de passer aux clients l'anneau dans le nez, on leur lançait d'abord une ligne de quatre cents mètres, de la corde brune et solide. Puis suivaient trois grelins de grosseur croissante. Enfin arrivait la remorque, un câble d'acier, qui s'en irait sur le remorqué, et le spring, un autre énorme câble, mais fourré, celui-là, d'une tresse de chanvre qui lui donnerait de l'élasticité, lui permettrait de s'allonger un peu dans les secousses brisantes qu'il recevrait tout à l'heure.

Un homme s'approcha, une hache au poing, et se mit à couper à grands coups les filins qui retenaient chaque tour de la remorque. Les autres empoignaient le câble pesant, déroulaient les cercles de la pelote colossale. Ils étaient vingt sur l'arrière, à haler, en appuyant les torsades géantes contre leur ventre, vingt dans l'eau jusqu'aux cuisses, qui se cramponnaient à la remorque sous les ruées des lames et oscillaient avec elle d'un bord à l'autre.

Car ils travaillaient maintenant au ras de la mer, sur ce pont arrière si bas que, depuis le départ, sa lisse ressemblait à une digue submergée. Ils travaillaient parmi des choses courtes et dangereuses, sous les arceaux de remorque, deux cintres d'acier que le spring, bientôt, ferait plier comme des ressorts ; ils tendaient à la hauteur des nuques, des poitrines, leurs arcs qui assommaient des hommes à chaque sauvetage. On avait les jambes fauchées par les rebords de fer des cales, le capot du carré, les bornes des pompes, et aux coups d'acculée, tous tombaient par rangs, comme des quilles.

Enfin, le maître d'équipage s'en alla crier dans le porte-voix :

— Paré !

Le *Cyclone* était venu à très petite vitesse sous le vent du cargo. Les hommes soutenaient dans leurs bras les tours de la remorque, comme les dompteurs présentent les grands boas. Ils avaient reculé en ligne jusqu'au pied du château-milieu où le bout du spring irait s'attacher. Il y avait là, profondément enfoncé dans la passerelle, un demi-cercle d'acier où se suspendait un pesant croc mobile, semblable à ceux qu'on voit, au bout des chaînes des grues, soulever des charges de vingt tonnes. C'était à cela que le maître d'équipage devrait accrocher l'œil de la remorque, un anneau d'acier ovale, entouré d'un bourrelet de chanvre. Le remorqueur était harnaché, mais il restait à atteler le cargo et, avec ce ciel pourri, on ne pouvait plus guère compter que sur deux heures de jour. Renaud aussitôt demanda au Grec :

— Êtes-vous prêts à mailler la remorque ?

L'autre prit son temps et répondit :

— Trop de risques. Personne ne veut sortir pour démailler la chaîne. Équipage à bout de forces.

Renaud se rapprocha encore et examina longuement, à la jumelle, le pont du vapeur. Il l'inspecta, comme s'il avait voulu l'acheter. Certainement tout était en pantenne, mais des gars décidés auraient déjà eu dégagé ça aux trois quarts !... Même dans cette pagaille, rien n'empêchait vraiment d'aller à l'écubier travailler la chaîne. Il ne s'agissait, après tout, que d'une goupille à chausser, et le long du chemin, il y avait de quoi s'accrocher, dans cette ferraille !... Même si ça coûtait un homme ou deux, le collègue n'avait pas le choix !

Le capitaine insista donc :

— Je vois votre pont. Possible de démailler. Très souhaitable de frapper la remorque de jour pour faire route cette nuit. Courage ! Demain vous serez à Brest.

La réplique arriva aussitôt, scandée, rapporta le téséfiste, avec une rapidité trépidante.

— Matelots ne veulent pas sortir. Disent que le bateau est perdu. Veulent aller sur votre remorqueur, capitaine. Prière prendre les dispositions pour nous recueillir.

Quand Renaud eut lu, il fit un geste de colère, et garda le poing levé :

— Enfants de salauds ! Ça ne veut pas foutre le nez dehors pour dévisser un maillon, mais ça se sent capable de mettre tous les canots du bord à la mer pour lâcher leur barque ! Ça n'a que le courage de sa frousse !

Gouédic l'approuva chaleureusement. Jamais il n'avait rencontré de clients aussi bavards. Depuis le départ, ils l'avaient abruti de télégrammes, lui, le Breton laconique qui devait toujours s'arracher les mots de la gorge.

— Ils n'ont que de la jappe, conclut-il.

— Vous allez leur dire, expliqua Renaud, qu'ils nous...

Il n'acheva pas la grossièreté impatiente que Couédic attendait.

Puisqu'il découvrait des avaries graves au moral comme au bateau, il n'avait pas à se laisser déconcerter par les unes plus que par les autres. Il devait, aux équipages en détresse, ses encouragements et son sang-froid, comme il leur devait ses dix-huit cents chevaux et la solidité de ses remorques. Cette fois, il fallait d'abord crocher dans ce que l'homme avait gardé au ventre de courage ou de peur, avant de crocher dans le bateau. On y crocherait !... Il reprit donc posément :

— Vous leur direz bien, Gouédic, qu'ils sont cent fois plus en sûreté à leur bord que dans les canots, qu'avec cette mer, quitter le bateau, ce serait un suicide — vous enverrez le mot « suicide », hein ! Je ne pourrais pas les recueillir. Je ne le pourrais pas ! Compris ?... La seule chose nécessaire et possible, c'est qu'ils prennent la remorque. Vous ajouterez : « Gardez tout votre sang-froid »... Attendez, Gouédic... Vous ajouterez encore : « Je réponds de ramener votre bateau à Brest si vous suivez mes instructions. »

Mais, dix minutes plus tard, Gouédic rapportait la réponse obstinée :

— Matelots refusent de sortir, si ce n'est pas pour aller à votre bord.

Renaud ne put se retenir de gronder :

— Je serais curieux de voir la gueule de ce type qui, depuis une heure, se cache derrière ses matelots ! Ça devrait commander une *Marie-Salope*...

Les *Marie-Salope* sont ces péniches où les dragues déversent leurs vases.

Renaud voulut prendre une cigarette dans son paquet. Il était sûr de pouvoir l'allumer, la fumer là, en pleine passerelle, sans se la faire arracher des lèvres par la mer, preuve que ça avait molli. Mais ses doigts mouillés la crevèrent et cette déconvenue l'irrita.

Le *Cyclone* doublait de près le bateau désert, toujours rincé comme une margelle, mais plus clos et hermétique qu'une boîte de conserve.

— Les sacrés maudits feignants !... Mais, bon Dieu, on essaie ! On amène sa gueule à la fenêtre, ne serait-ce que pour renifler le temps !...

Il s'exaspérait à se heurter contre cette inertie. Il manquait d'armes contre cette peur-là, peur paralysante, peur de volailles gardant la tête enfouie sous l'aile. Il l'avait cependant vue à l'œuvre, et souvent, la peur ! Mais la peur désespérée, qui inspire des audaces magnifiques... Quant à ces faillis bavards, ils crèveraient au fond de leur trou !

Il les imaginait empilés dans le carré, marinant dans leur sueur, leur colique, se cognant, en gueulant, contre les cloisons de tôle, du bétail fou, alors qu'ils avaient encore sur la tête et sous les pieds, un bon couillon de cargo étanche qui tenait le coup ! Ils devaient être à vingt ou trente, sous le pont, à se verser des bidons de larmes dans le cou l'un de l'autre, à appeler leur mère, à promettre des brassées de cierges à ces saints de Grèce, qu'il avait vus, pendant la guerre, dans les petites églises des îles, la tête au milieu d'une roue, avec une barbe dorée et des yeux de poisson !... Furieux, il regarda le ciel, à l'ouest. Le couchant y creusait la grande caverne de cuivre des tempêtes, mais la grotte fauve ne s'y ouvrit qu'un instant : des nuages ronds et noirs roulèrent devant le trou béant et l'obstruèrent. La nuit descendait dans la pluie. Descendait-elle, montait-elle ?... Et d'où ?... On ne savait. L'obscurité jaune gagnait, comme une maladie du ciel, une pourriture brusque de ce que, faute d'autres mots, on nommait le jour et qui n'était qu'une cohue de fumées. L'eau boueuse noircissait. Le gris de l'écume en devenait presque clair.

— Dans une demi-heure, pensa Renaud, il fera noir comme sous terre !...

Les feux de route soudain s'allumèrent.

— C'est joué pour aujourd'hui, déclara le capitaine. Demain, ils seront peut-être mieux disposés.

La mer l'avait dressé à passer de la colère à la résignation avec une rapidité d'embrayage...

Mais aussitôt, le Grec affolé par l'ombre, l'assiégea de recommandations pleurardes :

— Jurez, capitaine, de rester tout près de nous ! Allumez beaucoup pour que les hommes voient vos feux. Approchez le plus possible pour être prêt à nous recueillir.

Renaud assura qu'il croiserait jusqu'au matin devant le cargo, que la tempête mollissait et que leur bateau n'était pas en danger. Ils devaient donc profiter de la nuit pour démailler leur chaîne et être prêts, dès l'aube du lendemain, à prendre sa remorque.

Puis, aussitôt, il les saisit dans son projecteur comme un enfant peureux qui réclame de la lumière.

Le grand jet pâle éclaboussait les lames, tirait de l'ombre un cône de mer furieuse, et sa clarté froide s'attachait au vapeur, qu'elle frappait au bout d'une avenue de clarté. Elle l'isolait de la nuit. Souvent, dans le tangage, elle le perdait, semblait s'enfoncer sous lui, puis elle l'atteignait de nouveau, détaillait les brisures de son pont, en accusait le pillage.

C'était vraiment un extraordinaire hérissement de débris, un abattis de fer jeté de l'avant à l'arrière, sous un réseau de ronces géantes. La mer défrichait le buisson d'acier, en repoussait les retailles sur tribord, où elles pendaient. Le château-milieu, surmonté de la haute cheminée qui fumait encore, rappelait ces masures bancales que les zoniers plantent parmi les amoncellements de ferraille et qui disparaissent à demi sous la montée des bidons déchirés, des cercles de barrique et des fourneaux crevés.

Renaud contempla un instant tout ce saccage, puis il donna le cap au timonier et le *Cyclone* commença sa promenade monotone de sentinelle.

Le capitaine avait résolu de veiller.

Cela ne lui coûterait pas : après vingt-quatre heures de passerelle et d'ouragan, les pensées se sont tues ; or, en mer, la pensée fatigue et alourdit le poids du temps. Renaud sentait qu'il pouvait compter sur cette demi-conscience, où le guet se fait tout seul, où ne surnagent plus que les données essentielles : un bateau là-bas, le mien ici... Telle distance entre les deux... Telle distance à conserver.

— Vous devriez aller vous coucher, Tanguy. Vous auriez bien trois heures à dormir...

Il avait donné ce conseil par convenance, mais il le savait inutile : le second ne dormait jamais en mer, et, au fond de lui-même, Renaud n'en était pas mécontent. Tanguy lui offrait un étai solide et toujours disponible. Il meublait la passerelle et, à force d'y rester, finissait par y sembler aussi indispensable que le chadburn ou le compas.

Le premier quart de nuit se serait passé sans incident notable si, vers onze heures et demie, Gouédic n'était monté, avec une face encore élargie par une stupéfaction scandalisée :

— Je viens vous avertir, capitaine, qu'ils attaquent tous les bateaux pour leur demander du secours !

C'était vrai. Les Grecs appelaient de nouveau à grands cris toute la mer. Avec un merveilleux aplomb, ils assuraient que le *Cyclone* était impuissant, qu'il n'avait pu les prendre en remorque, et pouvait encore moins recueillir l'équipage du bateau condamné. Il fallait donc venir en hâte les chercher, sauver leurs trente pauvres vies !

— Ah ! ça, alors !... dit Renaud.

Ça, c'était, en effet, de l'inédit ! Il lui était arrivé d'entendre des gens réclamer, sans même l'avoir prévenu, le secours supplémentaire d'autres remorqueurs. Mais c'était toujours lorsque le remorquage était commencé et que le capitaine sauveté avait jugé, à l'épreuve, l'aide du *Cyclone* insuffisante. Quant à prétendre que Renaud avait échoué, alors qu'il n'avait pas même essayé de leur jeter un bout de filin, cela dépassait les bornes de l'impudence !

Et c'était, de plus, une saloperie complètement inutile ! Comme il s'y attendait, tous les vapeurs, à cent milles à la ronde, s'étaient poliment récusés. Ils avaient répondu que si le *Cyclone* équipé pour la remorque était impuissant, ils le seraient, eux, encore bien plus ! D'ailleurs, puisqu'il était sur place, il ne manquerait pas de sauver l'équipage si besoin en était.

Le capitaine dicta cependant deux télégrammes, le premier de démenti, l'autre de semonces au Grec avec menace de le planter là, s'il continuait à faire l'imbécile.

La nuit se traîna dans une veille lourde. L'équipage, dont c'était le premier répit depuis trente heures, dormait debout dans tous les coins abrités. Ils encombraient surtout les courtines où les genoux fléchis, la tête tombée dans le ciré, ils dormaient comme s'ils avaient été attachés, morts, à un poteau de torture et soutenus par une corde passée sous leurs aisselles. En vérité, des morts en accordéon, dont les cassures jouaient d'elles-mêmes, à chaque coup de tangage, pour l'étaler au mieux. D'autres, accroupis dans un angle de fer, raclaient quelques ronflements, puis relevaient en sursaut la tête et ouvraient des yeux étonnés. Ils ne se rendormaient qu'après avoir compris, une fois de plus, où ils se trouvaient.

Les plus éveillés s'étaient rassemblés vers l'avant, dans la cuisine surtout où l'on avait chaud. Royer, pas plus que Tanguy, ne dormait jamais en mer. Il était trop sec, tout en tendons, en muscles, en choses actives, et le sommeil ne s'installe que dans les graisses. Alors, ne dormant pas, il recevait... Il s'était assis sur son tabouret de bois, sous la petite échelle de corde qui montait au logement de la guenon, une villa somptueuse, sculptée au couteau. Royer, ciseleur de trois-mâts pour bouteilles, y avait mis tous ses soins. Elle avait le chauffage central, car un des mécanos y avait branché un minuscule radiateur sur un tuyau de dégagement des machines... Royer écoutait Kerlo raconter la Chine et les Chinois. Le bosco ne parlait guère qu'au large, comme s'il eût fallu, pour donner le branle à ses beaux souvenirs, le mouvement des bateaux auxquels ils étaient attachés. A terre, c'était un autre passé qui remuait au fond de sa mémoire, un passé inconnu de tous et qu'il tuait d'alcool. On l'écoutait parce qu'il ne se répétait jamais et qu'il livrait, à chaque récit, un peu de ses aventures dont tous étaient curieux. Il connaissait le monde entier, et l'équipage assurait qu'il l'avait couru sur un yacht, le sien. Cela les flattait...

— C'était, disait-il, le bon temps où chacun gagnait de l'argent et le dépensait... La Chine était la Chine, Java était Java... J'avais un équipage moitié chinois... Les sacrés maudits gars ! Moins vaches que nous, quand même ! Réguliers... Douze heures à plein rendement, mais le samedi pour laver leur linge et repos le dimanche... Tous les soirs, un petit bâton d'encens devant l'autel des ancêtres. Ils auront peut-être notre peau, un jour, et ça ne sera pas dommage ! Ça ne boit que du thé, ça se soutient entre eux : tout marche par congrégations !... Et puis, ils savent être propriétaires : une famille s'appuiera un kilomètre pour aller crotter dans son pré. C'est de l'engrais ! Et à la page : aujourd'hui, les pirates ont la t.s.f. ! De mon temps, la grande défense des jonques, c'était de semer des pointes à cinq étoiles parce que les pavillons noirs s'amenaient pieds nus.

Il s'interrompit pour aller faire sa ronde et revint en appelant au capot du carré qui venait d'être crevé comme d'un coup de poing. Ça faisait un bel entonnoir par où toute l'eau de l'arrière s'engouffrait, et l'arrière était plein comme un bénitier ! Le bosco appelait sous le château-milieu et les hommes chancelaient hors des abris jusqu'à cette voix, jusqu'à la nuit sabrée de lames obliques. Ils allaient s'agenouiller près du maître d'équipage, accroché aux rebords de fer de la cale et qui braillait après des planches et des prélarts. Kerlo les voyait à travers le grillage de la pluie, bizarrement éclairés par la grosse lampe électrique de tribord, qui lançait sur eux des jets d'ombre. Ils avançaient, cambrés puis fléchis, par brusques saccades. Il leur cria d'accélérer, et ils furent bientôt une vingtaine d'agglomérés autour du capot, à genoux, penchés sur le trou comme s'ils avaient voulu cracher dans un puits. Lorsque l'arrière embarquait, ils recevaient le coup, le dos rond, la tête inclinée, comme une bénédiction.

Le maître d'équipage enfonça le bras et fit jouer sa lampe électrique.

— Ça a tout du balnéum ! Un bonhomme en aurait jusque sous les bras. Il va falloir me vider ça !...

Derrière lui, une voix où s'attardait un reste de rigolade pas méchante, mais quand même satisfaite, dit :

— Les complets du patron vont se trouver rafraîchis !

Renaud, dont la cabine s'ouvrait sur le carré, gardait toujours dans sa commode deux complets de rechange, car il arrivait que le *Cyclone*, traînant un rescapé, abordât au Havre ou à Dunkerque et il fallait être propre, hors de chez soi !...

— Tiens bon les gars !...

Le bosco, qui avait l'œil, venait de crier en voyant comme se levait la lame à tribord, dans un mauvais moment, juste au coup de tangage qui mettait tout l'arrière dessous. D'instinct, ils s'aplatirent contre le sol, ainsi qu'à l'explosion d'un colossal obus. L'arrière fut coiffé d'un coup par la trombe. On eût dit la rupture d'une digue déchargeant à bout portant un fleuve. Vingt souffles furent écrasés dans les poitrines par l'écroulement, vingt visages aplatis contre les planches du pont. Alors le bosco, dans l'ombre toute noire, car la seconde lampe d'arrière venait d'être soufflée par le choc, appela son monde d'une voix essoufflée, basse qui ne parvint à s'enfler qu'aux derniers noms, ceux qu'il devait répéter. A l'appel, ils se levaient pesamment de tous les coins de la nuit où ils avaient été drossés, les uns contre le treuil de remorque, les autres sous les colonnes des pompes. D'autres encore s'aidaient, pour se redresser, de l'échelle des passerelles, ou embrassaient le mât comme des ivrognes un bec de gaz. Le bosco cria :

— Il me manque Le Hellégouarch... Et puis trouvez-moi de la chandelle... des baladeuses, et en vitesse !

Quand elles furent allumées, on retrouva le matelot, un

petit gars si blond qu'il en avait les sourcils blancs, assommé contre les arceaux de remorque, et gisant le long de la lisse.

— Sacré maudit veinard, dit un homme qui le relevait. Là où il est allé se coucher, il aurait dû passer dix fois pardessus bord !

Le garçon avait le front ouvert, on l'emporta à la cuisine et Renaud averti descendit en hâte. Royer versait déjà une pleine bouteille de teinture d'iode dans la large plaie et, satisfait, il assura, en entendant gémir le blessé, en le voyant remuer une tête excédée :

— Ça les réveille toujours !... Vous rappelez-vous du père Taco, capitaine, quand il était tombé dans la cambuse, à l'aplomb du panneau ? Je lui avais lavé à l'eau-de-vie sa pauvre gueule défoncée. Ça le réveilla du coup : « Bougre de vieux machin, qu'il me dit, si encore tu me l'avais mise sur la langue ! »

Renaud qui n'écoutait pas s'approcha du petit. Il arrêta, du pouce, un filet de teinture d'iode qui coulait avec du sang sur la joue du matelot. Le Hellégouarch le regarda :

— Tu me reconnais ? demanda le capitaine.

Le gars ouvrit des yeux très grands à la question insolite :

— Pourquoi, que je ne vous reconnaîtrais pas ?...

— Ça va, dit Renaud, du moment que tu as ta tête, c'est que tout ce qu'il y a dedans est resté arrimé à sa place... T'en seras quitte pour te faire recoudre en arrivant, et si c'est proprement reprisé, ta connaissance n'y verra que du feu. On va te panser et tu vas rester là.

Il remonta sur la passerelle. Il écouta vibrer la pompe qui vidait le carré, puis il regarda la mer se lever dans le projecteur. Une rafale faillit lui arracher son vieux chapeau éponge.

— Ce qui est rigolo à penser, cria-t-il à l'oreille de Tanguy, c'est qu'il y a des millions de gens qui, à cette heure-ci, ne savent même pas qu'il y a du vent !...

Le second grogna quelque chose d'indistinct, mais Renaud sentait qu'il venait de dire là quelque chose d'essentiel, que les hommes ne se partageaient vraiment, en cet instant de la nuit, qu'en deux parts : ceux pour qui le vent existait comme la réalité la plus formidable d'un monde qu'il emplit tout entier, et les autres, ceux qui, au fond des villes, dans les fosses des profondes rues, derrière les murs redoublés et complexes des maisons, ne soupçonnent pas même que tout le ciel est en fuite. Obscurément, il comprenait qu'il était, lui, au contact des forces éternelles, et un instant il entrevit qu'il pouvait y avoir là quelque chose de grand. Puis, sa pensée, très vite lasse quand elle ne travaillait pas pour l'action, lâcha l'idée et s'amusa un moment d'une femme avec qui il avait bu, à Montmartre, lors du dernier dîner des capitaines au long cours. Elle ne voulait pas croire qu'il fût marin : « Alors, vous vous êtes mis en civil », disait-elle. Car elle ignorait, l'enfant, qu'il existât une marine de commerce !...

Quand le capot eut été condamné, que le bosco et ses hommes se furent repliés sur le château-milieu, Kerlo fit le compte des avaries :

— Une moitié de passerelle, la baleinière bousillée, les haubans écourtés, deux capots crevés sans parler des claires-voies et des hublots défoncés, on n'aura ni mine ni grâce pour rentrer !...

Ce fut la dernière alerte grave de la nuit, car le *Cyclone*, à ce rôle de factionnaire, fatiguait moins. Il avait pris la cape, dérivait obliquement, en crabe, puis, arrivé au bout de son parcours, il remontait sa dérive à petite allure, épaulait la lame à trois quarts du vent et son avant robuste lui frayait une route, comme un front obstiné et rocailleux de buffle. La mer, d'ailleurs toujours aussi haute, était devenue moins brisante. Quelques lames, déjà, s'arrondissaient en houle, d'énormes rouleaux qui vous couchaient bord sur bord. A cinq heures, au café du matin, Royer regarda, narquois, les visages défaits, maussades des consommateurs :

— Vous avez de bonnes gueules !

— Tu ne vois pas la tienne, empoisonneur de chrétiens !...

— Oh moi, toutes mes conquêtes sont faites !

Pendant ce temps, le capitaine télégraphiait au Grec :

— Avez-vous démaillé ? Êtes-vous prêts à prendre la remorque ?

— Non, nuit trop dure !

— Démaillez immédiatement. Nous passerons la remorque à 7 heures. Urgent de profiter de l'accalmie pour mettre en route... Il faudrait, confia-t-il à Gouédic, pouvoir les enfumer sous leur tôle comme des blaireaux... Mais au fait... tenez, signalez donc encore : « Ouessant annonce nouvel ouragan du suroît. » C'est une blague, mais ça les fera sortir...

La visibilité était mauvaise. Renaud crut cependant apercevoir des mouvements sur le pont du cargo. Toutefois, le capitaine grec demanda qu'on attendît 9 heures pour lancer la remorque.

A 9 heures, le *Cyclone* passa sous le vent. Tanguy était descendu à l'arrière. Il tenait la grosse fusée porte-amarre. Son coup d'œil était renommé, mais le roulis restait si cassant et le Grec faisait de telles embardées, quand une lame le prenait par le travers, que la première fusée le manqua. Le second hurla :

— Passez au vent !

Le *Cyclone* doubla lentement l'épave et vint au vent. Tanguy s'était calé entre le corps de pompe de bâbord et la lisse. Il tenait, serré dans son poing, contre son ventre, son briquet à amadou et la mèche de la fusée. Quand le cylindre cracha des étincelles, le second le pointa à bras tendu, au bout de la longue baguette, et lâcha. La fusée jaillit. Elle passa, juste au-dessus de l'*Alexandros*, par son milieu, retomba dans la mer, de l'autre côté : un mince fil noir, étonnamment distinct sur la mer savonneuse, reliait maintenant les deux bateaux.

Renaud, qui guettait le pont du cargo, gronda :

— Mais, bon Dieu, ils ont l'air de s'en foutre que le filin leur soit tombé dessus ! Ils vont nous le laisser écourter !

Il prit son sifflet et les appela rageusement. En hâte, un matelot, à l'arrière du *Cyclone*, larguait la ligne qu'une embardée pouvait casser. Enfin, après quelques minutes, il y eut dans la longue corde comme une vibration légère, ainsi qu'il arrive quand un poisson mord. Les Grecs se décidaient à prendre la remorque.

C'était, cette première partie de l'envoi, un travail de demoiselle, ridiculement délicat. Au bout des gros doigts, le mince fil de ligne s'allongeait, manié avec des précautions de dentellière, une hâte anxieuse s'il venait à se raidir. Les hommes, debout autour de l'énorme paquet de cordages qui allait suivre, se mettaient à quatre, à six, pour le dérouler, l'élonger à bout de bras, donner du mou, à temps.

Cette première ligne de quatre cents mètres paraissait à Renaud interminable. Jamais, depuis qu'il était dans le sauvetage, il ne l'avait vu haler plus mollement. Sûrement, ces gars-là ne tiraient que d'une main, bien abrités de peur de se faire laver la figure. Par instant même, la ligne restait molle, ne filait plus, le poisson semblait décroché, puis, elle repartait, indolemment, et le capitaine s'exaspérait :

— Ils tirent comme pour un autre !

— C'est des Grecs, expliqua le timonier perspicace, qui avait escorté, pendant la guerre, sur un torpilleur, les transports de troupes vers Itéa. Ils calculent sûrement à combien que ça leur reviendra le mètre !...

Enfin, la ligne embarquée, un grelin gros comme un doigt glissa vers le cargo. La corde brune s'en allait lentement, elle aussi : on la perdait de vue dans les lames, puis on la revoyait nager comme une algue mince. Quand elle émergeait, brusquement tendue, on eût dit que ceux du remorqueur jouaient au cerf-volant avec le gros cargo noir. L'*Alexandros* avait, en effet, les mouvements imprévisibles, les brusques glissements, les chutes et les retraits d'un cerf-volant pris dans les remous. Et les hommes du *Cyclone* qui dévidaient les spires de corde, montraient, eux aussi, les visages tendus de gosses qui craignent de perdre leur planeur avec toute leur ficelle.

Après les trois grelins, la remorque partit à son tour. C'était maintenant le puissant câble d'acier noir, que le tambour du treuil déroulait, que les hommes guidaient, à tribord, à bâbord, avec des bouts de filin neuf. Aux embardées, ils halaient ferme pour le tenir dans l'axe, sans quoi il se fût engagé sous la fesse du remorqueur, et une fois le *Cyclone* assis dessus... ! D'autres dépliaient les tours du spring et les paquets de mer lavaient leur sueur.

Kerlo regardait la remorque filer jusqu'au couronnement arrière où elle disparaissait dans la mer furieuse. Il fit un signe : le stoppeur grinça, ses mâchoires serrées sur les torons. A deux bras, le bosco souleva l'œil de la remorque et l'engagea du premier coup dans son croc. Le *Cyclone* était attelé.

Par ce temps « forcé », le Grec, en dérive, allait tirer comme une vache rétive. Renaud lui recommanda de filer trois maillons de chaîne, trois fois trente-deux mètres de sa chaîne d'ancre, afin que le poids colossal fît sous l'eau une courbe qui amortirait les brusques tensions. Sa stupéfaction fut grande lorsque, au bout d'une demi-heure, on lui télégraphia de l'*Alexandros* qu'il ne voyait plus dans le crachin :

— Parés.

— Ils ont fait vite, constata-t-il, avec un retour d'estime.

Il comptait, en effet, qu'il faudrait une bonne heure de travail pour frapper proprement la remorque. Pris d'un doute, il demanda des détails. On lui répondit qu'il avait été impossible de s'attacher sur la chaîne, que l'on n'avait pu que tourner le câble autour du mât. Cela augmentait de plus de cinquante pour cent les chances de casse ! Renaud jura.

— Biffins, soldats ! Il est dit qu'ils n'en rateront pas une !

Il regarda, penché, tout le corps dehors. Le câble noir encore au repos s'allongeait sur ses arceaux. Le capitaine hésita une seconde. Sa responsabilité venait subitement de doubler : il n'était plus libre, il devenait solidaire, lui, le bateau bien portant, raisonnable, du bateau saoul qui titubait dans les lames. Il était désormais lié à ses écarts qui retentiraient dans ses tôles à lui.

Il soupesait le spring des yeux, en supputait la force. Son attention se logeait en lui, en comptait les torsades d'acier, devenait comme la conscience, l'âme même de la remorque... C'est qu'à la mer le cordage, le câble remplissent à fond l'office essentiel du lien : attacher la vie à l'homme, au bateau. Amarre ou étai, drosse ou cargue, l'ancre, le mât, le gouvernail, la voile sont confiés à leur force, et leur rupture est souvent plus meurtrière que l'enfoncement d'une tôle.

Renaud se retourna vers l'homme de barre :

— Laisse abattre.

Puis, il poussa la manette du chadburn sur : « Avant. Le plus doucement possible. »

Le *Cyclone* vira de bord.

5

La remorque ne cassa que vers le soir.

En dix heures, on avait à peine gagné vingt-cinq milles. N'était-on pas descendu jusqu'à deux nœuds à l'heure ? Un pas d'enfant !... C'est qu'il avait fallu traîner le cargo en travers, et il embardait, à bout de remorque, comme un mauvais cheval au dressage, à bout de longe. Ses sauts l'avaient jeté maintes fois à la hauteur du *Cyclone* qui ne s'était garé que de justesse.

Et pourtant Renaud n'avait rien brusqué. Il n'avait conservé de vitesse que ce qu'il en fallait pour gouverner, mais jamais il n'avait eu affaire avec une remorque si enragée !

Elle s'était vraiment conduite en bête féroce lâchée sur l'arrière. Elle pliait ses arceaux comme des osiers, se tordait en roulant sur le portage. Vers trois heures, elle avait sauté par-dessus les bittes de sécurité, deux butoirs qui bornaient sa course en largeur. Ainsi libre, elle pouvait causer une catastrophe, faucher, arracher tout ce qui dépassait sur le pont, couper les haubans, décapiter les pompes et les manches à air. Il n'était au pouvoir de personne de la faire rentrer entre ses barreaux, à cause de la formidable traction de son poids et de la mer. Heureusement, au roulis, elle s'était replacée d'elle-même entre les bittes...

Renaud l'avait vue, à chaque minute, sauter ruisselante, hors des lames, faire ventre comme une corde de harpe que l'on pince, puis replonger en sifflant. Une remorque de quatre cents mètres, comme celle-là, qui pesait des tonnes et des tonnes, aurait dû, cependant, se tenir dans l'eau, tracer sous la lame sa large courbe, faire un peu ressort. Or, malgré l'allure de corbillard qu'avait prise le *Cyclone*, elle était restée plus raide qu'une barre, exactement comme si Renaud en eût filé vingt-cinq mètres, au lieu de quatre cents, et navigué avec l'étrave du Grec sur son arrière !

Et ce Grec qui, tout le long de la journée, n'avait cessé

de geindre et de protester ! Attaché à son mât, le câble, disait-il, cassait tout chez lui. Il avait scié la lissc, entaillé les tôles, démoli le guindeau, brisé les claires-voies. Tout ça devait arriver ! Renaud pourtant avait offert, à midi, de prendre la cape, pour que le collègue pût rafraîchir son portage. Monsieur avait refusé... Trop de travail !...

On avait bien essayé, vers la fin de la journée, de se servir des machines de l'*Alexandros*. Cela n'avait abouti qu'à renforcer ses embardées. On avait tout de suite arrêté les frais !

Quand la remorque cassa, à six heures dix, il y eut, comme toujours, sur le *Cyclone*, un instant de stupeur à la voir ainsi inerte, pendante et molle. Puis Renaud pensa un chiffre : cinquante mille francs. C'était cinquante mille francs qui venaient de tomber à l'eau... Il télégraphia au Grec de rentrer son morceau de câble afin de pouvoir lui en envoyer un autre. Lui-même rentra le sien.

C'était le treuil qui s'en chargeait. Il se mit à broyer son « cra, cra » hâtif, un bruit à dents, fait de déchirures métalliques, et qui semblait découpcr la masse des autres bruits. Le tambour amenait le spring sur le pont, et les hommes le lovaient. Et il y avait là quelques minutes d'extraordinaire travail : les doubles du câble mouillé se plantaient debout, en larges arceaux, au-dessus des gars qui s'y jetaient comme à des barres fixes, s'y suspendaient pour casser la boucle, faire tomber la remorque dans ses plis. Des genoux, du ventre, ils écrasaient ces grands huit de chanvre et d'acier, dansaient dessus, avec le regret de ne pas peser dix tonnes !

Le pont dégagé, il fallut arracher la rechange du fond de la soute. Renaud s'était remis debout au vent, afin d'empêcher les mauvais paquets de mer d'enlever les hommes à la manœuvre. Malgré cela, l'arrière embarquait tout ce qu'il voyait !...

Ils étaient tous là, trente paires de bras : cuisine, téséfiste libre, mécaniciens, chauffeurs, tout le monde halait dessus, à s'en faire éclater les veines ! Ils travaillaient, en ligne serrée, mains contre mains, une grappe de corps arc-boutés qui tombaient, roulaient d'un bord à l'autre, gagnant mètre par mètre sur l'énorme enchevêtrement. Il y en avait un, Mahurec, de Crozon, qui déhalait de toute sa force, comme les autres, mais en vomissant discrètement dans le vent, un filet de vinasse et de gluante salive qu'il éructait à chaque effort et qui s'en allait droit dans la face de son vis-à-vis, un petit Cornouaillais, patient et obstiné, qui ne se dérangeait point pour autant, mais qui finit cependant par faire remarquer :

— T'aurais quand même pu te mettre sous le vent pour dégueuler.

Heureusement, les paquets de mer vous rinçaient jusqu'au fond des narines !

Le maître d'équipage attelé comme les autres, mais au plus près de l'arrière, rythmait de cris la traction, des cris gutturaux, appris des pirates et qui traversaient les hommes ! Eux haletaient avec de terribles visages. On eût dit qu'ils se battaient pour leur vie. Des injures passaient entre leurs dents serrées, car aucun, au fond de son instinct, ne s'attaquait seulement à l'inertie d'une grosse corde. C'était un ennemi vivant, auquel ils s'affrontaient avec cette haine, cette colère qui décuplent les forces et les laissèrent penauds, les bras vides, leur fureur sans objet, quand la remorque de rechange fut montée, que ses dernières spires apparurent hors de la cale :

— On en a quand même eu le bout, la garce !

Tanguy alla chercher une nouvelle fusée et revint, morne et indifférent, s'adosser à la pompe de tribord. Il tenait cette fusée comme un cierge.

La nuit recommençait, la troisième nuit, et qui s'annonçait mal. Land's End signalait un ouragan se déplaçant du S.-O. au N.-E. et Renaud voulait faire vite. Il télégraphia au Grec qu'il ne voyait plus, dans cette ombre noyée :

— Absolument indispensable de mailler la remorque sur votre chaîne. Sacrifiez votre ancre bâbord si nécessaire.

C'est toujours encourir une responsabilité grave que d'ordonner à un bateau de sacrifier son ancre. Renaud pourtant n'hésita pas. Il savait ceux-là incapables de la brider proprement, mais la laisser couler avec son maillon pour libérer la chaîne, ça, ils sauraient le faire... Or, c'était par la chaîne qu'il entendait tirer le cargo, cette nuit-là. Autrement, on y laisserait toutes les remorques de la cale !

Il vint se placer sur l'avant du vapeur, à trente mètres à peine sous le vent, une imprudence, car, dans ses écarts fous, le Grec pouvait se jeter sur le *Cyclone*, le heurter au fond d'une lame. Mais il fallait décider ces gars-là à travailler, et ils ne le feraient que sous le regard et les encouragements d'un chef. Alors, dans la nuit qui tombait, une nuit qu'on sentait au-dessus de soi haute et lourde comme une montagne, ceux du *Cyclone* se mirent à brailler, à appeler de gestes frénétiques les Grecs sur leur pont.

Ils avaient tous senti, ces Bretons point causants, que les autres n'attaqueraient la besogne que sous les clameurs et les hourras, et ils applaudirent, en gueulant comme à l'arrivée d'une course, le premier qui sortit de la coursive. Un second, d'autres se hasardèrent. On les couvrit de cris cordiaux tant qu'ils n'eurent point achevé de mailler le câble, jusqu'à ce que les feux de remorque du *Cyclone* se fussent allumés au mât de misaine. Avec le feu de route, cela faisait trois étoiles qui signalaient un danger supplémentaire aux bateaux traversiers, les avertissaient de s'écarter du convoi, afin de ne pas trébucher dans la ficelle, de se garder, surtout, de cette masse qui tournoyait sur la mer, une fronde de sept mille tonnes.

Le remorqueur avait repris son allure hachée de forçat traînant son boulet. Tantôt le cargo résistait, se lançait à rebours de la route, de toute sa force incohérente, tantôt il cédait brusquement, paraissait résigné à suivre et, quand son entraîneur avait pris confiance, il se dérobait dans un écart violent. On fuyait maintenant S.-S.-O. - N.-N.-E., en plein dans le lit du vent. L'attaque de la mer avait changé de sens et de forme. Elle montait sur l'arrière où rien ne l'arrêtait, et s'y appuyait pour escalader le château. La remorque, sous les feux des lampes, apparaissait aux reflux. Elle sortait des lames pour mordre le bateau à la croupe et l'attirer au fond. Car elle se tendait brusquement cent fois par heure, et toujours de façon effrayante, à en arracher la lisse ! On eût dit que sous la mer deux mains s'y rivaient pour sonner le remorqueur, comme les bûcherons attelés sonnent un arbre qui penche. Par-dessus le vent, les chocs de l'eau, on l'entendait crier contre les billes de bois qu'elle écorchait. Tout l'équipage était en veille. Les hommes massés à l'entrée des coursives la guettaient, comme des dompteurs un fauve lâché. Il y avait du danger, aussi leurs yeux tenaient encore le coup, mais leurs yeux seuls. Dans le relâchement des muscles empoisonnés de fatigue, les bouches s'entr'ouvraient, la jeunesse s'effaçait des visages creux. Il faudrait vraiment toute la force de la mer pour que leur force à eux répondît.

Renaud, lui, sur la passerelle, s'inquiétait au contraire de sentir monter en lui la fatigue de l'attention, la pire. Sa vigilance qui, depuis soixante heures, était demeurée attachée au compas, à la mer, à la remorque, se trouait maintenant de distractions dangereuses. Il se rappelait ce qu'un de ses amis, capitaine de chalutier, appelait la crampe du regard. Celui-là restait assis, neuf mois de l'année, sur un tabouret de piano, et son devoir était de braquer les yeux sur son pont, nuit et jour, afin que les cinquante hommes qui y travaillaient le poisson sentissent toujours le poids de cette surveillance. Après un coup d'œil jeté à sa petite fenêtre, ils constataient : « Il y est » et ne se relâchaient point. Ce collègue-là, à terre, il était presque impossible de lui trouver les yeux. Il vivait paupières baissées, comme une nonne.

Quand Renaud se fut aperçu qu'il regardait sans intérêt sa remorque et les demi-cercles que traçaient derrière lui les feux de route du Grec, il comprit qu'il était temps d'appeler la cambuse à la rescousse, et il fit distribuer un boujaron aux hommes. Pourtant, il ne filait l'alcool que comme les autres filent l'huile, dans les cas graves.

A une heure du matin, Gouédic monta. Lui aussi avait des yeux ivres. Depuis soixante heures, les points et les traits lui entraient dans la tête en piqûres d'épingles. Le crâne lui en éclatait. Le Gall l'avait vu faire des gestes de détresse, se boucher les oreilles à une minute où les bateaux parlaient tous à la fois, et les postes côtiers. Il avait crié furieusement :

— Oh ! vos gueules !

Il apportait la dernière du Grec :

— Prière venir à côté de nous. Impossible de tenir. Abandonnons le bateau.

Leurs instances puériles pour s'en aller lassaient même l'indignation de Renaud. Il n'en éprouvait plus qu'un ennui excédé. Il dicta un télégramme plein de longueurs et de redites : « Votre bateau n'est pas en péril. Je ne puis aller près de vous qu'en larguant ma remorque et je ne pourrais pas la reprendre après. Votre bateau sera perdu et un danger pour tout le monde. Si besoin était, nous larguerions tout pour prendre votre équipage. Mais ayez courage, tout ira bien. »

Un quart d'heure plus tard, le Grec signalait :

— Tous les matelots sont décidés de se sauver pour aller sur vous. Faites tout pour les recueillir et les contenter dans la mesure du possible sans quitter la remorque.

— Ce qu'ils sont poissants ! dit le capitaine.

Au fond, il s'en amusait, comme jadis des angoisses de ses passagers, lorsque son petit paquebot remuait. Car il était bien décidé à les laisser dire. Il n'avait plus besoin d'eux pour quoi que ce fût, et ils ne pouvaient plus faire de blagues. Dans l'affaire, il n'y avait d'empoisonné que le t.s.f. qui se faisait rincer copieusement à chaque télégramme.

— Ils vont vous loger une fourmilière dans le poignet, mon pauvre Gouédic, à secouer comme ça votre émetteur.

— Mon émetteur, il cafouille depuis un moment, annonça Gouédic préoccupé, et pour lui regarder dans le ventre, avec un roulis de même !...

Renaud cherchait pourtant des phrases convaincantes :

— Eh bien, répondez : « Prévenez les matelots que s'ils quittent le bord, je ne pourrai pas les sauver. — Stop. Que je ne puis larguer la remorque qu'en cas d'absolue nécessité. — Stop. Qu'ils sont plus en sûreté à bord de leur navire que dans les canots. — Stop. Qu'ils prennent courage. — Stop. Ils seront certainement sauvés s'ils restent à bord. — Stop. S'ils gardent leur sang-froid... »

Il regarda sa montre : elle marquait deux heures. Il termina donc : « Ce soir nous serons à Brest. »

Mais quand il vit revenir Gouédic pour la troisième fois, il acheva l'injure qu'il avait déjà retenue :

— Signalez-leur qu'ils nous emmerdent !...

Le téséfiste grommela en se fouillant pour trouver le cahier :

— Ils disent qu'ils ont une femme à bord...

— Eh bien, qu'ils couchent avec, ça les occupera !... Mais qu'ils nous laissent travailler, nom de Dieu !

— C'est la femme du capitaine, précisa Gouédic, et ils disent qu'elle est blessée.

— Qu'est-ce qu'ils veulent que j'y fasse ? Que je lui envoie mes souhaits de meilleure santé ?...

— Ils veulent que vous la preniez sur votre bateau, capitaine. « Un devoir d'humanité » à ce que j'ai cru comprendre, car comme parasites !... Et pourtant on les entend ! J'aimerais mieux tripoter leur émetteur que le mien. Il ne gaze plus du tout !...

— Dans ce cas, ne le fatiguez pas. Répondez : « Impossible. » Pas d'autres explications, hein !

Gouédic parti, Renaud ne pensa pas une seconde à la femme en détresse sur l'épave. Elle n'était pour lui qu'un mauvais prétexte à lâcher le bateau. Il venait de le repousser comme il le devait. Incident négligeable...

D'ailleurs la mer l'occupait tout entier depuis quelques minutes. Il la connaissait trop pour ne pas deviner qu'elle préparait un de ses sales coups. Il s'en apercevait à une amollie trop brusque, à un silence où l'on entendit tout à coup avec une étrange netteté le battement de la machine, mais surtout à la danse large de la mer. C'était devenu, sous le *Cyclone*, un vaste creux lisse et froid qui oscillait. Les eaux se déhanchaient, se balançaient d'est en ouest comme lorsqu'on secoue un baquet à demi plein. Renaud savait que ce balancement était un élan, celui que prennent les eaux pour frapper et il siffla au porte-voix des machines afin d'ordonner :

— Diminuez de dix tours !

Puis il changea d'embouchure pour dire à Kerlo :

— Faites rentrer les hommes dans les logements et...

Le cri de l'ouragan le fit taire. On venait de rattraper la piaule. Il sentit sous lui le remorqueur trembler. Puis une force glacée emplit d'un coup la passerelle crevée, hésita un fragment de seconde et se rua. Renaud avait croché des deux mains à une épontille : le passage de la cataracte lui arracha les pieds du sol, ils partirent... La lame lui tapait dans le ventre, des tonnes d'eau lui passaient le long des oreilles ; il se sentait battre de tout le corps, comme une flamme à une tête de mât. Quand il reprit pied, qu'il eut longuement craché, il dit à Tanguy, qui, lui aussi, tenait à deux mains son épontille, comme un gosse la barre des chevaux de bois :

— Il y avait bien dix ans que ça ne m'était pas arrivé de faire pavillon !... Avec ça, les feux sont éteints !

Une secousse violente frappée à l'arrière le rasséréna : la remorque avertissait qu'elle était toujours là... C'était un bonheur, car dans le coup, elle eût pu, tout aussi bien, casser comme un cheveu.

Renaud, toutefois, jugea dangereux de continuer le remorquage. Le grain extrêmement dur passerait vite, croyait-il. Le mieux était de se mettre en cape pour étaler le mauvais quart d'heure. Il fallait donc prévenir le collègue qu'il allait tomber en travers et passer un moment désagréable. On aurait l'œil sur lui... On devait se trouver à environ vingt-cinq milles dans le sud-ouest d'Ar-Men. Cela permettait de dériver quelque temps encore sans danger, le temps que la mer s'abattît. Or le baromètre remontait déjà.

Mais comme on venait de prendre la cape, Le Gall accourut. Il venait dire que l'émetteur était en panne et que Gouédic réparait en hâte. Il venait surtout annoncer que le Grec n'apercevant plus les feux du remorqueur, ne sentant plus la remorque tirer, télégraphiait partout, depuis cinq minutes, que le *Cyclone* avait disparu. Il criait « au secours » au nom des deux navires... Impossible, avec la panne de Gouédic, de démentir, à Ouessant, ses S.O.S. !... Dans quelques heures, au réveil, vingt familles affolées se répandraient sur les quais du port du Commerce. Les femmes courraient après les renseignements comme après des enfants perdus...

— Bande de salauds !

Renaud tournait autour de l'étroite plate-forme, cherchant il ne savait quoi, peut-être quelque chose à leur jeter pour leur fermer leurs sales gueules !... Ses colères, jadis, faisaient rentrer sous le pont les équipages des voiliers, lorsque, arrachant sa veste, il marchait contre eux en grondant : « Vous voulez mes tripes... j'aurai les vôtres avant ! » Mais cette fois, sa fureur, qui ne pouvait rien atteindre, l'étouffait. Il en ôta son chapeau, d'instinct, pour se faire doucher le front... Ces enfoirés-là s'en prenaient à des femmes ! Il compta ce qui restait de sommeil à Yvonne, avant d'être frappée par la nouvelle... A supposer que Gouédic réparât avant le jour, qu'on pût démentir, ce sont toujours les nouvelles de naufrages qui surnagent, quand les télégrammes se contredisent, et qui enfoncent dans l'âme de celles qui attendent une inquiétude aiguë... Derrière lui, l'homme de barre, l'homme de veille, saisis des mêmes inquiétudes, remâchaient l'idée de deux femmes et de sept enfants en larmes, et cela les atterrait :

— Eh ben ! Oh ça !... Ça, alors !...

Seul, Tanguy haussa les épaules :

— Quand on rentrerait sans rien dire, grommela-t-il, ce ne serait pas un si grand malheur !...

Renaud se retourna agressivement :

— Vous feriez mieux de faire rallumer les feux pour que cet abruti ne nous croie pas tous lavés !...

Le second avait à peine pris l'échelle que le timonier, la voix pourrie de rancune, murmura :

— Si sa femme est contente d'en être débarrassée, ça le regarde, mais tout le monde ne se trouve pas dans son cas !...

Renaud courut après le second, le rappela :

— Non. Restez ici. Je vais aller voir moi-même si Gouédic va pouvoir reparler...

Dans la cabine de télégraphie, Gouédic, dépoitraillé, se livrait à un travail dérisoire : il alignait sur sa table les bobines des selfs, des vis minuscules, tout un démontage que le roulis bouleversait. Il poursuivait, à quatre pattes, de petits bouts de métal brillant qu'il jetait dans sa bouche avec une voracité d'autruche. Puis, entré à mi-corps dans le coffre de l'émetteur, il essayait d'engager, sous l'éclateur, un imperceptible écrou nickelé qui s'échappait entre ses doigts épais. Le roulis du *Cyclone* le jetait contre les bords coupants du coffre. Il ne pouvait parvenir à engager le boulon trop fin, et à cette besogne menue, il tremblait d'effort, la sueur coulait en rigoles de ses cheveux trempés jusque dans son gros cou rouge, plus que s'il avait halé la remorque.

— Pourrez-vous réparer, Gouédic ?

Il gronda, les joues gonflées de vis et d'écrous :

— Faudra bien ! J'y crèverai plutôt... Vous les avez entendues ces tantes-là ?

Le Gall, assis à la table, dans le petit fauteuil tournant, le casque aux oreilles, dit avec horreur :

— Les voilà qui remettent ça !

Et il ajouta en hochant la tête et en regardant le capitaine :

— Rien à faire pour qu'ils la bouclent : ils ne verraient pas le morse, le sifflet ne porterait pas.

Renaud songea à la sirène, mais il y renonça, en prévoyant qu'ils y entendraient le dernier appel d'un bateau qui sombre...

Quand il sortit, en se glissant le long de la baleinière, en crochant dans ses porte-manteaux pour regagner la passerelle, il vit un feu osciller à la hauteur de ses yeux, le long du mât de misaine, un feu qui clignotait comme une âme à l'agonie, s'éclipsait, disparaissait pour briller un peu plus haut... Dès que la nouvelle des télégrammes de panique avait déferlé dans sa cuisine, Royer avait empoigné sa lampe-tempête et, malgré la guenon qui, pressentant un risque, lui avait jeté les bras autour du cou et n'avait cédé qu'à la chaîne, il était monté, en sacrant, dans le cocotier d'avant, au risque de s'en faire vingt fois arracher par les lames et de tomber brisé sur le pont. Il attachait maintenant son fanal juste au-dessous du feu de route éteint, à l'extrême pointe des haubans.

Quant à Renaud, à peine de retour sur la passerelle, il fit remettre en route, cap au nord-est, préférant encore se faire démolir le derrière plutôt que de laisser croasser ces charognards. Lorsqu'ils se sentiraient de nouveau emmenés par le nez, et à une sacrée vitesse, car le *Cyclone* filait ses dix bons nœuds devant la tempête, ils seraient bien obligés de la fermer ! Et, si leur capitaine n'était pas le dernier des derniers, il démentirait lui-même et annoncerait que le remorquage continuait...

La brise mollit vers quatre heures du matin, à l'instant où Renaud aperçut le feu d'Ar-Men, le grand phare debout à l'extrémité ouest de la chaussée de Sein. Il lui sembla que la lueur des terribles écueils lui ôtait un poids très lourd. C'était le premier feu qui annonçait la terre. Il se retourna pour dire au timonier, car Tanguy lui paraissait, sans qu'il sût pourquoi, à l'opposé de tous les sentiments normaux :

— Voilà des clients que je ne serai pas fâché de déposer ce soir à quai !...

Mais la seconde remorque cassa à six heures, à l'aube, en même temps que la mer. Le bosco qui, avec une ténacité magnifique, l'avait veillée toute la nuit, comme un malade grave, avait annoncé qu'elle fatiguait beaucoup, qu'elle ne cessait de passer d'un bord à l'autre, en enlevant les plats-bords de lisse, et qu'elle s'était coupée dangereusement en deux endroits. Elle tint pourtant jusqu'à six heures du matin, puis elle lâcha, tranquillement, à l'embellie. Naturellement, elle ne cassa point là où elle s'était coupée, mais beaucoup plus loin, dans la mer qui l'avait tordue, arrachant brin à brin ses fils de chanvre, rongeant brin à brin ses fils d'acier.

Dans le petit jour gris, des gerbes de fusées montèrent du cargo, en même temps que sa sirène mugissait longuement. Renaud haussa les épaules :

— Est-ce qu'ils croient que je ne m'en suis pas aperçu ?...

Il se trouvait dans les lieux familiers, au sud-est du haut-fond de la Chimère, et il savait qu'à tribord avant, à dix milles environ, commençait la chaussée de Sein. On ne voyait pas encore les brisants, mais le vent et le courant y portaient, le grand courant de la mer montante où l'Océan donne à la Manche. Il pensa :

— Ce n'est pas le moment de laisser dériver le collègue trop longtemps...

On profiterait de l'embellie pour lui passer la troisième remorque. Cent cinquante mille francs de câbles pour le voyage, la note serait lourde... Puis, on doublerait la chaussée, à un bon mille de la bouée lumineuse qui en marque le bout dans l'ouest, et après, ce serait l'entrée dans l'Iroise, un vrai labour de courants, mais une bénédiction du bon Dieu, après ce qu'on venait de voir, car si la mer restait dure, le temps devenait nettement maniable...

L'équipage se portait déjà à l'arrière pour déhaler son morceau de remorque. Les hommes avaient cet air mal nourri, affalé, des valets de cirque, quand au petit jour ils roulent la grande tente. Kerlo, en les passant en revue, venait de les traiter de « margageats » !

Le *Cyclone*, activement, s'était remis debout à la lame, tant pour couvrir le travail que pour se rapprocher du « sauveté », lui jeter un troisième câble. Et tous étaient surpris de ce que le cargo continuât à mugir à pleine gueule, comme si la sirène avait été bloquée. Puis les Grecs envoyèrent des coups saccadés. Manifestement, ils voulaient retenir l'attention et le regard. De fait, sur le *Cyclone*, les matelots, avant d'empoigner la remorque à la traîne, gardaient les yeux fixés sur le vapeur, en se demandant :

— Qu'est-ce qu'ils vont encore faire ?

Ce fut si court qu'ils pensèrent avoir mal compris : ils avaient vu des hommes se ruer dans un canot, une bousculade féroce et rapide. Puis, tout à coup, l'embarcation suspendue à six mètres au-dessus de l'eau y était tombée comme une pierre : ils avaient coupé les garants.

Renaud, de sa passerelle, fut vraiment stupéfait, après cette chute, de les voir revenir sur la lame. Le timonier, sans attendre l'ordre, mit le cap sur les naufragés en disant cependant :

— Ils sont foutus !

Car, la mer n'était pas de celles que peut étaler un canot chargé à ras bord. Et ceux-là devaient couler bas. Le tout était de savoir si l'on serait sur eux à temps pour repêcher celui ou ceux qui surnageraient...

Le *Cyclone* arriva tout près d'eux. On les voyait monter à la hauteur de la passerelle, à la pointe des lames. Parvenu là, celui qui nageait — il n'y en avait qu'un dans le canot à se servir des avirons — les remuait dans l'air comme deux moignons dérisoires... Après la plongée au creux de la houle, les sauveteurs cherchaient, sur l'eau, les vestiges du naufrage, des rames, des hommes, mais ils revoyaient le canot escalader le talus, un canot presque rond, fait comme un gros nid, et tout plein de choses noires, écrasées.

Tout l'équipage avait sauté sur les bouées, les gaffes et les filins. Le second s'était comme écroulé de la passerelle : on l'avait vu en haut, puis en bas, tant il avait fait vite ! Il avait empoigné un rouleau de cordages, si durs qu'ils semblaient de fer, et pourtant il y avait tordu un nœud de bouline. Cet énorme lasso en mains, il attendait, penché sur la lisse.

Le *Cyclone*, en panne, était devenu, pour les naufragés, le danger le plus menaçant. Ils avaient toutes les chances de venir se fracasser contre sa coque, ou s'ils parvenaient à l'accoster, de s'engager sous ses bourrelets débordants. Alors, ils couleraient, enfoncés, au roulis, par le coup de hanche du remorqueur qui crèverait leurs caissons à air comme des sacs de papier. Or, c'était ces caissons qui les gardaient à flot...

Tanguy fit un « han » de bûcheron et on crut à la volée d'une hache quand il lança à bout de bras son câble dans le canot. Au moment où le *Cyclone* s'élevait à la lame, tous virent le second saquer : il avait pris son homme. Il l'avait pris correctement, sous les bras, et d'un coup il l'arracha du bord. Mais comme le remorqueur retombait et qu'il allait casser la tête du Grec, une tête qui venait à la rencontre des tôles, Tanguy donna du mou, laissa couler sa prise comme un poisson qu'on noie. Ce fut seulement quand le *Cyclone* eut touché le fond de la houle, qu'il commençait de remonter, qu'en trois brassées rapides le second amena l'homme, le visage au ras de la lisse, une tête de décapité, exsangue, les paupières closes, la bouche ouverte. Il l'empoigna au collet et le jeta par-dessus bord, derrière les jambes des matelots qui ne se retournèrent pas.

Car, ils se livraient tous à un jeu effrayant : ils pêchaient dans le canot avec une brutalité rapide de sauveteurs. Leurs gaffes mordaient dans les vêtements et les chairs. Ils en prirent un par le cou et le hissèrent à demi étranglé, les mains rivées à son garrot. Un autre leur tendait un bras tellement fixe qu'il ne semblait plus lui appartenir. Ce fut par ce bras qu'un nœud coulant de filin le saisit, l'enleva. Mais la ligne avait formé clef autour de deux doigts, et quand celui-là fut à bord, elle garda ces deux doigts arrachés. Il courait sur l'arrière en rond, stupidement, en secouant sa main, en secouant du sang. Royer l'empoigna par le bras et l'emmena dans la cuisine.

Il en restait cinq. On en sauva encore deux : une lame en effaça un qui s'était levé, qui avait lâché une seconde, en voyant la corde tomber sur lui, le banc qu'il tenait embrassé. Car la mer fouillait à chaque lame le canot insubmersible : elle le recouvrait, le balayait, l'écartait du *Cyclone* ou le rejetait sur lui... Dans les chocs, les gaffes que les hommes de Renaud lui opposaient cassaient comme des bâtons de verre... Le troisième qu'on saisit ensuite se mit à danser sur le pont, une danse pesante d'ours las : celui-là était fou.

Il n'en restait plus que deux, deux que l'on manquait, comme on manque les plus belles poupées à la foire. La houle s'amusait obstinément à balancer le *Cyclone* et l'embarcation dans des montées et des descentes opposées : on les eût dit aux deux bouts d'une bascule. Les coups de mer piochaient dans le canot, sans en arracher ces deux-là, l'un parce qu'il était engagé sous les bancs, qu'il avait fait le voyage sous les pieds de ses camarades, l'autre, parce qu'il semblait avoir une force d'accrochage démesurée, qu'il s'était agenouillé à l'avant, les mains retournées sur les bordés, les ongles sous la préceinte de fer. Ainsi, il semblait écartelé en croix de Saint-André, cloué aux deux bords du canot. Sur son corps immobile, la tête seule virait et vivait, une tête glabre, chauve et ridée, une tête de vieux ou d'enfant naissant, car il gardait les yeux fermés, grimaçait et crachait avec dégoût, comme un enfant naissant...

Tanguy lança pour la seconde fois son câble dans le canot, et l'homme se jeta dedans. Il se jeta dans le nœud ouvert sur les planches, la tête la première, goulûment, comme un chien affamé dans l'ouverture d'un chaudron de pâtée. Mais le second fila son aussière en beuglant :

— Non !

La stupeur de sentir la corde dont il s'était ceint demeurer lâche fit enfin relever la tête, après un long temps, au petit homme ridé. Tout l'équipage du *Cyclone*, pressé le long de la lisse, criait, en lui montrant, étendu dans le fond de l'embarcation, son compagnon évanoui ou mort. Ils lui criaient de le dégager, de lui passer l'aussière sous les reins. Ils brandissaient leurs bras vers cette forme allongée dans l'eau, qui avait de l'eau jusqu'à la bouche... Mais la stupidité tragique du vieux persistait sur son visage. C'était la dernière chose au monde qu'il pût comprendre et peut-être accepter : que ce n'était pas son tour d'avoir la vie sauve, qu'il fallait la donner à son camarade.

Quand il fut prouvé que ce malheureux ne se retournerait jamais, qu'il avait tout oublié, que pour lui n'existaient que trois choses au monde : sa peau, le bateau sauveur, la corde qui l'emporterait, Tanguy haussa les épaules et l'amena à bord.

Le canot soulagé bondit à la lame. Il s'éloignait quand Renaud survint : il tenait un grappin d'abordage qu'il lança assez adroitement pour l'engager sous un banc. Puis il dit :

— Maintenant pour aller le chercher, celui-là !...

On hala le canot jusqu'à l'avant. Les hommes l'appliquèrent, en le tenant de court, le long de la proue, là où le bourrelet cessait, où le roulis l'enfoncerait sans l'écraser tout de suite.

Pourtant, sous les chocs des tôles, ses planches éclataient, il se brisait en détail, mais il restait là, maintenu par le grappin, contre le flanc terrible du *Cyclone*... Tanguy arriva, tenant toujours son lasso. D'un coup brusque, comme il enfilait son chandail, il se passa la boucle sous les bras.

— Déhalez, dit-il.

Les hommes hésitaient. Il les regarda.

— Alors !...

Ils empoignèrent le câble, et comme le bateau se couchait sur bâbord, le second se laissa glisser le long de la coque. Il risquait cent fois d'être écrasé entre l'étrave et le canot, mais quand le remorqueur se releva, tous virent Tanguy debout dans l'embarcation se baisser et empoigner l'homme couché. Ceux qui tenaient le câble, devant la réussite presque impossible pensèrent :

— Il a une veine de...

Ils n'osèrent point achever, même dans leur pensée. Renaud, lui, admira :

— Il est fort comme une bête !...

— Hisse !

Quand ils l'élevèrent, il donna un grand coup de reins afin que ce fût son large dos arqué qui reçût le choc contre la tôle... Vingt bras se tendirent pour l'aider à franchir la lisse. Il tomba sur les genoux à côté du naufragé. Puis, se relevant avec peine, il essuya du sang sur son front, et regarda le rescapé, avec une satisfaction qui éclairait son morne visage d'une bonhomie de grand-père : le Grec avait des cheveux clairs, extrêmement longs, un visage fin... Inquiets, les yeux du second descendirent le long du ciré, cherchant la main du naufragé, une main noire, mais délicate, où brillaient des bagues, où les ongles cassés restaient roses sous la crasse. Tanguy regarda cette main comme quelqu'un qui s'aperçoit d'un vol :

— ... de Dieu ! gronda-t-il, mais on dirait que c'est une femme !

6

Quand on vint dire à Renaud, sur la passerelle, que c'était bien une femme que Tanguy venait de hisser à bord, la femme du capitaine grec, évanouie, peut-être assommée et noyée, il répondit :

— Ça va. Portez-la chez les t.s.f. et qu'ils fassent pour le mieux...

Les t.s.f. exerçaient les fonctions d'infirmiers du bord et gardaient le coffre à médicaments. Le capitaine ajouta :

— Qu'ils pansent les autres, sans perdre trop de temps à la réveiller, s'il n'y a rien à faire. Royer leur donnera un coup de main. J'irai voir ça tout à l'heure.

Car il n'avait d'yeux que pour le cargo qui l'avait doublé pendant le sauvetage et filait au nord-est dans le courant. Il devenait urgent de lui couper la route. Il songea :

— S'ils savaient où ils vont, ils gueuleraient pourtant encore !...

Et au timonier :

— Manœuvre à les approcher sous le vent...

La mer restait forte, mais le temps mollissait de plus en plus. Le jour s'était établi, un matin lavé et net de printemps, fait, à tribord avant, de zones roses et bleues, de l'aquarelle faible. Les lames ne conservaient qu'une force passive et lourde, un élan qu'on sentait venir de très loin, mais qui s'amortissait et les soulevait mal. Heureusement, cette mer s'en allait dans le même sens que le grand courant de l'Atlantique. S'ils s'étaient contrariés, elle aurait encore monté sur les passerelles... Les hommes, le sauvetage achevé, s'étaient remis à haler le bout de remorque, à traîner la rechange. Renaud poussa la manette du chadburn. Au tintement du timbre répondit le bouillonnement de l'hélice. Puis le chadburn sonna de nouveau : « Plus vite. »

Tous, sur le *Cyclone*, entendirent le bruit familier du battement qui s'accélérait, les « chitt, chitt » qu'imitent les enfants, lorsqu'ils jouent au départ de la locomotive... puis le grand coup frappé par la machine enrayée, les dix-huit cents chevaux du remorqueur butant contre l'obstacle, la cassure subite de la vapeur, le tremblement des tôles après l'effrayant choc de bélier. Renaud se jeta sur le porte-voix :

— Qu'est-ce qu'il y a ?

D'en bas, une voix un peu courte répondit :

— L'hélice est bloquée.

Arrêt du cœur !...

Puis, quelqu'un, à l'arrière, cria :

— C'est la remorque !...

Elle s'était engagée autour de l'hélice. Pendant le sauvetage, pour lequel on l'avait négligée, elle avait remué dangereusement dans les remous. Elle y avait pris ces attitudes flexibles, ces courbes mouvantes et souples de tous les cordages abandonnés aux flots et qui, entre deux eaux, semblent si capricieusement vivants. Puis quand le *Cyclone* virant de bord avait présenté l'arrière au courant et à la mer, une lame avait engagé le spring sous le bateau, une pale de l'hélice l'avait happé puis enroulé en une monstrueuse bobine. L'arbre avait serré, de toutes les forces des machines, les tours du câble contre la coque, et le propulseur était maintenant emprisonné dans un énorme cylindre d'acier et de chanvre.

Renaud aperçut, dans le nord-est, les trois éclats du phare d'Ar-Men. En lui-même, quelque chose compta les vingt secondes d'éclipse : l'habitude de relever les feux... Puis les trois éclairs reparurent pour la dernière fois. Le phare s'éteignait.

— Une heure après le lever du soleil, pensa-t-il.

Il se tourna vers Tanguy qui demeurait placidement accoudé au rebord de sa vigie, et lui dit :

— Si elle ne se dégage pas, nous sommes foutus !... Restez là cinq minutes, je vais voir le chef.

Dans les coursives, il croisa des hommes muets et fixes. Il jeta un coup d'œil dans la cuisine : Royer s'arrêta de panser un Grec, pour le regarder passer... Dans le dégagement des chaufferies, le treuil à vapeur montait toujours sa charge d'escarbilles, mais dans la chambre du servo-moteur, les deux barres, deux roues inégales axées l'une sur l'autre et qui répétaient chaque mouvement du timonier de passerelle, les deux barres inutiles ne bougeaient plus.

Le capitaine entra dans la machinerie, largement éclairée par ses lampes électriques. C'était une profonde fosse où couraient, comme dans les gorges des montagnes, d'étroites galeries, des grilles de fer dont l'entrecroisement semblait encager la machine. Renaud passa devant un compresseur, un bloc d'acier trapu qui bourrait d'air les caissons, lors des opérations de renflouement. Il frôla une gigantesque turbine d'épuisement peinte en vert. A sa droite, ces puissants appareils se répétaient. Et Renaud sentait tout le ridicule d'être si fortement armé, dans un pareil moment, pour secourir les autres.

Il descendit jusqu'au fond de la fosse, par les échelles de fer presque à pic, dont les mains courantes restaient grasses des paumes huileuses qui s'y frottaient. Le chef mécanicien, Lauran, un gros rouge, à cotte bleue, était debout devant les cadrans des manomètres, devant les trois dynamos qui actionnaient les pompes. Il avait devant lui tout l'échafaudage puissant de la machine, les cylindres, les bielles luisantes, l'énorme tuyau pourpre d'évacuation. Et il faisait tourner dans un sens, puis dans l'autre, lentement, un volant d'acier poli, le volant d'admission de la vapeur. Deux autres mécaniciens adossés à la paroi le regardaient.

Et ce geste, le seul qui pouvait encore sauver le bateau et trente vies, parut à Renaud tout à fait dérisoire. On eût dit un enfant manœuvrant le volant de carton d'une de ces automobiles qu'ils fabriquent avec des chaises renversées, car rien ne bougeait de la puissante machine. Dans cette fosse profonde pleine d'infatigables bras d'acier, de masses qui toutes étaient faites pour se ruer en mouvements furieux, il n'y avait à remuer que cette petite roue inutile. Et pourtant, à chaque demi-tour, le chef mécanicien qui envoyait alternativement la vapeur en avant, puis en arrière, lançait la force de dix-huit cents chevaux contre ses pistons immobiles. Il expliqua :

— Quand c'est arrivé, j'ai cru que tout était sauté... Et regardez : pas un écrou n'a bougé... Je savais que c'était de la bonne camelote, mais je n'aurais jamais cru que ça résisterait à ça !...

Renaud l'interrompit :

— Mon vieux, si vous ne la coupez pas, nous allons au plein !

Le chef approuva, d'une voix essoufflée :

— Je m'en doute... Où est-on ?...

— A neuf milles de la Basse Froide, et avec un courant qui nous y porte à huit nœuds.

Lauran calcula :

— Ça fait une heure à peu près... Vous voyez. Ça ne bouge pas d'un millimètre... L'arbre est étranglé. Il y a peut-être cent mètres de spring autour !... Et pourtant comme pression !... Ils chargent à en faire péter les chaudières !

En parlant, il continuait son balancement monotone des bras : Avant... Arrière... Avant... Arrière... Il marquait un temps d'arrêt quand il arrivait à bout de course, toute l'admission ouverte, afin de laisser la vapeur appuyer... Mais rien ne répondait, rien que le sifflement des jets qui fusaient par tous les joints, comme dans un établissement thermal. Renaud conclut en s'en allant :

— Enfin, faites pour le mieux...

Les hommes qui se rangèrent devant lui, le long des galeries, ne l'interrogèrent pas, à peine s'ils le regardèrent. Ils ne parlaient pas non plus entre eux. C'était une tacite loi d'honneur sur le *Cyclone* de ne s'épater de rien quand on était à la mer. On se trouvait là entre hommes spécialisés dans la catastrophe. On y savait qu'à chaque sortie, du départ à l'arrivée, on luttait pour sa peau autant que pour celle des autres, mais on n'en disait rien...

Renaud songea cependant, à les voir partir au travail, leurs pinces et leurs haches bien en main, qu'ils s'en allaient réparer un bateau qui, lui, était jeté à la côte. Et il pensa :

— Pas un ne souffle ! Ils sont chics !...

L'avarie qui venait d'émerveiller le chef mécanicien en lui révélant la résistance de sa machine, l'émerveillait, lui, en lui révélant la qualité de son équipage. Il remonta sur la passerelle et dit à Tanguy :

— Rien à faire qu'à attendre.

L'autre haussa les épaules : il semblait vouloir dire qu'attendre cela ou autre chose !...

Attendre... Renaud savait parfaitement que c'était la seule chose au monde à quoi il ne pouvait se résigner. Son hélice bloquée, comme une toupie de gosse, par de la ficelle brouillée !... Glisser à la côte comme tous ceux qu'il avait sauvés, prendre leur place dessous, lui qui toujours avait été dessus !... Surtout, ne plus rien pouvoir pour son bateau, lui, le chef, avoir délégué son initiative à un autre, à celui qui, en bas, sous ses pieds, répétait son geste mécanique : Avant... Arrière... Avant... Arrière... Un geste absurde, monotone et énervant ! Il était parti brusquement pour ne plus le voir...

Maintenant, il tournait sur la passerelle, autour des commandes inutiles. De là, on devinait les lignes des brisants... Ils apparaissaient, quand le *Cyclone* montait au tangage, comme un frottis blanc sur le gris bilieux de la mer. L'œil aigu de Renaud y devina des points noirs qui étaient les dents de la gigantesque herse de pierre.

— On s'en va droit sur l'est d'Ar-Men, pensa-t-il. Les gardiens nous verront, s'il vient un peu clair. Ils pourront raconter la chose.

Il se rappelait le phare debout sur son socle étroit, au milieu de remous tortueux, entouré parfois d'un manchon de lames, des gerbes cylindriques qui montaient jusqu'à la lanterne. Il l'avait vu de près, un jour qu'il avait accompagné l'ingénieur, sur le baliseur des Ponts et Chaussées. Par aucun temps, aucun bateau, aucun canot n'y abordait. On y faisait passer les hommes et les vivres au bout d'un fil d'araignée, par un va-et-vient de câbles... La pensée de Renaud quitta Ar-Men pour glisser un peu à droite : on irait s'ouvrir sur les écueils de l'est, sur le Huron ou le Cornoc Argo... Auparavant, le capitaine aurait mouillé ses deux ancres qui casseraient, puis fait mettre à la mer les canots qui écraseraient leurs hommes et seraient happés par l'irrésistible courant...

La sirène du Grec recommença de mugir : il avait de l'avance et voyait mieux les étocs où il courait. Vraiment, Renaud, depuis dix minutes, ne songeait plus à lui ! En l'entendant, il leva les épaules :

— Cause toujours ! Qu'est-ce que tu veux que j'y fasse !...

Puis il aperçut Gouédic au haut de l'échelle de passerelle :

— L'émetteur est réparé, capitaine.

— Bon... Et les autres devant, qu'est-ce qu'ils disent ?

— On n'a pas tout pris, parce que je réparais et que Le Gall pansait les Grecs et la femme.

— Ah ! oui... Qu'est-ce qu'elle a ?

— Une fracture du bras, que je crois, et l'épaule ouverte... C'est justement pourquoi on a mal entendu, parce qu'elle criait.

Renaud hocha la tête :

— Elle s'est réveillée ? Elle choisit mal son moment !... Elle pouvait rester dans les pommes, pour ce qu'il lui reste à voir ! Enfin bref...

Il pensait qu'il l'embarquerait la première, dans un canot, comme il se doit, et qu'il serait ainsi quitte envers elle.

— Alors, qu'est-ce qu'ils chantent en définitive ?

— Ils appellent... Ils disent qu'ils vont au plein.

— Oui, rien d'intéressant, apprécia Renaud. Enfin, si le canot de l'île les entend, il en ramassera peut-être trois ou quatre... Avertissez-les que j'ai une panne de machine, Gouédic, pour la bonne règle, et que je les reprendrai, si je me dégage. Dites-leur aussi que je leur signalerai quand mouiller leur ancre... N'ajoutez pas que ça ne servira à rien : ils le verront bien assez tôt ! Mais surtout, dites-leur qu'ils bouclent leur sacrée sirène, si possible ! Ça ne sert à rien et ça embête tout le monde. Allez.

Pas un instant, il ne lui était venu à l'esprit de lancer un S.O.S. pour son compte.

Mais Gouédic avait à peine tourné le dos qu'une subite colère souleva Renaud contre cette ferraille inerte, cette mécanique détraquée, obtuse, dont la vie profonde lui échappait, à lui, l'homme des voiliers, et qui obéissait à un autre... Sur un trois-mâts, on se battait, on manœuvrait. On avait sous les pieds un bateau qui vibre, obéit au tour de main du capitaine. Même quand on doublait la Corne, on endurait de la toile ! Lui, Renaud, avec les sacrés singes qu'il avait dressés à monter dans ses cocotiers, il n'avait jamais eu ses bateaux déshabillés dans les pires cyclones, même quand un grain vous arrivait dessus à cent à l'heure, que votre baromètre tremblait ! Et puis, pas de panne à craindre, tant que vous aviez une queue de chemise à hisser sur une vergue ! Tandis que sur ce maudit ponton !...

Il était de ceux que l'impatience étouffe. Tête basse, il arpentait la plate-forme et de ses mains qu'il joignait derrière le dos, les ongles jouaient, s'enfonçaient dans les paumes. Arrivé à la rambarde, il aperçut un matelot sur l'avant, debout, une grosse pince en main, et qui s'immobilisait, depuis un instant, dans la contemplation des brisants. Car on les apercevait maintenant comme des mottes noires dans un champ où la neige aurait commencé de fondre. Le corps tout penché, le capitaine cria :

— C'est tout ce que tu as à foutre ? C'est pour ça que tu es payé, pour regarder le décor, comme un Parisien ? Tu les verras quand tu seras dedans !... D'ici là, jusqu'à ce que je t'aie dit de sauter, tu feras ton boulot, tu entends !

L'homme se hâta de rattraper le bout du hauban qu'il devait « saisir ». Deux matelots, près de lui, se détournèrent, regardèrent pendant une seconde le capitaine, puis se remirent à ligaturer les montants d'une échelle à demi arrachée...

On n'était plus qu'à quatre milles des étocs... A l'ouest, on apercevait Sein, un seuil plat, une dalle gercée et noire, basse sur l'eau comme un radeau échoué, si basse que ses mille habitants se réveillent, la nuit, tous ensemble, avec de l'eau le long du ventre, Sein tellement usée par les lames que cette île de roc a pris les courbes molles, allongées, des bancs de sable, qu'elle apparaît sur les cartes avec une figure inquiétante d'ectoplasme. Ses prolongements enserrent des lagunes bouillantes et seules les maisons s'y élèvent un peu au-dessus du flot.

Renaud, à force de la doubler, en était devenu curieux. Il avait tenu à la visiter un jour, à descendre chez les femmes à coiffes noires...

Yvonne, sa femme, l'accompagnait. Il l'avait photographiée debout entre les « Causeurs », les deux grands menhirs qui se font face à la pointe extrême de l'ancien monde. Yvonne... Il songea : « Elle aura beaucoup de chagrin. » Mais il fut impuissant à penser au-delà. Accaparé par le danger, il ne trouvait d'intérêt qu'aux souvenirs qui pouvaient se rapporter au naufrage prochain.

C'est pourquoi il se souvint d'être monté au phare de Men-Briale et d'en avoir reçu une grande satisfaction. En tournant autour de la lanterne, n'avait-il pas aperçu, pour la première fois, dans la lumière vibrante de ce dimanche de juillet, tout l'ensemble de cette chaussée de Sein contre laquelle il se battait dans le noir, dans les embruns, dans les brumes et qu'il n'avait vraiment jamais vue, même quand il allait chercher les navires jusque dans ses crocs. Il revoyait, avec une précision parfaite, le tableau : une chaussée, oui, une route d'écume, une avenue cahoteuse, large de quatre milles et hérissée de milliers de cailloux noirs. Et là-dedans, les entrelacs incohérents des courants et des remous, une sorte de foisonnement de l'eau, d'enchevêtrements absurdes, de retours, de repentirs. Sur les deux bords de cette route, deux rangées de geysers, des arbres d'écume sans cesse renaissants et retombés. Les cailloux, il les avait nommés comme un vainqueur dénombre une armée vaincue : la Tête du Chat, Dentock, Moédock, Penbara, Nerroth, à l'ouest et au nord ; Gouelvanic, Forhok, Men Mankik à l'ouest. Et tout le semis des autres qui portent des noms celtiques de sens farouche ou grotesque... A ses pieds, l'île des naufrageurs allongeait ses tentacules de pieuvre, ses formes protoplasmiques. Le gardien de phare lui avait dit :

— Il y a là-dedans encore plus d'épaves que de cailloux...

Puis il s'était mis à rire :

— Et pourtant, on ne peut pas dire qu'il y ait eu sur la chaussée un seul bonhomme de noyé...

Renaud l'avait regardé et l'homme avait expliqué :

— Non, ils ne se noient pas, ils s'assomment... Pour eux, c'est un bien : c'est plus vite fini !... La mer est toujours tellement dure qu'elle leur fend le crâne sur les rochers. Et puis, elle leur casse les os : ceux qu'on retrouve, on dirait des poupées de son...

Ces souvenirs calmaient Renaud. C'était comme une revanche sur le naufrage que de prévoir au-delà... et de s'en foutre... L'homme avait dit encore :

— J'ai fait du scaphandre avant de venir ici, et je peux dire comment que ça se passe en dessous... J'y ai vu une fois des crabes et des homards se battre, et comment ! pour un bonhomme... Les crabes s'étaient fourrés dans la poitrine du type. Fallait les voir sortir de dessous les côtes, pour sonner à coups de pinces les homards qui en voulaient un morceau... Être bouffé par un beau homard, c'est tout de même plus flatteur que par les asticots... C'est pas votre avis, capitaine ?

Si, c'était son avis...

Le gardien avait ajouté :

— Dès qu'il y a un peu de fond, vous retrouvez toujours les bateaux debout, bien droits sur leur quille... Pour ça, il faut cinquante à soixante mètres. Plus haut, la houle attaque tout, démâte tout, démolit les passerelles et les cheminées, mais déjà à cinquante mètres, vous trouvez la barque intacte, droite comme si elle était à caréner.

Cela causait maintenant au capitaine un obscur plaisir : là où l'on s'en allait, on trouverait assez d'eau pour se tenir droit sur le fond, pour durer...

Un grain creva, noyant tout. Quand le nord redevint clair, les brisants surgirent si proches que Renaud en reçut un choc, comme de retrouver présente, au réveil, la menace d'un cauchemar. Un moutonnement furieux y courait, d'est en ouest, et les recouvrait. C'était quelque chose de prodigieusement vivant, une galopade d'avalanche, des crinières démesurées qui s'échevelaient. Les roches, parfois, pointaient sous l'écume comme des engins difformes crachant à d'extraordinaires hauteurs des explosions tonnantes.

Et leur immobilité, sous la formidable ruée qui les parcourait, semblait miraculeuse et presque méritoire. A ces heures de détresse où l'on ne choisit plus ses pensées, une idée absurde arrêta Renaud quelque temps, une vague sympathie pour cela qui tenait le coup, reparaissait après chaque coup de mer, ainsi qu'un bateau solidement mouillé... Puis il songea, ce qui l'affecta davantage, qu'il allait couler comme un imbécile, pris dans une rencontre qui ne le regardait pas. La mer n'était plus qu'une route en pente où il descendait. Elle ne lui portait plus aucun coup direct : elle l'entraînait seulement dans les cahots des courants, le briserait avec elle, en une seconde, puis continuerait, après lui, à se fracasser éternellement contre la barrière.

La pluie, de nouveau, lui cacha le Grec, qui dérivait un peu en avant, dans le nord-est, et criait toujours, comme crient les folles le soir... Renaud ne vit plus qu'un peu de mer courte, hachée, une eau qui venait de jaunir tout d'un coup comme si l'on y avait basculé des tombereaux de terre. L'averse cinglait, fermant le mur à quelques mètres de la lisse. Il en fut contrarié : il n'aimait pas qu'on lui bandât les yeux avant de le coller au mur.

Son regard, en quête d'un appui précis, s'attacha au large dos de Tanguy qui, affalé sur la rambarde, bien à son aise, semblait un de ces retraités qui regardent, le soir, le flux monter dans les petits ports. Une telle tranquillité déplut à Renaud, bien qu'il n'y vît aucune ostentation, et il dit en regardant sa montre :

— Dans une demi-heure, ce sera réglé !...

L'autre, à qui le roulis imprimait un léger dandinement d'un coude sur l'autre, et qui se laissait faire, rectifia :

— Peut-être un peu plus, parce que le bout de la remorque traîne et que ça nous retarde... Trois petits quarts d'heure, quoi...

Renaud se rappela soudain quelque chose de lui qui l'avait intrigué, et il demanda, car il fallait ne laisser aucun point obscur, tant qu'on pouvait l'éclaircir :

— Qu'est-ce que vous aviez donc, tantôt, à grogner contre la t.s.f. ?

L'autre se redressa et réfléchit :

— Parce que tout le monde sait quand on va rentrer, avec les radios...

— Ah ! oui... dit Renaud.

Et il pensa que le second avait vraiment des idées à lui...

— Alors, expliqua Tanguy, quand on rentre chez soi, il n'y a pas de surprise à craindre... Vous êtes attendu !...

Renaud comprit, et il eut pitié. Celui-là allait aux étocs avec quelque chose qui le rongeait en dedans. Le capitaine revit la petite Tanguy, hardie, frôleuse ; il se souvint de ses propos à double sens, que ses yeux précisaient si bien, et pour la première fois, depuis le départ, le souvenir chaud d'Yvonne l'emplit tout entier. Lui, au moins, il serait regretté !... Mais il sentit tout le danger de cette pensée : ce qui était suspendu, refoulé en lui comme par une digue, pouvait, à la moindre imprudence, crever et le submerger. Il se hâta donc de porter secours à l'autre pour s'échapper de lui-même :

— Votre femme ne mérite pas ça, Tanguy... Vous ne devriez pas dire ça, dans un moment pareil... Vous savez bien que ce ne sont pas celles qui aiment le plus à rire qui sont les moins sérieuses...

L'autre grandit encore et, les jambes écartées, prit appui fermement, de ses grosses mains, sur la lisse. Puis, fixant sur le capitaine son regard lourd :

— C'est là-bas qu'il faudrait être demain matin, pour être renseigné une bonne fois...

D'un coup de tête, il montrait l'ouest, Brest, la maison. Renaud, en un éclair, imagina Yvonne à l'instant de la nouvelle. Sa langue chercha de la salive, puis ses yeux allèrent aux écubiers et, pour la première fois de sa vie, il mendia un peu d'espoir :

— Croyez-vous que les ancres tiendront ?

— Sûrement que non !

— On va pourtant essayer, déclara Renaud avec colère, et il prit son sifflet.

A ce moment, ils ressentirent un choc sous leurs pieds, un coup rapide frappé à l'arrière du bateau. Ils se regardèrent, le souffle coupé... L'ébranlement se répéta, plus long : l'hélice venait de tourner d'un quart de tour...

Il s'écoula un instant d'interminable guet, puis elle ébranla de nouveau le bateau, cognant comme une hache maniée de trop près et qui manque d'élan. Renaud, inconsciemment, fit un pas vers le porte-voix des machines, mais il resta debout devant le tube de cuivre, à le regarder, comprenant qu'il ne fallait pas troubler celui qui attaquait en bas...

Quand l'hélice repartit avec précaution, en battant lentement, comme un pouls après une syncope, le capitaine, la bouche entrée dans le porte-voix, cria :

— Bravo, Lauran !... Elle est claire ?

Une voix fourbue, qu'on sentait hachée par un effort exténuant, exhalée par une bouche grande ouverte à la poursuite du souffle, répondit :

— Oui... Ça y est !... Ah ! la vache ! Le mal que j'ai eu à la couper !...

Il n'avait fait, depuis une demi-heure, que manœuvrer un petit volant, et il était à bout, comme s'il avait, lui-même, de ses mains, tranché, scié, dénoué la corde monstrueuse.

Penchés à l'arrière, par-dessus la lisse, des hommes cherchaient à apercevoir les tronçons qui se tordaient dans l'eau...

Derrière Renaud, l'homme de barre dit simplement, en mettant « toute dessous », pour relever le bateau :

— J'ai ben cru que mes cors ne me feraient plus jamais mal !...

Sur le *Cyclone*, on parlait, on n'avait plus que cela à faire. On avait reparlé en même temps que l'hélice. Cela avait été le seul changement appréciable dans la vie du bord. On était allé d'abord au plus pressé. Gouédic s'était remis à tripoter ses manettes pour avertir le Grec qu'on lui courait de nouveau dessus, qu'on allait lui couper la route, se jeter entre lui et la chaussée, lui passer une remorque, et que ce n'était pas le moment de la rater ! Ils s'en étaient donné garde ! Tous sur le pont, les mains tendues comme à quelque chose qui tomberait du ciel !... C'était la première fois, depuis le départ, qu'on les voyait, si nombreux, des silhouettes de brume qui gesticulaient dans la pluie oblique des grains, sous le coaltar des nuages traînant sur leur pont... Le *Cyclone* avait reculé devant eux, des fuites coupées d'arrêts brusques, celles d'une crevette devant le havenet, et on leur lançait les fusées. Elles tombaient à côté : on en relançait.

Ils n'avaient saisi la remorque que lorsqu'on avait eu le cul entre deux brisants, dans une mer mauvaise comme une râpe, un dégorgement d'eaux furieuses, et sales comme des lavures d'abattoir. Jamais vivants n'avaient vu les étocs de si près : un quart d'heure de manœuvres entre les dents noires qui chuintaient, sifflaient, crachaient, dans une mer enragée, toute en remous féroces. C'était là-dedans, à vingt-cinq mètres de la mort, que Tanguy leur avait envoyé le plomb de sa ligne en pleine gueule. On eût dit qu'ils l'avaient avalé et, avec lui, tout le filin qui suivait, tant ils s'étaient jetés dessus, tant cela avait disparu soudainement... Ah ! ils avaient eu vite tourné le câble autour des bittes, du mât, de tout ce qui dépassait !... Et quand leur rafiau en laisse avait remonté le courant, s'était enfin éloigné des étocs, de toutes ces têtes obscures, hérissées qui se levaient et guettaient sous l'écume, ils avaient crié, puis chanté un cantique... Oui, ils avaient encore découvert cette force au fond de leurs pauvres tripes de pousser un cantique !... On en avait rigolé sur le *Cyclone*, mais sans méchanceté, avec un peu d'attendrissement rude. Les clients étaient même désormais si bien dressés qu'ils avaient, par la suite, largué leur amarrage et maillé sur la chaîne au premier ordre de Renaud.

Maintenant, on défilait par le travers d'Ar-Men, on entrait dans l'Iroise. Il était deux heures à peine de l'après-midi, et l'on tenait ses quatre nœuds, bien qu'il n'eût pas été possible, même en filant une drome, de modifier le cap de l'*Alexandros* que le *Cyclone* traînait toujours en travers. Mais la brise mollissait de plus en plus et la partie était gagnée. Un plafond de nuages qui se trouait de gouffres bleus, une mer verte, avec belle houle de suroît qui lavait encore l'arrière, mais ne gênait plus.

On serait le soir à Brest.

Le Grec fumait plus que dix locomotives. Renaud lui avait enjoint de garder de la pression afin d'être à même de rentrer sa chaîne. Le capitaine de l'*Alexandros* avait promptement obéi et poussé ses feux. Puis il avait poliment demandé qu'on lui filât du spring pour moins fatiguer. Renaud avait filé trois cent soixante mètres, ce qui, avec les trois maillons de chaîne du cargo, faisait plus de quatre cent cinquante mètres à la traîne. Maintenant le remorquage se poursuivait normalement et le capitaine, délivré, se souvenait d'autres heures mauvaises, et comparait.

— Tant qu'il a du vent pour l'appuyer, disait-il, le voilier est décidément plus maniable que le vapeur. Même au cap Horn, les cargos étaient plus misérables que nous. Ils s'en allaient des deux côtés et maussadement. Le voilier, lui, a toujours un matelas de vent...

C'était la seule conversation qui fût possible avec Tanguy : la supériorité du voilier sur tout ce qui flotte, a flotté et flottera. Et aujourd'hui, après la défaillance de son bateau, Renaud, qui lui gardait de la rancune, l'immolait aux grands quatre-mâts qu'il avait commandés.

— Dans ce temps-là, enchérissait Tanguy, y avait du matelot !... Maintenant, on n'a plus que des femmes de chambre. Si vous savez laver un pont, passer de la potasse sur de la peinture, ça y est, vous êtes marin !

Et Renaud, qui venait d'admirer le silence de son équipage, un bon équipage, certes, mais tout de même un équipage de haleurs, de forgerons et de menuisiers, Renaud approuvait :

— J'en ai eu qui avaient des guillotines de tatouées sur le front ! Mais dame, des matelots !... Vous les voyiez arriver avec bottes et casaques, gréés pour être lavés. Ils montaient, dans la nuit... Au bout de trois mètres, vous n'aperceviez plus que la semelle de leurs bottes. Dans le noir, sur des centaines de cargues, ils vous mettaient du premier coup la main sur la bonne, autrement, ils cassaient la gueule du type d'en dessous !... Vous, d'en bas, vous pensiez avoir assez tiré dessus pour que ce soit cargué. Ils redescendaient, avec de l'eau plein leurs bottes, parce que là-haut, à vingt mètres, les paquets de mer leur rinçaient encore les fesses :

« — Capitaine, y a du jour dans la misaine...

« Et ils remontaient ! Ça représentait quelque chose, hein, de descendre et de remonter !... Là-haut, le gars essayait, debout sur son fil, avec un ballant de 90°, de poser sa cargue-fond : elle pétait. Il redescendait. On réamurait, mais Jean Gouin voulait remonter :

« — Laissez-moi y aller, capitaine !

« — Tu vas te faire laver !...

« Mais il ne pouvait pas s'empêcher d'y remonter et de passer sa cargue pour sauver sa voile majeure !... »

Sous ses pieds, Royer, son matelot des voiliers, parlait, lui aussi... La catastrophe à laquelle on venait d'échapper l'avait, comme Renaud, dégoûté. En somme, il ne s'était rien passé. Qu'est-ce qu'on aurait à raconter sur le quai ? L'hélice s'est arrêtée, et puis elle est repartie. On a eu chaud ! Pas un mot de plus !... Il ressentait profondément toute la pauvreté d'un pareil péril. Dans la marine en bois, au moins...

— Tiens, sur le *Vincennes*, un trois-mâts barque de 4 500 tonnes, à son premier voyage... On était à Nouméa, tout chargé et v'là qu'on annonce un cyclone sur la côte de la Nouvelle. Naturellement, on attend... On attend dix jours.

Mais pendant ce temps-là, on mangeait de l'argent à la compagnie et le capitaine enrageait :

« — Tant pis pour leur sacré cyclone, qu'il dit. Il n'en finit pas d'arriver !... »

Royer conta longuement le choc, le bateau crevé, l'agonie des hommes écrasés, la folie furieuse du capitaine :

— Et pourtant, c'était un marin ! Une fameuse vache, mais un fameux homme ! Une vache, sûr ! Je n'ai jamais vu mesurer le vin comme il le mesurait...

Gouédic, qui entrait dans la cuisine, l'interrompit :

— As-tu du thé pour ma gonzesse ? Elle veut boire.

— Elle a été bien mouchée ?

— Elle a l'épaule coupée, quoi... Et puis, elle gueule... La fièvre.

Royer remplit un pot de thé et le lui remit avec des plaisanteries appropriées aux circonstances...

Puis, sans achever son cyclone, car personne ne le lui demandait — tous étaient trop las et s'en foutaient — il parla des femmes sur les bateaux.

— J'en ai connu deux, la femme du capitaine : huit ans de voyage si tu les mets bout à bout. Cinq fois le cap Horn. Une comme ça, tu n'en trouveras pas deux sous le tournant du soleil !... Dans ce temps-là, elle était maigre comme un fil à voile, mais un cran à ne pas tiquer dans un typhon !... Tu ne la voyais, pour ainsi dire pas ; elle restait chez elle. Elle repassait son linge, faisait de la broderie. Et puis, elle t'avalait des bouquins !... A propos de bouquins, va le raconter à un type qui en fait, qu'une femme vivait à bord, avec trente bonshommes, des dix-huit mois, sans mettre pied à terre. Tu verras ce qu'il te fabriquera avec ça : un équipage de chevreuils... bâbordais et tribordais à baver, à renifler sous le vent de la poule. Une bonne petite mutinerie, pour que le capitaine la prête aux copains. Des saloperies, quoi, et des conneries !... Va-t'en voir ! Elle était plus tranquille que chez elle ! Personne ne l'embêtait. Des parties de cartes avec les officiers, des gâteaux de Savoie qu'elle faisait, pour les fêtes. Elle te prêtait des jupons pour te déguiser au passage de la ligne. Quand ça ventait trop frais, le patron l'enfermait dans les logements de l'arrière, et elle attendait l'embellie. Moi, je lui demandais :

« — Alors, combien que vous avez fait de vœux à Notre-Dame d'Espérance, madame Renaud ?

« Elle répondait :

« — Je n'ai pas eu peur : je savais que mon mari était en haut...

« A moi, elle me causait.

« — C'est le soir que je pense à la France, qu'elle me disait. La mer est si triste, le soir !...

« Et ça, c'est vrai, au fond.

« J'en ai connu une autre, une sacrée vieille garce, qui ne dessoûlait point, laide comme le péché. Et elle était mauvaise, avec ça, quand elle était pleine, le chameau !... Tout le temps derrière son vieux, à le monter contre les bonshommes :

« — Il t'a fait ci, il t'a fait ça ! Vas-tu le laisser manquer ? Retranche-le de son quart de vin !...

« Tous les soirs, elle se baladait sur le pont. Alors, on lui tendait des filins en travers des pattes, pour la faire se casser la gueule. Quand elle était par terre, on s'amenait à deux pour la ramasser. On l'étayait sous les bras : « Vous vous êtes-t-i' fait mal, madame Eugène ?... » On la descendait au vieux, on l'asseyait gentiment : « Donne-leur un quart de vin. Ils m'ont relevée, qu'elle disait. Mais faut donc qu'il y ait toujours quelque chose à la traîne sur ton sacré bateau !... » On avait été obligé de faire un tour, tant y avait la presse pour la remettre sur quille...

Le soir descendait et la mer exsudait une brume lourde qui se dilatait parfois subitement jusqu'à emplir le ciel sombre. A ces moments, le Grec noircissait puis se fondait en fumées. La Parquette était doublée, le feu rouge du Trépied se distinguait par bâbord avant. A l'instant même où un bouchon de brume s'effiloquait dans le vent, les trois éclats prestes du Toulinguet étincelèrent dans la zone obscure de l'air. Le voyage s'achevait. Avant trois heures, on se serait engagé dans le Goulet. Là, un dernier coup d'œil à donner, une manœuvre de justesse pour que le corps mort à la traîne, avec les embardées qu'il faisait, n'aille pas se jeter contre Mengam ou talonner sur les Fillettes, et ce serait gagné !

Pourtant, malgré la réussite, l'ennui rentrait chez le capitaine, comme s'il l'eût absorbé par ses yeux qui voyaient les feux de terre, comme s'il eût avalé, jusqu'au fond de l'âme, cette brume sale qui traînait partout. Pour la première fois, au retour d'un sauvetage, il allait retrouver chez lui une femme malade !...

Il était très las, et ne réagissait plus. Il était donc parfaitement sincère. Aussi, devant la perspective d'une maladie longue, il ne pensait qu'à lui, à tous les embêtements que ça allait lui valoir... Faudrait-il faire venir sa belle-sœur pour soigner Yvonne ? Elle avait un caractère de dogue. On pouvait se mettre en quatre pour elle, jamais on n'en faisait assez !... Et pourtant, il faudrait l'appeler. Yvonne n'était plus capable de rester seule : son caractère avait trop changé ! Lui, ne pouvait plus aller chercher un paquet de tabac sans qu'elle dise : « Où vas-tu ? Tu ne seras pas longtemps ?... » Il pensa cruellement : « Je l'ai trop habituée à me suivre, à l'emmener partout !... »

Amphibie, il s'était, jusque-là, accommodé au mieux de ses deux moitiés de vie. A bord, le danger, la lutte, l'épuisement et le succès. A terre, les paperasses de la Compagnie et les marchandages de l'armement, mais en revanche, les camarades, le café et les cartes, la considération, la bonne cuisine, la bonne cave, la chaude présence d'Yvonne, ses regards, ses gestes, ses robes, ses paroles qui n'avaient que lui pour objet, un repos bourgeois où il s'abandonnait avec satisfaction et dont sa femme avait la charge. Et voilà que ces escales, ces vacances seraient désormais empoisonnées, heure par heure, de récriminations, d'impatiences de malade, et de malade debout, les pires ! Descendre exténué de sa passerelle pour aller remuer des tisanes !

Et si le médecin ordonnait un changement d'air, comme il l'avait laissé prévoir... Obligé de prendre sa retraite, à quarante-six ans !

Pour larguer cette pensée, secouer le froid que ça lui donnait, il laissa Tanguy sur la passerelle et s'en alla chez les t.s.f. Il fallait voir ce que devenait la femme ramassée dans le canot, ne fût-ce que pour demander une ambulance, voir aussi les Grecs abîmés.

En la trouvant anéantie, la face crayeuse, les lèvres violettes, les cheveux couleur de poussière, encollés de sel et de sueur, les paupières closes et gonflées comme si elle avait reçu deux coups de poing, ce fut Gouédic qu'il questionna :

— Qu'est-ce qu'elle en dit ?

La femme ouvrit les yeux avec effort, et le capitaine se pencha :

— Ça va mieux ?

— Un petit peu...

Renaud se retourna vers le chef t.s.f. et l'interrogea plus bas :

— Elle comprend le français ?

— Elle est Française.

— Ah !

Il revint à la banquette et demanda avec plus de considération :

— Où souffrez-vous ?

Péniblement, une main grise où les bagues mêmes s'étaient ternies monta jusqu'à l'épaule :

— Là...

— Oui, dit Gouédic. Elle a l'épaule bien ouverte. On voyait l'os. Mais le bras n'est pas cassé, comme je croyais.

— Vous avez nettoyé ça ?

Gouédic avait fendu les vêtements. Il les écarta pour montrer le bourrelet du pansement correct. La dentelle déchirée d'une chemise apparut et un coin de peau blanche qui étonnait dans cette déchéance du corps prostré.

Renaud dit avec une douceur cordiale :

— Je vais demander une ambulance par t.s.f. Huit jours dans un bon lit, et vous n'y penserez plus !

Elle hocha la tête, sans répondre. A l'instant de sortir, Renaud se retourna, jeta encore un regard à la blessée. Ça pesait tout de même moins qu'un bonhomme, une femme, quand ça se heurtait à la mer !... Pourtant, jamais Yvonne, sur les bateaux qu'il commandait, n'avait eu de misère... Quel âge donner à celle-là ? Pour le savoir, il eût fallu le lui demander, car elle était comme morte et l'on ne devine jamais juste l'âge des morts qu'on ne connaît pas...

— Où a-t-on mis les autres, Gouédic ?

— Le bosco les a installés dans la chambre à cartes, capitaine.

— Bon. Je vais aller voir ça.

Renaud partait quand un choc l'arrêta, un choc qui venait une fois encore de l'arrière, une saccade rude comme la morsure d'un cachalot géant, de ceux qui broient les doris terre-neuvas. Gouédic, plus attentif que s'il avait écouté au son, déclara :

— C'est la remorque...

— Sûrement, mais...

A ce moment, le maître d'équipage apparut près de la baleinière et cria à Renaud, demeuré debout au seuil de la cabine :

— La remorque a cassé, capitaine. Je fais rentrer le bout.

Le capitaine revint jusqu'au milieu du poste, sous le gonio :

— Cassée !... Un spring tout neuf ! Et par ce temps !... Je ne comprends plus !...

En lui-même, il pensa, mais sans le dire, à cause de la femme :

— Ils l'avaient encore maillée comme des cochons !

Puis, tout haut :

— Ça va faire la quatrième !... Signalez-leur que je m'en vais la leur passer. Puisque ça avait à péter, mieux vaut encore que ce soit maintenant qu'en rentrant...

Dans le Goulet, en effet, le Grec se serait tout de suite jeté au plein.

— Dites-leur de rentrer leur bout et de se préparer à en reprendre un autre. Ils vont finir par avoir de l'entraînement !...

L'éclateur déchira rapidement le silence. A travers les tôles passaient des éclairs bleus. Puis Gouédic écouta longuement et fit tourner le tabouret à pivot pour regarder Renaud, avec des yeux emplis d'une stupeur qui lui ouvrait lentement la bouche.

— Qu'est-ce qu'ils disent ?

L'autre hésita :

— Je suis pourtant sûr d'avoir compris, capitaine. Ils disent qu'ils ont réparé leur drosse cassée, que le navire gouverne un peu, qu'ils vont essayer de rentrer seuls et qu'ils vous remercient...

Le capitaine demeura quelques instants écrasé, tête basse, les mains au fond de ses poches. « *No cure, no pay...* » Le bateau qu'on traînait depuis trois jours et qui lui eût appartenu, de la quille à la pointe des mâts, s'il l'avait lui-même amarré au quai, en sûreté, au fond du port, à quelques milles de là, ce bateau, rentrant tout seul, ne paierait pas un sou !... Ils avaient réparé tandis qu'on les remorquait et maintenant : « Plus besoin de vos services... Les derniers mètres, les seuls qui comptent, nous les ferons seuls et nous ne vous devrons rien que de la reconnaissance. Vous vous arrangerez pour les petits frais... »

Renaud leva le poing :

— Les fumiers !

Réveillée par son cri, la femme blessée le regardait avec des yeux devenus soudain extraordinairement vivants.

7

— Vous les voyez, vous, Tanguy ?

Le second, qui eût mis le cap droit sur une lanterne sourde piquée en plein milieu de la rade, secoua la tête.

— Non... Ils se seront planqués derrière Quélern, au fond de la baie.

— On ira les voir demain, à la première heure ! menaça Renaud, et je vous garantis qu'ils me l'expliqueront, leur petite manœuvre ! Vous me ferez armer un canot, dès cinq heures. Je couche à bord.

Le *Cyclone* était revenu s'amarrer au bout du quai de la Douane, à son poste d'assistance. On finissait de dégager le pont qui reprenait de la mine, mais on mettrait plus longtemps à se débarbouiller de toute la colère embarquée dans le Goulet. Car on s'y était morfondu à regarder l'autre rentrer sur trois pattes. Tout l'équipage, rangé à bâbord, comme pour une photographie et bien étagé, avait contemplé, pendant une demi-heure, la manœuvre de l'*Alexandros*. On avait repris d'abord quelque espoir à le voir se présenter si mal devant la pointe des Capucins. Il gouvernait comme une futaille, avec sa bande, son hélice qui battait l'omelette en surface, son gouvernail qui ne trempait que du bout. Mais ses machines donnaient à plein, et il broutait, brasse par brasse, sa route.

Quand il avait eu passé le seuil, on avait encore espéré ferme qu'il serait pris de frousse dans le corridor : le courant, les feux au bout des cailloux... Hélas ! On n'en avait que plus enragé à lui voir tenir à peu près le milieu du chemin. Alors là, mon Dieu, oui, on lui avait souhaité, en sacrant à faire crouler le plafond de la nuit, d'aller s'ouvrir, de la tête au cul, sur Mengam qui semblait vraiment planté là tout exprès par le bon Dieu pour venger la morale...

Tout le temps que le cargo était descendu vers le caillou, ils étaient restés agglomérés contre la lisse, et ils avaient retrouvé, au fond des âges, pour l'occasion, les vieilles gueules de leurs grands-pères, les mufles des pilleurs d'épaves quand ils guettent le choc sur les brisants, l'ouverture du fruit mûr, et qu'ils l'attendent pour hurler...

Mais, en trois tours d'hélice, ils avaient pris l'air dépité, le rire bilieux du guide patenté dont on vient de refuser les services, et qui voit la visite s'achever sans lui. Car Mengam, dans cette nuit lavée, brillait devant le Grec, tel un cierge au fond d'une église, et l'*Alexandros* l'avait doublé, sans se presser, en boitant, son feu vert tout près du flot à cause de la bande qu'il tenait, mais doublé correctement : la mer s'affaissait de mètre en mètre sous sa quille, la houle mal moulée tournait au clapotis et ne le gênait qu'à peine.

Alors, Renaud avait remis en route, sans accepter d'en voir davantage.

Maintenant qu'il s'était amarré aux bornes du quai, à son emplacement de taxi disponible, il regrettait de n'avoir point assisté au mouillage du filou. Il aurait dû regarder dans quel coin de la rade il allait s'embusquer, lui sauter dessus au débotté, lui demander quelques petites explications. On s'arrangeait parfois... Il se rappelait un *boarding-master* de Frisco chez qui il était allé, en bleu de chauffe et en casquette, afin de n'être point reconnu et de pouvoir causer à l'aise... Il voulait lui réclamer le sac d'un de ses matelots, et il avait très vite réussi à lui faire ouvrir la trappe de sa cave pour y aller prendre le ballot. Le type lui avait dit seulement, avec une estime visible pour sa façon de traiter les affaires :

— Vous ferez mieux de ne plus sortir le soir...

Mais, chez le marchand d'hommes, il y avait des habits

volés à rattraper sous le panneau d'une cave. Sur le Grec, il pourrait toujours courir après son morceau de remorque, que l'autre avait largué par deux cents brasses de fond, sitôt son mauvais coup fait... Il regarda sa montre : minuit moins le quart. Un avion passa dans la nuit violette : un feu mobile qui s'en allait, en droiture, sous les feux fixes des étoiles. Le ciel profond répétait étrangement la rade sombre, elle aussi constellée de feux, où une vedette menait la même lueur et la même vibration.

— Demain à cinq heures ! répéta Renaud.

Ce serait d'ailleurs, ce voyage, un déplacement tout à fait inutile. Quelques minutes de réflexion avaient suffi à l'en convaincre. Il avait eu affaire, dans sa vie, à trop de crapules pour ne pas savoir que la partie était jouée et perdue, que des gars qui réussissent un coup pareil réussissent mieux encore à le camoufler. Mais le besoin de crâner, devant soi et les autres !...

Il s'en allait à l'arrière, au carré, quand un jet de lumière le frappa en plein visage. Il fit face à l'auto, la fixant droit dans les phares, malgré l'éblouissement. Elle stoppa à l'extrême bord du quai. Un homme en descendit et se dirigea vers la passerelle d'embarquement, mais la voix du capitaine l'arrêta net.

— Dis donc, tu ne sais pas que la nuit, c'est à leurs feux qu'on reconnaît les mufles ?...

— Mais... dit l'autre.

— En veilleuse, d'abord ! Tu causeras après !

Subjugué, le conducteur obéit. Puis, un infirmier descendit, en blouse blanche, et expliqua :

— On vient pour une femme blessée.

— Faites passer votre brancard.

— On ira la prendre nous-mêmes. Dites-nous...

— Faites passer votre brancard !

Il le leur arracha des mains et le donna à un matelot.

Alors, trois blessés apparurent sous les lampes de la coursive : l'homme aux doigts arrachés, un autre le front ouvert, un troisième qui marchait tout courbé parce que c'était dans le ventre qu'il avait des choses d'écrasées. Des matelots qui les suivaient les empoignèrent par le bras, les guidant à travers les rouleaux de câbles et les débris qui encombraient le pont. Renaud les regarda sans rien dire prendre la planche. Le conducteur s'avança, à toucher la lisse :

— Je ne sais pas si je vais avoir de la place... S'il y a encore une femme couchée...

— Emmenez-les, laissez-les, c'est vous que ça regarde. Ils ont quitté mon bord...

Puis Kerlo et Gouédic apparurent, manœuvrant avec beaucoup de mal le brancard dans l'échelle. Le chef t.s.f., qui venait le premier, à reculons, le tenait à bout de bras, au-dessus de sa tête, et le maître d'équipage, en haut, descendait, accroupi, les poings à la hauteur des chevilles.

Quand la femme allongée, dont la tête bougeait, passa devant Renaud sans le reconnaître, elle dit, parce que c'était le dernier homme du bateau, celui qui se tenait droit appuyé à la passerelle d'embarquement :

— Merci.

Lui, leva deux doigts jusqu'au bord de son chapeau, un geste bref qu'il laissa retomber, puis il ordonna au conducteur :

— Les couvertures sont du bord : vous me les renverrez avant midi.

Il leur tourna le dos et disparut par l'échelle du carré. A trois heures du matin, il était encore assis dans ce carré, sous le diplôme d'honneur décerné au *Cyclone*, en face du petit bar de palissandre, à élaborer le brouillon de son rapport de mer. Dès que l'aube parut, il fit armer un canot par des matelots qui se cachaient pour bâiller ; il mit dedans les deux Grecs intacts qu'il avait gardés et il s'en alla fouiller la rade pour retrouver l'*Alexandros*. Gouédic avait appelé le cargo, sans succès, trois fois depuis l'arrivée. Le Grec faisait le mort : c'était dans l'ordre.

La mer s'étalait brillante et lisse comme du mercure. Des fumerolles de brume s'y traînaient qu'une brise diligente balayait à grands coups. Crozon, sur l'étendue polie, s'allongeait et, derrière elle, d'autres pointes se dépassaient comme des panneaux à glissières qu'on aurait oublié de tirer à fond. Prête à cesser, la terre semblait se répéter, se redoubler pour arrêter la mer. Inutile défense : deux falaises ne pouvaient se rejoindre. L'une était coupée à pic, l'autre en vain s'étirait sur l'eau : par la brèche du Goulet, le flot entrait, et le vent. Renaud se détourna : frappé par l'orient, le port de commerce luisait de toutes ses toitures de zinc ; des grues extrêmement noires pêchaient patiemment à la ligne dans les bassins. A l'est, le pont de Plougastel s'élançait, si blanc et si plat qu'on l'eût dit découpé aux ciseaux dans du carton léger.

Les deux Grecs rescapés s'étaient assis à l'arrière, en face de Renaud, leurs genoux contre ses genoux. Sans rien comprendre de précis, encore écrasés de sommeil, ils avaient deviné cependant, aux brusqueries de l'équipage, puis à la mine du capitaine, qu'ils avaient cessé d'être des personnages intéressants et pitoyables. Renaud reconnut le petit vieux que Tanguy avait pêché avant la femme : il avait rajeuni, parce qu'on avait enfoncé un béret sur son crâne lisse. Réveillés par la brise, ses yeux avaient déjà repris des forces et viraient, emplis de toute la mobile curiosité de sa race. Grâce à son instinct marchand qui décelait les déconvenues, il sentait que ce capitaine étouffait de rancune, qu'il partait à l'abordage de leur cargo. Aussi avait-il pivoté sur son banc et, détourné, il regardait la rade. L'autre s'était rendormi, sitôt assis, et sa tête hochait.

L'*Alexandros* apparut brusquement, comme on doublait l'île Longue, tapi au fond de la baie de Roscanvel. Renaud s'étonna, à le voir ainsi d'en bas, de le trouver si grand, et le regret le mordit, comme un coup de pince, d'avoir perdu une pareille prise. L'équipage n'avait point déblayé le pont : tout y était crevé, tordu, enfoncé.

En haut de l'échelle de coupée, le capitaine se tourna vers le vieux rescapé :

— *Navarkos ?* [1] demanda-t-il.

Il avait appris trois mots de grec, pendant la guerre, dans la mer Égée.

Le matelot partit sur le plan incliné du pont, à travers les buissons de ferraille. Arrivé à l'échelle du carré, il s'effaça et laissa le Français descendre le premier. Renaud ouvrit brusquement et recula : c'était une sentine immonde dont la puanteur suffocante repoussait comme un coup : trente

1. Le capitaine.

hommes avaient croupi là-dedans, quatre jours, sans en sortir... Sur ses pas, un de ses matelots dit en se pinçant le nez :

— C'est pas des pompes d'épuisement qu'il faudra leur envoyer, c'est la pompe à merde !...

Renaud se détourna, fixa durement son guide qui multipliait les gestes d'excuse, à paumes ouvertes, les mines désolées : non ! il n'avait pas voulu faire une mauvaise blague au capitaine français... D'un coup de la tête, Renaud le chassa de nouveau devant lui et ils s'en allèrent aux postes d'équipage.

Là, ils dormaient ! Ils dormaient en morts, sans bouger, sans qu'on les entendît même respirer, gisant au fond des profondeurs du plus noir sommeil. Les mantelets des hublots étaient fermés, la lumière n'entrait que par l'entrebâillement de la porte et traînait à la surface des corps prostrés. On ne distinguait ni visage ni membres : des tas qui luisaient, car ils n'avaient pas pris le temps d'ôter leurs cirés.

Renaud savait réveiller les hommes ; il avait assez souvent jeté les siens à bas de leurs couchettes, quand ils devaient prendre le quart après des jours et des nuits de tempête. Il fit un pas dans le poste, crocha dans une épaule et secoua rudement. L'homme se laissa faire comme un épouvantail bourré de chiffons. Sa tête brimbalait, grotesque et ne semblait retenue que par la peau du cou. L'autre main du capitaine l'empoigna à l'autre épaule et, brutalement, Renaud l'arracha de la couchette, le planta sur le ciment :

— Allons, debout !

Mais quand il l'eut lâché, le Grec se cassa de partout et retomba accroupi sur ses talons, les mains à terre, le front presque à toucher les genoux : les culs-de-jatte dorment ainsi aux portes des églises...

— Montez-le-moi dehors !

Tandis que ses matelots l'y traînaient, il avisa sur le pont une flaque d'eau dans le pli d'un prélart. Il en emplit ses deux mains, la jeta brusquement à la figure de l'homme, qui sursauta, comme brûlé, et ouvrit des yeux fous : il croyait être, une fois de plus, réveillé par le coup de fouet d'une lame.

— *Navarkos ?* répéta Renaud.

Le petit vieux expliqua à son camarade ce que voulait le Français, et l'autre répondit par quelques paroles mornes que le rescapé développa avec une volubilité de moulin.

D'un coup sec de la main, Renaud le fit taire et, pointant l'index sur le pont, il affirma :

— *Navarkos, édô !...* Le capitaine, ici !...

L'homme secoua la tête affirmativement :

— *Ochi, ôchi !* dit-il.

Renaud savait que cela voulait dire « non » et se marquait par ce hochement de tête de haut en bas, un signe contraire au nôtre et par conséquent absurde... Il s'en était assez souvent irrité aux escales des îles pour s'en souvenir, et ses hommes avaient mis à mal plus d'un marchand grec qui niait, avec ces branlements affirmatifs, d'avoir la marchandise demandée. « Sors-la ! ordonnaient-ils, puisque tu dis que t'en as. Ou alors, tu te fous de not' gueule ? »

Comme le matelot grec hochait sans relâche la tête, ainsi que ces bergers de crèche qui remercient longtemps, lorsqu'on a mis un gros sou dans leur tirelire, Renaud répéta, avec une hargne qui lui découvrait les dents :

— *Navarkos !*

L'autre montra la rade, Brest : le capitaine était là-bas, à l'abri de la grande ville. Son camarade le confirmait en remuant la tête de droite à gauche :

— *Né, né,* oui, oui !

C'était trop naturel qu'il n'eût point attendu la visite de son sauveteur...

Renaud réfléchit :

— Je le retrouverai à l'hôpital, auprès de sa femme...

Il jeta un coup d'œil sur le pont :

— Il ne pourra partir qu'après avoir remis tout cela à peu près d'équerre. Je l'aurai joint avant...

Puis, comme il se connaissait :

— Mieux vaut peut-être que je ne l'aie pas rencontré...

Avant de quitter le cargo, il s'en alla sur l'avant et contempla longtemps l'écubier de bâbord : il avait été durement rodé par la remorque. Elle avait encore écorché la lisse, rongé le mât de misaine au ras de l'emplanture, là où ils l'avaient tournée. Renaud découvrait une à une, sur le gaillard, toutes les traces de son travail, mais aucune de sa fuite. On coupe, on largue : ça ne se voit pas dans les choses... Ça se voit parfois dans les hommes, quand on leur parle leur langue, quand on a le temps et le droit de les interroger, quand ils ont été dans la confidence du mauvais coup... Il haussa les épaules, enjamba la lisse et prit l'échelle, sans un regard au petit vieux qui lui tirait son béret, sans savoir que ce Grec le contemplait avec une reconnaissance de bon chien.

Dès qu'il fut dans son canot, il sentit que l'*Alexandros* lui échappait pour toujours, qu'il n'en aurait pas un morceau ! L'empêcher de partir ?... Il le pouvait... Mais il pouvait aussi payer une indemnité pour chaque jour de retard, quand le Grec aurait prouvé, et ce serait facile, qu'il ne lui devait rien : « *No cure, no pay*... Pas de sûreté, pas d'argent... Et en sûreté, je m'y suis mis tout seul, avec mes machines, mon gouvernail, sans votre aide. — Mais tu avais claqué ma remorque, salaud ! — Prouvez-le, ou gare à la diffamation... »

Il acheva tout haut ses réflexions par un juron si crépitant que les deux matelots qui nageaient devant lui se gardèrent bien de se détourner...

Il était de ceux chez qui les déceptions grandissent à mesure que le raisonnement y ajoute. Ainsi que tant d'hommes de mer, il excellait à se tourmenter, à ressasser des pensées dangereuses, au fond des longs silences qui finissent par éclater en furieuses colères. On disait de lui, comme de beaucoup de marins : « Qu'il est violent ! » Cela signifiait qu'il était sujet à des emportements subits, à des brutalités apparemment inexplicables. C'étaient pourtant des explosions préparées par un long travail de mine. Et si, dans sa carrière, beaucoup de fureurs et de consternations avaient avorté, c'était, le plus souvent, à Yvonne qu'il le devait. Sans l'avoir prémédité, sans prendre même conscience de cet instinct qui, après ses échecs, le chassait vers elle, il se hâtait, où qu'il fût, de la rechercher.

Quand il arriva chez lui, à sept heures, il hésita pourtant une seconde à la porte, mais le bouton de porcelaine tourna de lui-même dans ses doigts, car Yvonne avait reconnu son pas et ouvrait...

Dans le vestibule sombre, les yeux perçants de Renaud la scrutèrent, s'en allèrent droit aux enlaidissements du visage, à la racine des cheveux décolorés, aux enfonçures des joues, aux tendons du cou, à des griffures de peau qu'un autre n'eût point discernées dans cette pénombre, mais que lui retrouvait comme des repères le long d'une côte dangereuse. C'était la première fois qu'elle l'accueillait, au retour de la mer, avec cette figure séchée de vieille femme malade, et en lui, quelque chose cassa, douloureusement : l'espoir tenace du miracle qui dort au fond de tous les cœurs de marins, celui de retrouver, en débarquant, la terre, les choses, les femmes plus belles qu'on ne les a quittées. Avec un optimisme d'enfant, ils croient tous, au fond d'eux-mêmes, que leur absence est magique, arrange tout, efface tout. Ils y comptent, sans accepter de discuter raisonnablement cet espoir. C'est pourquoi, dès qu'ils sont rentrés, qu'ils ont vu, ils ne songent qu'à repartir, afin de retrouver le large, l'illusion.

— Mais tu étais arrivé hier soir, fit remarquer Yvonne.

Il fut étonné qu'elle le sût, et le reproche éveilla en lui une autre surprise : celle d'avoir spontanément décidé de passer la nuit à bord, lui qui rentrait chez lui sitôt le bateau à quai et quelle que fût l'heure.

— Il fallait, expliqua-t-il, que je reparte en rade dès l'aube. Alors, te réveiller, te faire lever pour si peu, je m'en serais voulu.

Il entra dans la chambre, vit sur la tablette, près du lit défait, des fioles de pharmacie et un compte-gouttes :

— Et alors, comment ça va-t-il ?

— Toujours pareil... Les forces qui ne veulent pas revenir... Tu vas dormir ?

Il se déshabillait déjà :

— Je vais faire un bout de somme... Oui... Il m'est arrivé une sacrée histoire...

Il lui conta rapidement la félonie du Grec et, malgré la fatigue qui lui chargeait les paupières, il gardait les yeux grands ouverts, en plissant le front jusqu'aux cheveux, pour l'observer, car elle semblait distraite et indifférente. Il insista :

— Encore une fois, aussi sûrement que nous sommes là deux, ce salaud-là a cassé la remorque exprès... Comment ? Je n'en sais rien, et je n'ai aucun moyen de le savoir. Ce que je sais, c'est que la sortie coûtera trois cent mille francs, au bas mot... Quand je vais leur annoncer ça, à Paris, ils vont plutôt faire la pâle gueule !...

Affaissée sur un petit divan, les yeux éteints, elle dit seulement :

— Puisque tu n'y peux rien...

Il attendit encore qu'elle s'indignât, qu'elle posât, comme d'habitude, des questions et des questions... Car toujours, après les déconvenues, elle le faisait parler, ainsi qu'on fait saigner une plaie pour la nettoyer. Puis elle parlait à son tour avec une conviction telle, une autorité si douce, une si claire vision des choses qu'elle finissait par le détendre et le persuader... Il laissa le silence s'établir, longuement, espérant toujours qu'elle allait dire ce qu'il fallait, ce qu'elle devait lui dire. Enfin, il gronda, en arrachant son col, en le lançant à l'autre bout de la chambre, sur la table :

— Tu prends ça très bien !

Le sarcasme la laissa insensible, échouée ; elle répéta :

— Mais puisque tu n'y peux rien !...

Puis elle s'anima un peu, en le voyant rejeter le couvre-pieds pour ouvrir le lit :

— La femme de ménage devait faire la chambre à fond, ce matin...

Il s'arrêta brusquement, les doigts immobiles sur la bretelle qu'il déboutonnait :

— Si je te gêne, je peux aller dormir à bord...

— Mais non, voyons !... Elle la fera aussi bien demain.

Il ne s'endormit que tard, parce que l'irritation lui chauffait la tête... A cinq heures de l'après-midi, il se réveilla brusquement, comme il se réveillait à bord, jadis, quand l'homme de quart appelait, les nuits où ça fraîchissait dangereusement. Ce fut le même sursaut alerté, la même prise de conscience soudaine ; puis, quand il eut compris d'où venait la menace, il retomba, déçu, en s'étirant, en remâchant le vert-de-gris que laissent sur la langue les sommeils trop courts après les insomnies prolongées.

Il trouva Yvonne dans la salle à manger, sur la chaise longue de rotin où le médecin lui avait prescrit des heures d'allongement. Elle lui tendit les bras, mais sans se lever, et il l'embrassa sur le front.

— Tu as bien dormi, assura-t-elle. Je suis allée te voir deux fois.

Ces deux visites le détendirent un peu, mais elle ajouta :

— La femme de ménage a oublié d'aller chercher le pain. Il va falloir que tu y ailles.

Il en fut interloqué. Jamais elle n'avait accepté qu'il portât dans la rue des choses qui se voient : « Ça a l'air si bête, disait-elle, un homme qui porte des paquets... »

S'il lui arrivait parfois de le charger de menues commissions, lorsqu'il sortait, jamais elle ne l'avait dérangé pour l'y envoyer ; jamais elle n'eût admis qu'il défilât le long des quais avec un pain de trois livres sous le bras.

Il objecta froidement :

— Il est plus de cinq heures, et il faut que mon rapport parte au courrier.

— Oh ! c'est à deux pas !...

— C'est bon. J'y vais...

Lorsque la boulangère, après avoir demandé des nouvelles de Mme Renaud, ajouta :

— Alors, c'est vous qui faites les commissions, capitaine ?

Il répondit, en riant de ce rire bon garçon qu'il savait prendre pour donner le change :

— Hé oui, ça me rajeunit !...

Mais à peine rentré, il demanda, avec cette indifférence feinte qu'il opposait aux armateurs ou aux courtiers, quand il les questionnait, afin de les voir venir :

— Vas-tu pouvoir taper mon rapport ?

— Je vais essayer... Mais tu n'iras pas trop vite : ma pauvre tête n'est pas bien solide...

— Si ça te fatigue...

Mais déjà, elle engageait le papier dans la petite Underwood portative. Il dicta, en marchant, sans cesser de fumer des cigarettes :

« Rapport de mer du capitaine André Renaud, commandant le remorqueur de haute mer *Cyclone* :

« Je, soussigné, André Renaud, capitaine au long cours, commandant le remorqueur *Cyclone*, d'une force de 1 800 HP, en station d'assistance à Brest, déclare que, le 11 avril 1933, j'ai intercepté, à 22 h 18, un radio du vapeur grec *Alexandros*, m'informant qu'il se trouvait désemparé de son gouvernail, par une latitude de 46°44 nord et une longitude de 6°50 ouest. J'offris mes services à ce vapeur, qui les accepta aux conditions du Lloyd. J'appareillai à 22 h 40 pour me rendre à la position indiquée.

« La tempête soufflait avec violence, vent de la partie S.-S.-O., mer énorme... »

C'était Yvonne qui tapait tous les rapports de mer du capitaine. Il arrivait qu'elle s'interrompît ou qu'elle s'exclamât parce qu'elle apprenait, en les écrivant, des dangers qu'il lui avait cachés, mais qu'il était bien forcé de lui révéler à ce moment. Elle savait aussi lire au travers des phrases sèches de ses communiqués : elle avait navigué et mesurait ce qui pouvait se cacher derrière des mots comme « mer énorme »...

« Passé la Parquette à 24 h 10. Mer et vent debout m'obligeant à diminuer de vitesse, les paquets de mer embarquant sur le pont et me faisant craindre des avaries sérieuses, en raison notamment des forts emballements à la machine.

« Passé à 24 h 45 par le travers des Pierres Noires. Fait route toute la nuit sur la position indiquée. Reçu de nombreux télégrammes du vapeur *Alexandros* nous priant de hâter notre allure et demandant vers quelle heure nous pourrions être sur lui. Répondu que nous le joindrions vers midi. Le *Cyclone* donne son maximum.

« Le 12 avril, à 6 heures du matin, la tempête augmente encore d'intensité et nous cause des avaries sérieuses. Deux panneaux d'écoutille sont défoncés sur le pont avant. Un coup de mer brise les carreaux de la claire-voie et fausse les batayoles avant. Réparé provisoirement.

« A 15 heures, aperçu la fumée du navire anglais en veille près de l'*Alexandros*. Remercié ce vapeur, qui continue sa route et signalé à l'*Alexandros* de prendre ses dispositions pour le passage de la remorque. A cet effet, nous lui demandons de démailler sa chaîne... »

Puis il rapporta les ruptures des premières remorques, la passerelle arrachée, le sauvetage du canot.

« ... Elle était engagée sous les bancs... »

— Sous les bancs ? demanda Yvonne.

Il scanda impatiemment :

— Sous les bancs ! oui... « Le second du *Cyclone* ne

peut l'arracher à sa périlleuse situation qu'au prix des pires difficultés et en faisant preuve du plus grand courage. »

— Qu'est-elle devenue ?

— Je n'en sais rien... Continue : « Quand les naufragés eurent été embarqués, le *Cyclone* vint en travers à la lame pour se diriger sur l'*Alexandros*.

« A ce moment, le bout de la remorque cassée s'engage dans notre hélice et immobilise la machine, à environ 10 milles dans le S.-S.-E. d'Ar-Men. La situation devient périlleuse en raison de la proximité des brisants sur lesquels nous dérivons. Obligé de sacrifier la remorque, en la déclenchant de son rochet d'échappement.

« Pendant ce temps, le chef mécanicien fait marcher sa machine en avant et en arrière pour tâcher de dégager l'hélice. Par un grand hasard, nous pouvons nous dégager et nous porter de nouveau sur l'*Alexandros*... »

Yvonne se détourna :

— Quand vous vous êtes dégagés, étiez-vous loin de la chaussée de Sein ?

— Justement...

Et il acheva :

« Nous nous trouvions, à ce moment, environ à 2 milles au sud du phare d'Ar-Men. »

Yvonne n'ajouta rien. Sans doute, elle savait que son mari détestait d'être interrompu quand il dictait un rapport, parce que c'était pour lui un travail difficile. Ses formules ne variaient guère, et cependant il avait du mal à les assembler. Pourtant, il eût accepté, approuvé un cri d'épouvante à cet endroit. Mais Yvonne attendait, les doigts sur le clavier, et comme elle lui tournait le dos, il ne s'aperçut pas qu'elle pleurait... Il continua donc :

« A 15 h 30, passé une troisième remorque à l'*Alexandros* et continué le remorquage sans nouvel incident. »

Sa voix durcit brusquement :

« Vers 20 heures, par le travers de la pointe des Capucins, au moment où j'allais dans la cabine de t.s.f. pour contrôler les soins que l'on avait donnés aux blessés grecs, et particulièrement à la femme du capitaine, qui était restée plusieurs heures inanimée, je ressentis sur l'arrière un choc très net et dur. On vint m'avertir que la remorque venait une fois de plus de se rompre. L'état de la mer ne pouvant expliquer cette rupture, je l'attribuai à une erreur de manœuvre du capitaine grec, peut-être à une mise en marche intempestive de ses machines. Quoi qu'il en soit, je l'avisai aussitôt que j'allais lui passer une quatrième remorque, afin d'entrer dans le Goulet. Mais il me répondit qu'il avait réparé la drosse de son gouvernail et qu'il essayerait de rentrer par ses propres moyens. Il me remercia de mes services. Je le vis en effet doubler à petite allure, mais correctement, la pointe du Grand Minou. Je ralentis moi-même, jusqu'à ce que l'*Alexandros* eût doublé, sans encombre, Mengam. Le navire gouvernait assez difficilement, à cause de sa bande à tribord. Mais lorsqu'il fut évident que le cargo pourrait mouiller sans mon aide, je rentrai en rade, à 21 h 18, et repris mon poste d'assistance.

« Je fais toutes mes réserves sur la rupture de la troisième remorque, survenue juste au moment où l'*Alexandros* commençait à gouverner. Sans pouvoir l'affirmer, j'ai de fortes raisons de croire que cette rupture a été volontairement provoquée par le capitaine du vapeur sauveté... »

Yvonne demanda, sans se retourner, de la voix lente qu'elle avait maintenant :

— Tiens-tu absolument à mettre cela ?

— Pourquoi ?

— Je ne sais pas... Mais n'as-tu pas l'air un peu trop sûr ?...

Il s'emporta :

— Trop sûr !... Mais je le suis, sûr ! J'en donnerais ma tête à couper qu'il a cassé la remorque exprès, quand je l'ai eu amené à la porte et qu'il n'avait plus qu'à entrer ! Alors ?... Je n'aurais pas le droit de le dire, de prouver que si je n'ai pas réussi, c'est que j'ai eu affaire à une sale crapule ?...

D'ordinaire, Yvonne ne se laissait point facilement convaincre. Elle discutait longtemps et l'emportait presque toujours. Cette fois, elle céda tout de suite :

— Enfin, tu sais mieux que moi...

Cette soumission trop prompte le déçut, et, agacé, il fit claquer ses doigts :

— Si je ne savais pas, je ne dirais rien... Finissons-en :

« Je certifie ce présent rapport conforme et véridique, et me réserve le droit de l'amplifier si besoin est. »

Le lendemain, on l'appela à Paris.

Il prit le rapide de nuit, et ce fut une nuit de révolte. Puisqu'on le faisait venir pour lui demander des comptes, il les rendrait, mais si l'on insistait, si l'on osait lui marquer de la méfiance ou lui laisser deviner un blâme, il jetterait sa démission sur leur table... Colonne crédit : les millions qu'il leur avait gagnés ; colonne débit : trois cent mille francs, cette sortie malheureuse. Une position de comptes que l'on peut avouer !...

Il avait ouvert la glace et se laissait aller, le front dehors, au vent de la course, un vent égal, mais qui n'était après tout que de l'air immobile, dans lequel on cognait à cent à l'heure. Et ça se sentait, qu'il n'arrivait point du large !... En regardant s'enfuir les flammèches de la locomotive, il pensa avec sympathie au mécanicien sur sa machine : un collègue qui savait ouvrir les yeux, avait, lui aussi, des feux à relever... Puis il revit le mécanicien du *Cyclone :* avant... arrière. Un sacré tamponnement qu'il leur avait évité, celui-là ! Il leur dirait ça, demain, et qu'ils étaient bien heureux d'avoir encore leur bateau. Puis il se demanda froidement s'ils n'auraient pas préféré le perdre, à cause de l'assurance...

Il marcha le long du couloir, jetant un regard aux compartiments bourrés de dormeurs et de bagages. Toutes ces bouches ouvertes, ces faces suant les sueurs de la nuit, ces femmes dépeignées et tombantes le dégoûtaient. Le sommeil assis est ignoble : tout y est lâche. Le lit donne de la tenue, c'est un tuteur horizontal. Mais ces affalés !... Lui était d'ailleurs incapable de dormir sur quelque chose qui marche...

Une femme, vêtue d'un sweater rouge, vint s'accouder près de lui. Le vent lui tripotait les cheveux. Elle dit, pour engager la conversation :

— C'est long !

Il fumait. Il répondit : « Oui », du coin de la bouche, sans ôter sa cigarette.

Elle insista :

— La nuit surtout !...

Il inclina à peine la tête, laissant tomber. Il avait autre chose à faire qu'à amorcer une aventure de wagon !... Découragée, elle se tut et rentra bientôt dans un compartiment. Il ne songea plus à elle que pour se dire que les voyages, même les moindres, dévergondaient certaines femmes qui, chez elles, étaient tenues tant bien que mal par leurs voisins, leurs habitudes. Mais, dans un chemin de fer, sur un paquebot, elles se croyaient en route pour la belle aventure et raccrochaient le premier venu. Il l'avait observé souvent quand il commandait le vapeur qui faisait Le Havre-Southampton... Un petit voyage, cependant, mais plus d'un tiers des femmes qui s'embarquaient seules débarquaient accompagnées, et de près...

L'aube qui montait de l'horizon, devant lui, l'occupa un instant : il y avait des années qu'il n'avait vu se lever le jour sur la terre. « Cela fait sale, pensa-t-il. Sur mer, la moindre lueur accroche des reflets aux lames... »

Puis son wagon sauta et ressauta à des bifurcations. Cela l'intéressa : il admirait la perspicacité des roues qui se débattaient sur des faisceaux de rails, choisissaient le bon et continuaient d'y courir avec leur diligence monotone. A Versailles, il rentra dans le compartiment pour y prendre son pardessus. Il revint aussitôt dans le couloir, afin d'assister à l'arrivée. Elles l'étonnaient toujours, ces maisons de banlieue, aux uniformes toits rouges, toutes entourées, ridiculement, de petits murs qui ne cachaient rien, puisque, du haut des trains, on leur voyait jusqu'au fond des chambres. Leur nombre, leur défilé monotone lui imposaient le sentiment très vif que les vies dans ces boîtes étaient plates et misérables. Derrière les volets, il imaginait les sommeils de femmes à peau grise qui, sitôt éveillées, se hâteraient de se peindre violemment. Il allait sortir de là-dedans des employés remontés pour la journée, et tous pareils, des types qu'on n'aérait que le dimanche. Le mépris paisible du provincial pour le Parisien grégaire, du marin pour le dernier des « éléphants », celui qui vit en cage, s'épanouissait en lui, largement. Aussi, malgré l'insomnie, était-il d'excellente humeur en débarquant à Montparnasse.

Mais les trois heures à tuer avant de pouvoir se présenter décemment chez ses administrateurs l'énervèrent. Il lut les journaux dans un café, puis il marcha jusqu'à la Seine, le long de la rue du Bac, où les chinoiseries des antiquaires l'amusèrent un peu au passage. Sur le quai Conti, accoudé au parapet, il regarda venir un train de péniches, derrière un remorqueur qui abattit sa cheminée pour saluer le pont. La remorque, aussi rigide qu'une barre, lui parut absurde : il s'en alla.

Quand il entra dans le bureau de l'administrateur, un gros homme jaune qui lui rappelait, à chaque entrevue, un maquereau de Canton à qui il avait jadis botté le ventre, il résolut d'être aussi insolent que possible, parce que l'autre l'avait laissé faire dans le bureau trois pas sans se lever. Dès qu'il eut serré la main molle qu'on lui tendait, pendante au bout du gros bras court, il s'assit et, se retournant, il contempla curieusement une très grande photographie du *Cyclone* accrochée au-dessus de la porte.

— Je ne connaissais pas ça, dit-il. C'est récent ?...

La réponse qu'il attendait en gardant la tête levée sur l'agrandissement tarda quelque peu. L'administrateur, désarçonné, reprenait son équilibre et assurait sa voix avant que de répondre :

— De l'année dernière... Nous vous avons prié de venir...

Renaud fit face. Les yeux baissés, derrière ses lunettes d'écaille, l'administrateur remuait des papiers sur son bureau. Le capitaine croisa les bras, se renversa dans sa chaise, et attendit.

— ... A propos de cette affaire de l'*Alexandros*, une affaire ennuyeuse...

Il se tut quelques instants, en retournant des feuilles. Renaud reconnut son rapport.

— Ou, du moins, corrigea-t-il, une affaire qui pourrait le devenir... L'un dans l'autre, charbon, remorques, réparations, la sortie nous coûtera bien deux à trois cent mille francs ?...

— Plutôt trois...

— Ah !... trois cent mille francs ! Nous nous doutions que ce serait très gros... C'est pourquoi nous vous avons prié de venir, afin d'avoir des précisions... Voyons : quand le Grec a cassé la remorque, comment cela s'est-il passé ? Qu'avez-vous vu, au juste ?

— Rien, dit Renaud.

Et il ajouta, sûr d'avance de son effet :

— Je n'étais pas sur la passerelle...

L'immobilité de l'autre mesura tout l'intérêt de cette annonce, et aussi le ton de sa voix volontairement feutrée, où ne voulait pas encore sonner la satisfaction d'avoir si tôt découvert un grief précis :

— Où vous trouviez-vous donc à ce moment ?...

— Relisez mon rapport. C'est spécifié en toutes lettres : j'étais dans la cabine de t.s.f... J'allais voir si on avait pu ranimer une femme qu'on avait retirée d'un canot aux trois quarts morte...

La tête de l'administrateur, derrière les casiers du bureau, commença de hocher curieusement, comme si elle oscillait entre les secours dus aux naufragés et les intérêts de la Compagnie. Puis il relut une des feuilles :

— En effet : « Au moment où j'allais dans la cabine de t.s.f. contrôler les soins »... C'est ce « j'allais » qui m'avait trompé. J'espérais que vous voyiez encore l'*Alexandros* en vous rendant à la cabine...

— Je ne m'y rendais pas, corrigea Renaud, j'y étais, et déjà depuis quelques minutes, quand la rupture s'est produite.

Il n'apercevait que le crâne de son interlocuteur qui descendait de plus en plus bas dans ses papiers.

— C'est évidemment très fâcheux, murmura l'administrateur, que vous ne vous soyez pas trouvé sur la passerelle à ce moment... Vous auriez pu, vous-même...

— Tanguy s'y trouvait, coupa Renaud. Il a d'aussi bons yeux que les miens, et il n'a rien vu... Il y avait de la brume, et on avait filé quatre cents mètres de remorque. Quant à rester sur la passerelle, du moment que le second y était, qu'il n'y avait, à ce moment, aucun incident de route à prévoir, j'aurais pu, tout aussi bien, être à dormir sur le divan de la chambre de veille... Cela peut arriver, quand on a dans les reins soixante-dix heures de quart !...

Le crâne lisse branla, approbateur.

— Cependant, ajouta Renaud, si vous estimez que j'aie eu tort de ne pas prendre racine devant le compas, ne vous gênez pas pour me le déclarer. Je vous signerai ma démission, et tout sera dit.

L'autre leva des bras de noyé :

— Mais jamais de la vie ! Pouvez-vous supposer une seconde que la Compagnie ait oublié ce qu'elle vous doit ? Vous n'êtes pas de ceux qu'on remplace !

Il s'aperçut à temps que le compliment pouvait passer pour un aveu naïf, et il ajouta, très vite :

— Le jour où vous lâcheriez le *Cyclone*, nous le lâcherions aussi. C'est vous dire combien nous étions loin de toute pensée de blâme. Mais voici exactement ce dont il s'agit :

Il ajusta ses lunettes, saisit une feuille du rapport, la tint devant ses yeux, à deux mains :

— Vous avez écrit : « J'ai de fortes raisons de croire que cette rupture a été volontairement provoquée par le capitaine du bateau sauveté. » Quelles sont ces raisons ?

Renaud, posément, expliqua :

— La remorque a cassé par le travers de la pointe des Capucins. Aussitôt après, ce bateau qui ne gouverne plus depuis quatre jours signale qu'il a réparé et va essayer de rentrer seul... Par ailleurs, nous marchions à très petite allure, avec de la houle, certainement, mais pas assez pour expliquer une cassure brutale qui a arraché le portage. Et puis, la remorque était neuve et n'avait, pour ainsi dire, pas fatigué. Étant donné qu'une rupture, juste à l'entrée du Goulet, arrangeait si bien les affaires du Grec...

L'administrateur avait relevé la tête et fixait le capitaine de son regard froid. Il haussa longuement les épaules :

— Mais naturellement, il l'a coupée. C'est l'évidence même !... Seulement, je dois vous avouer que nous attendions de vous des preuves, de vraies preuves qui nous auraient permis de poursuivre l'affaire... Malheureusement, vous ne nous apportez que des présomptions. Vous n'avez pas essayé de voir le capitaine de l'*Alexandros*, de faire parler son équipage ?

Renaud, à son tour, leva les épaules :

— Je suis allé à son bord et je ne l'ai pas trouvé... Mais quand je l'aurais pris à la gorge, en lui disant : « Tu es le dernier des salauds : tu as coupé la remorque ! », à quoi cela m'aurait-il avancé ? Il m'aurait dit : « Prouvez-le ! Deux avaient déjà cassé. Une troisième casse... Que voulez-vous que j'y fasse ! Ayez-en de meilleures. » Quant à faire bavarder son équipage, c'est un métier de mouchard, et de mouchard qui saurait le grec... Ce n'est pas mon cas !

Il laissa s'étaler le silence et ajouta :

— Il n'y aurait qu'un moyen...

L'autre redressa la tête :

— Lequel ?

— Déposer une plainte et faire ouvrir une enquête.

L'administrateur se leva, fermement :

— Non, dit-il, c'est impossible et vous le savez bien. Si nous ne sommes pas absolument certains de pouvoir faire la preuve — et nous ne le sommes pas du tout — c'est impossible ! L'acquittement du capitaine grec nous coûterait plus cher que de réparer à nos frais, sans parler du procès en diffamation qu'il ne manquerait point de nous intenter. Vous voyez l'effet sur la clientèle : poursuivre un capitaine parce qu'il a eu la chance de se tirer d'affaire sans nous, ce ne serait pas seulement odieux, ce serait une menace directe à tous nos clients éventuels, et ils s'adresseraient ailleurs, au Hollandais de Camaret, par exemple, qui peut déjà faire des prix plus bas que les nôtres... Encore une fois, sommes-nous sûrs de pouvoir prouver le mauvais coup ?

— Non... au contraire.

— Alors, n'en parlons plus !

L'administrateur délégué soupira :

— Ces messieurs du Conseil d'administration vont être déçus. Ils s'imaginaient que votre rapport ne faisait qu'amorcer l'exposé de preuves positives qui permettraient de porter l'affaire, à coup sûr, devant le tribunal maritime.

Renaud qui marchait vers la porte se retourna :

— Qu'est-ce qu'ils voulaient ? Un extrait du journal de bord où le Grec aurait consigné la manœuvre qui lui a permis de couper la remorque ? Je ne l'ai pas sur moi...

L'administrateur regardait ses pieds, et son immobilité seule accusa l'insolence. Il connaissait la valeur marchande de celui qui maintenant tournait le bouton de porcelaine. Les vingt-sept sauvetages de Renaud, sa Légion d'honneur, ses croix danoises, anglaises, italiennes, sa réputation presque légendaire dans les milieux maritimes, l'estime que lui marquaient les chefs militaires, les privilèges et les subventions qu'il avait obtenus, le prestige dont il jouissait dans ces bureaux mêmes où il se conduisait si cavalièrement, l'administrateur faisait exactement le compte de tout cela, et le total le rendait conciliant. Il tendit la main et sourit de son mieux, un sourire qui n'ouvrait les lèvres que pour fermer les yeux :

— Au revoir, capitaine. A moins d'instructions nouvelles, classez donc l'affaire ! C'est, hélas ! la sagesse... Nous sommes d'ailleurs parfaitement tranquilles : vous prendrez votre revanche !

Renaud, à qui la phrase déplut, s'offrit le plaisir d'effacer le désagréable sourire, qui semblait inscrit pour toujours dans cette face comme dans une glaise :

— J'ai grand-peur que ce ne soit pas pour bientôt. Nous entrons dans le beau temps...

L'administrateur rouvrit les yeux, les leva au plafond, douloureusement, puis il sourit encore, en inclinant la tête, et referma la porte.

8

La sirène d'un vapeur en partance envahit la salle à manger, par la fenêtre ouverte qui découpait, au-dessus du fauteuil Renaissance, un étroit rectangle de ciel et de rade. Renaud y vit passer une voile rouge que l'embrasure rogna puis anéantit. Alors il ramena les yeux sur les haricots de son assiette. Sa femme et lui dînaient en face l'un de l'autre, et Yvonne, après avoir écouté le dernier appel du cargo, proposa :

— Sais-tu ce que tu devrais faire ?... Tu devrais repartir, reprendre un commandement au long cours.

Renaud dressa la tête et la regarda, stupéfait. Elle ne lui livrait, en effet, que la conclusion de ses recherches, des méditations désolées qui avaient hanté ses jours et ses nuits, depuis son retour de la clinique. Mais ce conseil, qu'elle avait longuement mûri, ne pouvait que paraître extravagant au capitaine, l'inquiéter comme un accès de délire. Il n'avait rien deviné, ou si peu, des souffrances qui le dictaient.

Bousculée par la maladie, Yvonne s'était heurtée, dix ans trop tôt, comme à un mur subitement levé devant elle, au poignant problème de la vieillesse des femmes. Elle avait engagé, avec l'étrangère surgie dans sa glace, un matin, le cruel dialogue : « Tu es vieille, tu es laide, tu as perdu ton attrait : il ne te reste plus que des droits... »

Car il n'est permis qu'aux hommes de vieillir sans préjudice majeur, de conserver grâce à leur nom, à leur situation, à leur passé, la place qu'ils se sont faite et qui, dans un monde où le vieillard commande, s'élargit, le plus souvent, au seuil de la soixantaine, sous la pression des succès accumulés. Mais la femme, elle, reste prisonnière de sa forme ; la plus austère se sent déchue dès qu'elle cesse d'être désirée et, quoi qu'elle en ait, elle gémit sous l'ombre de la dure loi biblique qui fait conduire par l'épouse caduque la jeune esclave au lit du patriarche embarrassé d'un reste de vigueur...

Les femmes de marins, pour avoir été, toute leur vie, soumises aux caprices des vents et des eaux, pour avoir appris les résignations et les patiences, savent mieux que d'autres se plier aux abdications. Puis, elle disposent d'un secours puissant : l'absence. Elles n'en attendent pas de prodiges, mais savent quel antidote puissant est le large : quelques jours de mer, et l'esprit, le cœur du marin sont lavés de tous les poisons de la satiété.

C'était à ce remède que la pensée d'Yvonne avait très vite recouru pour Renaud. Elle avait souffert longuement de le trouver si veule devant les tâches d'assistance, de découvrir, à la première épreuve, tout son candide égoïsme d'homme qu'elle avait si longtemps refusé d'apercevoir. Son conseil de départ était d'abord le blâme infligé à un incapable que l'on engage à quitter une fonction où il s'est montré insuffisant. Mais il lui était inspiré, en même temps, par l'espoir que Renaud discernerait mieux, loin d'elle, à quel point, même diminuée, elle lui demeurait indispensable. « Il comprendra... », se disait-elle, et, derrière ce mot, elle sous-entendait toute sa vie qu'elle lui avait donnée. Il s'en était tellement enrichi qu'il mesurerait, à la première absence, la force de tous les liens qui les attachaient encore, et qu'elle connaissait, elle, pour les avoir, un à un, tendrement tissés.

Mais pour cela, il fallait d'abord que se fussent dissipés le dépit de l'inaction où elle le tenait et le dégoût des humbles soins auxquels l'astreignait la présence...

— Oui, tu devrais repartir.

Renaud, dans la voix calme et volontairement négligente, n'entendit que le reproche, et fit face :

— Cela veut dire, si je comprends encore le français, que je ne suis bon à rien ici et que je te soigne à contrecœur ? Dis-le !

— Mais tu sais bien que c'est vrai !

Elle s'indignait de cette dérobade qui le rapetissait. Lui, reçut le mot comme un coup de poing entre les deux yeux : il rejeta la tête en arrière, ses paupières battirent. Il répéta :

— Je le sais bien ?...

Elle le fixa de ses yeux clairs où reparaissaient des reflets brillants que la maladie avait ternis, et elle insista, de cette voix doucement obstinée que Renaud nommait « sa voix de bonne sœur », et qu'il redoutait, parce qu'il n'avait jamais pu fléchir les décisions ou les jugements qu'il avait entendu énoncer de cette voix-là, soit par sa femme, soit par les religieuses des hôpitaux maritimes :

— Mais avoue-le, va, que tu es à bout ! Si tu savais comme tu le caches mal ! Tu passes toutes tes journées à la fenêtre, à guetter le temps, à attendre un S.O.S. qui te débarrasserait de la maison sans que je puisse rien te reprocher... Ce n'est pas vrai ?

Il s'attendait si peu à l'attaque qu'il rompit encore d'un pas :

— Qu'est-ce que j'ai dit ? Qu'est-ce que j'ai fait ?

Elle sourit amèrement, un sourire que Renaud lui voyait pour la première fois et qui l'inquiéta plus que l'apparition en mer d'un écueil oublié sur la carte.

— Rien !... Tu n'as rien dit. Tu ne desserres plus les dents !... Tu as fait tout ce qu'il fallait faire, mais avec quelle figure, grand Dieu !... Ne hausse pas les épaules ! J'aimerais mieux que tu l'avoues franchement, que tu me dises : « Écoute, ce n'est pas mon affaire de mesurer des cuillerées de potion. Ne m'en veux pas, mais je m'ennuie et je m'en vais. » Oui, j'aimerais mieux cela !

Buté, il se rendit témoignage :

— J'ai conscience d'avoir fait tout ce que je devais faire !

Car il s'était imposé des consignes de maladie comme des consignes de bord et les avait strictement observées.

Yvonne, les mains appuyées sur la table, se souleva à demi, et l'indignation enflammait ses joues :

— Ce que tu devais !... Tu en es à faire le compte de ce que tu *dois !* ... Alors que je n'ose même plus te dire d'ouvrir un placard, de fermer une fenêtre, d'apporter une assiette !... Mon pauvre ami ! Si l'on faisait le calcul de ce que tu *dois*, comme tu dis !... T'es-tu seulement aperçu que pendant vingt ans tu as pris toute la place, toute !... Que tu as disposé de ma vie, de mes goûts, sans jamais te demander, tant tu trouvais cela naturel, si je n'aurais pas mieux aimé... je ne sais pas, moi, autre chose...

La tête basse, comme pour donner un mauvais coup, si basse qu'elle tirait à fond sur les muscles de la nuque, il répliqua de son ton le plus maussade :

— Tu as attendu bien longtemps pour m'apprendre que je t'ai rendue malheureuse ! Une bonne surprise !...

— Non... Je n'ai pas été malheureuse, et tu le sais bien !... Mais ce qui est arrivé, je vais te le dire. Quand je suis tombée malade, j'ai été forcée, pour la première fois, de vivre un peu pour moi, avec toutes mes misères, entre ces quatre murs, forcée de penser un peu à moi, et cela tu ne l'as pas admis... Et puis, j'étais si lasse, j'avais la tête si vide que je n'ai pas toujours pu m'intéresser, comme auparavant, à tes affaires, et tu m'en as voulu... Si... Si !... Mais surtout, il a bien fallu que je te demande quelques services, pour le ménage... Le moins possible, et pourtant je ne pouvais pas penser que cela te coûterait tant de m'aider...

Il jeta, méchamment, arrêté à la lettre de son devoir, aussi intransigeant que lorsqu'il courbait un armateur sous un fait indiscutable :

— Que cela m'ait coûté ou non, je l'ai fait. Alors ?...

— Alors, cria-t-elle, je ne veux plus des aumônes que tu me jettes depuis que tu es rentré de Paris ! Une mendiante que l'on n'ose pas mettre dehors, voilà ce que je suis devenue chez moi !... Tu vis ici, comme un étranger dans un mauvais hôtel où il serait obligé de faire une partie du service... Alors, je t'en prie, pendant que j'ai encore la force de garder un peu de fierté, pars !

Il gronda, menaçant :

— Je ne te conseille pas de me le dire trop souvent !

Mais elle ne l'entendit pas, tant elle mettait de hâte et de fougue à le pourchasser, à lui jeter, en touffes, des négligences, des fautes, des lacunes qu'elle avait constatées, excusées, couvertes, pendant vingt années, mais qu'elle n'avait plus la force de dissimuler. Ainsi, une étoffe usée jusqu'à la trame laisse passer le vent et le froid...

— Jamais je n'ai vraiment compté pour toi ! Ou plutôt, si : j'ai compté comme un meuble, pour l'utilité ou le plaisir que tu retirais de moi !... Je n'avais qu'une raison d'être, pour toi : te rendre la vie agréable à terre !... Et encore, cette vie-là, ta maison, t'y es-tu jamais vraiment attaché ? Ose donc dire oui !...

Il murmura :

— Si je m'y étais attaché, comme tu dis, je n'aurais jamais pu repartir !...

Elle ne ressentit que l'injure du maladroit aveu. Lui voulait seulement rappeler qu'il est interdit au marin de s'abandonner sans réserve à des biens qui ne lui sont que prêtés...

— Pourquoi t'es-tu marié, alors ? cria-t-elle. Quand on est décidé à ne rien donner, on ne demande pas tout aux autres. Moi, j'appelle ça voler, tu entends ?...

Il ne répondit point, parce qu'elle venait d'être injuste : sa réussite, son argent, sa réputation, n'en avait-elle pas profité comme lui, n'avait-elle pas été de moitié, en tout ? Son plaisir, à lui, n'était-il pas, toujours, de lui faire la part plus large qu'à lui-même ? A chaque succès, il pensait : « Elle sera contente »... S'il l'avait accaparée, comme elle le lui reprochait, n'était-ce pas sa façon, à lui, de la faire profiter de tout ?... Avec une paire de bottes, un vieux ciré, lui, il était paré ! Le reste, c'était tout de même pour elle !... A le constater, il reprenait du calme, comme il lui arrivait chaque fois que la colère ou le dépit jetaient son contradicteur dans des excès déraisonnables. « Bien sûr, pensait-il, elle a été la plus dévouée des femmes, mais elle y trouvait son agrément, comme moi j'ai toujours trouvé mon plaisir à lui faire plaisir... »

Il arrivait brusquement devant la réalité même de l'amour qui ne vise que soi à travers les autres et ne cherche, en aimant, que la jouissance d'aimer. Mais, tout de suite rebuté par cet embrouillement, il haussa les épaules :

— Tout ça, c'est parler pour ne rien dire !

C'était sa pensée qu'il jugeait ainsi. Yvonne, une seconde fois, se méprit : elle crut qu'il faisait fi de ses plaintes et redoubla les coups :

— Pour ne rien dire ?... Aimerais-tu mieux que je te dise que si tu ne partais pas, moi je partirais ?... Est-ce parler pour ne rien dire que de s'apercevoir que je me suis trompée sur ton compte, pendant vingt ans, et que tu n'as pas de cœur ?... Tiens, j'ai pensé souvent, depuis quinze jours, à ton pauvre matelot qui avait pris le typhus à Valparaiso et que tu n'avais pas pu débarquer... Tu te rappelles la scène que tu as faite, lorsque tu as su que tu serais obligé de le garder pendant tout le voyage ? Tu te rappelles que c'est moi qui l'ai soigné, parce que je ne voulais plus te voir le faire avec cet écœurement que tu ne te donnais même pas la peine de cacher ? C'est toi tout entier, ça !... Je ne t'ai jamais vu aimer que ce qui était fort, ce qui était neuf, ce qui te faisait honneur, et ça, dans tes hommes, dans tes bateaux, dans tout ! Ce qui est usé, abîmé, quand c'est à toi, tu en as honte ! Tous les bibelots que la femme de ménage a ébréchés, tu me les fais jeter ! Tu ne t'es jamais demandé si j'y tenais...

Le grief, pourtant grave, lui sembla puéril : il leva les épaules.

— C'est idiot !

Mais, frémissante, elle frappa, dans la même ligne, un second coup qui, lui, pénétra profondément :

— Et tes bateaux, tes vieux bateaux, combien en as-tu laissé pourrir ou démâter, sans même un mot de regret ? On te donnait un neuf en échange du vieux, tu étais content, tu ne demandais que cela !

Il se leva, les mâchoires et les poings serrés :

— Laisse les bateaux !

Car cette injustice-là l'atteignait plus que les autres. S'il se détournait jadis de ses voiliers au rebut, s'il affectait de s'en désintéresser, c'était seulement par peur de s'attendrir, un attendrissement qu'il jugeait absurde ; c'était par une pudeur d'homme fort qui ne veut point paraître regretter des débris, quelques morceaux de vieux bois, des regrets qu'un marin cache à tous, mais surtout aux femmes. Ses bateaux !... Il portait en lui leur nom, leur âge, leur image ineffaçable et précise, leurs blessures, leurs voyages, leur vie entière ainsi que le souvenir d'amis disparus. Il n'y avait que Tanguy à le savoir, parce que causer avec Tanguy, c'était causer tout seul...

Mais Yvonne, au cri qu'il avait poussé pour l'écarter de ses voiliers, avait senti flamber en elle la jalousie du bateau, du violent plaisir qu'il donne aux hommes :

— Eh bien ! je te le répète, pars, pars dessus, puisque tu n'as jamais aimé que cela, puisque c'est là que tu es libre, que tu commandes ! Pars, ou je partirai !

Il la fixa durement, mais la colère ne troublait pas la clairvoyance redoutable de son regard. Yvonne était debout, bien droite, du sang aux joues et aux lèvres. La tête que le défi rejetait en arrière cachait, derrière le front levé, les cheveux couleur de cendre. Elle était redevenue subitement jeune, ardente, et cette jeunesse factice, rallumée par la colère, trompa Renaud, lui suggéra une pensée mauvaise et basse : « Allons donc ! Elle n'est pas si malade qu'elle voudrait bien me le faire croire !... » La crainte d'être dupe lui ôta toute pitié, il rafla sa casquette qui traînait sur la desserte, l'enfonça jusqu'aux yeux et dit :

— Partir ? C'est bon ! Je vais m'en occuper...

Il sortit, sans qu'elle le rappelât.

Sur le quai, après quelques pas, il s'arrêta brusquement pour faire le point. En vingt ans, Yvonne ne s'était pas emportée dix fois. Mais il se rappelait, mieux que des tornades, chacune de ses colères. Car c'étaient des révoltes de femme patiente et douce qui n'éclate que poussée à bout mais garde, dans la fureur, un discernement cruel. Renaud entendait alors de dures vérités qu'elle démentait passionnément après : « Si je l'avais pensé, te l'aurais-je dit ? »

Aujourd'hui, cependant, il était sûr qu'elle ne se rétracterait pas, et ce pressentiment le gonflait de rancune.

Il repartit, et s'en alla, à grands pas, au *Cyclone*. Il comptait y trouver Tanguy, car on profitait de ce beau temps qui rendait improbable un appel, pour visiter les pompes, et c'était un travail important dont le second avait la charge. Mais Royer, qui flânait sur le pont, avertit le capitaine que Tanguy s'en était allé chez lui : il s'offrit à y courir. Cette absence déplut vivement à Renaud. Il fit appeler Kerlo qui arriva pourpre, les yeux mouillés, empestant le rhum. Le capitaine le regarda sévèrement :

— Alors, maintenant, vous n'attendez même plus le soir pour être plein ?

Le bosco le fixa de ce regard insolent des gens qui cherchent avec qui se battre et il répondit, en mordant, tant qu'il pouvait, dans l'excuse :

— Je m'emmerde trop, capitaine !

— Vous pourriez peut-être trouver d'autres distractions...

— Lesquelles ?... Et puis, ça ne m'empêche pas d'avoir l'œil au boulot !

C'était vrai : il fallait rendre cette justice à Kerlo qu'il réglait ses doses sur les travaux en cours... Renaud le renvoya d'un signe maussade.

Puis il monta chez les t.s.f. Le Gall, qui était à l'écoute, se leva, le casque aux oreilles, pour saluer. La veille déjà, il avait salué, mais autrement, au bureau de tabac, auprès de la patronne rousse, quand Renaud était venu chercher du Job blanc... C'était lui qui avait demandé, goguenard et crâneur :

— Gommé ou non gommé, capitaine ?

Car, depuis que la buraliste était sa maîtresse, il servait les clients et jouait au patron : ça valait bien ça !...

Tanguy arriva enfin et se présenta au carré où Renaud l'attendait. Au premier regard, le capitaine discerna toute la laideur supplémentaire du chagrin sur sa pauvre gueule déjetée.

— Qu'est-ce qui ne va pas, Tanguy ?

L'autre hésita, puis d'une voix basse, honteuse :

— Elle n'est pas rentrée depuis hier soir...

— Ah !... Et alors, qu'est-ce que vous allez faire ?

— Je suis allé voir si elle n'était pas revenue... J'y suis allé trois fois ce matin... Et puis tantôt... C'est pour ça, que je n'étais pas là, quand...

— Oui... Ça, on en reparlera plus tard... Mais quand elle sera rentrée, qu'est-ce que vous ferez ?

L'autre le regardait, stupide, comme si le capitaine avait parlé une langue étrangère. Ses yeux clignotaient. Il était visiblement tout à fait incapable de répondre, de dépasser l'instant présent de son angoisse et de son misérable désespoir. Renaud mit une main dans sa poche et le regarda fixement :

— Eh bien, quoi ? Qu'est-ce que vous ferez ?... Vous lui demanderez si elle ne s'est pas trop fatiguée dans sa petite promenade ?... Aurez-vous au moins le cran de me la foutre dehors ?

L'autre hocha la tête : doutait-il de lui, ou seulement du retour de sa femme ?... En le voyant hésiter, Renaud éclata :

— Mais, nom de Dieu, qu'est-ce qu'on vous fait donc à terre ?... Vous n'avez pas le pied dessus que vous manœuvrez tous comme les derniers des marlous !... Kerlo qui ne dessaoule pas, Le Gall qui s'engraisse avec les gros sous de la tabatière, vous qui êtes cocu et qui dites merci !... Mais, mon vieux, il faut tout de même que vous le sachiez : tout l'équipage se fout de vous ! Quelle autorité aurez-vous sur les hommes, si une petite garce peut vous en faire porter autant qu'un quatre-mâts grand largue, et que vous en redemandiez ?...

Il s'indignait, parce qu'il avait devant lui un brave type sans défense qu'on bernait, parce que la petite Tanguy lui avait toujours fait de l'œil, qu'il s'était toujours fait, lui, scrupule d'y toucher et qu'elle était partie avec un autre, parce qu'enfin il éprouvait un plaisir vengeur à rabaisser les femmes :

— Écoutez-moi, Tanguy : quand elle rentrera, car elle rentrera, foutez-la-moi à la rue avec sa chemise sur le derrière ! Ne lui donnez pas un sou : vous aurez le droit pour vous... Et puis, prenez-moi une autre tête ! Une femme, ça se remplace, surtout celle-là !... Et même les meilleures, valent-elles tout ce qu'on fait pour elles ? S'en rendent-elles même compte ?... En tout cas, maintenant, pour vous, la situation est nette ; vous allez me la balayer, hein ? Dire « amen » ? Vous valez mieux que ça !

Le voyant ébranlé, il lui porta un dernier coup, extrêmement habile :

— Et je vous en cause sans parti pris... Vous vous rappelez que j'ai été le premier, quand on dérivait sur Ar-Men, à vous dire que tant que vous n'auriez pas de preuves...

— C'est vrai ! attesta Tanguy, frappé.

Et il promit, avec une colère lente qui montait en même temps que le sang aux yeux, et durerait longtemps :

— Il n'y a à faire que ce que vous dites, capitaine... C'est le mieux !...

Quand Tanguy avait dit : « C'est le mieux », les dix-huit cents chevaux du *Cyclone* ne l'en eussent point fait démordre... Sa soumission détendit Renaud. Il le garda près de lui pour surveiller le démontage des pompes, et il retournait dans ses doigts un joint rongé par l'eau de mer, quand un matelot lui apporta une carte qu'il lut et relut : sa naufragée, la femme du Grec, le priait de passer pour la voir à l'Hôtel de France. Il l'avait oubliée, celle-là !

— Qui a apporté ça ?

— Un drôle de gosse, en vélo, tout en vert, avec une calotte de curé.

Le groom de l'hôtel...

Méfiant, il relisait la brève formule et s'étonnait de la haute écriture, cette écriture standard qu'elles ont toutes adoptée, comme les cheveux courts, et qu'avec un vague respect il jugeait distinguée, parce qu'il n'avait encore connu que des écritures sincères.

Cet appel inattendu l'intriguait. Il en espéra brusquement quelque chose, un rebondissement quelconque de l'affaire, car il se résignait comme il mettait en cape, le moins longtemps possible.

Malgré le désistement de la Compagnie, malgré l'indifférence et l'oubli qui, autour de lui, sur le quai, commençaient à recouvrir le souvenir plaisant du bateau filou, sa rancune n'avait point désarmé et espérait encore une revanche. Mais il ne l'attendait point de ce côté. Que cette malheureuse lui eût écrit, qu'elle fût capable de cette initiative, à la réflexion, cela le surprenait de plus en plus. Il revoyait ce mannequin mou abandonné sur le pont, entre les bottes des hommes, puis la noyée verte qui, sur la banquette des t.s.f., crachait des mots hagards et des filets de bile. Il n'entrait d'ailleurs dans son souvenir aucune pitié, car il pensa :

— Si par hasard, elle savait quelque chose, il faudra qu'elle le sorte !

Puis il se souvint qu'elle était Française et cela ne manqua point d'armer sa méfiance :

— Française, oui, et la femme du plus beau saligaud qui ait jamais mis le pied sur une passerelle. Son salopard doit se demander si je ne vais pas le rebaiser au tournant ! Il a chargé sa femme de se renseigner... Si elle entreprend de me la faire à la compatriote, elle sera reçue !...

Il fit appeler Tanguy :

— S'il y avait quelque chose, vous m'enverriez un matelot à bicyclette à l'Hôtel de France.

Il gravit les rampes et s'arrêta un instant sur le cours d'Ajot, au pied de la statue de l'Abondance dont la corne déverse des fruits de pierre moisis par le crachin. Il alluma une cigarette. Devant lui, les arbres élevaient leur brouillard de jeune verdure, des gamins s'enfuyaient sur des patins à roulettes. Il s'approcha du parapet et observa la rade. L'eau y était si pâle et à ce point immobile qu'on ne la distinguait plus ; les bateaux semblaient plats et posés sur une glace. Il haussa impatiemment une épaule : avec ce calme, il attendrait longtemps une belle sortie !...

L'hôtel s'ouvrait dans une rue étroite et calme, assez en pente pour que les automobiles évitassent de s'y aventurer. Dès qu'il eut mis le pied sur le tapis profond du vestibule, qu'il eut jeté un regard à la caisse en palissandre, au large escalier, à la rampe de fer forgé, il se renfrogna : l'hôtel était visiblement confortable.

— Et c'est moi qui le paie, pensa-t-il !

Une femme de chambre, en Bretonne de Pont-Aven, l'introduisit dans un salon vitré, aux boiseries claires, peuplé de divans, d'étagères et de ces profonds fauteuils qui vous gainent jusqu'aux aisselles et dont les soufflets cèdent sous vous, ainsi que le ventre d'une bête vivante...

En voyant entrer cette jeune femme en blouse de crêpe blanc, ces ondulations molles, cette bouche très rouge, il ne sourcilla pas : une quelconque pensionnaire, agréable... Le salon était tout en longueur et elle l'abordait par l'autre extrémité. Elle le traversa de bout en bout sans que Renaud eût compris. Ce fut seulement lorsqu'elle s'arrêta, au bord même de son fauteuil, et qu'elle se fût nommée qu'il se leva, stupéfait.

Ainsi, c'était elle qu'il avait ramassée sur son pont, écrasée comme une méduse, à demi fondue ? Ce tas de chair et de loques lui avait alors semblé tellement gorgé d'eau que les rigoles qui en découlaient paraissaient emporter, délayée, le reste de sa substance. Il avait classé son image parmi celles des créatures les plus dissoutes, les plus flasques qu'il eût jamais tirées de la mer... Et elle était là, si droite, la poitrine ferme, si stable devant lui, et avec un visage précis, un joli visage de blonde à peau dorée. Il la contemplait comme un prodige. Elle s'amusait visiblement de sa stupeur, mais il s'en aperçut et se reprit. Il s'était dès longtemps entraîné à secouer très vite ses étonnements. Marin, il avait l'habitude de se soumettre sur-le-champ aux aspects changeants du ciel et de la mer. Il savait accepter les embellies soudaines et en profiter sans attendre... C'est pourquoi il aimait les hommes qui restaient impassibles devant l'extraordinaire... Pourtant, lorsqu'elle repartit afin de fermer la porte demeurée ouverte, il s'émerveilla de nouveau : sa démarche le surprenait plus encore que son visage. Il l'avait connue à tel point inerte ! Et maintenant, ce pas élastique et ferme, sans réticence des jambes, sans hésitation des hanches, mais aussi sans cette dureté, cet appui volontaire qui marque la timidité vaincue... Une démarche décidée, juste, à laquelle, marin des voiliers, spécialiste de toutes les allures, il était, plus qu'un autre, sensible.

Elle tendit la main, cette main longue et trop baguée qui l'avait fait reconnaître de Tanguy, et en même temps, elle se logeait dans les lèvres un sourire d'accueil qui ne venait que du relèvement de la lèvre supérieure et n'intéressait pas les yeux. Car eux ne riaient pas, ils demeuraient perspicaces et scrutateurs.

— Que je suis heureuse de vous voir, capitaine !

Heureuse..., le mot n'exprimait pas tout à fait l'avidité étrange de son regard...

— Mais asseyez-vous !

Elle-même poussa un fauteuil pour le rapprocher du sien, et s'assit en face de lui, leurs genoux presque en contact, bien différente en cela de tant de femmes qui, d'instinct, cherchent à parler de biais. Ces avances le tenaient en garde, et il dit, pour voir venir :

— Je ne vous croyais plus à Brest...

Habilement, elle saisit la balle :

— Pouvez-vous penser que je serais partie sans vous avoir remercié ? Je suis allée déjà vous demander sur votre bateau. Vous n'y étiez pas. Je n'ai vu que votre second. Il ne vous l'a pas dit ?

— Non... Il vient souvent des gens qui demandent à visiter...

— Mais j'ai réclamé votre adresse, on n'a pas voulu me la donner...

Il approuva :

— C'est la consigne ! Sans cela, je serais dérangé vingt fois par jour. On me trouve à bord, ou alors, si c'est pour une affaire de service, Tanguy, mon second, m'envoie chercher.

— Il m'a très mal reçue, votre second, il n'est pas galant !...

Il hocha la tête, avec un demi-sourire :

— Non, il n'est pas galant pour un sou, mais sans lui, vous seriez quelque part dans l'Iroise, entre deux eaux, à régaler les crabes...

Il la regarda avec une effronterie appuyée et ajouta :

— Ce serait dommage !

Elle répliqua hardiment, les yeux rivés aux siens :

— Vous trouvez ?...

— Oui !

— Vous êtes gentil !

Pour la première fois, depuis leur rencontre, elle abaissa son regard, comme si elle avait été atteinte par le bref compliment ; puis elle arrangea deux plis de sa robe :

— En somme, je vous dois la vie.

Elle lui jeta un regard qui se moquait :

— C'est une phrase bête ! On la lit dans tous les feuilletons... et pourtant c'est vrai !...

— Absolument !

Elle prit ses deux genoux dans ses mains jointes, se balança, mi-sérieuse, mi-plaisante :

— Alors, vous avez droit à toute ma reconnaissance...

La désinvolture du ton lui déplut, puis l'étonna. Il entra, toutefois, dans le jeu :

— A votre reconnaissance, seulement ?

— Que pourrais-je vous donner de mieux ?...

— On ne sait jamais...

Elle rejeta la tête en arrière et regarda le plafond :

— Ou plutôt, on le sait trop !...

La pente de l'entretien surprenait Renaud de plus en plus. Où voulait-elle l'emmener ? Que cherchait-elle, avec ses façons d'allumeuse ?... A le désarmer, entre deux draps ?... Cela semblait tellement évident qu'il ne le croyait qu'à demi. Elle n'avait point cet air sot qui eût convenu à une ruse aussi grosse. Sans doute, dès les premiers mots, le capitaine avait songé à une revanche goguenarde : « Il m'a eu, j'aurai sa femme »... Mais cela s'annonçait comme si facile, qu'il ne s'y arrêtait plus... Il cherchait assidûment le piège qui devait être ailleurs ou au-delà...

Elle tambourinait du bout des doigts sur les bras du fauteuil. Comme elle n'avait point cessé de le guetter, elle avait peut-être suivi sur son visage tout le flux de la méfiance. Elle reprit de son ton le plus détaché :

— Cela va faire trois semaines aujourd'hui que vous êtes devenu mon sauveur...

L'anniversaire n'était pas de ceux qu'on fête, et il dit sèchement :

— En effet.

— Savez-vous que cela me donne des droits sur vous ?

— Quoi ?

— Que vous m'ayez sauvée.

— J'aurais plutôt cru le contraire...

— Oui, naturellement... si l'on veut...

— On veut toujours !

La conversation s'échouait de nouveau dans de froides et inutiles équivoques. Renaud décida qu'il avait assez perdu son temps. Il n'était pas au café, à blaguer avec la bonne... Puisqu'elle ne se décidait pas à cracher le morceau, à demander : « Qu'est-ce que vous allez nous faire ? » il allait l'aider, en finir !... Le temps de la ramener sur mer, au jour et à l'heure du mauvais coup et, subitement, il l'écraserait de menaces. Épouvantée, elle en raconterait peut-être trop long... Qui sait, elle négocierait peut-être une transaction.

— Vous n'aviez même aucun chic pour une noyée !

— Non ?

— Aucun !... Qui est-ce qui vous avait si bien installée sous les bancs ?

— Quels bancs ?

— Du canot.

— J'ai eu à peine conscience qu'on m'y jetait et je ne me souviens plus du tout de ce que j'y ai fait, ni comment j'en suis sortie.

— Vous n'y avez rien fait que d'y rester allongée, de vous y faire piétiner par une demi-douzaine de vos sauvages. En voilà à qui vous auriez pu reprocher de n'être pas galants... et peut-être aussi à votre mari qui avait bien mal choisi vos compagnons de promenade !...

— Oh, lui !...

— Tiens, tiens ! pensa Renaud, en voyant se clore le visage de la jeune femme, ses yeux le quitter pour fixer en elle des griefs, va-t-on me jouer la scène de ménage, me dire pis que pendre du pirate, et conclure : « Ne faites rien pour lui, faites tout pour moi » ?...

Il guettait toujours activement d'où pourrait venir l'attaque, mais en même temps, il inclinait à croire sa naufragée sincère. C'est que tout en elle semblait spontané : le geste, le regard, la voix, tout, sauf ce qu'elle disait. Mais ses feintes maladroites, même, ne pouvaient tromper. Elle avait si mal joué son rôle provocant, avec une aisance si visiblement forcée qu'on ne pouvait lui garder rancune de l'avoir essayé. Quant à ce « Oh, lui ! », il avait sonné tout autrement, un cri hostile qu'elle avait jeté d'instinct, sans avoir eu le temps de l'étudier, même de le retenir.

« On va savoir, décida-t-il, ce qu'il y a derrière, et tout de suite ! »

Il se pencha, un coude sur son genou, l'autre sur le bras du fauteuil, une attitude familière, détendue :

— Quel homme est-ce, votre mari ?

— Une brute !

Le mot est fait pour y mordre, elle y mordit. Renaud ne s'attarda point à le méditer : le visage de la jeune femme lui causait trop d'étonnement. Il était redevenu son visage de noyée, celui qui gisait dans la cabine des t.s.f., le jour du naufrage. L'altération des traits était la même, comme si le choc de la passion pouvait donner, un instant, à certaines femmes, le masque de l'agonie. Tout, dans cette face, demeura quelques secondes figé, inconscient. Puis la bouche frémit la première, un tremblement presque imperceptible au coin des lèvres, les narines, comme aspirées, battirent, les yeux noircissaient, et Renaud se rappela ces grains dangereux qui effacent d'un seul coup le ciel, retournent la mer et ne laissent, après une minute, que le hérissement furieux des lames, là où régnait auparavant le rire à larges plis des flots. Le visage de la femme grossissait, devenait vulgaire et puissant, la dureté des os y apparaissait, sous les chairs, dans une contraction qui repoussait les maxillaires et tendait le front sous le ressaut des orbites. Elle répéta :

— Une brute..., une canaille !

Jadis, Renaud, capitaine de long-courrier à voiles, était renommé pour son habileté à prendre du bon côté, sous le calme noir des tropiques, les risées qui l'avanceraient de quelques mètres et le rejetteraient dans les grandes brises, dans les alizés du sud-est... Devant cette femme toute gonflée d'orages, comme autrefois sur les passerelles, il découvrit la fine manœuvre, la question juste et imprévue :

— Pourquoi l'avez-vous épousé ?

Elle ne parut point surprise. Elle n'hésita pas :

— Parce qu'il m'avait mise enceinte... Mon père était commissaire de la marine. Lui était venu suivre des cours d'hydrographie...

Elle hésita, comme si elle avait eu à dire quelque chose d'inconvenant :

— Il était joli garçon : des yeux de fille et il en faisait ce qu'il voulait. Moi j'étais sérieuse, mais têtue, terriblement ! Papa, qui nous avait vus ensemble, m'avait défendu de le fréquenter : cela suffit pour que, le soir même, j'aille le retrouver sur le bateau d'un de ses amis. Ils m'ont fait boire... Et puis, un croc-en-jambe qui vous abat sur une couchette... On crie, on se défend des ongles et des dents comme avec un assassin... Quand on se relève, on voudrait être morte... Et voilà.

Renaud fit remarquer :

— Je ne le connais pas beaucoup, mais ce que vous me dites là me paraît assez dans sa manière... Et après ?

— Après, il n'a cherché, naturellement, qu'à filer avant la fin de son stage, et pour ça, à m'endormir de promesses et de protestations ! C'est tout à fait par hasard qu'en rangeant le bureau de mon père j'ai trouvé sur sa table la demande de mutation qu'il avait faite. Alors, j'ai tout raconté à papa. La gifle qu'il m'a donnée m'a jetée par terre et j'avais vingt-deux ans !

« C'était après dîner. Mon père est sorti. J'ai su plus tard qu'il était allé le chercher à son hôtel. Il faisait nuit : il l'a emmené le long des bassins, l'a empoigné, et lui a dit : « Au choix ! l'épouser : elle a une dot de cinquante mille francs, ou le bassin ! Personne ne t'entendra ni crier, ni tomber. Avec ton pardessus et tes bottes, tu ne nageras pas, et quand on te repêchera, ce n'est pas à moi qu'on viendra demander des comptes ! »

« Papa était trois fois fort comme lui. Naturellement, il a choisi les cinquante mille francs. Alors, papa l'a enfermé dans un des bureaux du port. Ils y ont passé toute la nuit et le lendemain, mon père l'a mené au consulat, à la mairie pour les publications. Quand papa est rentré le soir, il m'a dit :

« — Je regrette de t'avoir calottée. Je le connais maintenant !... Tu seras assez punie avec lui, mais ce sera juste, car une femme doit savoir choisir son homme. C'est la seule affaire de sa vie...

« Ça, je le savais que je serais malheureuse ; il n'avait pas besoin de me le promettre, mais j'ai répondu :

« — Ne t'inquiète pas de moi, ce que j'ai, je l'ai voulu !... En tout cas, tu peux être tranquille, je ne viendrai jamais me plaindre à toi !

« Je l'entends encore s'écrier :

« — Et tu feras aussi bien !...

« J'ai cru qu'il allait encore me gifler. Pourtant il s'est calmé, et m'a dit :

« — Tout ce que je peux faire, c'est de mettre ta dot à l'abri, avec un contrat. Je vous en ferai les rentes, largement.

« Quand l'autre a été mis au courant de l'arrangement, il n'a rien osé dire devant mon père, mais c'est à partir de ce moment-là qu'il m'a vraiment détestée... Je vous assure qu'il ne doit pas y avoir beaucoup de lunes de miel comme la nôtre !... Sitôt mariés, en route pour Le Pirée où il devait prendre un commandement. Un voyage dont je me souviendrai !... »

Renaud la regardait s'enfoncer, tête basse, dans sa rancune, serrer les dents sur d'âpres souvenirs. Mais comme c'était le Grec qu'il poursuivait à travers ses confidences et qu'il voulait aviver un ressentiment capable de le servir, il demanda, tranquillement :

— Il vous battait ?...

Elle rectifia, avec vivacité :

— Dites que nous nous battions !... Le soir, dans la cabine, comme des portefaix, sans dire un mot. Je m'étais juré qu'il ne me retoucherait jamais !...

Renaud, goguenard, interrompit :

— Serment d'ivrogne ?...

Elle haussa impatiemment les épaules :

— Ah ! non. Je vous préviens : ne cherchez pas de gaudrioles dans ce que je vous raconte ! Vous en seriez pour vos frais !...

Puis appuyant sur lui un regard de reproche un peu méprisant :

— C'est si difficile que ça, pour un homme, d'essayer de comprendre certaines choses, au lieu d'en rire ?... C'est vrai que pour eux, des chagrins de femme !...

Il faillit regimber sous la leçon, puis l'accepta brusquement :

— Vous avez raison : je suis idiot !... Êtes-vous restée longtemps au Pirée ?

— Non. Dès le lendemain du débarquement, il m'a emmenée chez sa mère, dans le fond de la Phthiotide. Un chemin de fer, mais quel chemin de fer ! jusqu'à Lamia, et puis une vieille Ford et les mulets, le cacolet... en pleine montagne... Figurez-vous, au pied de l'Oxia, une douzaine de masures qui sortaient à peine de la roche, et sales ! Le jour, un four chauffé à blanc ! Le soir, comme attraction, l'illumination du petit cimetière, une demi-douzaine de lampes sur les tombes !

— Je vois ça, assura Renaud. Pendant la guerre, j'ai chaluté du sous-marin dans la mer Égée...

— Alors, vous devinez ce que pouvait être la vie là-dedans.

Le premier bourg, Krikélou, était bien à vingt kilomètres. Dans le village, quelques vieux et des femmes : les hommes, tous bergers, étaient dans la montagne. Les vieux, on les rencontrait accroupis dans tous les coins d'ombre, en train de faire tourner leur *comboloion,* vous savez, leur petit chapelet d'os ?...

— J'en ai rapporté un, en ivoire... Je vous l'offrirai.

— Ah ! non, gardez-le !... J'avais trop envie de leur arracher ça des mains, tant ils m'exaspéraient à le faire tourner sous leurs pouces, pendant des heures et des heures... Quand ils m'épiaient, en faisant défiler les grains, c'était comme s'ils m'avaient dit : « Regarde, voilà ce qu'on fait de la vie, ici, ce qu'on fera de la tienne ! Elle te passera, comme nos boules d'os, entre les doigts sans que tu en reçoives rien, sans que tu en gardes rien. »

« J'y suis restée quatre mois, et quels mois !... C'est là que j'ai accouché : un enfant mort-né...

« Sitôt rétablie, il m'a rappelée à Patras, son port d'attache... Je ne vais pas vous ennuyer avec notre vie là-bas : deux chiens enragés ! On reçoit, on rend... Je rendais plus que je ne recevais... Il se rappellera longtemps certains tours que je lui ai joués !... Je dois pourtant convenir qu'il était aussi tenace que moi : il n'était pas question de nous lâcher ! Il restait toujours entre nous un arriéré de comptes à régler... »

Renaud ne la quittait pas du regard pendant la violente confession. Elle ne le surprenait pas. Il en avait tant connu, des femmes de marins qui tenaient tête à des brutes et faisaient, à l'occasion, victorieusement, le coup de poing avec eux. Des gaillardes ! Mais ce qui justement l'étonnait dans un tel débordement d'énergie et de dureté, c'était ce corps élancé, mince, qui semblait facile à briser, à mater. Le capitaine gardait, à l'arrière-plan de sa mémoire, l'image du tas inerte qu'elle avait été sur le pont du *Cyclone*... Il observait ses bras nus jusqu'au-dessus du coude et en calculait la force dérisoire... « Les nerfs », pensa-t-il. C'est un mot qui, pour les hommes, explique tout ce qu'ils ne comprennent pas des femmes. Il avoua pourtant sa surprise :

— Je n'aurais jamais cru qu'il pût tenir autant de cran dans... combien ?... Cinquante kilos de jolie femme ?

— Méfiez-vous, répliqua-t-elle. Les maigres sont mauvaises !... Pour en finir, il arriva, un matin, à Patras, des contre-torpilleurs français. Je fis la connaissance d'un lieutenant de vaisseau. On dit qu'il vaut mieux faire envie que pitié. Celui-là, pourtant, a eu pitié de moi avant d'en avoir envie... Le jour où il est reparti, je me suis un peu consolée en racontant tout à l'autre, et dans le détail !... Tenez, voilà un souvenir de notre explication.

Elle écarta des cheveux et montra, sur le côté droit de la tête, une longue raie blanche qui avait dû être une profonde coupure.

— Il m'a manquée de peu, ce jour-là, dit-elle avec une sorte d'estime. Fumez-vous ?

Elle tira de son sac un paquet de gauloises jaunes, en offrit une à Renaud, lui donna du feu avec son briquet, alluma la sienne et en souffla de longues bouffées.

— Mon ami est à Toulon, précisa-t-elle, sur le *Trident*. Vous connaissez ?

— J'ai entendu le nom. Maintenant, vous savez, les torpilleurs... Moi, je suis entrepreneur de transports !...

— Je ne le reverrai jamais, déclara-t-elle. Il est marié, et je ne veux pas compliquer sa vie, je lui dois trop !... C'est grâce à lui que j'ai pu croire de nouveau à quelque chose, reprendre goût à vivre. J'ai écrit à mon père. Il m'a répondu : « Ta tante est morte — c'était aussi ma marraine. Elle te laisse tout ce qu'elle a : achète ta liberté, paie-lui ton divorce et reviens. » Il le connaissait bien !

« L'affaire a été très vite arrangée. Il devait partir pour l'Angleterre avec une cargaison de raisins de Corinthe. A l'aller, il ferait escale à Marseille et m'y laisserait. Je lui ai tout de suite versé un acompte. Ce soir-là, il m'a emmenée dîner dans le meilleur hôtel de Patras, et c'était comme si j'avais dîné avec mon domestique, tant il était rampant ! On s'est embarqué huit jours plus tard. Vous n'avez pas entendu le plus beau ! »

Elle se mit à rire en cherchant des yeux un cendrier pour y jeter la cigarette qu'elle avait fumée très vite. Elle n'en trouva point, se leva souplement et, après deux pas, la lança par la fenêtre ouverte. Puis elle en alluma une autre, et poursuivit :

— Nous avions à peine doublé Missolonghi qu'il me déclara que nous n'aborderions pas en France, qu'il irait sans escale à Cardiff, que je ne débarquerais pas, qu'il m'enfermerait dans la cabine et me ramènerait en Grèce.

« Il préférait, affirmait-il, à tout l'argent du monde, le plaisir de me tenir et de me garder ! Il me le répétait vingt fois par jour, et il ajoutait : « Cette fois, il faudra bien que tu en crèves ! »

« Cela, il me l'a crié devant tout l'équipage, en affirmant que toutes les Françaises étaient des filles et qu'il fallait des hommes comme lui pour les dresser. Les matelots ont pu s'amuser, je vous assure : des scènes de ménage, ce n'est pas une distraction courante sur un cargo !... Il n'y avait que le chef mécanicien à ne pas trouver ça drôle et à oser le dire. Un vieux Corfiote... J'ai envoyé d'ici un colis de bonbons à ses gosses.

« Le bouquet, ce fut en sortant du détroit de Messine, au carrefour des routes de Marseille et de Gibraltar. En faisant mettre le cap à l'ouest pour passer au sud des Lipari et doubler Palerme, à l'instant d'abandonner la route de France, il est devenu enragé ! Il me montrait le noroît et il bafouillait, en bavant, que Marseille était là, qu'on en passerait à cinq cents milles, qu'il ne me lâcherait jamais !... Les hommes le regardaient sans rire, cette fois ; ils commençaient à s'inquiéter pour leur peau, en voyant le bateau aux mains d'un pareil énergumène !... Un type empoisonné de haine ! Il suait le fiel par tous les pores, il s'étranglait : j'aurais pu en avoir pitié !... Je lui promis seulement, en lui montrant, derrière nous, les maisons blanches de Reggio :

« — Si, au retour, je suis encore sur ton bateau, tu ne repasseras pas le détroit : je t'aurai tué avant.

« Je vous assure que ça l'a calmé ! Il savait parfaitement que j'étais capable de l'abattre. Quand on se déteste, on se connaît mutuellement, et à fond : c'est nécessaire pour bien se faire du mal... A partir de ce moment, les rôles ont changé : il crânait toujours, mais moi, je voyais se battre en lui sa haine et sa peur... A Cardiff, au lieu de m'enfermer, comme il m'en avait menacée, il affecta de m'ignorer, de ne plus même m'apercevoir. Il espérait visiblement que je m'en irais de moi-même, qu'il ne serait pas obligé de me céder devant ses hommes... Mais je me suis bien gardée de bouger : j'avais juré qu'il m'amènerait lui-même à quai. Et il l'aurait fait !...

— D'après sa position, quand j'ai reçu son appel, déclara Renaud, il vous aurait débarquée à Bordeaux... Où la tempête vous a-t-elle pris ?...

— Par le travers de Belle-Ile, je crois. Ça a fraîchi subitement, et aussitôt il a perdu la tête. J'avais encore une illusion sur son compte : je le croyais marin... Moi, toute gosse, j'ai navigué au cabotage, avec mon père... En moins d'une heure, j'ai été fixée : dès que c'est devenu sérieux, il s'est mis à courir par tout le bateau en criant, en injuriant les hommes. Il leur ordonnait vingt choses à la fois, des ordres à faire enlever d'un coup la moitié de l'équipage. Ils haussaient les épaules, sans même le regarder !... C'était à mon tour de m'amuser ! A chaque lame qui tombait, je leur criais qu'ils allaient couler, que leur bateau casserait, que leur capitaine ignare les jetterait au plein ! J'étais enragée, moi aussi : une crise de paludisme qui m'était tombée dessus, presque en même temps que le premier grain. Quarante de fièvre et rincée sur le pont que je ne voulais pas quitter... Quand la drosse a cassé, j'ai applaudi, comme une folle !... Je leur en ai tant et tant dit qu'ils se sont mis à quatre pour me rejeter en bas, dans le carré. C'est en tombant dans l'échelle que je me suis ouvert l'épaule et aux trois quarts assommée. Ils y étaient allés fort !

— Vous aussi !...

Renaud était choqué de ces imprécations frappant un bateau en péril, de cette joie sacrilège qui saluait une avarie majeure, de ces prédictions de mort jetées à des marins qui luttaient pour leur vie ! Cependant, bien des fois, il avait entendu des hommes maudire le bateau, son bateau... Ceux qu'on embarquait ivres morts et qui se réveillaient au large, en hurlant : « Sacré maudit ponton, où j'ai été foutre mon sac ! I' ne va donc pas nous couler sous les pattes, que ça soye fini une bonne fois ? » Ça n'avait aucune importance, et ceux-là, sur un signe, eussent aussitôt risqué vingt fois de se casser les reins pour sauver large comme la main de toile... La petite, là, au moins, qu'une piaule du tonnerre de Dieu n'était pas même capable de faire taire, elle avait de la suite dans les idées !... Tout en la désapprouvant, il l'admirait :

— Sacrée mâtine que vous êtes, c'est péché de souhaiter la mort à un bateau !... Tout de même, si j'avais su que vous étiez à bord, c'est à vous, à vous toute seule que j'aurais voulu avoir affaire... Parce que moi, au moment où vous faites les cent coups sur votre pont, je pars de Brest, pour aller crocher dans vos jupons, et je peux vous dire que ce qui se passe sur votre rafiau m'intéresse beaucoup plus que ce qui se passe sur le mien... Donc, vous voilà dans le carré... Votre mari vient vous border dans votre couchette... Et après, qu'est-ce qu'il fait ? Qu'est-ce qu'il dit ?

— Je ne sais plus... La fièvre m'a écrasée, comme toujours ; je ne sentais même plus mon épaule. Je crois qu'ils ont fini par tous descendre dans le carré. Ils ont dû hurler... Ils se sont sûrement battus... Longtemps... Mais je ne me rappelle tout cela que comme un cauchemar. Qui est-ce qui m'a jetée dans le canot ? je ne sais pas. Lui, peut-être, s'il supposait qu'on allait couler, ou un autre qui a eu pitié : il n'avait pas que des crapules à bord... Je ne me souviens que du froid de l'eau et puis des ciseaux de votre t.s.f. sur ma peau, quand il a coupé ma chemise...

— C'est dommage ! dit Renaud, déçu. J'aurais aimé savoir ce qui s'était fait et dit cette nuit-là, dans votre carré... Pourtant, ça ne m'avancerait à rien. Je vous ai embarquée trop tôt, ou vous vous seriez réveillée trop tard...

— Pourquoi ?

— Parce que...

Il songeait à ce qui fût arrivé si elle était restée à bord du cargo, avec toute sa vigilance, quand la dernière remorque s'était rompue. Des oreilles et des yeux comme les siens eussent certainement entendu et vu des choses capables de changer le cours des événements !...

— Et votre mari ? Vous l'avez retrouvé quand ?...

— Je ne l'ai pas revu. A peine à la clinique, j'ai fait envoyer un télégramme à mon père. C'est lui qui a reçu le monsieur, le lendemain, ou plutôt qui l'a jeté dehors... Alors l'autre m'a écrit qu'il m'attendait, que ses avaries le retiendraient au Havre tout le temps nécessaire pour qu'il pût de nouveau m'emmener... Il s'était renseigné : il avait la loi française pour lui, je n'étais qu'une étrangère dans mon pays et il pouvait me faire ramener à son bord par les gendarmes... Naturellement, j'ai commencé des démarches, mais mon avoué assure que je devrai partir avec lui s'il l'exige, ne pas me mettre dans mon tort, et poursuivre le divorce à Patras. Vous pensez bien que je ne repartirai jamais, mais cela me révolte de penser qu'un tribunal français pourrait lui donner raison... Je veux le divorce à mon profit. Je n'ai pas besoin de son argent, mais je veux qu'il soit condamné à me faire une pension. Ce sera ma vraie revanche ! Tous les ans, il en crèvera de rage... Malheureusement, pour cela, il faut du temps... ne serait-ce que pour enquêter auprès de l'équipage sur la façon dont il m'a traitée pendant le voyage. Et les gens de loi n'en finissent pas ! Lui, appareillera dans une dizaine de jours... C'est pour cela que je vous ai prié de venir, pour savoir si, en qualité de sauveteur, vous n'avez pas le droit de retarder son départ jusqu'à ce que toutes les questions d'indemnités soient réglées. Pour être très franche, je voulais vous demander de mettre tous les bâtons possibles dans son hélice, de le traîner en longueur... Vous seriez si gentil, et ça me rendrait un tel service ! Le temps que les papiers arrivent, que la procédure soit lancée... Mon père assure que vous retenez souvent les bateaux jusqu'au versement d'une caution et que, lorsqu'il y a jugement, cela dure parfois des semaines...

Renaud approuva :

— Cela arrive... Mais dans le cas, il n'y a rien à faire !

— Pourquoi ?

— Parce que votre mari ne me doit rien... que des remerciements qu'il m'a d'ailleurs aimablement adressés par t.s.f.

— Comment, il ne vous doit rien ? Et vos frais ? Vous avez brûlé du charbon pour aller le chercher ?...

— Mon charbon, mes avaries, mes remorques qu'il a si proprement claquées, ça et le reste, tout est à mon compte !... Vous avez beau ouvrir de grands yeux, c'est comme ça ! Je lui ai dit : « Voulez-vous que je vous tire de là ? » Il m'a répondu : « Si vous voulez, mais à vos risques et périls. Si vous ne m'amenez pas à quai, vous n'aurez pas un sou ! »

Moi, j'ai répondu : « D'accord. Je pars ! »... Parce que j'étais sûr, vous entendez bien, absolument sûr de crocher assez solidement dans le morceau pour le ramener au quai du Commerce, aussi en sûreté que les tonneaux qui y sont alignés !... Après ça, le bateau qui, sans moi, était perdu, devient à moi : c'est juste. Mais, dans l'affaire, trente bonshommes... et une très jolie femme gagnaient la vie, comme prime... Tout cela est net ! J'ai croché deux fois dans l'épave. J'ai eu du mal parce qu'il ne s'aidait pas, le collègue ! Je l'ai remorqué sur cent milles, à peu près. Chemin faisant, j'ai bien failli aller m'ouvrir le ventre sur les cailloux. Mais ça, c'est un détail, un risque connu : il n'y était pour rien... Une troisième fois je lui ai passé la remorque, une troisième fois elle a cassé, justement quand j'étais en train de prendre de vos nouvelles... Et elle cassait, comme par hasard, à l'entrée du Goulet, quand il n'y avait plus que quelques tours d'hélice à donner pour s'amarrer à un bon quai solide... Comme par hasard, encore, elle cassait au bon moment, alors qu'il venait d'épisser, tant bien que mal, la drosse de son gouvernail... Moi, bonne bête, je lui offre gentiment ma quatrième remorque parce que le passage n'est pas commode, qu'il y a de fameux cailloux en plein milieu du corridor, et qu'un navire désemparé, le sien l'était, vous festonne là-dedans comme un gabier retour d'une bordée... Il me répond alors poliment qu'il avait réparé, qu'il me remerciait beaucoup de mes services mais qu'il rentrerait tout seul, comme un grand garçon... J'avais insisté moi-même pour qu'il garde de la pression : on peut toujours en avoir besoin, ne serait-ce que pour virer les treuils... Il s'est trouvé que ses chauffeurs ont tenu le coup, peut-être parce qu'il n'était pas descendu les embêter dans leur soute. Alors, avec un gouvernail qui tourne un peu, une hélice qui tourne un peu de son côté, par temps maniable, on rentre dans Brest ; on y met le temps, on rentre comme une bouée, mais on rentre, et on ne doit rien à personne. Voilà !

— Mais, si c'est lui qui a coupé la remorque, et il l'a coupée, cela saute aux yeux !

— Il ne l'a pas coupée, il l'a arrachée et avec elle un morceau de ma lisse. Et il aurait très bien pu arracher en même temps deux ou trois têtes de bonshommes !

— Alors ?

— Alors, il aurait fallu le prouver, et vous pensez bien qu'un coup pareil ça peut toujours se camoufler... Il y avait encore un peu de houle ! On lui met ça sur le dos... Deux remorques cassent, donc une troisième peut casser... Avec la brume, personne n'a rien vu...

— Mais, si c'était prouvé qu'il l'a cassée exprès ?

— Quelques mois de prison pour commencer, et la saisie du bateau... Le tribunal maritime, puis le tribunal tout court ne sont pas tendres pour ces manœuvres-là !...

— Alors, qu'est-ce que vous attendez ?

— Tout simplement qu'un autre plus honnête ou plus bête, comme vous voudrez, paye pour deux... Pour prouver qu'il y a eu rupture volontaire, il faudrait une enquête. Pour qu'il y ait enquête, il faudrait une plainte. Si l'enquête n'aboutit pas, et il y a quatre-vingt-dix-neuf chances sur cent qu'elle n'aboutisse pas, ça ferait une sale impression sur les clients possibles... On s'adresserait ailleurs. Quand on saurait que nous sommes si mauvais coucheurs, que nous traînons devant les tribunaux ceux qui ont réussi à se passer de nous, ça ferait une réclame à l'envers dont la Compagnie ne veut pas. L'administrateur me l'a dit lui-même. Il faut prendre les gens comme ils sont... Tous ceux qui nous appellent ne le font que contraints et forcés. Tant qu'on les traîne, ils gardent l'espoir qu'ils pourront peut-être finir, une fois qu'on les aura sortis du plus creux, par se tirer d'affaire tout seuls. Lorsqu'ils y réussissent, si vous appelez les gendarmes, eux appelleront le collègue... Alors, si votre remorque pète à deux milles du quai, tant mieux pour eux, tant pis pour vous !

Elle l'écoutait mal, toute à la décision qu'elle mûrissait :

— Si vous aviez la preuve... si vous étiez certain de pouvoir la fournir aux juges, vous marcheriez ?

— Je pense bien, et grand largue !

— Eh bien, je vous l'apporterai !

Il haussa les épaules :

— Trop tard, petite fille !... Pourtant, vous êtes tenace. Ça me plaît !

Il s'était levé et lui avait pris les mains.

— Je vous affirme que je vous l'apporterai. Demain je serai au Havre...

Il rit mais rapidement. Ses doigts qui serraient les poignets minces, montaient doucement le long des bras. La caresse audacieuse devenait une prise : ses yeux changeaient. C'était le grand coup de fouet aux reins des escales, mais, surtout, l'appétit brûlant de cette force jeune. Ce corps tendu, cette violence, ces chairs dures, cette révolte, il aimait ça, il voulait ça ! C'était vivant, au moins, ça le dépoisonnerait des tisanes !

— Lâchez-moi.

Les doigts de Renaud s'étaient logés dans le creux chaud des aisselles, ses poignets tournaient, les paumes glissaient vers les seins étroits.

— Lâchez-moi, voyons !

La voix n'était qu'ennuyée et froide. Puis elle le regarda et dit simplement :

— Vous y tenez ?...

Si elle s'était débattue, il l'eût renversée sur le divan, mais il la lâcha, stupéfait, puis furieux :

— Puisque c'est une formalité, je vous en dispense !

Elle haussa les épaules :

— Que voulez-vous que je vous dise ? Qu'il vaudrait mieux, pour vous et moi, rester simplement des associés ? J'en suis sûre ! Autrement, nous nous quitterions très mécontents l'un de l'autre, croyez-moi ! Pourtant, encore une fois, si vous y tenez...

Renaud enfonça brusquement sa casquette :

— Vous parlez comme une fille ou vous vous foutez de moi !

— Ni l'un ni l'autre, vous le savez bien, mais...

La porte qu'il flanquait sembla, derrière lui, avoir tranché la voix.

Le surlendemain, il reçut une carte postale : « Bon souvenir du Havre. »

9

L'homme qui venait d'ouvrir la porte du café s'était arrêté sur le seuil. Les consommateurs se retournèrent, parce qu'il ne fermait pas cette porte béante sur l'averse. Tous comprirent qu'il était ivre ou fou, les deux, peut-être, car son regard fixait, par-dessus les têtes des buveurs, au-delà des murs, quelque chose qui l'emplissait d'une menaçante stupeur. Debout, devant les rais de la pluie, il leva soudain les bras, des bras raidis, où tournaient les cordes des muscles. Tous le guettaient, et derrière le comptoir, la fille de la patronne, une brune hardie, en robe rouge, demeurait toute saisie, le verre et le torchon immobiles. Renaud, son éventail de cartes en main, et qui tournait le dos à la rue, avait pivoté sur sa chaise et regardait l'homme. Pourtant, jamais un ivrogne inconnu n'avait obtenu de lui plus qu'un coup d'œil. Ce devait être un docker ou un échappé de chaufferie, tant il était noir et maigre, avec des joues sèches, hérissées de barbe grise, et qui s'avalaient sous des pommettes pointues. Mais c'était sa rigidité de supplicié mort qui pesait à tous. Renaud pourtant allait revenir vers son jeu, quand l'homme cria :

— A-a-a-ah !

Ces marins, qui tous gardaient, cependant, au fond de leur mémoire, des cris inoubliables d'hommes enlevés par une lame ou tombés des mâts, tressaillirent, prêts à chasser le misérable, à jeter entre eux et lui le rempart de la porte. Le cri strident, un étrange cri monotone, égal, les avait tous alarmés à la fois, parce qu'ils n'y découvraient rien de connu, qu'il ne signifiait ni appel, ni effroi, ni colère, ni douleur... Ils y avaient tous entendu la menace de l'inexplicable, la seule chose qu'ils eussent jamais redoutée sur la mer.

Et la bouche qui l'avait jeté en était restée largement ouverte, un trou noir qui tirait vers le bas tout le maigre visage, tendait les joues arides, écartelait les paupières. Le crieur s'effaça sans avoir refermé cette effrayante déchirure, ainsi que ces agonisants qui meurent la bouche béante du cri qu'ils éructent, une bouche que ne peuvent dompter les mentonnières, et qui prolonge dans la mort l'écho de la dernière épouvante.

Renaud se leva : le vent lui chassait de l'eau dans le cou, car il était le plus près de la porte. En la fermant, il jeta un coup d'œil à droite et à gauche, sur le quai, mais ne vit personne.

— Il m'a fait peur ! dit la jeune fille, dont les doigts, repartant au ralenti, tournaient lentement le torchon dans le verre humide. Renaud haussa les épaules :

— La pluie va le doucher... A toi de parler, Corfec.

Corfec, encore loin du jeu, dit :

— Il était rigolo !

Cela voulait dire : étrange et inquiétant...

Mais Renaud abattit sa première carte...

Lorsqu'il eut compté les plis et marqué les points, ce fut à lui de donner. Il ramassait son jeu quand la porte s'ouvrit encore, et un matelot du *Cyclone*, portant le bout des doigts à sa casquette, dit :

— S.O.S., capitaine.

Renaud se leva en hochant la tête, puis il étala d'un coup ses cartes sur la table :

— Trois atouts maîtres ! soupira-t-il.

Quand il fut sorti, Corfec cligna un œil :

— En voilà un, dit-il, qui paiera pour le Grec !...

L'autre, un retraité de la marine, qui ne s'arrachait du quai que lorsqu'il pleuvait des cordes, approuva :

— On peut dire qu'il ne les lâche que saignés à blanc.

La patronne, survenue derrière son comptoir, demanda :

— Paraît que sa femme ne va pas fort ?

Corfec haussa les épaules :

— Ça doit aller toujours pareil : il n'en dit rien...

Il n'en disait rien, mais il avait agi et s'en félicitait. « Il est juste », proclamait-on de lui, sur ses bateaux. A la réflexion, il avait mieux jugé la situation, reconnu ses torts et compris ce qu'il y avait de fondé dans les doléances d'Yvonne. Il avait, en conséquence, arrêté une série de mesures qui permettraient d'étaler le coup... Un soir, il s'était fermement appuyé des avant-bras sur la table, et avait déclaré :

— Écoute, mon petit, ça n'avance à rien de récriminer. Il faut voir les choses telles qu'elles sont... Ce n'est de la faute de personne. Le tort qu'on a eu, a été de s'imaginer que ça s'arrangerait tout seul... Rien ne s'arrange tout seul ! Il faut donc s'organiser autrement et changer de cap dès demain !...

A cet exorde, Yvonne l'avait regardé avec un espoir qu'elle n'osait encore accepter : il allait lui promettre de l'emmener loin de Brest, il avait enfin compris qu'elle n'y pouvait plus vivre ! Ils étaient presque riches, ils n'avaient, hélas ! point d'enfants... Une maison, à la campagne, ou leur villa de Cancale qu'ils louaient, tous les ans, à la saison... Du repos, des arbres, des fleurs, au lieu de ce quai minable écrasé entre la rade et les remparts, de ces terrains vagues où dormaient des rôdeurs, de ces grues dressées comme des gibets !... Là, elle ne serait plus hantée par la menace des S.O.S. qu'elle en était venue à redouter presque autant que ceux qui les envoyaient ! Elle avait usé ses dernières forces à se taire, lors de ces sorties où André, à chaque fois, risquait sa vie. Jamais elle ne lui avait reparlé de cette remorque engagée dans l'hélice, mais elle en rêvait toutes les nuits et se réveillait en criant.

— Toujours les nerfs !... grommelait-il à demi éveillé par son hurlement.

Mais il avait senti qu'elle était à bout, et il allait sûrement l'emmener...

— Voilà, avait-il expliqué, tandis qu'elle épiait la naissance des mots sur ses lèvres, voilà ce que j'ai décidé. Ça tient en deux mots : repos et distraction. D'abord, la femme de ménage toute la journée, même et surtout au moment des repas ! Et puis une promenade tous les jours. Je me suis arrangé : tous les jours, un taxi viendra te prendre...

Heureusement, tandis qu'il parlait, le crépuscule était descendu. Le visage d'Yvonne placée à contre-jour n'était plus qu'une tache blême, immobile. Il n'en avait point vu la poignante désolation. Il avait donc pu librement s'applaudir de ses décisions et se rendre toute son estime : c'est par des actes que se prouve l'affection !... Les réformes dataient de trois jours.

En sortant du café, il héla le matelot qui filait devant lui vers le *Cyclone*.

— Tu vas faire un saut chez moi, dire à Mme Renaud qu'on vient de recevoir un appel : tu as cinq minutes.

C'était un vapeur anglais qui avait annoncé laconiquement : « Feu à bord ». Il était six heures du soir, la pluie avait cessé. L'étrave froissait une mer opaline, et le ciel de mai était redevenu extraordinairement clair. La pointe des Espagnols plongeait, sous les larges ondulations des houles, son avant oblique. Les bois de pins la couronnaient d'une frange vert bronze, et quand le *Cyclone* la doubla, les rocs y relevaient un long mur rose où le couchant creusait de profondes enfonçures d'ombre violette. Puis, on dépassa le Petit Minou, son phare trapu, son fort déclassé où s'est installé un hôtel agrémenté d'un pont-levis absurde.

Au sud de Saint-Mathieu, le phare du Vieux-Moine s'alluma dès qu'on l'eut doublé. Il redevenait une lampe, après avoir été, tout le jour, un ermite de pierre, à capuchon de zinc. Puis au-dessus de Renaud, dans le ciel, quelque chose tourna. Ce n'était pas encore une lueur, mais un rayon d'air doré qui traçait, dans le soir clair, un vaste cercle : le phare-balai de Saint-Mathieu.

De la passerelle, Renaud distingua, comme si elle eût été toute proche, la face navrée de la femme qui, sur le haut pylône dédié aux marins disparus, ne regarde point le large, mais attache ses yeux baissés aux cadavres de ses fils morts. Cette figure dressée au-dessus de l'Océan, lavée par la vague, insultée par l'écume et dont le regard dédaigne la mer, Renaud ne la comprenait pas, ne pouvait la comprendre. Il trouvait laide sa grimace de vieille, et pensait comme ce pêcheur de la Pointe qui lui avait dit un jour en lui montrant le pathétique visage : « Dire qu'ils ont dépensé plus de deux cent mille francs pour faire ça ! »

Autre chose occupait son esprit dans ce crépuscule, le plus lumineux et le plus tranquille à coup sûr de tous ceux où le *Cyclone* avait été appelé en mer : le clignement des phares, la lueur rigide des feux fixes, ceux qui restent allumés, de jour comme de nuit, sur des écueils où ne consent à vivre aucun gardien, énormes lampes qui plongent leur mèche dans le ventre du roc, dans un réservoir contenant du pétrole pour six mois et que le baliseur des Ponts et Chaussées vient remplir deux fois l'an. Leur nombre, dans cet air pur où ils étaient tous distincts, émerveillait Renaud. Lors des sorties du *Cyclone*, sorties de nuit, chaque phare, chaque feu devenait une conquête sur la mer, le vent, la pluie, l'ombre opaque. On l'attendait, on « l'espérait » comme disent les marins, on guettait avec des yeux que meurtrissait l'effort, le point obscur où il devait apparaître à travers l'écran brutal des lames et la profondeur dense de la nuit. Leur retard emplissait l'âme d'inquiétude et de doute. Ne les point découvrir, ou voir le feu rouge que l'on attendait à sa droite saigner brusquement à bâbord, c'était la perte du bateau et la mort pour trente hommes. Il fallait comme les mériter l'un après l'autre... Or, ce soir, ils s'offraient tous ensemble et Renaud oubliant un instant leur position, leur sens, le rythme de leurs éclats qui est comme leur nom jeté à toutes les aires du large, Renaud admirait que la mer fût à ce point peuplée de lumières actives. Les dangers qu'elles couronnaient surgissaient de partout, enfermaient le *Cyclone* dans ce redoutable chenal du Four, un des cimetières marins les plus peuplés du monde. Mais ces feux n'étaient, pour le capitaine, que les pièces éclatantes d'un échiquier où il jouait à coup sûr et avec plaisir, ce soir !

Lorsque, la nuit venue, le *Cyclone* doubla les Platresses, et qu'il eut, devant lui, la mer libre pour monter vers le bateau en feu, Renaud cessa de s'appliquer tout entier à la route. Le ciel était jonché d'étoiles et l'air si calme que le briquet qu'il alluma ne s'éteignit pas même dans le vent de la course. Le capitaine songea tout naturellement, en contemplant la nuit, qu'il avait vraiment de la chance de trouver si tôt une occasion de revanche, car le temps était déjà celui de la morte-saison et l'on ne pouvait raisonnablement espérer avant juillet l'appoint des grands incendies.

On atteignit à l'aube le bateau en feu. Il n'y avait que lui sur la mer. Il s'y tenait droit, à peine marquait-il une légère bande à tribord. Toute la nuit on l'avait attaqué par t.s.f., sans qu'il répondît. Une colonne de fumée épaisse montait de l'avant, toute droite dans le matin calme : de la fumée encore errait sur ses flancs, se traînait le long des tôles. Il avait le feu dans le ventre, ce feu sourd qui mine les bateaux, lentement, comme s'il était allumé dans un four, un feu qui descend, alors que tous les incendies montent, et qui va chercher de quoi manger jusqu'au fond des cales. De loin un bateau qui brûle n'est qu'un bateau qui fume de partout, une source colossale de fumée. Ses formes ne sont point altérées, ses superstructures sont debout. Il n'y a qu'à l'approche que la ruine flottante se révèle crevée, tordue, affouillée par la flamme.

De celui-là, l'arrière semblait intact. L'équipage aurait dû s'y masser, mais la sirène insistante du *Cyclone* ne faisait apparaître aucun mouvement sur le grand cargo.

— C'est rigolo ! dit Renaud.

Il répétait le mot dont Corfec s'était servi, la veille, pour marquer la mystérieuse crainte de l'ivrogne surgi dans la pluie, au seuil du café de la Douane. Il fit le tour de l'épave qui dansait doucement sur la houle. Le cargo semblait, d'en bas, n'être environné que de brume, une brume blanche qui en émanait. Renaud pensa que, pris de panique, tout l'équipage s'était bloqué sous les panneaux du carré, que le t.s.f. lui-même avait lâché sa cabine trop bien chauffée pour son goût. Il ne pouvait croire à un abandon, car le bateau n'était nullement de ceux qu'on abandonne, surtout par ce temps. Il revint sous l'avant, puis brusquement se décida :

— Faites armer un canot : on va y aller voir !

Quand il fut sur le pont du cargo avec Tanguy et deux hommes, il s'aperçut que le feu avait plus travaillé qu'il ne le supposait du *Cyclone*. Il avait dévoré le gaillard d'avant. Ce n'était plus que des décombres de tôles boursouflées, jetées sur un trou d'où montaient des flammes. On devinait que le feu sapait déjà le château central, car de la fumée flottait sous les claires-voies. Chaque porte qu'on poussait découvrait un nuage fétide qui se mettait à osciller comme surpris et entreprenait de sortir. On entendait sous ses pieds le foisonnement laborieux de la flamme, les cris du fer surchauffé, des choses qui éclataient en crépitant et un sourd grondement de tempête qui était le souffle de l'incendie dans les cales.

— Il n'y a pas la presse !

En trouvant le pont désert, le capitaine s'était détourné vers Tanguy qui gardait en mains une grosse ligne rouge, pour, tout à l'heure, haler la remorque. Cette ligne s'en allait à l'arrière du *Cyclone* et l'on eût dit que le second tenait le remorqueur en laisse. Quand Renaud le regarda, il haussa un peu les paupières et dit :

— Drôle de barque !

Renaud marcha rapidement vers l'arrière. Comme c'était un bateau anglais, tout y était propre et luisant. Le capitaine descendit l'échelle du carré. Sur la table, les couverts étaient mis, il restait du vin dans les verres, mais les serviettes avaient été jetées hâtivement sur les banquettes, sur le sol. Et en les regardant, Renaud qui avait vu jadis, au cap Horn, sans sourciller, son voilier, tous mâts arrachés, courir comme une brute à la roche, sentit son étonnement tourner à l'inquiétude. Ce ne pouvait être ni la mer paisible, ni le feu encore lointain qui avaient épouvanté ceux qui avaient fui. Ils étaient Anglais, et pour que des Anglais quittent une salle à manger en tumulte, qu'ils abandonnent un bateau qu'on pouvait sauver, que lui Renaud allait sauver, qu'ils désertent sans prendre même le temps de lui signaler : « Nous partons », de quelle extraordinaire menace étaient-ils donc frappés ?

Le capitaine n'hésita cependant qu'un instant :

— On va voir, dit-il, ce qu'il a dans le ventre !

En mer, tout ce qu'il ne comprenait pas l'irritait et rien ne lui coûtait pour sortir d'incertitude.

Remonté sur le pont, il chercha pourtant d'instinct son remorqueur et ne l'aperçut pas, car le *Cyclone* était masqué par l'étrave de l'Anglais. Il ne voyait que l'avant du cargo, vomissant comme un cratère dans la lumière froide, cette lumière de limbes qui traîne sur les eaux avant le lever du jour. Il se secoua :

— Allons !

Ils arrivèrent tous les quatre au fond d'une cale. Elle était entièrement tapissée de caisses de bois mince. Tanguy en arracha une, en s'étonnant de la trouver si légère. L'étrange bateau semblait transporter du vent. Le second la jeta à terre et la creva d'un coup de botte : par la fente, une tête glissa, une minuscule tête de porcelaine à cheveux blonds. Renaud fit sauter le couvercle, déchira des papiers : c'était une caisse de poupées, de poupées en robes fraîches, et qui toutes dormaient parce qu'elles avaient des yeux à bascule et étaient couchées sur le dos. Les quatre hommes les contemplaient, stupéfaits. Renaud en prit une. Dès qu'il la redressa, elle ouvrit les yeux. Il la reposa sur le ventre : elle pleura, un petit cri aigre et long, un miaulement de chat naissant.

Et leur présence, leur sommeil en rang, le cri de celle qu'on avait dérangée et qui gisait en travers des autres, ses petits bras tendus, tout cela était tellement imprévu, à cette heure et dans ce lieu, que les quatre hommes hésitaient à faire, à dire quoi que ce fût, embarrassés comme dans une église. L'un des matelots reprit la poupée tombée, la replaça doucement entre ses sœurs, sur le dos. Renaud, en mesurant des yeux les hautes rangées de caisses toutes semblables, hocha la tête :

— Il y avait là-dedans de quoi faire le bonheur de centaines de gamines.

Il pensait au feu où les caisses flamberaient comme des allumettes, à ces milliers de petites chevelures en flammes, à ces têtes délicates qui éclateraient et perdraient leurs yeux. Cela le dérangeait plus que des cargaisons précieuses qu'il avait vues couler. Il se retourna vers ses trois compagnons :

— Si vous avez des gosses, c'est le moment de vous servir !

Tanguy ne bougea point. L'un des matelots rabattit le couvercle, l'autre se raidit comme frappé, puis se détourna, avec précaution, et se donna l'air d'examiner un boulon : sa petite était morte, en janvier, de la méningite, et le capitaine ne s'en souvenait plus...

Les autres restaient là, tous les trois, debout autour de la caisse, incertains, car les marins aiment et comprennent les poupées : ils en façonnent et en rapportent des bouts de la terre.

— Foutons le camp ! dit le capitaine.

Et quand il fut sur le pont, qu'il revit le navire abandonné sur la mer verte, ainsi qu'un tas énorme d'herbes noires qu'on laisse se consumer, pendant des jours, au milieu des champs, il grommela, tourmenté par cette énigme qui mettait en défaut sa logique et sa clairvoyance de chef :

— Avec une cargaison comme celle-là, pourquoi diable ont-ils lâché le bateau ? Du pétrole, je comprendrais !...

Puis, il ordonna au second :

— Appelez-moi douze hommes pour mailler le câble.

Tanguy s'en alla vers l'avant, et se pencha sur la lisse brûlante. Il siffla, puis cria l'ordre : sa vocifération portait maintenant très loin sur la mer. Quelques instants après, Kerlo arriva avec son équipe. Ils halèrent, à bras, cinquante mètres de câble que Renaud fit mailler directement sur la cigale de l'ancre : avec cette mer droite, l'attache tiendrait toujours ! Puis, avant de partir, ils défoncèrent des claires-voies, ouvrirent tout ce qu'ils purent de panneaux : la fumée en jaillissait dense, et les trous soufflaient des bouffées carrées de chaleur. On donnait de l'air au brasier, mais pas pour longtemps.

Quand ils furent revenus sur le *Cyclone*, le maître d'équipage fit visser aux pompes les flexibles terminés par les lances de bronze. Renaud pointa lui-même le canon d'arrière et, brusquement, les fusils lance-jets, les deux canons extincteurs, les quatorze lances crachèrent ensemble. Chacune débitait cent cinquante tonnes d'eau, cent cinquante mille kilos à l'heure. Les deux canons en crachaient le double et à quatre-vingt-dix mètres. L'électricité des dynamos s'employait toute à lancer les geysers. Le *Cyclone* était devenu une fontaine énorme, toute pavoisée de jets puissants qui se croisaient, sifflaient, convergeaient sur l'avant du cargo où ils retombaient en cataractes.

Cela dura jusqu'à midi. La fumée domptée ne parvenait plus à se soulever de l'avant, et Renaud jugea que les cales étaient noyées. Il savait, toutefois, qu'un incendie de bateau ne s'éteint pas ainsi, que le feu s'endormait seulement et se réveillerait, mais il le réduirait à loisir, en rade de Brest. On allait l'y emmener.

Jamais épave n'avait suivi aussi docilement. La remorque était courte, cent mètres à peine et ne fatiguait pas. Le cargo venait, l'étrave bien en avant, répétant plus mollement encore, à cause de sa taille, le tangage léger du remorqueur. Renaud le regardait de la passerelle et s'étonnait obscurément de sa docilité presque inquiétante. Des fumerolles erraient toujours le long des sabords, s'attardaient sur le pont, semblaient ne pouvoir s'en détacher, ainsi que ces fumées de cigarettes que l'on souffle sur une étoffe râpeuse. Ce n'était pas le premier bateau qu'éteignait le *Cyclone*, et son capitaine savait lire les fumées : rien à craindre avant l'arrivée en rade. On tenait sans mal les huit nœuds, et Renaud, en songeant au rapport de mer qu'il enverrait le lendemain à Paris, pensait :

— Au moins, là-dessus, il n'y aura personne pour couper la remorque...

A six heures du soir, on rencontra, par le travers du Stiff, des langoustiers qui levaient leur béret et l'agitaient. Ils savaient qu'on emmenait là une bonne prise, et cela chauffait toujours ce reste de sang des vieux naufrageurs qu'ils gardaient aux veines.

A sept heures, devant le feu fixe des Trois-Pierres, ceux du *Cyclone* entendirent sur le cargo une explosion de mine ; un remous, propagé sous l'eau, les coucha brutalement sur tribord. Puis ils virent Kerlo, la masse levée, se ruer contre le croc de remorque, le faire basculer d'un coup furieux, pour en arracher le câble : derrière eux, le grand vapeur coulait comme une pierre...

Quand l'eau se fut refermée, ils restèrent là sans comprendre, les yeux attachés sur la mer que creusait encore la puissante aspiration du bateau sombré. Puis les remous s'effacèrent, le passage régulier de la houle se rétablit et une odeur étrange leur arriva, tandis que crevaient encore à la surface du naufrage d'énormes bulles sales. C'était l'odeur que l'on respire dans les petits cirques, celle de l'acétylène.

Le navire de poupées avait ses soutes remplies de carbure. Les pompes du *Cyclone* y avaient accumulé d'énormes masses de gaz... Et puis, une étincelle...

Renaud télégraphia à tous les postes côtiers de France et d'Angleterre qu'une épave venait de couler et que les bateaux eussent à y prendre garde. Il resta là, jusqu'à la nuit noire, craignant, pour les autres, la flottaison entre deux eaux. Pendant la monotone faction, il arpentait la passerelle, les mains derrière le dos, les dents serrés sur son échec, enfoncé dans une de ces rages muettes que l'équipage avait appris à connaître et à redouter. Une heure durant, il croisa sur les lieux, fouillant la mer de ses projecteurs, puis, son devoir achevé, il repartit, n'ayant plus qu'un désir, rentrer chez lui, lâcher le bateau, ce cochon de métier, tous ces hommes à qui la défaite, la prime coulée faisaient la figure longue, cet équipage qu'il sentait douter au fond d'eux-mêmes de la chance, de sa chance à lui.

Le *Cyclone* n'était pas amarré au quai, à son poste d'attente, qu'il sauta dans la nuit en disant à Tanguy :

— Faites le nécessaire. A demain.

10

Il lui arrivait souvent de rentrer la nuit. Cependant, jamais il n'avait pu surprendre Yvonne endormie, ni ouvrir lui-même la porte de la chambre à coucher. Dès que sa clé tournait dans la serrure, l'imposte s'illuminait et, serrant contre elle son peignoir brun, pieds nus, elle accourait dans le vestibule, pour l'embrasser, s'enquérir du sauvetage, plaindre sa fatigue et son insomnie. Puis elle s'en allait au fourneau à gaz, aux casseroles, pour qu'il bût tout de suite quelque chose de réchauffant. Elle remuait dans la cuisine les cafetières et les pots à lait avec des mains hagardes encore de sommeil...

Cette fois, dès le tournant de l'escalier, il aperçut l'imposte éclairée et, quand il fut entré dans le vestibule, la porte de leur chambre s'ouvrit. Mais au lieu du visage d'Yvonne, de ce visage à la fois incertain et joyeux qu'ébauchait le brusque réveil, de ces paupières mi-closes qui la forçaient de lever la tête pour le voir, ce fut, dans l'entrebâillement de la porte, la silhouette épaisse de Mme Lepoy, la voisine du rez-de-chaussée, sa plate figure immobile, ses énervantes pendeloques d'oreilles qui battaient et ses longs cheveux rouillés, qui rappelaient toujours à Renaud du cordage pourri, une des choses qu'il détestait le plus au monde.

Avant même l'inquiétude de la rencontrer là, il en éprouva de l'irritation. Ainsi, elle avait enfin forcé l'entrée ! C'était elle qui l'accueillait chez lui, elle dont ils avaient toujours repoussé les avances, parce qu'elle traînait sur le port une réputation fondée de vieille entremetteuse ! Elle le regardait de ce regard hardi, nu, qu'elle posait sur les hommes :

— Ça ne va pas, vous savez !

Il demanda, en accrochant son pardessus à la patère :

— Mais, qu'est-ce qu'il y a eu ?

— Elle est tombée sans connaissance dans l'escalier. Une syncope... Mme Briand m'a aidée à la remonter. On l'a couchée. Le médecin est venu. Il a fait une piqûre. Il a dit que le cœur était très bas. Il reviendra demain matin...

La première chose que Renaud aperçut dans la chambre, ce fut qu'on avait tordu autour de la lampe d'applique un papier brun d'emballage qui ne laissait passer qu'une lumière grasse, cassée par les arêtes du papier, et couleur de sang séché.

Yvonne était étendue sur le lit, non pas étendue, mais comme entrée dans le matelas qu'elle creusait, avec cette densité qu'ont les morts ou les malades graves, dont tout le corps abandonné pèse continûment à la même place. Le visage fixe semblait étiré par son extrême pâleur, et des lèvres presque jointes s'échappait un sifflement, celui que l'on fait en soufflant sur une cuillerée trop chaude. C'étaient les cheveux qui révélaient l'affreuse crise, parce qu'ils étaient coagulés en plaques par la sueur, qu'ils descendaient sur les joues en mèches coupantes et froides. Renaud se rappelait avoir vu déjà ces cheveux-là, ce visage-là, et il ne put s'empêcher de chercher, jusqu'à ce qu'il eût trouvé dans sa mémoire la naufragée de l'*Alexandros* allongée sur le pont du *Cyclone*.

Avant tout, il entendait se délivrer de l'insupportable présence. Il se tourna vers la voisine :

— Je vous remercie... Maintenant, je vais la garder.

Elle ne bougea pas :

— Pendant que j'y suis, vous savez !

— Non, j'ai l'habitude... Y a-t-il quelque chose à lui faire prendre ?

— Voilà l'ordonnance. Mais vous ne pourrez pas l'avoir avant demain matin. D'ici là, il n'y a qu'à attendre... Vous feriez mieux pourtant de me laisser veiller et d'aller vous coucher. Pour les malades, les hommes ne sont pas bons à grand-chose.

Elle le disait avec cette autorité des femmes qui en ont connu beaucoup et les ont jugés.

Il dut capituler, à demi :

— Si j'avais besoin de quelque chose, j'irais vous chercher. Mais puisqu'il n'y a rien à lui faire...

— Rien. Vous voyez, ça l'a assommée. Le médecin disait qu'elle n'aurait jamais dû rester debout dans cet état-là... Sûrement, elle ne voulait pas vous inquiéter. Il y en a comme cela qui vont jusqu'à ce qu'elles tombent...

Ayant rendu ce témoignage, elle sortit en recommandant :

— Ne craignez pas de m'appeler.

Dès qu'il fut seul, le visage de Renaud se bouleversa, l'anxiété le recouvrit comme une ombre. Il se pencha, saisit la main flasque et glacée abandonnée sur le drap :

— C'est moi, Yvonne...

Les doigts ne vivaient plus. Ils étaient dans sa main comme un petit paquet de choses visqueuses et froides. Pas un tressaillement de la malade ne marqua qu'elle eût reconnu l'étreinte ou la voix. Renaud comprit qu'il ne l'atteignait plus, qu'il n'existait plus pour elle, que sa femme l'avait quitté et ne reviendrait peut-être jamais.

Il sentit l'étonnement atroce des chutes inattendues, quand le pied s'effondre au bord d'une falaise, le grand spasme du vide qui tord les entrailles et la gorge. Sa femme lui manquait, comme manque un sol ferme. Et dans le même instant, il comprenait, avec une terrible évidence, la cohésion de leurs deux vies : il ne pouvait pas se passer d'elle, il n'avait jamais pu se passer d'elle ! Cela lui apparaissait si nettement qu'il en fut, un instant, stupidement assuré : il était impossible qu'elle le quittât, puisqu'elle lui était à ce point nécessaire, qu'il savait maintenant à quel point elle lui était nécessaire !

Il la regardait, de ce regard fixe, inquisiteur, libéré de toute contrainte, de toute retenue, que l'on pose sur quelqu'un qui dort et s'offre à vous sans défense ni retrait. Il découvrait dans cette femme prostrée le vrai secret de sa force à lui, et de sa durée paisible. Son assurance lui venait de la confiance passionnée qu'Yvonne lui avait vouée, sa vigueur, de l'atmosphère de tendresse qu'il avait, à pleins poumons, mais sans en prendre seulement conscience, respirée pendant vingt ans. Il ne l'avait jamais soupçonné avant ce moment, pas plus qu'on ne songe aux fondations obscures et puissantes d'un bel édifice, mais il n'avait réussi que parce qu'il était heureux, et heureux par elle !

Hâtivement, comme s'il eût craint de se laisser devancer par les événements redoutables qui commençaient, de ne pas leur opposer à temps toute sa clairvoyance enfin réveillée, il accumulait les repentirs et les témoignages. Elle avait brillé dans sa vie avec une douceur, une fidélité de lampe. Toutes les sottises de sa carrière, il les avait faites seul ; dans tout ce qui était bien, elle avait la grande part. Sans elle, il n'allait que par à-coups, brutalement. Ça réussissait encore, lorsqu'il ne s'agissait que d'arracher à force un gros morceau à la mer, mais à terre, dans la vie, chez les hommes, dans les affaires, on ne casse rien impunément... Et dans les pires moments, après les grands échecs, elle n'avait jamais eu un mot de reproche, elle avait toujours nommé ses fautes des accidents. Lors de sa grosse histoire avec la prohibition américaine, quand il avait, malgré ses conseils et ses prières, caché de l'alcool à son bord, elle avait vendu sans récriminer une maison héritée de sa mère pour désintéresser l'armateur, rembourser l'argent de la caution... Et quand la crise avait désarmé ses bateaux, qu'il ne trouvait plus d'engagement, avec quelle admirable ténacité elle l'avait maintenu à flot, lui soufflant de la confiance, comme il soufflait, lui, de l'air dans les caissons des vaisseaux échoués !... Il l'apercevait maintenant : en toute circonstance, elle l'avait manœuvré au mieux, comme un voilier dans les grains, carguant, quand il le fallait, devant ses colères, sachant mettre en panne et se taire longtemps, mais reprenant la bonne route, avec une inflexible et douce volonté, jusqu'à ce qu'elle l'eût conduit au port et l'y eût laissé, toujours fort satisfait d'y être arrivé seul, le malfaisant imbécile !

Car ses remords dépassaient le regret égoïste de perdre une associée précieuse. Il se désespérait, de toutes ses forces, à se rappeler sa vaniteuse ingratitude. C'était en vain qu'il cherchait au fond de sa mémoire une parole qu'il eût dite jadis pour la remercier, lui marquer, au moins, qu'il comprenait tout le prix de son aide et de son amour. Il avait vécu dans cette affection vigilante, sans plus s'en étonner que de retrouver l'air pur sur sa passerelle !

Il contemplait, écrasé de repentir, ce corps inerte usé à son service jusqu'aux dernières fibres. A regarder sa bouche qui semblait faire l'économie de la moindre vibration, qui ne tressaillait même plus au passage du souffle court, il modelait les lèvres pâles sur les paroles de réconfort tant de fois entendues :

— Tu grossis tout, mon chéri !... Tu en as vu bien d'autres

et tu n'y penses même plus... Un autre, oui, mais toi !... Tu es certain de réussir. N'as-tu pas toujours réussi ?... Mais, laisse-les dire, tu sais bien que pas un d'eux ne te vaut !...

Et il avait accepté tout cela comme les acomptes d'une dette. Il avait tranquillement pavoisé avec ses compliments ! Lui, il ne l'avait louée que de sa bravoure sur les voiliers. Pourquoi ? Parce que c'était flatteur d'avoir une femme qui l'aimait assez pour le suivre au bout du monde, dans les tempêtes et les équipages. Mais, il le comprenait trop tard, les campagnes d'Yvonne n'avaient été pour elle qu'un repos. Son exténuant travail, ç'avait été, à terre, de le déséchouer patiemment, puis de le remorquer, jusqu'au bout de ses forces, pendant les semaines, les mois que duraient ses découragements, ses dégoûts. Car, au long de ces vingt années, il avait pesé sur elle de tout son poids, il lui avait transmis, en les amplifiant, avec une sauvagerie d'épave à la remorque, tous les chocs qu'il avait reçus. Et quand elle s'était plainte, dans la salle à manger, qu'elle lui avait demandé grâce, alors qu'il était encore temps de la sauver, lui qui diminuait l'effort de ses machines à l'instant même où Lauran l'avertissait de leur fatigue, il l'avait repoussée, blessée de son mieux et était sorti en claquant les portes !...

Il se pencha sur elle, des sanglots plein la gorge :

— Yvonne, ma chérie !... Yvonne.

Il posa sur la face inerte des baisers passionnés et gauches qui se retenaient d'appuyer et, quand ses lèvres effleurèrent les lèvres blêmes, tout le passé rentra en lui comme par une voie d'eau. Le visage qu'il avait sous les yeux n'était plus celui d'une mourante, le corps où il moulait ses mains reculait dans le temps et le souvenir. Car l'approche de la mort inflige à ceux qu'elle menace un rajeunissement cruel. Elle ravive dans la mémoire de ceux qui les contemplent des images anciennes, les confond, les accorde, évoque les moribonds à toutes les saisons de leur vie, comme pour mieux désespérer ceux qui les perdent, en emportant à la fois ce qu'ils furent et ce qu'ils sont. Renaud, derrière les paupières bleuies, obstinément closes, retrouvait le premier regard d'Yvonne : c'était à la musique, sous l'insinuant parfum des tilleuls, un soir de juin... Il la revoyait en robe de mariée... Puis son sourire tremblant et brave, la première fois qu'il l'avait vue dans ce lit, les bras ouverts... Il se débattait contre ces souvenirs qui profanaient l'heure et le torturaient.

Le souffle qu'il écoutait lui parut soudain baisser. Alors, il se précipita dans l'escalier, en proie à la panique de ceux qu'il arrachait aux épaves et qui le regardaient avec des yeux fous. Il frappa à coups redoublés chez la voisine du bas... Quand elle fut entrée, qu'elle eut appuyé sur Yvonne son regard froid, méfiant, que lui guettait parce qu'il en sentait la pénétration et la justesse, elle dit :

— Mais elle dort. Je la trouve plutôt mieux...

Elle ne se trompait pas, car au matin, le médecin déclara :

— La crise paraît surmontée... Mais elle est à la merci de la prochaine...

Renaud se rappela l'instant où l'hélice du *Cyclone* avait tourné d'un quart de tour dans l'enserrement du câble d'acier...

— Tu verras !... Je lâche le métier... On partira dès que tu iras mieux... On fera bâtir une jolie maison... Tu auras des fleurs ! Je t'achèterai une voiture...

Il lui promettait avec frénésie de prendre sa retraite, il lui vantait le bonheur qui l'attendait, comme à un enfant que l'on veut retenir.

Aucun serment ne lui coûtait. Sa femme était tombée dangereusement malade tandis qu'il travaillait. Menacée, elle avait repris en lui sa vraie place, au-dessus du bateau et de la mer. La garderait-elle ?... Dans sa ferveur de converti, il n'en doutait point et s'accorda même une seconde d'orgueilleuse excuse : dans la vie, comme sur sa passerelle, il ne réagissait bien qu'aux chocs graves ; il lui fallait le danger pour donner sa mesure et se renoncer.

Yvonne l'écoutait exténuée, faible à en mourir. Ses deux mains, pourtant, s'étaient refermées sur celle de son mari, et elle s'efforçait encore de sourire à ce bavardage qui la fatiguait, un misérable sourire qui découvrait les dents, ne relevait que la lèvre supérieure, comme une nausée.

Puis une religieuse arriva, qui mit un tablier blanc, de fausses manches de toile blanche, une bonne sœur douce et ferme qui comprit tout de suite :

— Il faut la laisser, monsieur... Il faut qu'elle se repose. Embrassez-la et allez faire un petit tour.

Il partit. Sur le quai, il croisa Tanguy et sa femme. Le second eut un haut-le-corps, en le reconnaissant, et rougit comme un gosse en faute. Mais la petite Tanguy aborda le capitaine, et sans la moindre gêne, lui demanda des nouvelles, offrit ses souhaits de rétablissement avec toute sa sincérité de bonne fille. Renaud lui répondit sans raideur, avec le naturel de jadis, comme si elle ne revenait point de bordée. Et près d'elle, Tanguy, tout contracté de honte, se détendait. Sa poignée de main broya la main du capitaine.

— Il a raison ! songeait Renaud. Quoi qu'elle lui ait fait, il l'a !...

Il se terra dans le carré du *Cyclone*. Il y resta deux heures, écroulé sur la banquette, la tête dans ses mains. Puis il rentra chez lui. Quand elle l'entendit ouvrir la porte du vestibule, la sœur vint à sa rencontre, l'examina :

— Je ne veux pas d'une figure comme celle-là auprès d'une malade ! Je ne vous laisserai pas la voir si vous n'avez pas le sourire !

C'était une sœur jeune et mince, à visage enfantin, effrayant de sérénité. Dompté, il se composa tant bien que mal un air assuré, mais c'était la première fois qu'il dissimulait devant Yvonne et la fraude se voyait, il en était sûr.

— Te sens-tu mieux ?

La malade répondit par un simple abaissement des paupières, et les yeux restèrent clos. Toujours cet air absent, cette tragique indifférence à tout, à lui, une lourde torpeur où elle retombait, comme une noyée, après avoir fait un léger signe à la surface...

— Mais bien sûr, elle se sent mieux, protesta la sœur, mais cela la fatiguerait de vous le dire et il ne faut plus qu'elle se fatigue ! Il lui faut du repos, et à vous, monsieur, il faudra de la patience, beaucoup de patience...

Elle rit, malicieuse, au fond de sa cornette :

— Et les messieurs n'en ont jamais beaucoup, ajouta-t-elle.

La nuit, comme il ne pouvait dormir, et que la religieuse lui consignait la chambre, il s'en alla, vers une heure du matin, faire un contre-appel à bord. Il lui semblait qu'à reprendre pour son compte le cours habituel de la vie, il amènerait cette vie à rentrer d'elle-même dans le lit coutumier des heures paisibles. Mais les hommes qu'il réveillait dans leur couchette furent stupéfaits de sa voix étrange, de ses yeux qui les regardaient sans paraître les avoir reconnus.

A six heures, quand il se présenta à la porte de la chambre, la sœur hocha la tête :

— La nuit n'a pas été bonne... J'ai cru que j'allais être obligée de vous appeler.

La malade était oppressée et gardait les yeux fermés. Renaud restait debout au pied du lit, muet, car la sœur venait d'ordonner :

— Ne lui parlez pas.

Pour la première fois, il devait garder son tourment pour lui seul, et cela l'étouffait. Jamais Yvonne ne l'avait laissé un instant s'inquiéter seul, en dedans. Toujours, avec une infaillible sûreté, elle dépistait les préoccupations qu'il essayait de lui cacher, et elle arrivait très vite à forcer ses confidences. L'anxiété le rendit bavard. Il alla quémander des encouragements dans le quartier, chez les fournisseurs. Avec des ruses enfantines, il essaya d'influencer le médecin, la religieuse, de leur faire dire qu'Yvonne allait mieux. Ils refusaient, bouche close, avec des gestes évasifs.

Il lui semblait que tout cela durait depuis un siècle. Lui qui, sur sa passerelle, opposait aux crises de la mer une patience inusable, capable d'attendre pendant des semaines une embellie, ne parvenait point à se discipliner devant la maladie, à admettre qu'elle pût se prolonger.

— Vous avez moins de raison qu'un enfant ! grondait la sœur.

L'après-midi où Yvonne parvint à murmurer :

— Manges-tu bien, au moins ?

Il sortit très vite, parce que la religieuse commandait tout bas :

— Il faut aller pleurer dehors...

Dans le vestibule, elle le gourmanda :

— C'est au moment où il y a peut-être un peu de mieux que vous perdez pied !... Vous n'êtes pas raisonnable ! Il faut vous secouer, travailler. Vous n'avez donc rien à faire ?

Il répondit, comme il le faisait dans la classe enfantine :

— Si, ma sœur.

— Eh bien, allez à votre bateau. C'est la meilleure façon de nous aider. Puisque vous allez travailler pour sauver de pauvres gens, vous direz au bon Dieu : « Faites donc pour elle ce que j'ai fait pour les autres... »

Elle ouvrait une voie : il s'y jeta avec la frénésie de ses vieux matelots blasphémateurs, quand ils entreprenaient de forcer le ciel par la surenchère de vœux extravagants. Des vœux, il n'en avait jamais fait pour sauver sa peau, mais il en connaissait de méritoires et choisirait dedans.

La bonne sœur avait parlé de ses sauvetages... Pourquoi ses qualités de mer le lâchaient-elles, dès qu'il mettait le pied sur le quai ?... Que devenaient, à terre, sa patience, son indulgence à la détresse, son zèle pour aider et soutenir ?... Son métier, transporté chez lui, n'eût-il pas sauvé sa femme ?... Il pressentit soudain qu'il n'en disposait pas, et que son assistance ne pouvait atterrir ! Le sauveteur appartenait au large et ne s'éveillait que sur la passerelle ; à terre, il ne restait de lui que lui-même, un médiocre, un négligent !... La mer, quand il la quittait, reprenait l'homme qu'elle avait façonné, pour ne le rendre qu'au premier S.O.S... Tout de même, quelle tristesse de si peu se ressembler !...

Il se rendit au *Cyclone* comme la sœur le lui avait commandé. Des matelots y travaillaient autour d'une petite forge, d'autres, assis sur les rebords de fer de la cale aux remorques, détordaient avec de gros poinçons des câbles.

Il les regardait quand Kerlo arriva :

— Comment ça va-t-il chez vous, capitaine ?

— Pas fort !

— Mme Renaud est encore jeune, répliqua le bosco avec décision. Elle est bien soignée. Et puis, les femmes ont une résistance dont on ne se doute pas. Elles remontent de sacrés courants. Bien sûr, ce sont des moments terribles. Chacun a sa part, allez, capitaine...

Il hésita, puis offrit le réconfort de son chagrin, à lui :

— Moi, ma fille se marie aujourd'hui et je suis là !... J'ai fait des blagues dans le temps, alors je fais le mort... Et pourtant, une petite dont j'étais fou... Je ne me la rappelle que gamine, je la revois dans son petit lit, le soir... Alors, depuis dix ans, de penser qu'on lui a appris à me mépriser ou tout au moins à m'oublier... Et puis, aujourd'hui... Et, plus tard, quand je serai... grand-père !... Des petits que je ne verrai jamais !... Enfin !... Il y a un compresseur qui ne donne pas, capitaine, Lauran ferait bien d'y jeter un coup d'œil.

— Je vais m'en occuper, dit Renaud.

Il s'en allait, le long de la lisse, vers la porte des machines, quand il s'entendit appeler :

— Capitaine !

Une femme était debout au bord du quai, devant les rangées de tonneaux, une femme en tailleur bleu, avec une tranche de feutre sur l'oreille. Il resta quelques secondes sans la reconnaître : elle était si loin de sa pensée ! Puis elle le déroutait vraiment par ses perpétuelles métamorphoses : une première fois, cette loque trempée, aplatie sur son gaillard, puis une blonde en corsage clair, les bras et le cou nus, les yeux et les cheveux à l'air et, maintenant, cette dame élégante, le regard avivé par la courte voilette, gantée, ce renard qui supprimait le cou, le tailleur strict qui allongeait la minceur du corps... Ce fut à son sourire qu'il la reconnut tout à fait, son sourire fabriqué, voulu, un sourire que les peintres appellent anatomique parce qu'ils savent par quelles contractions des muscles l'obtenir.

— Je pourrais vous voir ?

— Embarquez !

Elle sauta lestement à bord, son pied fin prenant appui sur le bordage, sans qu'il eût le temps de lui offrir la main.

— Je vous donne moins de mal à embarquer que la dernière fois...

Elle était debout sous un arceau de remorque, et elle regardait l'enchevêtrement du bateau étroit, toute cette profusion d'acier vertical qui donnait au remorqueur l'aspect d'un bois foudroyé où ne demeuraient que les tronçons noirs d'arbres gigantesques. Son regard se perdait à travers les engins de l'usine à sauvetages, les treuils, les cylindres de pompes, les tambours, les mâts de charge, les bittes énormes, l'entrelacs des câbles et des haubans.

La tête levée, elle demanda :

— Où m'aviez-vous mise ?

Renaud lui montra, sur le château, entre deux manches à air, le goniomètre qui surmontait la cabine de t.s.f., un gros anneau sur un trépied.

— Là-haut, dit-il.

Maintenant, elle posait un regard assuré sur les hommes qui travaillaient et ne s'occupaient point d'elle, habitués qu'ils étaient aux visites et aux curieux. Elle fit quelques pas vers la remorque écrasée à bâbord et la regarda longuement. Renaud, qui l'attendait près de l'échelle du carré, lui dit, quand il rencontra ses yeux :

— Si vous voulez descendre...

A regret, elle s'en alla vers l'arrière, s'attardant du regard et du pas sur le pont. Elle désirait visiblement qu'on lui fît les honneurs du bateau. Elle eût surtout voulu remonter dans cette cabine de t.s.f. où on l'avait jetée à demi morte, revoir le gros garçon qui l'avait déshabillée en coupant ses vêtements aux ciseaux et l'avait pansée rudement, avec un air si embêté de l'avoir prise en charge. Elle le demanda, dans un désir de coquette revanche.

— C'est Gouédic, dit Renaud. Il n'est pas là, il est à l'arsenal pour l'équipement de son émetteur.

Alors, elle suivit le capitaine dans l'échelle brusque du carré, assurant avec précaution le talon sur les degrés étroits à rebords de cuivre.

Il la fit asseoir sur la banquette de moleskine, juste sous la lyre d'éclairage où deux ampoules électriques encadraient une lampe à pétrole pansue. Elle fouilla rapidement dans son sac :

— C'est gagné !

Elle tendit un papier plié.

Renaud lut : c'était la déposition du chef mécanicien de l'*Alexandros*. Il attestait qu'on lui avait donné l'ordre : « Arrière toute » par le chadburn, alors que le cargo, dont on venait de réparer la drosse, s'était pour la première fois, depuis son avarie, relevé à la lame. L'ordre lui avait paru si extraordinaire qu'il avait rappelé par son porte-voix : on était en remorque et à trois nœuds au moins. Alors le capitaine l'avait injurié et sommé d'obéir. Sitôt la vapeur renversée, il avait senti un choc violent et compris que la remorque venait de se rompre. Aussitôt le chadburn lui avait transmis l'ordre : « Stop ! » Ce n'était qu'une demi-heure plus tard que la passerelle avait commandé : « En avant, doucement. »

Il y avait encore une attestation signée de plusieurs matelots : ils affirmaient que le capitaine leur avait ordonné, en les menaçant, de ne jamais avouer ce recul du cargo qui les avait renversés dans tous les coins du pont. Ils devraient dire que la remorque s'était rompue dans un coup de tangage. Autrement le bateau serait confisqué et l'équipage emprisonné...

Renaud replia les feuilles :

— Comment vous êtes-vous procuré cela ?

Elle se mit à rire :

— Je n'ai pas eu beaucoup de mérite. Sans vous froisser, c'est incroyable ce que les hommes peuvent être bêtes !... Je lui ai d'abord envoyé un télégramme pour l'appeler ici, sous prétexte que vous repreniez l'enquête, que j'avais déjà été interrogée et qu'il fallait que nous nous concertions... Cela ne lui a pas paru extraordinaire que je prenne ainsi ses intérêts ! Comme toutes les canailles, il trouve tout naturel, quand il a peur, que tout le monde s'attelle pour le tirer d'affaire... En venant à Brest, il me laissait les mains libres sur son bateau, et il avait si bien affolé l'équipage par ses menaces et ses promesses que cela a été très facile ! Ils ont tout de suite compris qu'il était seul en cause et que leur intérêt était de le lâcher. Après ça, ils ont signé, juré, tout ce que j'ai voulu. Ils l'ont répété devant témoins. Ah ! je vous assure que vous pouvez y aller !

— Et lui, où est-il ?

— Ici... pour le temps que je voudrai. Il se cache à l'hôtel. Je lui avais laissé une lettre pour lui dire de m'attendre, que je m'occupais de l'affaire... C'est moi qui le renseigne et je le promène par de drôles de chemins !... Et il est devenu d'une docilité ! Il est passé par tout ce que j'ai voulu pour notre divorce. Il est persuadé que je redoute autant que lui sa ruine et sa mise à pied, parce que j'y perdrais la pension qu'il m'a promise. Ce sont des préoccupations qu'il comprend très bien et ne discute pas !

Elle prit dans son sac un petit mouchoir trop parfumé, s'en tamponna le nez...

— Vous n'avez pas l'idée de ce que ça peut être répugnant, un homme qui a peur comme celui-là a peur... Il y a des moments où il me dégoûte tellement que j'ai envie de lui dire : « Va-t'en ! Je te laisse filer... Mais va-t'en, que je ne te revoie plus, que je n'entende plus jamais parler de toi ! » Ce serait trop commode d'en être quitte à si bon compte !... Alors, vous allez déposer votre plainte et dès que ce sera fait, on commencera l'enquête là-bas : je me suis informée au commissariat de la marine.

Renaud la regarda, du regard dont il surveillait ses remorques en action, un regard chargé d'estime pour leur solidité, de méfiance pour leurs écarts et la traîtrise de leurs coups :

— C'est bien monté !

— N'est-ce pas ?

— Trop bien...

Elle ne comprit pas :

— Vous avez peur qu'il ne se méfie.

Il secoua la tête :

— Oh ! ça, non ! C'est du beau travail !

— Alors ?...

— Alors, je vois très bien ce que, moi, j'ai à gagner dans l'affaire, et je vous en remercie. Mais vous ? Qu'est-ce que vous cherchez là-dedans ? Pas votre divorce, puisque vous m'avez dit qu'il était consentant... Pas d'argent, puisque vous le ruinez et que vous le faites jeter à quai.

Elle le regardait, très étonnée :

— Je croyais vous avoir dit comment il m'avait traitée, tout ce qu'il m'a fait voir depuis deux ans !... Ça ne vous paraît pas suffisant ?... Quand je peux lui rendre la monnaie de sa pièce, en le faisant prendre la main dans le sac, lui faire payer sa canaillerie et en même temps toutes les saletés, toutes les hontes, toutes les heures atroces qu'il m'a fait endurer, il faudrait se quitter bons amis en disant : « Bonne chance ! » Après deux ans d'une vie pareille, je n'aurais pas droit à une vengeance ?...

Renaud, la tête basse, haussa évasivement les épaules. Est-ce que ça le regardait, ces histoires de mal mariés ! Toute sa pensée était demeurée dans la chambre du quai où Yvonne livrait son effrayant combat, et celle-là venait l'assommer avec les tours de rosse qu'elle avait joués à son Grec ! Mais il s'en foutait, d'elle comme de lui ! Il ferait le nécessaire, évidemment, et, d'ailleurs, l'affaire était gagnée... Il n'en éprouvait ni orgueil, ni plaisir de revanche : un comptable qui encaisse la grosse somme, à l'heure où il va fermer son guichet et qui ne songe qu'à s'en aller, à rentrer chez lui !... Alors, si elle s'attendait, par-dessus le marché, à le voir se passionner pour ses règlements de compte, si elle comptait l'embarquer dans ce qu'elle appelait, comme au cinéma, « sa vengeance »... Il se leva :

— Eh bien ! c'est entendu, je vous remercie : je vais en référer à ma compagnie.

Elle sentit le lâchage dans la voix indifférente, dans la distraction du regard et elle demeura assise, tête dressée :

— Alors, ils vont porter plainte ?...

Il secoua la tête :

— Ça m'étonnerait. Comme les choses se présentent maintenant, votre mari est forcé de payer la grosse note à présentation. Dès lors, à quoi bon un procès ? Ils préfèrent toujours, dans ces cas-là, un arrangement à l'amiable.

Elle se ganta nerveusement :

— En somme, ce sera pour votre compagnie que j'aurai travaillé ?

— Pour vous aussi, puisque vous tenez votre divorce. Au fond, qu'est-ce que vous auriez gagné de plus à le voir emmené entre deux gendarmes ?... En tout cas, je vous l'avais déjà dit, la première fois que je vous avais vue, une plainte et un procès alors qu'on peut rentrer dans ses frais autrement, c'est une mauvaise réclame que la Compagnie tient à éviter.

Railleuse et irritée, elle jeta :

— La Compagnie ! Si vous aviez voulu, vous !... C'est vous là-dedans qui lâchez et vous tout seul ! Vous étiez pourtant décidé à l'hôtel. Aujourd'hui, vous laissez tomber. Pourquoi ?...

Pourquoi ? Il le comprit subitement : parce que l'abnégation d'Yvonne dont il avait enfin pris conscience l'armait d'une horreur de néophyte contre la trahison patiente et tenace de cette femme qui le guettait, le front barré de rancune. Sa femme à lui en mourait d'avoir dépensé toutes ses forces à l'aider, et celle-là venait se vanter d'avoir coupé la remorque en pleine tourmente, elle lui demandait un coup de main pour jeter son mari à la côte ! Il oubliait l'indignité du Grec, et pour s'être reproché, cent fois depuis trois jours, son ingratitude, il jugeait sans pitié le crime contre la solidarité conjugale. C'était chez lui un instinct, profond déjà de vingt années, que de s'appuyer en toute circonstance sur l'affection et la fidélité de la femme, et cet instinct-là se révoltait, le poussait au mépris, à dire avec cette injustice tranquille des privilégiés :

— Et votre rôle là-dedans, pensez-vous qu'il aurait été joli, joli ?...

Elle tressaillit, comme piquée :

— Ça me regarde !... Vous trouveriez plus « joli », comme vous dites, d'être battue et d'en redemander ! Ah ! vous êtes bien un homme, vous aussi !

Elle se sentait devant un mur et comprit qu'elle ne l'atteignait pas. Elle revint en arrière, cherchant la brèche :

— Peut-être que si je m'étais laissé faire à l'hôtel, vous auriez marché à votre tour... Si c'est absolument nécessaire pour vous décider...

Il ne répondit pas. Avait-il même compris ? Exaspérée, elle ordonna :

— Rendez-moi mes papiers !

— Que voulez-vous en faire ?

— Ça encore, ça me regarde. Rendez-les-moi !

Renaud les prit sur la table. Machinalement, il ouvrit les feuilles. D'un geste prompt, elle les lui arracha, puis, à deux mains, les déchira. Elle y parvenait mal, parce que les dépositions étaient écrites sur du papier épais. Elle faisait de grands efforts qui se voyaient jusque dans ses épaules, dans l'appui du buste et sa flexion à chaque tentative.

— Voulez-vous que je vous aide ?

Renaud n'avait pas bougé : il savait bien que des preuves, il en aurait maintenant autant qu'il en voudrait, que son agent du Havre ferait, dès le soir même, après un coup de téléphone, tout le nécessaire et qu'elle avait trop bien taillé pour qu'elle pût recoudre... Dès qu'il eut posé la question insolente, elle lui lança à la tête une poignée de larges morceaux qui retombèrent sur la table.

— Le mousse les recollera, pensa Renaud...

Et la regardant avec cette moquerie calme dont les hommes cinglent les colères des femmes quand elles ne les atteignent pas :

— Ça va mieux ?

Penchée, elle lui jeta, les dents découvertes par un rictus de rage :

— Vous n'êtes qu'un sale lâche ! Ce que vous cherchez, c'est des gros sous ! Du moment que vous serez payé, hein, les autres peuvent crever !... Il fallait me le dire tout de suite que vous ne marchiez que pour un pourboire ! Je vous l'aurais donné ! Ça se serait ajouté à l'argent que vous tirerez de son bateau. Vous ramassiez des deux côtés !...

Elle partait. La question de Renaud l'atteignit dans le dos, comme elle ouvrait la porte :

— Croyez-vous que vous êtes la première, de ceux que j'ai sauvés, à m'injurier en partant ?...

Elle se retourna, frappée. Lui, s'était assis et remuait du bout des doigts les débris qu'elle lui avait lancés au visage. La violence de l'assaut l'avait un instant distrait de sa peine. Il y revenait, par d'autres chemins, en se rappelant d'autres tristesses, qu'il avait toujours orgueilleusement refusé d'avouer :

— Croyez-vous, même, que ce que vous venez de dire, vous l'ayez inventé ?... A chaque sauvetage, je l'entends !... Vous risquez votre vie et celle de trente hommes pour aller en sauver d'autres. Ils vous doivent leur peau, mais ils vous doivent de l'argent... Pourtant vous les avez sauvés gratis, vous avez été les cueillir sur une épave, quand elle allait s'ouvrir et couler bas avec eux. Pour ça, vous avez passé trois, quatre, cinq jours en mer, sans dormir, sans manger, trempés, glacés, en danger de mort à chaque tour d'hélice. Quand vous êtes sur eux, vous dépensez plus de force et de cran à leur jeter un bout de câble qu'il n'en faudrait à un équipage pour faire le tour du monde. Pour les ramener, vous perdez des hommes, vous en blessez d'autres, vous émiettez votre barque, à vous... Si vous avez mis cinq jours à l'aller, vous en mettrez dix au retour, dix jours où vous n'avez pas droit à une seconde de repos. Vos hommes se traînent sur les genoux, les mains en sang, les ongles arrachés, aux trois quarts assommés, parce qu'ils sont allés cent fois s'écraser partout, et pourtant ils feront tout ce qu'il faudra faire, et aussi longtemps qu'il le faudra, parce qu'ils se sont juré de ramener à quai l'épave et ceux qui sont dessus.

« Et une fois au port, c'est toujours la même chose : on vous embrasse, on vous bénit, on vous baise les mains, on vous jure des tas de choses ! Vous débarquez sur les épaules des gars que vous avez sauvés : ils vous appellent leur père ! En trois ans, j'ai appris comment ça se dit « papa », dans toutes les langues du globe... Et puis, quelques jours après, arrive la note... Parce que, tout de même, vous avez usé du charbon à aller les chercher, que vous en usez à vous tenir prêt à courir sur eux sitôt qu'ils vous appellent, que vous avez démoli votre bateau pour sauver le leur !... Pourtant, à compter de ce moment, vous n'êtes plus bon qu'à jeter aux chiens ! Dans l'affaire, vous n'avez pensé qu'à votre bénéfice, à votre « pourboire », pour parler comme vous...

Il haussa les épaules et aligna soigneusement, un par un, sur la table, les petits morceaux de papier...

— Il y a aussi une chose qu'on ne manque jamais de vous dire, c'est qu'on se serait bien sauvé sans vous. Vous n'avez rien fait, ou presque ; vous exagérez votre rôle, vos avaries, vos frais ! Vous voulez voler les pauvres compagnies, les pauvres assurances ! Tout juste si on ne vous traite pas de pilleur d'épaves ! Comme vous le disiez si bien : ce que vous avez cherché sur la chaussée de Sein, devant Ouessant, dans le Fromveur, c'étaient des gros sous et rien que ça ! Depuis le temps que je l'entends dire, ça ne m'émeut plus !

Il se leva, enfouit les mains au fond de ses poches, arpenta l'étroite pièce, le long du petit bar, en parlant pour lui seul, tête basse, sans songer peut-être qu'elle était encore là :

— C'est le métier !... Au fond, je les comprends : ça les embête de payer. C'est toujours une mauvaise note pour les capitaines de coûter cher aux compagnies...

Il s'arrêta et la fixa brusquement :

— J'en ai sauvé trois cent quarante-deux, sans vous

compter, vous et votre fournée. Là-dessus, il y en a eu un, un matelot, un Danois, qui a tenu à me donner sa montre. Moi, en échange, je lui ai donné cinquante francs ; elle en valait bien trente... Il y en a deux qui m'écrivent au premier de l'an, un Irlandais et un Allemand. Le reste m'a engueulé !... C'est peut-être la terre qui veut ça !... A bord, personne n'a grand mal à être un type épatant... A terre, on redevient, tout naturellement, plus ou moins salaud, dans les petites choses comme dans les grandes.

Il se tut, mais continua de marcher en rêvant. Il ne s'arrêta que lorsqu'elle revint vers lui, la main, non pas tendue, mais ouverte :

— Au revoir, dit-elle...

Il l'accompagna :

— Vous réfléchirez, vous verrez que j'avais raison...

Sur le pont, ils rencontrèrent Tanguy, penché sur la cale aux remorques où des hommes brassaient de pesants cordages. Renaud, au passage, lui frappa sur l'épaule, pour le redresser :

— Je vous présente mon second, celui qui vous a ramenée au sec et qui a eu du mal !...

Elle inclina la tête et dit, comme à quelqu'un qui lui eût offert sa place dans un tramway :

— Merci, monsieur.

L'autre grommela :

— Pas de quoi.

Elle se prit à rire de la naïve réponse, un rire qui finit mal en ricanement amer :

— Vous avez bien raison, il n'y a pas de quoi !

Puis elle attrapa la passerelle, sauta sur le quai et partit sans se retourner.

Tanguy, tout de même interloqué, la suivit des yeux jusqu'à ce qu'elle eût disparu à l'angle des docks. Alors, il regarda le capitaine, haussa les épaules, puis se penchant de nouveau brusquement sur la fosse béante, il cria à ceux qui, au fond, ne s'activaient pas assez à son gré :

— Et alors !...

11

La nuit du surlendemain, une nuit de grand vent, vers une heure du matin, il s'assit brusquement dans son lit-cage. Depuis la veille, la sœur partait le soir et il s'en était réjoui comme d'un signe indiscutable d'amélioration. C'était lui qui veillait, tout près de la malade, et qui veillait comme dans la chambre de veille, ne cédant qu'à peine à un sommeil dont un soupir l'arrachait, en le dressant parfaitement éveillé et lucide.

Il s'assit, écouta une seconde, puis bondit, sa main tâtonnant le long du mur, cherchant la poire de la lampe électrique : il venait de ressentir le même choc que le jour où le cœur de son bateau avait subitement cessé de battre. Son oreille qui enregistrait continûment le souffle de sa femme l'avait alerté à l'instant même où ce souffle s'était arrêté.

Dès qu'il eut allumé, il vit la syncope, l'effroyable fixité du visage penché sur la mort, et se jetant à la commode, avec des gestes de noyé, il arracha les tiroirs, puis les renversa à la volée sur le plancher, parce qu'il n'avait découvert du premier coup que des ampoules d'huile camphrée et qu'il ne trouvait pas la petite boîte nickelée où étaient la seringue et les aiguilles.

Quand il l'eut en main, qu'il l'eut ouverte, l'épouvante le saisit : il ne pouvait pas, tant ses mains tremblaient, plonger l'aiguille dans la cassure de l'ampoule et pomper l'huile épaisse. Il fallait maintenir la seringue et le tube droits, relever, entre le pouce et l'index, le petit piston de verre, des gestes délicats, simples et impossibles que la sœur lui avait appris. L'ampoule lui échappa. Il l'écrasa d'un coup de talon, en lima une autre. Mais il sentait, derrière lui, l'âme fuir du corps ; il pensait au prix abominable des secondes et cela l'affolait, à en pleurer ! Dans un éclair, il revit Gouédic, ridicule et magnifique, le jour où, dans sa cabine bouleversée et qui ruait, il s'acharnait, de ses gros doigts, à épisser de minuscules cheveux d'acier, à visser, dans les secousses et les cabrades du bateau, d'imperceptibles vis de cuivre. Grâce à son t.s.f., il put se reprendre, emplir sa seringue, en se répétant stupidement un mot qu'il avait lu et qui lui avait paru juste et de bon conseil : « Ne nous dépêchons pas, parce que nous n'avons pas de temps à perdre !... Ne nous dépêchons pas... Pas de temps à perdre ! »

Puis il fit la piqûre, très mal, sans oser crever d'un coup sec la peau de la cuisse maigre, de ce coup avec élan, que donnent les médecins, et qui enfonce l'aiguille comme dans de la laine. Lui ne l'entra qu'à force d'appuyer en creusant la chair avec la pointe, en retenant et en forçant à la fois ; la sueur de son front tombait à grosses gouttes sur la chair de sa femme où il se penchait, tout cassé. A Terre-Neuve, il avait ouvert, sans même une grimace, des phlegmons horribles. C'était lui qui avait coupé la main du capitaine danois, et si proprement que le chirurgien, à l'hôpital, l'avait complimenté...

Quand il eut vidé la seringue, il bondit sur le palier et appela de toutes ses forces :

— Madame Lepoy !

Il répéta plus violemment encore, de cette voix terrible qu'on attrape dans son métier, au milieu des tempêtes :

— Madame Lepoy !

Puis il descendit, en quatre sauts, ébranler la porte de la voisine à coups de poing, des coups qui résonnaient dans le vide de l'appartement.

— La vieille saleté, dit-il, elle est encore à courir !

Pourtant, il savait bien que c'était jeudi, qu'elle était simplement au cinéma, à l'autre bout de la ville. Alors, il sauta dans la rue, courut le long des docks, s'élança par-dessus la lisse du *Cyclone*, rencontra sans étonnement, à l'entrée de la coursive, Kerlo qui ne dormait pas, l'empoigna des deux mains aux épaules, et ses doigts mordaient de la chair, à travers la laine du chandail :

— Courez chercher un médecin !

L'autre, sans un mot, l'écarta pour passer et s'élança sur le quai.

Un quart d'heure plus tard, il ramenait un médecin sans col ni cravate qui écouta longuement le cœur et dit :

— Vous avez fait une piqûre. C'était ce qu'il fallait faire. Je vais en faire une autre...

Il resta après, le temps convenable, et déclara :

— Il n'y a qu'à attendre. Je reviendrai à six heures...

Il gardait le pouls de la malade sous son doigt et murmura, mais Renaud crut que c'était seulement pour justifier son départ :

— Le cœur remonte un peu...

— Alors ?...

— Alors, dit le médecin, c'est très grave... D'autant plus que ce n'est pas la première crise. Je vais vous envoyer une garde.

Et il sortit avec Kerlo.

Dix minutes plus tard, Mme Lepoy rentra et, en l'entendant ferrailler dans sa serrure, Renaud lâcha la main d'Yvonne et courut l'appeler.

— Quoi donc ? dit-elle. Ça ne va pas ?

— Non !... Pouvez-vous monter ?

Elle s'ébranla lourdement dans l'escalier :

— Le médecin avait bien dit que ça recommencerait...

Quand elle l'eut vue, elle resta debout, immobile, le visage impénétrable.

— Comment la trouvez-vous ? implora Renaud.

— Il faudrait voiler la lumière, répondit-elle.

Et prenant un journal sur le guéridon :

— C'est celui d'hier. On peut s'en servir ?

Il haussa les épaules et elle tordit le papier autour de la lampe. La chambre fut noyée dans une pénombre cuivrée, une lueur de four ou de chaufferie.

Une heure passa. Renaud regardait sa femme, fixement. Mme Lepoy, renversée dans sa chaise, les bras croisés, ne parlait pas, habituée aux silences des hommes, de ceux qui avaient traîné chez elle des désespoirs comme celui-là. De temps en temps, elle allongeait le bras pour poser sur le front d'Yvonne un mouchoir humecté d'eau de Cologne.

A deux heures du matin, on frappa à la porte.

— L'infirmière, dit Mme Lepoy.

Elle se leva et ouvrit doucement. Un matelot du *Cyclone* parut et ôta sa casquette. Mme Lepoy s'effaça, en le regardant.

L'homme rougit. Ses yeux allèrent rapidement deux ou trois fois de la femme étendue à Renaud assis près d'elle et qui le foudroyait du regard, comme s'il eût voulu lui défendre de dire ce qu'il allait dire, lui renfoncer ça dans la gorge ! Mais l'homme était marin, il avait une consigne, quelque chose à signaler, pas même un mot : trois lettres. Il les murmura, en tordant sa casquette :

— S.O.S., capitaine...

Renaud, plus rouge que lui, les veines subitement gonflées, mima d'une bouche violente, avec des lèvres qui se projetaient, se déchiraient jusqu'au bout des gencives, en torturant tout le visage, en plissant le front jusque dans les cheveux, sa réponse exaspérée :

— Je m'en fous ! Fous le camp !...

Et d'un coup de tête forcené, il chassa le matelot... Puis il tressaillit, parce qu'on parlait tout haut dans la chambre. Mme Lepoy disait de sa voix sans timbre, rompue à toutes les complicités :

— Ils partiront bien sans vous...

Il secoua la tête : non, le *Cyclone* ne partirait pas sans son capitaine...

— Ah !... dit la femme.

Il leva les yeux, rencontra son regard pénétrant et froid qui avait couvé tant de hontes d'hommes. Elle conclut lentement :

— Vous avez raison... Dans ces moments-là, chacun pour soi... Soi d'abord, les autres après...

Il avait repris son immobilité et rivé de nouveau son regard au visage d'Yvonne. Mais les paroles abjectes descendaient en lui et remuaient sa stupeur, de même qu'un cadavre immergé trouble les couches d'eau sombre qu'il traverse.

Lorsqu'elles eurent touché le fond, il se leva, défiguré, et le regard de la vieille s'agrandit, parce qu'elle le crut fou. Car il avait vraiment des yeux de fou, des yeux qui ne voyaient plus rien de ce qui était là.

— Voilà, dit-il en s'étranglant, moi, je suis... je suis forcé ! Ils m'attendent... Elle-même me le dirait... Télégraphiez-moi par la préfecture maritime... Vous trouverez l'argent dans le tiroir... Ah ! c'est terrible !

Il s'abattit en sanglotant sur le lit, ses lèvres s'écrasèrent contre le front d'Yvonne. Derrière lui, la vieille s'était levée, perplexe, et le regardait. Pour passer, il la rejeta de l'épaule.

Quand elle eut compris qu'il s'enfuyait, qu'il la laissait seule avec la mourante, elle alla crier dans l'escalier :

— M'sieur Renaud !...

Mais il était déjà sur le quai, dans le vent et dans la nuit, chancelant comme l'épave vers laquelle il marchait.

Henri Pollès

SOPHIE DE TRÉGUIER

Henri Pollès est né à Tréguier en 1909. Son premier roman, Sophie de Tréguier, *obtint le Prix populiste en 1933. Il est par ailleurs bibliophile et collectionneur.*

1

La maison presque en haut de la rue Neuve (la plus vieille des rues de Tréguier) où résident les Kerguénou et leur commerce a été achetée cinq mille francs il y a pas mal de temps, mais les trois mille Trégorois qui ont oublié leurs premières amours se souviennent de cela.

C'est peut-être par des négations qu'on réussirait le mieux à la décrire : vieille sans être ancienne, grise comme le temps du ciel, régulière comme le temps de la pendule ; un mur avec des ouvertures ; la figure géométrique du très digne ennui ; le refus de toute fantaisie. « Une belle maison, s'il vous plaît », disent les gens, c'est-à-dire une assez grande maison.

Pas d'enseigne. On y vend un peu de tout, « sauf de la misère et des petits enfants ». Dans la devanture, si l'on peut dire, on dirait mieux aux fenêtres, des bocaux de bonbons, des crayons, des plumiers, quelques jouets, un peu de mercerie : l'épicerie-bazar de la mère ; quelques petits meubles et objets de bois proclament que le père est menuisier. Et entre les bocaux, si l'on a un peu de chance, on aperçoit le sourire de la fille unique.

Sur la porte on peut lire : *Kerguénou-Dagorn*, car en Bretagne, le nom de jeune fille demeure le plus fréquemment accolé à celui de la femme mariée.

Tout près se trouve le puits public dont la rencontre incessante des ménagères fait une source de commérages. On en ramène aussi souvent sa curiosité pleine de nouvelles que son seau d'eau. Là se forment les « bruits » dont le réseau une heure après enserre la ville et descend jusqu'au port, mais nullement pour se noyer dans la rivière.

Non loin est l'hôpital, et le mot désigne aussi l'hospice : maladie, vieillesse se ressemblent, sont dans le même univers en marge de l'autre.

— Du savon vous n'avez pas besoin, Jeanne-Marie ?

demande sur le pas de sa porte Mme Kerguénou à une passante, comme une entremetteuse : du nouveau j'ai reçu bien sec, qui fait de l'avantage.

— Merci à vous, Rosec, une demi-barre j'ai encore à sécher sur ma planche.

— La pluie il y aurait je ne serais pas étonnée, Félie.

— Une mine grasse est avec le temps, assez sûr, mais le coq regarde vers le beau.

Et les yeux cherchent l'oiseau-girouette que l'on voit de partout dans le ciel gris sur la flèche de la cathédrale.

Et l'on échange quelque on-dit dont personne ne songe que c'est tout le monde et chacun qui l'a dit : — Qu'est-ce qui m'a été dit ? — Han ! vous avez entendu vous aussi ?

Tel est le visage 1890 de Tréguier, l'éternel Landréguer (selon son nom breton) à l'ombre de sa cathédrale, une sublime âme de granit sur un bourg de trois mille corps, serait-on tenté de dire, mais disons plus justement : une grande pensée lumineuse, une symphonie de pierre sur trois mille lucioles, sur trois mille petites âmes jacassantes sans cesse trahies par leur corps.

Une coiffe entre dans la boutique : — Du sel une livre j'aurais besoin, Rose, si vous voulez bien.

— Voici votre sel, Catie, bien pesé ; c'est tout ce qu'il faut à la dame aujourd'hui ? (Entendez : c'est peu si l'on veut mériter d'être appelée une dame !)

Une nouvelle coiffe pousse la porte et l'on échange « un mot quelconque » sur ce qu'on dit en ville.

Catherine Bitous parle : — Je dis ce n'est pas vrai Jeanne Minous a pris deux livres de rouelle pour son dîner. Oui, de se vanter, ambitieuse comme tous les Minous. Avec (à) l'homme de la viande lui-même j'ai demandé l'air de rien s'il l'avait vue le matin ? — Sûr, Jeanne est venue et pressée encore pour sa tête de veau, il a dit à moi. Allez voir !

— Eh bien, Rose, quand donc une balance neuve vous aurez ? demande Emilie Morellec avec un sourire humiliant en regardant son café se peser sur le vieil appareil démodé.

— Quand toutes les clientes m'auront payé leurs dettes, Emilie, répond tranquillement l'épicière. J'aime mieux une balance qui vous donne votre poids chaque fois qu'une qui fait de l'effet.

— C'est comme ça vous avez ramassé vos quatre sous en tenant sur vos vieilles choses !

Rose Dagorn n'est nullement démontée : — Oui vat, chérie, assez bien vous dites.

— Faites attention dépenser cinq écus tout de même !

— Je ferai juste pour vous plaire.

— Du moment qu'on ne lui dit pas que sa fille est laide (mais si on lui disait qu'elle est la plus belle de Tréguier, elle s'inquiéterait, elle tremblerait, persuadée qu'on ne tarderait pas à la lui enlever), qu'elle ne l'aime pas et qu'elle l'élève mal, elle peut tout entendre.

Et cela est dit, soit en breton, soit dans ce trégorois qui abîme également le français et le breton, qui ne chante pas moins que ce dernier, mais son chant peut être dur et il sait fort bien insinuer des choses méchantes.

Mais on entend une musique : — Holà ! son piano Mlle Sophie est à jouer. (Son piano qui fut payé cent francs à la vente chez Calvé, l'ancien notaire, et nul ne l'ignore dans Tréguier.)

— Voilà l'héritière, j'espère !

— La demoiselle aurait peur de salir ses mains à nous servir de la chicorée !

« Les gens sont méchants dans les petites villes », dit Rose qui ne diffère pas tant des gens sinon par son amour pour sa fille, et, comme elle n'a jamais trop de temps pour l'aimer, elle craindrait de distraire quelques minutes à distiller de la haine.

Sont-ils dans le fond plus méchants que les gens des vraies villes, que les gens de partout ? Mais on se connaît comme si on était de la même famille ; semblables à leurs arbres, à leurs chats, ils n'ont vu se lever le soleil que dans les limites du canton, et leur histoire du monde est la petite histoire de leurs compatriotes. Les affaires personnelles sont vite rangées, les tâches du jour vite accomplies ; le dîner (le déjeuner français) vite attrapé, l'on ne peut remplir le temps qui sépare du souper (le dîner parisien) par la préparation de celui-ci. Et le moindre extraordinaire, le plus petit soupçon de nouveauté qui arrive à l'un devient un intérêt, un sujet de conversation pour tous les autres. Et puis il suffit d'un instant pour dire du prochain tout le bien qu'on veut bien lui reconnaître. On mourrait d'ennui, du moins on ignorerait la douceur de la vie si l'on n'inventait quelques petites cruautés sur ses connaissances, si l'on ne brodait la trame grise du temps de commérages médisants et qui peuvent faire souffrir, mais si amusants, pittoresques, et la chronique du mal est tellement plus variée et attrayante que celle du bien...

Mais on a beau vexer l'épicière parce qu'elle s'est fait une aisance à force de travail et d'économies, elle ne répond pas, elle est heureuse : elle aime sa fille.

Son commerce marche bien. Rose Dagorn n'a pas moins de clients — et surtout de clientes — à la campagne qu'à la ville. Le soir c'est une procession pour le pétrole ; il y a autant de mercerie que d'alimentation que de bazar ; le collège achète des socques, des cahiers ; les enfants du « bonbon » (toutes choses sucrées)...

Rose serait la plus heureuse des femmes sans son alcoolique d'artisan du bois qui en gaspillant sa santé gaspille le capital de la famille. Et sa vie d'abandon aux voluptés liquides oblige sa « moitié de ménage » à une vie de gendarme.

Ce qu'il peut inventer pour satisfaire son vice est presque incroyable ! Il mesure les charpentes avec un mètre de soixante centimètres, les gens disent, et il boit les quarante qui restent qu'il ajoute aux factures, et ses clients abusés le quitteraient si ses seuls concurrents ne se trouvaient à La Roche, une petite ville voisine, mais à cinq kilomètres tout de même et qui a la réputation d'être un repaire de voleurs.

Sa sainte passion combine pour se procurer un peu d'argent de poche — qu'il ne soit pas obligé de verser à la trésorerie conjugale — des trucs dont la subtilité maligne défie l'imagination des tempérants. Qu'on se hâte de dire pour l'intelligence des faits que Rose ajoute à ses divers commerces celui des vieux métaux et chiffons, dont les bénéfices sont intégralement réservés à la dot de Sophie. Or Emile envoie des compagnons de bombance vendre à sa femme des matières premières « déclassées » qui lui appartiennent ; et bien entendu les apprentis qui connaissent la ruse la pratiquent pour leur bénéfice personnel, et ils viennent proposer à Madame un petit meuble ou du vieux cuivre volé dans la réserve de Monsieur. Lui, dans la buée de poésie où nage son âme, ne se rend pas compte. On le vole comme un savant, comme un poète, comme ceux dont les intérêts ne sont pas de ce bas monde.

Il arrive à Rose de reconnaître certaines choses qui sont à eux, et alors quel esclandre ! Et de savoir parfois, et de penser combien elle serait malheureuse si elle savait tout, et de ne pas savoir, et de craindre la ruine, ruine son bonheur.

— Il nous forcera à aller chercher notre pain, vous verrez, ma petite fille ! (Elle n'en croit rien.)

Le pire peut-être c'est qu'il n'est pas si facile de le haïr : il n'est pas mauvais homme. Il est serviable ; il peut être courageux à ses heures : jadis il repêcha un enfant dans le Jaudy (la rivière principale de Tréguier), et sa belle action fut couronnée de la médaille de sauvetage qui flamboie sur un mur de la salle à manger dans un cadre de velours noir, œuvre des mains jamais inoccupées de Rose. L'ivresse lui donne une jactance volubile mais aucune méchanceté. Et il adore sa fille.

Et Sophie voudrait tant qu'il ne lui interdise pas si souvent de l'aimer. Sophie aime ses parents avec une tendre reconnaissance pour leur amour. L'enfant fut gâtée comme tant d'enfants délicats. Sa mère assure qu'elle a eu toutes les maladies, ce qui n'est pas faire du bien à sa réputation, mais elle veut que Sophie l'aime un peu plus de savoir combien de fois elle lui doit la vie, et elle fut élevée comme une plante de serre. Rose ne savait que faire pour lui donner un peu d'appétit : le matin, Mademoiselle avait des brioches, « s'il vous plaît, si c'est permis... », disaient les envieuses, « comme une princesse ». Combien de fois ces brioches firent-elles le tour de Tréguier avec chaque fois des crachats de haine véritable sur la traîne de la princesse. Le bon ivrogne Kerguénou lui-même ne l'appelle que « ma Demoiselle », avec quel respect et quelle admiration reconnaissante pour le destin qui a fait de lui le père d'une merveille ! On dit bien que toutes les filles uniques à force d'être gâtées deviennent folles d'orgueil, mais Sophie à l'amour répondit par l'amour. Rose l'envoya très tard à l'école des Sœurs, comme à un hôpital. Sophie aimait bien ses maîtresses, ses livres et ses cahiers, mais peut-être préférait-elle rêver dans l'ombre de sa mère en mettant de l'ordre dans les boîtes de rubans et servant des bonbons aux enfants. Et elle ne resta pas longtemps à l'institution des Ursulines. On avait une telle peur de la voir se surmener qu'on ne lui fit guère passer d'examens.

— Il n'y a pas tant besoin d'instruction pour se porter bien, pense Mme Kerguénou. Je veux seulement que vous soyez heureuse, ma fille, car moi j'ai trop souffert.

Qu'on n'aille pas imaginer pour expliquer le vouvoiement maternel je ne sais quelle affectation bourgeoise ou aristocratique, encore que la politesse bretonne puisse être cérémonieuse à l'occasion, mais si elle impose aux enfants le pronom du respect quand ils s'adressent aux parents, elle laisse plus de liberté à ceux-ci ; et on ne se gêne pas pour accuser Rose de vouloir singer la classe supérieure. En vérité, c'est que la vénération est inséparable de son amour pour sa fille.

Et elle compare la jeunesse de sa fille à la sienne qu'une marâtre fit misérable, et elle en recommence le récit pour la millième fois, implorée par Sophie qui s'égare dans cette forêt d'adversités, semblable à ces enfants qui semblent s'enchanter à reconnaître et mesurer dans la répétition d'un même conte les progrès de leur mémoire. Et Sophie est bouche bée aux épisodes interminables du calvaire de la dernière des Dagorn.

Fraternité ! Sa sœur Félicie avait volé Rose, légalement, en la prenant par le sentiment.

Leur père avait laissé leur épicerie en gros à Rose qui était l'aînée. Un jour, Félicie était venue pleurer chez sa sœur qu'elle mourait de faim, et Rose lui avait permis d'ouvrir un commerce analogue. Alors Félicie par des procédés douteux, par l'enveloppement, par les cafés arrosés, par la médisance, avait pris un à un les clients de son aînée. Et c'est Rose qui allait manquer de pain pour avoir partagé le sien... Félicie alors lui trouva cet artisan buveur... Et Rose avait accepté l'homme parce qu'elle était faite pour aimer un enfant.

Et maintenant l'enjôleuse est reine du savon de Marseille à Lannion et elle a ajouté à ses fructueux commerces les métaux-chiffons, et Rose est sa ramasseuse pour la région de Tréguier !

La nuit devient moins sombre sous le ciel noir : c'est un nouveau jour trégorois qui s'éveille. Le père Kerguénou se lève et ses sabots font plier les marches de l'escalier, réveillant Sophie qui soupire puis se rendort. Son premier geste de la journée est un petit verre de vin ardent, pour tuer le ver. Rose s'est levée elle aussi, bien avant l'heure de l'ouverture de l'épicerie ; elle se méfie des micmacs d'Emile le matin, et particulièrement ce matin, car il n'a pas chanté d'une voix très nette son Chant du Départ : *De l'Afrique j'en ai plein le dos. — On n'y boit jamais que de l'eau.* Avec lui il faut toujours craindre le pire : « Qu'est-il encore de me voler ? » Dans l'arrière-boutique sans lumière, une ombre en jupon tombe sur une ombre qui fouille dans un sac :

— Sale ivrogne, je vous y prends, tout mon café y passera. Il nous vendrait pour payer ses dettes d'auberge, le cochon. Si vous pouviez nous mettre sur la paille, moi et ma fille, Kerguénou, vous le feriez.

— Non tout de même, Rose.

Mais il rougit, comme si elle l'avait surpris aux trousses d'une jeune fille. Sophie s'est réveillée de nouveau en entendant la scène, et elle se cache sous les draps pour ne pas entendre (sa mère lui racontera tout en lui apportant son café au lait). Elle pleure et rêve d'un amour sobre.

Emile n'est cependant pas un mauvais mari : chaque matin il va avec deux seaux chercher de l'eau sur la place pour les besoins d'un jour de la famille. Il prétend que l'eau de la fontaine de Crewen est meilleure que celle du puits plus proche. Il faut tout de même remarquer qu'il y a deux cafés sur son chemin, et en descendant la rue Neuve il pose ses seaux vides devant le premier, et en revenant ses seaux pleins devant le deuxième. Et chaque fois il récompense d'une absinthe sa bonne action conjugale et paternelle.

Le lendemain... La maison du matin est secouée comme si la foudre y avait pénétré : — Sale vache, tu étais en train de mettre de l'eau dans mon eau-de-vie !

Il a surpris la voleuse de joie comme elle avait surpris le

voleur d'argent. Oui, elle avoue qu'elle baptise pour la santé de son mari et celle des finances de la famille. La honte a coloré le visage de Rose comme s'il l'avait surprise dans une scène adultère ; et puis une rage furieuse la prend contre cet homme perdu qui menace la gloire et la fortune des Kerguénou-Dagorn. Puis, sombre, indifférente, pleine d'un bel amour-propre orgueilleux et d'une résolution farouche, elle reprend ses occupations comme si rien ne s'était passé. Elle n'aura donc eu que ce but dans sa vie : travailler pour faire une belle dot à sa fille. (S'il fallait qu'elle compte sur son alcoolique pour cela !) Mais cela lui suffit ; oh ! combien cela lui suffit ! Plus Sophie lui devra, plus elle l'aimera, car elle a un si bon cœur !

Sophie soupire, les yeux au ciel, et demande à Dieu de l'aider à aimer son père.

Une grande charrette ébranle le monde prochain. C'est la tante de Lannion qui vient avec un chargement d'épiceries pour repartir avec les petites ferrailles et chiffons de Rose, la récolte patiente, les tris interminables de tout un mois. On l'a compris, Félicie fait grand commerce de tout comme Rose petit commerce. Et le petit commerce est bien entendu au service du grand.

La charrette est déchargée, la charrette est chargée. C'est alors seulement que la Grande Epicière parle d'argent et qu'elle achète moins cher et qu'elle vend plus cher que le prix convenu. Les grossistes parisiens de l'épicerie ont monté leur prix, ceux des ferrailles ont baissé les leurs ; il faut bien qu'elle ajuste les siens sur ceux de là-bas.

Et Rose qui voudrait gifler la menteuse déloyale se contient et soutient la doucereuse argumentation. Car c'est toujours un moment où il y a du monde dans la boutique que choisit la maligne pour le règlement de comptes. Et Rose doit accepter pour ne pas faire une scène sur la rue, après quoi empirerait encore sa réputation de regardante et de chipotière qui nuit à sa fille : « Oui, elle ne s'arrange avec personne ; pas même avec les gens de sa famille tant elle est près de ses sous », etc...

Et en partant Félicie s'offre le luxe d'adieux tendres,

chaleureux ; on est des sœurs tout de même. Pourtant les joues des deux sœurs se frottent sans que leurs lèvres se mêlent de quelque baiser. Les joues sèches contre les joues humides, de dépit, de tendresse déçue. Sa chère nièce est priée de venir passer les fêtes à la sous-préfecture.

Et Rose éclate en sanglots en voyant s'enfuir son rêve dans les coups de fouet glorieux, son rêve d'une plus forte somme qu'elle pensait ajouter ce soir intégralement au magot de la dot : — Voilà les parents, ma petite fille ! la garce ! Elle vend moins cher et achète plus cher aux Rochois qu'à moi. Ah ! elle peut bien vous héberger huit jours à la Noël après m'avoir volé toute l'année... Surtout une jeune fille comme vous qui mange si peu, ce n'est pas ce que ça coûte à nourrir ! Dire qu'il faut faire bonne figure à ça... Vous n'irez pas chez elle cette année, s'il vous plaît.

Sophie est allée à Lannion, son petit Paris à vingt kilomètres, son changement de vie annuel ; mais elle est revenue vite, malgré l'insistance à la garder de ses cousines, malgré les distractions de la ville : elle ne peut se passer plus longtemps de sa mère que celle-ci d'elle ; les deux femmes ont la même peur de la vie l'une sans l'autre.

Volée par sa sœur, grugée par son mari, Rose a été si trompée, trahie, maltraitée par le monde qu'elle se méfie de tout le monde, qu'elle n'entretient avec les gens que des relations d'affaires. Pour Sophie elle accepte ce compromis avec les humains, tous sans parole, sans cœur.

Elle prédisait, mélancolique, quand Sophie était une fillette, que ses paroles et surtout son accent effrayaient :

— Moi je m'en irai à quarante ans, comme ma mère, ma petite fille, et je voudrais vous laisser quelque chose.

Car elle pensait que la boisson boirait l'homme de bonne heure, et sa fille serait seule et pauvre. A présent qu'elle a dépassé la date fatidique, crainte comme une génération jadis craignit l'an mille, et qu'il lui semble qu'elle ne peut plus mourir tant que Sophie aura besoin d'elle, elle n'a en rien ralenti son effort pour lui amasser une petite fortune qui permettra à l'orpheline éventuelle de vivre sans souci ni peine.

Ce n'est pas exactement de l'avarice ; ou c'en est une nuance bien curieuse dans l'intérêt et pour le bonheur d'un autre être. Le certain c'est qu'elle donnerait tout cet argent, et le bonheur de l'amasser un peu chaque jour, pour que Sophie guérisse du moindre mal.

— Comme vous êtes *tosten* (mesquine-amasseuse, curieuse épithète qui ne s'emploie guère que pour une femme), disent les femmes à ce cheval de travail toujours en acte et rayonnante de son activité.

— Je suis intéressée, répond-elle.

— Vous n'avez pas tant besoin d'accumuler pour une fille que vous avez.

— Quand on ne travaille pas on s'ennuie, affirme-t-elle.

Et elle se moque des bouches moqueuses, fait presque tout par elle-même : — Le monde (entendez : le monde étranger, ceux qui prétendent vous rendre service) n'est pas avantageux, ma petite fille. Les gens veulent toujours avoir plus chez les autres que chez eux : deux pierres de sucre ils mettent dans leur café s'ils ne le paient pas, alors qu'ils n'en prennent qu'une si c'est leur sucrier qui marche.

Elle ne supporte comme aide que Françoise Zos pour les gros travaux, une vieille de soixante-quinze ans. Çoise n'est ni coûteuse ni exigeante : elle prend vingt sous par jour et nourrie, et si trois patates restent, elle les met de côté, et le lendemain en fait son souper avec un bol de lait ribot (lait de barattage) : « Un crime c'est, de jeter de la nourriture. »

Zos a eu douze enfants, de trois maris, et tout cela est parti bien vite comme une fumée vers M. Dieu, sauf un fils « échappé », enfermé à Bégard, le petit Charenton des Côtes-du-Nord. Elle et ses hommes n'ont travaillé durant toutes ces années glorieuses où un couple peut enrichir la vie, accroître la somme des existences, que pour des baptêmes et des enterrements, « pour payer les prêtres ». « Holà ! voilà des vies tristes peut-être ! » dit-elle, les mains sur les hanches, et non seulement sans tristesse mais avec une secrète fierté d'avoir été cette productrice ininterrompue de graines, cette machine à faire naître de la vie, pour la mort. Comme si c'était une victoire d'avoir triomphé de ses défaites successives, de son état de victime, de son écrasement par la fatalité... Ses complices malheureux eux-mêmes ont disparu l'un après l'autre, et elle seule est demeurée. Et c'est seulement à présent qu'elle sait ce que c'est que de vivre, alors cependant qu'elle est au service de l'un ou de l'autre ; et jamais elle ne s'est mieux portée, car elle n'a que sa vie à porter, et non tout ce fardeau dans son ventre de toutes ces autres vies destinées à périr si tôt, à nourrir le néant.

Et pas la moindre pension : l'activité débordante de sa chair n'a rien rapporté au monde, ne lui a rien rapporté. Tout ce travail inutile et tous ses travaux pour les autres... « Mais il faut chasser les idées noires par le travail encore », et tout de même un peu de tabac à priser qui débouche le cerveau et donc permet de voir plus clair dans son malheur. Elle ne veut surtout pas entendre parler de l'hôpital (l'hospice) : « C'est bon pour les fainéants qui n'ont rien fait pendant qu'ils étaient jeunes et capables et qui ne vont pas, presque entendu, commencer à travailler maintenant... et bon pour aller mourir quand vraiment la vieille machine ne peut plus avancer... »

Çoise sait beaucoup de choses, toujours apprises par les oreilles. Elle aide Mme Kerguénou à raisonner Sophie, à la faire redescendre sur la terre quand elle s'envole. Cette vieille coiffe a l'autorité de la voix des siècles. Sophie écoute l'Expérience avec une grande politesse respectueuse et tendre, mais ne l'entend qu'à demi.

Sophie rêve. A vingt ans, si l'on n'aime pas moins sa mère qu'il y a dix ans, ou cinq ans, il y a des moments où l'on se sent seule avec elle.

Ses amies, presque toutes d'anciennes condisciples des Ursulines, seront bientôt des rivales, ou commencent à l'être déjà, et l'orgueil, les situations des parents, et surtout peut-être les jugements et les racontars des mères viennent traverser ces amitiés. C'est à qui la première attirera le regard des jeunes hommes les plus distingués et riches de l'endroit. Et comment oseraient-elles se dire le fond de leur pensée puisque chacune pense avant tout être la plus jolie — et la plus digne du choix du prince de Tréguier...

Quand on discute en ville pour désigner la demoiselle la plus parfaite, la plus accomplie à tous égards ; bref, quand il s'agit de décerner la palme du charme, toutes les mères prennent part au débat avec passion, et chaque ventre croit avoir nourri une perle et qu'il n'y en a pas eu d'autre, et il faut entendre comme chacune défend le chef-d'œuvre de sa vie plus fort que sa vie. Rien n'est épargné de ce que peut inventer la mauvaise foi ; et comme on sait trouver un défaut dans une qualité, et une qualité dans un défaut ! Les boutons et autres petites protubérances éventuellement poilues d'un visage sont assimilés à des grains de beauté tandis qu'une perfection lisse fait crier à la beauté du diable. Et comme on se torture l'esprit pour minimiser un mérite, pour excuser une faute ! C'est toute une petite guerre jamais déclarée mais jamais achevée de vexations, d'insinuations malveillantes entre les bonjours enjoués, les visites cordiales, les vœux de bonheur, et même les échanges de confidences.

Comme si le salut d'une famille était en jeu, le livre secret des tares anciennes de la famille rivale est violé et grand ouvert sur la Grand-Place ; les moindres faits infamants révélés ; les petites faiblesses du sang, de la santé du plus lointain passé qui peuvent faire douter d'une vertu de ces temps-ci sont exhumés ; tel vice d'un ascendant à la énième génération est évoqué afin de déshonorer la concurrente la plus redoutable pour le plus éclatant établissement d'une héritière, pour étouffer à coup sûr dans l'œuf l'amour du fils unique qui a un oncle riche : le père boit, la mère est gaspilleuse ; une grand-mère n'était pas sérieuse, et ces penchants sont dans la race. Un défaut d'il y a quatre-vingts ans ruine une qualité de ces temps-ci ; la Solange Coatélian a une belle fierté ? Son arrière-grand-tante est morte folle de la folie des grandeurs... Le beau-frère a fait de la prison. Trois fois sa sœur a été au certificat d'études, sans résultat. De l'eczéma marque ces gens-là depuis la nuit des temps. Elle n'a pas de santé : elle saigne du nez à chaque instant... On dit cela de Sophie, et cette mauvaise fiche médicale lui nuira comme une claudication...

Citons un épisode de cette petite guerre inexpiable qui a remué Tréguier il y a peu : c'est le pardon de Plougrescant, à deux petites lieues. Les jeunes filles autour de vingt ans y sont presque toutes allées, riant comme des filles légères et mordillant les fleurs des talus, aimant en leur amitié leur jeunesse exaltée, multipliée. Les jeunes hommes leur ont payé des deux sous d'amandes, de pralines et autres friandises débitées au ciseau au milieu des jeux, des luttes bretonnes, des mâts de cocagne, des baraques, des petites marchandes de franfreluches avec leurs petites voitures. Et la fête sentait le sucre brûlé, la poudre, et l'accordéon infatigable disait que le bonheur peut ne pas finir. Et on a dansé sur la place et dans la grande salle des cafés auxquels un bouquet de feuillage sert d'enseigne.

Et l'on est revenu le soir en prenant toute la largeur de la route, avec comme un reste de danse dans les jambes, et chantant en parlant. Des gars de ferme passaient et repassaient, soufflant des mirlitons sur la coiffe des filles de ferme ; mais ils se contentaient d'un bonjour et d'un sourire gênés quand ils rencontraient les filles en chapeau. Et la vie s'étendait devant les petits pieds, que leurs souliers trop fins commençaient à faire souffrir, comme une plaine d'hommages. (Sophie était la seule à se sentir fatiguée.)

Mais au niveau de Plouguiel, la belle harmonie s'est brisée comme une chose en verre ; la troupe riante a perdu son âme de communion. Ne suffit-il pas d'arborer une toilette qui tranche sur les autres pour que celles-ci se méfient et pour être mise en quarantaine ? Il n'y a pas tant que cela de beaux partis, et il suffit d'en manquer un pour passer à côté de la vie... Il semble que les choses se soient passées ainsi : Mélanie, dont la mère tient un café, aurait dit à Noémi, la fille du secrétaire de mairie, qu'il suffit d'être très coquette pour faire croire qu'on a du charme ; Noémi aurait répondu qu'on peut trouver plus facilement un mari quand on ne craint pas d'aller au-devant des hommes... Et les Rosalie, les Eugénie, les Sophie (les noms en ie sont très à la mode) d'être, les unes pour l'une, les autres pour l'autre.

Mélanie a semblé ne pas vouloir envenimer la discussion mais en rentrant elle s'est hâtée de rapporter l'insulte à sa mère, et Noémi de même. Et les mères ont pris fait et cause pour leur demoiselle et se sont saisies de l'affaire. La secrétaire de mairie n'a pas craint de dire à des gens dont elle savait fort bien qu'ils se hâteraient de transmettre son propos à l'intéressée que Mélanie n'est pas un modèle de conduite, qu'il est bien connu que les cafés ne sont pas des écoles de vertu, et qu'on y vient pour la petite, que la mère le sait bien et en profite. « Une fille de café fille d'une fille de café... trois générations de filles de café ! »

La cafetière, dont le métier veut, on s'en doute, qu'elle n'ait pas sa langue dans sa poche, a rétorqué vertement : « Celles qui ne réussissent pas à se faire de bons amis tâchent d'inventer des choses pas jolies pour enlever leurs mérites à celles qui ont des. » (Entendez à travers ce trégorisme : des bons amis.) Et : « Fille de café tant qu'on voudra, j'aime mieux être fille de café que fille de ferme comme Léocadie (la femme du secrétaire) : l'absinthe sent meilleur que la bouse de vache. » Et elle a traité Noémi de « grand carcan, grande cravache », et elle ne demandait qu'à ce que ces délicates appréciations soient transmises à la génitrice de ladite demoiselle.

La mère de Noémi, le lendemain, à l'épicerie, a appelé Mélanie « petit bout, poupée d'amoureux ».

Et tout cela est retombé sur Sophie et sa mère, car le tantôt la mère de Mélanie, parfaitement renseignée, est venue à l'épicerie pour une emplette insignifiante, et comme si la commerçante était responsable des propos de ses clientes : — La tête vous avez montée à la femme du secrétaire, je sais bien, Rose : à Léocadie vous avez dit...

— Moi, mon doux Jésus ? si quelqu'un a dit quelque chose comme ça chez moi, ce n'est pas moi...

— Vous avez dit j'avais dit à Çoise Minous sa fille est un grand carcan.

Tout est retombé sur les Kerguénou parce qu'ils sont aisés et qu'ils s'occupent un peu moins du monde que tous les autres Trégorois, que la mère économise et que la fille a un piano et qu'on lui paie des leçons.

— Vous mettriez la brouille dans toutes les familles de Tréguier pour vendre deux réaux de chocolat de plus.

Et la cafetière qui n'a pas froid aux yeux a montré à plusieurs personnes deux grandes armoires pleines de linge, et dit pour vexer la « chiffonnière » qu'elle aime mieux donner deux cents écus de draps à sa fille que deux cents écus de rente, opposant le luxe de ce pur capital immobile de toute blancheur au lucre abject du petit commerce et du petit placement.

On a rapporté à Rose Dagorn tout le mal que dit d'elle l'effrontée, mais plus grave que de lui rendre le mal pour le mal est ce qu'elle a dit : — Bien égal est à moi toute la camelote de commérage des gens : je n'ai que ma fille à penser.

— Des gens peut-être vous aurez besoin un jour pour marier votre fille, a dit Caro-Crabe dans une vague menace pour l'avenir, et Titine Creiz et Maïa-la-Tripe approuvaient.

Mille petites médisances et calomnies mesquines comme des calculs de fourmis et qu'il serait peut-être plus mesquin encore de rapporter, si en se répétant et renforçant l'une l'autre, elles ne réussissaient parfois à troubler et même briser de beaux destins.

Cependant toutes les jeunes Trégoroises de bonne famille, victimes d'un nuage de mésentente il y a quelques semaines, sont venues à la collation chantante de Sophie, attirées par une nouvelle promesse d'amitié heureuse, et chaque voix ambitieuse cherchait à éclipser tout le chœur — mais sans arrière-pensée malveillante comme au retour de pardon —, en mourant de tout son volume à chaque chanson à la mode (ou : comme la Poésie peut faire oublier tous les mauvais sentiments) :

Un poète qui fit un voyage de rêve
A dit qu'il existait dans un pays plus bleu
De merveilleuses grèves...

C'est la valse brune...
Les chevaliers de la Lune...

Le soleil se levait à l'horizon d'opale ;
L'alouette chantait sa chanson matinale...

— Petit oiseau, qui donc es-tu ?
Rêve, parfum, ou frais murmure ?
— Je suis le roi de la nature...
Et malgré tout ce qu'en dit l'homme,
Je suis le sage, il est le fou. (bis)

Une fleur vous a dit que je vous aime tant...
Quand je ne serai plus, je serai une étoile
Pour vous aimer toujours au fond du firmament...

Comme on le voit, Sophie continue de nourrir son cœur et son âme de la musique et de la poésie des grandes élèves des institutions religieuses. Dans ces chansons, l'amour humain semble s'inspirer à chaque mouvement, à chaque soupir, de l'amour divin dans les cantiques : c'est du bonheur mélancolique, de la tendresse si délicate, si susceptible qu'il semble qu'elle s'évanouirait en fumée si la vie la frappait de sa baguette. Des destinées se déroulent entièrement durant une valse « irréelle » ; des fiançailles... Ah ! les fiançailles, les étranges, merveilleuses fiançailles ! Des fiancées mortes dont le fidèle « amant du soir » vient voir briller le spectre sous la lune sur la grève déserte (toujours déserte, pâlement illunée et rimant avec rêve, la grève, et toujours avec rêve et toujours la grève des amours...). Des « amis » vont cueillir la fraise ou la framboise dans les bois sombres (toujours sombres les bois, car décidément le soleil ne pénètre pas dans ces pays irréels) et regagnent à la nuit leurs couches respectives, après quelque « embrassement » qui n'étreint rien et cependant synonyme de baiser ardent et dont on peut mourir... Et que d'épithètes sur ces plages rimant immanquablement avec des voyages qu'on ne fera jamais réellement, qui presque toutes semblent enlever plutôt qu'ajouter quelque chose aux mots, tandis que les associations de ceux-ci, au lieu de les enrichir ne réussissent qu'à les appauvrir l'un l'autre : « frais ruisseaux », « rêves d'or », « aubes d'opale »... Toutes idylles exquises ressemblant à de longues agonies à deux, car on ne s'unit vraiment qu'une fois délivrés du corps (le corps au rôle si mystérieux dans l'amour)... Et ces pléonasmes, ce langage des fleurs, ces douceurs suprêmes, ces caresses pénétrantes du regard, ces ardentes étreintes des doigts... tout cela induit Sophie en rêve. Toute cette candeur irréelle auprès de laquelle la réalité lui apparaît comme une mêlée d'ombres grossières, et où le doute ne pénètre pas, ne peut faire tourner une tête ; cela emplit la sienne. Ce lyrisme de fleur d'oranger, d'oublies rose pâle, d'hosties bleu ciel, voilà les chers aliments de sa méditation. Son parfum est la violette, emblème de la modestie.

Restée à son piano après le départ des chanteuses-papoteuses, Sophie se sent mourir de langueur d'aspirer à l'amour d'une ombre séraphique.

La pureté est toujours un peu d'un autre monde.

Quand le soir vient, il y a parfois une heure où ces dames Kerguénou commencent à s'ennuyer dans leurs livres de comptes. On a écoulé aujourd'hui une demi-grosse de petites montres-jouets que l'on achète 4 fr. 50 et que l'on vend un sou au détail et neuf sous la douzaine aux petites revendeuses des pardons ; douze boîtes de sucre à un demi-sou de bénéfice chacune, etc. C'est ce que Rose appelle un beau jour. Sophie ajoute pour elle à la commande de petits riens à l'*Office de Bimbeloterie* un bijou « grand luxe » à 1 fr. 25.

Puis on va prendre l'air, suivant la pente du soir. Quand le monde ne vient plus à la boutique, on va vers le monde.

Elles suivent un moment la route de La Roche, obliquent par le chemin de l'Ankou (où un prêtre fut assassiné), prennent celui des Buttes.

Le soir est comme un petit dimanche. Des groupes qui semblent à peine plus poussés par la vie qu'elles-mêmes se rencontrent, se saluent :

— A promener vous allez !

— C'est après souper ?

— Oui sûr.

— Hélénec !

— Rosec !

— Le souper est attrapé ?

— Oui tout de même.

— On fait un morceau de tour ?

— Presque entendu, si tendre est le temps.

— Vous faites assez bien.

— Allons !

Des questions qui n'impliquent pas de réponse, des constatations qui attendent à peine une confirmation. On dirait aussi bien, simplement : Gens ! Monde ! Tout cela signifiant seulement, et cela suffit : vous êtes des vivants comme nous ; vous êtes d'autres tout pareils à nous. On fait tous la même chose, et on s'en trouve bien. (Inutile de se dire qu'on n'a peut-être rien d'autre à faire.) Je vous vois, je vous connais... Allons, nous ne sommes sans doute pas plus vivants les uns que les autres, mais pas plus morts non plus...

Les Buttes ralentissent un moment ces dames ; ce n'est qu'un petit bois qui joue au jardin public, mais tout ce qui reste de vie dans le pays, qui veut échapper à la mort d'un jour, semble s'être rassemblé là : des hommes jouent aux boules ; des femmes assises sur l'herbe comme des tas jacassent, et leurs langues se hâtent comme si elles craignaient de n'avoir pas le temps de tout dire avant la nuit. Les gosses cherchent des gifles et pleurent par le nez. Et ces bonheurs pauvres et le soir lymphatique décantent en mélancolie dans l'âme de Sophie.

Sans se consulter, elle et sa mère ont pris le chemin du Quai (le port) comme si l'eau les appelait. (On ne peut faire cent mètres dans Tréguier sans monter et descendre.) C'est l'heure où l'on devrait mourir de ne pas vivre, et cependant peut-être a-t-on toutes les raisons d'attendre un jour nouveau avec sa nouvelle chance... Elles suivent un instant la rivière qui les suit. Fait-il jour encore ? la terre commence à effacer ses chemins.

La marée fait bientôt monter les dundees sur le quai ; le Jaudy est totalement le Jaudy, et le Guindy s'y fond comme une branche au tronc, et leur confluent semble un lac où se mirent les hauteurs de Turzunel. Tout le Tréguier d'en haut se reflète dans la rivière, et le courant fait vibrer doucement l'ombre immense de la cathédrale, et c'est alors qu'on voit comme elle est un bateau. La brume se lève comme la respiration du sommeil des choses.

Ces dames remontent vers le Centre, dans la double haie des vieilles accroupies sur leur seuil. Maintenant, elles ne font plus que semblant de se promener ; ne l'ayant pas aperçu dans les cafés du quai, elles cherchent leur ivrogne dans ceux qui entourent la cathédrale, jetant un œil à travers les vitres.

Comme un immense navire qui se serait échoué là avec son grand mât dévêtu, superbe, la cathédrale surmonte la réalité sans l'écraser, comme la pétrification d'une prière si grande et solennelle et pleine d'amour que Dieu a fait le nécessaire pour pouvoir l'entendre jusqu'au cœur de son éternité ; une montagne pour monter au ciel.

Au Soleil Levant, un de ces lieux où les hommes, n'entendant plus les cloches, ne savent plus le temps — et pas plus l'heure du souper et du coucher que des autres habitudes ou devoirs —, quelqu'un qui ressemble à Kerguénou discourt, s'inspirant d'un verre jaune :

— Dans une barrique de bourgogne je me ferai enterrer, dit-il, avec une satisfaction raffinée.

— Eh bien, ce n'est pas de la petite bière, répond un confrère en la même passion que le spiritueux rend spirituel.

C'est Le Mével, le premier-maître en retraite, à la vieillesse de qui la carrière de ses fils fait une gloire, et il entonne leur éloge que tout le monde connaît par cœur :

— Cherchez-en quatre pareils dans toute la ville de Tréguier, je vous dis. Le premier (qui est boiteux) est écrivain (employé aux écritures) ; le second premier-maître comme son père ; le troisième capitaine au cabotage (et à mesure qu'il monte, sa fierté le suit) et le quatrième capitaine au long cours. (Et du coup il se lisse la moustache.)

La vapeur verte donne aux deux complices la même ivresse des grandeurs.

— Avec mes charpentes, mes meubles, mon épicerie et ma femme — une fine mouche, Rose, commerçante comme pas une ! — je gagne de l'or en barres, dit Kerguénou.

Dehors l'épicière qui a deviné plutôt qu'entendu le dernier propos, et guère sensible à l'hommage, souffle à sa fille : — Votre père est fou, ma pauvre petite fille. Le monde fera encore des gorges chaudes. Allez lui dire de venir se coucher. Il est plus convenable que ce soit vous. Vous au moins il vous écoute, il ne sait rien vous refuser.

Une forme rose entre dans le *Soleil,* qui balbutie : — Vous n'allez pas nous laisser revenir seules, papa...

Le père, honteux, se réveille à la voix de « sa demoiselle » et Le Mével, avec la grandiloquence solennelle de l'ivresse :

— Kerguénou, écoute ce que je vais te dire ; je t'en fais le serment ce soir : ta charmante fille sera la mienne.

Elle rougit jusqu'aux oreilles en voulant sourire, mais le père des garçons superbes : — Je me doute bien que tu as quelque chose pour Yves, Sophie. Toutes les Trégoroises le veulent, mais c'est toi qui l'auras, Dieu soit maudit. Et (en breton) par ma damnation, Kerguénou, une bonne barre de ton or ira à payer une barrique de bon vin pour la noce.

— Oui, sûr, dit le menuisier, bien qu'un peu dégrisé, semble-t-il, sur le coup.

A peine est-il sorti : — Encore soûl, Kerguénou ! Sale ivrogne, vous nous ruinerez.

— Il nc faut pas dire ça, ma petite Rose, tu sais bien que...

Elle ne saura jamais ce qu'elle sait bien... Il va se coucher sans faire d'histoires, humilié, terrorisé par sa femme, sans lui en vouloir de son ascendant : il n'a pas mauvaise boisson. Et Sophie ne veut pas y penser, mais un nom, un visage la suivent tandis qu'elle se glisse dans son lit et prend le chemin des songes : Yves Le Mével.

Mais se serait-elle défendue, aurait-elle eu à se défendre de cette idée et de cette image si le père Mével ne l'avait promise à son fils par un serment d'ivrogne ? La rumeur publique qui connaît souvent les choix des cœurs avant eux-mêmes n'a jamais encore avancé une telle hypothèse. Et alors, elle, avait-elle imaginé quoi que ce soit au sujet de ce beau brun qui au dire de son père serait si convoité ? Comment commence-t-on d'aimer un être ? Est-ce qu'on se dit d'abord qu'on pourrait aimer cet être ? Est-ce qu'on se trouve soudain devant son amour comme devant un cadeau que nous fait le destin ? Est-il né presque en même temps que l'on faisait la connaissance de cet être ? Y a-t-il quelque chose qui l'attendait en nous ? Ou fallait que quelqu'un, souvent un étranger, nous l'indique du doigt ? Ou que l'on sache qu'il est déjà cher à un autre cœur ou à plusieurs... Mais qui a parlé d'amour ?

Les Le Mével sont riches — selon les évaluations de Tréguier où c'est une fortune d'être tout à fait à l'aise. Le chef de famille comblé de garçons a sa pension, un petit emploi, sa maison, et la maisonnette où Çoisec Gac est à demeurer est un bien de sa femme. Le scribe vit avec eux et donc lcur verse une bonne part de ses mois ; les marins envoient de l'argent de la mer. Chaque Trégorois additionne approximativement « tout ce qui tombe là ». Et une perspective de petites successions, et une bonne boiteuse à quelques francs par mois qui met les intérêts Mével au-dessus des siens propres. Toutefois la fille Kerguénou vaut le fils Le Mével parce qu'elle est *penhêrez* (fille unique, héritière).

Sophie a une chère cousine, bien qu'aussi peu cousine que possible, qui aime un homme précis qui la fréquente, Gabriel, le frère d'Yves Le Mével. Aline se doute bien que le cœur de Sophie attend une occupation et un hôte, mais nullement qu'elle se demande en ce moment s'il pourrait être le frère de son bien-aimé : ceux qui aiment, aveuglés par leur amour ne voient pas celui des autres... Sophie a envie de se confier à elle ; mais de lui confier quoi ? qui parle donc d'amour ?

Sophie et Yves n'ont eu jusqu'ici que les rapports, les échanges banaux, de circonstance, de deux jeunes gens qui se rencontrent avec leurs familles au marché, sur le port, aux enterrements... Et elle se dit qu'un homme de la mer est bien souvent absent, et la femme connaît des solitudes interminables. C'est exactement l'opinion de Mme Kerguénou qui ne cesse de l'effrayer en lui décrivant les mauvais côtés d'un tel destin qui selon elle n'en a pas d'autres... Mais d'autre part, raisonne-t-elle, comme si elle connaissait déjà quelque chose aux secrets ressorts de l'amour et de la vie du couple, la tendresse résiste mal à l'habitude, au fastidieux du quotidien, et à chaque retour ce doit être comme si on se mariait de nouveau... Et la voici, elle qui aurait tant besoin d'une constante présence enveloppante, elle qui craint comme la mort l'abandon, serait-ce celui d'un seul jour, qui défend un type d'homme qu'un cœur aimant devrait estimer indéfendable, puisque, même s'ils aspirent à une union toute bourgeoise et casanière, leur métier force les marins à tromper leur femme sans cesse avec le temps, avec l'espace, avec la mer, avec le monde.

Elle a reçu sa première demande d'un cultivateur timide, qui a écrit :

Minihy-Tréguier, 13 out 1891

Mademoiselle bientôt le tren tain va son il seraient tant que je songerais mêtablire le ménage de mé paranz ait prosper Cait une grande ferme de douze chamz et 4 chevaux come vous la conèsais. O moin votre père et il me séderons a la St-Michel bokou la main ne sav pas maitre a la plume, mè mois de l'intruksion j'aie eu chai les frèr or je brule pour vous et si vous mofreriez votre cœur qu ele Phélicité pour mois non vous ne seriés pas mall ereuze avéque mois. Car dans un ménage on trouve tou jour a soccupé et on n'a pa le tamp de senuiyé c'es pa vrè.

En atandan la Réponse je sui toujour Ma Demoiselle Sophie votre dévouée.

Yves-Marie Goualou en Ker-Trénidi.

M. et Mme Kerguénou ont bien ri en pensant au fils de famille paysan, petit et déjà un peu bedonnant, au visage violacé, au verbe prétentieux et maladroit... Sophie a souri aussi et puis elle s'est reprise. Elle ne voudrait pas l'éconduire brutalement, mais lui prouver qu'il y a entre eux une incompatibilité nullement humiliante pour lui... Telle Sophie, timide de faire mal.

Sophie, un visage doux et fin. Un de ces charmes qui n'éclatent pas avec une immédiate évidence aux yeux pressés, plus avides de saisir et de prendre que de comprendre et de connaître des plaisirs de qualité par le vulgaire négligés. Mais celui qui ferait le moindre effort, et, pas même, consacrerait quelque application de son cœur et de son esprit à pénétrer le secret de son visage et de son âme qu'il reflète, aurait chaque jour confirmation des bénéfices de son bon goût. Il ne faudrait pas trop la décrire de peur de l'effacer un peu, tant sa grâce est avant tout de finesse, mais les âmes pures, et, elles seules, voient vraiment les âmes pures, et, parfaitement rassurées de ne pas susciter l'envie de ceux qui s'intéressent surtout aux biens palpables, comme ils disent, elles ne voudraient pas d'un bonheur moins raffiné que celui qu'elles trouvent dans leur intimité. Si l'on veut la détailler, on voit d'abord une grande pureté ; elle est pure non pas seulement parce que jusqu'ici elle ignore le mal, mais parce qu'on peut affirmer que, le connaîtrait-elle, clle n'aimerait pas moins le bien. Qu'est-ce qu'une belle âme ? Celle que seule la beauté attire, mais qui, si elle rencontre la laideur, l'aime par charité sans trop la regarder.

On serait tenté de voir dans tout son être quelque chose qui n'est pas d'ici, comme s'il y avait une patrie quelque part pour les cœurs purs. Mais sa pureté n'aura jamais assez d'énergie, ou d'orgueil, pour se dire que c'est la sienne. Exotique aussi son éloignement des fortes nourritures (sa répulsion quand on lui parle de plats « nourrissants »...) ; elle vit enfantinement de mets légers, de sucreries, malgré les injonctions pleines de menaces terribles pour l'avenir de sa santé de sa mère et des vieilles dames de son intimité et de son entourage, car, selon la conception rurale, le salut de la vie charnelle commence par la soupe « trempée » de pain, et la suralimentation est une immunisation générale. C'est à qui parmi les jeunes Trégoroises aura la taille la plus fine et elles s'écorchent les flancs à serrer leur corset, mais les impératifs de la coquetterie qui réclament ces temps-ci aux demoiselles un air éthéré ne suffiraient pas à expliquer une sorte d'horreur de la matière chez Sophie. « Mangez, mangez, lui répètent à l'envi celles qui l'aiment : votre tempérament vous n'avez pas fini de faire, et vous n'êtes pas forte. » La jeunesse qui a sa vie à inventer ne peut voir la vie comme ceux qui l'ont vécue. Et Sophie n'a souci que de l'immatériel.

Bretonne, ô combien ! et peut-être tout de même trop attirée par les choses purement françaises à la mode dans la bourgeoisie de Tréguier pour n'être pas tentée par moments de trahir son pays — mais elle en éprouve chaque fois quelque malaise... On ne cesse de lui répéter qu'elle ne manque de rien, ce doit être de cela qu'elle souffre, et tout de même de l'absence de l'essentiel. Est-elle intelligente ? Si l'on entend par intelligence cette faculté d'avoir des clartés sur tout sans rien connaître particulièrement, et de se faire donner raison sans posséder la moindre bonne raison et en sachant faire oublier ses torts, on hésite à le dire. Mais si l'on pense qu'aucune intelligence n'est supérieure à celle du cœur, on peut l'affirmer sans le moindre doute. Un peu supérieure aux jeunes filles qu'elle connaît et fréquente — dont quelques-unes plus éclatantes et qui font plus d'effet qu'elle — assez pour se trouver parfois un peu bizarre, mais non pour se comprendre, mystérieuse aux autres comme à elle-même, parmi les cancans, les jalousies, les calomnies, les histoires de famille aux peu honorables secrets, les vieilles traditionnelles pleines de proverbes et de commandements aussi impératifs que ceux de Dieu et de l'Église, de soumission au Ciel et cependant parfois de violente révolte contre le Destin et le mal du monde ; et les légendes de la vie et de la mort si consolantes quand elles ne sont pas cruelles... celle en qui on pourrait être tenté de ne voir qu'une gentille créature, s'est faite un peu originale, par on ne sait quelle combinaison unique des mêmes éléments dont sont composées ses sœurs qu'on distingue mal l'une de l'autre.

Elle n'a pas l'âme assez forte pour s'isoler de la médiocrité ambiante, et les commérages la touchent ; elle s'intéresse aux riens qu'on agite autour d'elle par désintérêt, aux gens inutiles avec lesquels elle ne se sent que si peu d'affinités, mais qui peuvent nous faire oublier le manque de l'être nécessaire. Sa tendresse pour Dieu est moins machinale, moins réduite aux formules que celle de ses camarades, et même que celle de quelques-unes de ses maîtresses de pitié, mais cela ne l'empêche pas de partager sans les discuter bien des superstitions de son milieu. Elle se laisse distraire par l'épicerie, la mercerie, mais les mille détails de la vie pratique, utile — dont elle saisit surtout le côté plaisant, pittoresque, charmant —, n'occupent que le vestibule de son âme.

Toutes les jeunes filles connaissent l'ennui, mais la plupart d'entre elles y échappent, autour de Sophie, en imitant l'affairement des dames. Les autres, et elle, passent le plus clair de leurs journées à s'inventer un merveilleux avenir.

Sophie est coquette, et suit le mieux possible la mode si retardataire de Tréguier, mais elle ne compte pas trop sur ses robes et colifichets pour séduire le Prince Charmant comme tant de jeunes filles.

Elle a grandi sans cesser d'aimer sa mère comme quand elle était petite, et elle serait incapable de la contredire ouvertement, mais souvent elle pense seule. Elle imagine, à l'avance déchirée, le déchirement que ce lui serait s'il fallait qu'un jour elle décide sa vie à l'encontre des vues si tendres, bien qu'un peu étouffantes, de la très chère sur elle, car elle devine que, vouée au pratique et au quotidien, par le souci de son bien, son amour sans bornes ne peut pas ne pas lui donner quelque idée de la beauté et du sublime. Et si un jour elle était tentée de la quitter pour suivre un homme — bien entendu quelque marin, quelque homme de toute la terre —, non, elle ne veut pas y penser, elle laisse la vie décider de son destin. Un lien spirituel tissé et fortifié par les années, si puissant qu'on se demande comment il pourrait se rompre sans que se brisent leurs deux cœurs, les attache l'une à l'autre. Sophie, comme sa mère qui lui montra le modèle de l'amour, si elle aime un autre être, en fera le centre de son âme et du monde ; elle risque de beaucoup souffrir s'il lui faut choisir entre deux amours.

A ses éducatrices ursulines elle doit beaucoup. Non certes aux arithméticiennes de l'ordre ni à ses grammairiennes qui lui ont laissé bien des bretonismes, mais toutes ses maîtresses pudibondes ont par l'exemple de leur vie pétri de Dieu son cœur. Leur ferveur, pas toujours exempte de fadeur, a influencé la jeune fille plus que le spectacle de la cathédrale beaucoup trop grande pour une petite ville, pour une petite âme. On ne connaît pas les majestés à l'ombre desquelles on est né et a grandi. La ville est dominée par la forteresse solennelle, mais guère la vie. Sophie doit être une des rares passantes du pays qui la regardent de temps en temps, sans savoir qu'elle est une des plus belles âmes de pierre de France. Sa sévère leçon de beauté, de noblesse, est trop haute pour elle. Que pourraient-elles enseigner à une jeune fille simple, sans culture véritable, ces pierres éternelles sinon la volonté de s'élever vers l'Invisible, en refusant de voir la beauté périssable de la vie... Effrayée d'entendre sa mère lui répéter que les hommes sont tous « des moqueurs de jeunes filles », Sophie admirait et aimait tant ses maîtresses qu'elle envisagea un temps de se faire religieuse, surtout peut-être pour échapper à l'appréhension de devoir les quitter. Mais sans pouvoir imaginer avec la moindre précision l'amour terrestre, elle en veut sa vie pleine... Et la grande image de granit pèse sur son cœur, comme un remords.

Au contact de tant de banalités souvent vulgaires, elle ne deviendra jamais très singulière, mais il a germé en son être, comme germe un grain de folie chez certains, le plus ignare et grossier, comme le plus fin et délicat, quels que soient son passé, son entourage, les hérédités, les influences, tout seul, un grain de rêve.

Tous les jeunes gens rêvent, comme les vieilles gens se

souviennent. Sophie, elle, oisive dans le réel laborieux, cette petite primaire seulement un peu rachetée de son inculture par la poésie religieuse, rêve d'amour comme dans les chansons qui flattent ce qu'il y a d'illusoire en elle. Quelle sera sa déception cruelle si la vie la force un jour à abandonner les paysages de cartes postales où elle se promène plus souvent qu'à Tréguier !

Les constructions féeriques dont elle s'enchante risquent de la condamner à la solitude, car seuls les poètes — dont l'espèce est si rare en tous lieux et milieux, et inconnue dans son pays — hantent ces paradis à l'air raréfié, presque inhabitables pour une poitrine aussi faible. Son rêve ne consumera pas son âme, comme il consuma celle de quelques grandes demoiselles d'un monde plus raffiné qui ont lu les célèbres élégies phtisiques. Elle aura tendance à croire sa réalisation assez proche, grâce à sa faculté, providentielle et dangereuse à la fois, d'idéalisation de quelques fragments de la réalité ambiante. Enfin la rêveuse impénitente s'expose à ne connaître de réel que les souffrances que le rêve lui causera.

Car Tréguier n'a aucune grande poésie : ni la montagne, c'est une colline, des coteaux, ni la mer, elle est là-bas, là-bas ; pour l'apercevoir il faut monter sur les épaules de Dieu qui lui a refusé la vue directe de son immensité, faire l'ascension d'une de ses églises ; c'est une rivière, deux ou trois rivières. Ni la forêt, c'est champs et landes et petits bois de pins ; mais quelques paysages tendres et de très vieilles et nobles pierres que ses compatriotes ne voient pas plus que l'air qu'ils respirent, et qui font un peu de beauté sur la mélancolie de Sophie.

Dans l'ensemble, la vie à Tréguier-Landréguer est trop pâle pour être triste. Même quand ils sont aisés, les Trégorois vivent comme les pauvres vivent partout, sur la terre bien terrestre. Ils tiennent trop à respecter la coutume pour contracter les habitudes des vrais vivants.

Ils se rappellent l'existence du ciel seulement quand il tonne. La pluie est du beau temps : elle fait pousser les légumes ; plus le soleil est beau, plus sûrement il passe pour du mauvais temps : il les dessèche. On ne demande pas la chaleur, la lumière pour la joie, mais pour féconder la terre et aider à la travailler. Il n'y a de fleurs dans les jardins que pour les morts, et l'on vole ceux-ci en en cueillant pour son plaisir. Celles qui poussent toutes seules, que certains étrangers prennent pour un divin présent, sont de la mauvaise herbe... On ne considère guère autrement les fleurs de l'amour, que l'on ne cultive que pour leur fruit. On gratte la mousse des toits, on arrache le lierre des murs. Les choses vieilles sont sales ; les vieux sont respectés quand leur entretien ne coûte guère.

Une belle porte est une porte peinte de frais. Une chose belle est une chose propre. Une femme propre, une femme qui sait briquer sa place. Un bel homme est un homme fort. Un jardin magnifique est un grand jardin où tout pousse bien.

Celui qui forme bien ses lettres écrit bien. Celui à qui échappe quelque poésie passe pour un fou si on ne le sauve en disant qu'il a une bonne langue. Celui qui a du goût est « difficile ». Celui qui exprime des nuances est « maniéré » ; un gourmet est une petite nature.

Quand il fait chaud, on dit que c'est de l'orage ; quand une passion se déclare, on affirme que c'est de la folie. Il arrive que l'on garde des déments à la maison, en calculant que l'honneur familial sera sauf puisque le secret de la honte bien gardé, mais on se hâte de chasser de la ville les insensés d'amour avec leur égarement.

La perfection de l'homme c'est le rassemblement en un seul être de toutes les qualités ordinaires ; un homme que l'on compose autant avec l'absence des hautes qualités qu'avec le manque de défauts : l'homme qui ne boit pas, qui ne fume pas, qui ne court pas ; l'homme sans largesse ni générosité (qui ne gaspille pas) ; qui ne fait pas parler de lui, qui ne trompe pas sa femme (on ne se demande pas s'il l'aime, s'il lui donne quelque chose, pourvu qu'il ne lui prenne rien, et même pas exactement à elle, à son honneur) ; la femme parfaite c'est celle qu'on ne voit pas, qui ne parle pas, qui ne dépense pas, et dont on n'a rien à dire.

L'imagination est une maladie dangereuse. Les livres sont perte de temps et égarement de l'âme. Si vous laissez votre lampe allumée un moment après le souper pour finir un roman, on vous demande le lendemain : — Vous étiez donc malade cette nuit qu'on a vu de la lumière à votre fenêtre ?

Le plus clair de l'histoire des Trégorois est l'ensemble des cancans que les uns font courir sur les autres. Celui qui diffère des autres en quelque point est un prétentieux ; s'il se distingue par la qualité, l'originalité de son vêtement, on veut qu'il soit déguisé. Celle qui est plus belle que la moyenne est une manière de sorcière, et il faut s'en méfier, et autant que possible ne pas trop s'approcher d'elle. S'efforcer de séduire, c'est « faire des grimaces ».

Quand on est seul avec soi-même, on s'endort. La chose qu'on craint le plus, c'est qu'il vous arrive quelque chose.

Tréguier ne recèle guère de grands dangers : pas d'inondations, pas d'avalanches ; pas de serpents, pas d'animaux sauvages ; pas d'assassins ni de bandits ; pas de poignards ; mais les troubles curiosités de ceux qui pour tromper leur ennui et leur vide se glissent jusqu'au fond des vies et des cœurs, et les insinuations malveillantes, les propos méchants, parce qu'envieux ou jaloux, peuvent blesser, isoler, et même condamner à mort des purs et des innocents.

2

L'épicerie — comme le café — avec sa clientèle incessamment renouvelée qui attend son tour, est office de renseignements, laboratoire de cancans, agence de mariage ; contrôle moral mutuel ; et enfin gazette parlée, foire aux bruits... Oh ! l'auréole de celle qui apporte la Nouvelle, une surprise, connaissance ou invention, mais en tout cas de l'inédit.

— La fille Rivoal a la tuberculose au petit doigt j'ai entendu.

— Sûr ! pourquoi voulez-vous autrement que sa plaie ne guérisse pas depuis le temps qu'elle la soigne ?

— Cela n'est pas vrai, Hortense. Oui, ceux qui leur en veulent disent comme ça.

— Est-ce qu'on a jamais su de quoi son père est mort, s'il vous plaît ?

On soupçonne fortement les quatre sœurs Guluch de ne posséder que deux châles et de ne sortir que deux à la fois pour faire croire que la famille possède une riche garde-robe. Et, entre nous, si l'on ne peut vérifier ce stratagème d'économie, et de poudre jetée aux yeux, on n'a jamais pu prendre sur le fait l'existence simultanée des quatre châles ; et on allègue qu'il serait tout de même bien étrange qu'à chaque promenade de toute la famille elles décident de laisser leurs châles à la maison, et y songent infailliblement pour toute sortie solitaire ou à deux... Il est des probabilités aussi évidentes que la certitude.

Sophie écoute. On discute les couples établis, on pronostique ceux qui s'ébauchent.

— Des bougies un paquet j'aurai s'il vous plaît. Pour la fille Conan vous avez entendu les dernières nouvelles ?

— Oui, le fils Libouban on a dit. Eh bien, moi je vous dis : ne comptez pas sur un mariage. Il ne voudra pas d'une fille sans dot. Des avares comme ça encore la tombe de leurs parents ils n'entretiennent pas, une honte c'est !

— Jamais il n'y a de viande chez eux : vous pensez, c'est ce qui coûte le plus.

— Des légumes de leur jardin, c'est tout ; personne ne reste travailler chez eux.

— Tous les enfants — sauf Etienne — sont morts d'avoir été trop souvent mis à la diète quand ils étaient petits.

— Et lui, vat, des coups de chapeau tant que vous voudrez : c'est pas un sou pièce... Une riche il cherchera, assez sûr.

Sophie écoute, elle n'intervient pas ; elle s'étonne ; tout de même elle a risqué : — Une femme peut valoir plus que sa dot, Marguerite !

— D'abord de l'argent pour bourrer, jeune fille ; après des manières (caresses, tendresses) on peut faire.

— La fille Charlès si je vois bien ne le refuserait pas.

— Eh bien, Joséphine ! ce serait bien assez bon pour lui : elle a son ménage et une mécanique (machine à coudre).

— Oui, mais une tête de paille c'est.

— Bah ! ce sont celles-là qui font des cornes à leurs maris

qui ont le plus de chance : regardez Jeannec Bourva, tombée avec un si bon homme !

Sophie écoute-t-elle encore ? C'est comme si toutes ces femmes parlaient très loin. Sophie aime sa mère, pareille à toutes les femmes mal tombées. Elle regarde avec chaque fois une nouvelle surprise ces femmes qui passent en revue tous les êtres et croient en tout savoir, comme si chacun n'avait pas une vie secrète — et ne serait-ce pas sa plus vraie vie ?

— De la soupe fraîche vous avez fait, Léonie ?

— Oui, ma fille, un beau morceau de bœuf j'ai eu avec Paranthoën (le boucher), mais j'ai peur d'avoir attrapé beaucoup d'os.

— M. Dieu bénissons d'avoir fait des os, Léonie : si des os il n'y avait pas, il n'y aurait pas de viande.

— C'est vrai, Rose, il y a encore plus d'avantage qu'avec le veau.

— Cela fait un écu et deux réaux, Monnec.

— Ce n'est pas le tout causer, il faut payer aussi.

— Bah ! si on ne disait rien, on mourrait quand même.

— On n'a que ça, vat ; sa goutte de café et dire un mot quelconque... Jusqu'à tantôt, tout le monde.

Sa mère va s'abstraire en ses tris de chiffons ; Sophie s'assoit contre la devanture, et elle regarde les gens passer dans la rue, ou plus exactement elle suit un rêve en oubliant les gens qui passent, les enfants qui jouent.

Ce sont surtout des garçonnets ; les petites filles sont déjà moins libres de fréquenter la rue. De temps en temps quelques-uns entrent dans la boutique, un tout seul, deux ensemble pour s'enhardir mutuellement, et sans ôter leur béret tant ils sont pressés ils demandent « une surprise siou'plaît ». Elle leur présente le panier où plongent fébriles leurs doigts attirés par une couleur après l'autre, le rose, le vert, le bleu des cornets. Ils laissent tomber leur sou et s'enfuient comme des voleurs. Et dehors ils n'ouvrent pas tout de suite le message du destin, ils le caressent, ils attendent, ils cherchent à deviner ce qu'ils possèdent, d'après les détails extérieurs, en tâtant le contenu par-dessus l'enveloppe. Enfin ils se décident, et leur cœur saute quand ils brisent la capsule.

Dedans... D'abord il y a du papier froissé pour retarder le plaisir, puis encore du papier, puis cinq bonbons ; enfin, tout au fond du cornet, le petit objet, quelque jouet miniature, qui constitue proprement la surprise : gril, miroir en fer-blanc, sifflet en bois, fourchette pour la dînette. Certains triomphent à grands cris et bondissements : c'est ce qu'ils attendaient, c'est ce qu'ils voulaient, qu'ils espéraient... D'autres maudissent leur malchance, et jurent avec d'horribles jurons incompris qu'on ne les y prendra plus... Et Sophie s'amuse à parier avec elle-même sur leur hésitation : reviendront-ils ? abandonnent-ils la partie ? Combien se décideront enfin à tenter de forcer le destin ?... Et elle se demande si leur manège, leur jeu avec le sort, leur attente, leur espoir, leur résignation ne ressemblent pas aux aspects si variés de notre attitude devant la vie...

Mais bientôt ils deviennent de tout autres gosses qui oublient les surprises, se moquent de leur cœur qui battait si fort il y a un instant, prennent dans leur poche leur pétoire de sureau, mâchent l'étoupe en reniflant, et leur poitrine éclate vers le ciel où leurs boulets vont troubler le chemin glissant des hirondelles, chères hirondelles qui font descendre le ciel sur la terre. Et Sophie les suit avec tendresse, et leur sourit, comme si là-bas, au très lointain là-bas, sur le chemin de l'avenir, un petit sourire né de son amour devait un jour lui répondre.

Et voici que la rue et le monde se vident. Le Jeune Homme passe. Entre les bocaux des fenêtres elle a senti son regard. Il soulève son melon, et, s'il a regardé, il n'a pas dû la voir répondre de son mieux. Aucun des deux n'a su l'effet qu'il a pu faire sur l'autre... Pieusement, les yeux de la jeune fille se ferment sur le dos qui disparaît dans la rue. Son cœur bat comme l'horloge de l'avenir, et elle pense : cela (son salut) peut vouloir dire qu'il s'intéresse à elle, ou qu'il est curieux ou poli... Cela ne veut rien dire. Qui a dit que cela pourrait signifier davantage ?

Yves Le Mével. Yves Le Mével. Et « le » sonne comme un « de ».

Un capitaine au long cours est un titre et une situation mais qu'est-ce que celui-ci a de commun avec l'homme des douceurs exquises, des paroles enivrantes dont ses rêves de chaque jour précisent et embellissent la figure pour que déjà il lui semble éclipser tous les jeunes hommes de Tréguier ?

Il est brun, hâlé par les grands vents aux arêtes coupantes. Sa moustache semble sans douceur et un peu trop fière de lui appartenir. Il est fort comme l'autorité des mers, mais rien dans son visage ne semble préparé au sourire des confidences et aux attendrissements ; et elle ne jurerait pas qu'il saura inventer des câlineries.

Sophie pour qui l'amour c'est de défaillir ensemble chaque soir d'émerveillement d'être deux... Ce solide vivant qui donne des ordres sans réplique à la vie... Sophie qui rêve d'un capitaine qui chante les nuages et qui l'emmènera sur son grand navire au pays des songes... Ce réaliste commerçant de la mer qui la force à faire de l'argent, et toujours plus à chaque nouveau voyage... L'irréelle... le plus réel des hommes...

Pourtant comment aimerait-elle ainsi qu'elle voudrait être aimée ; et comment irait-elle jusqu'au bout du bonheur si elle ne peut élever un autel dans son cœur à l'homme aimé ? Et est-ce qu'elle imagine l'homme Yves Le Mével lui rendant ainsi son amour ? Alors, pourquoi lui ? Parce qu'il passait par sa rue ? parce qu'il y passe souvent quand il est là et qu'ensuite il est souvent, longtemps absent et qu'on se rappelle celui qui passait... Parce qu'elle l'a vu si souvent passer depuis son enfance, sans le remarquer ? mais la mémoire a gardé trace de ce qu'on ne savait pas avoir vu, et c'est parfois cela qui nous interroge avec le plus d'insistance... Et peut-être encore parce que les plus beaux rêves sont ceux qui demandent le moins à la réalité... Et cependant, est-ce qu'elle s'imagine vraiment dans sa vie ? et lui dans la sienne ? Alors si elle continue à rêver au sujet de ce grand brun (pas si grand au fond ; peut-être le préférerait-elle un peu plus grand...), ne serait-ce pas parce qu'il faut bien que le plus beau rêve se pose sur quelqu'un de vivant pour être sûr de demeurer dans la vie ?

Tremblante, par des chemins indirects, elle sonde sa mère.

Elle saisit le prétexte des fiançailles d'une Angélique qui a juste son âge ; que penserait-elle si c'était elle, Sophie ?

— Vous vous mettrez toujours assez tôt dans le tracas, répond la sagesse Kerguénou... Mais je sais que vous aimez bien votre mère et que vous resterez quelques années encore avec moi.

— Vous ne comprenez pas, fillette, renchérit Çoisec Coz : jamais vous ne serez aussi heureuse comme vous êtes. Il est toujours meilleur d'être avec sa mère... Mais celui qui ne connaît pas son bonheur a envie d'autre chose.

« Son bonheur » ; ils parlent tous de bonheur, ils veulent qu'elle possède tout le bonheur. Et c'est vrai qu'on peut dire d'une certaine façon qu'elle est heureuse... Mais est-ce qu'il n'y a pas un autre bonheur ?... Est-ce qu'un bonheur est l'ennemi d'un bonheur qu'il ne saurait remplacer ? Bien sûr qu'elle rend grâce à Dieu de tout, mais elle le sollicite davantage. Il faut bien qu'il sache, Lui, ce que tous les autres ignorent d'un jeune cœur. La nature a donné l'ennui aux demoiselles « à qui rien ne manque » pour les précipiter vers ces créatures terribles qui leur apporteront sans doute mille maux, mais du moins ce sera du nouveau, et si dans ces nouveautés il y avait la vie...

Les Kerguénou rendent visite de temps en temps à des cousins cultivateurs de Saint-Yves (Minihy-Tréguier) qui sont des clients de l'épicerie et qui leur livrent l'année durant le beurre et les œufs le mercredi, jour de marché.

C'est seulement chez sa tante que Sophie reconnaît que le sort fit preuve de favoritisme à son égard en faisant d'elle une fille de la ville.

Priée par la maîtresse de Kerdir à dîner (c'est-à-dire à déjeuner), elle va passer le cœur du jour là-bas, avec un petit sac de café pour payer sa nourriture, selon l'usage.

Elle aime le bruit de ses claques sur la petite route, car on ne met pas ses souliers pour aller chez les paysans. Les oiseaux chantent que la vie est bonne. Elle est heureuse comme une herbe ; elle respire très fort le grand air, la campagne... L'horizon est calme, comme si le ciel avait une fin sur la terre. Tout cet amour de la nature devrait la combler de bonheur, et il ne fait que relancer son rêve d'un autre bonheur possible ; peut-être pas exactement, mais tout de même quelque chose qui achèverait ce bonheur-là... Des hommes de la terre passent :

— De bonne heure sur la route, demoiselle !

— Bonjour à vous, Yves-Marie.

Ils s'appellent tous Yves-Marie, comme les perroquets Jacquot, les chats Minétec.

Elle compte les oiseaux noir et blanc qui, à son approche, se détachent des haies : une pie, bonheur, deux pies, malheur ; trois pies, mariage... C'est ce rassemblement qui l'intéresse le plus ; hélas ! elle ne réussit pas à voir trois pies ensemble : quand la troisième est en vue, la première est en train de disparaître... Mais aujourd'hui est trop beau pour qu'on doute des bonnes intentions de l'avenir.

Maintenant la route se perd en des sentiers creux de la largeur juste d'une charrette. On a l'impression de quitter la France. Bientôt un chien proclame son existence sur un tas de fumier, se tord de rage comme sur un bûcher, sentinelle furieuse de Kerdir qui semble ne pas savoir ce qu'il hait le plus, sa mission ou la vie.

Voici la ferme, le « ménage », comme enfoui dans la terre. L'habitation est à peine séparée des étables. Un grand poirier étend ses branches sur la façade comme un crépi vert, et diminue encore ses ouvertures de prison.

Beaucoup de mioches, parmi les canards de la mare à purin, parmi les poules, jouent comme celles-ci à faire des trous dans la terre avec leur derrière. Le plus petit touille des vers avec de la boue et s'apprête à goûter le mélange. Quand ils aperçoivent leur grande cousine qu'ils appellent leur tante, ils accourent pour se faire dire bonjour, se débarbouillant la bouche du revers de la manche, et la demoiselle a déjà sorti son mouchoir pour achever l'opération.

D'autres se chamaillent sous la table longue comme une table de réfectoire, dans l'unique pièce où se passe le plus clair de la vie : — Chassez donc, vermines, poisons, canailles rouges ! jette la mère avec son torchon.

— Bonjour tout le monde, dit Sophie.

— Comment est ton compte, fille de la ville ? demande la grande cousine Léontine.

— Bon assez, et avec vous ?

Les hommes s'en retournent aux champs ayant attrapé leur après-déjeuner.

De vieilles grandes armoires, des lits clos à étage, l'horloge, le buffet, tout le mobilier de noyer est pressé contre un seul mur. A la couche des parents est accroché un médaillon qui contient une couronne de fleurs d'oranger : Anne-Marie, six ans. Une petite fille morte. On a donné son nom à une sœur née après son départ.

Des grappes d'échalotes et d'aulx, des vessies pleines d'une graisse qui fait des soupes merveilleuses ; d'immenses rectangles de lard : le dernier porc pend presque tout entier aux poutres. Des agrandissements photographiques des parents en jeunes mariés garnissent la cheminée avec une vierge sous globe, des tasses à café de parade, d'inutiles chandeliers sans chandelle mais si bien entretenus qu'ils éclairent.

Dans l'âtre où crépite comme du sel la flambée de lande (d'ajonc) qu'on a allumée pour fêter la citadine, une petite vieille rougeoyante chauffe un bébé dont toute l'énergie crie la menace qu'il croit sentir contre sa vie : — Veux-tu te taire, mauvaise petite machine à Maïe-Louise, et donne-moi ton derrière.

— Bonjour à vous, vieille maman.

— Oui, fillette, grand-mère du bas de l'église (matrone du baptême). Vous êtes si délicate, Sophie ; comment est votre petite vie ?

— Passable, et la vôtre, vieille maman ?

— Tenir d'aller, pauvrette, et encore dire merci à M. saint Yves pour la vie toujours là. Mon cœur tient encore, M. Dieu soit béni, puisque je garde le pain que je mange ; mais il s'est jeté un mal sur mes reins, ici, tenez, quand on aura dit la vérité ; là je suis attachée ; de la damnation il y aura... Je commence à marcher sur la bouche... Aller à l'autre vie bientôt comme les autres, Sophie chère ; là-bas ils sont tranquilles, ils se défatiguent.

La laborieuse ruine du travail ne peut se souvenir d'une vie où elle ne sert pas. La première Maïe-Louise de sa mémoire est une petite gardeuse de vaches. Six ans. Depuis elle est ici, à soixante francs par an. On ne la connaît plus que sous le nom de la ferme : Maïe-Louise de Kerdir. Elle a oublié le sien, comme une femme qui se marie. Toute sa grande famille d'adoption l'appelle mère, mère-vieille (le « grand-mère » breton).

Elle n'a pas cessé de servir, voûtée, pliée, penchée comme la célèbre tour de Saint-Gonéry, comme si elle marchait sans cesse au-dessus d'un petit enfant dont elle surveillait les premiers pas hésitants. Et elle affirme qu'elle en vaut bien encore une autre, une fainéante de jeune qui veut qu'on lui donne son dimanche comme celles qui servent en ville, qui passent leur temps à se plaindre. On lui dit de se reposer :
— Bah ! laissez-moi, au nom de Dieu ! Le repos c'est la mort. Le mal attrapé debout s'en va de nous debout.

Sophie la voit soulever le chaudron des cochons :

— Vous ne voulez pas que je vous aide, vieille mère ?

— Non, sûr ; pour mourir je vous demanderai bien, mais pas pour vivre.

— Forte encore, Maïe-Louisec !

— Seulement un morceau de vieille force, écoutez-moi, fillette, quand M. saint Yves y met la main. Mais bientôt je ne serai plus capable. J'ai le fond crevé. Je suis arrivée vieille comme les chemins, petite fleur ; meilleur serait mourir. Une punition c'est la vieillesse ; pardon, Madame la Vierge !

Pourtant ses jambes sèches font encore des lieues. L'hiver de la vie ne l'investit que peu à peu comme celui de la nature investit la terre. Un miracle de fidélité à des vivants seul la retient en cette vie. Et si elle flageole parfois dans l'espace, elle n'hésite jamais dans le temps ; elle sait toutes les généalogies du village éparpillé parmi ses champs et l'histoire de chaque ventre de femme et tous les prénoms, et elle n'oublie pas les enfants qui sont morts aussitôt que nés, et elle compte tout ce petit peuple sur ses doigts biseautés comme pour mieux pénétrer dans la terre, d'abord la terre féconde et qu'on travaille, et puis celle qui recueille ceux qui ne font plus d'œuvres avec la vie.

Oh ! ses mains dans lesquelles tremblèrent et puis furent rassurées trois générations de bambins ! De toutes les couleurs comme le cœur des jambons ; et les veines violettes en saillent comme des muscles tendus, et elles pendent comme des infirmités, gênées quand elles ne travaillent pas, au bout de ses bras qu'on croirait s'être allongés à force de ramasser les fruits de la terre. Quand elle parle — et elle parle toujours sérieusement, ayant vu tant de rires tourner en pleurs — ses mains parlent aussi, se retournent ainsi qu'on retourne une crêpe pour montrer après l'endroit l'envers des choses et des idées qu'on se fait sur elles ; et elles battent la pâte de la conversation, ces mains éloquentes. Ces mains dont n'est jamais tombée une assiette, ni un bol ; ces mains usées, salies à nettoyer tout ce que tout le monde salissait. Ses joues sont fumées comme la viande qu'on suspend dans la cheminée ; et les rides de son front évoquent des sillons gelés.

Après avoir ému l'assistance en parlant de sa fin prochaine, elle assure qu'elle assistera au mariage de Marc, d'Antoinette et pourquoi pas d'Albert qui n'a que douze ans ; et comme on sourit, elle semble se fâcher et rappelle les douzaines de jeunesses qu'elle a enterrées aussi bien portantes, éclatantes et confiantes en la vie que celles qui osent la narguer aujourd'hui. Et elle semble menacer d'un tel sort tous les spectateurs sceptiques avec une sorte de colère de vérité que lui souffle une mystérieuse complicité avec les secrets du destin. Et ses yeux sont si profonds dans son visage sans chair qu'on pense d'abord qu'ils vous regardent du fond de la mort, et puis on comprend que c'est de beaucoup plus loin, du fond de l'avenir peut-être ; et que soudain on imagine plus facilement sa propre mort avant l'âge que la mort de ces yeux qui ont dépassé les âges. Et ils ont brillé si longtemps qu'ils pourraient bien ne plus s'éteindre, comme les soleils.

A présent, après le travail pour le monde, et sans doute parce que la fille de la ville est venue, et que toute visite est une fête pour les casaniers de la terre, Maïe-Louise pense avoir le droit de prendre un peu de loisir et de s'occuper d'elle-même. Avisant ses petites affaires personnelles rangées dans un coin de l'armoire familiale, elle en fait les honneurs à Sophie et les présente en les rangeant à nouveau, et comme avec respect :

— Voici du bonbon envoyé à moi du pays des Saxons (Anglais) avec (par) Job Créac'h, quinze ans il y a, ma fille.

— Vous ne l'avez pas mangé, vieille maman !

— Non tout de même, une chose donnée à moi (et ses mains soulignent l'importance de l'intention) en souvenir ! Un souvenir on garde, on ne mange pas, holà ! Voici mon châle des dimanches encore la grand-mère de Léontine ici avait dit qu'il serait pour moi quand elle serait dans le pays où on trouve des vêtements tout faits, trente-cinq ans il y a depuis... Voici mes souliers de pardon, Sophiec. Avec Anton Nabot ils ont été faits, et il y a un joli morceau de temps qu'il marche sur d'autres chemins. Je ne danserai plus avec eux autant que j'ai dansé, sûr. (Elle rit, puis redevient grave.) Avec eux je finirai.

Sophie contemple avec respect la vieille sainte de la glèbe, qui, esquissant un brin de toilette dominicale, se débarbouille dans un bol avec le bouchon (chiffon) de vaisselle (« l'objet le plus propre de la maison, Sophie, vous pouvez me croire ! ») puis ratisse ses maigres cheveux avec un petit peigne à décrasser... Comme elle s'aperçoit que Sophie la regarde dans son petit fragment de glace, elle dit de sa voix vacillante, mais que la colère de vérité qui la saisit de temps en temps fait ferme et même dure : « Ils ont été beaux, aussi, mes cheveux, et les vôtres seront comme les miens sont arrivés, oui, ma fille ! »

Et Sophie tremble, car soudain Maïe-Louise, jaune comme un ivoire public patiné par d'innombrables contacts, a semblé le spectre de la vieillesse.

Mais le présent se hâte de chasser le fantôme d'un temps futur. En sabots comme Léontine, Sophie court, travaille. Elles cherchent les œufs des poules dans cent nids capricieux au bord des tas de paille, vont au parc arracher des choux de bêtes — que protège des limaces une croix noire — puis, à travers des sentiers presque souterrains tant ils sont encaissés et qui mènent à une fontaine où veille un saint Yves enfant, elles conduisent au pré les vaches qui marquent leur passage d'un sillon de crêpes chaudes.

Sophie n'envie pas la vie quotidienne de la chère Léontinec, le réveil avec le soleil, la soumission de chaque heure au service des bêtes, l'éloignement de toute distraction... mais un changement de destin pour une journée la charme comme un rôle de théâtre. Elle est printanière dans l'automne ; son cœur n'est qu'un muscle qui fonctionne à plein et ne lui pose pas de questions. Elle se porte bien, elle porte la campagne.

Dans l'auge près du puits, elles lavent ensemble leurs mains : de paysanne, gonflées par les eaux chaudes des vaisselles, et les pâtées fumantes ; de demoiselle : blanches comme les salades sur lesquelles on pose une planche dans la plate-bande... Elles sont gênées de leurs mains toutes les deux.

Au fond de la cheminée vaste comme une porte cochère ronflent côte à côte le repas des hommes et celui des porcs, pendus à des crémaillères. Maïe-Louise pousse de la lande sous les chaudrons à l'aide d'une petite fourche naturelle.

Léontine trace une croix sur le pain de douze (livres), entre ses seins l'ajuste et à toute vitesse débite l'immense bouclier en lichettes pour tremper la soupe. Sophie aide à maîtriser les bambins, et elle n'a pas le temps de rêver parmi tant de tâches ; la bonne odeur du pot-au-feu est toute son âme de l'instant.

La maison vibre de la passion de la nourriture. « Les bêtes sont comme les gens », dit-on ; on les nourrit même les premières ; puis on appelle les hommes des champs lointains en soufflant dans un grand coquillage.

Voici les mâles de la terre : — Prête est la nourriture a été dit à moi. — Oui, les garçons, arrivez bourrer. — Ce n'est pas l'eau avec du vinaigre (leur boisson dans les champs) qui abat la faim, je pense.

Ils frappent leurs sabots gras sur le seuil, mettent leur chique dans leur chapeau et se recoiffent, s'assoient sur les deux bancs qui flanquent la table, tirent leur « pliant » de leur poche, crachent entre leurs jambes et, d'un petit baril suspendu à une poutre qu'on fait descendre au moyen d'une poulie au niveau des convives, chacun tire sa cuillère de bois qui porte sa marque personnelle gravée au couteau.

La soupe, que les hommes refroidissent en y versant du cidre, est servie dans des écuelles où les faces semblent se plonger, aspirant bruyamment les longues feuilles de chou, les gros morceaux de rutabagas.

— La soupe est bonne assez ?

— Holà, je pense : Caroline ne se moque pas avec la nourriture de son monde.

— Oui, sûr, elle fait les choses comme il faut.

Les coudes sur la table, recueillis, ils mangent et boivent à la fois : c'est la soupe. Maïe-Louise pousse comme un homme de toute sa bouche édentée, observant les mangeurs ; tantôt son regard pèse les enfants, tantôt il suit les grandes personnes ; et elle semble apercevoir tout cela d'un temps où tout le monde aura perdu l'appétit. « La nourriture descend par la bonne route, vieille maman ! » fait-on, comme elle rote. « L'âge vous creuse un être, sûr, monde jeune », dit-elle simplement. La soupe est le sang pur des légumes, et Sophie mange à l'unisson, de tout son cœur, oubliant son éternel carême de beauté : et cependant on désespère de l'avenir d'un si petit estomac :

— Une place il y a encore, Sophiec, quand on a si peu pris.

— Non merci, ma tante.

— Allons, chargeons le coffre.

Leur âme est à chaque instant la bouchée qui prend le chemin de leur vie. Ils parlent peu. Un mot les fait vibrer d'un rire épais, puis le silence reprend dans les cervelles égales.

Léontine met à manger dans le dernier-né qui n'est pas encore à l'âge de la soupe. Elle passe chaque cuillerée de bouillie dans sa bouche pour la refroidir, y mêlant sa salive pour lui faciliter la digestion, l'enfonce en la grimace du poupon.

— Qui aura encore ? Mangez tout ce que vous dit votre cœur. Le reste est pour les cochons.

— Un je serai vat, et je n'aurai pas honte ; une goutte encore j'aurai. Bonne terrible elle est.

— Homme de soupe, Fanch !

— Tu as bien dit, Tinec.

— Une bouchée de chou à moi !

— Job ici des (des choux) mange pire qu'une vache.

— Elles savent ce qui est bon, sûr.

L'âme de Sophie se sent saine et simple de vouloir être toute avec eux, mais elle a beau rêver que pour un jour elle est fille de ferme, il y a un certain mensonge dans la familiarité de son sourire, de son breton ; ce n'est pas orgueil, prétention ; elle ne se juge pas supérieure à ces gens de la terre avec leur vérité fruste, mais un petit peu différente ; elle dirait presque si elle osait : parisienne...

Elle fait un effort pour aimer leur naturel.

Comme le petit frère ne prend plus, que ce qu'on fait absorber à son inconscience sort aussitôt introduit en bourrelets gras aux commissures, « il est complet », dit Maïe-Louise. Et, comme si l'oracle avait parlé, Léontine arrête le gavage et avec un petit chiffon dégage l'ouverture à nourriture.

Le chaudron est mis sur la table ; chacun en extrait les patates brûlantes et les pèle en soufflant dessus. La moitié de ménage (la maîtresse de maison) essuie un grand couteau d'abord dans un torchon puis dans son tablier, puis dans sa main et elle découpe le bœuf et le lard. Le solide est servi dans des trous creusés dans la table comme des assiettes creuses. On a mis une seule vraie assiette pour la demoiselle de la ville. Les doigts aident bien la cuiller ; les chicots déchirent bruyamment la chair fibreuse.

— Encore un petit coup, monde !

Marc regarde Sophie à la dérobée, et bien que son coude touche sa cousine, et que Minihy ne soit qu'à un grand kilomètre de Tréguier, il sent qu'il y a entre eux une distance immense, infranchissable, celle de la ville à la campagne, et Sophie se surmonte pour n'être pas gênée de ce contact.

— Eh bien, fille de Tréguier, qu'aurez-vous encore ?

— J'ai bien mangé, ma tante, et mangé assez.

— Sophie ici n'est pas folle avec son ventre, sûr.

— Tu n'auras plus, Marc ?

— Non vat, bourré je suis.

— Et toi, vieille maman ?

— Je suis pleine, pauvrec !

— Comment est le compte avec toi, François-Marie ?

— « Quand le ventre est plein, il est rond. »

Tous prennent un morceau de pain beurré « pour boucher » en guise de dessert. Celui des bébés est un peu de croûte préalablement mâchée par les grandes personnes.

Les hommes taillent leurs ongles terreux avec leur couteau, qu'ils essuient sur leur pantalon. Une goutte de fort on leur a versée dans leur bolée pour fêter la fille de la ville, et ils rêvent un instant, puis, riants, volubiles, ils reprennent leur chique dans leur chapeau et s'en retournent aux champs en jouant à se battre.

Sophie résume la rumeur d'une semaine de la ville. Maïe-Louise tricote au-dessus des braises. « Tout ce qu'on fait sans avoir besoin de bons yeux, je peux encore le faire », dit-elle, mais elle s'interrompt souvent, comme distraite par des appels du passé. Parfois elle fait « non » de la tête, pousse un soupir qui ne peut se rapporter aux choses qu'on agite autour d'elle ; elle doit répondre à des interlocuteurs des temps déjà entrés dans le silence, et regarde les femmes dans les yeux comme si elle voyait leur avenir et voulait les effrayer du mal qu'elles feront ou du malheur qui les attend.

— Une poignée de crêpes je vais gréer pour vous, fillette.

— Non vat, ma tante, je suis à partir.

— Vous n'allez pas me faire l'affront de ne pas prendre votre après-dîner (collation) avec nous.

— Ma mère est à m'attendre mais (mais ma mère...).

Les vaches rentrent, conduites par un garçonnet qui les frappe comme de la terre pour ne pas sembler timide devant sa tante de la ville.

Sophie embrasse les trois femmes ; la joue de l'octogénaire a beau se tendre avec tendresse vers la jeune fille, elle est muette comme un tombeau auquel on frappe.

La rêveuse à travers les champs du soir se hâte vers Tréguier et sa mère. Les routes sont élastiques sous le pas des jeunes corps. La brume abaissant le ciel, la terre paraît lui être suspendue. Tout est comme abandonné pour des pays plus ensoleillés, mais ceux qui sont restés connaîtront la douceur jusqu'au bout... Elle pense aux petites choses que chaque jour lui donne ; elle pense aux grandes choses qu'elle n'a pas encore.

Et voici qu'en se retournant, comme si elle attendait quelqu'un, comme si elle espérait voir quelqu'un paraître, elle aperçoit un homme à la grande démarche qui la salue, de si loin !

L'homme est là, derrière elle, l'homme approche. Elle a tout de suite su quel homme. Est-ce son avenir qui la suit, qui veut la rattraper ? Les bras qui étreindront sa vie en la protégeant de tout ce qui effraie ? Mais quel effroi elle ressent aujourd'hui de cet homme et de ces bras !

Elle avait presque oublié son existence tout le jour, mais il est là. Elle ralentit son pas pour lui faire comprendre que, si elle ne peut s'arrêter, s'il n'est pas décent qu'elle l'attende, elle veut bien que son pas à lui s'accélère. Et elle sent les grands pas grandir encore là-bas dans les siens, comme pour les dévorer, et son cœur galope dans sa poitrine.

Elle imagine qu'il va lui dire : « Quel est ce petit cœur qui court tout seul ? »... Enfin, quelque chose comme cela :

— Bonjour, Mademoiselle, vous allez bien ?

Il ne peut bien entendu pas l'appeler « Sophie » comme il devait le faire quand ils étaient enfants. Ils se sont perdus de vue quand il est allé faire ses études à l'école d'hydrographie de Paimpol, et ce qu'ils savaient l'un de l'autre, c'était par les autres, c'était ce qu'ils entendaient dire. Ils voudraient se regarder pour s'assurer que l'image qu'ils ont gardée l'un de l'autre est exacte, mais ils n'osent pas. « Vous revenez de promenade ? » Vite ils saisissent au hasard autour d'eux des choses sans rapport avec leur curiosité profonde pour ne pas laisser le vide s'installer entre eux : les probabilités du beau temps pendant son congé, les travaux agricoles de la saison, la santé des familles, les situations de ses frères... Elle lui raconte sa journée à la ferme... Tout cela en regardant droit devant eux et refusant de s'observer, et chaque regard cependant cherchant à chaque instant celui de l'autre, et alors une gêne et un silence sont en eux et ils se hâtent de conjurer maladroitement l'abîme qui menace avec quelque considération très éloignée de ce qu'ils voudraient se dire... « Quand on quitte son pays pour tant de temps, dit-il, et qu'on revient, on trouve tant de choses changées, et les êtres eux-mêmes... » Elle voudrait lui dire qu'elle n'a pas changé, elle, mais comment l'oser ? Il faudrait que lui-même ose, ait l'audace, mais de quoi donc ?

Et il parle d'autre chose, et elle n'est qu'une attention de tout son être à sa parole, et elle ne l'entend pas, comme si en même temps elle écoutait des paroles qu'elle invente et qu'elle voudrait qu'il lui dise.

Il parle de son prochain voyage. Elle lui demande de lui raconter sa vie sur la mer ; mais la traversée qu'il lui résume doit être exactement celle dont il fait le rapport chaque fois à son armateur. Il parle du fret d'aller, du déchargement en Nouvelle-Calédonie, et du fret de retour. Aucune nouvelle de la beauté de la mer autour du navire durant tout ce temps... Elle se dit que toutes ces choses dont il veut l'instruire font partie de sa vie et qu'en les connaissant elle avance dans la connaissance de son âme, et elle tâche d'y voir de la poésie. Et il a tout de même réussi en lui faisant suivre la route des océans à lui cacher le chemin de Tréguier puisqu'elle rougit de s'apercevoir qu'elle est dans sa rue. Elle lui tend une main qui tremble un peu. « Au revoir, Mademoiselle Sophie. — Au revoir, Monsieur Yves. » Et comme ce mot de séparation qu'on dit si légèrement à tout le monde et que le monde nous ressert acquiert ce soir un sens profond et qui ne parle qu'à eux deux...

Sa mère a entrevu à travers la vitre la fin de cet « au revoir » et Sophie sait qu'elle doit aller au-devant de sa curiosité qui ne peut manquer d'être inquiète.

— En revenant de la ferme, nous nous sommes rencontrés. Un gentil garçon c'est, n'est-ce pas, maman ?

— Oui, oui, ma petite fille ; on ne dit rien de mal sur son compte. Il est sérieux (ce qui veut dire qu'il ne boit ni ne fume exagérément) ; il n'a pas la réputation d'être gaspilleur...

Mais le silence qui suit ce demi-acquiescement accuse une certaine réticence. Sophie n'ose pas suggérer que cette rencontre que le hasard a voulue pourrait receler un signe du destin, une promesse pour l'avenir, pour leur avenir à tous deux ; mais l'épicière semble le craindre, et elle pense qu'elle doit défendre Sophie contre elle-même, l'empêcher de se laisser aller à « s'imaginer des choses ».

— Le docteur dit que vous êtes faible, ma petite fille ; il vaudrait mieux ne pas vous marier trop tôt, ne pas risquer d'avoir des enfants tout de suite.

Elle se défend faiblement, car sa mère ne l'accuse encore de rien de précis, comme d'un crime qu'elle n'aurait pas fait, mais dont elle pourrait bien un jour prochain envisager sans répugnance l'idée : — Le docteur Nédélec a dit cela à tant de jeunes filles, et elles ne sont pas mortes en mettant leur premier enfant au monde.

— Mais elles étaient toutes plus fortes que vous, Sophie. Vous avez bien le temps de songer à ces choses, vous êtes si jeune encore...

— Il y en a combien qui à mon âge...

— Vous avez donc hâte de perdre la santé et de quitter votre mère ?

— Oh non, maman !

Et sa mère, la mine décomposée, la regardait avec désespoir, comme si la simple imagination d'une séparation, d'un éloignement la condamnait à mort. Et soudain Sophie a tremblé.

Est-ce parce que Rose se doute que la vie appelle à voix plus forte, plus insistante que les autres, les jolies filles, qu'elle veut ignorer que sa fille est une de celles-ci ?

Pour qu'une nouvelle envahisse Tréguier — et qu'elle soit vraie ou fausse, cela ne change rien à la marche du phénomène — le mieux c'est qu'elle soit courte et frappante et qu'elle laisse quelque chose à faire à l'imagination ; qu'elle se transforme incessamment, qu'elle soit en quelque sorte nouvelle à chaque instant successif, qu'on aille de surprise en surprise. Chacun reçoit une surprise et lui ajoute quelque chose de son cru, un enjolivement, une réflexion, qui en fait une autre surprise. On dirait qu'elle passe d'une langue à une autre sans traverser l'oreille, mais elle a traversé la faculté d'interprétation, d'invention... Personne n'a le temps de vérifier quoi que ce soit, par exemple de confronter deux témoins, ou plus exactement deux rapporteurs qui se contredisent, car ils ont hâte de transmettre non ce qu'ils ont appris, mais sans le savoir ce qu'ils ont ajouté à ce qu'ils ont reçu. Et la rumeur s'enfle victorieusement, dans un vertige de roman, de poésie, dont nul n'est conscient, bien que chaque bouche ait senti au passage la volupté de cette création de tous.

Ils marchaient ensemble, ils ont pu se toucher un instant ? on les a vus bras dessus bras dessous ; ils avaient des yeux comme ceux qui viennent d'échanger des serments solennels ; on met la fille Kerguénou dans les bras du fils Le Mével.

Le lendemain, à l'épicerie, des clientes demandent la date des fiançailles, et l'incertaine Sophie rougit jusqu'à la racine des cheveux. Et sa mère se demande si elle va se trahir, et la regarde, désespérée.

Et ce qui trouble le plus la jeune fille, c'est qu'elle doit se dire que les malveillantes commères de son pays, insupportables et butées, voient peut-être plus clair et plus loin que son soupirant et elle dans leur futur destin commun, et devinent qu'ils ont déjà pénétré dans le domaine de l'amour, alors qu'ils croient encore hésiter à la porte, se demandant s'ils se décideront à la pousser.

Un autre « bruit » ne la trouble pas moins : Yves, est-il dit, aurait fait un peu la cour à Valérie, la fille de l'agent voyer, des bourgeois avec plusieurs espérances de successions ; et l'on prétend qu'elle aurait répondu — ou ses parents pour elle : « Attendez d'avoir un commandement pour aspirer à moi... » Et le jeune homme, froissé, reviendrait aux jeunes filles de son rang, à ce monde où l'on attend tout de son travail et de sa peine et non des dons de la fortune.

Sophie craint particulièrement que Valérie soit une rivale quand elle passe devant les fenêtres illuminées de la maison du fonctionnaire, les jours de réception. C'est exprès qu'on ne ferme pas les persiennes pour donner de l'envie aux petites gens. Là se réunissent les dames du négociant en bois, du vétérinaire, du commissaire de la marine ; et cela semble à Sophie tout le grand monde inaccessible et auquel d'ailleurs elle ne prétend nullement accéder.

Valérie a une sœur ; Sophie est fille unique. Valérie est plus riche, Valérie est élégante, mais si la petite épicière doutait d'être plus jolie, elle n'aurait qu'à écouter les gens, la « rumeur », pour l'entendre dire de tous côtés. Et puis, disent certains, l'agent voyer ne donnera pas sa fille aux fils du premier-maître... Mais comment le savoir ? Qu'y a-t-il pu y avoir au juste entre eux ? Mais si Yves vient maintenant à elle, qu'importe où il est allé d'abord ? Et elle ne rêve pas de fortune brillante, mais de la prochaine occasion que le sort leur offrira de se revoir.

Certains petits rêves se réalisent, dont on peut se souvenir si le Rêve, le grand à majuscule, ne se dégage pas tout à fait de la région des nuées, pour qu'on ne soit pas trop tenté de juger vaines la vie et notre vie. Les Kerguénou et les Mével se sont rencontrés aux Régates.

Tout le Tréguier en coiffe et en chapeau est là et les voit l'un près de l'autre. Elle est belle avec sa jupe blanche, son corsage au jabot de dentelle, son boa cendré léger comme des zéphyrs, son grand chapeau traversé de longues épingles aux têtes brillantes, son ombrelle crème. Tout se passe comme si la ville entière défilait devant eux. La rivière pleine semble bouillir de joie sous le soleil mutin. Les voiles blanches frémissent doucement dans la brise molle comme des poitrines émues ; et chaque course semble être surtout une course de charme. Il lui explique la manœuvre des petits bateaux avec des mots si précis que le mystère d'abord dissipé s'épaissit. Elle lui demande combien de fois le trois-mâts qu'il commande à présent en second est plus grand que les dundees qui soulevés par la marée semblent des navires de luxe comme les autres ; il sourit de son ignorance et la comble de sa science comme un enfant. Jamais elle n'avait vu d'aussi belles régates et lui, dans son cœur, met ce petit paysage breton sur lequel règnent des yeux aussi émus que beaux au-dessus des féeries exotiques.

Chacun aime le prénom de l'autre et voici qu'ils se sont mis à se les dire sans même y penser, sans mesurer le progrès de leur intimité que cela implique.

Il a une bouche un peu grande peut-être, mais elle ne voit que son sourire. Il aime ses petites dents, blanches comme son âme qu'il voudrait boire dans ses grands yeux (c'est-à-dire qu'elle imagine qu'il aurait cette idée amoureuse...). Il voudrait aussi souffler sur son teint comme sur ces fleurs légères qu'on rencontre parfois, si légères, tant il est doux... Elle aime ses dents vigoureuses, un peu carnassières peut-être ; sa rude carnation basanée, ses yeux minces et verts qui doivent refléter les couleurs de la mer qui n'est pas si souvent bonne, son nez gourmand, sa moustache noire, mais le tout si adouci, lui semble-t-il, ou voilé, par l'amour qu'il ne saurait jamais y passer de colère. A la vérité, elle voit à peine ces détails physiques ; elle ne voit que cet amour qu'elle imagine répandu sur son visage, et elle veut répondre aussitôt à cet amour.

Le soir, il y a eu bal sur la place du Centre, éclairée *a giorno*, s'il vous plaît, avec la Philharmonie guingampaise. Il a dansé toutes les danses avec elle, à la face de toute la ville, et jamais elle n'avait vu un aussi beau bal. Car malgré la foule qui les cernait il y avait un petit univers grisant de solitude où ils tournaient, tournaient, comme entraînés par le mouvement des astres.

Quelques ébriétés populaires gesticulaient autour d'eux, parodiant les gracieuses évolutions des valseurs et l'on en souriait ou riait. Mais voici que quelques mauvaises boissons et particulièrement deux frères muets, bien connus comme pêcheurs et pour leur infirmité, mais non moins pour les esclandres fréquents de leurs soulographies, ont secoué un danseur qui les avait bousculés sans peut-être le faire tout à fait exprès. Et cela a semblé mettre le comble à leur humiliation d'être exclus de la fête. Quand on marchande leur poisson, surtout les jours maigres, on tâche de comprendre leur langage inarticulé et on leur répond. Mais aujourd'hui, dans cette grande communion de la jeunesse et de la joie, qui accorde la moindre attention aux efforts qu'ils font pour communiquer ? Les femmes surtout s'éloignent d'eux, s'écartent du danger mystérieux qu'ils incarnent. Le vide se fait autour de leur couple maudit et dans leurs âmes de parias ils en veulent à la joie de tous qu'ils ne peuvent comprendre, à la musique qu'ils n'entendent pas. Et plus on veut les isoler, plus, semble-t-il, ils veulent se mêler à cette foule qui les hait parce qu'ils effraient. Ils défient cette masse qui semble les menacer parce qu'elle se croit menacée. Une grande rage les agite, qui est la révolte de tout leur passé, de leur misère et de leur honte et qui ensanglante leurs yeux de drame. Fous de cidre et de haine, ils foncent dans cette résistance, cette inimitié, cette hostilité à cent têtes, sans autre arme que leurs bras habitués à maîtriser les congres, serpents des fonds sous-marins. Ils crient « tue, tue ! » (est-ce bien le mot terrible qu'ils écorchent ou leur grognement habituel ?) d'une voix étouffée, d'autant plus sombre... Ils frappent n'importe qui, comme des damnés évadés de l'enfer, jaloux de la vie à l'air libre en général. On riposte, mais ils semblent de fer, comme s'ils n'avaient rien à perdre et leur honneur à reconquérir. Privés de tant de sens, on dirait qu'il leur manque aussi celui de la douleur. Ils voudraient faire mal à tout le monde ; c'est la ville tout entière qu'ils veulent frapper, qui leur fait inconsciemment tant d'avanies, dont la pire est peut-être son refus de les regarder en face, alors qu'ils n'ont de vivant contact possible avec elle que par les yeux.

Echappant à des marins de l'Etat qui les avaient presque cernés et ceinturés, ils approchent du groupe Kerguénou-Le Mével, heurtant Sophie qui sur Yves tombe, plus effrayée que molestée. Tout en repoussant les énergumènes qui vont être maîtrisés, il la soutient. Le temps qu'il faut pour donner et recevoir un baiser, tout son être repose sur la poitrine de l'homme ; elle croit qu'il lui a sauvé la vie, elle veut le croire ; elle le veut capable de tous les héroïsmes que peut réclamer l'amour ; ses yeux reconnaissants lui montrent grande ouverte son âme.

Là-bas, les gendarmes qui avaient un peu tardé mais aussitôt victorieux qu'apparus, domptent les corps meurtris dont les visages tuméfiés se donnent des baisers de sang tout en poussant la sorte d'aboiement qui est leur cri, comme s'ils voulaient s'aimer plus qu'on ne les hait.

Et l'amour semble à Sophie la solution de toutes les difficultés, des cruautés, des incompréhensions du monde.

Yves a le monopole de ses pensées. Elle ne voit en lui que l'amour vers lequel elle a besoin d'aller pour donner un sens à sa route. Jamais la maison n'a porté jeune fille si légère. Elle chante tout le jour :

Quand on f'ra des crêpes chez nous
Quand on f'ra des crêpes...
Une pour moi, une pour vous...
Une pour qui votre cœur aime...

ou :

Fouette, fouette mon p'tit bout d'monsieur,
Avec son étoupe et ses chiffons...

Elle ne saisit des airs à la gaieté mélancolique que la gaieté. Elle mange toute seule un peu de tout, du sucré, du salé, du léger, du consistant... sans injonctions et menaces des vieilles. Ses lèvres n'ont plus leur pâleur habituelle, comme si elles mûrissaient. Sa mère ne sait pas trop si elle doit se laisser aller à la joie ou s'affoler.

« Il semble me considérer comme sa fiancée ; alors pourquoi ne me dit-il pas qu'il m'aime ? — Et s'il te le disait, que répondrais-tu ?... — Lui parlerai-je de Valérie ? Dois-je lui en parler ? — Non sans doute, rien que de prononcer son nom pourrait la lui rappeler... Ne hâtons rien : plus l'amour est lent, plus il est sûr, pense Sophie, mais tout de même que penser ? » Et elle soupire ; et elle meurt d'impatience.

Cependant, le sort semble vouloir donner tous les acquiescements à leur couple et saisir toutes les occasions de les rapprocher : Aline épouse Gabriel Le Mével ; Sophie est une des demoiselles d'honneur de sa cousine, et Yves garçon de son frère, bien entendu. Tout le jour, dans toutes les cérémonies, les cortèges, ils sont bras dessus bras dessous, ou si près l'un de l'autre à table, qu'ils peuvent se parler sans qu'on les entende : leurs confidences seront couvertes par le bruit des voix.

C'est-à-dire qu'il devrait en être ainsi, mais elle est si troublée ! et il faut qu'elle écoute ceux qui lui parlent de près ou de loin et son autre voisin immédiat, et qu'elle réponde au moins quelques mots ; que ne dirait-on pas sans cela ? Et il est exactement dans la même situation (qui ne semble pas l'incommoder autant qu'elle)... Elle le regarde tout de même tant qu'elle peut, et son regard murmure « Yves », mais qu'y a-t-il donc dans le regard d'Yves qui semble arrêter son élan ? Est-ce qu'il ne lui dit pas les choses qu'elle voudrait entendre, ou de la façon dont elle voudrait les entendre ? Pourtant n'a-t-il pas fait allusion au bonheur des époux ? N'a-t-il pas dit : « On aurait presque pu se marier ensemble, les deux frères et les deux cousines ? » ou du moins quelque chose d'approchant et qui peut signifier cela... A-t-elle douté d'avoir bien entendu qu'elle n'a répondu que par son sourire ? Elle a encore cru distinguer : « Nous serons les héros d'une pareille fête quand vous voudrez », mais autour d'eux on s'est esclaffé, et le vacarme a écrasé sa phrase. Et ce sont de ces choses qu'il faut dire tout bas... Et la voisine de gauche d'Yves, heureusement une vieille dame, se fait accaparante, et on dirait qu'il se croit obligé de lui parler beaucoup pour donner le change et qu'ils n'aient pas trop l'air d'être tout l'un à l'autre. On ne sait que répondre au bonheur qui parle si vite... Mais est-ce bien le bonheur qui parle ? A-t-il dit tout cela ou l'a-t-elle rêvé ?

Sophie regarde les époux qui, à cent lieues de la foule, échangent des tendresses avec un sourire si complice et si éloigné des gloutons qui les entourent, et elle sent que sa cousine s'éloigne d'elle déjà pour être plus intimement à son mari.

Le repas dure, dure, comme tout repas de noces qui se passe dans les règles, et ils auront tout le temps de se dire tout ce qu'ils ont à se dire... Ils le croient, ils l'espèrent, mais deux circonstances s'opposent également à leur vœu le plus cher : le bruit de la foule, et ce tumulte en eux. (Ils n'ont pas le droit de s'isoler, comme les époux.) Et les vins ouvrent toutes grandes les portes des centres de la joie qui se contrôlent mal, et la riche nourriture prise en commun remplit la salle de cette vie un peu exubérante où l'on croit voir le sang resplendir. Sophie, à qui l'émotion et la chaude ambiance donnent des couleurs, semble la reine du jour, et Yves, dans la fierté de sa contemplation, se dit qu'il a bien choisi. Ne doutant plus de sa beauté en ce moment, elle pense : « Il va me dire qu'il a trouvé celle qui embellira sa vie jusqu'à son terme... » Et justement il s'approche d'elle à toucher presque sa joue de sa bouche — et elle ne pourra douter cette fois d'avoir bien entendu — pour lui dire :

— Nous pourrions peut-être nous marier dès cette année et nous partirions ensemble...

Il l'a dit, il l'a dit, et elle allait dire un grand oui, et il lui semblait que sa bouche lui avait été donnée pour prononcer ce oui... Et elle a rencontré le regard de sa mère à l'autre bout de la table, si triste, si inquiète, comme si elle avait entendu la proposition d'Yves, et qu'elle tremblait d'entendre sa réponse, comme si sa fille était déjà séparée d'elle par une rivière, et que bientôt ce serait l'océan entre elles deux... Et elle s'est rappelé la supplication larmoyante : « Restez avec moi quelque temps encore, ma petite fille ; vous êtes donc pressée de me quitter ? » Vingt ans de bonté si tendre, de soucis de chaque instant repassent, se déroulent de nouveau à son regard ; elle songe à l'infirmière de son enfance... Oh ! les yeux qu'elle avait, où tremblaient des larmes, en se penchant sur son lit, durant ses innombrables maladies, quand le mal stagnait, semblait ne pas vouloir s'éloigner d'elle. Mon Dieu ! si elle faisait pleurer ces yeux — qui pourrait l'aimer autant que ces yeux ? — son bonheur fondrait dans leurs larmes.

Elle voudrait bondir vers lui, mais l'image des pauvres traits désolés la retient avec une force terrible, celle de la faiblesse à laquelle on condamnerait la chère créature qui nous a fait tant de bien si on se décidait un jour à lui faire du mal... Ses rêves et ses projets semblent s'effondrer ensemble ; ne va-t-elle pas douter des paroles pourtant si proches, si claires, si chaudes du bien-aimé ? Et voici qu'elle aperçoit son père là-bas ; elle lui a fait promettre de se tenir bien, mais comment répondre de lui quand il y a tant de vins sur la table ? Ne va-t-il pas faire d'esclandre ?

Ah ! tous ces petits intérêts à qui on ne peut pourtant pas refuser l'existence à cause de son grand amour, et qui parfois nous empêchent de voir celui-ci dans sa pleine vérité et d'être entièrement libre et toute prête comme on le voudrait pour le recevoir dignement...

Et sa mère et les vieilles dames de son entourage lui ont si souvent, si abondamment représenté le malheur que c'est de quitter sa mère... Et son mot à l'avance désespéré lui revient : « Vous voulez donc laisser votre mère mourir seule ? » Il lui semble que si elle la sacrifiait à cet homme, elle serait seule avec lui, alors qu'il vient de lui faire découvrir l'intimité. « Vous ne m'avez pas répondu, Sophie ! » dit-il, et il y a de la sévérité dans sa voix. Il n'a donc pas compris son trouble ? Ah ! comme elle est gênée ! Est-ce elle qui lui répond ou bien elle entend parler sa douleur : « Je vous donne ma parole, Yves, je n'épouserai que vous, et je vous attendrai tant qu'il faudra... Mais ma mère serait si malheureuse de me perdre déjà ; elle voudrait me garder un peu encore. Elle est si fragile, je tremble de penser à ce qu'elle pourrait devenir si je cessais durant de longs mois de veiller sur elle. (Elle ne peut pas donner à sa mère de plus grande preuve d'amour qu'en mentant pour elle à son autre amour, mais comment lui expliquer que ce cheval de vaillance, infatigable, toujours en action, qu'est sa mère, a tout de même un organe extrêmement fragile et vulnérable, c'est son cœur où bat celui de sa fille.) L'amour ne doit pas nous faire oublier notre devoir filial, n'est-ce pas ? Si vous voulez bien faire encore un voyage tout seul, je tâcherai de l'habituer à l'idée de vivre sans moi... Nul sacrifice ne saurait me coûter davantage, vous le comprenez, mais je suis sûre que vous me direz que je dois le faire ? Comme je vais vous aimer ! Comme je vais vous attendre ! Et ne croyez-vous pas que nous nous aimerons mieux de nous être tant attendus, d'avoir un peu souffert l'un pour l'autre afin de faire un peu de bien ? »

C'est à son tour de ne pas répondre, comme si la prière de Sophie, qui tremblait tant en la lui adressant, qui pleurait presque, ne l'avait pas convaincu...

Il fait de plus en plus chaud dans la salle. Les hommes s'épongent, se dévêtent, braillent débraillés. (Les invités sont de la ville et de la campagne.) Sonne l'heure des chansons obligatoires... C'est à qui n'ouvrira pas le récital :

— Allez, en route, Pipi (Pierre) ! — Vas-y, toi ! — Eh bien, Baptiste ! tu n'avais pas promis, non ? — Charlec chante si beau. — Edmondec, celle encore il y a « port de Brest » dedans. — A toi c'est l'honneur, Jobec ; après je me lèverai moi aussi, je te jure. — Non vat, ce n'est pas dans l'ordre, le monde jeune le premier. — Bah ! puisqu'il faut il faut. Personne n'est mort de chanter une chanson.

Pour être débarrassés tout de suite, certains se lèvent sur leurs jambes molles, effrayés de leur propre audace. Ils attaquent bravement le morceau, comme ils se jetteraient à l'eau pour éviter le déshonneur après une gageure folle. Il arrive d'ailleurs que le son de leur voix les rassure au point qu'on ne peut plus les arrêter. Chacun excuse les faiblesses des autres afin qu'on pardonne à la sienne. On ne laisse pas des misérables suer à supplier leur mauvaise mémoire des derniers couplets ; on leur dit : « Regarde sur ton papier ; fais comme si on n'était pas là... » Ou : « Tant pis pour la fin ; on a compris ; joli c'était, sûr », et on lui verse un verre, et de nouveaux applaudissements remettent tout en ordre.

Pourquoi Yves n'a-t-il pas répondu ? Elle ne cesse de

regarder vers lui, mais il regarde, parle, sourit et rit autour de lui. Pourquoi du moins ne lui a-t-il pas demandé de s'expliquer mieux ? Elle voudrait lui dire : comprenez que je suis obligée de ne pas vouloir ce que je veux le plus fort.

Il en est qui se font prier, protestent violemment qu'ils ne savent rien, ne trouvent plus rien dans leur tête, parfois pour se faire prier. On leur fait honte, ils se défendent :

— Ma mémoire j'ai oubliée à la maison.

— Chante *An Ini Goz*, ou *J'ai du bon tabac* ; chante quelque chose, fais comme tout le monde...

Certains, bien éméchés, se répètent et bafouillent et brodent et veulent retrouver la vraie version, et ils refusent à la séance de continuer tant qu'ils n'auront pas comblé cette lacune. Et l'on fait du bruit jusqu'à ce qu'ils aient abandonné la partie.

Un jeune homme de la campagne qui débite un monologue français ne saisit pas le sens comique de sa prose aussi vite qu'il l'articule. Voyant qu'il met les autres en liesse, son visage s'efforce de refléter son succès, mais il craint, en se laissant aller à la gaieté, de perdre le fil de sa mémoire.

Son père, heureusement, semble avoir décidé de ne pas être trop ridicule, mais Yves ne lui dit plus que des petites choses sans le moindre rapport avec ce qui devrait être leur grand intérêt commun.

Un homme de la viande (boucher) module le destin d'un gardien de phare et de sa blonde pour les charmes dangereux de qui il oublie son devoir, et les vaisseaux que n'éclaire plus l'étoile sainte sont la proie des récifs de l'océan perfide. Et, dans les yeux de son étoile terrestre, le forban extatique connaît les voluptés divines... Il se dandine, timide, agi par le rythme, les yeux dans son assiette, honteux de tant de douceur exotique... Enfin il obtient un total succès d'hilarité.

Des ignorants risquent des couplets scabreux en souriant sans esprit aux expressions à double sens. L'instinct pudique des demoiselles rougit, mais ne proteste pas, comme incertain de lui-même.

Yves semble s'éloigner d'elle encore en communiant sans aucune gêne à l'enchère sans cesse relancée de défi, de moquerie, de ridicule ; il s'amuse de bon cœur au jeu du chantera-chantera pas, voire aux lourdes plaisanteries des conscrits en goguette.

Il est des chansons terribles où de braves mathurins mais égarés par des charmes maléfiques se battent au couteau pour des princesses de bouges aux yeux incandescents. Certains ténors dépassés par leur voix se risquent dans des récits haletants la main lancée loin d'eux comme les orateurs, et puis ils ne savent plus comment la ramener à eux. Des fils de ferme cherchent en vain à dominer les problèmes de l'argot parisien avec des gosiers celtes invinciblement... Les refrains faciles sont repris en chœur.

Les voix lymphatiques des vierges suivent des anges dans les nuages ; à des amours décorporées elles donnent leur vie de tout le volume de leur organe. Elles marchent sur les eaux pour échapper à un cruel ravisseur d'innocence ; des cœurs dans la pure haleine du soir se brisent en rimant avec la brise... Mais lorsque point une étoile symbolique qui rime avec cantique, les rêves ne peuvent plus résister au choc du réel.

— Allons, Sophie ! — C'est à vous, Mademoiselle Kerguénou. — Votre tour est venu, Mademoiselle Sophie... » Les plus durs dans sa voix comprennent la valeur de la douceur. Yves chante avec la mimique adéquate mais sans outrance un mâle hymne à la mer. Ils sont fiers l'un de l'autre. Il lui dit : « Vous avez une jolie voix, Sophie ! » Elle lui dit : « J'ai cru entendre le dieu de l'océan. »

A l'issue du banquet, un petit bal en or achève de faire de ce grand jour un jour immense.

Il n'a pas répondu ; lui garde-t-il rancune ? Ce n'est pas possible ; c'est que son grand cœur a accepté le sacrifice qu'elle lui demandait ; il a compris qu'ils seront plus intimement unis dans cette bonne action qu'ils le seraient en partant ensemble déjà pour la vie ; mais cela lui a coûté, bien sûr, et les grandes pudeurs héroïques sont silencieuses...

Et les petits jours ordinaires reprennent leur cours, les jours où il ne se passe rien, et où ils ne se voient qu'à peine et pour se dire seulement des choses qui n'expriment rien de leur pensée profonde, si bien qu'elle en arrive à se demander s'il lui a vraiment fait des propositions sérieuses, et même pressantes, et si elle les a vraiment écartées ; non, on ne peut pas dire une chose pareille —, si elle lui a vraiment demandé un délai, avec les plus pures raisons du monde ?... Mais tout de même c'est bien vrai qu'il n'a pas répondu...

Et il est allé passer quelques jours chez un cousin de Ploubazlanec, comme s'il y avait tant de jours... Et il va bientôt partir, presque renvoyé par elle sur la mer, la mer qui peut à chaque instant l'engloutir. (Du moins si elle partait avec lui, elle les engloutirait tous les deux... la belle mort ensemble !) Les bonnes langues — et les mauvaises — la renseignent sur ses préparatifs... Ne devrait-elle pas courir à lui et lui dire : je regrette ce que je vous ai dit le jour de la noce, à cause de ma mère ; ce n'est pas moi qui vous l'ai dit, je vous en prie, croyez-moi, c'est la terreur de la faire souffrir... Et je ne sais pas si aujourd'hui je vous redemanderais d'attendre... Mais sa mère qui tremblait autant qu'elle vivait ces derniers temps a eu l'air d'une ressuscitée quand elle a compris que la menace était suspendue, la séparation remise à plus tard...

Ils se sont vus encore une fois, et il lui a dit ce qu'elle savait, que tout était prêt pour son départ, et il a dit : « Nous attendrons donc mon prochain congé puisque vous ne semblez pas avoir autant de hâte que moi ; vous aurez ainsi plusieurs longs mois pour réfléchir... » Oh ! lui répondre qu'elle n'a aucun besoin de réfléchir... Mais cela ne voudrait-il pas dire qu'elle regrette d'avoir rendu la vie à sa mère ?

Oh ! il l'a longuement, profondément regardée en lui faisant ses adieux comme s'il voulait emporter un peu d'elle avec lui... Elle voulait lui dire : « Vous partez, Yves, mais ma pensée part avec vous, comme les oiseaux migrateurs. Et ma prière vous suivra comme mon âme si j'étais morte... Est-ce que si loin l'un de l'autre nous n'allons pas être comme des morts vivants, mais s'ils continuent à s'aimer, c'est la vie qui l'emporte, n'est-ce pas ? » Mais elle n'a rien pu lui dire de tel, comme si elle avait l'impression qu'il ne lui en demandait pas tant. Oh ! tout de même lui dire : vous ne m'en voulez plus, Yves, pour ma mère ? Cela non plus n'a pu sortir de sa gorge...

Il promet de lui écrire de Calédonie. Elle n'a pu s'empêcher de pleurer, et elle s'étonne qu'il n'ait pas au moins les larmes aux yeux, serait-ce une seule larme, comme dans les adieux des chansons... Mais si mélancolique est son regard, et il est un homme.

3

A peine est-il parti qu'elle commence d'attendre son retour. Elle revient au monde de tous les jours. La vie semble se survivre, se répéter vainement. Sa seule raison d'être jusqu'à ce qu'il soit de nouveau là, est dans l'avenir, alors que toute la vie réelle est dans le fastidieux présent. Comme il y a peu de jours dans une foule de jours avec un visage qu'on se rappelle !

Elle essaie de suivre son navire, le trois-mâts au sillage d'étoiles sur la mer maudite. Elle cherche à concevoir une journée de marin : pas de sommeil, pas de nuit à proprement parler puisqu'il n'y a pas de repos, qu'on ne peut pas s'arrêter, qu'il faut sans cesse veiller et ce n'est que sur la mer qu'on sait comme la lune est un soleil, aussi pâle soit-il, et il y a parfois encore le soleil de minuit... Mille difficultés échauffent la petite cervelle irrémédiablement terrienne. Elle le voit, non, elle l'aperçoit seulement et encore en faisant un grand effort d'imagination, qui donne des ordres, sévère et juste, à la mer, au ciel, à l'équipage, et les hommes disent : « Oui, commandant ! » Ah ! comme l'absent, presque aussi peu réel qu'une ombre cependant, pèse plus au cœur que l'homme qui est là, solidement planté sur la même terre que nous — quand c'est un absent bien-aimé...

Hélas ! la plus grande foi ne peut pas ne pas douter de temps en temps de son objet, et les doigts de la pianiste ne sont plus guidés par les yeux embués. Anxieusement elle interroge le cœur lointain : n'est-ce pas elle qui a risqué les quelques grandes tendresses de leur idylle ? Comme il lui a peu évoqué un poète de ses chères chansons ! Mais elle tâche de se convaincre que le désir d'union légale qu'il a exprimé implique une passion parfaite, et, tout de même, peut-être est-il un peu timide ?

Et pour le charmer plus tard, dans leur comment donc ? quel mot anglais a prononcé Aline ? ah oui ! n'est-ce pas « home » ? — s'ils ont jamais un home ! —, elle étudie *Le Petit Bouquet, Douce Plainte, Chaste Fleur, L'Harmonie des anges, Le Rossignol du castel d'amour...* Elle perfectionne son orthographe et les connaissances nécessaires à une parfaite maîtresse de maison en copiant des articles du *Magasin des Demoiselles* : *La couperose a mauvaise renommée, et, comme elle brille volontiers sur le visage des disciples de Bacchus, comme on croit plus facilement au mal qu'au bien, elle devient une arme redoutable entre les mains de la calomnie.* Elle fait venir de Paris tous les produits de beauté dont la réclame dans *Le Moniteur des Côtes-du-Nord* promet une fraîcheur éternelle... Elle craint tout ce qui menace le charme, car cela menace l'amour. « Vous feriez mieux de manger quelques bons biftecks de plus », assurent sa mère et Françoise Zos.

Désormais son ennui essentiel n'est plus le même : un sentiment de cette profondeur est une occupation permanente. Et c'est exactement le contraire de la solitude, puisqu'elle est entièrement habitée, mais peut-être se sent-elle plus seule encore parmi les gens ?

Il lui semble que sa cousine n'est plus autant son amie depuis qu'elle vit avec son amour. Elle ne connaît plus sa vie comme jadis, heure par heure, à peu près semblable à la sienne. Elle pensait qu'Aline lui rebattrait les oreilles de l'histoire quotidienne de son bonheur et des mérites incroyables de son mari ; elle en parle si peu que Sophie n'ose lui poser des questions. Elle va rejoindre Gabriel à quelques-unes de ses escales dans les petits ports de la Manche ; et il n'est guère bien longtemps sans revenir à Tréguier. Sophie lui a dit qu'elle enviait son sort, car le cabotage éloigne moins l'homme de sa femme que le long cours, et son amie l'étonne beaucoup en lui disant qu'elle ne détesterait pas que son mari fasse de longs voyages, et pas seulement, semble-t-il, parce que les gains sont supérieurs... Sophie se demande en quoi sa conception du mariage avec un marin pourrait être erronée et sur le crochet on rêve comme sur un petit jardin (sans doute un rideau pour leur futur « home »).

Son père fournit une diversion au vide de ses journées en tombant du toit du collège dont il réparait la charpente. Un matin où exceptionnellement il était à jeun, ou presque, affirmera-t-il, et le brouillard vert qui d'habitude le garde de céder au vertige, ne lui a pas caché l'abîme. Ah ! comme il s'en gaussera, de cette sobriété relative d'un jour !

Son état est grave, sans mettre, semble-t-il, ses jours en danger, et il réclame les mêmes soins qu'un enfant à son bon cœur d'infirmière. Si rien ne paraît brisé au fond de son corps, rien n'y est plus en place, et le tout est devenu douloureux ; mais le pire c'est la tête : un demi-hébétement ne se dissipe pas.

Quand il en a assez du lit, il gagne avec mille peines, mais qui semblent plutôt l'amuser — c'est une occupation — son fauteuil, et il consume le jour, pulvérise les heures, les roule entre ses doigts comme des cigarettes, comme absent à tout cela. Et par moments pourtant, son âme semble lui revenir, et elle s'ouvre à des choses dont il était distrait autant par la vie normale que par sa vie anormale : les coudes sur la table, il observe les mouches qui se lissent les pattes et vont, après d'interminables luttes intérieures, au morceau de sucre qui rayonne sous le piège de verre. Il suit leurs démarches comme la chose la plus importante du monde, comme une bataille où le sort de sa patrie pourrait être engagé.

Rose Dagorn ne se plaint pas trop : il buvait plus d'argent qu'il n'en gagnait (affirme-t-elle) ; elle aime mieux avoir à le nourrir sur le produit de ses commerces que d'être toujours à trembler qu'il n'en dilapide les bénéfices dans les auberges.

Il est gentil comme un enfant, conscient de n'être plus rien. Il ne demande même pas à boire ; il semble oublier qu'il a bu... qu'il fut un temps de honte et de volupté où il buvait... Le dimanche il va se promener avec ses femmes comme un grand garçon demeuré.

Les anciens compagnons de beuverie qui le rencontrent, lui ou son ombre, lui disent un mot : — Alors, Emile, ça va...

— Ça va, répond-il, mais il ne semble pas plus désormais s'intéresser à ceux qui partageaient son beau vice qu'au vice lui-même.

Par contre, chaque jeu de boules l'arrête, où les paysans et les gens de la ville s'affrontent en des parties terribles, comme si l'enjeu était leur ferme, leur maison, leur fortune, leur femme.

Ils assurent la petite sphère de buis cloutée dans leur main, et pronostiquent, comme s'ils voulaient l'envoûter : — Celle-ci sera bonne, Dieu me maudisse ! elle va changer le jeu et vous apprendre comment je m'appelle.

— Elle apprendra que tu t'appelles petit orgueilleux.

— Elle ne changera rien, Morvan sale et trop glorieux pour ton jeu de manchot.

— Trop loin, nom dé Dié, le diable a soufflé dessus, je serai damné, mais attends l'autre. Une boule me suffit à moi pour changer le jeu.

Et chacun suit d'une inclinaison de son corps la boule, que ce soit lui-même qui la lance ou un autre, comme s'il pouvait infléchir sa trajectoire, la diriger magiquement, par quelque fluide. Tous l'accompagnent enfantinement, à petits pas, la cajolant, puis l'accablant, quand elle semble résister à leurs ordres, et la pauvre âme du buis est cent fois vouée à l'enfer.

Il ne reste plus qu'une boule. Le détenteur du destin final de la partie reçoit les avis, les supplications de ses partenaires : « Mets-la juste là entre les deux de ces pauvres gens ou tu seras corrigé (frappé) avec moi ; du bois (des coups) il y aura, sûr... » et les défis et sarcasmes des adversaires qui veulent ébranler ce qui lui reste de confiance. Il fourre sa chique dans sa poche et crache furieusement sur sa petite sphère, afin que la salive formant pâte avec la poussière de l'allée ralentisse les derniers décimètres de sa course... Dix corps, dix inflexions lui indiquent des routes différentes, et elle s'arrête, et c'est fini.

— Trop court, imbécile rouge ! si de la crache sur elle tu n'avais pas mis...

— Trop court, malédiction de Dieu de Jules !

La clameur de gloire que poussent les vainqueurs leur rappelle qu'ils ont soif et ils oublient l'histoire de leur victoire, tandis que les vaincus qui paieront la tournée reviennent rageusement sur la partie, discutent la stratégie qui aurait conjuré leur défaite et sacrent sur ces possibles passés.

Le menuisier en souriant, béat, quitte ces autres mouches. Mme Kerguénou n'a pas cessé d'être dans ses calculs mentaux pour le sort de ses divers commerces. Et Sophie, qui une fois de plus se sent devant ses compatriotes — avec quelle gêne et quel trouble ! — une petite âme exotique, songe que l'on voit comment ils vivent et comment ils saisissent quelques moments de bonheur, à les suivre, cerveaux lourds de cidre et de vin, aliénés à leur plaisir rampant, à leur demi-rêve concret... et soudain philosophe pour défendre ce qu'elle croit la seule vie véritable, elle pense à toutes les parties de boules que des hommes prirent au sérieux ainsi, firent la belle raison de vivre d'un après-midi de dimanche qui n'avait pas besoin d'être beau, lui, et dont il n'est pas resté une seule trace sur l'allée de terre battue, tandis que l'amour, lui, elle le veut, demeure...

Par des chemins qui semblent le lit vide du fleuve de la vie, ils suivent la procession de l'ennui, et il y a une certaine douceur dans cet abandon. Mais ils croisent à chaque instant des hommes qui ne connaissent pas ce temps mort de l'âme, qui débordent du bonheur dominical, et qui les saluent en zézayant et puis ils poursuivent leur soliloque infini avec parfois des protestations de sobriété ; et d'autres soûls-aveugles (ivres morts) dont le bonheur dort déjà dans les fossés.

A cette heure extrême du jour du Seigneur, la ville respire un climat passionné. La comédie et la tragédie de l'ivresse se jouent également partout. Des femmes entrent dans les débits : — Allez-vous venir, vieux cochon ? avant d'avoir dépensé tout le pain de vos enfants ? vous n'avez pas encore assez chargé votre ventre ? Une Maïe-la-fureur poursuit avec une hachette un vacillant dont le corps esquisse des arabesques invraisemblables autour de sa verticale, et elle se justifie devant l'assistance : « Le sang de sa famille il boit, le saligaud pourri ! » Et sous la poigne tant plus mâle que la leur en ce moment, les loques alcoolisées, tâchant d'avaler le fond de leur dernier verre, sortent honteuses des délices du paradis infernal, sans reprendre tout à fait conscience, et sont poussées dans le corridor, lancées dans l'escalier comme des sacs pleins de pas grand-chose de bon.

Le père de Sophie a vu tant d'ivrognes heureux qu'un

miracle se produit : sa passion lui est remontée intacte, et sa tête du même coup s'est remise en place. La grâce totale. Il recommence de boire, de se tuer et de se porter bien, et de ne plus tomber des échelles. Il revient à son ancienne normalité.

Mais une normalité factice, explique le docteur à Mme Kerguénou : il est brûlé à l'intérieur ; désormais il va s'user à toute vitesse. Le menuisier croit que la boisson entretient sa force, alors qu'elle la mine chaque jour un peu plus. Suivant ses conseils elle l'a fait assurer. (Il lui a dit qu'il était plus que temps.) Elle touchera mille écus à sa mort.

Des clientes bien intentionnées lui disent de ne pas lui refuser à boire : — Bah ! laissez-le faire, puisqu'il veut se tuer ; il ne fait de mal qu'à lui-même. Après, l'assurance vous toucherez, et vous serez tranquilles, Sophie et vous.

La Grande Epicière, la Grande Chiffonnière de l'arrondissement — la Grande Voleuse de Lannion, dit sa sœur de Tréguier, qui ne cesse d'imaginer, d'échafauder des affaires fructueuses (« Tout lui réussit, la garce », dit Rose) et qui a le sens du commerce aussi développé que le cœur rétréci — a richement assuré son Eugène, et le rhum lui est acheté par petits tonneaux affirment des mauvaises langues de la sous-préfecture. Mais la brave Rose voudrait faire durer le plus possible son Emile en pensant à Sophie, car une fille qui n'a plus son père est diminuée dans le jugement de la ville. Elle a même dépensé un écu tout entier — plus le port — pour faire venir de Paris une poudre miraculeuse dont la réclame dans le *Supplément illustré du Petit Journal* promet la guérison des ivrognes les plus invétérés, *même à leur insu.*

— Le bon Dieu ne veut pas qu'on boive, papa, dit Sophie qui pense qu'elle doit ajouter ses bonnes raisons à celles de sa mère. Vous ne faites rien pour lui !

— Et qu'est-ce qu'il fait pour moi, s'il te plaît, le bon Dieu ?

— Des grâces de toutes sortes il vous donne chaque jour ; il vous aide...

— Ah oui ! à tomber du toit du collège.

Et de partir d'un grand gros rire.

Sophie ne sait pas douter, elle ne sait pas défendre sa foi

Tout est vain ; la passion de cet homme est sa religion. Chaque soir, Mme Kerguénou attend anxieusement son retour, attentive à prévenir un désastre toujours possible. Il arrive ballant, la plupart du temps annoncé par sa chanson favorite : *De l'Afrique j'en ai plein le dos*. Quelque chose en lui a l'air de savoir qu'il est abject, et fait baisser la tête à la machine : « Poison ! » dit-elle. « Bonne nuit, Rose ! » et il va se coucher.

Un matin elle le surprend une nouvelle fois en train de peser un gros sac de café pour de nouvelles dettes d'auberge ; cette fois, Rose Dagorn déborde :

— Nous ruiner vous voulez, Kerguénou ? Eh bien, tenez, voici le tonneau d'eau-de-vie. Buvez tant qu'il vous plaira, buvez-le tout, et crevez vite, puisque vous y tenez. Nous serons plus tôt débarrassées.

— Sale vache ! tu voudrais que je crève pour toucher mon assurance !

— Votre assurance ! Vous croyez que j'aurai besoin de vous quand vous vous serez tué ? Pas plus mort que vivant. Je me débrouillerai bien toute seule, allez, pour nourrir ma fille quand votre vice vous aura enterré. Et elle ne manquera de rien, croyez-moi. Tenez, la voilà, votre assurance.

Elle a été chercher la police dans le tiroir et l'a jetée au feu pour lui prouver que ce n'est pas une question d'intérêt, mais d'honneur.

Cette bruyante révolte a réveillé Sophie en l'effrayant. Petits événements sordides qu'il faut essuyer sans être sûre de progresser vers l'Evénement de sa vie, vers la Vie...

Le soleil se lève avec de plus en plus de peine, quand il se lève. Parfois il perce la brume comme une pièce d'argent sale. Sophie voudrait arracher les voiles du sein de la lumière. Elle se passionne douloureusement à deviner vers quelle heure de l'après-midi quel coin noir commencera de bleuir, et alors quelle joie !

Désirer ardemment le Bleu, le demander à Dieu par des prières qui ne se trouvent pas dans le livre de messe, c'est un peu de son extraordinaire. Le firmament (soudain elle découvre la beauté de ce mot !) est si rarement ici ce qu'il doit être pour qu'on prononce son nom avec admiration et reconnaissance. (Les Bretons n'exigent guère un paradis sublime !) Mais un tel goût du ciel n'est-il pas désir d'une autre terre, Sophie ?

Ce soir, le soleil fond comme une grande pièce d'or rouge.

— Vous ne trouvez pas que le ciel est beau, maman ?

— Vous êtes toujours dans les nuages, ma petite fille, vous finirez par attraper un torticolis.

— Regardez ce beau rouge qui n'est pas d'ici !

— Si les gens vous entendaient, Sophie, ils diraient que c'est vous qui n'êtes pas d'ici... C'est peut-être qu'il y aura encore du sang versé, la guerre, des batailles...

— Les hommes sont insensés de toujours penser à se faire la guerre, maman !

— La guerre est une calamité, ma petite fille, mais le service fait du bien aux jeunes gens. Vous toussez, Sophie ! quelle idée de rester si longtemps à la fenêtre ; installez-vous près du fourneau.

Elle tousse parce qu'elle doute, qu'elle aime très loin sur la mer. Il faut donc toujours attendre, attendre pour atteindre un jour enfin au bonheur... et si l'attente était plus grande que la vie ?

— Vous trouvez que l'après-midi se traîne, Sophie, je le sais bien ; moi, je trouve le temps court : voyez, j'allonge une robe. On ne s'ennuie jamais quand on a toujours quelque chose à faire.

Elle dit cela et l'empêche tant qu'elle peut de travailler, craignant que la moindre tâche ne la fatigue, n'use ses forces. Sophie regarde sa mère Action, et Mme Kerguénou regarde le front occupé de mille pensées dont le mystère l'effraie ; et elle s'étonne des mains inactives, ignorant leur beauté.

Est-ce qu'elle ne devrait pas recevoir une lettre d'Yves ?

Aline vient de temps en temps ; Sophie voit s'arrondir le ventre de sa cousine et n'ose lui demander si le doux fardeau lui pèse. Aline dit seulement qu'elle voudrait un garçon et lui demande des conseils pour adapter ses vêtements à son corps nouveau.

Chaque jour repose comme la vie sur un fond de commérages : Marie-Jobec, Marie-Cynthe, Marie-Pingre, Marie-Hélène, Marie-Lonquer (buveuse) dans un coin là-bas, près du puits, détruisent la réputation de quelqu'une à coups de langue.

A l'épicerie, on abaisse tant qu'on peut une femme qui paraît vouloir s'élever d'un pouce au-dessus de son rang — ou de celui de ses parents — avec la haine hargneuse qu'on a pour tout ce qui se distingue : — La fille Lagadec vous avez vue ? — Ma Doué, ce petit monde de rien du tout viendra fou bientôt avec l'orgueil de la mère. L'orgueil dans le sang : en robe de satin au puits ce matin, Rosec chère ! Une fille de poissarde, si ce n'est pas malheureux ! Elle se croit donc combien plus que nous ? Nous ne mangeons pas sa m... tout de même, à cette dame ! Une toilette de cette façon j'aurais, je l'enlèverais pour aller chercher de l'eau, avec la honte, Dieu me maudisse. Je ne voudrais pas donner d'envie aux pauvres gens...

Et Sophie, gênée de se sentir embrouillée dans le destin de la petite ville, sans savoir qu'elle fait des rêves, suit un navire qui vogue dans les nuages, s'apitoie sur des petites plantes tout humbles des fentes des murs et toujours à l'ombre qui aspirent peut-être elles aussi au soleil ; imagine un pays où les fleurs s'approcheraient de nous pour nous faire respirer leur parfum, comme les chiens d'ici nous apportent leur caresse ; où la vie serait moins éloignée des vivants, où tout serait plus beau pour ne jamais scandaliser l'amour... Les rêves peuplent le pays de l'attente.

Passent les comédiens (bohémiens) polis par les chemins, qui volent les poules, les enfants, qu'on accuse de tout voler, sauf les maisons peut-être, mais ils leur volent leurs secrets...

Passe Kan-Nanm, dont le grognement est le nom, le réel Père Fouettard du canton, un affreux gnome mendiant qui fait peur ou qui fait horreur.

— Du poisson il y a sur la place, Çoise, comme dans la mer. Un beau vendredi, croyez-moi.

— Eh bien, M. Dieu n'a donc pas voulu qu'on soit trop triste pour sa mort !

— Du temps gras, Jeannie.

— Vous dites bien, il n'y a que de la pluie dedans.

— Il y a un bruit quelqu'un est mort.

Un glas sonne. Les gens sortent sur leur seuil.

— Qui c'est, toi qui viens de la ville ? (de la Place)

— Personne n'a su me dire.

— Oh ! quelqu'un de l'hôpital, sans doute (de l'hospice).

Sans doute : les coups sont chiches. C'est un pauvre, un sans personne et sans rien qui a cessé d'être. La cloche la meilleur marché lui est sonnée. Et les gens continuent de vaquer, déçus de ne pas trouver dans cette mort une occasion de raconter et d'entendre des choses sur une vie, et de broder... Car celui qui meurt à l'hospice est déjà un peu mort pour le monde, pour Tréguier.

Là-bas, de l'autre côté de la rivière, sur la colline, un glas sonne aussi.

— Qui est mort à Plouguiel ?

Mystère. La nouvelle ne viendra, après avoir traversé la rivière, que dans un moment, ou peut-être quelques heures, si c'est quelqu'un de la campagne. Les deux glas se mêlent, comme s'ils pleuraient la même mort. Les cloches se propagent l'une en l'autre en l'air lourd, et nul n'ignore qu'il mourra, qu'il pousse le rabot à l'atelier, ou conduise la charrue, ou se chauffe dans sa chambre.

Les jours n'ont plus d'aube, de crépuscule ; chaque jour est un long soir qui devient la nuit sans qu'on puisse remarquer un vrai changement, comme vieillissent ces humains qui n'ont jamais été jeunes. On dirait que l'hiver cet hiver a oublié sa méthode. La chaîne de pluie de l'automne garde lié à la terre le ciel qui semble le miroir des terres labourées. Il est si noir que les fumées montent blanches. Le vent secoue les arbres, leurs grandes torches et leurs grands bras lépreux et leurs grands fouets comme des ailes de grands oiseaux enlisés.

On se souhaite une bonne année, la santé, le paradis. Les clientes demandent leurs étrennes, un petit gâteau rituel. Le facteur donne une carte à Mlle Kerguénou avec ses vœux personnels. Ce n'est pas de Lui.

L'image, glacée, a pour légende : *L'Hiver*, personnifié par une jeune femme à la mine et à l'attitude frileuses, et cependant elle n'a sur ses seins virginaux qu'une tunique légère qu'elle retient d'un seul doigt pur. Elle chauffe ses pieds nus à un petit feu qui flambe sur la neige sans la faire fondre tant tout est pur dans cet univers. La scène se passe dans une sorte de clairière ensoleillée dont les arbustes sont soigneusement poudrés. Au paysage de rêve, deux vers découvrent un symbolisme amoureux ; au verso, d'autres vers, ceux-ci manuscrits, et même calligraphiés, offrent un message personnel :

Que votre destinée,
Que votre barque nage
Pendant toute l'année
Sur un lac sans orage.
Qu'elle aille, qu'elle flotte
Bénie par ce forçat
Que vous ne voulez pas
Accepter pour pilote...
Devinez qui ?

Elle devine que celui qui n'ose ni parler ni écrire à la première personne est le jeune commis-percepteur du garni de sa mère, mais elle ne le plaint pas comme elle plaignait le fils de ferme, son premier prétendant : elle a oublié ce qu'est une vie sans amour, et comme l'objet de son amour est beau, est éclatant, elle ne songe plus à ce que cela peut être d'être sans séduction, pauvre et obscur.

Et cependant les vers du poétereau lui font rêver au Poète Idéal : sans être forcément millionnaire, il aurait l'allure princière, et il chanterait l'amour de son grand cœur le jour et la nuit ; il écrirait un nouveau poème à chaque page du livre de la vie, qui deviendrait un livre d'amour, et puis, etc... Mais elle se demande soudain si elle n'a pas oublié qu'elle est fiancée — ou comme fiancée — à Yves le capitaine qui n'écrit pas de poème, et même n'écrit pas du tout.

Elle pense à lui et se dit qu'il ne peut pas écrire... Sait-il même, entre ciel et eau, que la nouvelle année de France commence aujourd'hui ? Elle se demande comment on peut encore compter le temps dans cet espace illimité ? Dure vie du marin dont le cœur reste à terre ! qui doit briser les chaînes de ruban, se laisser entraîner par les grinçants cordages du devoir ! Comme il faut les aimer pour qu'ils souffrent un peu moins, qu'ils ne se sentent pas trop seuls ! Elle a déjà oublié la poésie du timide qui tremble encore sans doute de son audace postale. Que n'a-t-elle un mot de lui, et l'Espérance immense serait à l'horizon du temps...

Et cependant ce jeune homme triste écrit comme ceux qui aiment dans les chansons ; il parle de profond sentiment avant de parler de mariage, la regarde passer de loin et pleure comme un prisonnier qui aperçoit une étoile à travers ses barreaux. Il se donne longuement avant de rien demander ; il sait conduire une petite barque sur la mer de poésie ; il ne prétend qu'à un regard, et les yeux de Sophie se perdent sur la mer... où le capitaine de Tréguier incarne la poésie de l'immense, de l'inconnu sauvage. Comment alors ne sait-il pas dire tout cela ? Mais il ne sait pas non plus se vanter ; c'est elle qui lui dira combien il est aimable. Elle le voit à travers les belles, les mâles chansons de la mer qui s'achèvent tout de même en tendresses éperdues, ne le voit plus, le voit superbe en maître du destin, ne voit que lui.

Un commis voyageur, dont la tournée régulière ne manque jamais l'épicerie Kerguénou-Dagorn, jeune homme élégant revêtu du prestige de ceux qui viennent de la vraie ville, et de belles paroles — beaucoup de paroles brillantes dont le flot ne s'arrête que quand il a fini de faire de l'objet qu'il propose une des merveilles du monde, et qu'il demande : je vous en réserve combien de grosses ? — demande à Sophie avec un sourire très sérieux si elle accepterait de quitter son pays au cas où un brillant destin étranger s'offrirait à elle, et cela veut sans doute dire beaucoup de choses. Sophie lui a répondu que, le plus bel établissement du monde lui serait-il proposé dans une autre région de la France, elle refuserait de s'éloigner de sa mère, et Mme Kerguénou, ravie après un instant d'angoisse, couve d'amour sa petite statue.

Puis le fils du bijoutier, bijoutier comme son père, de la rue Saint-Guillaume lui offre le mariage sans aucune périphrase. Sophie ne peut se défendre si facilement sans effrayer sa mère de son grand amour maritime. Elle a non sans une joie secrète aperçu la moue de sa fille, mais s'il faut bien un jour qu'elle la donne à un homme — ou laisse un homme la prendre — avec lequel pourrait-elle être moins privée d'elle ? Puisque Sophie dans les bijoux — Sophie dans un commerce non seulement propre, sain, mais élégant — habiterait dans la rue voisine, et qu'elle pourrait la voir sans cesse, l'arracher tous les jours à son autre vie, sa vie étrangère.

— L'horlogerie est un bon commerce, ma petite fille !

— Je ne dis pas, maman, mais je n'aime pas Léon.

— Est-ce que j'aimais votre père quand je l'ai épousé ? « On ne vit pas d'amour et d'eau fraîche », Sophie.

— On dit cela en effet, mais on dit aussi : « Mieux vaut plein la main d'amour que de l'argent plein le four. »

— Taratata, un homme plus parfait vous ne trouverez pas : il ne fume pas, ne va pas au café.

— Il a un œil qui dit zut à l'autre.

— Pour un homme cela n'a pas d'importance, ma petite fille. L'essentiel c'est qu'il se porte bien.

— Je ne suis pas pressée de vous quitter, maman.

C'est cela qu'elle attendait ; Mme Kerguénou n'insiste pas ; elle croit avoir éloigné une grave menace de la vie de sa fille, sa fille qui couve, qui chérit en son cœur la catastrophe.

Cependant, Sophie se dit qu'elle ne connaît peut-être pas si bien qu'elle le croit Yves, le marin Yves, la vie de l'homme de la mer, qu'il pourrait y avoir un mystère en lui, quand elle entend — de loin — les scènes que fait Job Le Douarin, le matelot de la cour :

— Ne criez pas comme ça, Job, tout le monde va vous entendre et venir me défendre, implore la femme.

Mais il crie de plus belle qu'il se moque de ce que peuvent dire les autres, tous les autres, et qu'ils viennent s'ils en ont envie : ils seront bien reçus, et il criera tant qu'il lui plaira, car il est le maître et il veut que chacun le sache.

Sophie tremble : seraient-elles donc toutes ainsi ces mauvaises têtes d'hommes de la mer ? Job Le Douarin revient de chacune de ses campagnes avec une tendresse gauche, humide ; il met sa casquette sur le dernier gosse né pendant son absence, et réveille les écoliers comme à bord : « As-tu entendu les bâbordais ? debout au quart ! debout, debout ! » Il lave le linge de la famille : « mouillé c'est lavé, sec c'est blanc », et tout. Et puis très vite, tout est changé ; rien n'est propre, exact, parfaitement rangé comme à bord. Et sans doute veut-il jouir sur les siens de l'autorité absolue et sans réplique qu'a l'officier sur lui à la mer. Et bien entendu il s'est mis à boire, et c'est l'enfer... Puis il repart en pleurant sur les gosses, la mère enceinte.

Et, malgré la différence des conditions, la vie n'est pas très différente dans le ménage d'Aline, avec son capitaine au cabotage. Quand il cabote, Aline reçoit des lettres douces, pleines du désir de se revoir, de retrouver la bonne terre solide avec son ornement, sa femme, qui l'attend tendrement. Au début de sa permission, ils se promènent bras dessus bras dessous ; il est aux petits soins pour elle, il lui casse le bois, il aide à la cuisine... Puis il semble trouver du désordre partout : rien n'est comme il voudrait que ce soit ; c'est sans doute que le besoin le reprend de l'élément qui danse sous les pieds ; il devient désagréable, acariâtre, agressif ; il prend en grippe sa belle-mère. Aline est trop fière pour se plaindre à quiconque, mais sa mère vient raconter ses humiliations à l'épicière. La famille de Gabriel, paraît-il, lui monte la tête contre sa femme : « Elle fait du fricot pendant que tu t'esquintes le tempérament sur la mer au lieu de mettre ton argent de côté... » (Elle aurait tué un poulet pour elle et pour sa mère !) Il demande des comptes. C'est le petit enfer conjugal... Et il s'en va en disant qu'il serait plus heureux casseur de pierres que voué à ce métier inhumain qui sépare l'homme de la femme...

Le capitaine comme le gabier... Tous les marins seraient-ils donc ainsi ? Mais Sophie rêve Yves avec un caractère tout égal, toujours semblable à son frère des beaux jours, du départ et de l'arrivée ; toutefois, pour n'en pas douter, elle demande qu'il en soit bien ainsi à l'office du dimanche.

Elle a une tendresse particulière pour la première messe, celle du petit matin, malgré les exhortations de sa mère qui craint l'air frais pour sa poitrine fragile, car si elle osait employer l'adjectif qu'elle ne peut pas ne pas connaître, mais comme ces beaux objets des vitrines qu'on n'aurait pas l'idée de sortir pour quelque usage que ce soit, elle dirait que c'est l'heure la plus poétique de la cathédrale. La place autour du monument est encore sombre, mais il se dresse avec une telle force éclairante qu'il peut se passer de la lumière de la terre. La cloche aspire des maisons muettes des ombres ratatinées.

Le sacristain finit d'allumer quelques lampes à pétrole suspendues aux piliers, et ces lumignons dans la grande obscurité divine, rassurent, font une chaleur comme les phares sur la mer. Seuls les sabots battant les dalles font un peu de bruit de vie. Quelques femmes en chapeau lisent dans des livres jaunis ; plus nombreuses celles en coiffe comme des ailes sans corps prient avec leurs mains. Les anges de métal qui veillent sur le tombeau de saint Yves appellent dans leurs trompettes le jour qu'arrêtent les vitraux. Seuls lumineux, adossés aux colonnes de granit au-dessus des lampes, les saints semblent se rapprocher des hommes. La cathédrale flotte comme un grand navire endormi sur la mer des histoires du monde. Les chapelets filent entre les doigts. Les âmes simples sont distraites de leurs dévotions par les choses quotidiennes dont le souci les relance, le ménage, l'étable, les enfants, mais le murmure de leurs lèvres dans le grand silence profond fait sur ces intérêts communs et sans envolée un halo de rêve qui est la foi. Leur foi.

Sophie offre cette messe pour la conversion d'Yves. Non pas qu'il ne croie pas, mais il vit si peu avec sa croyance ! Mme Kerguénou explique que les marins ne pouvant pratiquer en mer, Dieu ne saurait leur en vouloir de perdre l'habitude de pratiquer à terre, et puis la pratique, c'est bien connu, est l'affaire des faibles femmes... Mais l'idéal et l'amour rendent les enfants et les jeunes filles plus logiques et exigeants.

Sophie prie Dieu, le Dieu de la terre et de la mer ; la mère de Dieu : elle fut vouée au blanc et au bleu en son honneur jusqu'à sept ans, et l'on pense que la juridiction maritime de Madame la Vierge l'intéresse au premier chef ; saint Yves, patron des marins et particulièrement des marins bretons, et avant tous de ceux qui portent son nom. Saint Guirec enfin : quand la petite Sophie eut mal aux yeux, sa mère envoya puiser une fiole à sa fontaine sacrée et ses globes n'eurent plus de peine à réfléchir la lumière ; et puis saint Guirec ne dispense pas seulement des collyres : il a une peu commune spécialité à laquelle elle pourrait bien un jour avoir recours : il marie dans l'année celles qui piquent une épingle dans le nez de sa statue, laquelle se trouve à Perros-Guirec, au bord de la mer. Elle croit même se rappeler qu'il a les pieds dans l'eau aux grandes marées...

Sophie se sent parfois plus étrangère dans la cité des hommes que dans la maison du ciel qu'elle aime d'instinct sans connaître son siècle et qu'elle vaut une ville. Elle voudrait prier vite comme on tricote, mais elle ne peut s'empêcher d'imaginer par instants son mariage dans le chœur de la petite chapelle sur le côté.

L'autel est si loin que la voix du prêtre et celle du répondant ne sont que de vagues murmures ; on voit seulement leurs grandes ombres mouvantes et l'ombre des gestes entre le ciel et la terre. La clochette sonne et l'on s'incline pour ne pas voir l'agneau descendre. Tout est calme comme l'attente d'un miracle, mais l'attente est un bonheur qui suffit à la foi.

Voici les croassements des corbeaux qui annoncent l'aurore ; ils s'élancent des tours vers les champs de blé en herbe. Le souffle du diable ternit encore les vitraux inférieurs, mais les couleurs de ceux du haut de l'abside s'exaltent sur l'écran de l'aurore. Des rayons descendent des voûtes lointaines et suivent les piliers. Sophie est un peu triste, un peu déçue ; elle ne peut plus rêver ; c'est comme si Dieu qui serrait tendrement le monde dans sa main le laissait aller à son destin de monde sans lui.

Dans ce soleil neuf, les choses anciennes semblent perdre quelque chose de précieux en perdant leur mystère. On dirait que les saints ne font plus que semblant de prier. Ils ont les défauts des visages que l'on voit de trop près. L'esprit aux lourdes évidences de la vie avec sa dérision de l'immatériel s'immisce entre toutes choses et jusque dans les prières. La nef n'avance plus sur l'océan de Dieu : le jour, elle stagne sur la terre. Comme pour rattraper le temps perdu à rêver, Sophie achève au plus vite son chapelet, mais son âme est dehors ; elle priait mieux en rêvant.

Des faisceaux de lumière orange pénètrent la flèche aux cent fenêtres sur l'azur. Et l'hostie d'or du soleil semble se lever de l'abside et lentement monte et traverse l'effilé triangle noir, féerie saignante.

Voilà le grand acte, la grande occupation du dimanche, et presque tout le jour est à vivre encore.

Dans certains songes qui vont au-devant de l'avenir et qui semblent vouloir lui indiquer ce qu'il doit faire pour son bonheur, elle reçoit de lui des lettres où il lui parle avec une immense tendresse de mariage à son prochain congé, et il lui demande une fois de plus son accord, et ce sont des lettres longues, parfois interminables, des pages et des pages...

Soudain, son cœur ne bat plus dans sa poitrine mais dans la main du facteur ; elle a vu son écriture : Lui, lui réel, quelque chose qui vient de Lui :

Ma chère demoiselle,

De Thio je vous écris où je suis depuis bientôt quinze jours. Si vous étiez avec moi, nous aurions pris le petit train et nous aurions passé le dimanche ensemble dans la propriété représentée sur cette carte et appartenant au boucher de la compagnie. J'aurais voulu vous adresser le parc qui l'entoure, mais il n'est pas en carte postale. Je suis allé tout seul, mais les promenades sans vous ne me disent pas grand-chose.

En attendant le plaisir de vous revoir en bonne santé, croyez, chère demoiselle, aux sentiments d'un cœur qui pense beaucoup à vous.

Une joie exotique l'envahit. Ses phrases qui ne sont que des phrases utiles lui semblent des strophes, car elle les lit le cœur battant, leur donne un rythme poétique. Elle baise sa signature.

Il a ajouté en P.-S. : *Il n'y a plus si longtemps d'ici à mon retour.*

Et puis elle se demande si c'est une vraie lettre d'amour. Il lui semble qu'elle écrirait quatre pages, « à sa place ». Ah ! que ne peut-on écrire les lettres qu'on voudrait recevoir ! Mais sans doute n'a-t-il pas le temps : il a tant d'occupations à terre — autant et parfois plus qu'en mer, lui a-t-il expliqué. Il faut qu'il surveille le déchargement, le chargement. C'est fort un homme de devoir ! et quand il aime il doit aimer aussi fort. Quelle preuve d'amour, cette histoire du boucher ! Il ne lui cache rien, et il l'emmène partout. Et cet amour de la solitude qu'il a loin d'elle ! Et quant à tout ce qu'il n'a pas pensé lui dire, elle veut se persuader que les hommes ne savent pas exprimer leur amour, de même qu'ils ne savent guère pleurer leurs souffrances.

La lettre a mis longtemps à venir, et, quand on reçoit la nouvelle de son arrivée là-bas, il est déjà loin sur le chemin du retour. Il arrivera avec le printemps de sa patrie. Elle l'attend comme Aline attend son bébé.

Elle se hâte de l'aimer de plus en plus. Elle mord ses lèvres pour ne pas laisser son grand amour éclater devant sa mère. Elle se cache pour lui parler comme pour commettre un péché. Elle veut qu'il la retrouve en tout plus parfaite, plus belle, plus instruite, plus femme, plus fée.

Ils se marieront donc à son retour ! Et elle sera la femme du marin : elle portera tout le jour un navire dansant dans son cœur — et peut-être un jour s'enfonçant... Peut-elle imaginer cela ? La dure vie ! mais la grande, la belle vie où l'amour peut tant donner à l'être aimé ! Elle est prête à lui donner tellement plus qu'il ne lui donnera... Tout de même, sans oser espérer une véritable lettre d'amour puisqu'il n'a pas le temps, puisque les hommes ne savent pas... il pourrait l'appeler « Sophie » et non « Mlle Sophie »... Mais si c'était la distance qui le rendait si respectueux ? La familiarité a besoin de la proximité... Il viendra bientôt s'expliquer ; elle lui demandera... Qu'il vienne vite ! Elle a lu quelque part qu'il n'y a pas d'attente interminable, mais tout de même que le terme vient lentement ! et si seulement on pouvait l'apercevoir dans les lointains...

Le temps vient tout de même à sa rencontre. Voici la fête de l'année qu'elle préfère et qui est aussi la fête d'Yves. Elle aime que son patron soit le saint du pays, le plus grand des saints bretons, le plus grand de tous les saints. Et elles sont si peu nombreuses les célébrations mi-religieuses, mi-profanes qui font un peu de joie dans les âmes à qui la nature ne la prodigue guère, et aucune ne saurait rivaliser avec la gloire de la Saint-Yves qui arrive au moment le plus émouvant du cours des saisons, au cœur du printemps, du plus beau mois de l'année, celui du renouveau, de la Vierge, Marie, Maïe, Mai...

Qu'est-ce que la mémoire du peuple a conservé de l'histoire

réelle de saint Yves, le seul saint breton historique ? une légende. On sait qu'Yves Heloury fut la Piété, l'Equité, la Charité. Il était avocat « mais non indélicat » pour traduire la rime bretonne. Il parcourait le Trécor à pied ou à cheval, priant M. Dieu et rendant la justice au pauvre comme au riche, tâchant même d'avantager celui-là comme l'eût fait son seigneur lui-même s'il avait daigné venir faire un tour sur la terre. Plus sans doute, il tâchait de secourir ceux que Dieu accablait, dût-il parfois faire un miracle, c'est-à-dire une petite entorse aux lois naturelles édictées par le maître de la création...

La procession illustre est la moitié de la fête. Dès la veille au soir, des bandes de jeunes gens arrivent de tous les bourgs en « plou », en « trè », ou en « lan » sous leur bannière gigantesque au port de laquelle les plus costauds du quartier se relayent. La hampe comme un mât de goélette, la grande image pieuse flottante, de tapisserie et de broderie, comme une voile. C'est à quelle paroisse arborera la plus grande, la plus lourde. Ils se rendent aussitôt au Minihy (le village natal du saint) pour le triple salut devant l'église avec le monumental étendard, et l'on cite des hercules religieux qui s'y sont crevé les boyaux.

Mme Kerguénou combine — et calcule — le menu qu'elle servira demain à ses parents du dehors qu'il faut bien qu'elle invite : ils s'inviteraient tout seuls ; on ne va pas dépenser à l'auberge quand on a une cousine au bourg.

— De la soupe, cela fait un fond.

— Un jour de Saint-Yves tout de même, maman !

— Ce ne sont que des cousins germains, ma petite fille. Et puis, toujours en gros travaux et au grand air, les gens de la campagne sont voraces. Ils trouveraient drôle de ne pas commencer le repas comme à la maison. Une bonne soupe fraîche de bœuf. Une vieille boîte de sauce tomate il me reste dans ma boutique, je la mettrai pour donner du goût à la viande ; les gens des ménages n'ont pas l'habitude des conserves : ils seront flattés et ils diront que je me suis mise en frais pour eux.

— Le veau n'est qu'un sou de plus la livre, maman !

— Un sou est un sou. Bah ! c'est la quantité qu'il leur

faut. Des haricots Çoise m'enverra (m'apportera) de Kernabat : ils me doivent du café. Vous irez chercher un gâteau à un sou et un à deux sous pour chacun chez Inizan. Vous leur rappellerez qu'ils ne m'ont pas payé leur dernière commande.

— Deux douzaines je prendrai tout de même, si quelqu'un vient qu'on n'attendait pas.

— Espérons qu'il n'y aura que des gens polis ; ce n'est pas la peine de risquer de prendre trop. S'il n'y a pas assez, je donnerai ma part : vous savez que je me passe très bien des sucreries.

— Votre robe n'est pas belle pour un si grand jour, maman !

— Elle est payée, ma fille.

La procession descend la rue aux maisons vêtues de draps, effaçant une rosace de sciure, de feuillages et de pétales de fleurs que Sophie a composée avec ses jeunes amies, et elle se demande s'il faut, pour briller, que les grandes belles choses — et même les choses saintes — broient de menues innocences ? L'évêque de Saint-Brieuc-et-Tréguier est là, en toute majesté. Et des prélats d'ailleurs, avec d'étranges costumes « comment je dirais à vous »... Toutes les bourgades de la côte semblent se disputer le prix des châles brodés. Il y a des vieilles qui ont suivi le cortège soixante-dix fois et plus, accumulant donc des indulgences qui devraient leur valoir plusieurs paradis.

La musique du collège sonne sa présence de tous ses cuivres. Les petites voix des élèves des écoles religieuses chantent :

Saint Yves, notre père,
Toi que nous implorons,
Ecoute notre prière
Et bénis tes Bretons...

Puis le court cantique dont l'enthousiasme ne s'épuise jamais retentit comme le second hymne national, entonné par toutes les poitrines :

Il n'y a pas en Bretagne ; il n'y en a pas un ;
Il n'y a pas un saint comparable à saint Yves.
Il n'y a pas en Argoat ; il n'y a pas en Armor,
Il n'y en a pas un comme saint Yves...

La voix sèche des petits hommes de la terre scande cela comme du gros langage pour les chevaux, mais on devine dans la voix de leurs filles, solennelles sous leur immense coiffe de fête, que les brises marines jouaient sur les landes où elles coururent enfants.

Sur les épaules de quatre vierges aux châles blancs marche doucement la Vierge, comme sur les flots. Madame la Vierge de la mer (la bonne et la mauvaise)...

Et supportée par quatre prêtres en aube, le chef du Grand Saint, patron de la bonne mort, que l'on voit dans son reliquaire de verre et d'or.

Les cloches de la « grande église » se balancent, comme folles de joie, comme si le bonheur du monde avait pris beaucoup de retard au cours de l'histoire et qu'il fallait au plus vite rattraper cela. Le grand souffle vivant de la fête les projette vers l'empyrée, et puis elles reviennent couvrir les strophes des cantiques, et l'on ne sait si c'est dans leur bourrasque ou dans le vent de la terre, ou dans le souffle frénétique des poitrines soûles de grandeur mystique que frissonne toute la voilure bariolée du cortège.

Tandis que sa mère descend à chaque instant surveiller son dîner, Sophie, derrière les petits drapeaux jaune et noir de sa fenêtre se rappelle avec émotion une fillette blanche qui portait une bannière-jouet de la Vierge des cent joies et des mille douleurs et de sa voix légère le saint des saints chantait.

Il lui semble manquer quelque chose à la fête parce qu'Yves n'est pas là ; elle demande du plus profond du cœur à son parrain céleste de bénir la fin de son voyage. (Tout le grand personnel du ciel s'occupe des affaires de la mer dans ces régions côtières.)

Sans doute sait-il que c'est le jour de l'anniversaire glorieux, et sa pensée vole vers sa petite patrie, et il suit la procession qu'il connaît par cœur.

La procession qui dans ce précoce été paraîtrait triste, comme les vieilles choses que l'on sort quand il fait soleil, si l'âme bretonne était gaie.

C'est donc bien vrai qu'aucune attente n'est interminable puisque la rumeur se répand qu'Yves Le Mével arrive. Aline est à devenir mère. Françoise Zos disait que ce serait un garçon, car la lune est dans un mois mâle. Et en effet. On l'appelle Gabriel, comme son père.

Sophie va faire sa visite à l'accouchée. Aline lui paraît s'éloigner d'elle encore en ce petit bout de vie rougeaud et baveux. Elle lui apporte du chocolat de la boutique, et lui demande comment elle se sent. Aline répond faiblement « bien » sans y croire. Elle sait comment on meurt ; elle ignore comment on ressuscite. Sophie lui fait part des plus récents bruits de la ville, mais Aline qui était si curieuse ne semble plus leur attribuer beaucoup d'intérêt. Sophie ne trouve plus ses mots ; elle ne sait plus comment parler à l'amie de sa jeunesse ; déjà un homme était entre elles, et voici le petit homme. Elle a pitié de cette femme qu'elle envie. Le mari entre ; il veut être une tendresse. Il dit : « Bah ! ce n'est rien. » Et sa femme veut sourire.

Et, tandis qu'elle soupire de lassitude, les cloches soûlent la ville de leur gaieté volubile, proclamant la glorieuse naissance d'une âme. Yves arrive pour apprendre qu'il est parrain, et Sophie est marraine.

Ils se revoient, et leur amour reprend son cours. Il lui semble qu'Yves n'a pas changé, et son amour doit être le même, tandis que le sien a grandi de tant d'attente, de mélancolie, de rêve... Mais peut-être suffit-il qu'il soit là pour qu'un grand amour soit entre eux, car elle y met tout ce qu'elle a ramassé durant son absence.

Le bébé dans les bras de la matrone qui l'a pris à sa mère dort, paquet de dentelles. Il se réveille en grimaçant à l'eau sainte mais froide, et au sel. Malgré la gravité du baptistère moussu dont les pierres suintent, les parents spirituels se sourient, gênés de leur rôle latin.

Accomplissant l'un après l'autre tous les rites de sa nouvelle dignité, Yves, sur le porche de la cathédrale, jette des sous et des dragées aux petits pauvres qui se traînent à plat ventre dans la poussière pour les ramasser comme les moineaux une poignée de miettes ; des gosses en loques, sales, catarrheux, sur le baptême de qui on ne lança aucune manne. Sophie trouve magnifique, dans la main de l'aimé, le geste banal de la coutume.

C'est mercredi, jour de marché. Dès le petit matin, les paysannes en bas blancs se hâtent sur tous les chemins, des couples de poulets au bras et des paniers d'œufs, de beurre ; leurs dents gâtées serrées sur un prix, de la crotte à leur jupe relevée, un petit caraco noir leur serrant la taille, fières de leur coiffe fraîche repassée aux cornes raides.

Des hommes endimanchés conduisent une vache, et, quand ils l'ont vendue, remplissent les auberges où l'on fait aussi son dîner — un repas hors de chez soi ! — d'un bol de soupe « trempée » de languettes de pain.

On se salue d'un mot au passage : — Jeanne-Marie ! — Oui, Antoinette ! — En ville ! — Arrivée on est aussi. — Sur ton trente et un, Angélique ! — Ta bête tu as vendue ? — Oui grâce à M. Dieu. — Des poules assez belles tu as, holà ! — Je pense : si tu en vois de plus grasses... — Quel est le compte avec le beurre ? — Il n'y a pas beaucoup sur le marché avec la sécheresse ; ne le donnez pas à trois réaux comme l'autre mercredi ; dix-sept sous nous aurons sûr, affirment les fermières solidaires. — Le beurre a encore grimpé cette semaine, se communiquent les dames de la société avec des mines de consternation. — Trois réaux, je t'en prends deux livres. — Non, non, plutôt être damnée. — Seize sous alors pour que tu n'attendes pas trop longtemps. — Jamais, meilleur est à moi retourner avec et le donner pour engraisser les cochons. Et toute honte bue des deux côtés, les marchandages têtus s'éternisent.

Sophie et Yves se sont rencontrés dans la foule (sans doute se cherchaient-ils) ; il l'a invitée à faire un tour de marché avec lui : c'est une galanterie bien connue des amoureux. Ils le trouvent tous deux nouveau, lui parce que cela fait tant de mercredis qu'il est absent ; et elle le voit dans ses yeux.

La grande place grouille d'une animation fiévreuse. Les calculs se font lentement dans les cervelles épaisses ; trois fois les paysannes comptent l'argent avant de lâcher la marchandise.

Les marchandes de légumes ont chacune leur arbre. Les

pêcheuses de Buguélès et de La Roche-Jaune dépouillent les chiens de mer sur des tréteaux, découpent en tranches les congres, chassant les mouches avec leur serpillière. Dans un coin, des petites crêtes sont âprement discutées qui s'étonnent de valoir tant de paroles.

Des camelots soldent des produits de beauté. Yves offre à Sophie une parfumerie ; elle le remercie humblement :

— Cela cachera quelques-uns de mes défauts, Yves.

— Vous n'avez pas à en cacher, Sophie ! (Il l'appelle de nouveau « Sophie », comme aux belles heures de l'an dernier.)

Autour d'un déballage d'articles de Paris, des demoiselles de ferme hésitent, fouillent timidement et sourient aux marchands enjôleurs, étrangers rompus à leur psychologie qui répondent en un français familier, à dessein presque enfantin, au leur qui demeure à demi breton : « Prends ça, demoiselle chérie, c'est comme de la soie... C'est ce qu'il faut à une belle fille comme toi... Ceci, ma petite, ira mieux à ton teint de rose. Avec cinquante centimes de plus — oui, seulement deux réaux — tu trouveras un fiancé deux fois plus riche... » Et flattées elles rient de toutes leurs incisives douteuses.

Le tambour public crie des ventes de récoltes sur pied et de mobiliers divers. Et on l'écoute bouche bée comme le prêche...

Tout ce trafic à l'ombre de la cathédrale dont l'énorme masse cherche en vain à proclamer la vanité de la matière.

Un cercle distant, comme respectueux, entoure l'arracheur de dents ; une foule houleuse de bouches saines qui s'amusent, et de mâchoires en douleur qui doutent soudain, en présence de cet appareil dramatique, de vouloir la fin de leur mal, car, si on leur promet la délivrance définitive, c'est en passant par une mystérieuse épreuve fulgurante.

EXTRACTION SANS DOULEUR

« A qui le tour ? » Le premier rang semble se résorber dans les rangs suivants. Tels des fidèles en temps de persécution. Une voix terrible a prononcé : « Donc, il n'y a plus un croyant ? plus un seul ! » Les tenailles chauffent sur le brasier... On les défie ; ils avaient bien promis de déclarer leur mal pour en voir enfin le terme ; et leur résolution les précipite sur l'estrade, mais l'hercule aux bras nus et à la poitrine bardée de médailles les fait reculer irrésistiblement.

On entend des parents à leurs enfants : — Tu disais tu n'en pouvais plus avec ton mal !

— Oui, mais hier c'était ; maintenant il n'y a plus, plus une bouchée.

— Comme ça toujours tu dis quand tu es devant le monsieur docteur avec la frousse et comme un veau tu te mets à crier quand tu reviens à la maison.

— Je ne sens plus rien, je vous dis, Dieu me maudisse ! Pourquoi aller donner vingt sous à l'étranger.

— Tête de vache, mal encore tu auras demain, mais on ne t'écoutera pas, et obligé tu seras d'être tiré avec le forgeron.

Le tambour casse des cailloux dans son cœur : — Non, non, je ne dirai plus rien, ou je serai damné.

— Quoi ! peur tu as, Yves-Marie, comme une demoiselle ! La honte est avec toi. Un garçon de ta force ! Regarde la jeune fille qui descend (de l'estrade). Elle n'est pas morte, si ?

Elle semble n'en valoir guère mieux, mais il s'avance, victorieux de sa peur, ou vaincu par les autres. D'un bond il bouscule trois vierges pâles qui vibrent d'effroi, leur main pressant leur joue à l'enflure énorme que tient au chaud un grand mouchoir noué autour de leur menton. Il renverserait toutes les hésitations des lâches pour être le premier des courageux. Il est déjà sur la chaise de torture mais d'honneur. Il sourit blanc aux siens. Dans sa bouche il indique le chicot.

Avec des gestes compassés, méthodiques comme la science sûre d'elle-même, le chirurgien enfonce son outil. Un grand roulement de tambour de son assistant recouvre l'extraction indolore. Et le praticien exhibe l'horrible parcelle d'un corps qui a trahi son maître, et proclame sa victoire en lyrique ami des souffrances humaines.

— As-tu souffert quand je t'ai arraché ta douleur ? (L'opéré, rougissant le mouchoir à carreaux que lui tend sa mère, confirme d'un geste qu'il n'a rien senti.) En admirant son courage, demandez à ce jeune monsieur qui souffrait s'il souffre encore, pusillanimes qui voulez conserver votre tourment.

Et fier d'être appelé monsieur, le garçon nie tant qu'on voudra sa frayeur et ses hurlements de tout à l'heure et ce qu'il éprouve encore, et même en particulier, niera même à sa mère :

— Du sang il faut bien qu'il y ait, comme vous comprenez, dit-il même.

Sophie a toujours la chair de poule quand elle passe devant cette boucherie humaine en plein air. Yves, qui n'a pas l'air du tout ému, n'a pas eu l'idée de lui toucher la main pour qu'elle le soit moins. Ils passent.

— Vous ne croirez peut-être pas, Sophie : souvent, à trois mille lieues d'ici, je me dis : c'est aujourd'hui jour de marché à Tréguier.

— Chaque mercredi, je me demande si vous vous le rappelez, Yves.

Mme Kerguénou a préparé pour des gens du dehors qui devaient venir et qui ne sont pas venus ; elle regarde avec désespoir ses viandes inutiles et insulte la fatalité : « Je ne peux pourtant pas donner un écu de victuailles toutes fraîches à des pauvres (si encore elles commençaient à sentir...) ; ce serait leur rendre un mauvais service : ils croiraient qu'ils sont devenus riches. Qu'est-ce que je vais faire ? » L'amour de Sophie ne peut plus se taire :

— Vous avez voulu que je le laisse faire un voyage encore, maman, pour éprouver son sentiment, mais Yves Le Mével est de retour, et mon sentiment n'a pas changé. (Elle n'a pas osé dire : « et je l'aime toujours autant », de peur d'effrayer sa mère.)

— Oh ! je sais bien que vous avez un faible pour lui, ma petite fille. Mais faites bien attention, Sophie, il ne faut pas s'emballer. Sans doute ce n'est pas un mauvais garçon. Un mauvais parti non plus. Les Mével ont quelque chose et Léonie Calvez qui est de leur bord m'a dit qu'Yves sait mettre de côté. D'autre part, de grands avantages il y a à épouser un marin : on n'a pas à les nourrir ; la plupart du temps ils ne sont pas là et on n'a personne sur le dos ; et la pension est à considérer si une femme reste seule dans la vie... Mais ils ont un caractère épouvantable ; c'est sans doute d'être si longtemps sur la mer, loin du pays et de nos habitudes qui veut ça ; et dès qu'ils sont à terre ils se mettent à boire.

Les marins qui n'aiment pas, peut-être, pense Sophie, mais lui ! — Yves ne boit pas, même à terre, maman.

— Il boira, ma petite fille, quand il y aura quelque temps qu'il sera là.

Comment pourrait-il aimer une autre ivresse que celle de l'amour ? pense Sophie, mais elle n'ose répondre à ce futur catégorique.

— Et puis ils sont jaloux parce qu'ils ne sont pas là et ce n'est pas le temps qui leur manque, vous pensez, sur la mer, pour imaginer des choses. (« Ce sont ceux qui n'ont pas d'amour qui n'ont pas confiance », pense-t-elle.) Souvent, ils meurent loin de la terre, et on n'a pas la consolation d'avoir le corps des siens. Réfléchissez bien avant de vous décider, ma petite fille ! (Sophie n'ose dire qu'elle a pris sa décision et qu'elle est irrévocable.) Vous êtes si jeune encore !

— J'aurai bientôt vingt-trois ans. (Et elle commence à se sentir si vieille !)

— Vous êtes donc bien fatiguée de vivre avec votre mère ?

— Oh non, maman. (Pourtant, elle se dit que la femme est faite pour vivre avec un homme, mais cela elle ne lui dira jamais.)

— Et si vous l'épousiez, vous envisageriez de faire votre voyage de noces sur son bateau.

— Comme Emilie, maman. (Une ancienne élève des Ursulines comme elle qui a épousé un capitaine elle aussi — elle a pensé « elle aussi », comme si c'était déjà comme fait...)

— Vous partirez donc sans regret, ma petite fille ; vous serez absente pendant des mois, et, quand vous reviendrez, on vous dira que votre mère est morte !

— Oh, maman !

— Je suis sûre que vous êtes une bonne fille qui croit aux conseils de sa mère. Eh bien ! je vous dis qu'il ne faut se presser de se marier que si vraiment on ne peut faire autrement. Pensez-vous que j'aurais pris votre père si jeune, si j'avais eu ma mère comme vous ! Laissez-le faire encore quelques voyages, au moins, vous serez plus forte alors ; je vous ferai prendre beaucoup de fortifiants, et vous serez mieux à même de supporter les épreuves qui vous attendent.

— Et si Yves en épouse une autre, maman ?

— Non, non, il aura la preuve ainsi que sa jeune femme aura une conduite irréprochable pendant ses longues absences, puisque vous aurez su l'attendre ; et il vous redemandera avec plus d'insistance.

Sophie espère qu'il reviendra demain, et qu'il voudra voir sa mère, et que, si elle se montre évasive, il exigera une réponse, et elle ne pourra cette fois se dérober.

Dans le petit coin de la boutique qu'elle préfère, près de la fenêtre, parce que c'est de là qu'on voit le mieux les gens qui passent dans la rue (et que cependant elle regarde à peine, absente, mais n'est-ce pas dans ces absences qu'on rêve le mieux ?), elle confectionne des petits paquets d'aiguilles. Voici qu'Yves approche de la maison, il la voit, elle lui ouvre la porte et ils sont en présence l'un de l'autre, comme si la vie leur était présentée, à tous les deux ensemble. Et la terre est si douce dans le petit coin sombre où elle brille qu'il lui dit qu'il voudrait voir sa mère.

Comme elle le désirait, comme elle le rêvait... Et soudain, elle se met à rougir très fort, comme s'il lui réclamait son corps avec ses yeux. Elle était si sûre de répondre aussitôt à une telle demande s'il la lui faisait qu'elle souriait déjà toute seule avec le sourire qu'elle aurait alors pour lui obéir et appeler sa mère, il y a un instant à peine... Et elle ne sait plus que répondre, et elle ne répond pas. Elle revoit les yeux de la bien-aimée au bord des larmes, comme si le bateau des noces allait se détacher du quai : « A votre retour on vous dira que votre mère est morte... » Et elle ne dit pas : je vais appeler ma mère. Elle se doute qu'elle les entend, les écoute et qu'elle n'ose intervenir, se disant peut-être que c'est le destin et qu'on ne peut s'opposer au destin, mais elle tremble... Et pour qu'elle ne tremble plus, elle dit — ou elle laisse une autre dire à sa place — qu'elle a de la peine à reconnaître : que sa mère se repose, qu'elle est lasse ces temps-ci ; elle est si courageuse et sans doute en a-t-elle trop fait, et elle ne peut la laisser seule s'occuper de tout... Mais dès qu'elle la sentira plus vaillante, capable de donner son accord en toute tranquillité d'esprit à une résolution grave de sa fille, il le saura avant qu'elle ne le lui dise, à l'air joyeux qu'elle aura en allant à sa rencontre ce jour-là... Et il n'ose insister... Est-ce par manque d'audace qu'il accepte sa décision, ou plutôt son indécision, ou par une très grande, une charmante tendresse soumise à sa volonté, comme si l'on pouvait parler de sa volonté en l'affaire... ? ou parce que la demande qu'il lui avait faite n'avait subitement plus une telle urgence...

Elle l'a donc presque éconduit, et elle attend son retour en tremblant qu'il ne se manifeste plus, en se disant et répétant qu'elle a eu tort, qu'elle mériterait bien que maintenant ce soit lui qui la fasse attendre.

Et pourtant il est revenu. Il est entré, voyant Sophie à travers ses bocaux ; sa mère était là qui ne l'a pas mal reçu du tout et il est resté causer avec ces dames qui l'ont reçu dans la salle à manger.

Sophie a honte de leur petite pièce qui sert si peu souvent. Sur la cheminée, une pendule sous globe dit toujours trois heures depuis qu'elle a été achetée dans une vente publique entre deux vases pseudo-chinois que des bohémiennes réussirent à imposer à l'épicière au dixième du prix d'abord demandé. (« On devrait leur enlever ces fleurs fanées », dit de temps en temps Sophie, en montrant leur garniture artificielle d'une espèce imaginaire : « cela fait campagnard » ; mais Mme Kerguénou rétorque : « Bah ! c'est mieux que rien. ») Un navire embouteillé, un grand coquillage se font pendant aux angles. Sur le papier à fleurs déteintes des murs sourient des agrandissements de parents éloignés, et des murs sourient des agrandissements de parents éloignés, et des assiettes ornées si l'on peut dire par Mme Kerguénou avec des découpages de cartes postales alternent avec de petits tableaux, si l'on peut dire encore, du même auteur, faits avec des gravures du *Supplément illustré du Petit Journal* et du carton qu'elle découpe dans les emballages de bimbeloterie. La galerie présente de grands généraux dans tous leurs états guerriers, la cathédrale de Newcastle, un clair de lune japonais, enfin une négresse dont le nez est traversé par un cercle de bois énorme. La médaille de sauvetage d'Emile flamboie sur du velours noir — sans déparer toutes ces œuvres d'art — entre deux noix de coco vernies rapportées de lointains voyages, peut-être par un marin de cette fière frégate qui fend les flots verts au-dessus de la porte.

Le petit orgueil de Sophie est d'autant plus humilié par ce bric-à-brac, qu'il a l'air d'observer toutes choses avec l'attention d'un clerc de notaire, mais c'est sans doute qu'il est gêné de la fixer trop continûment et qu'il veut s'imprégner du cadre dans lequel elle vit. Quand leurs regards se rencontrent, les mots semblent s'échapper ensemble de leurs deux esprits, et il arrive à la mère de relancer la conversation. Elle comprend, elle est un peu flattée, mais sans doute plus inquiète que fière.

Il lui a demandé des nouvelles de sa fatigue, et elle — la vaillante Rose de toutes les heures du jour —, elle a pris un petit air alangui pour expliquer qu'en vérité elle a encore bien besoin de sa fille.

Il parle de la vie de son grand voilier, des mœurs terrestres et maritimes des matelots, des chats du bord, des distractions, des jeux sur le pont, des dimanches (il y a donc encore des dimanches dans l'infini ?), de la pêche aux requins et aux albatros, des baleines qui suivent le navire comme des chiens de mer. De l'alimentation : de la difficulté de garder des produits frais pour changer parfois des conserves, des viandes salées... « Nous avons eu des cancrelats dans le sucre... » (Elle frémit.)

Il raconte qu'à certains voyages il transporte des forçats au bagne de Nouméa, des forçats dans des cages au fond des cales.

— Des forçats ! fait Sophie toute surprise.

— Oui, c'est un fret très intéressant ; sans eux nous risquons de faire la traversée à vide à l'aller.

— S'ils se révoltaient, ce pourrait être dangereux pour l'équipage ?

— Ce n'est guère possible : les fortes têtes sont enchaînées.

Elle voudrait lui demander l'impression que lui font ces hommes enchaînés, mais il semble qu'il n'ait jamais pensé porter cela dans ses rapports de mer.

— Et ils ne s'ennuient pas !

— Ils n'ont que ce qu'ils méritent, et ils s'occupent à de petits passe-temps ; ils me font par exemple de jolis cadres avec des épines dorsales de requins.

— Et il n'y a jamais d'innocents ?

— Vous allez agacer le capitaine Le Mével avec votre curiosité déplacée, Sophie.

— Mais non, Madame...

Il semble qu'il ne se soit jamais posé la question.

Et puis il parle des tempêtes... Ah ! les tempêtes ! Comme elle tremble à les imaginer durant les longs mois d'hiver ! Il les décrit : on ne sait plus d'où vient le vent, on est comme dans un tourbillon ; on ne sent plus son corps. On ne voit pas les hommes qui là-haut, comme des singes, maîtrisent (elle ne se rappelle plus le mot, les mots qu'il a dits) les voiles éperdues (non, ce n'est pas l'adjectif qu'il a employé). On ne voit plus rien ; il faudrait fermer les yeux pour n'être pas aveuglé par les grêlons, alors qu'on n'a jamais eu tant besoin de les garder ouverts... Un instant, elle sent sur tout son visage la pluie de métal. Ses yeux aussi se ferment ; elle est le vertige du trois-mâts pris dans la tourmente. Elle le regarde et l'écoute pleine de pitié et d'admiration. Comme il doit souffrir et comme il faut être grand pour savoir conduire le grand bateau que chaque vague semble vouloir égarer, pendant des mois, sans une heure de répit, sans jamais perdre sa route sur une plaine sans chemins ni repères, vers une terre que l'on n'aperçoit que le dernier jour — vers un petit visage bien-aimé (cela il ne l'a pas dit, elle a imaginé qu'il allait le lui dire)... C'est un beau métier (il en est fier et comme il a raison), mais dur, « et parfois, voyez-vous, on jalouse la tranquille vie à terre, parmi ceux qu'ils aiment, de tant d'hommes malgré leurs petites situations... » (Ah ! il l'a dit, le mot d'amour espéré !)

Et il la regarde avec un franc sourire. Ah ! être si grand et si sensible à la fois, et trouver des paroles si gentilles ! Elle risque : « On n'emmène pas son foyer sur l'eau ! » Elle a deviné sa pensée ; il dit un « non » si plein de sympathie, de parfaite approbation, comme s'il avait la formule sur les lèvres au moment précis où elle l'exprimait — un tel accord avec son mot —, que sa mémoire le lui attribuera.

Elle le regarde si fort qu'il lui semble qu'il ne peut pas ne pas comprendre : vous n'avez qu'un mot à dire, à moi ou à ma mère... C'est vrai qu'elle lui avait demandé d'attendre un peu, mais elle voudrait lui faire comprendre que ce temps est passé. Mais il ne semble plus avoir hâte comme la première fois de faire de lui-même le grand pas, le pas qui les sépare. Elle a l'impression qu'il le voudrait bien, qu'il n'a pas cessé de le désirer, mais que quelque chose le retient qu'elle ne comprend pas, qui ne doit pas venir de lui, de son fond intime... Et que pour le moment, il est parfaitement satisfait d'être là près d'elle, et de cette douce contemplation, comme si de penser à l'avenir risquait de troubler l'instant exquis.

Voici que le menuisier revient de son travail, l'esprit trop troublé par les vapeurs de l'absinthe pour sentir les nuances du convenable : — Alors, à quand la noce, les amoureux ? demande-t-il...

Elle tremble en songeant qu'il va être offusqué par cette mise en demeure grossière, mais il répond sans la moindre gêne apparente : — Mais à mon prochain congé si vous ne vous y opposez pas, vous et votre dame, et si Mlle Sophie est toujours dans les mêmes sentiments. (Que de si !) J'espère qu'alors Mme Kerguénou aura retrouvé ses forces, et que j'aurai obtenu mon commandement, et une meilleure situation aide toujours à monter un ménage.

Comme s'il avait besoin de commander son navire pour être son maître ! Elle calcule qu'ils ont encore tout le temps de se marier avant son départ, et elle ne songe plus aux larmes que verserait sa mère. Elle se demande s'il se dérobe ou s'il a cru qu'elle souhaitait attendre encore... Mais tout de même il a dit qu'il avait hâte d'améliorer sa situation pour faire d'elle une dame plus heureuse dans une plus belle maison... Est-ce que cela ne veut pas tout dire ?

Les Trégorois cancaniers comptent les visites du fils Le Mével à l'épicerie Kerguénou-Dagorn et semblent mieux connaître les relations des jeunes gens qu'eux-mêmes. Certains affirment qu'il a fait officiellement sa demande, que c'est pour très bientôt ; mais d'autres disent au contraire que rien n'est décidé. Mme Kerguénou ne se prononce pas ; les curieuses en sont pour leurs frais : l'expérience apprend à douter de l'avenir, surtout quand on n'a pas le moindre désir qu'il y ait un avenir de ce genre. Les « amies » de Sophie lui font bonne mine non sans quelque envie, et celles qui ne l'aiment pas trop, qui la disent « fière » (c'est le plus grand reproche qu'on peut lui faire, mais c'est un défaut impardonnable) prétendent qu'elle ne tient pas encore son Mével... Et l'on fait des paris au puits en rinçant sa cruche.

Depuis quelques jours, Yves est à Paimpol, au mariage d'un ami, capitaine comme lui. Cependant, les Kerguénou sont invités à celui des cousines lannionaises.

Palmyre épouse un notaire, Clotilde un docteur, s'il vous plaît, superbes partis, chefs-d'œuvre de diplomatie de la Grande Epicière-Chiffonnière. Et, comme elle les marie ensemble, elle peut faire, avec le prix de deux noces mesquines, une fête splendide.

Le bourgeois banquet de cent couverts rassemble dans la grande salle du Grand-Hôtel dont on a fermé les volets (l'éclairage *a giorno* en plein jour est la mode même) le tout-Lannion. Sophie est bien gênée par ce luxe qui complique les gestes comme des gants. Elle voudrait n'avoir comme cavalier que son seigneur et cette simulation rituelle d'adultère lui coûte comme sa nudité devant un médecin. Elle envie, non, elle admire les deux belles mariées qui semblent n'avoir pas trop conscience en ce jour solennel ni que l'amour les couronne ni qu'elle est leur cousine.

M. Kerguénou est chez lui dans ce festin, puisque parmi des bouteilles. Il fait rire le monde par ses bêtises, et Sophie, qui cependant lui avait fait jurer à force de douceur, de tendresse, d'être raisonnable, est horriblement gênée d'avoir honte de son père. A l'heure des chansons, il va jusqu'à enterrer joyeusement sa femme dans des couplets d'ivrogne. Sophie sent les larmes lui monter aux yeux. On a beau se dilater dans les monologues de troupiers, car l'alcool, l'euphorie font descendre la bourgeoisie vers la classe inférieure, elle reste mélancolique, un peu angoissée, comme si l'on dansait sur le cercueil de sa mère. Dans son trouble, les histoires de son histoire lui paraissent incohérentes, et l'auteur de ses jours être un obstacle à son bonheur. Une autre que Sophie réussirait à dominer la situation et à regagner l'allégresse générale en donnant congé à son père avec une pensée de mépris, mais elle est trop bonne pour cela. Elle se croit pauvre irrémédiablement, et, pire, vouée à l'humiliation. Elle doute même de son amour absent, comme d'un port perdu dans la brume. Elle aurait dû ne pas venir, s'excuser, dire qu'elle ne se sentait pas bien.

Elle aurait mieux fait en effet, car les bons parents d'Yves hostiles au mariage, le frère boiteux et la bonne fielleuse qui ne va jamais prendre ses épiceries chez Rose qui, paraît-il, lui aurait refusé une fois de la cannelle alors qu'elle venait d'en vendre à une autre commère — il y a combien d'années... ? — exploitent ce mince événement : — Tu ne comprends donc pas que, si elle est allée à ce mariage sans te le dire, c'est qu'elle en cherche un autre ? Si un riche fils unique de Lannion elle pouvait enjôler, elle ne penserait plus à toi ! (Il se rappelle qu'elle a éludé par deux fois un mariage immédiat, en rougissant ; elle avait donc un autre projet en tête ? et si celui-ci échoue, elle sera ravie de lui revenir... Et il est vexé qu'elle puisse lui préférer un beau jeune Lannionais...) Un grand malheur ce ne serait pas, vat, pour avoir des maladies dans ta famille.

— Vous croyez qu'elle est de constitution fragile ?

— Si elle n'était que fragile ! elle n'a aucune santé ; il faut tout te dire, puisque tu ne vois rien.

— Erwan (Yves), mon Dieu ! n'a plus ses yeux à lui, pauvrec, aveuglé qu'il est.

— C'est un craquelin (un biscuit du pays, très léger) ; elle est maigre comme un râteau.

— Elle a la taille fine, proteste Yves.

— Elle a toussé tout l'hiver, tout le monde te le dira, et s'il n'y avait que l'hiver...

(Il se rappelle, en effet, certains petits toussotements pendant leurs conversations, et elle prenait son mouchoir ; il n'a pas pensé que l'émotion de sa présence pouvait expliquer certaines choses...)

— Tu ferais mieux en tout cas d'attendre pour voir si elle retrouve la santé, mais je serais étonné : quand la poitrine est attaquée, ça va plus souvent en empirant qu'en s'améliorant.

— Mais dis-toi aussi qu'elle a tant l'habitude de vivre

dans les jupes de sa mère et d'être servie qu'elle aura beaucoup de peine à s'habituer à une autre vie.

— Et puis tu en trouveras tous les jours de plus dégourdies (elle ne sait pas éblouir par la loquacité) et plus riches.

— Enfin, tu feras ce que tu voudras.

— Ce n'est pas nous qui serons obligés de lui acheter du pain, et surtout des remèdes. Ta vie est à toi.

— Tu es libre de faire ton malheur.

Yves n'est pas absolument convaincu, mais il est ébranlé. Tout cela le fait réfléchir. Il pense et il veut prendre le temps de penser. Puisqu'elle différa il différera. Il aura sa fierté lui aussi. Elle saura qu'il est le maître de leur destin.

Dès son retour, il demande des comptes à Sophie.

— J'ai appris que vous êtes allée à la noce de vos cousines à Lannion...

— En effet, Yves, est-ce qu'il y a du mal à cela ?

Il lui laisse entendre qu'elle aurait dû l'en avertir, — peut-être lui demander la permission.

— Ce déplacement avait pour moi si peu d'importance que je ne pensais pas que cela valait la peine de vous en parler.

Et peut-être tout de même, si elle ne le lui a pas dit, n'était-ce pas qu'elle craignait, sans s'en rendre bien compte, de le voir s'offusquer d'un si petit voyage fait pour remplir en toute innocence un devoir familial ? Elle se doutait déjà qu'il pouvait être sans indulgence ni compréhension ? Et elle sent aujourd'hui son lourd mécontentement qui ne veut rien entendre. On n'avait donc pas tort de parler du mauvais caractère des marins en général, et des Mével en particulier... Comment peut-il être ombrageux de ce cavalier inconnu dont elle ne sait plus ni le nom ni la couleur ?

Elle ne peut s'empêcher de lui faire remarquer qu'il vient de commettre la même trahison à son égard — si l'on peut appeler ainsi la légère imprudence qu'elle a faite — en allant au mariage de son ami... Mais sa froide irritation ne tombe pas. Il a un hochement de tête qui signifie : moi, je suis un homme, ce n'est pas du tout la même chose...

Le mot qui lui est déjà venu plusieurs fois aux lèvres pour juger sa façon d'être avec elle et de recevoir ce qu'elle veut lui offrir, lui revient aujourd'hui, et résonne plus fort que jamais à ses oreilles : sévère. Qu'il est sévère ! Et pis sans doute : dur. C'est si injuste et cruel qu'elle a beau être prête à se jeter à ses pieds pour lui demander pardon de son innocence, qu'elle ne fait rien, comme si elle était décidée à être innocente jusqu'à la mort, s'il le faut... Et c'est une poignée de main comme celle de gens en relations d'affaires tendues, un « au revoir » sans résonance, sans écho, sans chaleur, qui ne songe pas à un avenir, peut-être incertain et lointain, aussi lointain et incertain que nécessaire, mais où un espoir, une possibilité de se revoir dans la clarté ancienne, pourraient se dégager des ombres, des malentendus, des soupçons, des entêtements précipités à avoir raison... Comme si sa volonté à elle d'être parfaitement humble et tendre compliquait autant leur sentiment que son orgueil à lui...

4

Si on leur demandait pourquoi ils ont triché avec leur besoin l'un de l'autre, lui en cherchant une querelle injuste, elle en voulant peut-être, tout de même, ne serait-ce qu'un tout petit peu, n'avoir pas tort, oubliant que les innocents n'ont jamais raison d'être innocents, sans doute tomberaient-ils dans les bras l'un de l'autre. La brouille est parfois une manière d'épreuve à laquelle se soumettent sans y penser les candidats à un grand sentiment pour en être plus sûrs que jamais. Ce n'est que quand ceux qui s'aiment ont vaincu le triste esclavage de l'orgueil qu'ils deviennent les bienheureux esclaves de l'amour. Et puis on pourrait dire que c'est la mode ces temps-ci, dans le Tréguier amoureux, de rompre une fois, et même deux, avant de s'unir pour toujours.

Mélanie, « la fille de café », a été tout un an fâchée d'un capitaine par elle enjôlé, un de Kerivoual s'il vous plaît — que cette mésalliance pourrait mettre au ban de sa famille... Et voici que son noble Stéphane lui est revenu, qu'il brise définitivement avec sa race pour elle, plus épris que jamais. On pense que toutes les Trégoroises s'occupent de l'affaire, toutes autres affaires cessantes : les pauvres comme les riches sont indignées parce que Stéphane leur échappe également. La cafetière est aux anges et montre à qui veut le voir le plan du futur salon de sa fille, qu'elle appelle *roume*... Oui, si vous m'entendez, une cafetière, un salon ! et encore en anglais...

Et les commérages abattent leur réseau d'insanités sur la coquette au sourire facile, qui ne craignait pas, paraît-il, d'aller sur les carrousels avec les garçons les jours de foire. (Cela n'eut peut-être lieu qu'une fois, mais on ne l'a pas oublié.) On monte la tête innocemment à Stéphane, en se défendant de vouloir le moindre mal à l'élue, mais comme si on devait la vérité, toute la vérité, à celui qui a cru avoir toutes les bonnes raisons de la choisir et qui peut-être, s'il avait su... Elle est jolie sans doute, mais n'est-ce pas surtout de la beauté de l'audace sans pudeur ? On ne dit pas qu'elle n'a pas de beaux yeux, on ne dit surtout pas qu'elle louche, mais on ne peut tout de même pas ne pas remarquer si l'on veut être juste, un petit, oh ! un tout petit défaut — peut-être héréditaire, regardez bien sa mère — dans l'œil gauche, une inégalité incompatible avec la grâce parfaite... Trois fois rien... Mais quant aux qualités morales c'est sans doute plus grave : elle chaparde... Oh ! ce n'est peut-être pas tout à fait sa faute non plus, c'est dans le sang de la famille : sa mère, sa grand-mère... Oh je comprends que vous vous étonniez, que vous soyez scandalisé, mon pauvre monsieur de Kerivoual, mais demandez avec les commerçants de Tréguier : tous ont eu quelques difficultés avec un membre ou l'autre de la famille... Ah ! le charme et l'honneur de Mélanie sont dans de beaux draps ! Mais lui n'a d'oreilles que pour la petite voix de sirène, mais lui n'a d'yeux que pour la bouche bien dessinée et bien rouge. Elle chaparde ? qu'elle chaparde donc son cœur aussi ! Il ne demande que cela.

Il arrive qu'après les plus lourds nuages le soleil soit plus éclatant que jamais, et c'est la même chose dans le domaine de l'amour... Mais Sophie n'ose croire à une aussi belle, merveilleuse solution de leur brouille. On n'est jamais sûr de l'amour qui parle ; comment ne pas trembler en songeant à celui qui est parti sans rien dire ?

Peut-être regrette-t-il et souffre-t-il sur la mer ? Mais elle craint qu'un visage ne s'efface aussi vite du souvenir que la trace du navire dans l'eau... Sophie regrette ; ah ! comme elle regrette. Elle a regretté dès le dernier soir de son séjour, le premier de son absence. Avant même que la *Marie-Jeanne* n'eût roulé son amarre, le ressort de l'orgueil — de l'orgueil innocent — s'était affaissé.

Elle aurait dû lui demander pardon, sans comprendre sa faute... Tout de même elle a eu tort de ne pas le prévenir de son aller et retour à Lannion. Elle savait bien qu'elle ne faisait pas le moindre mal en allant à cette noce, mais il pouvait craindre, se méfier... (Elle aurait dû le rassurer...) A cause de son mauvais caractère, de ce caractère que sa mère a donc raison de craindre pour la tranquillité de sa vie, mais est-on responsable de son mauvais caractère quand il nous vient de notre père ?... Si elle l'aime, elle doit aimer son mauvais caractère, son injustice, sa... mais oui, sa dureté. (Certes, c'est cela qui doit être le plus dur...) Mais que serait un amour véritable s'il n'avait des difficultés à vaincre ? Est-ce que c'est toujours facile d'aimer Dieu qui nous envoie des malheurs, des maladies, des tentations, des doutes, tout cela, paraît-il, au nom du parfait amour ?... Yves capable de tant de tendresse, s'il a grondé, c'est qu'il avait raison : elle doit être toute à lui si elle veut être à lui, ne rien garder d'elle, ne rien lui cacher d'elle... Elle maudit son petit calcul, et puis sa petite vanité. Il fallait lui dire : « Comment aurais-je imaginé que je risquais de vous déplaire en allant à cette noce, sachant que je n'y pouvais faire le moindre mal et que mon seul plaisir était votre pensée... » Il est si bon dans le fond, mais il ne faut pas troubler ce fond en l'exposant à des soupçons... Il est loin, et elle devra attendre des mois pour lui exprimer son repentir, et pour connaître le retour de sa chère bonté...

Dans l'air, les dernières hirondelles s'agitent. Elles rasent la marquise de l'épicerie, le toit de l'hôpital... Elles partent ; on dit qu'elles traversent les océans. Peut-être rencontreront-elles son navire ; sur un des trois-mâts elles poseront un moment leur fatigue, et de ce court reposoir elles le verront dans sa majesté, dominer la mer, donner des ordres sans réplique... Et elle rêve d'être hirondelle pour le suivre, le rejoindre.

Mais le petit commis-percepteur du garni de sa mère pénètre dans sa rêverie. Il rougit en demandant un lacet de soulier. (Il avait dû s'assurer qu'elle était bien seule.) Et il ne s'en va pas, et quand il a épuisé la pluie et le beau temps, peu à peu il se met à parler de lui, d'elle. Oh ! c'est à peine s'il prononce les mots, comme si chacun était trop lourd pour son message qui se voudrait tout impondérable : « Je ne suis pas riche ; cependant mes parents ont quelques biens auprès de Saint-Brieuc... Un jour je serai percepteur... Mais je suis sûr qu'un millionnaire ne pourrait pas vous rendre plus heureuse que moi... »

— Je suis touchée de vos sentiments, Monsieur Cornic, mais j'ai donné ma parole, je suis fiancée.

Il s'en doutait ; il le savait ; il le savait depuis longtemps, depuis toujours, mais refusait de le savoir bien que l'ayant accepté, peu à peu accepté ; il s'excuse, il voudrait retirer tout ce qu'il a dit. Et l'enfant-fonctionnaire-poète s'est retiré bredouillant, en sueur, flageolant, tel un condamné à mort, et heureux d'avoir tout de même tenté une entreprise désespérée, d'avoir proclamé son amour grand comme le monde, d'avoir délivré son cœur d'un secret lourd comme le monde... (Elle n'en a rien dit à sa mère, car elle sait qu'elle dirait : « Comment ! il a osé ! un gratte-papier à cinquante francs par mois ! » Et elle ne veut pas qu'il soit humilié.)

Comme une âme scrupuleuse se croit tour à tour sauvée et damnée, Sophie, au fil des jours qui attendent un jour, un jour si lointain, réduit à rien les conséquences de leur dernière entrevue orageuse, ou en exagère l'importance à l'infini. Alors tout ce que recouvre le mot « vie » lui est à charge ; elle ne veut plus manger, elle n'aime plus rien de ce que sa mère met sur la table, pas même le gros lait qu'elle aime tant, qu'elle supporte encore en général quand toutes les nourritures solides lui répugnent ; et elle se réveille avec un poids sur la poitrine comme celui qui se rappelle un crime qu'il a fait dans le demi-sommeil, et elle tousse.

— Qu'est-ce qui vous arrive, ma petite fille ? vous avez mal quelque part ?

Mais elle n'ose dire à sa mère qu'elle n'a mal qu'au cœur, dans le cœur : elle dirait si elle l'osait dans le fond du fond de son cœur...

Non seulement le dimanche ne la distrait pas ; mais peut-être la sorte de fête hebdomadaire qu'il propose à tous la rend-elle encore plus mélancolique que les six jours serviles. Ces cloches qui tombent du ciel, c'est le plus clair de la joie d'ici ; peut-être font-elles douter que la mort soit éternelle, mais quel monotone paradis elles chantent et promettent !

Le banal bonheur du monde attise sa tristesse. Les folles du ciel font vibrer sa chambre où elle s'habille pour la grand-messe. Tréguier et Plouguiel s'y engouffrent et se confondent, jouent à s'unir, puis s'envolent, distincts, s'éloignent comme deux cités nuageuses qui se disputent la palme de la louange, mais s'approuvent l'une l'autre d'être les deux grandes voix qui chantent le Seigneur.

Un vrai dimanche tout plein d'un Dieu en or, et vide. Sophie songe : tant de soleil sur si peu d'allégresse !

— Le dernier son, Améliec. — Oui, j'entends bien, Sophie, il faudrait être sourde... — Il fait beau terrible, n'est-ce pas ? — Il était temps : il y a besoin terrible pour le froment... Allons, ce n'est pas ces temps-ci encore qu'il fera beau pour la seule gloire de Dieu ou pour la seule beauté !

Les ferventes sont éparpillées dans la cathédrale combien de fois plus grande que la petite cité. On espérait beaucoup plus de foi et que seuls essaimeraient les fils de Dieu en construisant ces nefs immenses pour conduire des foules sans nombre au Port. Pas de foule et moins de foi, mais toujours la cathédrale comme un rêve sur les hommes.

Une procession intérieure précède l'office. Les enfants de chœur en godillots brandissent les chandeliers comme des fourches, arpentent le vieux temple comme s'ils étaient en sabots dans un champ.

Les jeunes filles riches — car les autres n'oseraient pas se singulariser ainsi — arrivent seulement au début de la messe proprement dite. Les vierges de la classe moyenne se détournent pour voir et admirer leurs sœurs comblées par le sort qui se font habiller chez Bontemps à Saint-Brieuc, qui s'assoient quand elles s'agenouillent...

Sophie cherche à oublier les affaires de la terre pour songer à son destin éternel ; elle voudrait se recueillir, suivre son Dieu sur la route de sa Passion, mais le chapeau de Valérie la fascine. Quand elle doute de lui, elle voit en elle la rivale triomphante.

La musique du vieil orgue paraît avoir mille ans, comme si dans les longs tuyaux le moelleux de tant de caresses anciennes adoucissait les sons nouveaux, tels des souvenirs les pensées. Le petit groupe des demoiselles de bonne famille — dans un proche avenir de jeunes épouses —, et que flanquent des vieilles maigres dont le châle semble un linceul accroché à leur cou, répondent au prêtre avec le sacristain-tailleur.

Elles se sentent une heure égales, pareilles dans l'amour du Grand Amant Céleste qui exclut la jalousie... Mais c'est tout de même à qui fera dominer sa jolie voix ; mais combien de purs élans le Christ lointain reçoit-il ? Leur prière demande le bonheur sur la terre, et le plus tôt possible, demain. La foi en Dieu les aide à croire un peu plus fort en leur rêve humain. Rassemblées là à genoux pour une halte bénie, elles sentent palpiter en elles des oiseaux vibrants qui n'attendent qu'un appel pour s'envoler vers les destins les plus divers.

On quête deux fois, une fois pour les vivants, une fois pour les morts. Autour de la grande scène tragique, les petits valets s'empressent comme des enfants laboureurs qui s'amusent sans être incommodés par le regard des grands.

Sophie demande pardon à Yves de l'oublier un moment ; Sophie, qui doute de son amour, de ses beaux yeux qui s'efforcent de se noyer parmi les vieilles étoiles bleues de la voûte, implore son amitié à Dieu afin que, si cet amour lui manquait... mais est-ce qu'on peut imaginer une chose si affreuse ?...

Elle n'attend pas les fêtes comme les autres Trégorois. Elle n'a pas hâte de voir paraître ces grands jours pour l'éclat de ces jours, mais parce qu'ils lui prouvent que le temps n'est pas immobile, que le nouvel ajournement auquel est soumis son espoir, son rêve, n'est pas éternel. Ces grands jours ? il n'y a qu'un grand jour pour elle, celui de son retour.

C'est un absent qui conseille, qui dirige, qui inspire sa vie ; c'est dans sa seule pensée qu'elle se sent vivre un peu. Elle évite, autant qu'elle le peut sans éveiller les soupçons de sa mère, les plaisirs publics ; elle serait capable de refuser également les plaisirs de la simple vie pour en avoir plus tard la révélation totale avec lui, — comme un croyant méprise les jouissances de la terre, attendant tout le bonheur de la vision de son Dieu...

— Allons tout de même faire un tour à la foire, ma petite fille, ou bien les gens diront : ces deux-là vivent comme des sauvages ; elles ont peur de dépenser deux réaux dans une barre de nougat.

Et Sophie ne peut lui refuser de l'accompagner de peur que les gens de sa mère « n'aillent penser... » car Mme Kerguénou, on le sait, ne fait rien sans se demander ce qu'en penseront les gens.

C'est une vraie Saint-Yves toute profane qui rassemble tout Tréguier et ses environs. Un grand concours de baraques couvre la grande place du port sur quoi planent la poudre et la cymbale : confiseries aux couleurs exotiques, carrousels aux animaux chimériques, théâtre, point de vue, tireur de portraits, loteries, et par-dessus tout un cirque.

Sur l'estrade qu'un rideau rouge sépare de la tente, les artistes exécutent une parade de cuivre : un clown lunaire, un auguste solennel, une athlète surtout, qui semble la statue en chair et en beauté de la Force. Les gars de ferme aux yeux allumés de grands feux dévorent l'acrobate femelle aux cuisses vibrantes, transparente dans son maillot collant et dont la poitrine s'érige merveilleusement quand elle souffle dans son glorieux piston ; et ils donneraient leurs champs de blé en herbe pour un de ses baisers, et ils se font des clignements gras qui se demandent si de telles merveilles sont possibles, et si l'on peut les approcher sans d'immenses fortunes et d'immenses péchés ?

Attaché à une roulotte, un ouistiti grimacier mange avec ses mains les petites friandises qu'on lui tend, comme un homme. Et ceux qui ne regardent plus leur nature familière s'éberluent de l'étrange créature de quelque autre nature dont ils ignorent tout, qui ne s'étonne pas d'être un mystère, avec une âme de bébé dans une tête de vieillard. « Terriblement curieux. »

Des comédiens (romanichels) passent, proposant des babioles bariolées, des fleurs irréelles de pays dont l'étrangeté dépasse l'imagination. Un ours danse ; une jeune femme vêtue de toutes les couleurs de l'arc-en-ciel danse avec lui ; toutes les danses épousent toutes les musiques.

Comme une riposte à ces tentations, ces débauches d'un autre monde plein de périls, les binious viennent du haut de la ville, entraînant une dérobée sans fin qui recrute en route une foule de nouveaux adeptes aussitôt conquis par le rythme endiablé millénaire. Et il y aura un concours à qui boira le plus vite deux litres de cidre, et jeu de baquet et des courses et des luttes pour tous les âges de la jeunesse.

Le marchand de glaces répète son refrain : *Au chocolat — Pour les papas ; — Au citron — Pour les garçons...* Chacun crie son produit inconnu avec un cri jamais entendu. Les petites marchandes de fruits et de gâteaux du pays sont là aussi avec leurs petits étals, voire de simples brouettes, mais elles ne font pas grand-chose : Tréguier, aujourd'hui, se laisse séduire par les fruits étrangers.

Sophie sourit aux sourires de chacun : elle ne veut pas diminuer le bonheur du monde, mais elle songe au bonheur d'être seule avec un homme qu'on aime.

— Des cacahuètes nous pourrions acheter pour le petit Gabriel, maman ?

— Bah ! du pain-beurre avec du sucre est plus nourrissant pour un enfant, ma petite fille. Est-ce qu'on sait ce qu'il y a dans ces produits étrangers ?

Dans une grotte mystérieuse trône une devineresse qui pour dix sous dit l'avenir et aussi bien ce qui est loin dans l'espace que ce qui est loin dans le temps ; elle peut dire ce que pense de vous un marin perdu sur la mer, etc... Sophie entre malgré le conseil de sa mère appréhendant des révélations douloureuses. Mais la femme très fardée qui connaît la mission sociale qu'elle doit remplir, le bien qu'elle peut faire, lit dans sa main des bonheurs tranquilles et, sans supplément, elle découvre deux enfants dans les petites veines inextricables de sa main tremblante.

Et donc un tel bonheur l'attendrait tout là-bas ? Et il pourra être d'autant plus grand qu'il aura fallu davantage souffrir pour lui ? Mais sa mère trouble toutes les belles promesses de la sibylle en la menaçant d'une hérédité d'adversités :

— J'ai peur que vous soyez toujours malheureuse comme je l'ai été ma vie durant, comme ma mère.

Elle en oublie qu'elle connaît l'état de pur bonheur depuis qu'elle est mère... Doutant de pouvoir combler Sophie de félicités, voudrait-elle lui faire comprendre, et la persuader, qu'elle trouvera du moins dans son ombre une assurance contre les grands malheurs et une consolation des petits ?

Sophie rêve, mais le plus beau des rêves suffit-il jamais tout à fait ? Et elle a l'impression que chaque réussite nuptiale de ses consœurs lui prend une chance d'atteindre enfin le Grand Capitaine... On comptera bientôt dans Tréguier les jeunes filles qui ne savent pas la date de leur mariage.

C'est le tour de la petite cafetière de triompher en dépit des ultimes conjurations. La cérémonie religieuse a lieu à onze heures, s'il vous plaît, l'heure des élégances, et au grand chœur de la grande église. Heureux présage, il a plu quand la noce a franchi le grand porche. Mélanie était belle, bavarde, distraite, légère, comme pour confirmer sa réputation ; comme une invitée ; elle faisait rougir Sophie, aussi pudique que timide : « Si c'était moi, il me semble que je serais tremblante d'émotion. »

A présent, la jeune Mme de Kerivoual appelle toujours Sophie « ma chérie », mais sur un petit ton protecteur pour cousine pauvre.

Stéphane vient d'acheter un champ sur la route de Lannion, et l'on commence de lever la maison de leur rêve, tandis qu'ils partent pour l'Angleterre, où les attendent le bateau du capitaine et l'océan musical du voyage de noces.

La vie de Mélanie change, elle ; elle entre enfin dans son étoile. Un même réseau d'occupations fastidieuses, de petites habitudes sans surprise saisit l'âme de Sophie qui s'éveille et l'enserre jusqu'à la nuit.

Peut-elle appeler événement — même pour un jour — une visite inattendue, mais qui se déroulera sûrement comme la précédente : lorsque le curé entre, elle sait par cœur la réception que lui fera sa mère : — Une larme de vin, Monsieur le Curé !

— Ne débouchez pas pour moi, Madame Kerguénou !

— Si tout de même, et pour qui donc ? (pour lui Rose oublie son avarice).

Et le brave homme de Dieu leur fait l'honneur, un saint monsieur-prêtre de la campagne, qui ne cherche pas à cacher ses origines.

Comme la conversation fait allusion aux ennemis de l'Eglise, on évoque l'ombre de l'apostat Renan, ce poison, ce sauvage, cette saleté rouge, un enfant du pays qui a écrit de mauvais livres contre le bon Dieu, la Vierge et les saints et trouvé du monde corrompu pour le lire à Paris.

Jadis, on citait le renégat au prêtre un peu comme un prestidigitateur qui réussirait à faire des miracles sans les demander à Dieu, en quelque sorte en fraude ; il rétorquait : — Le diable en fait bien aussi.

On se représente encore la brebis égarée de la paroisse comme un érudit qui veut savoir plus de choses qu'il n'est permis à l'homme d'en pénétrer. Les bigotes l'opposent à saint Yves comme une intelligence « tournée vers le mal » à une âme pure sans cesse tournée vers Dieu. On n'ose penser qu'on l'admire tout de même et qu'on l'envie un peu, mais non sans quelque frayeur haineuse. Et le curé disait à ceux que scandalisait sa renommée : — J'aime mieux être à ma place humble et obscure que sur votre trône de gloire peu solide (avec un rictus). Je vous attends au lit de mort, M. Renan... Et ces paroles étaient profondes et terrifiantes.

Renan venait de temps en temps à Tréguier, et Sophie avait vu passer l'orgueil humain et la gloire humaine. Il avait l'air d'un bon grand-père qui sait beaucoup d'histoires, mais le cornu prend parfois le visage — ou le masque — de son maître.

On a appris sa mort il n'y a guère, et il n'en fallait pas plus pour que le curé triomphe. Il dit encore, avec un sourire tranquille : — J'aime mieux être là où je suis que là où vous êtes, et où votre gloire de la terre n'a pas dû vous suivre, M. Renan. Et chacun n'en doute plus, et grelotte en pensant au feu.

Sophie regarde avec un certain étonnement ce bonheur

tranquille comme la certitude. Elle aime bien M. le Curé. Cependant elle priait parfois pour la conversion de l'impie, quand elle n'avait pas un jeune homme à sauver.

L'homme de Dieu demande en partant : — Quand marierons-nous cette petite fille ?

— Oh ! je n'y pense pas beaucoup, Monsieur le Curé... (Craignant de trop mentir à son confesseur, elle se reprend :) Enfin, quand le bon Dieu le voudra bien.

Le bon Dieu semble ne se décider que lentement, et elle parle avec une certaine gêne d'Yves, et sa mère qui s'était doutée de quelque chose, voit ses soupçons confirmés : — Il ne vous écrit plus, n'est-ce pas ? Sophie doit reconnaître ce que bien des gens soupçonnent : — Vous voyez, ma petite fille, quel mauvais fond ont ces Mével : il ne peut même pas se cacher pendant qu'il vous fréquente. Que serait-ce si vous étiez mariés, s'il était le maître ! Bah ! laissez-le ; n'y pensez plus. Je vous dis que les marins sont tous les mêmes. La terre leur paraît belle vue de la mer, mais quand ils sont à terre ils ne rêvent que de la mer. Voyez Le Douarin, voyez Gabriel. L'un comme l'autre ; pas un seul pour faire oublier le reste. Quand il est ivre, le matelot de leur maison met les siens à la porte ; la femme se soûle de désespoir, et, quand les parents boivent, les enfants ne mangent pas. La belle-mère du caboteur vient pleurer à l'épicerie qu'il l'a chassée de chez lui en la traitant de « vieux tas de fumier » parce qu'elle défendait sa fille.

Hélas ! si Gabriel est si cruel avec sa femme, c'est que son frère et la bonne des Mével lui montent la tête comme à Yves. (La mère d'Aline l'a appris en payant un café bien arrosé à une amie du clan qui ne fait vraiment pas payer cher sa trahison !) On lui parle de mariages plus riches qu'il aurait pu faire, qu'on lui avait conseillés jadis : « Si tu avais voulu nous écouter, grande bouche (ce qui en breton veut dire imbécile avec une vexation supérieure) au lieu d'écouter "ton cœur", huit cents francs par an tu aurais de ta femme ! » Et maintenant que la nouveauté du piquant d'Aline a fait long feu, cette fortune qu'il lui était loisible d'acquérir d'un coup l'empêche de jouir de celle qu'il peut conquérir un peu chaque jour.

Aline est résignée. Françoise Zos cite le proverbe : *Là où la chèvre est attachée...* mais elle ajoute : « Mais il ne faut pas chercher son malheur quand on est prévenue. »

— Tous ces Mével, dit Mme Kerguénou, sont de la même pâte — je ne parle pas de leur mère qui est une Quilgars, des gens bien, malheureusement tous trop gros, une sainte femme —, autoritaires comme leur père. Pensez, Sophie, comme j'aurais du remords de vous avoir laissée vous marier, si vous ne tombiez pas bien, surtout fragile comme vous êtes. Vous manque-t-il quelque chose chez votre maman ?

Elle lui parle toujours comme quand elle avait douze ans : les enfants chéris ne grandissent pas dans le cœur de leur mère.

Une intermédiaire qui est peut-être moins bénévole qu'elle ne le dit vante à Mme Kerguénou le nouveau jeune médecin de La Roche-Derrien (la ville voisine, à une lieue à peine) qui se propose d'épouser une fille du pays ; Rose ne lui a même pas demandé s'il était beau, gentil, riche ; elle a dit que sa fille est souffrante ces temps-ci, et elle explique à Sophie : — Les gens de là-bas sont des étrangers ; pensez donc, vivre à cinq kilomètres de votre mère ! Je me consumerais lentement loin de vous. Et vous savez leur réputation : ce n'est pas pour rien qu'on dit : « Voleur comme un Rochois. »

(« Que pourrait-il me voler sinon mon cœur », pense Sophie assez flattée, avec un sourire secret.)

Tout de même ne va-t-elle pas se fâcher contre sa mère ?

— Je connais la mauvaise réputation des Rochois, maman, mais vous me dites aussi que les gens de l'autre côté de la rivière (Pleubian à une dizaine de kilomètres) ne sont pas fréquentables ; qu'épouser un marin de son pays qui fait régulièrement la Nouvelle-Calédonie c'est comme épouser un sauvage de là-bas... Quant aux étrangers si l'on ne peut comprendre un voisin comment les comprendrait-on ? en épouser un c'est épouser le malheur. Autant dire qu'il n'y a pas d'homme pour moi.

— C'est si souvent, ma petite fille, que quand on croit en trouver un, on ne sait pas ce qu'on trouve.

— Vous travaillez comme une mercenaire pour me faire

une belle dot, maman — et je vous en ai autant de reconnaissance que d'amour — mais au fond, vous ne voulez pas que je me marie...

— Quand vous aurez perdu votre père et votre mère, et que vous aurez compris que les hommes ne nous font que du mal, votre dot vous permettra de vivre sans souci, Sophie.

— Si vous m'obligez presque à refuser tous les partis, il n'y a pas de doute que je resterai vieille fille.

— Et pour ça ? tranquilles nous vivrons toutes les deux. Ou alors, si vous voulez absolument vous marier, prenez le bijoutier : c'est avec lui que vous vous éloignerez le moins de moi.

— Je suis comme fiancée avec Yves, maman.

— Sa demande il n'a pas faite dans les règles, Sophie ; du moins puisqu'il vous a priée d'attendre, il doit la refaire. Bons amis vous êtes, et c'est tout... Votre mari serait toujours près de vous, et vous ne quitteriez pas votre mère.

— L'Evangile lui-même dit : vous quitterez votre père et votre mère pour suivre l'homme que vous aimerez.

— Il donne de drôles de conseils aux enfants, votre Evangile ; je n'ai jamais lu cela dans mon livre de messe ; il dit : « Père et mère honoreras... »

Sûre d'être le plus grand amour, elle ne comprend pas qu'on puisse être tentée d'en préférer un autre.

Et chaque jour, chaque pauvre jour incertain, le tendre cœur qui se sent inutile parce qu'il se demande si celui qui l'habite lui dira jamais qu'il a besoin d'elle, nourrit sa grande vie du plus menu espoir.

Pour se rapprocher un peu d'Yves, chaque fois qu'elle passe devant la maison de ses parents elle regarde vers la fenêtre où elle sait que se tient sa mère. Alors celle-ci l'appelle en frappant doucement sur la vitre. La vieille dame, très grosse mais très digne, tricote avec la mort tout le jour derrière son rideau.

— Je ne connais pas de jeune fille plus parfaite que vous dans Tréguier, Sophiec ; je vous aimerais bien pour mon fils.

— Je vous remercie, Madame Mével ; je crois que je l'aime assez pour lui faire une bonne vie.

La vieille dame lui raconte qu'elle attendit son bonhomme sept ans de service, et sept ans encore qu'il fit pour son frère, et Sophie admire ce modèle de patience.

Mme Le Mével est si touchée par son innocence qu'elle ne se sent pas moins sa mère que celle de son fils, et elle lui parle à cœur ouvert, au point que, reconnaissant qu'elle connaît mal son fils, elle semble parler contre lui :

— J'ai souffert par moments avec mon mari, croyez-moi, et si je savais qu'Yves avait le caractère des Mével, je ne vous conseillerais pas de l'épouser.

Mais Sophie ne voit Yves qu'à travers son rêve, et la mère, se rendant à son amour inébranlable, est heureuse de la recevoir dans la famille : — Je n'aurais pas voulu que mon fils aille chercher une grande demoiselle : Kerguénou boit aussi, vous n'aurez pas à avoir honte de votre beau-père.

Elle lui prête à lire une lettre où Yves parle d'elle en termes très gentils ; il n'est donc pas absolument fâché ; elle revient de là comme des îles Fortunées.

Mais alors pourquoi ne lui écrit-il pas ?

Dans la boutique, une petite voix d'enfant, tremblante comme s'il venait de casser la bouteille de lait, demande à la jeune épicière : « Un sou de bonbons des encore on a le plus », sans dire bonjour ni Mademoiselle... Sophie compte dix bonbons en les faisant tomber un à un lentement dans un cornet, parce qu'elle sait qu'ainsi l'enfant a dix fois la sensation du bonheur. Le marmot à peine sorti s'assoit sur le seuil et défait le cornet et compte à son tour les bonbons et il hésite un instant à écorner le beau chiffre 10. Et Sophie sourit à ce petit manège, un de ces rites maniaques de la joie qu'invente chaque vivant... Et doutant de l'heureuse prédiction de la cartomancienne de la foire elle se demande si elle aura un jour le bonheur de mettre au monde un petit amateur de bonbons.

Mais voici qu'entre le facteur qui soudain semble si grand qu'il fait basse la porte, car elle a deviné que le destin ce matin s'intéresse à elle. Il arrive que ce grand personnage mystérieux vous fasse attendre, attendre comme pour vous apporter plusieurs cadeaux d'un coup — tous les cadeaux pour tant de jours en un jour — trois cartes pour elle ; toute sa correspondance pour longtemps en un courrier. Il y a des jours aussi grands que des semaines, que des mois. Vite, elle a reconnu l'écriture ; vite elle lit. Une carte de Thio (encore, toujours Thio !).

Bon souvenir de Thio

La carte représente la brousse, et la petite gare d'un petit train. Elle n'apporte que ce mot ; elle apporte le signal, la permission, l'ordre de la joie. Yves au cœur immuable, malgré tout ce qui pourrait en faire douter, n'a pas jeté à la mer sa petite image. Certes il ne dit pas qu'il n'a jamais cessé de l'aimer, qu'il l'aime de nouveau, mais c'est sans doute qu'il n'ose pas : il n'a plus le droit de le dire, puisqu'il est parti comme quelqu'un qui n'aime plus. « Souvenir » : le repentir et la souffrance de l'absence, une déjà longue absence... Souvenir du bonheur qu'elle lui a donné, souvenir de la peine qu'il lui a faite et de son injustice dont il s'excuse. Elle lit la carte tout haut, dans les pièces désertes, se répète les syllabes, cherche un secret dans chaque jambage des mots.

Le mot unique est gros de tout ce qu'elle rêve qu'il lui dirait s'il était là, dans son haleine. Ou s'il écrivait vraiment...

La deuxième carte d'une écriture soignée, régulière comme de l'imprimerie, si régulière qu'on pourrait croire que le message est la légende de l'image, porte ces vers :

Souvenir amoureux d'un homme qui bien près
Et bien loin à la fois de votre cœur respire
Et qui bénit de l'ombre où nul ne le connaît
La reine indifférente à laquelle il aspire.

Le petit commis de percepteur est à présent à La Roche-Derrien, ni plus ni moins petit fonctionnaire. Elle ne se dit même pas que si Yves n'était pas, il pourrait revêtir quelque existence à ses yeux. Le cœur doit préférer ce qu'il lui faut conquérir à ce qui lui est offert.

La dernière carte, une carte anglaise, s'il vous plaît, est de Mélanie. Celle qui oublie qu'elle fut fille de café, à présent qu'elle est fille de l'Univers, a vivement griffonné qu'elle est à Londres, que Stéphane est charmant et la gâte ; qu'elle va partir pour l'Amérique... Une voyageuse pressée qui jette trois mots à un souvenir de sa terne patrie en s'en éloignant. L'image de l'avenir de Sophie qui reprend la carte d'Yves.

Un commis voyageur entre : — Bonjour, Mademoiselle, ou peut-être Madame... depuis la dernière fois.

— Non, non, toujours Mademoiselle, Monsieur.

Elle appelle sa mère, et, tandis qu'il déploie sur le comptoir ses échantillons et ses charmes, et son vocabulaire choisi y ajoute des fleurs, elle regarde à la dérobée le Monsieur de Paris tiré à quatre épingles. (C'est lui qui lui fit des propositions si délicates l'an passé.) Et elle imagine les grandes villes pleines de beau monde où il la mènerait. Vêtu de drap si fin, sachant faire des bouquets avec les mots, comment ne connaîtrait-il pas le secret des exquises caresses ?

Mais l'amour d'Yves lui fera connaître les capitales les plus lointaines. Sur *Trafalgar Square* que représente la carte de Mélanie, elle rêve : sous le ciel gris, ils se promènent dans la ruche étrangère, semblable à ces passants minuscules au pied d'une immense colonne, et elle se perdrait si elle n'était pas à son bras.

Et elle ira encore plus loin que toutes les villes avec lui, par des chemins vierges, à travers les immenses solitudes de la mer, sur son grand bateau silencieux.

Et cependant n'a-t-elle pas rêvé, ne serait-ce qu'un instant, au commis voyageur ? Même si elle n'a pas exactement consenti à son rêve, elle se repent d'avoir fait quelques pas du côté d'une vie étrangère. (Ne pense-t-elle pas que, s'il le savait, il le lui reprocherait ? et comme il aurait raison !) Imaginer une autre destinée que celle qu'Yves lui prépare lui paraît un parjure, bien qu'il ne lui ait demandé aucune promesse, aucun serment (mais elle lui en fait !)

Les clientes se succèdent et l'on dit « un mot quelconque » sur l'un et sur l'autre. On flétrit une femme qui est allée au dernier bal (non, elle n'aurait pas dansé, mais tout de même...) quand il y a si peu de temps que son frère est mort.

On apprend les dernières petites nouvelles de Tréguier par la gazette des commérages. Petites nouvelles, mais grand intérêt. On ne lit guère le journal ; toute la ville fait son journal. La bonne du receveur des Postes a quitté la maison parce que la belle-mère était toujours sur son dos, et que le docteur lui donne vingt sous de plus par mois.

Le sacristain-tailleur renvoyé pour ivresse à un enterrement ne met plus les pieds à l'église.

Chaque panier qui pousse la porte contient une médisance ou une calomnie.

— Comment ça va chez vous, Féliec ?

— Ça va, ça va, Léoniec.

Elle voudrait bien n'avoir pas à parler de « ça » qui ne va guère, la coulpe, la honte de la famille : sa sœur qui crache le sang, à pleines cuvettes, disent les mieux — ou les plus complaisamment — renseignés.

— Ces L'Horset n'ont jamais été forts : ils s'en vont de la poitrine l'un après l'autre.

— Jamais je n'avais vu tant d'araignées que cette année, dit Mme Kerguénou qui vient d'en tuer une sous le sac de lentilles.

— Araignée du matin signe de chagrin.

— Oui vat ! une j'ai trouvée ce matin et mon saleté de garçon a déjà perdu une pièce d'un franc toute neuve.

— Ces bêtes-là savent, comme vous comprenez, ce qui doit arriver.

— Vous croyez dans ces choses-là !

— Je suis bien obligée : quand on a vu ça ! Vous, Virginie, vous ne croyez ni en Dieu ni en diable.

— Je crois autant que vous, Amélie, mais vous voyez bien, les Cuziat qui cousent le dimanche.

— Ça ne fait de mal à personne s'ils n'ont pas le temps pendant la semaine.

— Vous pensez que ça fait plaisir à la Vierge ?

— Et puis c'est sale tout de même pour les enfants !

— C'est ce monde-là qui a le plus de chance.

— C'est bien vrai, une maison neuve ils ont levée et il ne leur est rien arrivé.

Alors qu'en général c'est une démarche fatale à un des membres de la famille : il faut tout payer et la prétention à une meilleure vie tout particulièrement. On déteste, on craint et on envie un peu ces impies qui paraissent immunisés contre le mauvais sort, comme s'ils l'intimidaient par l'audace de leurs péchés, de leur transgression de la loi commune.

— Ils ont le diable pour eux.

— Deux bons Dieux il doit y avoir, dit Rose Dagorn, un pour les honnêtes gens, l'autre pour les autres. Enfin tout le monde ne peut avoir les mêmes idées.

Sophie pour une fois risque un mot dans la discussion :

— Il n'y a pourtant qu'une vérité, maman !

— Il faut du pour et du contre, ma petite fille : sans cela il n'y aurait pas besoin d'avocats. Il faut de tout pour faire un monde.

Et chaque jour inutile, qu'on peut déclarer tel avant qu'il ait servi, tant il est peu de chances qu'il n'en soit pas ainsi ; chacun attendant l'autre, attendant tout du prochain, ne paraissant vivant que parce qu'on imagine que le lendemain aura un peu de vie, enfin un peu de vraie vie, chacun luttant contre son immobilité en se hâtant vers celui qui le suit..., les jours passent, sont passés. Yves devrait arriver. Elle prie saint Yves de prendre le gouvernail de la *Marie-Jeanne*. Elle a toujours peur d'une mauvaise surprise, d'une ultime traîtrise de la mer. Enfin, tout Tréguier sait qu'il arrive. Son cœur bat comme un coureur, pour accélérer sa course. Si près d'elle après avoir été si loin !

Elle se rappelle qu'ils se sont quittés comme fâchés. Elle avait réussi presque à l'oublier tant elle trouvait de bonheur dans l'imagination d'une vie parfaite ensemble... Une fois de plus, très vite, elle interprète son « Bon souvenir » en tous les sens, pendant un jour, pendant deux jours.

Il est là, il passe et regarde à travers les bocaux, osant et n'osant pas, voulant et ne voulant pas ; va-t-il entrer ? Il semble hésiter. Elle maîtrise son orgueil ; elle ira plutôt à lui, sur la rue s'il le faut. Elle ouvre la porte, elle est sur le seuil ; il s'approche, ils se regardent, et le déplorable, le regrettable passé est comme s'il n'avait jamais été.

— Vous n'êtes plus fâchée, Sophie ?

— Oh, Yves ! Avez-vous pu penser que j'étais fâchée ? Je n'ai jamais changé.

Personne autour d'eux pour diminuer leur rencontre. Aucun témoin douteux. Il parle comme s'il avait été longtemps privé de ne pouvoir exprimer sa pensée profonde. Elle appelle sa mère qui ne lui fait pas trop grise mine. Puisqu'il est revenu, c'est peut-être tout de même qu'il pourra être fidèle... On parle et il lui demande la permission de venir prendre sa fille de temps en temps pour quelque promenade, alléguant que, s'il la connaît et est sûr de l'avoir bien vue, Sophie ne le connaît peut-être pas si bien.

L'avenir semble à Sophie une longue perspective de mousse où ils vont enlacés, légers comme deux sourires. Le bonheur sans problèmes, sans complications que nous imaginons aux fleurs l'habite. Elle a des idées vertes et roses, de toutes les couleurs des bonbons acidulés et des cornets-surprises. Elle est gaie comme toutes les créatures de la nature parvenues au sommet de leur chance.

Elle chante en breton, la langue de ses joies :

La jeune a la beauté ;
La vieille a de l'argent.
(bien entendu c'est elle la jeune)

La nuit du mois de la lumière blanche,
(de la bougie : septembre)
Nous chausserons nos souliers fins
Et nous irons danser
La plus belle des dérobées
Sur la place de La Roche-Derrien.

Mais son cœur de cet après-midi est aussi inquiet qu'heureux, car Yves doit venir prendre le café tout à l'heure, et elle tremble que sa mère ne fasse pas assez bien les choses.

— Ce ne sont pas encore les fiançailles, Sophie !

— C'est comme si c'était, maman.

— Et cela ne vous fera rien de quitter votre mère ?

— Si bien sûr, mais il le faut bien, et je reviendrai.

Si heureuse Sophie qu'elle ne songe plus au mal que peut faire son bonheur.

Son bonheur qui tremble un peu tout de même quand Yves pénètre dans la salle à manger, et sous la suspension dorée il lui apparaît plus grand que nature. Il est un peu gauche comme les marins sur la terre trop stable, mais si elle le remarque, son esprit ne s'y pose pas. Il a un sourire qui semble voir seulement dans ce lieu indigne la peine qu'elle y a prise pour lui plaire.

On cause navigation comme chaque fois qu'il vient. Serait-ce donc qu'il n'a rien d'autre à dire ? Nullement, mais c'est un homme si sérieux qu'il ne parle que de ce qu'il connaît parfaitement. Il raconte qu'il a failli heurter un iceberg durant sa dernière traversée. (Mais il a su l'éviter !) Elle frémit en apprenant ce péril passé : elle aurait pu ne pas le revoir ! Mais ce n'est pas tant le danger qui fait le métier pénible que la solitude. (Il a dû le dire déjà la dernière, la première fois, mais ce sont de ces choses qu'il est doux de réentendre.) Il regarde Sophie, et elle pense : « Qu'il est tendre ! » Et elle le couvre d'un sourire adorant comme une maman son enfant qui invente une câlinerie. « Si j'ai un fils, je n'en ferai pas un marin, j'aimerais mieux qu'il soit fonctionnaire sur la terre ferme. » Ah ! le beau destin qui est promis à leur fils !

Mais que la mer est féconde en histoires palpitantes ! Un jour ses hommes vinrent lui faire une réclamation au sujet de leur vin qu'ils jugeaient imbuvable. Lui alors de leur dire :

— Buvez un coup du mien pour oublier le goût du vôtre.

— Ah ! capitaine ! si nous avions de celui-là !

— Bougre de saligauds ! Il est de la même dame-jeanne que le vôtre.

Et ils se retirèrent penauds, comme celui qui visant son ennemi s'aperçoit que son arme est vide. Et elle est fière de lui qui confondit les ronchonneurs avec tant d'esprit.

Il parle des sauvages de Nouvelle-Calédonie. Certains Canaques lui avouèrent avoir mangé du Blanc, et leur visage exprimait un vrai bonheur... Mon Dieu ! Sophie tremble : on aurait pu le lui manger.

Il parle de la pêche aux albatros. « Les albatros empaillés garnissent bien une maison », dit-il, et, comme Mme Kerguénou va servir une pratique, et que, pour lui laisser le passage il s'est rapproché de Sophie, il lui souffle : « Nous en aurons un dans notre vestibule. » Ses lèvres pleines d'une si belle promesse frôlent son visage. Il lui donne le premier baiser. Elle connaît la joie de ne pas résister, de n'être que la réalisation de son désir. Et tout de même elle rougit, comme si elle était nue devant lui.

Quand l'épicière revient, il demande à Sophie de lui jouer quelque chose. Au piano elle chante le timide aveu :

Celui que j'aime est parmi nous ;
Pour un de ses baisers si doux...

Et elle lui sourit, et dans son regard qui ne la quitte pas, un sourire l'encourage. La mère, le cœur gros, se demande si elle ne doit pas se préparer à se sacrifier au destin. Malgré tout ce qu'on dit, il a l'air d'une bonne pâte d'homme.

Et pendant quelques jours leur idylle traîne dans les petits chemins de la campagne autour de Tréguier. Ils reviennent de Saint-Yves, ils montent vers Saint-Michel ; ici on va toujours d'un coteau à l'autre, d'un saint à l'autre. Par moments il lui prend le bras et ils vont si doucement, pour ne pas troubler le désert du silence, que les oiseaux demeurent dans les haies quand ils passent. C'est la fin d'un très doux automne.

Ils se disent leurs caractères, leurs habitudes de vie pour être plus sûrs de s'accorder dès qu'ils vivront ensemble.

Elle ne veut pas qu'il lui croie plus de dons qu'elle n'en a réellement ; elle craint de l'abuser. S'il résiste à cette confession c'est qu'il l'aime vraiment, et non la perfection qu'il imagine en elle.

— Je n'ai pas beaucoup d'instruction, vous savez, Yves : seulement mon certificat ; je ne suis pas restée chez les chères Sœurs jusqu'au brevet.

— C'est très suffisant, Sophie : vous savez écrire de jolies lettres ; vous connaissez le ménage, la cuisine.

— De la cuisine bien simple comme ma mère, Yves chéri. (Elle a osé le dire !)

— C'est très bien, je n'aime pas les plats compliqués. (Elle est parfaite ; elle aime tout ce qu'il aime.) Moi, j'ai douze mille francs d'économie. (Elle sent un petit choc, comme une églogue qui tombe dans l'étude d'un notaire.) Et à la mort de mes parents...

Elle tremble un peu : va-t-elle devoir pour lui répondre avec précision (et elle sait qu'il n'aime pas les réponses vagues), pour ne pas lui apparaître une trop misérable associée, enterrer sa mère et son père ? Mais elle se dit que ce sont sans doute des confidences naturelles entre fiancés... Elle fait donc en se forçant un peu état de toutes les promesses que Rose lui a faites, et elle place soigneusement toutes ses « espérances » auprès des siennes... Heureusement qu'elle est fille unique !

— C'est très bien, dit-il, nous pourrions donc, sans craindre des surprises, nous marier à mon prochain congé : cette fois je resterai plus longtemps à terre. Et ensuite ce sera l'Australie ; vous pourrez venir avec moi. Vous n'aurez pas peur du mal de mer ?

— J'aurai mon docteur, à bord, Yves !

— Vous ne vous ennuierez pas, tant de mois entre ciel et eau.

— Comment m'ennuyer avec vous ?

... Mais pourquoi parle-t-il un étrange futur mélangé de conditionnel ? renvoyant le paradis à l'année prochaine.

— Votre femme je serai quand vous voudrez, Yves... (Elle a osé le dire, et elle s'effraie de s'entendre dire encore :) Même dès cette année. Ne le suis-je pas déjà ? vous savez bien que je n'aurai pas d'autre amour...

Il semble hésiter : — En effet, on pourrait peut-être. A mes parents je parlerai. On pensait attendre mon frère qui fait la Chine.

Il donne des raisons qu'il semble ne pas inventer mais répéter, sans les trouver lui-même très fortes. Oh ! si Sophie avait l'audace de le mettre en demeure, sans doute se marieraient-ils avant son départ, mais elle a épuisé son audace à s'offrir et elle n'en a plus pour demander.

Et ils continuent à se dire des choses d'amoureux qui n'ont aucun besoin de regarder au-delà de cette heure de bonheur ; penser à l'avenir c'est parfois troubler la jouissance d'un beau présent.

Au carrefour du petit chemin de Saint-Yves et de la route de La Roche, sur la hauteur, ils s'arrêtent : au loin on voit la mer, dans l'échancrure où se jette le Jaudy. Elle imagine leur amour bercé, là-bas, sur le grand bateau, des mois sans voir la terre, sans voir les hommes, seuls avec dix esclaves, l'épouse du seigneur sur son château flottant... Elle rougit d'émotion de se sentir si près du bonheur.

Ils s'assoient un moment au Bois d'Amour, et, sur un banc qui doit connaître des foules de secrets amoureux, il l'enlace doucement, comme s'il avait peur de la briser. Elle a soupçonné d'abord qu'il était gauche, puis elle pense que c'est elle qui manque de souplesse ; son haleine lui a semblé forte, mais elle se dit que ce doit être l'odeur de la mer et elle ne la sent plus, car elle ne respire plus qu'elle. S'il est un peu avare de mots d'amour, elle tâchera d'en trouver pour deux, puisqu'il paraît heureux de ceux qu'elle lui souffle. Et le regard qu'il a en l'écoutant lui semble la poésie de sa parole.

Comme il ouvre son portefeuille pour lui montrer son bateau, elle voit une image de lui, la lui demande et lui promet la sienne.

Il affirme qu'il faut que tout soit bien clair entre eux et il précise : — Je gagne environ huit mille francs par an, mais je pense faire un peu plus l'an prochain.

— Cela doit suffire amplement pour nourrir deux enfants, n'est-ce pas, Yves ?

Chaque fois qu'il la caresse, ses yeux extasiés lui offrent toute son âme.

Ils montent sur la tour de Saint-Michel, le reste d'une église foudroyée, un grand perchoir et un grand nid de granit pour les corbeaux. Il la porte presque tant il la soutient dans l'escalier qui sent les oiseaux noirs. La flèche brisée se voit de si loin qu'elle sert de repère aux marins, et du clocher vide on aperçoit la mer immense, et de tous côtés l'immensité de la terre jusqu'aux Collines Noires. Tout cela baigne le cœur sans lui peser, et leur amour leur semble puissant comme ces deux vastitudes, et où trouver sinon en lui la solution de l'infini ?

— Regardez comme le ciel est beau sur notre amour, Yves !

— Oh ! vous savez, je ne vois que lui quand je navigue ; alors, quand je suis à terre, c'est elle que je regarde de préférence. Qu'y a-t-il de plus beau qu'un petit jardin bien tenu ? (Chaque fois qu'il aperçoit un potager par-dessus une haie, il s'arrête en extase : des choux, des salades ! Quand il construit en rêve avec elle leur future maison, c'est par là qu'il commence.)

Cependant, de si gentilles choses elle dit sur toutes celles que rencontrent leurs yeux — et sur les grandes choses — (que, mon Dieu ! il n'a pas lues dans *La Correspondance pour tous)* que, sans savoir ce qui lui arrivait, une âme de jeune femme il sentait... Et elle est si jolie, il y a en elle quelque chose de si... il ne sait comment s'expliquer, non, il n'a pas pensé : si pur..., il se sent si dépassé qu'il se promet de secouer l'opposition familiale dès son retour à la maison. Et elle ne cesse de le contempler :

Regarde bien ton homme, la femme du marin :
Il sera à la mer dès le quartier prochain.

Ils reviennent devant la brume du soir. Il semble à Sophie qu'ils vont sur la terre comme deux ombres enchantées sur une bulle immense. Ils engagent l'avenir ; ils font des projets, des plans : de retour de leur voyage de noces, il envisage qu'ils pourraient quelque temps habiter avec les parents de Sophie : il n'y aura qu'un feu à entretenir, et ils feront des économies pour la construction de leur maison. Elle est à ce point comblée par sa présence, son contact, ses promesses, qu'elle ne répond pas toujours exactement à ses questions précises : elle ne pense à rien, elle pense à son amour, à l'émerveillement d'aimer et d'être aimée. Il se demande si ceux de sa famille n'ont pas raison de dire qu'elle ne sera pas une épouse pratique, que ce n'est pas la compagne qu'il faut pour l'édification d'une vie solide aux bases financières saines ; qu'elle ne saura pas faire fructifier ses gains... Mais il passe outre, il rêve lui aussi, peut-être entraîné par son rêve. Il projette de rester plus longtemps à terre ; il laissera, un voyage sur deux ou sur trois, son bateau partir avec un autre capitaine... Ainsi son jardin, le jardin de son rêve, ne sera pas trop négligé. Il ne cesse d'inventer leur vie future, et elle bondit de joie. Combien de jours donnerait-elle pour prolonger ce soir ! Elle y a tant rêvé qu'elle se rend compte à peine de la réalité de cette promenade.

Une petite quinte la secoue : — Vous êtes enrhumée, Sophie ?

Il songe non sans inquiétude au tempérament de ses enfants. Il réentend clairement les mises en garde de son frère et de la vieille bonne... Peut-être en effet n'est-elle pas forte ?

— Oh non ! ce n'est rien. (Sa mère voulait lui faire mettre de l'ouate dans ses oreilles : « C'est par là que vous vous enrhumez dès qu'il y a un peu de vent... »)

Il pense qu'une fois encore elle a omis de répondre avec précision à une de ses questions précises, et si importante ! Cependant il ne quitte pas son bras, et les voici en ville.

— On va nous voir, Yves...

— Eh bien ! ne sommes-nous pas des promis ?

— Mon amour !

Qu'a-t-elle osé dire ? Ne l'a-t-elle pas un peu effrayé ? Jamais il n'avait entendu employer ainsi le mot amour précédé d'un possessif...

Un de ces si rares grands jours, qui arrivent parfois dans une vie — les vies bienheureuses ! — et eu égard auxquels on pardonne à Dieu sa création inachevée ; un de ces jours qui n'ont pas de commune mesure avec les autres, et la mémoire déjà en fait son paradis.

Sophie n'est qu'une pelote de joie ; elle est sûre.

Des clientes, des « amies » prétendent avec le dernier mépris qu'il y a des capitaines au long cours « à faire fumier » au Havre. (La haine, l'envie, la mauvaise foi découvrent de ces images suggestives !) Il y en aurait tant qu'ils ne trouvent plus à embarquer. Mais Sophie ne manque pas d'un petit trait perçant pour ces jalouses qui ne seraient sans doute pas trop malheureuses de partager le sort d'un de ces jeunes hommes si communs : « Un capitaine sans bateau votre fille a dû refuser, Emiliec ? »

Et la méchante est confondue. La fiancée triomphe sans peine, pimpante comme un rosier où monte la sève, déjà fleuri d'oiseaux... Le bonheur lui paraît à portée de la main.

Et voici que le menuisier tombe malade, et il vaudrait mieux dire tombe détruit ; l'étrange machine qui continuait de fonctionner en tournant en dérision toutes les lois de la vie est au bout de sa chance ; le miracle du bonheur fou est épuisé ; le docteur le condamne, simplement ; la sentence est exécutoire dans les quelques jours qui viennent.

Emile ne va pas bien, il ne va pas mal ; il ne va pas, il s'en va ; il semble qu'il n'y ait plus assez de vie en lui pour qu'il souffre. Un petit feu presque éteint dans la cendre encore chaude. Il somnole, il rêve, il ne se rend pas compte de son état. Il ne boit plus, il ne peut pas ; il n'y pense même plus ; il est tout changé, tout bon, comme après son accident, on est tenté de dire lavé, pardonné, innocenté.

Les deux femmes passent le jour, la nuit auprès de lui ; Sophie n'a plus d'amour que pour ce misérable dont elle voudrait tout de même éloigner la mort tout en sachant son cas désespéré. Françoise Zos assure qu'il s'en ira quand paraîtra la lune rousse.

Il baisse, il baisse, comme une lampe au réservoir vide. Enfin, il prend une conscience sans le moindre effroi de son état et de son départ prochain. Il a des remords, il dit à sa femme :

— Ah ! ma pauvre femme, si je t'avais écoutée !

Il regrette d'avoir excité la colère très digne de Rose lors de cette scène où elle brûla la police d'assurance : — Tu aurais eu quelque chose après moi, ma pauvre Rose !

Il va jusqu'à dire : « Cela eût augmenté ta dot, Sophie ! » Le prix de sa mort ! Il répète : « L'assurance ! l'assurance ! » Il voudrait des jours pour réparer tout le mal que sa passion fatale a causé à ses femmes ; des nuits même : il travaillerait la nuit.

Les beaux esprits subtils, à la course joyeuse, des vins charrient à présent du sable dans les rouages grinçants. Françoise Zos soigne avec ces dames cette vie révolue comme elle soignerait une accouchée qui déjà a vaincu sa petite mort, mais en hochant la tête. Les vieilles ont assisté à tant de morts qu'elles semblent préparées à celle de chacun — sauf à la leur.

Le délire commence avec l'apparition de l'influence maligne dans le ciel. Il chante *De l'Afrique j'en ai plein le dos*, et il réclame des absinthes qu'il boit fictivement avec une volupté réelle ; même il aspire longuement les précieuses gouttelettes que retient sa barbe. « Comme on a vécu on meurt, c'est la punition », dit la vieille.

Mme Kerguénou a perdu tout espoir : il y a eu l'indispensable intersigne : son portrait a rompu sa ficelle sur le mur de la salle à manger.

Un dernier mieux survient. Emile ne pratiquait guère : comment entrer dans une église froide, petite ou grande, quand tant de cabarets alentour laissent leur porte ouverte ? Il a demandé un prêtre ; sa folie s'est muée en pure sagesse, et on dit qu'il fait une belle mort.

Mais il est encore vivant, puisque le désordre de nouveau l'habite ; le spirituel, le terrestre en lui se mêlent, puis l'un l'emporte sur l'autre pour un instant ; ses souvenirs de première communion, et puis ses cuites sensationnelles, ses mille stations à toute heure du jour dans les petits cafés de la ville et de la campagne avec les amateurs du lent suicide vert, rouge ou jaune... voluptueuses bornes de son itinéraire de vivant. Mais le dernier cri de sa vie sort tout de même de son cœur, et de toutes les barriques qu'il a bues, son âme se détache en prononçant les deux noms chéris : « Rose ! Sophie ! » Et c'en est fait d'une petite vie qui s'est tuée à vouloir être plus grande qu'une vie d'homme...

Tout cela trouble l'âme de Sophie jusqu'en ses profondeurs. Les vieilles des fins dernières parlent du cadavre comme d'un mannequin, de son attitude dans la sciure de bois comme de celle d'un bébé dans son berceau. C'est la si commune tragédie, mais elle est nouvelle pour elle ; c'est son premier vrai tête-à-tête avec la mort, et elle connaît le dégoût de la vie élémentaire.

La coutume funèbre, que les anciennes apprennent aux jeunes se déroule comme une loi naturelle. Vient le baiser au visage glacé, souvenir frissonnant. Elle regrette de l'avoir presque maudit quand il insultait grossièrement sa mère dans ses basses ivresses. En son père elle voudrait aimer celui qui eut des tendresses délicates pour tous ses âges ; et l'ivrogne baveux qui recouvre cette douce image n'est-il pas son plus vrai père ? Et de ces deux pères si contradictoires un abîme semble séparer ce fantôme ; ce pantin dur, ce « corps »... Elle a peur, elle a pitié... Et voici, en avançant dans sa mort si l'on peut dire, qu'il devient beau, comme un homme endormi après une journée de courageux et sage vivant... Est-ce là son plus vrai père ?

Les hommes entrent dans la cathédrale à la suite du cercueil, puis ils se hâtent de sortir par une petite porte pour rejoindre un des nombreux endroits discrets de la place où ils pourront parler de lui. Et ils ne rentreront qu'à la cloche qui avertit du départ du convoi pour le cimetière. Les enterrements, c'est bien connu, peuplent les lieux de vie. Kerguénou n'avait que des amis, et ils ont besoin de noyer la peine qu'il leur fait. Le menuisier disait que chaque mort nouvelle c'est une soif nouvelle...

Tout est fini... Sophie abandonne sa main aux sympathisants qu'elle ne voit pas dans son voile humide. Cependant, une tiédeur, une sincérité, une intimité lui font lever ses yeux embués ; elle a deviné Yves avant de le voir, et elle le remercie d'un regard où elle met son âme, de vouloir prendre une part de sa peine. Elle ne sait pas, elle ne songe pas que le noir, la douleur, l'émotion lui vont bien.

Tout est fini, et il y a encore le repas funèbre que doit la famille aux amis qui ont honoré son mort. « Que diraient les gens si on ne les régalait pas après », disait Rose. Sophie pleure et n'a pas faim. « Les gens » de Rose qui profitent d'un petit festin savent qu'ils doivent en remerciement tâcher de consoler les endeuillés.

— Ça ne sert à rien de se tourner les sangs, disent les gens : ça ne le fera pas revenir. (« Des grimaces on fait jusqu'au cimetière ; au retour on mange et boit bien », disait Mme Kerguénou à tous les enterrements, scandalisant chaque fois sa fille.) Il n'est pas malheureux là-bas puisqu'il a fini par recevoir le bon Dieu, disent les gens : ses péchés pardonnés, il est parti vers les joies.

La fragilité, la délicatesse de Sophie sont également remuées par tant de brutalités. Elle a de la peine à reprendre pied dans la vie réelle. Yves n'a même pas l'idée de chercher à la revoir : il respecte la coutume qui la confine dans son malheur. C'est comme la quarantaine qui suit certaines grandes maladies. Huit jours passent comme huit jours de prison pour la nouvelle orpheline. Elle sait bien qu'il n'y aura pas de Mme Le Mével cette année, mais elle voudrait le revoir, ne serait-ce qu'un instant, ne serait-ce que de loin...

Il faut qu'elle attende quelques jours avant de reparaître dans la ville ; sans cela les gens ne diront pas : Sophie n'aimait pas son père, mais : Sophie ne respecte pas la coutume du deuil d'un père.

La première fois qu'elle sort pour une petite course dans la rue voisine, elle prie Dieu d'y faire passer Yves : « Il le sait bien, mais permettez-moi de lui dire que je voudrais, mais ne puis pas le voir... Et tout de même je l'apercevrai... » Et ils se rencontrent.

Timidement, comme si sa grande souffrance la rendait infiniment vénérable, il lui dit de longues paroles pleines de tendresse et de pudeur. « Perdre ses parents, c'est la moitié des larmes de la vie... On n'ose distraire un être, même le plus cher, d'une sainte douleur, parler d'union après une si cruelle séparation... Et comment en vouloir au cher vieil homme, n'est-ce pas ? Mais, puisqu'il souriait à notre union, et qu'il faut vivre, l'espoir est un devoir et notre rêve n'est qu'ajourné... Nous avons plus que jamais besoin de communier en une même pensée pour supporter ce malheur... » Qui a prononcé ces paroles ? Sans doute elle seule, sauf une peut-être qu'elle lui a inspirée, mais comme il semble la remercier d'exprimer sa pensée mieux qu'il ne saurait le faire, elle se les rappellera comme siennes. Non seulement elle lui donne tout ce qu'elle a et tout ce qu'elle est, mais elle lui attribue ses plus belles pensées.

Sa compassion est touchante, et il a de gentilles choses pour elle dans ses yeux, mais bien sûr c'est elle qui pleure pour deux ; qui pleure sur leur amour remis à plus tard. Le regard de leur au revoir semble filer une longue amarre, par-dessus la mer, entre leurs deux cœurs. Car sans doute ne se reverront-ils pas avant son départ qui aura lieu avant que la quarantaine ne soit terminée. Certes, on n'épouse pas une jeune fille en grand deuil, mais c'est étrange, la nécessité impérative de remettre leur mariage à une date indéterminée semble le préoccuper, l'inquiéter moins que d'avoir à l'envisager dans l'immédiat, comme il y a si peu de temps...

Il partira donc bientôt, et c'est déjà comme s'il était parti : il n'est plus là pour elle puisqu'il leur est interdit de se donner des rendez-vous, et elle ne peut en vouloir à une coutume qui honore la mémoire de son père.

5

Et la vie survit au père mort, à Yves, le vivant, le disparu. C'est quand on voit toutes les choses qu'il laisse qu'on réalise la place qu'occupait sur la terre le plus petit des vivants. Ses outils ont perdu de leur valeur dont nul n'usera comme celui qui les a usés. Son ordre est devenu un désordre, un embarras pour tous les autres. Qu'elle est étrange, cette voix qui demeure en nous, qu'on entend encore dans le silence, cette voix vivante qui semble désormais venir d'ailleurs que de la vie... Cette mémoire de lui qui ne correspond plus à rien ; et pourtant la mort ne peut pas effacer cette étrange survivance.

Le fantôme du doux bonhomme — qui eut cependant ses fureurs — effraie ses femmes. Elles fuient la chambre du mort qui fut la chambre commune, couchent toutes deux dans le lit de Sophie ; mais elles l'entendent encore soupirer, comme s'il se plaignait d'avoir été chassé de ses chères habitudes.

Dans la forêt luxuriante de mesquineries qu'est un entourage dépourvu d'idéal, ceux qui s'adonnent au rêve peuvent parfois se frayer un chemin en blessant leurs mains et leurs pieds. Mais tous les efforts que tenterait Sophie en ce sens seraient en pure perte : elle doit seulement attendre en tâchant de demeurer belle, de garder sa fraîcheur, en résistant à tout ce qui semble vouloir la faire vieillir avant l'âge. Son sort est entre les mains de l'homme. Heureusement a-t-elle l'exemple de celle qui sera sa seconde mère, qui fut quatorze ans fiancée.

Sa vie est de ces vies qui attendent un événement, et parfois cet événement est une parole, un seul mot. On n'y trouve pas de vastes catastrophes, de grands cris ; pas d'orages dévastateurs ; et elles peuvent ne pas paraître dramatiques car elles ne furent que l'absence d'un seul personnage.

Il lui semble que le temps stagne ; elle feuilletterait le calendrier jusqu'au Grand Jour, quitte à vieillir de dix mois en quelques minutes... elle qui craignait tant il y a une heure de faner prématurément.

On dit qu'elle vit, mais elle n'oserait pas le dire. Combien de pas inutiles faut-il donc faire — sans pouvoir affirmer qu'on marche — pour atteindre aux vrais jours de la vie ? pour parvenir enfin à « sa maison ».

Elle parle à chaque instant du jour à l'image d'Yves. Dès qu'elle peut échapper à la vigilance de sa mère qui s'inquiète (non, elle ne la gronde pas, elle s'inquiète) quand elle la saisit en flagrant délit de rêve, elle se réfugie dans sa chambre, sort sa photographie de sa cachette — le cahier où elle porte ses recettes-conseils de beauté... — et s'entretient avec elle comme on « cause » avec Dieu ou avec tel ou tel grand personnage du ciel, dont on a accepté une fois pour toutes qu'ils ne peuvent répondre. (On ne se demande même pas si c'est une question de mauvaise volonté de leur part tant on a pris l'habitude de ce silence...)

Il lui avait dit : « Si vous voulez m'écrire, je recevrai votre lettre en arrivant là-bas. Les bateaux qui assurent le courrier sont plus rapides que les nôtres. » Elle lui écrit donc :

Vous êtes loin, très loin, Yves, sans cependant avoir quitté Tréguier, puisque vous êtes toujours dans le cœur qui vous aime. Ainsi, je suis sans cesse prête à vous recevoir si vous pouviez revenir tout à coup, comme dans les miracles.

J'essaie de vous suivre sur ma géographie de l'école, mais comment réussir à vous rejoindre ? Il faudrait que vous m'attendiez un peu, et je sais que vous ne pouvez vous arrêter, que vous devez avancer sans cesse. Heureusement, chaque soir je prie pour vous, et je crois souffler un peu dans les grandes voiles. Vous voyez, celle qui vous aime est une petite sotte.

Souvent je vais à Saint-Michel. Quand j'arrive à l'endroit d'où l'on voit la mer, il me semble que j'ai marché vers vous, que je me suis rapprochée de vous. Et je pense à celui qui ne voit pas la terre. Peut-être au même instant pensez-vous à moi, et nos deux pensées se rencontrent, comme deux prières adressées en même temps à Dieu. Quelque part, mais comment savoir où ?

Vous ne partirez plus seul, mon amour ! Du moins, je voyagerai avec vous jusqu'à l'arrivée des enfants. Et, puis-

qu'on sera ensemble, qu'importe le nom de la mer sur laquelle voguera notre paradis flottant ?

Quand je me promène avec maman dans les petits chemins autour de Tréguier, elle me demande pourquoi je veux toujours passer par les mêmes ? C'est que je refais nos promenades, et j'invente un mensonge pour garder mon secret. Quand je vais au quai (on ne dit jamais à Tréguier qu'on va au port, mais au quai), *je ferme les yeux et je rêve que vous arrivez sur votre grand navire... Mais je sais bien que le port est trop petit pour lui. Dites-moi que je serai assez grande pour vous.*

Je vous envoie autant de caresses qu'il y a de poils dans votre moustache, et, si vous approchez ma lettre de vos lèvres, les baisers de votre petite femme vous baiserez.

Sophie qui attend de vous son nom.

Elle a tremblé en signant, comme si cela devait n'atteindre personne, ou lui déplaire. Sa petite voix a peur de se perdre dans le vide, dans un abîme, celui de la mer, ou celui de son oubli.

Elle a écrit une autre lettre qu'elle n'a pas osé lui envoyer ; à peine si elle a osé la relire ; elle l'a vite cachée parmi des papiers.

Dans quelque temps aura lieu le double mariage des cousin et cousine de Kerdir avec des paysans des environs. On revise les armoires. Sophie est venue aider à raccommoder quelques pièces du trousseau. C'est la nuit, le souper « attrapé » où étaient priés un de Roc'h Melen et Goasdoué, le casseur de bois de Croaz-Skijou, connu surtout comme récitant des prières des morts — et quelles prières ! — et il n'a pas son pareil dans le quartier pour les histoires d'après la vie. Une chandelle sur un pot de grès éclaire une couseuse au gros point et deux tricoteuses. Les hommes, les coudes sur la table, fixent une goutte de vin ardent dans leur bolée. Maïe-Louise du silence, dans la flambée d'ajonc qu'elle entretient, semble fixer l'enfer.

Une veillée de contes et d'histoires, où l'on vide son sac d'impressions de mystère et de souvenirs d'angoisse, n'a guère de commencement ; on ne se dit jamais : on va se dire des choses... Cela vient tout seul, et pourtant c'est comme si chacun savait ce qui va arriver ; nul n'ignore où l'on va, on va vers ailleurs.

On causait de tout, de chaque ménage, de chaque bas de laine... de ce qu'il faut attendre de chaque champ dans les jours à venir, de chaque ventre de femme et de chaque femelle dans les étables... Et le présent, et les choses de la terre ont été épuisés.

Alors Maïe-Louise dit la vie de saint Gouélou, un saint aussi grand qu'inconnu des historiens ; et puis elle conta l'histoire de Bout-du-Jour (le Juif Errant) : — Un grand tour M. Dieu avait fait sur la terre ce temps-là pour voir où était le compte avec elle, et mal il avait dans ses pieds, croyez-moi, après tant de chemins, et pas beaucoup plus beaux que les nôtres ! Juste, il lui arrive de passer devant la boutique de Bout-du-Jour (marchand de sabots il était). M. Dieu de lui dire alors : « Laisse-moi me reposer un petit morceau du soir sur ta croisée, s'il te plaît — la fatigue est avec moi terrible. » Mais Bout-du-Jour de dire (qu'il soit maudit !) : « Assieds-toi chez moi même le temps de dire d'où tu viens, et je serai déshonoré. » Alors M. Dieu en s'en allant : « Eh bien je me reposerai bientôt tout mon soûl, vat, dit-il, quand j'aurai déposé ma croix, et toi tu marcheras en continuant à la porter tant que la vie vivra, tu peux mettre tous tes sabots autour de ton cou, sûr, pour la longue route tu en useras plus que tu en as... » Holà ! une calamité c'est tout de même ne pas laisser M. Dieu défatiguer son content. Oui, monde, c'est comme ça que les choses sont arrivées, et celui qui n'y croit pas ne croit pas non plus que M. Dieu a de la fatigue avec le mal que lui font les hommes !

— Cela est la vérité ; c'est comme elle a dit !

Comment on parvient, en partant de simples histoires de la vie, imperceptiblement, à des récits de ce qui en rompt le train coutumier, qui le dépasse de cent coudées, c'est un des secrets de ces réunions nocturnes. Humaine ou inhumaine, honorant grandement l'homme ou le flétrissant d'un opprobre ineffaçable, mais toujours au-dessus de l'homme de tous les jours, dans l'extrême bien ou dans l'extrême mal, une chose étonnante en appelle une autre ; et de Bout-du-Jour, *spontus* (terrible, terriblement surprenant) par sa dureté, comme enivré par ce que l'homme peut faire de prodigieux — serait-ce pour se nier et se détruire mais dans quel éblouissement ! — jusqu'à humilier un Dieu ! et par la grandeur de son crime et de son châtiment, on en vint à évoquer les hommes à la force énorme et qui, grisés par ses pouvoirs conquirent leur renommée paroissiale, et parfois il s'agissait de joutes entre plusieurs paroisses, dans une bouffée de folie herculéenne.

Tel Arsénec de Troguéry qui ne connaissait pas les limites de sa vigueur, mais peut-être pas non plus celles de son orgueil. Le dimanche après vêpres, il soulevait dans ses bras toute une famille et il faisait le tour de l'église avec son glorieux fardeau. Un jour il avait parié qu'il soulèverait un tombereau, oui, tout seul, rien qu'avec la grâce de Dieu. Il regarda le ciel et gonfla son cœur, et il le souleva, mais il avait trop forcé, et il tomba sans vie. Trop fier il était c'est sûr, mais comme il avait fait le signe de la croix avant de se lancer dans sa prouesse, bien qu'il ait peut-être trop demandé à la grâce de Dieu, il semble qu'il ne lui arriva rien de mal en passant de l'autre côté de la grandeur humaine.

Encore un plus fort qu'une bête, mais plus malin : Anton de Kercoat en Trédarzec était dans son lit avec les boyaux cordés (ce que les Français appellent l'appendicite). Le docteur dit qu'il fallait une opération dans le ventre et vite ! Il viendrait le lendemain matin avec ce qu'il faut ; que la grande table soit propre et qu'on fasse un grand feu pour bouillir les instruments. « Entendu vous avez tous, dit l'homme, des couteaux dans mon ventre ! holà ! un bon morceau de viande salée je ne dis pas, mais ça je n'aurai pas, sûr... Nom dé Dié, crever pour crever... » Le bonhomme avait dit et il fit ; et de se mettre debout non sans peine, et pas trop vite, car tout se tordait dans son ventre, pour attraper dans l'armoire la bouteille de vin ardent de cidre et d'avaler la moitié comme de l'eau de prunelle (une piquette). Un être c'était si vous me croyez. « On verra bien ce qui arrivera : M. Dieu damne la couenne de mon âme ! Et il se recoucha et il dormit, lui et son mal et sa force terrible ; et l'être de puissance sua ; il sua tant que sa sueur mouilla sa balle d'avoine. Et le médecin vint le lendemain avec tout ce qu'il faut pour soigner les hommes moins courageux que lui. Et il trouva le lit vide, et il demanda des nouvelles du pauvre être malheureux... On lui répondit qu'il s'était levé de bon matin et était allé travailler aux champs. Il est allé retrouver la vie, pauvre pourvoyeur de la mort ; il ne t'a pas attendu, incapable docteur ; il est plus fort que toi, guéri par l'orgueil de sa force. Et ils rient de l'humiliation infligée à l'homme de science. Ah ! qu'Anton avait eu raison ! Jamais eux non plus ils ne se laisseraient opérer. Meilleur est mourir que d'être endormi !

Il y a des choses qui ne provoquent ni la mort ni l'effroi mais inspirent une répugnance parfois aussi forte que la frayeur. Quelqu'un assura que les Parisiens — pas difficiles vraiment pour des qui se croient combien de fois plus fins et civilisés que les Bretons — mangent des escargots. Oui, des escargots, comme nous les crottes de chien (une variété de bigorneaux). Un dégoût en attirant un autre, une foule de choses qui provoquent un haut-le-cœur furent passées en revue et discutées. Alors le véritable héros d'épopée se présenta de lui-même aux mémoires, Corlouër au nom prédestiné (*corc'h*, excrément) qui lança, couronnant un concours de gageures, dans un vertige à étages :

— Eh bien ! moi, je ferai plus fort que tous ceux-là ; moi, de la m... je mangerai, que pariez-vous, tout le monde ?

— Ça tu ne feras pas, Pipi (Pierre).

— Je le ferai, Dieu me maudisse !

Et une bouteille de vin ardent fut mise devant lui, enjeu du pari, et dans la main on se frappa en crachant, et on attendit, ironique, le défiant, voulant et ne voulant pas que la chose monstrueuse ait lieu... Mais les yeux incrédules virent bientôt. Oui, comme inspiré, comme envoûté par le démon de l'impossible, le plus fou et séduisant des anges déchus, il en mangea, et pas un petit morceau, devant ceux qui croyaient qu'ils allaient vomir de dégoût, et certains vomirent réellement, comme pour rejeter à sa place ce que lui absorbait, ce dont il nourrissait sa chair, fascinés tout de même...

— Oui, la saleté, il l'a fait, le cochon noir, des l'ont vu.

— Ecoutez, une pièce d'homme c'était tout de même !

Et, comme enivré par sa gloire nauséabonde, voici que Corlouër en rêve une plus haute. Il parie qu'il boira la bouteille de vin ardent gagnée, et sans attendre le soir, « pour faire passer le goût », dit-il avec un clin d'œil. Et il la but en quelques lapées, et ceux qui regardaient sans bien croire encore n'auraient pas eu le temps de dire leurs prières ou de boire un litre de cidre, et il tomba raide juste en finissant... Oui, vat...

— Sûr il le fit, il fit tout ce que j'ai dit ; non, je ne l'ai pas vu : j'étais trop jeune, mais mon père me l'a dit.

— Et dites-moi, monde, si les femmes nourrissent encore dans leurs ventres des êtres aussi puissants ?

Et tous se taisent un instant, sidérés par la grandeur de l'homme, comme des moines à qui on lit le catalogue des macérations et des tortures du martyre d'un des saints de leur compagnie, terrifiés mais enivrés de fierté.

Sophie écoute, gênée, un peu honteuse pour eux tous, dépaysée parmi ces âmes de matière.

Et ils discutent les mérites des beaux organismes à la jeunesse triomphante en jurant tous les jurements, car un argument que ne termine pas un blasphème n'est pas plus un argument qu'un vers un vers sans sa rime : Dieu n'a pas été appelé comme garant.

Mais la force, grâce divine, s'épuise et se dissout, et la maladie, cette faiblesse devant laquelle la force doit s'incliner, arrive bientôt escortée de mille légendes mystérieuses.

On cite une femme atteinte d'un cancer qui chaque jour introduit une grande pièce de viande dans la plaie béante et ainsi la bête la dévore-t-elle moins vite, trompée par la chair étrangère.

On passe en revue les rebouteux plus forts que les docteurs qui remettent en place tout ce qui se dérange dans les corps avec des passes et des oraisons. Des envoûtés par l'entremise de saint Yves de Vérité dont aucun médecin terrestre ne guérira la cachexie. La vie est nouée en eux, ils ne peuvent plus s'alimenter. « Un pourtant j'ai entendu parler, monde cher, encore il vivait sans manger et il vécut le temps d'avoir plus d'un enfant », mais le souvenir de ce miracle semble perdu (il faut dire que le corps de Dieu on lui apportait chaque matin, et peut-on imaginer un pain plus nourrissant ?). « Ulcère de l'estomac », disent ceux qui croient savoir ; guérir c'est autre chose. Ils nomment le mal quand ils ne le comprennent pas et qu'ils ne peuvent rien contre lui. Car il y a plus de maladies que n'en connaît la science des vivants. Et la mort sait plus de chemins que les plus habiles coureurs de pays. Et les paroles qui suivent la courbe du Destin abordent le grand puits noir, et Celle qui a toujours le dernier mot.

Chacun en sait une histoire, deux, plusieurs, Maïe-Louise les sait toutes ; du moins elle sait choisir parmi celles qu'on raconte celles qui sont vraies, celles qui ne le sont pas. Et elle laisse parler les autres, et semble somnoler sur la flamme, mais, quand quelqu'un se trompe, hésite, ou manque de mémoire, elle se réveille et dit, irréfutable : « Je l'ai vu, moi », ou « lui-même me l'a dit, et, croyez-moi ce n'était pas un menteur », ou : « Ce n'est pas ça... Non, non, ce n'est pas comme ça les choses sont arrivées... » Et ses mains se tendent comme celles d'un prêtre en chaire, et ses yeux brillent d'une sorte de colère de vérité qui fait branler sa tête tout en os — comme ces petites pyramides qui, au sommet des tombes aux prétentions bourgeoises, roulent sur les boules qui les supportent, quand sonne l'ouragan. Et nul ne songe à la contredire, à dire : Maïe-Louise ici n'a plus sa mémoire à elle comme elle avait...

Qui n'a entendu, durant la maladie d'un proche qui devait être mortelle, rouler une brouette sur la route caillouteuse, au plus creux de la nuit, ou passer des noctambules immatériels chaussés cependant de sabots sonores ? — les ramasseurs d'âmes.

Et tous, regardant la chandelle d'où coulent des stalactites de suif, effrayés, pressent leur mémoire pour en extraire un nouvel effroi ; chacun fuit les yeux des autres, mais son effroi grandit et à la fois se rassure de deviner tous ces effrois qui touchent le sien, chacun disant ce qu'il connaît, qu'il se rappelle de plus lugubre, pour être à l'unisson de tous, pour augmenter la peur de tous. Ils ne discutent plus, ce sont des faits bruts ; ils racontent, et même Maïe-Louise n'intervient plus, comme si la séance se passait selon les règles, puisque la frayeur est reine. Elles sont trop terribles pour n'être pas vraies, toutes ces choses de la mort infinie.

(Dans ce vaste domaine mystérieux, où tous autour d'elle s'égarent avec de tremblantes délices, Sophie cherche le chemin que peut suivre son père.)

Et ils racontent les cent intersignes et les lucioles dans les cimetières, tout ce qui est avertissement, émanation, message de l'empire souterrain. Les jugements de Dieu qui n'attendent pas la mort naturelle des malfaiteurs ; les châtiments de ceux qui volent des fleurs aux morts, les vases de leur tombe, leur veuve ; qui laissent enterrer leurs parents hors de leur patrie — et ceux-ci viennent la nuit, souvent de très loin (mais les distances ne leur coûtent guère), se plaindre à haute, coléreuse et lugubre voix.

Chacun connaît l'histoire de l'enfant Gonidec qui creusait de petites tombes dans le jardin de ses parents qu'il ornait de petites croix de bois, de coquillages et de fleurs, et on l'avait souvent surpris se promenant dans le coin du cimetière réservé aux moins de dix ans, avec un bon sourire pas du tout triste ou inquiet comme un jeune barde qui sitôt délivré de la terre deviendrait un ange, et il se tua en tombant d'une meule de paille sur la tête (sa pauvre tête déjà trop pleine), trop intelligent pour demeurer avec les pauvres hommes. Chacun en connaît l'histoire, mais tous ont besoin de la réentendre pour s'effrayer de nouveau ensemble, pour augmenter la peur de tous.

On raconte ces abîmes aux vapeurs épaisses où tous les hommes disparaissent un à un. Et le dur chemin qu'il faut parcourir pour parvenir au paradis à travers des forêts pleines de ronces et d'embûches. Mais quelques-uns qui cependant étaient réellement partis reviennent pour se mêler quelque temps encore à la vie, à la façon trouble des ombres. Par exemple, des âmes sont condamnées à expier leurs crimes sur les lieux mêmes où les créatures de chair qu'elles furent les commirent, et l'on peut, chose effrayante, croiser leur chemin, et c'est en général une rencontre de fort mauvais augure.

Ainsi Jeanne-Marie Beuvan étant entrée dans l'église de son plou à la minuit, croyant avoir entendu sonner la messe basse. (Qui avait donc intérêt à l'induire en erreur ?... C'est curieux comme on se trompe facilement d'heure dans ces histoires où interviennent les puissances d'un autre temps...) Et elle vit du porche une ombre pâle qui courait sur les piliers, un immense officiant au loin dans le grand chœur. Et elle s'enfuit, affolée, remettant son cœur dans sa poitrine, persuadée qu'elle avait troublé dans sa pénitence un mauvais prêtre, obligé par Dieu à redire ses saints sacrifices bâclés ou célébrés en état de péché. — Vous oubliez de dire, intervient Maïe-Louise, furieuse, comme si les rapporteurs avaient fait une grave injure à la vérité, parce que vous n'avez pas connu sa famille comme moi — et le café j'ai eu avec eux plus d'une fois, holà ! — qu'elle ne fit pas la grasse matinée une fois retrouvé son lit ; elle tomba aussitôt malade et mourut le soir même, car ce n'est pas bon de regarder dans les secrets du monde d'à côté.

Et ils s'enfoncent dans les profondeurs de l'horreur et de l'épouvante comme des scrupuleux qui font leur examen de conscience, non sans un secret enchantement de cette communion dans des aventures également attirantes et repoussantes. Goasdoué raconte bien d'autres histoires que celles dont il régale d'habitude les veillées funèbres : et on se confie qu'il en connaît des centaines que celui qui lui a donné cette science lui a ordonné de garder pour lui ; et peut-être ne veut-il pas avoir quelque mort subite sur la conscience parmi ses fidèles. Il n'y a que Marie-Maïe-Louise qui pourrait lui tenir tête... Ah ! s'ils consentaient à échanger leurs mémoires, ils pourraient raconter ensemble jusqu'à l'heure de la mort du premier appelé.

Les fossoyeurs de nuit qui creusent des tombes pour appeler les vivants qui ont commis quelque forfait, et ceux-ci savent qu'ils n'ont plus qu'à aller s'y étendre.

Les rencontres avec l'Ankou, cet esprit multiforme de la mort, on serait tenté de dire son factotum ; avec des revenants parfois chargés de chaînes, mais ils peuvent aussi bien avoir les gestes libres comme vous et moi (il est une maison en Landréguer dont les greniers sont habités par une grande dame blanche de la Révolution qui n'a rien de cet attirail traditionnel). Avec de tous récents trépassés auxquels on parle en rêve, sans prendre conscience qu'ils ne sont plus de notre monde, que l'on accompagne un bout de chemin dans la nuit

— mais quelle nuit ? — et qui soudain se décharnent aux yeux dilatés... et le squelette s'enfuit en poussant un rire à la lettre d'enfer, frappant la terre comme une paire de béquilles hantées, vivantes, horribles à voir, et plus encore peut-être à imaginer...

Vous, vous n'auriez pas peur, affirmez-vous ; vous, vous plaisantez des croyances naïves des commensaux de ce festin de chair décomposée ; ne faites pas trop les fiers, s'il vous plaît. Parmi les imposteurs du sacré, on cite le cas d'un fanfaron qui fit des bruits durant des semaines dans la ferme de sa tante pour qu'elle consente à la lui vendre un tout petit prix, chassée par l'effroi, affaiblie par ses nuits blanches, et il réussit son coup aussi parfaitement qu'il l'espérait. Il réussit si vous voulez, mais Maïe-Louise affirme qu'il se dessécha peu de temps après être entré en possession de l'héritage, triste faux fantôme. Il entendit à son tour des bruits, et autrement glaçants que ceux qu'il avait produits, et il devint bientôt un vrai fantôme. Et n'y aurait-il pas ce châtiment suprême, ces hommes qui se moquent des choses saintes, redoutables, comme ceux qui raisonnent et nient et veulent jouer au plus malin avec elles, ils étonnent et effrayent également ; on peut parfois les admirer, mais on ne voudrait pas être l'un d'eux, non vat, sûr ; on n'a pas du tout envie d'être à leur place, dans leur peau, même pas le temps d'acquérir la fortune d'une aussi trouble façon.

On sent à présent que tout est dit. On n'ose évoquer une célèbre vieille voleuse de vie qui prolongeait ses jours branlants en en subtilisant un de temps en temps dans la somme de ceux de ses petits-enfants : elle ressemble trop à Maïe-Louise, bien que celle-ci n'ait pas de petits-enfants à voler.

Les « choses d'épouvante » sont finies pour cette nuit, et il faut aller se coucher, et d'abord se lever ; mais collés au banc par la frayeur, ils craignent, plus encore que celle-ci à laquelle sans doute ils commençaient de s'habituer, le mouvement, le moindre qui pourrait les en libérer, comme si, en troublant l'air devenu pesant autour d'eux, où les esprits doivent être aux aguets, furieux de ce qu'on agite leur idée, les corps allaient devenir plus vulnérables que jamais, et heurter des chauves-souris, des griffes immatérielles, mais qui déchirent plus que celles d'os, de chair et de sang.

Maïe-Louise a compris qu'elle doit se lever la première, et les hommes, faisant, pour se donner une contenance, comme s'ils avalaient la dernière goutte de vin ardent de leur bolée depuis longtemps vide, sont bien forcés de l'imiter. Et la vieille prononce, sans répondre à rien, comme pour augmenter leur angoisse : — Oui, monde, il n'y a que de la vérité dans tout cela ; la mort est là.

Comme pour les effrayer avec ce qui la menace elle d'abord.

Ils s'agenouillent pour la prière du soir autour de la cheminée qui leur semble le puits noir de l'infini. Et chacun prend sa chandelle en s'efforçant de ne pas tousser. Si le bois des arbres fruitiers craque cette nuit dans les meubles, ils diront leur acte de contrition.

Sophie, qui partage le lit clos de sa cousine qui bientôt le quittera pour celui de son mari, regarde le feu s'éteindre par la petite fenêtre coulissante comme un hublot, et pense à une couche étroite dans les entrailles d'un grand navire où de son étreinte un homme fort la protégerait de toutes les peurs.

« En ville », aujourd'hui il fait lourd « comme du plomb ». Le monde dort, l'air, le ciel dorment, les gens semblent dormir ; le soleil seul est éveillé pour endormir la vie. Il n'y a que les vieilles « de l'hôpital », qui sont surtout celles de l'hospice, à oser se promener par un pareil temps.

Vivant enfermées loin de l'astre fou, elles n'en connaissent plus les dangers. Leur petit troupeau de ruines remonte la rue Neuve ; elles longent les murs comme les ivrognes, regardant de tous côtés comme les mendiants, les voleurs. Un torticolis semble ne plus pouvoir détacher ses yeux blancs des hauteurs célestes ; des boiteuses donnent le bras à des aveugles. On voit dans un trou où le nez semble s'être engouffré, vivre la langue dans une bouche. La plupart d'entre elles entretiennent une croûte quelque part dont elles grattent l'auréole rose, et qui ne disparaîtra qu'avec elles... Bref, les lépreuses d'un pays sans lèpre. Elles semblent heureuses : abandonné par tous ceux qu'effraie la frénésie du soleil, le monde est à elles. Sophie tâche de ne pas voir ces débris qui en veulent aux jeunes d'être jeunes, car, si elle les regardait, la pitié l'emporterait, et l'horreur la ferait souffrir.

— Le ciel est beau, Maguitec.

— Beau effrayant, vat ! et ce n'est pas ce qu'il faut pour la terre. Heureusement de l'orage il y a dans le temps.

Elle se demande où Yves est à cette heure, s'il a bon vent dans quelle région de l'infini ? Un fleuve d'or, la rue, et combien vide ! — comme la vie ; et que celle-ci semble lointaine ! Elle appréhende une solitude éternelle. Et voici qu'il tonne.

— Holà ! M. Dieu est à jouer aux boules.

Le véritable orage se décide vers le soir. On pourrait croire que c'est du sol que naît le tonnerre avant de bondir dans les nuées terreuses. Ici le ciel éclate dès que l'été vient trop vite, ou qu'il dépasse sa toute petite moyenne, et les cœurs ardents rompent leur poitrine, petite idéaliste Sophie !

Mme Kerguénou récite pour elles deux la fameuse prière :

Sainte Barbe, sainte Fleur,
La couronne du Seigneur !
Et quand le tonnerre tombera,
Sainte Barbe nous protégera !

Bien des vieilles Trégoroises se cachent dans leur armoire pour échapper à la colère du seigneur des nuées. La mer du ciel coule sur la terre. Les ruisseaux de la ville escarpée deviennent des torrents dont les riverains sont prisonniers. Sophie, le nez contre la vitre, imagine sur l'eau passionnée des naufrages de petits bateaux. Puis c'est l'accalmie.

L'orage rebondit dans la nuit. Elle s'efforce de garder unis dans une seule grande pensée saint Yves, le patron de la mer et des marins, et l'immense trois-mâts qu'elle a fabriqué en mettant bout à bout tous les dundees du port de Tréguier, et pourtant infime dans la mer si remuée dans ses profondeurs qu'on se demande si elle a encore une surface. Elle soupire éperdue dans l'ouragan universel.

— Vous ne dormez pas, ma petite fille ?

— Si, maman, je dormais.

Sur le pont, elle cherche l'homme qui voit tout afin de demeurer le maître de l'heure énorme. Quand une rafale fait vibrer la maison, son cœur s'affaisse, comme si elle voyait, là-bas, tomber les vastes murs de toile. Pas une minute elle ne cesse de prier : le saint pourrait relâcher sa protection, et elle n'aime pas penser à ce que deviendrait la *Marie-Jeanne* livrée à elle-même... Oh ! mon Dieu !... Cependant il lui a dit plus d'une fois : « Vous pouvez fort bien avoir la tempête chez vous, alors que dans notre secteur c'est le calme plat. » Mais c'est sans doute qu'elle aime souffrir pour sa vie, en espérant contribuer à son salut. Elle ne s'abandonne au sommeil que quand les relations entre le ciel et la terre semblent se pacifier alentour.

Sa mère se lève pour faire le petit déjeuner.

Chaque jour, elle dit : — Je me lève aussi, maman.

— Non, non, restez encore un peu au lit, ma petite fille, cela vous fortifie. Le lit fait grandir, sourit-elle, usant de l'argument avec lequel elle rendormait jadis l'enfant matineuse.

Rose entre avec un bol à fleurs sur une assiette à fleurs. Françoise Zos garde la boutique, elle peut rester un moment auprès de sa fille.

On dirait que c'est son quart d'heure d'adoration si l'on ne craignait de lui attribuer une conscience poétique qui ne lui servirait guère puisqu'il suffit au parfait amour de son cœur, pour se connaître et s'enchanter, de ce miroir : sa fille éveillée, rose encore d'un dernier rêve.

— Ce n'est pas votre mari qui vous monterait votre déjeuner au lit comme votre mère, ma petite fille... Oh ! si peut-être les premiers jours...

Et elle cherche à troubler le cœur déjà si incertain, citant un mari qui n'est pas du tout gentil avec sa femme.

— Elle n'est pas bien jolie aussi, maman.

Sophie comprend, accepte, que l'homme exige la beauté, parce qu'elle est belle.

— Il le savait bien, n'est-ce pas ? Il l'a épousée comme elle était ; il ne l'a pas prise dans un sac. C'est une femme propre et qui a de l'ordre dans sa maison. Tous les hommes sont les mêmes, allez, ma petite fille ; ils vous aiment un peu les premiers temps, comme les choses nouvelles.

— Il faut bien se marier, maman, ou se faire bonne sœur : toutes les autres...

— Oui, mais les autres sont fortes, Sophie. Aucune comme vous n'a besoin des soins de sa mère. Les hommes en ont vite assez des femmes délicates. Réfléchissez bien jusqu'au retour d'Yves Le Mével.

Passant sa chemise de jour que sa mère a tenue un moment au-dessus du petit feu (« il suffit de si peu de chose pour que vous vous enrhumiez »), Sophie est gênée de son corps en pensant à lui.

Elle a vu chez ses parents, qui sont plus fiers d'Yves que lui-même, une grande photographie de l'équipage de la *Marie-Jeanne*, prise sur la dunette ensoleillée.

Ses marins, ses officiers sont debout, tête nue, autour de lui. Un mousse à ses pieds tient la bouée qui porte le nom du navire. M. le Commandant du grand voilier français la *Marie-Jeanne* lui seul est assis, avec un melon, un plastron blanc (le second, debout près de lui, n'a qu'un chapeau mou), mais il est surtout reconnaissable à une auréole plus brillante, comme Jésus-Christ parmi ses disciples, évident capitaine, le Maître après Dieu. Et il sourit, de peur que sa terrible autorité ne paraisse effrayante, comme pour s'excuser d'être si grand ; il sourit, sans doute à l'image de la bien-aimée, là-bas, sur le petit foc.

Bien sûr, elle aime sa force, mais plus encore sa tendresse, qui a l'exquis mérite de vaincre l'orgueil naturel de la force.

Plus tendrement que toujours, elle regarde, avec des yeux de deuil, la petite image qu'il lui a donnée, et lui chuchote : « Ta maman est morte, mon pauvre chéri ! » comme si elle pouvait le lui apprendre... Et elle tremble : c'est la première fois qu'elle a osé lui dire « tu », en rêve — parce qu'un homme qui souffre redevient un enfant.

Ce matin, chaque Trégorois a su, en buvant son café, que Mme Le Mével s'est affaissée en se levant, trahie par sa lourde masse, le cœur cassé. La seconde mère de Sophie, son avocate chaleureuse. Celle qui pour exprimer l'immensité du navire que commande son fils disait que les goélettes paimpolaises danseraient dans la *Marie-Jeanne*.

Yves sur la mer jubile du bon vent du retour.

Elle ignore tout du cœur qui est l'horloge de sa vie. Elle

fait mille calculs sans aucune des données qu'il faudrait avoir pour résoudre de tels problèmes, afin de savoir vers quelle date il a pu recevoir sa lettre et celle aux environs de laquelle elle devrait recevoir sa réponse. Quand le facteur prend dans sa boîte les insignifiantes enveloppes de l'*Office de Bimbeloterie*, ou du *Comptoir de Mercerie*, elle croit apercevoir le timbre de Nouvelle-Calédonie.

Mais quel est donc ce temps de l'attente, qui ne cesse de recommencer ! La quatrième attente ! Et peut-être un jour apprendra-t-elle qu'elle attendait... rien... Rêveuse aux yeux ouverts cependant, elle brode dans un coin d'une serviette de table, quand elle peut se cacher de sa mère pour quelques moments, leurs initiales entrelacées. Et dans un cahier, elle copie la formule de vingt petits plats délicieux, des conseils aux femmes enceintes, et des berceuses qu'elle recueille ici et là au cours de ses lectures.

Le cas de Sophie est dans Tréguier l'objet de controverses passionnées. Celles qui croient en elle, qui veulent son bonheur, ne s'agitent guère, mais les autres :

— La fille Kerguénou ne tient pas encore le fils Mével, si vous m'en croyez : le vieux premier-maître est là pour quelque chose.

— Cette poitrinaire il ne va pas prendre : il pensera à ses enfants.

— Quand ça traîne tant, c'est que ça ne doit pas se faire.

— Ceux qui sont bons amis si longtemps à l'église n'iront pas ensemble.

Elle surprend quelques-unes de ces insinuations méchantes et rougit : les commères connaîtraient-elles mieux Yves qu'elle-même ?

Mais voici que le soleil calédonien brille dans l'épicerie si sombre ; enfin la grande écriture bien régulière, aussi régulière sans doute que celle de ses rapports de mer.

Chère Mademoiselle Sophie,

(et déjà elle se demande : pourquoi pas « ma chère Sophie » ?)

De Thio je vous écris où nous sommes arrivés depuis quelques jours, après un bon voyage... J'ai trouvé votre lettre qui m'attendait, elle m'a fait bien plaisir. Vous ne me dites pas si la saison est belle à Tréguier ; ici il fait un temps superbe, mais c'est le plus souvent ainsi. Je n'ai pas oublié notre promenade autour de Minihy. Si un deuil cruel ne vous avait pas frappée, tout aurait pu être autrement, et nous nous promènerions peut-être ensemble sous les orangers. Mais on ne peut pas toujours faire ce que l'on veut : des empêchements légitimes s'opposent à nos désirs. Enfin il faut espérer qu'à mon prochain congé nous verrons plus clair dans nos destins.

Je termine ma lettre en vous embrassant de cœur. Recevez l'expression de mes sentiments affectueux. Mes respects à votre mère.

Yves.

Alors Sophie a rougi en songeant à la lettre qu'elle lui avait écrite. S'il se plaint du destin, il n'a pas l'air du tout de vouloir le défier, de faire quelque chose contre lui, mais plutôt d'être son complice. Il lui semble qu'à sa place elle trouverait des choses, tant de choses, des choses comme : « Mon amour a des ailes plus rapides que les voiles et la mer est petite pour ceux qui s'aiment et à toutes les heures je vole à Tréguier... » et mille petits riens, mais des riens qui disent tout...

Et puis elle lit, elle relit ses quelques phrases, et, comme elle lui parle entre les lignes, sa voix se mélange à la sienne et elle les entraîne vers le ciel de son désir. Et elle interprète tout en réinventant au besoin. Si elle n'a pas compris tout de suite, c'est qu'elle est une sotte. Elle aurait dû deviner qu'à chaque phrase il retient son amour. Et tout ce qu'il n'écrit pas, c'est pour lui faire une joie plus grande quand il lui dira tout en une fois. Et quel respect il a pour elle ! Il ne veut pas la troubler par des baisers qu'on ne peut donner. L'évocation de la promenade sous les orangers veut la faire rêver de tout ce qui l'attend de merveilleux quand elle partagera sa vie. Aux moments où elle éprouve tout de même quelque peine à le défendre, lui et le peu de richesse de son inspiration, elle se dit qu'il faut qu'il voie sa bouche pour trouver ses paroles. Et puis il a tant de choses à faire, à terre comme à bord, tant d'ordres à donner à chaque instant ; pas le temps, vraiment pas le temps d'écrire. Et puis il ne sait pas encore les paroles qu'elle aimerait entendre, comment elle voudrait être aimée... Cela lui est bien facile à elle d'aimer, d'écrire : elle n'a que cela à faire... La vérité profonde est sans doute que tout ce qu'on désire, que l'on rêve est dans celui qu'on aime si on l'aime assez, puisqu'on s'empresse de l'y mettre... Elle lui apprendra à aimer et à goûter l'amour qu'on a pour lui...

Et elle rêve à son capitaine : le bateau marche en dormant. Sur le pont il est seul, la main serrant le gouvernail, les yeux perdus parmi les astres, au milieu de l'infini. Il ne voit que le dôme de tout. Dieu s'est approché, étonné de voir un homme si semblable à lui. Le pilote n'est-il pas le Chemin dans l'immensité sans repère ? et il est plus grand que le chemin. Il rêve, non aux pays vers lesquels il vogue, non à la fortune, à l'aventure, mais à une fille de son pays. Dans sa vision intérieure dont les étoiles s'écartent, la lande bretonne frissonne où enfant il allait pieds nus. Il regarde à travers la croisée d'une chaumière : sa fiancée lit sa lettre de la dernière escale, pleurant de joie et d'inquiétude, et elle prie pour lui la Vierge de la Mer, Stella Maris. Le rude seigneur de ce petit univers flottant qu'est un grand navire essuie une larme de sa manche... Soudain il s'effraie : le ciel est renversé ; sans y songer, vers le pays de son désir il avait mis la barre toute (une expression qu'il lui a dite, elle se la rappelle) et il prenait la route du retour.

Ainsi Sophie imagine-t-elle la poésie des hommes de la mer.

Elle ne sait pas que si les marins — les capitaines et leurs sous-ordres — vivent en effet tout le jour dans d'immenses paysages souvent sublimes, et si le rêve les aide à supporter leur vie monotone, leur isolement absolu, leur rêve est de gagner quelques jours sur le temps de traversée prévu pour recevoir une gratification de l'armateur, et le ciel dans toutes ses féeries n'est pour eux que le Grand Baromètre.

— Ma petite fille, venez donc vous coucher ; vous vous reposerez mieux. Ce n'est pas la peine de dépenser de la lumière pour rien.

Et c'est vrai qu'il n'y a pas besoin de lumière pour rêver. Sophie rejoint le corps laborieux, toujours en mouvement et jamais fatigué, le corps à son bonheur immolé de sa mère.

Dans ces petits pays où la correspondance n'est pas un chapitre de l'art de vivre, où l'on n'écrit que quand on est aux antipodes pour donner le bonjour et l'assurance qu'on va bien à ceux qui sont restés là-bas, la seule vue du papier bleu d'une dépêche est l'annonce infaillible d'une mort. Mme Kerguénou se rappelle avoir entendu des craquements dans le bois — qu'elle aurait oubliés sans la dépêche — et ne s'étonne guère d'apprendre que le mari de la Grande Epicière, de la Grande Chiffonnière, de la Grande Enjôleuse-Profiteuse, n'est plus.

— C'est la première fois qu'on nous invite, depuis le mariage des filles — pour un enterrement !... Vous irez tout de même, ma petite fille : que diraient les gens ? Et puis Eugène était un brave homme ; il m'a dit plus d'une fois de me méfier de sa femme, « sa fine mouche » comme il l'appelait, la garce ! C'est Félicie qui m'a fait tout le mal ; on l'enterre juste le jour du marché, il faut que je reste garder la boutique.

Sophie va donc aux obsèques de son oncle à Lannion. Il faut de telles surprises tristes pour qu'elle fasse un voyage de cinq lieues. Quand ce fut fini, non sans faste, mais sans traîner, Palmyre et Clotilde, dans leur deuil élégant, rejoignirent leur mari et la vie, chacune portant une espérance d'enfant. Et Sophie a retrouvé sa solitude dans la grande voiture du courrier. De son coin elle regarde fuir les haies. Les maisons du soir font des taches dans la brume, comme baignant dans leur fumée. Le ciel semble aussi lourd que la terre. Les huit sabots des chevaux sont la seule vie de la campagne. Le postillon est aussi le facteur. A chaque hameau qu'on ne voit pas — mais la boîte à lettres sur le débit de boissons prouve qu'il existe, épars dans les terres —, il s'arrête, et boit une bolée ; il semble consumer le reste du temps assoupi, et les chevaux qui connaissent les haltes aussi bien que lui s'arrêtent quand il le faut et le réveillent. L'itinéraire est comme une procession de christs de pierre moussus, à croire qu'il n'y a que Dieu pour rompre la monotonie, l'uniformité de la grande nuit de la terre, mais quel petit Dieu si pauvre, si vieux, si usé !... Cette situation mouvante, que lui impose une rupture, si rare, de ses habitudes, lui fait prendre conscience de l'immobilité de son destin. La brume active sa toux ; les cahots la brisent ; elle ne sait si c'est dans son corps ou dans son âme qu'elle a le plus mal ? Et ses épaules ont froid de se demander avec angoisse si, dans l'immense monde de solitude que semble annoncer ce soir désert de si bonne heure tombé, deux mains caressantes viendront un jour se poser sur elles ? et comment ne douterait-elle pas de ce en quoi elle veut croire le plus fort : son amour ?

— Ah ! cette Félicie ! toutes les chances elle a, dit Rose Dagorn : elle a soûlé Eugène tous les jours après lui avoir fait signer l'assurance. Il n'a pas fait long feu, et à présent quinze mille francs elle va toucher, à ajouter à tout ce qu'elle m'a volé, à moi et à d'autres.

Elle exploiterait la mort de son mari, si la vie se répétait.

En continuant à ranger les affaires d'Emile derrière lui, elle découvre les traces de maintes rapines qu'elle n'avait pas surprises de son vivant, et elle est aussi humiliée que furieuse : — Vous voyez, Sophie, ce qu'il me cachait, ce qu'il me mentait, ce qu'il me trompait, ce qu'il me volait tous les jours. Je ne saurai donc jamais tout le mal qu'il m'a fait ! Pensez à ce qu'il m'aurait grugée si je n'avais été sans cesse sur le qui-vive : il nous aurait ruinées toutes les deux.

— Oui, maman, mais puisqu'il est mort, pardonnez-lui.

— Vous avez raison, ma petite fille, mais c'est dur.

Et puis elle retrouve une petite attention de lui — aujourd'hui un escabeau qu'il lui avait fabriqué pour atteindre le rayon le plus haut dans sa boutique — et elle est émue : « Pauvre Emile ! ce n'était pas un mauvais diable, et s'il n'avait pas bu ! »

Elle sait bien cependant qu'imaginer une vie où il n'aurait pas bu c'est l'imaginer mort, puisque la boisson était sa vie...

Il est des jours où elle serait bien capable de le reprendre, même avec son vice (elle dit « son petit vice » parce que c'est un grand jour d'indulgence), si la vie revenait. Elle reconnaît qu'il était un bénéfice pour la communauté ; elle redevient juste envers lui ; elle déplore ses propres colères, ses révoltes, les yeux pleins de passé humide : — Mille francs par an j'ai perdus en perdant votre père, ma petite fille.

Comme on ne souffre plus de leurs défauts, on regrette les morts qui nous laissent seuls pour leurs qualités.

— Qui est mort, Fanny ?

— La fille de l'homme des routes (l'agent voyer) j'ai entendu. Non, pas Valérie, la grande ; Solange, la petite jeune. Partie elle est avec une opération, à Saint-Brieuc. Cinq cents francs — trois cents écus même peut-être j'ai entendu avec une de leur monde — ça a coûté pour la tuer. Holà ! (L'idée que l'on veut exprimer est que tout le monde ne peut se payer ces grandes morts prestigieuses dans les mains de la Science.)

— Vous voyez, ma petite fille, dit Mme Kerguénou, il n'y a pas de bonheur parfait, pas de claire fontaine qui ne se brouille. Des gens plus heureux qu'eux on ne pouvait trouver : une belle situation, des cantonniers pour faire le ménage de Madame, des rentes, deux filles élevées comme des demoiselles... C'était trop : le bon Dieu leur enlève la plus jeune. Enfin, sa sœur aura tout.

Sophie se rappelle la petite pianiste, si bonne d'être belle, et qu'elle enviait parfois, quand elle n'aimait pas. Et puis elle ne peut s'empêcher de penser que Valérie devient une rivale deux fois plus dangereuse, puisque la voici deux fois plus riche.

Sophie aime faire des cornets avec les vieux cahiers qu'apportent à l'épicerie les clientes qui ont des enfants dans les petites classes, comme si l'on rêvait mieux quand les mains sont occupées à une tâche qui réclame peu d'attention. Et voici que ce sont les cahiers qui la font rêver aujourd'hui.

— J'aurais peut-être dû continuer mes études, maman, ne pas quitter si tôt les Ursulines (l'école des Sœurs).

Elle n'ose pas penser qu'institutrice elle aurait pu aller librement vers la vie, mais enfin elle n'aurait pas été forcée de l'attendre chez sa mère, et qui sait si elle viendra l'y chercher ?

— Devenir savante ne porte pas chance à une femme, Sophie : vous connaissez cette institutrice de Squiffrec : elle a quitté son mari, pourtant un bien brave homme, disent les gens, et on ne sait pas ce qu'elle peut être allée faire à Paris.

— Vivre, peut-être, maman !

— Oh ! ma petite fille ! c'est vous qui dites cela ! ne m'effrayez pas.

— Vous voulez toujours que je prenne des distractions,

maman : si nous allions dimanche au bouquet de Lézardrieux ? (Il s'agit d'une sorte de foire aux fiancées.)

— Qu'est-ce que nous y verrions ? Tout ça c'est de la comédie : l'année dernière la plus jolie fille de la commune est restée vieille fille.

— Quand Noémie Mordellès vous disait l'autre jour que vous avez une jolie fille, vous n'avez pas répondu, maman.

— J'aimerais mieux que vous ayez une meilleure santé, Sophie.

Ne voit-elle donc pas que sa fille est belle ? mais c'est sans doute qu'elle lui est infiniment plus précieuse que la beauté.

— Je ne vous dirai pas comme les gens que la beauté n'est pas bonne à manger ; mais ce n'est pas souvent qu'elle sert au bonheur : regardez Edmond Le Léontic : il a épousé la plus jolie fille de Lannion : ce n'a pas été un beau mariage.

Le soir descend, Sophie semble lasse de faire des cornets :

— J'irais bien faire un petit tour de ville, maman, voir la cathédrale quand le soleil couchant y fait ses effets.

— Vous croyez que vous ne la voyez pas assez chaque fois que vous passez par la place ? Et que diraient les gens de vous voir vous promener seule à cette heure ? Ils penseraient que vous vous ennuyez avec votre mère, Sophie.

— Si la cathédrale parlait avec la voix d'une jeune fille, que pourrait-elle dire, maman ? car elle a été jeune jadis...

— Vous avez de drôles d'idées pour une jeune fille de Tréguier, Sophie. Je me demande d'où cela peut vous venir, de qui vous tenez ; ni du côté des Dagorn ni du côté des Kerguénou...

Elle n'ose achever sa phrase ; elle veut dire que jamais, dans une famille ou dans l'autre, n'est apparue la tache d'un fou — ou d'un poète.

Sophie se tait, elle n'ose plus penser ou rêver : elle pourrait scandaliser sa mère.

La cousine Anne-Marie et le cousin Yves-Marie changent de lit clos ce soir. Encore une qui se marie, qui l'an prochain mettra au monde un petit paysan.

C'est une grande noce : il y a des ménages priés jusqu'à

Coatréven ; une noce où l'on ne paie pas son écot comme on fait chez les pauvres.

Dans la cour de Kerdir, parmi les herses, les charrues, les fils de ferme de maints plous autour de Tréguier s'amusent en attendant l'heure. On brise d'un coup de poing immense les enlacements de mains dans le dos, on fait tomber brusquement les gestes en suspension, et parfois, déséquilibré, quelqu'un tombe : rires infinis. On se défie, comme des enfants, on joue à « plier le coude », on essaie de se renverser par des crocs-en-jambe ; on s'inflige la torture de coups de pied dans la cheville : « Et tu crois peut-être tu m'as fait mal ; recommence si tu veux, si tu peux... mais en attendant attrape ça de la part de la jument de saint Yves. — Oh ! là là, damnée est mon âme, Dieu te maudisse autant de fois que ton père a d'années, ma culotte tu salis, ordure. — Damné soit mon tabac, quelque chose tu auras avec moi pour ta peine, chien pourri ! » On tire la grande coiffe des filles tout en velours et en soie, on les poursuit pour rire avec des fourches à fumier : « Lâche-moi, cochon malade, ou je te fais de beaux yeux, tu vas voir, avec mon parapluie... » Les couples se forment, et le cortège, autour de la mare à purin. L'accordéon se met en tête, et l'on va par de petits chemins si encaissés qu'on dirait des tunnels où le soleil le plus brillant s'éteint et où la rosée brille tout le jour. On a revêtu du contenu des armoires-garde-robe des grands jours, les hommes gênés d'abandonner l'uniforme des jours serviles, et déjà les souliers de l'année d'avant ou du frère premier (aîné) se révèlent trop petits. Les gars chatouillent leur cavalière. On essaie des chansons. Ceux qui ne sont pas invités viennent voir passer le troupeau aux barrières des champs. On voit battre là-bas la cloche banale. — Oui, on est arrivés. — Bien sûr, on voulait tous être de la fête, peut-être.

Dans la petite église où saint Yves gagna son ciel, Dieu bénit les enfants de la terre. Il semble à Sophie, quand une de ses amies ou parentes se marie, qu'elle la perd. Pour s'aimer, ne faut-il pas être pareilles, et elles entrent dans une vie toute différente : elles connaissent l'inconnu... Sophie ne sait pas soudain si elle n'envie pas Léontine — ou son sort, la misérable, la bizarre envie, comme si elle doutait d'être jamais une épousée comme elle.

Puis, c'est l'orgie de quantité. Dans une grange, sur la terre battue, balayée comme l'aire, les bancs qui flanquent les longues tables au couvert rudimentaire sont envahis. Depuis hier soir on jeûnait pour mieux honorer le festin.

Il y a de la soupe trempée, puis du bœuf et de la viande salée (lard entrelardé) cuits avec la soupe, et du lapin aux pruneaux et du veau rôti avec des patates. Tout cela dans des plats immenses, creux comme des cuvettes.

— Profitons puisqu'il ne manque pas, dit le monde des invités.

Chacun regarde comment les autres s'en tirent avec la fourchette pénible et inaccoutumée, mais on l'abandonne pour les cas scabreux. La tête broussailleuse au front bas dans les épaules, toute leur vie chaude penchée sur l'assiette, ils avalent, heureux, découvrant leurs dents noires, se souillant :
— Nom dé Dié, à m'arroser je suis.

— Bouche en pente, ton plastron tu taches, saleté !

— Fais attention, tête de veau toi-même, es-tu soûl déjà ? tu ne vois pas ta sauce vient sur moi ?

Chacun a sa bouteille de cidre ; le vin ne viendra qu'à la fin. Les garçons empêchent les filles de boire. Ils tuent sur leur joue des mouches fictives et font signe de les manger. Et riant goulûment ils jettent derrière eux leurs os, sans regarder, sur les tables suivantes ou sur les frères et sœurs des mariés qui ont l'honneur du service. « Mauvaise bête ! Poison ! » Et les poings s'abattent ici et là suscitant de grands cris par-dessus lesquels ceux qui sont insuffisamment servis clament leur appétit en retard.

On va se soulager, vacillants, derrière les barriques serrées l'une contre l'autre à quelque distance. De matérielles vapeurs survolent la table comme dans une buanderie, venant de la cuisine en plein air. Les époux qui voient comme on profite bien aux tablées des garçons semblent s'ennuyer auprès des épouses.

Des gloutons avalent de travers et suffoquent ; on leur tape dans le dos. Un garçon aux bas mal tirés s'évanouit. Pâle comme la faïence, il promène un regard vide sur les bâfreurs. On se moque tant de sa petite contenance que la honte lui ramène les couleurs au visage.

Le cavalier de Sophie est le gros paysan, son premier prétendant ; il a épousé l'an dernier une femme de son milieu qui fait le double du poids de la demoiselle du bourg pour laquelle il se confond en prévenances si gentilles qu'elle en est un peu gênée. Et elle trouve tout pesant, les mets, les âmes, les présences, les absences... Pourquoi est-elle venue ? Il le fallait bien ; sa mère aurait dit : « Que vont dire les gens si vous n'allez pas ? » Tant de rustres lui procurent un malaise du même genre que les distinctions lannionaises. Et elle a l'impression qu'elle jette un froid sur leur fête — ce qu'ils appellent une fête — parce que ce n'en est pas une pour elle... Sur la table qu'on dirait à présent dévastée par une tempête, elle suit un beau navire sur la mer.

Voici les bassines de riz au lait et aux raisins du dessert, le vin et le vin ardent qui achèvent les derniers équilibres, et les chansons des hommes éméchés. Mais comme l'artisan des portraits paraît pour tirer la noce, vite les femmes, dans leur mouchoir, roulent un morceau de bonbon (une friandise) pour ceux qui sont restés garder la maison et les bêtes, et l'on se remet un peu en ordre.

Sophie pense : Yves arrivera bientôt : osera-t-il lui parler de vie, de leur vie, en ces jours d'un deuil qui commencera si longtemps après la mort ?

Leur amour risque d'être contrarié une fois de plus. Sans la mort de son père, sans doute seraient-ils déjà mariés. Et cependant comment en vouloir à ces chers morts ? S'il lui faut encore sacrifier de longs mois de vie avec le bien-aimé — de vie tout court — à la mémoire de la vieille dame qui l'avait d'un cœur si tendre, si généreux choisie pour sa fille, elle l'accepte, afin de lui prouver sa vénération... De longs mois de sa jeunesse... Elle s'effraie d'être vainement jeune. En vérité est-elle encore jeune ?

Le petit Gabriel pousse la porte comme un grand souffle de vent. C'est en forçant cette ouverture vers sa tante qu'il a eu peu à peu la révélation de sa force. Il fait irruption dans sa rêverie.

Elle est la seconde mère du fils de sa cousine. C'est elle qui l'emmena à Minihy pour le faire passer sous le tombeau de saint Yves afin qu'il sache marcher de bonne heure ; et le rite a tenu ses promesses ; il s'est vite trouvé trop grand pour son landau. Il adore la compagnie de sa tante confiseuse.

Sa petite vie accaparante distrait heureusement l'âme de la jeune fille qui dans cet amour tangible oublie un instant ses amours incertaines.

Elle lui a raconté hier l'histoire de la Belle et de la Bête, et c'est lui qui tient à la lui raconter aujourd'hui, furieux contre les mots qui ralentissent si fort l'imagination. Il ne comprend pas qu'en lui découpant des silhouettes dans deux feuilles de papier superposées elle fasse deux bras à la fois, et il se demande s'il n'est pas mystifié.

— Et que veut maintenant mon petit cœur de beurre ?

— Aller sur le dada. Hue ! hue !

Elle le prend sur ses genoux, et il joue à galoper de plus en plus fort, et elle chante : *A Paris — Sur un cheval gris. — A Rouen — Sur un cheval blanc.* (Et elle ajoute de son cru :) *A Tréguier — Sur un cheval mal ferré...* Elle est troublée, seule avec ce petit mystère né de sa meilleure amie qui se serre contre elle à se fondre en elle, troublée du collier des petits bras moelleux... C'est donc ainsi quand on a un enfant ! que c'est bon !

L'après-midi, elle va, quand il fait beau, promener son caneton à travers les landes, les genêtaies de Plouguiel. Ils cueillent de grands bouquets de fleurs sauvages. Il s'éloigne d'elle, poursuit des papillons sur les mûriers avec son chapeau. « Prends garde aux vipères », lui crie-t-elle, mais le désir du volant est plus fort que la peur du rampant... Sophie rêve à l'enfant que lui donnera Yves ; aura-t-elle jamais un enfant d'Yves ?

On se demande si l'on réussira à remplir les heures interminables de l'attente et soudain on s'aperçoit avec un étonnement un peu effrayé qu'elles sont en train de s'achever. Le bruit court qu'il a touché Le Havre. Elle implore l'âme de la mère de son capitaine de leur permettre de reprendre leur idylle là où ils avaient dû la suspendre. Mais elle s'effraie en songeant qu'Yves se croira peut-être obligé de se conformer à la coutume mortuaire qui interdit aux survivants de décider de leur vie avant quelque temps.

Quelques jours se passent où il ne se passe rien, aussi tristes que s'il était entre la vie et la mort, puisque son visage ne reparaît plus dans le monde qu'on voit. Lui qui disait — ou à qui elle attribuait — de si jolies choses sur la mort qu'est l'absence et sur la fête du retour et des retrouvailles...

— Un bouquet vous irez mettre sur la tombe de votre père, s'il vous plaît, ma petite fille, puisque Hortense nous a apporté des fleurs (ça ne lui coûte pas cher, elle en a trop dans son jardin). Quand ils ne voient rien dans les vases, les gens pensent qu'on oublie ses morts ; ça fait mauvais effet.

Sophie s'habille donc pour aller fleurir et honorer son père, — ou pour faire plaisir aux gens.

Au cimetière elle le rencontre. Il venait de se recueillir sur la tombe de sa mère. Il la voit.

Elle a son bouquet contre sa poitrine ; elle est douce et noire comme une jeune veuve vierge (comme il serait aimé s'il mourait le premier !). Ils ne doivent pas sourire entre deux tombes si fraîches.

— Bonjour, Mademoiselle, vous allez bien ? (Mademoiselle ! même pas Mademoiselle Sophie !)

Il parle de son père à elle, elle parle de sa mère à lui. Ils disent des choses banales sur la mort des parents, de celles que pourraient dire une foule d'hommes et de femmes dans leur situation. Elle l'écoute et lui répond avec cette seule pellicule de l'âme qui est nécessaire pour faire remuer les lèvres ; le reste rêve, s'étonne.

Le visage inquiet, les yeux qui semblent la fuir, la parole gênée d'Yves semblent traduire une lutte intérieure, comme si une influence mystérieuse l'empêchait de revenir à son attitude familière, de renaître à son ancien amour. Et nullement ces morts, aucun de ces morts tranquilles là tout autour d'eux ; quelque chose de bien vivant, de méchant peut-être, de terrible en tout cas qu'elle ignore, et elle tremble à penser qu'elle devra le connaître un jour prochain.

Elle sait que, s'il lui parlait dans les sentiments de jadis, de son dernier congé, il lui dirait quelque chose comme (ou plutôt quelque chose qu'elle pourrait traduire ainsi) : « Vous avez perdu votre père, mais je tâcherai de l'être pour vous ; j'ai perdu ma mère, mais vous me la remplacerez, et nous

nous souviendrons d'eux ensemble... » Et cela ne saurait offenser en rien leurs défunts qui veillent du ciel sur ceux qu'ils ont aimés, sans être jaloux de la vie... Ou bien : « Nous voici à demi orphelins, mais notre amour nous fera trouver le courage pour supporter cette perte » ; et cela renouerait leur bienheureuse histoire sans manquer de piété envers ceux qui les ont quittés...

Mais il lève les yeux au ciel, suit le troupeau des nuages comme il doit faire à bord et il exprime un net manque de confiance envers le temps de la journée... Elle lui demande comment s'est passé son voyage ? l'aller ? le retour ? Il ne fut pas des plus faciles, mais enfin il est là... Ils sont comme deux cousins lointains qui se rencontrent à l'enterrement d'un oncle guère plus proche et dont la disparition de ce monde ne changera pas grand-chose à leur vie.

— Au revoir, Mademoiselle Sophie.

Et il lui tend la main. Le geste de ceux qui s'éloignent sans avoir rien tenté pour se rapprocher. Comme si jamais ils n'avaient été tout près l'un de l'autre, comme si jamais leurs visages ne s'étaient touchés, qu'ils n'avaient jamais été dans l'haleine l'un de l'autre... Non pas que son regard soit tout à fait dépourvu de tendresse, mais comme si ce n'était pas le lieu de l'exprimer, ni le moment ; et cela n'est rien : comme si ce n'en serait jamais le lieu ni le moment, que cela ne serait jamais possible, que cela leur serait toujours défendu. Comme s'ils étaient frère et sœur, ou d'anciens fiancés entrés chacun de son côté dans quelque monastère ; comme deux spectres qui se connurent jadis sur la terre, et qui se rencontrent au clair de lune mais avant ce soir ils devront regagner leurs destinées respectives...

Elle allait revenir avec son bouquet, sans penser aux morts, à son mort, à la raison qu'elle avait d'être là, aujourd'hui, dans cet endroit.

Elle dit à peine à son père : « Voici quelques fleurs, papa et une tendre pensée de votre veuve et de votre fille. » Elle ne pense qu'à s'éloigner, qu'à marcher vite, pour être loin de tout le plus tôt possible, pour être toute à son étonnement, pour cacher ses larmes, et elle se demande si elle l'a perdu. Et comment les chemins du monde auraient-ils encore un sens, si sa vie ne va plus vers lui ?

Le soir suivant, Marivonne Creizker a prononcé en la regardant (de qui pouvait-on parler sinon de lui ?) : « Bah ! d'autres capitaines il y a sur le marché ; un de perdu dix de trouvés ; ce n'est pas ça qui manque, mais peut-être l'argent pour les acheter... » Comme si Yves ne lui était plus destiné...

Le même soir, elle va chercher le souper-au-four (que le boulanger cuit avec le reste de chaleur de la cuisson du pain). Dans la boutique, des femmes discutent avec animation. Elle saisit : « Il a changé d'avis mais... » Son arrivée suspend les voix pointues. C'est donc à son sujet qu'il a changé d'avis. Et qui serait « il » sinon Yves ?... Elle manque de laisser tomber sa terrine et rougit devant les yeux des commères. Sauraient-elles mieux qu'elle désormais le contenu du cœur sur qui elle régna ?

Elle n'a rien dit à sa mère de sa récente épreuve. Le lendemain, l'épicière va au pain. La bonne des Mével est dans la boutique, fortement éméchée. Elle raconte, volubile, assise sur le coffre à son, souriant à tout ce qu'on voit, et tendant sa tabatière généreuse à toutes les vieilles qui l'écoutent comme un oracle qu'inspire l'ivresse.

— Bonjour à vous, Mariannec, dit poliment Rose.

Et voici que Marianne se met à l'insulter, assouvissant sans doute, grâce au vin, un vieux désir de vengeance. Mme Kerguénou sort au plus vite et elle l'entend dire encore : — Je n'ai jamais eu de coliques après les tasses de café de cette vieille avare.

Est-ce qu'on sait que répondre à des choses si absurdes et méchantes à la fois ? « On n'est sali que par la boue », se répète l'épicière, mais cela n'efface pas la tache. « Ces gens-là, ma petite fille, il faudrait les gaver à tous les quatre-heures pour qu'ils disent du bien de vous... »

Et le père Mével, fier et droit dans sa retraite — les jours du moins où il ne s'attarde pas au café — les salue à peine. Jamais les relations des deux familles n'avaient été intimes, mais tout de même...

Sophie craint de voir la conjuration partout. Elle se doute que Marianne et Ernest montent la tête à Yves et à la population qui lui redit le mal qu'on leur a dit de sa « fiancée ». Ah ! que ne donnerait-il, le boiteux, pour qu'elle ne devienne pas une Mével ! Pourquoi ? mais pourquoi ? Il l'a toujours détestée. Il a toujours eu un regard sans franchise en lui disant bonjour. Ne serait-ce pas parce qu'elle incarne la qualité de femme qui lui est à jamais interdite par son infirmité ? Ce n'est pas un mauvais garçon : il n'a presque que des amis dans Tréguier ; Marianne n'est pas un monstre, mais ils ont leur monde et il vaut mieux ne pas leur déplaire.

Sophie donne onze bonbons au lieu de dix pour un sou à son petit client ravi ; huit billes au lieu de neuf, et le bambin revient réclamer, et elle est confuse. Elle ne sait plus le prix des socques. Elle s'embrouille dans ses prières. Elle est sans équilibre, comme absente du monde et d'elle-même. L'attente incertaine d'un coup du sort fait plus souffrir parfois que la mauvaise nouvelle sans rémission, que l'évidence du malheur.

Cette fois-ci, elle cherche en vain un péché qu'elle aurait commis contre lui ou leur amour. Quel crime inventer pour lui demander pardon ? S'il ne désire plus sa vie, que faire désormais de sa vie ? Tout lui semble mystérieux ; tout veut lui faire du mal. Elle se donnerait si vite ! (Elle s'est déjà donnée, combien de fois...) Elle partirait demain, elle le suivrait tout de suite, sans savoir la longueur et le but du voyage, sans penser à sa mère. (Elle dirait seulement : « Pardon, maman, je reviendrai... ») Mais il est là, à cent mètres, et peut-être plus loin d'elle — ou de son cœur — que quand il l'aimait en Nouvelle...

— A quoi pensez-vous, ma petite fille ? à la mort de Louis XVI ?

— Oui, maman.

— Non, Sophie, vous pensez à Yves Le Mével. (Elle rougit, juste il passe.) Tenez, quand on parle du loup... (Il a jeté un coup d'œil entre les bocaux, puis il s'est repris comme s'il avait eu une tentation, mais dont il avait aussitôt triomphé.) Vous voyez, ma petite fille, il n'a plus l'air de savoir que vous êtes ici à demeurer.

— Vous croyez, maman ? C'est un bon fils, et la mort de sa mère lui a fait si mal...

— Il viendrait alors vous demander de le consoler...

Elle ne sait que répondre à sa mère tant elle est hébétée devant tant de... (oh non ! elle n'ose penser de noirceur !)

comme un croyant qui, en présence d'une catastrophe épouvantable qui proclame la totale indifférence ou démission de Dieu, veut encore croire à la Providence.

— Bah ! ce n'est pas un grand malheur. Vous avez bien la preuve que vous n'auriez pas été heureuse avec lui... Et si vous saviez comme les femmes peuvent se passer des hommes !

— Vous croyez, maman ?

— Les mauvaises langues de sa famille lui ont sûrement monté la tête contre nous. (Pour ne pas lui faire trop de peine, elle ne dit pas : contre vous.) Heureusement, on n'a pas besoin d'eux pour avoir notre pain.

Yves descendait la rue ; ce n'est pas loin de là qu'habite Valérie ; et l'on dit qu'il la fréquente de nouveau. Les langues ne s'occupent que de l'affaire de la fille Kerguénou.

Il n'est donc plus aimable, et il faut le chasser de son cœur ? mais si c'est l'amour d'Yves qui a fait son cœur ? Enfin, ce n'est pas possible qu'un homme change si vite, tout seul, quand il est bon. Son oreille droite siffle : c'est qu'on dit du mal d'elle... Elle devine ce qui se passe, avec l'intuition de l'amour auquel on arrache son objet.

Toute sa famille — sauf le père Mével qui s'abstient — fait du matin au soir le siège de l'esprit incertain, tourmenté d'Yves, écartelé entre deux femmes dont chacune a ses mérites, et son choix décidera de son destin ! Il pourrait dire : laissez-moi me décider seul, je suis assez grand pour savoir ce que je veux. Non, il écoute, il respecte les siens. Et l'on cherche par tous les moyens à le convaincre, on argumente infatigablement, on ne le laisse pas en repos. Marianne, Ernest, Gabriel, et des gens qu'on a priés à un café parce qu'ils ont tous quelque chose contre l'épicière. Il tâche de se défendre, mais si maladroitement, car c'est très difficile.

— D'autres plus riches sa mère était à lui chercher pendant que tu étais sur l'eau.

— Sûr ; alors, comme elle n'en trouve pas, elle revient à toi. Elle te fait des grimaces (des cajoleries).

Comment lui échapperait-il qu'elle multiplie les gentillesses à son égard ? qu'elle semble tenir à lui de plus en plus...

On lui représente l'avantage et l'orgueil d'entrer dans une famille de hauts fonctionnaires — « qui ne se salissent pas les mains toute la journée avec le savon et le pétrole » — et la fortune à venir de Valérie. Jadis Yves rétorquait, pouvait rétorquer : « Valérie a une sœur, Sophie aura tout. » Mais la sœur de Valérie est morte, Valérie est devenue unique héritière.

— L'épicerie est un bon commerce, répond Yves. Tout le monde dit que Rose Dagorn ne dépense pas beaucoup.

— Obligé on est d'être près de ses sous, quand on a juste de quoi nouer les deux bouts.

— Et en plus on rirait de toi d'avoir une belle-mère avare.

— Mais tu ne serais même pas le maître chez toi avec une vieille chipie comme elle, qui serait toujours là pour veiller sur sa fille « si fragile » comme elle dit, et elle voudrait commander.

Et il n'est rien que le commandant autoritaire craigne davantage... On lui raconte une foule de choses qu'il ne peut vérifier : il est si peu souvent à Tréguier, comment serait-il au courant de la vie de la petite ville — et de ce qui s'y dit ?

— Et Sophie pour le caractère est sa mère crachée ; telle mère telle fille. Le miel d'abord dans les paroles, les mines, le fiel après. Un petit bec sucré qu'on a élevé comme une reine.

— Ce n'est pas un mal de savoir jouer du piano.

— Non sûr, mais elle te dirait : je ne peux pas te laver un mouchoir, je n'aurais plus les mains assez propres pour faire ma musique. Elle ne sait pas faire un lit, sa mère fait tout pour elle. Elle est si délicate. Des pains au lait il faut à Mademoiselle pour son petit déjeuner. Tu seras à t'esquinter le tempérament sur la mer pour payer une bonne à Madame qui en l'absence de son mari voudra faire la grande dame.

— Valérie elle aussi voudra une bonne !

— Oui, mais, elle, elle pourra la payer avec sa dot !

— Sophie est plus jolie fille que Valérie.

— Ce sont ceux qui aiment les poupées qui parlent ainsi. Qu'est-ce qu'on fait avec être belle, s'il te plaît ? Regarde Gabriel avec sa tendre Aline : le joli s'en va, l'argent reste... Il vaut mieux être comme les autres et n'avoir pas toujours besoin du médecin.

— Tout de même, Valérie est une fille forte ; Sophie est une pauvre poitrinaire.

Ils semblent avoir savamment gradué leurs arguments pour arriver au décisif vers la fin de l'argumentation.

— On n'est pas poitrinaire parce qu'on a un rhume.

— Elle tousse du 1er janvier à la Saint-Sylvestre. Elle a été dans son lit tout l'hiver après la mort de son père, qui ne lui a pas fait de bien.

— Vous ne pouvez pas lui reprocher d'avoir du cœur.

— Si elle avait autant de santé ! mais avec un père mort de la poitrine.

— C'est l'alcool qui l'a tué tout de même.

— Oui, mais ses poumons il crachait à la fin, demande avec Jégou si tu veux (un de ses amis de beuverie). Je te le jure content d'être damné. Tout le monde te dira en tout cas que sa fille a les poumons pris, qu'elle ne fera plus que traîner.

— Ce n'est pas ce que disait Jeannyvonne Goz (la vieille) l'autre jour.

— Parce que la chiffonnière lui aura donné un morceau de vieux savon : à son âge on ne prend pas cher pour mentir.

— Il ne faut pas croire parce qu'ils ont plus d'envieux que d'amis.

— Tu crois que je n'ai pas fait une mauvaise affaire ? dit le mari d'Aline. La santé avant tout !

— La mère de Sophie est forte, se défend encore Yves.

— Tout ça c'est de la même race. Toujours à l'apothicaire ces morceaux de femmes sont à donner. C'est dans le sang. Une femme comme Sophie est une charge pour un homme. Avec le premier gosse, patraque elle deviendra comme sa cousine. Et quand est malade la mère, malade est la maison. De l'amusement tu auras avec elle, vat !

— Regarde le petit Gabriel, comme il est léger ! Il n'y a rien de lui. Toute l'année il est avec le rhume de cerveau. Si des enfants rachitiques tu as envie, tu n'as qu'à épouser la fille Kerguénou. (Rien ne l'effraie autant que de penser que les gens diraient que ses enfants n'ont pas de santé...) Qu'est-ce que ça peut nous faire après tout ? On n'aura pas à vivre avec elle... Averti tu auras été.

Comment livrerait-il bataille à cette armée de bonnes raisons ? S'il n'a pas tant d'audace devant les femmes, il en a encore moins face à sa famille. Il se dérobe, il demande de réfléchir durant son prochain voyage. Encore des mois sans décision...

Ils se sont rencontrés une dernière fois avant son départ sur la route de Lannion. Elle a cru tomber en l'apercevant : la poussière appelait ses genoux. Il l'a abordée avec toute la correction du monde, mais gêné, gêné...

Et ils parlent ; ils parlent comme quand on n'ose pas dire ses pensées, que l'un n'ose pas interroger, ni l'autre répondre à la demande muette de l'autre, qu'il devine très bien. Ils sont un peu comme à leur première promenade ; tout se passe comme s'ils étaient retournés au temps où ils ne se connaissaient pas, et il ne veut pas la connaître plus avant, et elle cherche en vain à le connaître...

Ses yeux appellent ses yeux ou les rencontrent et il les évite comme pour échapper à un reproche ; et elle n'ose le fixer comme si elle craignait d'aggraver son embarras. Pourtant elle s'était juré, si le hasard les mettait en présence l'un de l'autre, de lui demander pourquoi tout cela ? ce silence, ce refus de s'expliquer, ce refus de sa vie, ce changement... mais le mot est trop faible, ce renversement, oui, comme si son cœur s'était renversé ; pourquoi il ne l'aimait plus, ou ne voulait plus l'aimer ; et plusieurs fois sa volonté a précipité sa pauvre petite tête pleine de larmes qui vont la faire éclater si elle ne pleure pas, et elle ne peut, elle ne doit pas... vers la dure indifférence ; et chaque fois le pauvre orgueil de chaque créature a retenu sa vie.

Par moments, il la regarde sinon doucement, du moins sans sévérité ; il voit la petite créature fidèle et belle à qui sa beauté pourrait suffire et qui devrait l'émouvoir tant de ne pas vouloir être sa raison à elle-même, parce qu'elle l'aime ; mais il se souvient de toutes les mises en garde de sa famille, toutes les choses dangereuses qu'elle recèle dans sa chair, qu'on ne voit pas, cachées qu'elles sont par son charme, mais qui pourraient, le jour imprévu de l'avenir où elles apparaîtraient au grand jour, se révéler fatales, au moins pour ses enfants... Et il n'ose enfreindre ces défenses terribles...

Comme en rougissant, elle ose tout de même lui rappeler le petit nid qu'ils avaient commencé à construire ensemble dans la forêt de l'espérance, il dit : « Les morts dérangent les projets des vivants. » Elle voudrait lui dire qu'il s'agit surtout sans doute d'une autre vivante, mais elle sait bien qu'elle ne le dira jamais.

— Ce n'est qu'au retour de mon prochain voyage que je pourrai prendre des décisions pour ma vie. (Elle voudrait lui demander : et vous ne pensez pas un instant à la mienne ? Mais est-ce qu'elle a encore une vie ?) Au revoir, Mademoiselle Sophie.

Il doit partir à la fin de la semaine. Il lui semble que tout de même il a prononcé assez tendrement son nom, et il la regarde. Mais elle ne saura jamais ce qu'il pouvait y avoir dans ce regard, car, si elle l'avait interrogé, elle aurait éclaté en sanglots.

Elle ne sait pas ce que cela veut dire qu'elle existe encore dans le monde autour d'elle. Elle ne voit pas sa route ; elle a failli dépasser sa maison. Comment reconnaîtrait-elle encore la place des choses si elle n'a plus de place dans son cœur ? (Lui se dit seulement que la vie sur la terre ferme est quelquefois plus difficile que sur la mer.)

Si, par respect pour la mort de celle qu'elle appelait sa mère elle aussi, trop vite, il ne voulait pas se laisser aller à l'aimer ces temps-ci, il lui demanderait tout de même, en s'excusant, d'attendre ; il lui donnerait un espoir s'il n'avait pas un cœur de buis, un autre cœur... ou peut-être le cœur d'un autre être...

6

On dit en ville que Valérie prépare son trousseau, que ce sera pour son prochain retour. Mais rien n'est perdu puisqu'il ne l'a pas épousée cette fois-ci. Il y aura donc une autre fois, peut-être pour l'amour le plus pur ? Un petit espoir, mais que traversent des doutes lancinants, fait-il moins souffrir qu'un désespoir définitif auquel on commence de s'habituer ?

Et la vie recommence de se survivre. Il faudra pendant des mois attendre encore... Jadis elle ne craignait que l'océan ; à présent elle craint davantage l'océan de l'oubli. Pendant des mois elle ne savait pas s'il était mort ou vivant, mais à présent il faudra se demander de plus s'il n'est pas mort pour elle. Elle doit reprendre sa pauvre vie sans surprise, sans action, sa vie de vaine dévotion qui du moindre objet du réel s'élance vers tout un monde d'amour sans songer qu'elle met de la poésie dans tout ce qu'elle touche, car elle l'appelle aussi amour.

Quoi de plus affreux que d'attendre sans savoir si l'on attend ou si l'on rêve ? Et si celui qu'on attend ne se moque pas de cette attente ! Et vieillir...

Si les objets des vitrines dans les vrais beaux magasins, et même aux vitres de l'épicerie Kerguénou-Dagorn, ne rencontrent durant quelque temps que des regards distraits, qui ne s'attachent pas à eux, on dit qu'ils « passent », expression aussi cruelle qu'éloquente, qui dit bien ce qui a lieu ; c'est-à-dire qu'ils vieillissent plus vite, plus tôt que si quelqu'un les touche, les caresse ; une sorte de pellicule, de velouté, de fraîcheur, de nouveauté s'évapore ; comme s'ils se lassaient, se décourageaient d'être vainement eux-mêmes... Et ainsi se fanent les vies, les pauvres vies qui n'ont voulu vivre qu'en se donnant...

Parmi les gens méchants de rien, jaloux de tout ce qui est différent d'eux, qui ne comprennent pas, qui n'admirent pas, qui n'aiment pas, il faut donc vivre pour un être qui est comme ces êtres, peut-être...

Son nom lointain dans les couloirs de son cœur est tout le jour un écho perçant.

Elle devient sensible à pleurer pour rien, parce que le soleil ne paraît pas, parce qu'il pleut ; il lui semble que tout son sang charrie des larmes.

Se peut-il que l'on aime tant et si bien, et que l'on soit à ce point incomprise ? Elle a dû mal s'expliquer. Elle lui écrit les belles lettres infaillibles qu'on n'envoie pas, où elle cherche à se rendre toute facile à comprendre, à lui donner son cœur en un toujours plus doux cantique. Sa mère lui demande :

— A qui écrivez-vous, ma petite fille ?

— A personne, maman, une chanson je copie.

— Vous écrivez trop ; après vous avez mal aux yeux, et vous vous fatiguez ; c'est ainsi qu'on perd l'appétit et que vient l'anémie.

« Tu vois, cet amour est mal : il te fait mentir à ta mère, dit la voix intérieure... — Mais peut-être n'ai-je pas vraiment menti en disant « à personne »...

Un cheval aux naseaux fumants, avec le bruit de tout un escadron, s'arrête devant la boutique. Sophie reconnaît sur la grosse bête le mari de Léontine de Kerdir. Il annonce qu'elle est près d'accoucher. Il vient à la fois chercher le sage-homme et faire ferrer son cheval : c'est sur la même route.

Quand Sophie arrive là-bas, tout s'est bien passé, si l'on peut dire, mais l'enfant qui a coûté si peu est faible ; il ne profite pas de la vie. Il meurt en son troisième jour. Les vieilles le prédisaient et ne s'en étonnent guère : il n'avait pas mangé d'appétit sa soupe au vin avant le baptême, et c'est une sorte d'ordalie de la viabilité.

On lui a fait une petite tombe dans la rangée des poupées mortes-vivantes, contre le muret qui disparaît presque sous le lierre. *Ici repose un ange, Yves-Marie*, est-il écrit sur une petite croix de bois et le peintre qui n'est pas un vrai peintre a dessiné des larmes peut-être pas plus vraies. Il ne respira pas autant de jours qu'il y a de lettres dans son prénom ; il vécut juste assez pour en recevoir un. Sans doute en effet est-il un ange : il n'a pas eu le temps d'être homme, puisque pas le temps de pécher. Sophie ne sait comment prier pour cette âme qui habita à peine un corps.

Elle lit mélancoliquement les inscriptions si peu variées du marbrier : *Froide terre, tu caches à jamais notre trésor.* Ils avaient donc un trésor ! pense Sophie ; l'ont-ils su durant qu'il vivait ? Dans le jardinet des petits morts et dans le jardin des morts adultes il fait très doux ; personne nulle part sauf le fossoyeur si émacié, si jaune, si attentif à sa pioche qu'il semble occupé à creuser son propre lit.

Des laboureurs travaillent en sifflant dans le champ mitoyen. Personne dans l'église grande ouverte comme pour donner de l'air à ses siècles. Dieu est seul presque tout le temps, comme les morts ; on ne les visite que le dimanche. Sophie se promène à travers le désert des tombes, « comme si j'y cherchais ma place », se dit-elle en souriant. Sur une croix de jeune fille, elle lit :

Comme une fleur prise en le souffle de l'orage,
La mort t'a ravie au printemps de ton âge.

Elle envie le sort de cette sœur. Peut-être fut-elle aimée par un poète. Comme elle dut être belle alors pour en faire naître un parmi ces petites âmes obscures si mêlées à la terre ! Elle n'aura même pas cela, puisqu'elle a éconduit son poète. Ce sera son châtiment : nul ne dira qu'elle fut belle.

Elle va parmi les plates-bandes de pierre de cet étrange jardin, et pense qu'il serait doux de dormir dans ce petit cimetière parmi tous les gens sans destin qui n'ont pas rêvé d'un grand amour, mais ont réalisé peut-être le moindre amour. Elle ne peut, hélas ! s'attarder : sa mère doit l'attendre et s'inquiéter. Elle a pensé : « Mon mari va m'attendre... » et elle a ri. « Si maman m'avait entendue penser tout haut, elle m'aurait dit comme l'autre jour : "Il y a des moments, ma petite fille, où on dirait que vous n'êtes pas d'ici..." Et pourtant, je suis bien de Tréguier, et que je l'aime, mon petit pays !... Alors, serais-je donc une Trégoroise d'ailleurs ? » Elle a encore souri au mot qui l'a traversée, pas très rassurée toutefois en pensant que, si sa mère...

Ainsi souvent arrête-t-elle sa pensée, dit-elle « chut » à son rêve, parce qu'elle sait que sa mère dirait qu'elle a de drôles d'idées... Mais elle est si heureuse de sentir son âme « prise » dans la sienne, parfois comme incluse, si chaudement de tout protégée — du mal et aussi de la vie —, qu'elle n'osera jamais s'avouer qu'il est bien des aspects de sa nature profonde qu'elle ne comprend pas.

« Si elle osait, elle me dirait que je suis bienheureuse de n'être pas aimée, puisque ainsi je puis jouir davantage du plus bel amour, le sien ; et comment lui donner tort ? Et si j'avais le cœur assez pur, assez grand, son amour me comblerait et me suffirait peut-être... Oh ! mon amour ! si vous existez quelque part, viendrez-vous un jour témoigner que j'avais le cœur assez grand, assez pur... Mon Dieu ! Pourquoi ai-je dit : « j'avais » ?

Elle a quitté le charmant petit reposoir comme à regret.

Sur la carte mouvante, elle cherche Yves ; la cherche-t-il ici où elle est si facile à atteindre ? « On revient toujours à ses premières amours », dit le proverbe qu'elle accueille avec reconnaissance, puis elle se rappelle qu'au lointain autrefois, « avant elle », le bruit avait couru qu'il avait courtisé la fille de l'agent voyer... Et sans doute serait-elle moins malheureuse si elle n'avait eu cet éclair d'espoir...

« A l'an prochain, a-t-il dit, je ne puis penser à rien, me décider à quoi que ce soit cette année... » Il a voulu faire — et elle veut faire comme lui — un sacrifice d'amour à l'amour de sa mère. Oh ! comme elle est d'accord avec sa bonne pensée ! Elle ne pouvait vêtir une robe blanche au milieu de ce monde en noir. Un homme qui aime tant sa mère ne peut pas mal aimer une femme, la femme qu'il aura choisie. Mais a-t-il bien dit ce qu'elle se rappelle ? ou croit-elle se le rappeler, et elle l'invente ?

« Mon Dieu ! vous ne voulez donc pas que je sois à lui ? Vous me le donniez, vous me le reprenez... Quel grand péché ai-je commis pour mériter une telle punition ? Si vous nous unissez, il recommencera de pratiquer ; il viendra à la messe avec moi, je vous le jure ; enfin, je ferai mon possible ; j'userai de toutes les raisons douces de la puissance d'un cœur de femme ; je serai douce pour deux. Mon Jésus, est-ce vous demander quelque chose de mal ? Mon sauveur, n'allez pas le donner à Valérie : elle ne suit pas bien sa messe, elle n'est pas pieuse ; elle s'agenouille à peine de crainte de froisser sa robe. Elle ne le convertira pas ; il ne sera pas heureux avec elle...

« Oui, Yves, vous êtes un homme, vous pouvez me faire souffrir. Des femmes aspirent à votre vie, mais nulle ne vous aimera comme votre premier amour qui n'a pas changé. »

Ainsi Sophie prie-t-elle Dieu dans le ciel, Yves sur la mer. Elle se trouve laide d'avoir vingt-cinq ans, bientôt vingt-cinq ans. Elle se dit son âge à chaque feuille de calendrier. Est-ce que la vie peut passer ainsi sans que rien ne s'y passe ?

Elle s'écoule distraite parmi les choses, comme un papillon dans un monde où le soleil s'est éteint et qui se rappelle des jours ensoleillés. Si Dieu ne s'intéresse pas au bien qu'elle peut faire à Yves, qu'elle peut faire avec Yves, c'est qu'il se moque de sa bonne volonté, de sa ferveur, de son cœur offert, c'est qu'il l'abandonne lui-même, comme Yves...

Alors, pourquoi se consumer dans une vaine espérance ? A quoi bon rêver ? Il y a des moments où elle croit savoir, où elle sait très bien qu'il épousera Valérie et que toutes ses chances sont derrière elle, et toute foi l'abandonne, et elle devient bizarre. Quand elle va au lait, sa bouteille lui pèse ; son bras voudrait lâcher sa charge, son corps gagner la terre, comme si chaque pas la conduisait au bord d'un précipice.

Elle est bien sotte de geindre, de gémir, d'implorer, d'être bien douce, bien soumise, de demander pardon de tout, de rien.

Encore une qui se marie, encore une qui sera mère l'an prochain. On porte à l'église aujourd'hui l'enfant d'une autre. Baptême sous la pluie : l'enfant sera béni... Le pauvre petit n'a pas vécu une semaine. Mais elle pense, avec une sorte de colère envieuse, que la mère qui ne le fut que si peu de jours connaît du moins la joie cruelle d'être déchirée par la vie comme par un glaive, le miracle de mettre un enfant au monde, d'aimer un enfant qui n'est qu'à nous... même s'il faut payer ce bonheur bouleversant d'une telle détresse quand il nous est si vite repris ; mais, si l'on pleure jusqu'à la fin des larmes, c'est pour quelque chose qui fut, tandis qu'elle et ses pareilles pleurent sur rien... Un couple miséreux passe, dont elle devrait avoir pitié ; mais de quelle pitié ont-ils besoin ? ils sont deux. C'est une moins que rien, dit-on de la femme ; mais toutes les pauvresses mariées sont plus riches qu'elle, avec leur ventre en fleur. Celle que la vie semble vouloir confiner dans son ombre ose aujourd'hui tendre les bras vers sa lumière, sa flamme et tous ses désirs.

Elle a la tentation de vivre et d'être mauvaise ; est-ce que le destin ne la punit pas comme si elle l'était ? qu'elle le soit donc ! Et n'est-ce pas avec le mal qu'on achète la vie ? Elle pourra l'acheter. Tous les malheureux sont tentés de devenir mauvais ; ils le sont tous un jour. Tout le bien qu'elle a fait, et avec amour, non seulement elle l'a fait en vain, mais il a fait son malheur. Si elle avait accepté tout de suite la première demande d'Yves, si elle n'avait pas eu la charité de la peine, de la solitude de sa mère, elle serait depuis longtemps sa femme de terre et de mer ; et on ne parlerait même plus de Valérie.

Il est une jeune fille, si l'on peut dire encore, dont le cas fait marcher toutes les langues, qui s'est donnée à un ouvrier de son père dans les copeaux de l'atelier, et tout le monde le sait, et elle porte son ventre comme la glorieuse conquête de son amour, comme un conscrit son tambour. L'innocence n'a pas une telle audace. « Les jeunes filles sans conduite sont plus heureuses que moi », pleure de rage Sophie. Elle souffre d'avoir été pure en vain ; elle souffre de ne savoir comment être impure.

Elle ne croit plus, elle ne rêve plus, elle n'aime plus rien, pas même les enfants. Les écoliers qui roulent leurs castagnettes qu'ils ont fabriquées eux-mêmes (c'est la saison, chaque jeu, chaque jouet a sa saison) l'irritent. D'autres qui font vibrer leur bouche à un harmonica qu'elle leur a vendu — recueillant tout de suite, l'âme émue, un petit rêve imprévisible qui les charme (elle, plus rien ne la charme) — l'énervent. Elle les trouve sales d'échanger sans cesse leurs intruments dégoulinants de salive... Chaque fois qu'ils passent, ils regardent de son côté, ayant l'habitude de l'accueil d'un sourire — et souvent d'un bonbon sans payer, quand maman-près-de-ses-sous n'est pas là ; elle ne leur sourit plus. Elle n'aime plus les enfants.

Elle soulève les épaules en voyant les femmes aux hanches énormes qui reviennent des halles avec un enfant à chaque main ; en quoi diffèrent-elles des hommes ?

Le petit diable Gabriel entre, brutalement comme d'habitude, comme s'il enfonçait la porte, mais sa brutalité c'est sa hâte de la voir, de l'embrasser ; tout lui est permis à lui, tout ce qu'il fait est bien ; il est le chevalier qui renverse de son épée le mur pour délivrer la princesse enfermée dans la tour ; lui, son petit maître, son tyran... Mais attendez, elle va se venger d'un tel esclavage. Elle fait luire à ses yeux un grand sucre d'orge, le plus grand des sucres d'orge.

— Tu aimes ta tante Sophie ?

— Oh oui, tante Sophie !

— Comment aimes-tu ta ma(rr)aine ?

— Plein, tout plein.

— Comme quoi ?

— Comme tout.

— Autant que ta maman ?

— Oh oui, petite tante !

Le sucre d'orge est de plus en plus grand et brillant.

— Mieux que ta maman ?

— Oui, tante ma(rr)aine.

On dirait qu'il a tout de même hésité un peu.

— Dis encore.

Il dit et répète, sentant bien qu'il commet un petit crime, mais si petit auprès de l'immense friandise qui le fascine. Elle se fait embrasser par lui comme par une petite machine à baisers, le pétrit de caresses. Elle se contente des mots et des gestes, même s'il faut les acheter — elle les achètera. (Sa mère dit qu'elle est riche.) Et elle s'en soûle, comme une mère adoptive... Ah ! sa cousine se consolait du manque d'amour de son mari dans l'amour de son fils ? elle n'aime qu'une ombre, et Sophie, rougissante, est radieuse de l'avoir volée.

— T'aime, t'aime, tu sais, tante ma(rr)aine, répète-t-il chaque fois qu'il passe une langue ravie sur le grand sucre d'orge...

Et cette répétition, un peu mécanique comme une leçon fidèlement récitée mais sans accent, et l'évocation du mot vulgaire : en donner pour son argent — il lui en donne pour le sucre d'orge ; et la conscience qu'elle prend soudain de la pauvreté de ce titre, de la tristesse de cette qualité « tante marraine » font s'écrouler le triste enchantement du mal... Elle éclate, et, honteuse, pour lui cacher ses larmes et ses sanglots, elle dit très vite :

— C'était pour rire, petit nigaud ! (L'enfant est éberlué.) Il faut bien aimer ta maman, mieux que ta petite tante, beaucoup plus fort que ta vilaine tante ; ta tante est méchante.

— Oh non, tante ma(rr)aine !

— Si, si, dis-moi comment tu aimes ta petite maman.

— Grand, grand, comme le sucre d'orge.

— C'est très bien, tu es un bon petit garçon, mais il faut l'aimer encore plus que le sucre d'orge...

Mais après la révolte et son remords et les larmes purificatrices, la révolte est revenue, la méchanceté, au moins la dureté... Oh ! pas pour l'angelot, pas pour le petit charmeur, pour la vie en général !

Elle n'a plus peur des chevaux qui, au tournant de la rue, en frôlant la devanture, la regardent de leurs grosses têtes. Elle n'a plus peur de rien. (Comme on se sent forte quand on devient indifférente ! Quel bouclier que la haine !) Elle voit sans être émue piétiner les fleurs, l'ordre humilié par le désordre ; les choses belles, les choses pures être contaminées par l'ordure. Elle voudrait perdre la raison pour ne plus rien voir.

Quand Yves reviendra, elle l'abordera en pleine rue et lui dira : « Vous vouliez me faire mourir ou me faire devenir folle en m'en préférant une autre ? eh bien ! achevez-moi donc ! »

Si sa mère ne l'avait emprisonnée dans son égoïsme monstrueux, elle serait en pleine lune de miel avec lui. C'est elle qui la tue. Elle l'a faite timide pour la garder dans son ombre, jalouse de la voir aimée, elle qui ne fut que mariée. « Il faut se faire une raison », radote-t-elle tous les jours ; vous allez voir comme elle est raisonnable, la petite fille ! Elle va lui dire : « Vous avez bien eu un homme, vous, et un enfant ; pourquoi voulez-vous que je n'aie rien. » Elle va à la cuisine, avec tout autre chose que de l'amour dans le cœur, sur les lèvres... Sa mère est en train de lui préparer un remède contre la toux, la dernière recette donnée par une de ces vieilles qui savent beaucoup de choses de la vie et de la mort, et de tout ce qu'il y a entre les deux ; ces vieilles qui croient tout savoir et qui ne savent rien, puisqu'elles ne savent même pas qu'elles sont d'affreuses sorcières.

Elle pense, elle rêve presque à la fois : aller à Saint-Yves-de-Vérité (l'oratoire maudit où l'on envoûte) défier le patron des justes causes : « Si tu es un grand saint, tu choisiras celle des deux qui aime le mieux : Valérie ou moi, et tu le marqueras de la façon que tu voudras... » (Et comme on sait qu'il fait se dessécher sur pied les méchants et les parjures, mais ce serait plutôt Yves alors qui serait frappé... eh bien ! que la justice s'accomplisse !...) Boire un grand verre de cognac pour mourir d'un coup, comme son père et ses amis, presque tous morts dans leur vice bienheureux ; ou plutôt comme le fou glorieux de la veillée à la ferme... Le matin, courir seule dans les sentiers, parler aux oiseaux, poursuivre les papillons, comme Gabriel, arracher les baies aux haies avec sa bouche ;

laper la rosée sur les grandes fougères, baiser les vaches sur le museau... Cela la guérirait, pense-t-elle, de sa fragilité de poitrine — de la toux, et de tout (elle sourit à son jeu de mots). Mais le soir tombe et elle tousse.

Sophie serait donc méchante ? elle serait alors devenue ce que dans leur méchanceté obscure ils sont si nombreux à désirer qu'elle soit pour qu'Yves ne veuille plus d'elle.

Elle prétexte une course pour aller errer à travers le désert de la ville, sous son fichu, méconnaissable, dans la nuit tôt venue. Il fait froid, mais elle marche fort, la bouche ouverte comme pour gober la petite pluie glacée ; la méchante petite pluie qu'elle aime tant cependant, bien qu'elle la fasse mourir (et c'est ainsi que tout ce que l'on aime nous rend notre amour) ; elle la fait mourir lentement, mais elle veut mourir vite. Elle tousse comme un homme, respire comme un soufflet. Elle prend de préférence les petites rues où il faut avoir peur, où les terre-neuvas vident leurs querelles. Le vent dans les arbres de la place proclame l'immense aspiration de la terre à s'envoler. Les volets grincent, comme les gens geignent. Tout semble gueux, mais rien n'est mesquin ; toutes les grandes loques du monde vivent comme des drapeaux. Les lumières des boutiques clignent comme des étoiles condamnées à la terre. Sophie est l'étrangère et s'enchante de l'être ; une bohémienne qui rêve d'un amant dans l'ombre à son flanc brûlant.

Elle rase les murs, court comme une âme en peine, comme si elle était talonnée par l'immobilité, l'ennui, le néant. Elle jouit de tout comme une lépreuse qui s'est aventurée dans l'univers interdit des gens sains. Le roulis des pavés inégaux, le saut d'une marche qui tombe d'on ne sait quelle hauteur, la lune surprise entre deux cheminées, ce sont d'immenses jouissances pour qui n'en a pas d'autres.

Elle côtoie le cimetière, le salue d'un rictus... Mais soudain elle se voit dans une flaque, et se rappelle des images d'elle dans le miroir qui lui disaient : tu es belle... Elle ne veut pas devenir laide, vieillir, mourir. Elle veut rester digne de sa beauté, et elle sait que la colère, l'aigreur défigurent.

Soudain, la même peur irraisonnée, insurmontable, l'envahit qui, quand elle revenait tard de chez sa cousine, autrefois, la faisait courir en fermant les yeux pour vite dépasser les murs du jardin de la mort. Là dormir sans voir les étoiles ! oh non !

Mais sa course haletante rencontre la masse suintante de la cathédrale, floue dans le ciel bas qui dévore ses angles, et elle se sent protégée. Elle entre dans l'immense vaisseau où clignotent quelques lumignons, regarde errer son ombre démesurée sur les piliers jusqu'aux voûtes, et cherche l'endroit le plus sombre. Elle est heureuse de sentir les flancs épais du grand vaisseau qui la rassurent, mais elle ne cherche pas le capitaine ; elle ne prie pas ; elle voudrait s'enfoncer, se perdre dans la pierre, comme un fantôme au choc d'une étincelle.

Mais, peu à peu, elle sent la maison qu'elle voulait vide se remplir de la présence divine. Elle repasse sa demi-journée ; il lui semble qu'elle a été folle pendant combien d'heures ? elle se confesse à Dieu, dit un acte de foi, un de contrition. « Que votre sainte volonté soit faite ! »

Peut-être le mal l'élève-t-il un peu, mais elle retombe bientôt à la sagesse, comme dans son élément.

Elle songe à prier saint Antoine, le patron des objets perdus ; mais est-ce qu'il fait retrouver aussi les êtres perdus, les vies perdues ?

Ce matin, Tréguier s'est réveillé tout surpris d'être revêtu d'un rare manteau blanc. Auprès du puits, les enfants dont la plupart avaient oublié ce qu'est la neige s'ils l'avaient jamais vue, ont déjà deviné tout ce qu'on peut en faire, et construit un grand bonhomme avec une carotte en guise de nez et une pipe, et déjà ils le bombardent. Mais voici que Kan-Nanm apparaît, l'horrible Père Fouettard béquillard, et les boules, unanimes, au cri bien connu de *Kan-Nanm Pot d'Chambre* (la vocation si bretonne de rimer a de ces précocités !) visent de préférence le bonhomme de chair. Ils se vengent : la terreur des bambins devient le souffre-douleur des petits hommes. Cible affolée sous la grêle de terre blanche, le mendiant pousse son grognement baveux (où l'on a cru discerner les deux syllabes de son surnom), et trébuche à poursuivre de sa béquille-massue tous les moqueurs armés à la fois.

Sophie, la méchante d'hier guérie de sa méchanceté, ne peut supporter de le voir souffrir de celle des garnements. Elle s'avance bravement sur le champ de bataille, entre les bourreaux et leur victime : « Voulez-vous laisser Kan-Nanm tranquille, vilains enfants ! » Ils se rient intérieurement du charmant trouble-fête, mais arrêtent leur tir, et Kan-Nanm suit sa fragile protectrice.

Sa face tuméfiée semble une gargouille qui s'effrite, ses frissons accusent l'épaisseur de sa peau. Il s'est assis sur le seuil de l'épicerie ; elle lui apporte une tasse de café bouillant sur quoi se jettent ses lèvres bestiales, et une tartine beurrée. Ce n'est pas seulement une sorte d'horreur de la laideur absolue qui la bouleverse quand elle voit le monstre, mais la révélation de la difficulté, de l'impossibilité d'une vraie pitié pour certaines erreurs de la création ; afin d'éviter son visage elle baisse les yeux, mais elle rencontre ses pieds, et non moins repoussants, terrifiants que le reste, les pieds de Kan-Nanm : d'énormes masses de chair rouge, nues hors de la paille des sabots, pilons de pierre de la route. Cependant, aujourd'hui, tandis qu'il lape la chaude volupté, ses yeux ensanglantés ont quelque chose d'humain, et bien qu'il ne sache dire merci qu'en grognant, elle a sa récompense dans le regard de celui qui hait le monde où il a le destin du diable. Et elle le trouve moins laid de lui avoir donné quelque chose de la façon qu'il faut donner, parfois plus importante que le don lui-même, car en général il inspire un tel dégoût que c'est tout juste si on ne lui jette pas les charités qu'on veut lui faire, pour n'avoir aucun contact avec la monstruosité... Mais parce qu'elle a fait un effort de tendresse vers lui en lui cachant cet effort, et que la collation nourrissante accélère la course de son sang, est-ce qu'à présent il ne la regarde pas comme un homme regarde une femme ? Vite elle rentre, et sa mère : — Vous n'auriez pas dû sortir pour gâter Kan-Nanm, ma petite fille. Vous risquiez de prendre froid. Et puis vous lui donnez de mauvaises habitudes : chacun a sa mission sur la terre, et lui c'est de faire peur aux enfants pour qu'ils obéissent mieux à leurs parents.

Mme Kerguénou dont on connaît l'excellent, le surabondant cœur de mère, n'est pas une mauvaise personne, mais elle craint par-dessus tout d'être bonne inconsidérément. Sophie plaide pour le dernier cas qui a sollicité sa pitié : — Avec tous leurs enfants, les Pennanerc'h n'ont que du pain au lard à manger avec de la piquette de glands, disent les gens ; on pourrait faire quelque chose pour eux, maman ! — Et que ferait-on ? Ils n'avaient qu'à ne pas avoir tant de gosses, ma petite fille, et cela leur fait moins de mal à l'estomac que du ragoût et du cidre.

Il y a une véritable haine méprisante chez ceux qui ont une table décente pour le « mangeur de patelles » ou de berniques. C'est le dernier degré de l'infamie d'être traité de ces appellations.

Sophie est allée porter six sous à un pauvre qui traîne la jambe et qui n'a pas trop bonne réputation, pour qu'il s'achète tout de même une fois un morceau de petit salé. Sa mère qui lui passe tous ses caprices et ne la gronde jamais n'a pu se taire, et sur un ton sévère : — Vous n'auriez pas dû faire cette folie, Sophie : cet homme est puni pour tout le mal qu'il a fait ; vous l'empêchez de faire sa punition.

Sa mère est donc pareille aux dames bourgeoises aux finances bien réglées et sourdes aux plaintes des pauvres par crainte de faire des folies avec leur argent, mais toutefois toute différente par l'intensité et la qualité de son amour pour sa fille ; et dans le cœur de sa mère Sophie se sent protégée de toutes les duretés du monde.

De temps en temps, une vieille demoiselle l'emmène faire « un morceau de tour ». Vieilles filles elles sont toutes deux, soixante ans et quelques et vingt-cinq — différence de degré, non de nature. Mlle Le Louac'h lui raconte des histoires morales de sa vie, intarissable : un jour, un homme lui faisait des propositions en des termes peu délicats, et elle le regardait, et il dit : — Vous me regardez, vous ne répondez pas.

— Le proverbe dit qu'un chien peut regarder un évêque ; j'ai bien le droit de regarder un cochon, répondit-elle.

Et elle est fière de la chasteté de son ventre immense... Un demi-siècle de chasteté bientôt, dont le tabernacle de graisse prend chaque année de l'ampleur.

Le dimanche, après le dîner (le déjeuner des Parisiens), Sophie va se promener avec sa mère et quelques-unes des

vieilles amies de celle-ci. Et ensuite c'est le sacré café des vieilles : dans une chambre qui sent le presbytère, la table ronde recouverte d'une toile cirée à fleurs, le pain rond de six livres, le beurre dans une assiette à fleurs, le sucre dans une boîte-réclame à fleurs ; enfin la grande, haute cafetière à fleurs — et pas une vraie fleur ! Et quatre langues sans répit qui veulent raisonner sa mélancolie et qui disent chaque fois :
— Le café avec un peu de crème (il ne s'agit pas de la vraie crème comme à Paris ou en Normandie, mais de la peau qui se forme sur le lait qui a bouilli) et un bon morceau de pain-beurre, il n'y a rien de meilleur au monde.

— Non, sûr, c'est la moitié de la vie.

— Et dites-vous que rien ne vous ferait plus de bien contre l'anémie, Sophie.

Ainsi parlent les vieilles, toujours des vieilles qui ne pensent pas que pour oser conseiller la jeunesse, il faudrait qu'elles puissent prouver qu'elles surent être jeunes. « Mais ont-elles jamais été jeunes ? » se demande Sophie avec un sourire intérieur. Et puis, de nouveau grave, elle a très peur de devenir une vieille fille comme elles, puisqu'on dit encore « vieille fille » quand on a atteint l'âge des vieilles dames... Et dans sa petite âme inondée de doute et d'humiliation elle appelle Yves sur la mer immense... Mais est-ce toujours le même Yves, est-ce encore Yves Le Mével qu'elle appelle ?

Mme Kerguénou attribue la mélancolie de sa fille à une alimentation insuffisante. Elle demande une amélioration de sa santé à tous les saints, et elle s'est décidée à mettre un cierge à saint Yves à cet effet. Sophie en aurait-elle mis un aussi pour qu'Yves lui revienne ? En tous les cas, on prétend les avoir vues accomplissant cet acte de dévotion chacune de son côté, et les commères se moquent : « Elles peuvent toujours mettre des cierges pour rattraper leur fils Mével ! »

Et, si l'on engage un vieux marin en retraite, bon à tout faire sur la terre ferme, pour repeindre la devanture, on se gausse : « La façade on refait ; on referait bien toute la maison pour marier plus facilement la fille... »

L'épicière ne voit pas souffrir sa fille ; elle ne la voit pas, ne la connaît pas ; elle est inconsciente de celle qu'elle enveloppe, plus réelle que sa propre vie.

Elle ne sait pas que Sophie aime, qu'elle s'ennuie ; elle devine seulement, parce qu'elle le craint, qu'elle s'anémie. Elle l'aime et c'est tout dire. Ce n'est pas l'amour qui caresse, soupire, embrasse, fait des démonstrations ; c'est l'amour présence quotidienne, attention de tout instant. Sa fille est là, son cœur bat dans le sien ; tout est bien. Elle vit parce que sa fille vit et ne se demande pas à quel prix celle-ci se maintient dans l'existence, et elle est heureuse, sans savoir que c'est parce que sa fille est là, sans trop savoir qu'elle est heureuse. Sa vie n'est que le bienheureux devoir d'aimer sa fille.

Il est faux et injuste de dire que le besoin de possession de ceux qui aiment à ce point est un égoïsme monstrueux. Mme Kerguénou donnerait son sang sans hésiter pour que l'anémie de sa fille n'empire pas. Elle est persuadée que sa santé d'abord, puis sa tranquillité, base d'une bonne santé, doivent craindre et éviter avant tout les maux et les tourments que les hommes apportent. Et puisqu'un enfant suffit au bonheur de sa mère, pourquoi sa mère ne suffirait-elle pas à celui de son enfant ?

— Vous ne trouvez pas que nous sommes heureuses toutes les deux ainsi, ma petite fille ? Vous voyez comme on se passe bien des hommes. J'ai plus d'avantage que du temps de votre père : je ne suis pas toujours à me demander ce que je ne retrouverai pas demain dans l'arrière-boutique. Jamais vous ne manquerez de rien, Sophie : je vous laisserai tout ce qu'il vous faudra.

Sophie dit oui, les yeux vagues ; dit : « Vous êtes la meilleure des mères, maman » ; elle s'efforce de se passer des hommes comme sa mère, mais elle cherche un bateau sur la mer.

Les enfants reviennent de l'école, les garçons les mains aux poches, sifflant dans les sifflets à un sou achetés à Sophie, la gibecière en toile se balançant sur leur dos, et poussant du bout de la galoche un couvercle de boîte de cirage. Et les petites filles qui chantent : *Quand l'enfant Jésus allait à l'école — En portant sa croix sur ses deux épaules...*

L'oncle fermier, le maître de Kerdir, est mort. Sa bouillie de froment lui restait sur l'estomac ; bouché était à lui le tuyau qui descend. Le rebouteux était venu plusieurs fois au ménage, et celle qui va chercher de l'eau aux fontaines des meilleurs saints pour le monde — la pèlerine par procuration Maïannec Le Garantez, qui sait infailliblement à qui elle doit s'adresser, était allée à plus de dix lieues pour lui — plus d'une semaine à vingt sous par jour et nourrie et une paire de sabots elle avait demandé. Rien n'avait fait, c'était donc qu'il n'avait plus qu'à mourir. Les gens de la campagne ont l'instinct de la mort ; ce n'est que quand ils se sentent perdus qu'ils appellent le docteur, non en espérant conjurer le sort fatal, mais pour mourir honorablement, pour qu'on ne dise pas après : « M. Médecin ils n'ont pas fait venir pour le pauvre vieux, de peur de dépenser un écu. » Il est mort, mais son fils aîné le remplace à la tête du monde Lamézech.

— J'ai rêvé la nuit dernière que j'étais mal servie chez le boucher, maman.

— Ce n'est pas bon de rêver dans la viande, ma petite fille : cela annonce souvent une maladie dans la famille. Vous êtes pâle, Sophie ; du fortifiant vous devriez prendre. Je vais vous faire de l'absinthe dans du vin blanc. Vous risquez de vous affaiblir gravement.

— Mais non, maman.

— Si, si, vous ne mangez pas assez, et surtout pas des choses nourrissantes. C'est ainsi qu'on attrape rhumes, bronchites et le reste...

Elle a fait un autre rêve moins banal et qu'elle ne dit pas à sa mère : Elle était sur une grève devant la statue miraculeuse de saint Guirec, enfermée dans une étrange niche qui ressemblait au garde-manger de la cour de leur maison. Le saint, qui avait les pieds dans l'eau, avait une curieuse tête qu'elle ne lui avait jamais vue, avec un gros, gros nez. Le reste était flou comme dans la fumée, mais elle ne s'étonnait de rien. Accomplissant le rite étrange qui obtient aux jeunes filles la grâce de se marier dans l'année, elle entreprenait de piquer une épingle dans l'énorme nouveau nez du marieur céleste, mais chacune semblait rencontrer un nœud du bois et le saint les refusait toutes. Elle les poussait désespérément, mais c'est dans ses doigts roses de froid qu'elles s'enfonçaient, puis elles tombaient dans la mer qui était dessous, perdues... Bientôt elle n'en avait plus, et elle savait qu'elle ne se marierait pas dans l'année, ni l'année suivante, ni aucune année, et elle pleurait, elle pleurait.

Sophie écoute un glas, comme s'il était le sien. « C'est le tailleur, encore il était malade depuis la Saint-Michel », les gens disent : « Une maison neuve il avait bâtie ; il aurait mieux valu à lui ne pas la faire. » Comprenez que c'est le châtiment d'avoir entrepris, d'avoir voulu s'élever.

— Le bon Dieu est drôle (étrange), dit Rose Dagorn : des vieux il laisse sur la terre, des pauvres malheureux qui ont bien du mal à traîner leur vie. Ils ne font que souffrir et faire souffrir les autres quand on n'a plus besoin d'eux. Et des pères de famille avec de jeunes enfants il prend.

— Alors, le bon Dieu a tort, maman.

— Non, ma petite fille, on ne peut pas dire cela : Dieu est le maître. Il ne peut contenter tout le monde. Les uns ont besoin du beau temps ; les autres réclament la pluie. Sans doute reste-t-il entre les deux. C'est nous qui ne comprenons pas ; il fait toujours bien ce qu'il fait.

— Et quand le feu se met dans une ferme, maman ? fait remarquer Sophie, sans penser à mal, comme pour simplement se renseigner...

— Souvent c'est une négligence : on ne peut pas dire que c'est la faute au bon Dieu. (Puis sa pensée revient à son point de départ.) C'est triste, la mort. Le tailleur s'était bien levé le dos : il pouvait se dire : « Une belle situation j'ai acquis ; une gentille femme, propre et tout, deux enfants, quelques sous de côté, une petite maison... » Si le bon Dieu l'avait laissé vivre jusqu'à cinquante ans seulement, débrouillés auraient été les pauvres petits. Pauvre Léonie (sa femme) ! Les vieux garçons devraient épouser des veuves avec des enfants. Les hommes sont égoïstes mais, des jeunes ils préfèrent. Elle va être obligée d'aller en journée chez le monde. Lui n'est plus à plaindre : il a fini de souffrir ; le malheur est pour les siens.

— S'il est avec le diable mais, maman ? Il n'allait pas beaucoup à l'église, dit-on.

— Le bon Dieu est indulgent, ma petite fille, pour ceux qui ont élevé unc famille.

— S'il n'a pas réparé mais ?

— Sa pénitence il a faite sur la terre, Sophie : il a assez souffert.

— Alors, personne n'est damné, maman ?

— Mieux vaut croire que d'aller voir, ma petite fille... Enfin, le temps se lève : le tailleur aura du beau temps pour aller au cimetière.

— A son enterrement je devrai aller, maman ?

— Ce n'est pas la peine, ma petite fille, restez vous reposer. Sa femme retournera dans son pays et au mien ne viendra pas.

Un glas encore aujourd'hui : c'est de la maison de l'épicerie même que sort la mort cette fois : deux cercueils, la mère et la fille, deux typhoïdes, les repasseuses de coiffes qui habitaient les mansardes. « Dieu fait bien les choses, dit Mme Kerguénou : s'il ne les avait pas prises ensemble, elles se seraient ennuyées l'une sans l'autre. »

Tout de même, quand quelqu'un qui vit si près de nous s'en va, on se demande : qui sera le suivant ?

Briellec s'est déplacé quelque chose dans le bras en tombant ; Sophie va le faire réparer chez la rebouteuse de Tromeur, un hameau juste avant la grande montée dans la côte de Trédarzec, de l'autre côté de la rivière.

Le petit roi de joie babille comme un oiseau chante, en se plaignant de temps en temps pour le plaisir ; il pose mille pourquoi, mais la jeune fille, sur la mer de son cœur, suit le trois-mâts de son destin. Par moments, c'est le capitaine sans amour qui le commande, mais à d'autres elle se demande non sans inquiétude s'il n'a pas changé de visage ? Alors Briel secoue sa main de sa menotte et l'arrache à son nouveau rêve comme on lui fait quand il est dans la lune :

— Quoi tu penses, tante ma(rr)aine ?

— A rien, ma petite souris... Si, je pense que tu es une gentille petite souris.

Il a été très brave pendant l'opération, car il savait qu'après il y aurait un grand sucre d'orge, et il suce sa récompense.

Elle a voulu, sans plus attendre, remercier le ciel de la

rapide guérison, car la rebouteuse accompagne ses torsions de prières, et ils sont entrés dans la chapelle du lieu. Saint Erwan et saint Maudez surmontent l'autel. Le bénitier sur le mur humide est un immense coquillage comme on n'en voit pas sur nos rivages qui ne connaissent que des espèces moyennes, mais nul ne s'en étonne : on l'a toujours vu là, c'est comme s'il était né avec les murs, qu'il avait poussé des murs. On se croirait dans une grotte au fond de la mer. Ces petits bateaux dans des boîtes de verre sont des ex-voto de marins, dont l'ouragan seul connaît la foi et la piété, pour remercier de n'avoir pas péri dans des pays lointains et des mers lointaines comme ceux et celles où poussent de tels coquillages. Peut-être sont-ils morts peu de temps après le miracle, mais le merci survit depuis des générations au don réticent de la vie, ce don qui pourrait toujours être plus grand. Gabriel dit que ce sont les bateaux de son père et qu'il a donc le droit de les prendre pour jouer. Une grande armoire sert de garde-robe au desservant. Des couronnes de fleurs d'oranger sèchent dans des médaillons ; l'amour devait demeurer jeune et pur et ne cesser d'être l'amour... Mais la foi, même sans grande conscience, que respire tout cela, murmure une petite promesse d'immortalité.

Sophie prie Madame la Vierge de Tromeur ; elle ne sait à quelle Vierge demander un mari, bien entendu un merveilleux mari.

Le couple charmant, et sans doute son extrême inégalité lui ajoute-t-il du charme, descend vers la rivière, et, pour ne pas alerter la joie de nature de l'enfant, elle tâche de donner congé à sa tristesse. Mais si elle se tait un instant, s'il la sent soudain absente, il paraît s'affoler. Il demande : « Où t'en vas ? tante ma(rr)aine... » Il cherche ses yeux, il veut voir de près ses yeux, il les lui demande, comme s'il savait déjà où s'exprime la souffrance qu'il voudrait empêcher de naître. Il ne connaît que le bonheur sur la terre ; si sa chérie ne le connaît plus, c'est la catastrophe ; il ne la comble plus, et il va la perdre... Que faire pour ne pas l'intriguer ? Elle ne veut pas qu'il sache déjà, et par elle, que le plaisir de vivre peut se couvrir de nuages, et de nuages si sombres... Et elle aime pourtant cette curiosité inquiète, cette inquisition pour prévenir le mauvais temps de son âme ; il faut donc qu'elle se réjouisse de peiner déjà un petit homme ? (car pour l'aimer et souffrir par elle il s'élève au-dessus de son âge) — le seul homme qu'elle aura fait souffrir, avec, tout de même le commis-percepteur. Ah ! du moins que ce ne soit pas par elle que le doute et le noir pénètrent dans son petit univers ! Et elle s'est mise à danser, et elle l'entraîne dans une dérobée endiablée sur le sentier qui suit la rivière. Ils seront toute une dérobée à eux deux. La grande dérobée de la vie. Et c'est un ouragan de rire qui l'entraîne à son tour.

Ils font un petit tour vers Turzunel pour voir Tréguier de loin, et, au sommet de sa colline, les tours suprêmes du château fort de Dieu, la jaillissante cathédrale comme une immense, une folle oraison d'un grand saint pétrifiée.

Sophie contemple le panorama splendide, et son âme est douce. Ils ne comprennent pas cela, les autres, et pourtant c'est la richesse de tous, le poème trégorois de nature, d'histoire, d'art, et de foi, pas plus qu'un chat n'apprécie la splendeur du foyer auquel son instinct le fixe.

Elle se sent parfaitement fondue à tout cela, et si par moments cependant quelque chose en elle doute d'être bien d'ici, son cœur l'y attache qui aime un homme d'ici. Ses petites ailes parmi les mollusques sans bonté ni générosité ne s'ouvrirent que pour se refermer aussitôt. Son âme n'est pas assez grande pour être illuminée par l'austère beauté, montagne de Tréguier, mais si pour être par moments humiliée de se sentir si petite.

Non dépourvue du sens de la beauté, elle avait trop d'amour pour la chercher ailleurs qu'en lui, et, si son amour se révèle sans réponse dans quelque cœur (oh ! que l'idée d'un cri sans écho lui fait mal !), elle se ravit douloureusement de son monologue, car c'est bien rare qu'on parle tout à fait seul ; le mot populaire « causer » tout seul est très éloquent : à chaque instant elle « cause », parle comme avec une seconde voix... Et comme elle ne cessait d'embellir de la beauté de son âme un homme si éloigné de son idéal — et de tout idéal — qu'il ne se félicitait même pas d'inspirer un tel sentiment, peu à peu cet homme fut si beau qu'il ne pouvait que devenir un autre.

Elle regarde les choses qui ne peuvent la combler, et elle ne sait d'où lui vient cependant cette soudaine tendresse pour la vie. Sans doute a-t-elle eu la révélation que tout pourrait être si beau... Il fait si doux, doux dans le monde, jusqu'aux nuages, de l'ouate comme pour sécher toutes les larmes du monde... Sophie, les yeux perdus dans le ciel, cherche le bleu de la Vierge. Si beau... mais n'aura-t-elle donc fait qu'apercevoir cette beauté ? Elle fut trop humble sans doute, pas assez « osée » comme on dit en trégorois, devant la vision qu'elle avait eue d'un beau destin pour penser que la volonté peut suffire à le conquérir. Ceux qui espèrent tout de l'amour et donc d'un don qui répondrait au leur ne s'intéressent guère à ce qu'ils pourraient arracher eux-mêmes à la vie. Un tout petit peu supérieure seulement à son infortune, Sophie, et chaque grande image dilate sa poitrine, et l'use prématurément.

Elle songe à la belle vie où elle pourrait avoir un enfant comme cet enfant. Une vie à l'image de cet enfant, et cet enfant suppose un père dont il serait l'image... Heureusement, il y a l'adorable enfant. Elle regarde le petit Gabriel, elle regarde le petit Gabriel comme la vie. Comme la vie qu'elle n'aura pas eue, comme la vie qui décidément semble se refuser à elle jusqu'au bout... mais s'il en est le plus charmant visage...

L'autre nuit, Mme Kerguénou a senti son mari peser sur sa poitrine. Il soupirait : « Flammes ! Rose ! Prières !... » et il était lourd comme une congestion. C'est sans doute qu'il souffre dans le purgatoire, qu'il a besoin d'une aide de la terre. Elle a payé à l'avance une neuvaine pour le repos définitif de son âme. « Ainsi les gens ne pourront pas dire que je l'oublie. » Toujours à l'intention du cher Emile, ces dames se rendent en pèlerinage à la messe basse de Saint-Yves. « C'est notre intérêt de nous mettre bien avec les morts, ma petite fille. »

L'air est aigu dans la brume qui dévore l'horizon... Ces dames vont dans le son de la petite cloche qui les appelle.

L'herbe est si gorgée de rosée qu'elle est comme un ruisseau vert sur le bord de la route. Au-delà des haies, les vallons naissent au jour, émergent comme des îles. Tout est si bon que Sophie est momentanément délivrée de ce qui l'oppresse habituellement, et elle va légère comme l'ombre de sa mère, sur ce chemin où eut lieu leur première rencontre, la plus belle peut-être. L'avenir semble soudain aussi simple que ce beau jour passé. Pourquoi, mais pourquoi le temps de nos vies semble-t-il si peu avide de tenir les promesses qu'il nous fait ? de nous donner quelques-uns de ces bonheurs après lesquels on lui pardonnerait — plus facilement — de nous quitter si tôt.

On rencontre des gens des environs en sabots qui ont presque une lieue à faire pour venir rendre visite au bon Dieu, mais peut-être le sent-on d'autant plus grand qu'on vient à lui de plus loin, en se donnant davantage de peine...

La cloche de la petite église va très loin sur les champs, et même sans écouter, les gens de la terre sont heureux, les oreilles chaudes. Et cependant celle qui sonne à toute volée l'humble joie d'un sublime rendez-vous avec le seigneur éblouissant de la vie, doit sonner aussi les glas, les glas quotidiens, car à chaque jour il faut ses morts comme ses rayons de soleil, et voici déjà une ombre sur la journée de Sophie qui semblait être partie pour un clair bonheur d'exister ; Sophie punie d'avoir un peu réfléchi...

La cloche se balance sur la petite église si vieille qu'elle a l'air de s'enfoncer dans la terre comme les très vieilles personnes. Les hommes entrent par la petite porte du haut et s'assoient près de l'autel ; les femmes vêtues de leur châle et du petit tablier noir se placent derrière eux. Elles professent qu'il n'y a rien de trop beau pour aller rendre visite à M. Dieu, tout de même, mais la coutume parque ces coquettes du ciel plus loin de Lui dans Sa maison que les hommes qui ne font guère de frais pour se présenter devant leur souverain.

Maîtres (oh ! tout petits maîtres, à part M. le Comte dont un fauteuil au siège et à l'accoudoir de velours attend la rare apparition) et serfs de la terre, indistincts, muets, sont gênés de leurs mains pendantes une heure inutiles, au sein de ce spectacle dont ils ne devinent pas la grandeur, mais l'impression de mystère qu'il leur fait est pour eux toute proche du luxe puisque c'est une pause dans leur vie de peine sans fin.

Le prêtre monte les marches de l'autel en soulevant sa longue robe ; il dit des prières en latin et en breton, mais en chaire il s'adresse à ses ouailles uniquement en leur langue. Ce sont les femmes surtout qui dialoguent dans les deux langues avec le sacristain qui sue sur son harmonium ; les hommes, vides, comme désaffectés, suivent le jeu pénible du musicien ; les vieilles filent leur chapelet aux grains gros comme des noisettes, ainsi que ceux des moines.

Sophie n'est ni à la messe ni à l'âme de son père. Elle est une pauvre âme désemparée — elle pense : comme un navire qui a perdu sa mâture dans une tempête — qui demande à tous les saints, les anciens et les modernes, et ceux dont on ne sait plus rien que le nom, le bonheur qu'elle croit inséparable d'un homme — mais quel homme ? Que sait-elle de cet homme ? et désire-t-il même qu'elle le connaisse ?

Le prêtre mange son Dieu comme une crêpe, et brandit le calice vers sa face, comme une bolée de cidre à la santé de l'hôte, mais ces apparences rustaudes ne cachent pas à Sophie l'âme bonne et délicate du recteur Merdy qui ne dédaigne pas de leur faire de temps en temps une visite à la boutique.

A peine si elle voit les paysannes qui la regardent et s'étonnent que cette si jolie jeune femme soit toujours demoiselle. Elle pense qu'aucune d'entre elles n'a rêvé de s'enfuir de sa terre sur l'aile d'un nuage ; elles vivent avec l'élu de la famille comme s'il était l'élu de leur cœur et ne distinguent pas le bonheur de la soumission à la tradition. Pourquoi n'est-elle pas simple comme elles ? « Mon Dieu ! Rendez-moi simple comme elles ! » Mais à peine a-t-elle prononcé sa prière qu'elle se demande si elle ne doit pas la retirer, car des fragments de ses chères chansons d'amour se lèvent dans sa mémoire, bien que ce n'en soit pas du tout l'endroit, faisant apparaître, exaltant à ses yeux, dans un lointain d'aurore enchantée sur la mer, l'image de l'Amant Idéal... avec qui décidément Yves n'a pas grande ressemblance... Mais elle se fond, pour oublier cette vision prometteuse et déchirante, à l'enthousiasme du cantique final :

Il n'y a pas en Bretagne ; il n'y en a pas un ;
Non, il n'y a pas un saint comme saint Yves...

La retraite hebdomadaire achevée, les hommes vont boire un petit verre au cabaret prochain, et les jeunes jouent aux sous à la porte du cimetière qu'envahissent les femmes. Il y a beaucoup plus de tombes qu'on ne voit de maisons autour de l'église, comme si le hameau épars au loin sur les terres finissait par se rassembler là, que tous les paysans venaient passer au bourg leur éternité, pour être moins seuls, pour avoir moins froid. Les femmes, toujours ménagères, nettoient la pierre, sarclent la terre et le sable qui retiennent les ombres de leur monde, jardinières de la mort, et aux frais défunts elles apportent des hortensias, un fuchsia pour ne pas avoir l'air de les oublier trop vite, pour que les gens ne disent pas...

Maïe-Louise de Kerdir, ses vieux genoux sur la dalle, prie pour tous ceux qu'elle a enterrés et dont les seuls derniers sont nommés sur la croix, mais elle distingue encore ceux qui sont déjà fondus à la terre. Puis elle s'en va, ne voyant aucun des vivants qui l'entourent, comme si elle voulait rester un moment encore avec ses morts. Et les yeux sur le chemin, il semble que la petite bonne femme de la glèbe va s'enfoncer dans les talus vêtus de chênes.

Un pauvre dimanche enfin, achevant une pauvre semaine et en commençant une autre... sans doute semblable à elle.

Un second bébé est arrivé chez Aline, un autre garçon ; et le père n'est pas content : il voulait une fille « pour changer ». « Si j'ai un conseil à te donner, dit la jeune mère, puisque tu peux te passer d'eux, ne te marie pas : les hommes sont tous des égoïstes, ils ne cherchent que leur plaisir. »

Qu'est-ce qui fait croire à Aline qu'elle peut s'en passer ? Mais, si elle en a tant besoin, qu'elle secoue donc le ciel pour qu'il l'aide à changer un homme sur la mer !... Sans faire violence au bien-aimé, les puissances célestes, qui aiment les purs amours, pourraient, sans même embellir son image, répéter son nom dans ce cœur qui semble tant hésiter à s'ouvrir, et elle le convaincrait, comme un philtre inoffensif, par le pouvoir que la douceur et la tendresse donnent à la faiblesse... Il ne peut gagner son ciel qu'avec elle...

Elle a envie de crier son nom, comme on crie dans les mauvais rêves du sommeil, pour forcer le grand silence de l'univers ; elle use son cœur à le tendre dans l'infini pour toucher sa pensée.

Pourtant, il semblait la trouver jolie et à son goût quand ils allaient ensemble dans l'automne dénudé, comme un couple éternel. Le visage de Valérie a beaucoup moins d'expression que le sien, mais elle a davantage de toilettes ; Valérie est plus instruite, mais il lui a dit et écrit qu'il aimait son style ; elle est sûre d'être une bonne ménagère, tandis que Valérie... Mais Valérie saura se faire servir... Et surtout Valérie est fière, et Sophie veut se donner sans se demander la valeur de ce qu'elle donne, comme on donne à Dieu.

Enfin elle y revient : est-il possible qu'il n'ait pas compris tout cela ? Elle n'a pas cessé de s'étonner. Elle ne serait pas plus décontenancée si sa mère un beau matin ne répondait plus que par oui et par non à ses questions et ne lui en posait plus, la laissait vivre toute seule, enfin se déprenait complètement d'elle.

C'est à ce point inexplicable qu'ayant cherché à l'expliquer de toutes les façons, elle recommence à croire qu'il a voulu sacrifier un temps son amour au souvenir de sa mère, et porter son deuil jusque dans son cœur... Cette mort l'a tant frappé qu'il n'est plus le même Yves ; l'Yves véritable va peu à peu émerger de la mort. Comment pourrait-elle comprendre, elle qui cherche toujours à respirer plus haut que sa poitrine, qu'Yves est la juste mesure de tout, l'équilibre parfait et suffisant qui fait sa part à la mort comme à la vie, comme au beau temps et à la tempête dans la conduite de son navire ; qu'il craindrait en s'exaltant en quelque domaine que ce soit et en particulier dans celui de la passion, de trahir les saintes et vitales lois de la moyenne humaine hors desquelles il n'y a que troubles et périls... Ou bien il a voulu l'éprouver. Ou bien les mauvais conseils, les mises en garde de sa famille l'ont ébranlé, et il a semblé céder, croyant, voulant être assez fort pour vivre sans elle ; mais cette nouvelle séparation va lui prouver combien il a besoin d'elle, et leur amour va revenir tout neuf avec lui... Mais alors il écrirait... Et pas un mot, même pour dire qu'il n'écrit plus... Sa lettre a peut-être du retard... Une lettre a tant de chances de se perdre quand elle vient de si loin... Mais on dit cela des lettres qui n'ont pas été écrites... Son navire a pu périr ; et lui aussi... Mais on dit cela de ceux qui ne reviendront pas pour nous...

Elle doute de toutes ses imaginations : les choses qui doivent arriver n'ont-elles pas tout de suite une assez simple apparence, une sorte d'évidence ? Envierait-elle secrètement toutes celles qui autour d'elles ont atteint le port du bonheur, si, dans son for intime, elle savait bien que ce sort n'est pas pour elle ?

Et les jours un à un tombent aussi inutilement que des pierres dans la mer. Pour le conquérir tout de suite, elle donnerait autant de ses jours qu'il y a de kilomètres qui les séparent — sans se demander si après cela la jeune fille Sophie ne serait pas un peu fanée...

On dit en ville qu'elle n'aura pas son Yves, que c'est cassé : « Si vous croyez que le père Mével, qui est si fier — sauf quand il a un petit coup dans le nez — voudrait pour son fils de cette fille d'alcoolique ! » Et justement on ne voit plus guère le vieux marin dans les cabarets, comme s'il voulait que sa conduite ne soit pas un obstacle à une brillante alliance de son capitaine... Que tout est clair si l'on admet que c'est pour Valérie qu'Yves doit revenir...

Lorsque voici une lettre pour elle, une vraie lettre :

Chère Mademoiselle,

Comme vous le pensez, ce voyage n'a pas été gai avec le souvenir de ma mère. On ne peut oublier le passé. Mais vous ne devez plus penser à moi. Moi je garderai toujours un bon souvenir des promenades que nous avons faites ensemble.

J'espère qu'à mon retour j'apprendrai que vous êtes en parfaite santé.

Croyez, chère Mademoiselle Sophie, au sentiment d'un cœur qui pense souvent à vous.

Elle a lu et elle bondit... peut-être se hâte-t-elle de bondir avant d'avoir bien lu. Elle veut que ce soit la lettre d'un homme qui tremble qu'on ne l'attende plus. « Vous ne devez plus penser à moi... » Il faut comprendre : vous ayant laissée tant de mois sans une seule manifestation tendre, je n'ai plus le droit d'exiger que vous ayez gardé un bon souvenir de moi... Mais il dit bien qu'il ne peut oublier leur beau passé. Après un si long silence, ses premières paroles sont forcément gênées... Ce n'est qu'à pas timides et feutrés qu'on revient de si loin... Combien de fois a-t-elle cru qu'il était fâché, tandis qu'il croyait que c'était elle. Est-ce qu'ils peuvent être vraiment fâchés l'un de l'autre ? Plus indifférents paraissent les adieux, plus amoureux sera le retour. « J'apprendrai que vous êtes en parfaite santé. » « Les hommes n'aiment pas les femmes délicates », dit sa mère. Il faut qu'elle se fortifie pour lui plaire. Elle lui plaira et il l'aimera. Elle est si belle la vie qu'on imagine à ceux qu'on aime que l'on ne comprend pas comment ils pourraient aimer un autre être. Il semble à celui qui se donne vraiment que personne ne peut combler comme lui l'être aimé.

Et puis elle relit posément la lettre, et elle croit comprendre pourquoi elle s'est hâtée de bondir d'espoir avant de voir toutes les raisons qu'elle avait de désespérer. Et toute son argumentation se renverse. « Vous ne devez plus penser à moi » ; c'est très clair : mieux vaut vous faire une raison tout de suite.

C'est la lettre misérable de quelqu'un qui ne connaît pas le bonheur d'avoir un cœur.

Mais enfin, elle l'attendait donc encore avec une telle passion, une telle impatience, pour s'être hâtée d'interpréter dans le sens d'un complet retournement ces quelques lignes avant d'en prendre vraiment connaissance ? et pour être remuée à ce point quand — durant un bref moment — elle avait réussi à se persuader qu'il allait lui revenir tout entier ? Etait-ce bien pour qu'il la reconnaisse, qu'il accepte enfin son cœur, qu'elle aurait donné autant de ses jours ? Etait-ce bien l'Yves capable d'écrire cette lettre si pauvre, si avare de lui-même, qu'elle attendait, ou quel autre Yves dont elle se faisait une si belle image ?

Elle se débat entre son désespoir et son espoir, entre la foi et la totale incroyance, selon qu'elle est dominée par son imagination ou par la juste estimation des choses, « à vous faire penser que la vie est comme une pie qui vous montre tantôt son plumage blanc, tantôt son plumage noir », quand lui arrive un beau songe. Mme Le Mével venait de mourir, et l'on cherchait comment prévenir Yves au plus vite, et elle se présentait : — C'est très bien, disait le père Mével ; allez, vous serez avant la lettre au Havre, et Yves pourra arriver à temps pour les obsèques.

Elle atteignait Yves presque aussitôt, miraculeusement, et lui donnait la lettre de son père ; il lisait et disait : « C'est bien, nous ne sommes pas à un jour près. » Le prétexte de la lettre, de son voyage, était complètement oublié.

Et ils se promenaient ensemble, comme si rien en effet ne pressait, comme si la mort ne pouvait troubler ceux qui ont découvert la vie. Ils se trouvaient bientôt dans une sorte de jardin public qui évoquait le Bois d'Amour de Saint-Michel, mais infiniment plus grand et plus beau. Sa flore étrange, sans doute inspirée du papier de tapisserie de sa chambre, l'émerveillait sans l'étonner outre mesure. Elle lui demandait où ils étaient : « A Nouvelle-Amour, Sophie chérie ! » (Nouvelle-Calédonie — Bois d'Amour ?) Ils s'asseyaient sur un banc et il la cajolait :

— Comme vous êtes jolie, ma petite !

— Pas autant que Valérie, Yves.

— Oh ! que dites-vous ? Vous la trouvez vraiment jolie ? Quand j'ai été me renseigner auprès de son père pour l'alignement de notre maison (il n'allait donc pas chez l'agent voyer pour courtiser sa fille !), elle m'a semblé plutôt ordinaire.

Un immense oiseau les regardait doucement, très beau, mais était-il vivant ? Yves disait : « Nous sommes ici chez nous. » (Il avait dit : « Un albatros empaillé nous aurons dans notre vestibule. ») Le sol était brillant, comme frotté de soleil vert. (Il lui avait parlé du minerai de nickel de la colonie qui constitue toujours une bonne partie de son fret de retour.) Il disait encore : « Si vous saviez comme je suis timide, Sophie ! c'est ce qui rend difficiles nos relations. » Une lavandière (Françoise Zos, mais toute rajeunie) battait son linge dans un ruisseau à leurs pieds. Il lui disait enfin ce qu'il ne lui avait jamais dit, et qu'elle n'avait cessé d'attendre : « Je vous aime, Sophie ! » Et il le répétait, mais un peu ridiculement, en hochant la tête.

Puis ils se trouvaient sur la mer, sans transition, sur le trois-mâts dans tout son éclat, les voiles rebondies dans la grande respiration de la mer... mariés dans l'infini, car ils s'amusaient à échanger leurs anneaux, et une pure musique nuptiale venait de très loin, elle n'aurait su dire d'où ?

Une petite *Clef des Songes* à vingt-cinq centimes qu'elle

consulte est fort réservée : les songes qui se passent sur la mer n'annoncent pas souvent un bonheur plus tranquille qu'elle.

Et donc elle espère toujours que son Yves... Mais en interrogeant avec soin ce songe, elle se demande si c'est bien Yves Le Mével qui était là, sur son bateau ? Est-ce qu'il ne ressemblait pas un peu au représentant de bimbeloterie, ou à quel autre élégant, éloquent, tendre visiteur d'elle ne sait quel pays ? qu'elle ne connaît pas, qu'elle ne connaîtra sans doute jamais, et qu'il lui semble cependant qu'elle reconnaîtrait si bien...

On dit dans la ville que la *Marie-Jeanne* a du retard, que le bateau devrait être maintenant au Havre. Retard inexplicable ; on chuchote qu'il pourrait lui être arrivé quelque chose. Sans réfléchir, elle prend cinq sous dans sa bourse personnelle et court à la cathédrale mettre un cierge sous la mince statue de saint Yves qu'entoure en permanence un buisson de lumière : ce sont tous les tristes, les obscurs du pays qui cherchent à attirer son regard. La petite marchande d'articles de piété du porche interprète les joues rosissantes et la gêne, et elle jase, et chacun sait la démarche céleste de la fille de l'épicière, et se gausse : « Oui, sûr que saint Yves son amoureux lui rendra !... » Et les sourires qui fleurissent sur son passage font rougir Sophie.

Il est arrivé, le cierge de la bien-aimée éclairant la dernière partie de sa route, peut-être.

A peine le bruit de son arrivée a-t-il couru ; à peine a-t-elle eu le temps de rêver qu'il va lui revenir, un autre bruit court, qu'il est déjà reçu dans la famille de Valérie. Et Sophie ne sait plus où est sa vie, et tout se passe comme si elle attendait qu'elle se soit entièrement écoulée pour recevoir toute la souffrance d'un coup.

Elle pensait l'autre jour que le bonheur est si simple, quand le destin a décidé de nous en couronner ! et aujourd'hui elle dirait la même chose du malheur...

Du bout de la rue, elle l'a vu sur le seuil de sa rivale. Frappant à la porte comme quelqu'un qui sait comment il sera reçu et que la porte ne va pas tarder à s'ouvrir. Tout était préparé pour qu'en arrivant, en se présentant, il n'ait plus qu'à entrer. Ah ! c'est comme si le destin prenait son cœur dans sa poitrine, et le pressait. Oh ! courir, crier, l'empêcher de tirer la sonnette, pleurer : « Yves ! Qu'allez-vous faire ? Vous passerez sur le corps de celle qui vous aime pour aller à celle qui ne vous aime pas... » Et se coucher sur le seuil... Non, plutôt mourir : le misérable orgueil de toute créature, qui se préfère à la vie. Ce sont de ces choses qu'on ne fait que dans les songes et dans les romans pour les cœurs simples, très simples... Il est déjà entré sans regarder derrière lui, sans chercher si une autre existait pour lui, souffrait à cause de lui sur la terre, sans le moindre remords... Et elle l'a vu entrer sans faire un pas, et elle est là comme les hommes devant l'inondation, devant toutes les catastrophes, et elle recule.

Heures peut-être trop inintelligibles pour être mortelles. Elle cherche à saisir chaque rumeur qui ne lui parvient qu'indirectement, après maints détours. Elle veut ne pas apprendre et elle veut avoir le plus tôt possible la confirmation de la nouvelle qui la brisera.

Coup de foudre de la volonté, il s'est décidé, comme quand la tempête éclate en mer. Il lui avait expliqué que parfois c'est en un clin d'œil qu'il faut éviter une manœuvre de perdition, choisir la seule qui peut sauver. Il lui avait bien dit : « Vous ne devez plus penser à moi. » Il épouse Valérie qui ne trouve pas de parti dans son rang : il y a plus de femmes que d'hommes. On prépare le grand jour. Et elle continue à vivre. Elle suit les préparatifs de la fête que lui apprennent les cancans : de quoi d'autre pourrait-on parler que de ce qui l'humilie ?

Parfois, quand arrivent les malheurs dont nous imaginions que l'évidente proximité, la claire certitude suffiraient à nous briser l'âme et le corps, une inconscience étrange retarde l'éclatement de la douleur. On ne réalise pas ; on attend la consommation de la catastrophe, comme si l'on exigeait que le malheur soit davantage encore le malheur, qu'il se proclame, insiste, multiplie les preuves... Ainsi vit-elle ces quelques jours en se demandant encore : « Mais pourquoi l'aime-t-il ? Il va bien voir qu'il se trompe, qu'il fait fausse route, qu'elle n'est pas jolie, qu'elle a des taches de rousseur, qu'elle n'est pas aimable... »

Pourquoi l'aime-t-il, ou pourquoi l'épouse-t-il, en vérité ? Dès son retour, il a pris des nouvelles de Sophie dont les graves imputations de sa famille n'avaient pas tout à fait ruiné le crédit dans son cœur, mais ils avaient eu le temps de lui inventer d'autres défauts, d'autres tares, et surtout un empirement irrémédiable de l'état de ses poumons : « Jeannie Beuvan a vu plus d'une fois du sang dans son mouchoir, et pire... » Et sans doute est-ce ce « pire » difficile à dire qui devait achever de le décider, et le décida sur le coup... Mais pourquoi encore ? Sans doute est-il un peu gêné avec Sophie ? Elle ne le croirait pas, mais il lui sent quelque supériorité — non sans quelque peine à l'admettre —, bien qu'elle soit si purement aveuglée par son cœur qu'elle tremble quand il la regarde. Elle l'intimide en écrivant gentiment, bien qu'elle ignore les mots savants, et que chaque lettre soit un hommage à sa personne, lui que les mots les plus ordinaires trahissent sans cesse ; il sait bien qu'il ne peut lui répondre en son langage. Il y a sans doute encore qu'il a peur de son grand amour ; et quand ses parents lui affirment que c'est une exaltée par les romans et les chansons qu'elle joue sur son piano, pour ne pas dire qu'elle est un peu folle, il n'ose le croire tout à fait, mais il n'est pas tranquille... Et Valérie a de telles supériorités de santé et de biens...

Ainsi vit-elle jusqu'à la matérialité des faits, jusqu'à la cloche monotone qui appelle la noce, comme la musique du destin d'Yves qui passe loin d'elle... Elle pensait que les sons glorieux frapperaient comme un marteau sur son cœur, mais ils se succèdent de si près... et elle s'est mise à travailler comme une femme à la journée, à décoller le papier des murs de la salle à manger que sa mère veut retapisser...

Et voilà... Là-bas, Valérie a dit oui, pour toujours, à Yves qui l'a dit aussi ; et Dieu, approuvant ces deux « oui », les a bénis. Il a béni dans son nouvel engagement Yves parjure à mille petites promesses tendres, mille regards, mille paroles, qui obligent un cœur qui a un peu d'honneur tout autant que des serments solennellement prononcés. Il a béni l'ingratitude, le mensonge, la trahison.

Elle mord ses lèvres pour ne pas crier ; elle comprime ses

soupirs dans sa poitrine ; il lui semble que l'air se raréfie dans le monde.

Souvent, elle s'appelait tout bas Mme Mével, ou Mme Le Mével (les deux se disent), avec la voix de celui-ci ou de celle-là, pour goûter à l'avance sa distinction, sa dignité prochaines, et des clientes, des amies, et la châtelaine de Ker-Gontran l'appelaient ainsi elles aussi (on ne parle pas de celles qui y mettaient une méchante ironie), et elle disait à sa cousine : « Nous serons deux Mme Mével », et elles souriaient ensemble. Elle sera toujours Mademoiselle, seulement Mademoiselle Kerguénou ; elle n'aura d'autre nom que celui de son père.

La vraie Mme Le Mével part aujourd'hui pour les lointains pays dont chaque paysage peut servir de cadre à un chapitre d'un beau roman d'amour. A Valérie tous les bonheurs promis à Sophie. Une autre a réalisé son rêve. Et ce sera un voyage de rêve : la mer, une mer d'huile, une plaine sans talus ni bosses, et l'infini chantera son chant fier dans les voiles immenses en l'honneur de la jeune épousée... Si la *Marie-Jeanne* avait Sophie à bord, elle heurterait un iceberg.

Sans doute ceux qui s'enfoncent le plus loin dans le malheur sont-ils ceux qui crurent un jour qu'ils allaient toucher le bonheur, et, s'ils le connurent quelques jours, eurent le droit de croire que ces beaux jours avaient un avenir sans limites.

Elle pensait que la certitude d'une éternité solitaire la foudroierait sur l'heure ; mais non, car la certitude et la solitude ont également besoin de quelque temps pour gagner le monde. Et elle vit, comme si sa vie désormais devait prendre cette nouvelle habitude, et même qu'elle avait tout le temps de la prendre, comme si cela pouvait encore s'appeler une vie.

Traîne sur le piano une petite page sans élan, sans ressort, comme si on lui avait coupé les ailes : une âme trop pure commit la faute — et la folie — de vouloir aimer dans la réalité, au lieu de demeurer dans son véritable domaine : *Un rêve évanoui.*

Mais aurait-elle pu supporter ce coup, cette démission brutale de l'amour, avec son cœur d'absolu, la fierté de sa pureté, si une toute petite partie d'elle-même n'avait déjà commencé de se demander si Yves demeurait digne — s'il l'avait jamais été — d'un amour tel que le sien ? Est-ce que ce qu'elle appelait son malheur, où elle avait semblé s'enfoncer comme dans un abîme avec un goût dangereux du vertige, ne serait pas une manière de roman dont elle imagine encore que c'est le sien, alors qu'elle lui a précisément échappé ces temps-ci, mais elle continue à vivre, à souffrir chacun des épisodes qu'il raconte, pour avoir une histoire déchirante dans sa vie, car la vie qui possède cela est le contraire d'une vie vide...

Et même sans doute, quand, il y a si peu de jours encore, elle implorait le ciel de lui rendre celui en qui elle voulait voir le trésor de sa vie, s'agissait-il bien encore du commandant sans amour ni honneur de la *Marie-Jeanne* ? Cet homme fuyant, incertain, qui calcule les avantages et les inconvénients en tous genres d'un beau sentiment ; positif, si terrestre et matériel, et sur lequel elle s'interrogeait en vain, comme s'il y avait d'autre mystère en lui que la frayeur de l'idéal et d'une vraie passion ; et en vérité il n'est pas de plus mystérieux penchant de la nature humaine pour ceux qui savent quelle beauté un grand amour peut atteindre, et qui n'aspirent qu'à cela.

Et qui savent que le seul vrai malheur du monde c'est de manquer ce grand amour ; et elle a dû chercher à l'oublier en se jouant la comédie d'un malheur de moindre importance : la perte d'un bon commerçant de la mer. Et s'il lui arrive encore d'appeler Yves l'homme de son attente, c'est qu'un personnage réel, quelque médiocre qu'il soit, assure quelque vraisemblance au roman. Et elle ne se demande pas trop encore quel nouveau nom pourrait suivre ce prénom, car ce n'est pas facile d'inventer de toutes pièces un homme avec sa belle grande vie inconnue...

Ces imaginations du possible et de l'impossible, le dernier gagnant peu à peu sur l'autre, ces attentes qui la déchiraient et où cependant elle semblait se complaire, tout cela n'était-il pas une sorte de jeu qu'elle jouait avec son destin, sans y croire vraiment ni en rien espérer pour son histoire réelle, encore que, quand on croit et qu'on affirme se contenter du rêve, est-ce qu'on ne rêve pas en grand secret qu'il finira par convaincre la réticente, paresseuse, peu exigeante vie ?

Peut-être, bien loin de le comprendre clairement encore, avait-elle la révélation progressive qu'il vaut mieux un rêve tout pur, sans concessions aux choses qui sont, qui pèsent, qu'un autre qui peut croire qu'il a un point de départ dans la réalité, car quoi de plus décevant que de devoir reconnaître rapidement le peu de consistance de sa base ?

Et ce qu'elle appelait son malheur en fin de compte n'était pas tant qu'Yves Le Mével ne l'ait pas aimée ; c'est qu'elle se soit mise à douter qu'il puisse y avoir quelqu'un de susceptible de l'aimer dans son pays et dans le monde ; et seul un beau rêve pourrait conjurer cette indigence, mais on ne s'habitue pas facilement à ce que notre vie se réduise à un rêve, et il n'y avait d'autre solution que de l'embellir tous les jours...

— Vous pleurez, ma petite fille ?

— Oh non, maman.

Et elle s'aperçut qu'elle pleurait donc, mais comment expliquer à sa mère que, si elle pleure, ce ne sont plus les mêmes larmes que celles où elle l'a déjà surprise plusieurs fois, quand elle ne réussit pas à les cacher...

— Vous me laisserez éplucher les oignons la prochaine fois, Sophie !

N'a-t-elle pas compris, ou plutôt refuse-t-elle de voir et de savoir ? L'important c'est que sa fille soit sauvée. Ce qu'elle appelle sauvée. (Oh non ! elle n'osera jamais lui dire ce qu'elle a pensé, et il vaut mieux qu'elles ne tentent jamais de se parler de tout cela !) Sa fille devra tout attendre d'elle désormais, et elle aura le bonheur de lui donner tout, tout ce qu'il faut pour faire une vie... ce qu'elle appelle, elle, une vie...

Mais c'est d'avoir aperçu une tout autre vie que Sophie pleure... dans le secret de son nouveau bonheur.

7

Si les jalouses, les envieuses, les méchantes tout court triomphent, elles voudraient encore souffler sur sa beauté qui leur pèse comme un remords.

Quand elle ose affronter le monde, elle sait bien qu'on

l'épie. Il n'y a guère de maison dont un coin de rideau au moins ne se soulève sur chaque vivant qui emprunte la rue. « Tiens ! Sophie Dagorn ! (La jeune fille a beaucoup de peine à échapper au nom de jeune fille de sa mère.) Où peut-elle bien aller ? chez qui ? elle s'est mise à la recherche d'un autre Yves ? » Et tous les groupes qu'elle salue ont dans leur sourire une ironie comme un piquant sous la fleur, et ce sourire veut dire : « Ah ! vous ne l'avez pas eu, votre fils Mével, n'est-ce pas ! » On lui fait sentir qu'après une telle humiliation il est étrange qu'elle soit vivante encore.

Et, quand elles viennent prendre leurs épiceries, elles annoncent les mariages des jeunes filles plus jeunes, beaucoup plus jeunes qu'elle, et elles disent, comme si elles parlaient en général : « Les jeunes gens assez bêtes seraient de prendre des jeunes filles qui n'ont pas de santé (ou qui ont les poumons pris), n'est-ce pas vrai ? puisqu'il y a d'autres filles et qu'ils ont le choix. » Et les gaspilleuses demandent à l'épicière économe : « Vous voulez donc ramasser le Pérou ? et pour quoi et pour qui, s'il vous plaît ? pour vos petits-enfants ? » « Ah ! elles nous font payer cher l'argent qu'elles nous apportent, ma petite fille, dit Mme Kerguénou : dès que vous vous levez un peu le dos, elles sont jalouses de vous. Si elles pouvaient me forcer à fermer ma boutique, elles le feraient, mais elles peuvent toujours attendre... »

Sophie garde en son cœur des pleurs qui brûleraient ses yeux s'ils coulaient. Elle a beau se répéter que leur sympathie ne vaut pas la caresse d'un chat, elle est sensible à l'outrage... Elle va, coiffée de tous ces petits coups d'épingle... Mais sans doute souffre-t-elle plus encore d'aimer que d'être détestée, d'aimer sans savoir qui elle aime ; elle souffre et elle est si heureuse, et elle veut bien souffrir plus encore pour garder son amour !

Et l'épicière consentirait avec joie à ce que la ville entière ne soit à son égard que mépris et vexations pourvu qu'elle ne soit pas privée de sa fille et de son amour. Et tout est bien si elle garde tout cela à quelque prix que ce soit. — Il faut se faire une raison, ma petite fille. (« Elle va me dire et me prouver, pense Sophie en souriant, que rien ne peut nous arriver de plus beau que le cadeau que Dieu nous a fait en nous donnant l'une à l'autre, et comme c'est vrai ! », et son sourire est tendre et plein de reconnaissance pour le ciel.) Nous ne pouvons pas être plus heureuses que toutes les deux ensemble. Les hommes ne nous font que du mal. (Sophie voudrait dire qu'il y a peut-être des exceptions, mais laquelle citer ?) Vous le comprendrez de mieux en mieux. Est-ce qu'il vous manque quelque chose avec moi ? Et je vous jure qu'il ne vous manquera jamais rien. Si vous me perdez, mon commerce vous resterez tenir. Mais vous ne serez pas obligée de faire comme moi les produits dangereux. (Souvent, je ne dors pas la nuit à penser à mon pétrole qui pourrait exploser.) A la place de ce qui salit les mains, des articles catholiques vous pourrez prendre sans faire concurrence à Mlle Toulasbleiz. Un bon petit commerce ; des petits locataires tranquilles sur la tête ; une petite bonne pour vous aider ; que voulez-vous de plus ? Vous pourrez même faire quelques petits voyages comme Mlle Léonnec (la quincaillière au célibat très distingué sur la Grand-Place) et être une grande demoiselle comme elle.

Bref, une grande demoiselle avec seulement des petites choses dans sa vie. Sophie dit oui à chacun des articles de ce grand projet d'avenir, d'un avenir qui ressemble tant au présent. Celles qui n'ont pas aimé ne peuvent comprendre qu'il vaut mieux être une petite dame qu'une grande demoiselle.

Surtout que sa mère ne sache pas à quelle distance de ce rêve elle poursuit un autre rêve ! Elle craint de prononcer son nom en respirant ; elle craint qu'on ne voie dans ses yeux la *Marie-Jeanne*. Elle ne peut pleurer ; elle effraierait celle pour qui un nuage dans son regard fait le mauvais temps sur la terre et au ciel. Elle n'ose plus pleurer... Elle est persuadée qu'il a jeté sa photographie à la mer, de peur que Valérie ne la découvre dans son portefeuille, et comme son image sur les vagues elle va à vau-la-vie. Prier ? Quand on n'a plus à prier que pour soi, on n'a pas grande ferveur ; et que demander pour sa propre vie ? Aux cœurs faits pour l'amour seul importe ce que l'amour leur donne. L'oraison pour lui vient sur ses lèvres à sa place dans sa prière du soir, mais peut-elle demander à Dieu de le garder à Valérie ? « Quand il me prenait la main, je sentais des larmes monter à mes yeux ;

cependant aurait-il jamais su répondre à mon émotion ? » Elle en doute fort, mais comme tous ceux qui aiment elle veut croire que son pur amour en aurait fait un pur amant... On ne peut accepter si vite d'avoir donné le plus clair de son printemps à un homme sans soleil. Et cependant elle sait bien que c'est ce qu'elle a fait... Alors continue-t-elle à aimer Yves envers et contre tout et elle-même ? souffre-t-elle encore pour lui ? Ou n'est-ce pas qu'elle se raconte l'histoire d'une Sophie qui persévérerait dans une lourde erreur de son passé pour meubler le vide de sa vie désormais ?

« N'importe qui la demanderait, elle n'attendrait pas la Saint-Yves pour dire oui, croyez-moi », assurent ses chères compatriotes qui pensent la connaître mieux qu'elle-même. Mais peu lui importe d'intéresser de nouveau un homme à seule fin de dépiter la meute des mauvaises langues. Si une femme a été fréquentée, courtisée, fiancée ou presque, puis délaissée, ceux qui pourraient se laisser séduire encore appréhendent qu'il y ait en elle quelque tare maléfique qui éclate quand on pénètre son intimité, puisque son premier soupirant n'a pas donné suite, a abandonné la partie... Au sortir de leur idylle, Yves a vu sa cote s'élever au marché des cœurs trégorois, tandis qu'elle est discréditée.

Et pourtant, comme si le destin voulait confondre les langues de vipère, voici qu'elle pourrait vivre richement et gâtée dans la villa aux bouledogues de marbre sur des pilastres route de Lannion. « Vous allez voir comme elle va vite aller retrouver l'ancien notaire qui à son âge n'a pas trop à craindre la tuberculose ! » Sa mère n'est pas opposée à cette alliance : peut-être a-t-elle l'impression qu'un homme âgé est moins dangereux pour une jeune femme qu'un jeune... et Sophie ne s'éloignerait guère d'elle...

Elle a fait transmettre une réponse négative au veuf élégant, en des formes respectueuses. Elle ne pourrait rêver là, près de cet homme inconnu. Pourtant elle se considère comme une sorte de veuve elle aussi. Et les plus pures veuves ne seraient-elles pas parmi ces fiancées qui ne furent pas épousées, celles qu'on pourrait appeler « les veuves d'un rêve » ?

Vingt-six ans bientôt ! La mort en ses yeux pâles a jeté sa

première ombre comme une aile de corbeau qui frappe un étang... De petits nuages noirs aux coins d'un grand nuage blanc passent dans ses yeux comme des croque-morts qui charrient un catafalque de vierge... Un autre amour l'empêcherait de caresser ce fantôme, d'être attirée par ce gouffre toujours à notre flanc et même parfois en nous qui semble attendre que nous nous lassions d'une vie qui ne nous donne plus aucune preuve qu'elle s'intéresse à nous... Mais il faudrait que ce soit un cœur aussi enchanté qu'elle — malgré si souvent la souffrance — d'être un cœur...

— Le temps est triste, Maïa.

— C'est un temps bon terrible pour la terre, fillette.

— On rentre déjà, Julia ?

— Il faut approcher de la nourriture, Sophie !

Elle les aime bien pourtant, toutes ces petites gens de sa petite ville et de son pays ; alors pourquoi tous ses échanges avec elles lui laissent-ils une telle insatisfaction... Un froid... Et elle est frileuse comme ceux qui ont toujours eu besoin de la chaleur d'un autre, et qui ne l'ont jamais eue, et qui croient avoir perdu toute espérance de ce bonheur — et des autres... Mais est-ce qu'on perd jamais toute espérance ? Est-ce que vivre n'est pas d'abord espérer vivre ?

Aujourd'hui la clochette de la boutique a résonné et elle a sursauté. Pourquoi a-t-elle sursauté ? Ce doit être un client comme un autre ; alors, attendrait-elle donc encore quelqu'un qui serait différent des autres ? si différent... Et donc quelque étranger ; quelqu'un d'un autre monde et qui lui révélerait ce qu'a de merveilleux ce monde où l'on vit sans bien le voir. Et son émotion ne l'a pas trompée ; c'est un peu tout cela.

C'est le représentant en bimbeloterie, toujours bien habillé, toujours élégant, « tiré à quatre épingles ». Même sa mère, si encline à mal juger « les gens qui ne sont pas d'ici » doit reconnaître que c'est un monsieur, le plus affable des commis voyageurs. — Sophie trouve plus distingué de dire « représentant de commerce ».

Il parcourt la France entière avec ses deux petites valises, raconte-t-il, et il semble à Sophie qu'il y a sur lui l'odeur de tous les beaux pays inconnus.

Mais enfin, elle le connaît : c'est M. Sanguinol, qui les visite à intervalles réguliers. Pourquoi a-t-elle l'impression de le découvrir aujourd'hui ?

Il n'a pas la parole moins soignée que toute sa personne ; il parle, il parle, « comme si les paroles ne lui coûtaient rien », disent les clientes qui l'entendent en passant, et chacun des articles qu'il montre, chaque échantillon de son commerce semble briller un peu plus à chacune de ses phrases.

Et, quand il a reçu sa commande et remercié (oh ! comme il remercie bien !), il reste un moment causer avec ces dames, et il parle de son pays, et comme il en parle bien aussi !

Aujourd'hui, elle est seule avec lui : sa mère est allée relancer une débitrice, et il semble à Sophie qu'il parle encore plus et encore mieux.

— Voyez-vous, mademoiselle, le Midi, mon Midi (bien sûr qu'il en est ; ah ! comme il en est, et comme il l'aime !) c'est presque tous les jours comme aujourd'hui chez vous.

C'est une très belle journée bretonne, comme il en est peu dans l'année.

— Justement, M. Sanguinol, je me disais qu'il y a peut-être des pays plus beaux que le mien, où le beau temps est le temps habituel !

— Je n'ai pas dit que mon pays est plus beau que le vôtre, mademoiselle Sophie ! Je ne parlais que du temps. J'aime beaucoup mon pays, mais je n'aime peut-être pas moins le vôtre et ses gens, avec une prédilection bien entendu pour les Bretonnes... (Elle doit avoir rougi ; aussi enchaîne-t-il vite.) Et je comprends que quand on vit toujours sous son charme, on ne puisse s'en passer.

— Oh ! M. Sanguinol ! (Elle a parlé un peu comme lui, comme entraînée par son lumineux accent.) Je ne détesterais pas visiter le vôtre, savez-vous !

— Je pense que son climat pourrait faire le plus grand bien à vos bronches fragiles.

Et il a dit ces mots à voix basse, comme s'il voulait que cela demeure leur secret. « Il sait donc, pense-t-elle, et il voit bien que je ne suis plus jeune, et comme il en parle délicatement ! et cela n'a pas l'air de l'effrayer... »

M. Sanguinol a poursuivi de sa belle voix au sonore métal

qui lance chacun de ses mots dans l'air sans penser qu'il lance de l'or.

— Je suis célibataire, et j'emmènerais volontiers dans mon pays une jeune Bretonne. Je pense que la différence des pays, des mœurs, des dialectes, ne peut être un sérieux obstacle quand les cœurs se sont reconnus, et ont l'un pour l'autre une solide estime, ne pensez-vous pas ?

Elle allait lui répondre que c'était bien son sentiment, mais il l'avait regardée avec plus d'intensité en lui disant cela, et son sourire montrait ses belles dents si saines, si soignées elles aussi, et il y avait tant de soleil dans ses yeux — malgré une grande douceur pleine de respect — qu'elle a eu un peu peur. Et sa mère est revenue alors, interrompant leur conversation. Et il n'a plus parlé que de ses nouveaux articles.

Le soir même, pendant le souper, Sophie a évoqué le passage du beau représentant, et elle a dit : — Vous voyez, maman, je rêvais souvent qu'il pouvait y avoir des pays où il ne faut pas toujours attendre le soleil comme chez nous. M. Sanguinol m'a expliqué comment le sien est un de ces pays.

— Le soleil ! le soleil ! à quoi sert le soleil s'il vous plaît, Sophie, sinon à faire tout passer plus vite...

Et en vérité, quand le soleil brille un peu fort, Mme Kerguénou implore sa fille de rentrer s'abriter : — Le grand soleil peut être encore plus nuisible que la brume à vos bronches. Vous voyez le mal qu'il fait aux étoffes ; pourquoi voulez-vous qu'il en fasse moins aux organismes ? (Elle craint de voir sa fille « passer ».) Heureusement, dit-elle comme chaque fois, il y aura une ondée avant la nuit pour rafraîchir le temps.

— Pourtant, maman, M. Sanguinol disait que le climat de son pays, chaud et sec, ferait du bien à mes poumons. Vous voyez comme il est sensible et compatissant. Il disait aussi, pour la question du mariage avec des étrangers, que l'éloignement, la différence des pays et des caractères n'empêchent pas deux cœurs de se comprendre et de s'aimer s'ils sont faits l'un pour l'autre.

— Comment voulez-vous qu'ils soient faits l'un pour l'autre et qu'ils puissent s'entendre, ma petite fille, quand ils ne parlent pas la même langue ? Mais il vous a donc dit ça ! Oh ! je le vois venir. Méfiez-vous de ces beaux parleurs, Sophie ! Les Mokos (surnom des Méridionaux en Bretagne) le sont tous. (Sophie, pas plus que sa mère et ses compatriotes, ne connaît le mot *bagou.*) Et dites-vous bien qu'on n'a pas intérêt à aller faire sa vie dans des pays si éloignés de son lieu de naissance : du nouveau, des paysages, du soleil !... allez donc, ce qu'on a le plus de chances d'y trouver, c'est sa damnation.

Que pourrait dire Sophie après sa mère ? Tout de même elle pense : « Maman voit du mal partout, et la peur que je m'éloigne d'elle la rend injuste envers tous les pays où je pourrais avoir envie d'aller — je ne dis pas d'aller vivre — et tous les étrangers qui pourraient m'y conduire. » Et cependant elle doit s'avouer qu'il y a quelque chose dans l'accent, dans la façon d'être du représentant distingué et séduisant qui la trouble, ou plutôt qui la gêne ; qui la tient à distance malgré sa cordialité qu'elle croit sincère. Elle ne sait pas s'expliquer l'effet qu'il produit sur elle : il est si délicat, si réservé, mais c'est dans sa personne, dans son regard... Sa mère doit avoir raison ; comment dire, quelque chose de trop vivant, presque impudiquement ; d'irrémédiablement étranger... Mais ne serait-ce pas surtout, avant tout, que la vie lui semble à jamais étrangère ?

Le lendemain, elle se remémore leur conversation, réplique après réplique, et songe au passage du beau parleur de sa mère. Le beau temps breton semble s'exalter encore dehors. C'est une telle débauche de soleil qu'elle est un peu inquiète. (Sa mère l'empêchera sûrement de sortir.) Comme si avec son regard ardent, insoutenable, M. Sanguinol avait ajouté au déjà si exceptionnel soleil de Tréguier un peu de la folie de celui de son pays...

Et voici qu'elle se demande pourquoi elle a parlé de tout cela à sa mère, pourquoi elle a pensé tout cela à propos de M. Sanguinol ? alors qu'elle est partie pour un rêve, un voyage, un amour qui l'entraînent si loin au-dessus de telles propositions du monde réel ? Ce doit être que les humbles rêves anciens ne se laissent pas oublier comme cela...

Ces dames font le bilan de la journée commerciale, puis

la mère dit : « Allons nous coucher, ma petite fille ! vers le soir la fatigue tombe sur moi, et vous, vous ne prendrez jamais trop de repos. A quoi bon rester dépenser du pétrole ? » A sept heures en hiver, avant la nuit en été.

Souvent, elles couchent ensemble, pour avoir plus chaud, moins peur, moins triste. Longtemps elles pensent : la mère aux commandes à faire, à la vie de la boutique du lendemain ; la fille à quelques heures douces de son passé où elle revient pour n'avoir pas à envisager un avenir. Mais bien vite, « elle s'éloigne », « elle s'élève », comme elle dit, mettant en pratique la recette qu'elle a découverte pour n'être plus humiliée par la vie. Et, si elle imagine l'idylle de Valérie sur la mer comme un ciel liquide, elle ne lui prend pas son époux ; certes, elle suit toujours un grand navire aux belles voiles où chante le vent, mais ce n'est plus le capitaine à l'excellent rendement qui le commande ; elle en a choisi un tellement plus séduisant afin que l'histoire de son cœur ne soit pas si tôt achevée... Les deux femmes pensent, et deux pensées si différentes peuvent faire le même lourd silence.

— Sophie, vous dormez ?

— Oui, maman.

— Non, vous ne dormez pas, puisque vous me répondez. Vous n'entendez pas un petit bruit ?

— Si, en effet, mais ce n'est peut-être rien.

Mais voici que le bruit semble marcher distinctement dans le grenier ; créature humaine en chair et en os, ou esprit ? mystère en tout cas qu'il faut craindre, contre lequel il faut se défendre. L'épicière allume, s'habille à demi, prend un petit sac d'or caché sous les draps dans l'armoire, prête à répondre à l'alternative habituelle des bandits.

— Ce n'est pas votre père, car les revenants en retard de pénitence traînent des chaînes. Ce ne peut être que quelqu'un qui en veut à notre argent. Quand il aura vu qu'il n'y a rien à voler là-haut, il descendra. Mais restez couchée, Sophie. S'il enfonce la porte, vous vous cacherez sous les couvertures : il ne pourra pas vous voir. Préparons-nous à tout ; faisons mentalement un acte de contrition ; on ne sait jamais ; aucune précaution n'est de trop en ces cas-là.

Rose attend à la porte, retenant ses vêtements dans la

panique enfilés de travers, une grande bûche du foyer à la main pour défendre chèrement son bien suprême, qui dans son lit pense à la dureté de la mort sans amour. Elle rêve encore.

— Mais pourquoi voulez-vous qu'il nous tue, maman ?

— Ces gens ne sont pas à cela près. Disons une prière à saint Yves, à voix basse pour que le scélérat n'entende pas. S'il nous attaque, je le frapperai avec la bûche : une femme est forte comme un homme quand elle a son enfant à protéger. Vous aurez le temps de crier par la fenêtre, les gens viendront. N'ayez pas peur, Sophie, il me tuera avant de pouvoir vous toucher. (Elle n'ose dire à sa mère : « De quoi voulez-vous que j'aie peur désormais ? qu'ai-je à perdre ? ») Minuit, l'heure du crime.

Pourquoi dit-elle cela, comme pour accroître sa propre frayeur et celle de sa fille ? Ne suffit-il pas que les douze coups de la cathédrale sonnent dans leur cœur ? leur dernière heure peut-être...

Mais non, les choses ont repris leur silence... On apprendra demain que le forban était un chat enfermé dans le grenier, mais cette nuit aura révélé à Sophie combien elle doit aimer sa mère. « Vis pour celle qui saurait mourir pour toi ; tu as compris que ta mort pourrait la tuer », lui dit la voix intérieure... Mais elle souffre tant de vivre.

... Sauf quand le mignon sourire rose de Gabriel pénètre en coup de vent dans la boutique et escalade sa tante de toutes les délices.

— Bonjou(r), bonjou(r), tante ma(rr)aine.

Ah ! qu'il est bien celui qui lui ferait tout pardonner à la vie !

— Bonjour, petit canard ! où as-tu laissé ta maman ?

— Nulle part, Briel venu tout seul.

Ils jouent à pigeon-vole, un jeu qu'il adore ; elle lui chante en breton :

Gabriel est un bon garçon ;
C'est le petit garçon de son papa ;
Des pommes et des poires il aura
Plein les poches de son pantalon.

Et puis c'est un nouvel épisode de l'éternelle histoire du petit cheval qui n'aura de fin que quand l'enfance sera finie (et elle ne la verra pas)...

Elle tape sous ses petits pieds comme si elle le ferrait :

Clouez, clouez le poulain.
Trois et quatre c'est assez...
Je crois que ça tiendra bien...

Et de sa joie s'enchante. Elle le regarde ouvrir tous les bocaux pour trouver telle couleur, telle forme de bonbon qu'il a juste en tête, cherchant partout autre chose, se fâchant contre les tiroirs qui ne s'ouvrent pas comme il l'exige à l'instant même ; s'efforçant de tout comprendre tout seul, mais finissant par poser toutes les questions à sa tante qui sait tout, sa tante ravie. Il est le seigneur du monde, tout est à lui. Rose qui passe tout à sa propre fille lui répète : — Vous laissez trop de liberté à cet enfant, Sophie, vous n'aidez pas sa mère à l'élever, vous le pourrissez. — Vous avez raison, maman. Mais la raison n'est pas là en ce moment, et elle en profite. Elle suit son manège comme une amoureuse les gestes de celui qui la possède, cherchant à prévenir la moindre de ses intentions. Elle l'embrasse tant qu'elle ne sent plus ses bras, qui si vite tombent de lassitude, comme s'il devait mourir ce soir, mais ce n'est qu'à elle que cela pourrait arriver. Elle est un de ses jouets, son plus grand jouet et le plus docile, et la mère de tous les jeux, et ces rôles lui suffisent. Et, ayant rempli ses poches de sa provision de caramels pour un jour, il s'en va comme un voleur, mais un voleur qui dit au revoir tendrement, et elle n'est pas rassasiée de lui, et son départ la déchire, et ce sera donc un de ses derniers bonheurs d'être déchirée par l'adorable petit maître.

— A tantôt, tante Sophie.

— A tantôt, caneton, et viens m'embrasser avant de faire dodo, si tu y penses.

— Si maman veut, je veux.

Il viendra ou ne viendra pas, mais tout ce qu'il fait l'enchante, et même ce qu'il lui refuse : elle est si fière de voir paraître en lui un pouvoir d'homme ; et comme un amant malin il sait si bien lui faire oublier les souffrances qu'il lui cause. Et elle suit sa disparition qui laisse un vide dans son cœur d'un sourire radieux... Mais son sourire devient une moue douloureuse ; il la force à juger sa vie et sa misère. Elle est sa tante ; elle est « la tante » ; elle sait tant de chansons pour endormir, pour consoler, pour donner la joie, et elle n'aura personne à qui les chanter. Elle comprend tout ce que ce mot « tante » implique de vie restreinte, et elle ne connaîtra pas de parenté plus intime ; elle est la tante classique chère aux neveux pour ses générosités, pour ses bonbons. Mais elle ne mettra pas au monde un petit dévoreur de bonbons.

Il lui faudra donc vieillir seule ; elle sera une vieille fille... Mon Dieu ! elle allait oublier qu'elle l'est déjà. Une vieille fille confirmée. Et elle deviendra — elle devra devenir — une de ces grosses femmes — vieilles dames ou vieilles demoiselles, on peut ne pas savoir ; quelle différence ? la graisse cache également le passé, qu'il ait été triomphant ou sans la moindre histoire — et certaines n'ont même pas la chance d'être des tantes ! —, grasses comme des taupes, plus attachées à la nourriture que les hommes qui en font du moins de la force, du travail, de l'utile, avec des cafés-pain-beurre quatre fois par jour (ont-elles des chagrins ? elles s'en nourrissent) ; qui ne pensent plus qu'à leur ventre qui n'enfante pas ; qui ont également peur d'être attaquées par les voleurs et le désir des hommes ; qui entretiennent et cajolent un gros chat fainéant comme un enfant et craignent les enfants comme des trouble-fête ; et qui vont toujours vêtues de noir... Oh ! non ! elle refuse cela de toutes ses forces — celles qui lui restent. Les images d'un tel destin futur l'effrayent plus que toutes les visions sinistres qu'éveille dans l'esprit l'idée de la mort. Pourtant, elle hésite déjà à se vêtir de clair ; elle prolonge indéfiniment le deuil de son père. Est-ce que l'homme qu'elle aimait n'est pas mort pour elle ? (Elle sourit à l'ambiguïté de l'expression : n'est-il pas pour elle comme s'il était mort...) Ne lui a-t-il pas écrit qu'« elle devait ne plus penser à lui ». Elle ne doit plus penser à personne, elle ne doit plus penser à la vie. Elle a un peu l'impression plus terrible encore, d'être — déjà — en deuil de la vie.

Elle se demande jusqu'à quel âge on a le droit de se croire

jeune et se rappelle avoir lu : « La femme est jeune tant qu'elle est aimée. » Elle a frémi : non seulement elle n'est plus jeune, mais elle n'a pas eu de jeunesse. Et pourtant, il lui semble non seulement être toujours « la jeune fille », mais aller vers une plus belle, moins fragile jeunesse dans son rêve.

Alors, qu'importe que dans cette basse vie elle passe pour une vieille fille ! Et pourtant elle ne veut à aucun prix de la sagesse de sa mère et de ses vieilles amies fondues aux usages comme à la nature, une seconde nature plus étroite, contraignante que celle qui porte communément ce nom. Vieille fille ! Son corps pourrait peut-être continuer à vivre en mangeant sans faim... Mais Sophie-vieille demoiselle respectable — pendant combien d'années, de dizaines d'années ? — fait à Sophie si jeune encore (elle a eu envie de dire « toujours si jeune »), qui a vu ce matin même dans son miroir où elle ne s'attarde plus guère (« le bonheur de qui ai-je à y chercher ? ») une créature charmante, au charme pas encore mûr... une horreur si pure, si éloignée de la lâcheté devant les devoirs que nous impose la vie qu'elle ne doit pas être un péché.

Alors, pourquoi le piano ne joue-t-il plus que des pages qu'il a déjà jouées ? Plus de vertigineuses études ; plus d'éblouissants arpèges. Elle donne un rythme triste à tout, même aux valses qui se qualifient elles-mêmes de « folles ». Elle songe au temps où les amies de son âge — toutes celles qui avaient à peu près vingt ans alors, celles surtout qui n'avaient pas la chance bourgeoise de posséder un piano — venaient ensemble chez la « fille unique-héritière » chanter et papoter sur ce qu'elles ignoraient et qu'elles connaissent maintenant puisqu'elles sont mariées. Elle cherche dans les chansons désolées des expériences d'un malheur analogue au sien, comme jadis elle y cherchait des matériaux pour construire son « rêve de bonheur » comme elle disait. Elle est tour à tour toutes les femmes abandonnées :

Quand tu disais que tu m'aimais,
C'était pour rire... (bis)

Mais la voici tentée de rire elle-même de sa mélancolie. Est-ce qu'elle est encore une jeune fille abandonnée ? Il lui semble que ces musiques tristes, ces chansons mourantes ne sont plus pour elle, qu'elles n'ont plus rien à lui dire, car elle est désormais si loin de ces timides sentiments dont elles racontent l'histoire ! Elle entrevoit un amour tellement plus haut qui réclame une musique infiniment plus belle. Elle croit saisir dans le lointain, là où il semble parfois qu'habitent ceux qu'attend notre vie plus que la vie elle-même avec tous les bonheurs possibles, quelques accents de cette musique qui chante un visage qu'elle ne connaît pas et qui reste dans le vague, mais quel noble visage ! Oui, bien qu'une sorte de fumée rende imprécis ses traits, elle reconnaît cette noblesse... Il lui semble que ses doigts se promenant sur le clavier pourraient reproduire quelques notes de ce concert céleste, mais elle craindrait d'inquiéter sa mère... Il vaut mieux se faire toute silence pour capter le mieux possible les harmonies paradisiaques qui illuminent la noble figure... Et elle est si ravie de sa découverte qu'elle voudrait l'écrire à son nouvel amour inconnu.

Et elle se rappelle que « du temps d'Yves » — un temps si lointain ! — elle lui écrivait des lettres qu'elle ne lui envoyait pas, n'imaginant même pas possible de les lui envoyer, se doutant donc déjà qu'il ne pourrait lui répondre, qu'il serait gêné. A présent, elle croit comprendre ce qui se passait en elle. Certes, c'est à lui qu'elle pensait alors... Est-ce qu'elle pouvait vraiment penser à lui en écrivant cela ? car ce n'étaient en rien des lettres pour lui, c'étaient des lettres qui se trompaient de destinataire. Elle n'avait pas encore compris qu'on peut écrire des lettres à personne, des lettres pour précisément chercher un destinataire. Elle avait imaginé de les cacher dans son cahier de citations, craignant que sa mère ne les découvre un jour — oh ! seulement par pur hasard, car elle était trop respectueuse de son secret pour regarder dans ses affaires et ses écritures. La très chère aurait été affolée en lisant ces folies d'un autre amour, mais ainsi Sophie aurait pu expliquer qu'elle les avait copiées dans un roman ou un journal de mode. C'étaient déjà des lettres à un autre capitaine, au Grand Capitaine Inconnu. Qu'en faire à présent ? Elle aimerait aller les jeter à la mer que sillonne tout le jour son navire. La grande plaine inconnue n'est-elle pas la route la plus sûre vers le Grand Inconnu ? L'océan, la boîte à lettres de Dieu... Elle ne peut se passer de ce facteur infaillible : sans lui qui connaît toutes les adresses, quelle lettre dans le genre des siennes a la moindre chance de parvenir à son « correspondant muet » ?

Il y a eu cette nuit une velléité de neige sur la ville, avortée comme en général ici. Les arbres noirs et blancs semblent procéder également du ciel et de la terre. Et un pâle soleil illumine la pellicule blanche dont le sol est recouvert. S'assurant que sa mère protectrice-grondeuse, qui ne cesse de trembler pour la santé de son enfant fragile, de lui épargner le moindre courant d'air, de prévenir la moindre imprudence, est occupée dans la cuisine, Sophie ouvre la porte qui donne sur la rue. Le souffle du matin semble sortir d'une bouche de glace, mais il fait si beau... Elle prend un peu de neige dans sa main, admire la farine d'eau, mais elle fond en lui laissant son froid, comme le fit son amour, mais il lui en est arrivé un autre, qui entretient la chaleur de son cœur.

Oui, c'est Noël, mais que lui importe Noël, les fêtes... ce sont les fêtes des autres... Mais il y a le petit Noël, il y a Briel :

— Qu'est-ce que le père Noël t'a mis dans tes sabots, tante ma(rr)aine ?

— Rien, petit chéri, Noël n'aime pas les grands.

— Alors, Briel dira au père Noël de mettre dans ton sabot ton petit Briel.

— Comme c'est gentil ! Et tu as trouvé cela tout seul ! Ce sera le plus beau de ses cadeaux, tu sais, mon trésor.

Elle a eu ce mot de l'adorable adoré ; elle n'aura jamais plus merveilleux Noël.

— Pourtant tu es sage, tu manges ta soupe.

— Non, sa soupe elle ne mange pas, dit Mme Kerguénou. Elle ne mange guère, bien qu'elle n'ait plus que faire d'une taille fine. « Quand il n'y a pas d'homme, on n'a pas besoin de préparer tout le temps ; c'est une tablature en moins », dit Rose Dagorn. Les femmes font souvent leur souper de peu de chose : chocolat au lait, pain-beurre, châtaignes, crêpes au lait ribot. Toutefois il arrive à sa mère de tenter des petits plats succulents à l'intention expresse de Sophie où elle inclut tout ce que le terroir trégorois produit de plus nourrissant sous un déguisement chatoyant, mais ils ne stimulent pas davantage son appétit. Chaque repas est une petite joute de pressantes supplications, de dérobades polies et tendres :

— Prenez encore, prenez un peu plus : ce plat est excellent pour vous ; il a tout pour vous redonner des forces.

— Je vous remercie, maman, vous vous donnez trop de peine pour moi ; c'est très bon, mais je n'ai plus faim.

— Tâchez de manger sans faim pour reprendre quelques couleurs, ne serait-ce que pour me faire plaisir.

Elle voudrait tant faire plaisir à sa mère, mais elle ne peut pas ; chaque bouchée est comme une pierre. Le mal d'amour fait penser au mal de mer, au mal de l'indigestion. Tout est suspendu ; le cœur bat dans l'estomac. Mal d'amour ? il ne s'agit plus guère du mal d'un amour passé, mais du mal de l'amour impossible, du vide de l'univers... vide pour elle.

— L'appétit vient en mangeant. Si vous ne mangez pas davantage, vous vous affaiblirez un peu plus chaque jour ; c'est obligé. (Puis elle la regarde de près, comme une image.) Les yeux cernés vous avez ; vous êtes pâlotte. Vous sentez-vous malade, Sophie ?

— Non, maman.

— Il ne faut rien me cacher ; vous n'avez mal nulle part ?

— Non, maman.

Le docteur reconnaît enfin qu'elle est anémiée ; sa mère lui fait du bouillon de poule, de l'eau de sur des clous rouillés.

Le temps se traîne ; « même les derniers temps se traînent », pense-t-elle en souriant. Et pourtant, voici un nouveau passage de M. Sanguinol : donc trois mois depuis sa dernière tournée ! un interminable trimestre a si vite passé !... Sa mère était là et c'est à peine s'il a reparlé du beau temps éternel de son pays — comme si ce n'était plus le temps, et pas du tout d'une jeune et jolie Bretonne qu'éventuellement... Ne lui avait-elle pas dit — elle ne se rappelle plus trop ce qu'elle lui a répondu, mais puisqu'elle rougit en recherchant dans sa mémoire, ce doit être cela — que sa mère ne supporterait pas qu'elle s'expatrie. Il a eu trois mois pour réfléchir à cette terreur de Sophie de faire mal à sa mère, et il a dû y voir un refus indirect, délicat... Peut-être n'aurait-elle pas dû lui dire cela, mais elle ne le regrette pas, puisqu'il y a sa mère.

Elle n'espère donc plus rien de personne, même pas d'un homme comme lui ! Elle pense que s'il l'avait emmenée dans son pays au soleil éclatant « qui fait tout passer », elle aurait été tentée d'oublier la grande et si fraîche forêt du centre de la ville — la seule forêt d'ici, la divine forêt de pierre. Et elle se sent un souffle de cette grande poitrine, une petite mélodie mourante de cette grande harpe. Elle tremble en pensant qu'elle n'aurait peut-être plus retrouvé saint Yves en revenant au pays ; il n'aurait pas été là pour la recevoir.

Elle se demande comment le temps aurait pu suivre son cours là-bas, dans ce pays de païens, comme dit sa mère : le temps pour elle c'est le déroulement de l'année liturgique, mais dans sa traduction bretonne et populaire ; et elle se rappelle tout cela comme une grande procession de voiles, de bannières, de petits bateaux, de coiffes, de blancheur, de pureté allant à travers la ville et la campagne à la rencontre de l'éternité.

Elle ne savait donc pas à quel point elle aimait les gens de son pays, leur vie et leurs habitudes, malgré leurs laideurs, leurs péchés, leur dureté, leur existence si prosaïque, et tout de même, sur tout cela, le rêve poétique de leur foi.

La chapelle de l'hôpital, toute proche de chez elle, devient pour Sophie le vrai foyer de Dieu. La cathédrale lui semble désormais trop vaste pour être pleine de Lui, comme un bateau si grand qu'on ne voit pas le capitaine, et les cris, les grands élans vers Lui, les petites tendresses à l'intention de Son cœur risquent de se perdre en route. Tandis qu'ici il semble qu'Il se penche, qu'Il s'approche pour prendre tout cela dans ses grandes mains bonnes. Et puis, là-bas, les habitués, de trop vrais vivants, ont à son adresse des demi-sourires. Et pourquoi ? Sans doute parce qu'elle a voulu vivre et que la vie n'a pas voulu la recevoir. Ils ne pensent pas que pour mériter la grande amitié de Dieu, il faudrait commencer par faire la paix avec leurs frères. Désormais elle n'a que quelques pas à faire pour se trouver dans Son ombre et Son soleil qui humblement laisse au ciel ses rayons les plus ardents qui peuvent brûler les yeux fatigués. Elle répond à chaque appel de la petite cloche que tire une religieuse, une petite cloche comme le glas de la vie, qui dit la présence éternelle de la mort.

Un tout petit nombre d'âmes ici, mais des âmes pareilles, pareillement remplies de la divine Présence, qui ont si bien fini par s'accommoder du refus de la vie que celle-ci ne leur est même plus — sauf à de rares instants où la grâce se retire — une arrière-pensée. On ne voit pas les Sœurs qui assistent à l'office à travers une grille qui occupe tout le côté gauche du chœur. Et n'est-ce pas le plus cruel sacrifice qu'on leur demande là ? Elles sont séparées du spectacle sublime que donne leur Seigneur, comme les condamnés à de lourdes peines. Au fond, sous le petit orgue, se tient le tout à fait invalide de l'hôpital et de l'hospice. Entre le chœur, la clôture et les misérables, quelques personnes de la ville, la plupart des vieilles filles. Des femmes semblables à Sophie puisque, si elles ne sont pas exactement chassées de la vie, la vie n'appelle plus aucune d'entre elles. Elles se sentent chez elles dans cette petite nef en marche à petites journées vers la mort et vers une autre mer. « Infirmes et malades, ou abandonnées, en quelque sorte nous sommes toutes guéries de la vie », a-t-elle pensé, et elle a souri à sa pensée.

Elle distingue chaque mot du très vieux prêtre qui officie en tremblant — lui aussi est un retraité, hors cadre — comme si le bouleversait le miracle de jeunesse, de renouvellement de la vie et d'une espérance sans bornes qui s'accomplit à travers lui, par ses mains si débiles qu'elles ne peuvent plus porter le moindre fragment du réel, et ici elles soulèvent le ciel et la terre... Elle pourrait toucher la soutanette de l'enfant de chœur, la seule vraie jeunesse sur ce très vieux navire. Elle imagine Gabriel dans ce rôle charmant, dans si peu d'années peut-être, mais elle ne sera plus là pour connaître et admirer sa gloire de petit serviteur du Ciel. Dieu est si proche qu'on croit le voir naître.

Le vent du dehors gémit en s'infiltrant dans la toiture, mais la tempête du monde s'arrête, désarmée, au seuil de ce lieu qui jouit des plus hautes protections, et où toutes choses gardent un halo de sainteté pour avoir été touchées, caressées par tant de saintes ; et elle ne se sent plus qu'une âme mise au monde pour une destination éternelle.

Elle voudrait être une de ces voix à peine audibles, qui louent Dieu dans un monde si proche et cependant aussi éloigné de l'autre que les étoiles de notre petit astre inquiet, puisque sacré dans le profane, qui s'éteignent presque à force de suavité, d'effacement de ce qui en elles n'est pas pur amour ; tendre haleine d'offrande totale qui prie sans rien demander, qui semble consumer les dernières forces d'un corps qui n'existe presque plus, qui s'abolit dans une volonté si parfaite de ne plus être qu'elle semble mépriser tout ce qui ressemblerait à un effort, souffle d'adoration ou d'agonie pour laisser s'exhaler l'âme, qui s'annihile elle aussi en chaque murmure, aussitôt recréée par Dieu qui ne peut se passer de cette immolation plus voluptueuse que toutes les possessions et qui ne veut pas de fin — à faire croire au bonheur égal de celui qui donne et de celui qui reçoit.

Quand elles reçoivent leur mystique amant des mains du prêtre à travers les barreaux, on sent qu'elles sont déjà dans le royaume au-dessus de la terre. Que n'écouta-t-elle la première tentation de son cœur ? Le mariage avec Dieu n'aurait pas été décevant comme les fiançailles sans cesse contrariées avec un homme : il n'abandonne pas celle qui lui est fidèle ; il n'abandonne même pas celle qui l'abandonne. Maintenant il est trop tard pour lui donner une âme si souvent, si vainement, comme au néant offerte à une créature sans âme. « Mon Dieu ! vous êtes meilleur que vos créatures. Je tâcherai de n'aimer que vous, comme toutes celles qui sont ici. Et cependant, me pardonnerez-vous de ne pas désespérer d'un homme, un seul, mais si pur qu'il ne peut se trouver que dans votre cœur... »

Elle ne se croit rien, et ainsi ne souffre-t-elle de rien. Le vent — lequel sinon le vent de la mer ? — s'énerve en vain contre les vieilles pierres de l'asile inexpugnable, mais dedans les fleurs du chœur, les saints sur leur sellette, avec quelques cierges à leurs pieds — quelques-uns seulement : on a si peu de grâces à demander ici —, l'ordre, la symétrie, l'avarice des religieuses, l'encens et les chants font à la petite âme éconduite de la vie un reposoir qui lui semble contenir toute la douceur du monde auquel elle veut pardonner ses avanies, comme pour en finir avec lui. Puisqu'il faut rendre le bien pour le mal, la bienveillance pour l'indifférence et même les attitudes vraiment hostiles, elle prie pour les médisants et les calomnieuses. Elle veut prier même pour Yves et Valérie. Dans le cantique à la fois béat et mortifié des religieuses, son amour s'efforce de monter, de se faire céleste pour demander que se poursuive sans encombre la belle histoire des heureux de la terre... Et ses yeux ont rencontré l'encensoir que l'enfant balance et qui évoque un doux roulis. Il fait tempête dehors, mais Yves lui a expliqué jadis qu'il n'est guère nécessaire de s'éloigner tant de son pays pour que le cours du temps soit renversé et il se peut que ce soit la dernière heure du jour pour eux sur la mer calme comme un autre ciel bleu sur lequel on glisse. La dunette est le centre du silence du monde ; on n'entend que la brise dans les voiles pleines sur lesquelles montent comme sur des murs blancs leurs ombres et la lune qui fait plus brune et belle Valérie si brune. On ne sait si l'océan marche avec le navire ou si la route du navire est tracée sur l'eau. Il a pris les mains de sa femme dans les siennes, et les baise, et vers le visage de sa femme mollement étendue dans sa chaise longue il se penche... Mais que se passe-t-il ? Non seulement elle a contemplé cela sans souffrir, mais la voici baignée de délices ; une vision s'est imposée à elle ; une scène exquise a remplacé celle qui aurait dû la torturer : ce n'était plus Valérie qui était là avec Yves ; mais elle avec un autre capitaine sans reproche, plein de tendresse et de fidélité, et dont peu à peu les traits se précisent ; et c'est de celui-ci qu'elle a reçu le baiser qui semblait destiné par un autre à une autre... Sa prière s'est arrêtée, mais un hymne de reconnaissance monte à ses lèvres. Qui a pensé qu'elle avait été abandonnée par l'amour ? L'amour est venu à elle, aussi beau qu'il peut être, aussi pur qu'elle le rêvait, et elle va vers lui...

... Et toutes celles qui sont là rêvent que l'office n'aura pas de fin. Que ne feraient-elles pas pour que cela dure, dure, jusqu'au commencement de l'éternité ! comme si cela prolongeait leur fin de vie dans la perspective d'une autre... En arrêtant son balancement et le petit bruit de ses chaînes, l'encensoir a dispersé les éléments d'une grâce d'existence plus haute et plus pure que la vie, la vie dont toutes se demandent ce qu'elles feront jusqu'au coucher. Chacune laisse à une autre l'audace téméraire de se lever la première, de prendre l'initiative de donner congé à Dieu.

Dans le mal d'amour dont souffre Sophie, le cœur, qui attend quelque chose dont il se demande s'il n'a pas aussi peu d'espoir de le posséder un jour que de connaître son vrai visage, tantôt se précipite, tantôt ralentit, à croire, à trembler qu'il va s'arrêter. Il semble qu'il gonfle, aux dépens de la poitrine ; on soupire plus souvent qu'on ne respire. Sophie vit, sans trop savoir ce qu'elle fait, un jour après l'autre, les inutiles jours qui n'ont un déroulement véritable que pour les autres, pour compter leurs bonheurs. Mais n'est-elle pas en train de découvrir un bonheur pour elle seule, presque en dehors du temps ?

Elle coud avec sa mère, derrière la fenêtre-devanture quand Mme et M. Yves Le Mével, de retour de leur voyage de noces, sont passés dans leur soleil, se regardant... Se regardaient-ils vraiment ou a-t-elle voulu qu'il en soit ainsi pour croire avoir aperçu le tableau de l'amour et du bonheur, et souffrir davantage ? ou peut-être pouvoir mieux rêver... La nouvelle s'en est répandue dans Tréguier ces temps-ci : Valérie est enceinte, et cela commence à se voir. Le sort semble mettre de l'empressement à combler tous ses désirs. Les yeux de l'homme ont glissé étrangement entre les bocaux de bonbons, se séparant un instant de sa femme, comme s'il cherchait ce dont il n'a pas voulu. Sans doute, si elle n'a pas coulé, une larme a-t-elle gonflé ses yeux, qui n'a pas échappé à sa mère.

— Un moment vous pensiez à Yves Mével, ma petite fille ?

— Vous vous rappelez, maman ? c'est bien loin maintenant, ment-elle à toute vitesse.

A-t-elle honte à présent de son ancien amour qu'elle tâche de le cacher au fond de son passé ? En vérité, elle n'est plus la délaissée, l'abandonnée, l'humiliée. Ce n'est plus à son ancien amour qu'elle souffre, c'est au manque d'amour de son petit pays, au manque d'amour du monde... Elle souffre parce qu'il n'y a pas d'amour sur la terre pour elle, mais elle n'a besoin d'aucune consolation, car elle commence à comprendre qu'on peut inventer son amour ; et elle devine que sa souffrance peu à peu s'effacera devant une joie pour tous incompréhensible, à elle seule accessible.

Sa mère lui développe que Valérie, tout bien pesé, n'est pas plus riche qu'elle, que la famille jetait de la poudre aux yeux, et, quand Yves comprendra cela, il ne restera pas longtemps gentil avec sa femme ; le mauvais caractère des Mével reprendra vite le dessus, etc... Si cela devait se produire un jour, elle est déjà prête à plaindre Valérie. Que Valérie soit heureuse avec Yves ! Elle, elle met son amour et son bonheur infiniment plus haut ; elle ne saurait être comblée que par un de ces hommes en qui surabonde la grâce humaine. Qu'est-ce cela ? Ces considérations de fortune matérielle, d'incompatibilité d'humeur ? Elle sourit : dans des amours comme celui vers lequel elle va, où elle se plonge avec délices, on ne songe même pas évoquer de telles contingences dérisoires qui ruinent rapidement les sentiments médiocres, auxquels il semble que le ciel n'ait pas donné son plein assentiment.

Le capitaine qui ne lui a jamais parlé de la beauté de la mer part pour un nouveau voyage, seul cette fois. La vie de la femme du marin est un demi-veuvage. Mais nulle distance n'empêche deux cœurs parfaitement unis de demeurer ensemble. Et Valérie ne porte-t-elle pas de l'amour la lourde et chère preuve ; une nouvelle assurance contre la solitude ? Oh ! qu'elle aurait eu mal à imaginer tout cela il n'y a pas si longtemps !

On bâtit en leur absence une maison pour eux sur la route de La Roche. Quand Sophie passe devant ce rêve en train de se faire pierre, elle devrait voir le néant de sa vie, et se dire qu'on n'a le droit de rêver de nouveaux rêves que parmi des rêves qui se sont faits chair, que l'on a su mener jusqu'à leur réalisation... Mais que lui importe, à elle, la bienheureuse des bonheurs irréels ? Elle, c'est un château qu'elle construit sur la rivière de Tréguier pour y vivre avec son beau capitaine-poète, avec des tourelles et des colombiers... Jadis, elle brodait des rideaux pour sa maison de l'avenir avec Yves, entrelaçant ses initiales aux siennes ; elle a rougi à ce souvenir. Elle a repris sa broderie, et l'on chercherait en vain à déchiffrer les lettres auxquelles se marient à présent les S-K-D ; elle-même ne les connaît pas.

Une de ses amies, une des dernières demoiselles de sa génération avec elle, a voulu piquer une épingle dans le nez de saint Guirec à son intention. Sophie a souri, mais protester aurait été trahir son secret, proclamer son nouvel amour que Dieu seul qui le consacre connaît... Elle a laissé faire... Elle comprend si bien que le bon saint patron du mariage ne saurait tenir toutes les promesses des hommes. L'amour vers lequel elle se sent s'élever avec une joie si haute et fière est à cent pieds au-dessus de telles pratiques superstitieuses, et cependant elle a de la tendresse à leur égard parce qu'elles sont de charmantes coutumes de son Trégor.

Mais est-ce que son rêve ne l'éloignerait pas de son pays bien-aimé ? Sans doute ne trouverait-elle pas une paix si parfaite en rêvant si elle le craignait... Son pays : en descendant la vieille côte de Plouguiel, elle se dit que sa vie fut bien vide, bien que parsemée d'obstacles, d'empêchements, de traverses comme cette route toute en fondrières ; mais la vue de là est si belle qu'il lui semble que la puissance suprême, quels que soient les coups dont elle ébranle notre destin, veuille nous interdire de nous en plaindre et de nous plaindre d'elle. La marée montante fait de la rivière du Guindy un lac qui miroite les maisons blanches de Saint-François. Et le petit port sans bateaux proclame à voix très sûre parce que très humble et très douce que, si la vie semble vaine, elle est tout de même la vie, et qu'un miracle peut toujours en naître. Et le miracle pour Sophie ces temps-ci, c'est l'amour qu'elle s'invente et qui est en train de transformer son cœur.

Les sommets de la cathédrale dans le ciel dominent les sommets verts de la nature. Un long moment, de sa solitude élevée, elle n'est que le bonheur que la terre peut donner aux yeux qui se laissent remplir par sa beauté ; elle s'imagine habitant la maisonnette pimpante, gardienne du pont suspendu, qui, sur la presqu'île, semble faite pour abriter un modeste mais beau destin sans orgueil comme celui d'un véritable amour. Sophie rêve d'un merveilleux château qui abriterait tous ceux qui s'aiment, si grand, si haut que les corbeaux des tours vivraient dans les nuages, et d'une chaumière pour un couple d'amants secrets, si humbles, de si petite fortune, que les gens en passant plaindraient ses habitants. Et elle aime ce petit lieu de toute sa tendresse, de toute sa faiblesse...

Mais un bruit s'approche là-bas ; sans doute un pas, un pas qui produit un curieux écho tout de même. Elle reprend sa route, afin de ne pas risquer de passer pour folle. Une folle qui regarde la terre, comme si la terre était faite pour être regardée et non pour porter des champs féconds et des routes qui mènent à ces champs. Elle comprend que c'est une paire de béquilles, la seule du pays ; ce ne peut donc être que le boiteux presque bossu des fils Mével, une des plus mauvaises langues de Tréguier, un de ceux qui ont fait le plus, elle en est certaine, pour éloigner d'elle celui qu'elle appelait son capitaine. (Elle devrait le remercier de l'avoir forcée à s'élever vers un autre capitaine, à l'âme tellement plus haute et généreuse !) Sa première pensée est de fuir, d'éviter sa rencontre, mais sa mère dirait : « Il faut faire bonne figure à ces gens alors qu'on sait le mal qu'ils disent de nous, car ils en inventeraient plus encore. » Et quel est donc ce sourire sur son visage qu'elle ne lui a jamais vu ? lui qui passe si souvent sans avoir l'air de la voir. Jamais il n'avait été si gentil, et « bonjour Mademoiselle » long comme un bras, et le sourire de plus en plus ouvert, et il parle, un peu gêné de ce qu'il dit, mais moins qu'elle de l'entendre. Il lui dit qu'il l'a toujours estimée une jolie personne et une demoiselle distinguée, et son regard proclame qu'il lui voit encore d'autres qualités. Et il parle, et il voudrait lui faire comprendre qu'à présent qu'Yves a fait sa vie ailleurs, tous les autres hommes se méfieront : le monde est injuste, méchant... comme si après cela elle avait cessé d'avoir tous les mérites qu'il a dits... Mais lui, et lui seul, les connaît bien, et elle demeure la même à ses yeux. Pour lui, sa réputation est en vain attaquée par la calomnie. (Il semble ne plus se souvenir du tout de ses propres calomnies !) Bref, elle ne peut plus espérer qu'en lui à Tréguier. Mais s'il lui reste seul, il lui reste le plus pur, le plus tendre, celui qui peut le plus pour son bonheur...

Elle l'a quitté en riant, presque en courant, sans un mot.

Qu'importe qu'après cet affront il continue à dire du mal d'elle ; et même cette fois sans doute le pire ; malgré les conseils de sa mère, elle aime mieux cela que de l'entendre dire en la regardant de ses yeux troubles le bien qu'il lui veut ou pourrait lui vouloir, si elle disait un seul mot... Elle n'a même pas été humiliée, elle a ri.

8

Pour mesurer sa défaite, comme, après la ruine, on reprend des plans de maisonnettes que l'on pouvait dédaigner quand des châteaux, du moins des villas se proposaient à nous, elle tire d'une petite boîte recouverte de sujets fleuris par sa maman-papetière les lettres, les cartes des prétendants « de ses jeunes années ».

Celui-ci a épousé une jolie fille de Pleumeur-Gautier, il était brun, beau garçon, aisé, banal... Ah ! voici le premier qui n'est pas à sa place dans le temps : le cultivateur de Minihy : il prospère avec sa femme qui s'alourdit un peu plus à chaque enfant.

Ce commis voyageur, à la tournée trimestrielle de qui sa mère était habituée, semblait en faire une supplémentaire de temps en temps pour voir la fille d'un peu plus près. Il la fait désormais avec une alliance au doigt.

Un qui se souvient et qui voudrait bien vous revoir. Jean.

Elle ne le revoit pas ; elle ne se souvient de rien... Est-ce qu'elle voudrait le revoir, — pour le voir enfin ?

Cet autre est mort assez tôt, célibataire. Il était d'une très bonne famille, mais il n'avait pas fait son service. « Il vaut mieux épouser un jeune homme qui n'a rien, mais qui a une bonne santé », avait dit Mme Kerguénou qui, depuis qu'il n'est plus, dit de temps en temps : « Vous voyez, ma petite fille, comme j'avais raison. »

Enfin, le commis-percepteur qui écrivait si bien. Son dernier message, depuis combien de mois, ou d'années ? — déjà ! Il signe parce qu'il est très loin et ose mettre son adresse

(Ambert, Puy-de-Dôme — « encore un étranger », dirait sa mère) :

Loin de Vous et plus loin encore de Votre Cœur,
Il vit inconsolable et aimant sa douleur,
Ne pouvant Vous aimer... Sans savoir si là-bas
Votre Beauté toujours comme un doux Astre luit...
Si c'est là vivre, il vit, celui qui n'oublie pas
Celle qui n'a pas eu une pensée pour lui.

Et pourtant voici qu'elle pense à lui, qu'elle pense... peut-être assez fière d'inspirer tant de majuscules... Elle relit des versiculets antérieurs :

Si l'on ne peut se donner,
On peut donner sa pitié ;
Si ce n'est pas vrai qu'on aime,
Aimer l'amour sacrifié,
Consoler d'un mot suprême.

Ainsi je pourrais rêver :
Je serais peut-être aimé
Si j'osais être hardi.
En vain me le suis-je dit...

Elle lit, elle relit, et enfin elle sent, elle comprend le pudique amour, et qu'Yves n'aurait pu écrire une seule de ces lignes charmantes, mieux, exquises. Elle a passé combien d'années de sa jeune existence (elle pense déjà « de sa courte existence ») à revêtir de poésie un homme tout prosaïque, à parer une dure, une sèche image de toutes les tendresses dont débordait son cœur, quand au-dessus de sa chambre respirait un poète qui cherchait à percevoir, comme un message de la bonté de Dieu, le moindre soupir de sa vie à travers les choses. Elle n'a pas reconnu son frère, et c'est juste qu'elle soit punie. Et peut-être l'a-t-elle tué, comme Yves jadis de quelques mots cruels aurait pu la tuer... Elle ne s'est donc éprise que d'une ombre de son rêve ! Et combien ce pauvre amour a duré ! comment a-t-il pu continuer à brûler comme ces cierges qui résistent d'autant mieux aux vents de l'évidence que leur cire est plus grossière... Les vers du troubadour-petit fonctionnaire étaient d'un triste et naïf enfant, mais pur et sincère ; elle le considérait comme la grande dame un collégien qui se déclare avec maladresse mais quel élan lyrique ! tandis qu'elle aimait le marin sans nuances délicates comme un homme véritable.

Et voici qu'aujourd'hui c'est elle qui va à lui, qui lui répond (non, elle ne lui écrit pas, elle lui parle) : « Pardonnez-moi, enfant, que mon amour peut-être aurait su faire grandir... (Elle relit : *Votre Beauté toujours — Comme un doux Astre luit...)* Mais, pauvre enfant, votre astre ne luira plus longtemps... » Elle sourit, car sans le faire exprès, elle a fait elle aussi « une rime » comme on dit en breton, pour donner la réplique à son poète.

Plusieurs lui offrirent ce qu'elle donnait et redonnait désespérément à Yves qui a tout jeté à la mer. Le moindre de ses soupirants avait plus d'amour que lui, mais elle s'efforçait de se prouver qu'il était le plus beau, le plus accompli, le seigneur de la vie comme le seigneur de la mer ; et s'il résistait inexplicablement à son amour et à son propre cœur, c'est qu'il était influencé par d'horribles calomnies. (Elle ne se disait jamais qu'un tel seigneur n'aurait même pas à s'élever au-dessus de telles misères : il ne leur ferait pas l'honneur de leur attribuer la moindre existence ; il vivrait, il respirerait dans un monde de plusieurs degrés plus haut...) Et que si ses lettres étaient si banales, c'est qu'il n'osait exprimer ses sentiments...

Elle a rencontré dans son miroir son visage qu'on aima si peu et si mal, mais tout de même il y eut le jeune poète, et comme elle ne sut pas lui répondre ! Son dernier feu sera consumé par ses yeux. Est-ce qu'il n'y a pas quelques petites rides qui se dessinent là où l'on pourrait croire que coulent les ruisseaux des larmes intérieures ? Mais non, Sophie, c'est la terreur de perdre votre beauté... Elle pense qu'elle mourra belle tout de même si elle meurt bientôt, mais alors il ne faut pas trop tarder.

Ecrira-t-elle au petit fonctionnaire d'Ambert, qui n'annonce pas sa promotion au titre de percepteur, qu'elle l'a enfin compris ? Il doit être marié à présent, et elle souhaite qu'il soit bien marié, et qu'il dédie des poèmes à son nouvel astre, et que celui-ci sache les comprendre... Tout de même, elle lui a envoyé une carte avec un mot qui ne peut troubler rien ni personne : « *Souvenir.* » (Encore qu'elle se rappelle soudain le trouble qu'avait suscité dans sa vie ce simple mot signé « Yves »...)

Comme si l'humble, tremblant poétereau lui avait révélé l'amour en même temps que la poésie de l'humilité, elle se prend à aimer tout ce qui est petit, infortuné, méprisé sans être méprisable, dans la nature ou la société, sans avoir fait le mal, sans mériter un tel traitement infamant du destin : Maïe Zodcaër (la Folle, très folle dont le surnom a remplacé presque le nom) qui de l'aube à la nuit ramasse de l'herbe pour des lapins qu'elle n'a plus ou n'a jamais eus, qui selon elle sont tous morts de « la pidémie ». Sophie la plaignait d'être exclue du monde de l'amour, en se disant qu'elle ignorait du moins comme cela peut faire mal d'aimer, mais à présent elle se dit qu'elle sait peut-être comme elle s'inventer un amour, et connaît son bonheur... Les vieux, les infirmes payés si peu (à peine un petit pourboire en plus de la nourriture) pour des besognes sales ou fastidieuses. L'aveugle hebdomadaire qui reconnaît la rue avec son bâton, les maisons avec sa main, et les gens au son de leur voix, et qui agite dérisoirement un petit gobelet d'une poigne faite pour la bêche ; comme elle, il est arraché à sa destination véritable. Tous ceux qui rêvent et aiment leur rêve, et on les en punit en leur refusant tout le reste, mais s'ils l'aiment assez, même n'ayant que cela ils ont tout, puisqu'ils ont tout l'amour.

Comment aimerait-elle la joie des autres qui si nombreux ont ri ou souri de son malheur ? De ce qu'ils crurent si longtemps comme elle-même être son malheur, et ils continuent à y croire alors qu'elle s'est déjà tant élevée au-dessus de toutes les tristesses et humiliations et elle poursuit son ascension. La jeune femme qui n'aurait pas d'enfant refusait d'entendre les cloches des baptêmes ; dès que de la grande tour s'échappait l'essaim du délire, elle se hâtait de s'enfermer. Elle avait aussi cessé d'espérer, d'attendre l'apparition du bleu là-haut : le ciel noir n'est-il pas le paysage idéal de la mélancolie, son atmosphère ? les glas sa musique... Et voici qu'elle communie aujourd'hui à la joie triomphale d'une jeune mère, et qu'elle guette dans le ciel la dissipation des nuées ;

non parce que tout cela ferait croire que la vie suffit à un cœur exigeant, mais parce qu'elle prend plus sûrement son élan à partir de quelques fragments réussis de cette vie vers une vie plus belle qu'elle entrevoit et dont elle se précise chaque jour le paysage.

On vient d'apprendre la mort du mari de Mélanie. Oui, le beau, le noble Stéphane de Kerivoual, le premier capitaine de France, s'est échoué, misérablement, « la grande bouche » (le niais, l'imbécile), comme un goémonier qui a oublié dans les cabarets l'heure de la marée. (Il se serait suicidé « avec la honte », chuchotent les gens.)

Le destin de l'ex-fille de café est brisé, et ceux qui couvent avec un tendre soin leur bonheur ou leur fortune, petite ou grande, et non moins ceux qui n'ont rien à couver, soufflent sur le petit tas de cendres de ses rêves. Finie la grande vie fière ; la villa doit être vendue comme le reste. (Ce qui prouve bien l'exactitude des rumeurs qui veulent qu'elle ait été construite à crédit ; qu'ils multipliaient les dettes...) Le tambour détaille les beautés réunies par le goût ambitieux plus que sûr de la parvenue : on demande au bonhomme si la pendule est en bronze, si les draps sont brodés... Le moindre de ses caprices est étalé sur une table par le clerc de notaire, disséqué avant d'être jeté au feu des enchères. La noblesse de son père dont héritera l'enfant sera une dérision puisqu'il connaîtra la misère.

Laquelle aura souffert le plus ? celle qui n'aura pas eu de vie, vraiment pas de vie, ou celle qui, après avoir été reçue en grande pompe dans le palais de la vie, en a été chassée sans égards ? Elles se sont rencontrées et n'ont pas parlé de leurs souffrances, assez fières toutes les deux pour souffrir seules, chacune de son côté.

Sophie la plaint de tout son cœur, et pourtant Mélanie ne songeait pas, quand la richesse la comblait et qu'elle proclamait son bonheur de pouvoir réaliser tous ses désirs, qu'il devait lui arriver d'éclabousser des pauvres et de faire des envieux.

Si la certitude que d'autres ressentent nos maux peut nous aider à les porter, n'y aurait-il qu'un bonheur au monde, s'il n'est pas pour nous, le monde nous semble avoir été fait pour les autres. Mais Sophie est partie pour un bonheur qu'elle seule connaît, dont personne ne peut imaginer la beauté, trop haut et difficile et mystérieux pour exciter l'envie...

Elle fait la grande promenade de Saint-Yves avec Gabriel. Quand elle a sa menotte dans sa main, elle ne craint ni les sourires ni les sarcasmes ; elle se sent forte comme un vieillard avec sa canne ; elle peut prouver au monde qu'il y a au moins un être qui l'aime. (Ce sont de ces instants bienheureux où elle oublie qu'il n'est pas son enfant.)

Il veut monter sur la tour Saint-Michel, et d'habitude elle se plie à chacun de ses caprices (en pensant comme elle aimerait se plier à ceux du père de son enfant), mais elle sentirait le capitaine des beaux voyages commerciaux derrière elle, comme le fantôme d'un compagnon mort ; elle aurait le vertige.

Elle passe avec l'enfant partout où elle passa avec l'homme. Elle se rappelle toute la tendresse acceptée, mais combien plus offerte, rougissante, radieuse, à chaque mètre de ce petit enclos. Avoir un véritable amour, n'est-ce pas oublier le vaste monde et se rappeler une foule de détails infimes ? Elle sourit : « Et c'était alors pour moi le paradis, tout petit triste paradis perdu, heureusement perdu... » Et le petit la regarde étonné quand elle l'étreint tout à coup pour sentir une chose vivante presser sa vie où tout se détache d'elle, où plus rien ne la convie.

Elle s'assoit un instant au Bois d'Amour avec Briellec sur le banc où elle s'assit avec Yves. Le banc doit être un peu plus moussu, ou plutôt elle remarque sa mousse : jadis, elle ne voyait pas les choses, elle ne voyait que lui ; et Sophie a une pitié souriante pour cette Sophie aveugle d'autrefois.

A l'infini elle aperçoit la mer — une mince bande du moins de la grande plaine —, l'inconnu sans limites où l'on se perd quand on n'a pas l'amour à son côté.

— Qu'est-ce que tu (r)egardes, tante Sophie ?

— Rien, ma petite souris ; si, je regarde ma charmante petite souris Gabriellec.

Et elle se tourne vers la campagne, le cœur noyé : la vision des bonheurs passés est un cauchemar... Mais ce n'est pas cela, ce n'est plus cela ; c'était l'illusion du bonheur pour une illusoire Sophie, quand elle n'avait pas compris qu'il n'y a de véritable bonheur que dans un beau rêve. Il fut donc un temps où elle voulait désespérer à cause de cet Yves inconsistant comme s'il méritait qu'on place en lui la moindre espérance ? Et par moments elle retrouve ce temps-là, et la triste Sophie d'alors, amoureuse d'une ombre à la moustache sévère, et elle souffre avec elle... Mais bien vite la nouvelle Sophie la remplace, celle qui sait où se trouve son véritable bonheur, même si c'est un bonheur impossible.

A présent qu'elle n'attend plus le capitaine sans exaltation, elle attend tout de même un message de la mer. Elle n'imagine pas un grand cadeau du destin qui lui viendrait d'ailleurs. Il ne peut lui être apporté que par un grand navire et son beau capitaine. Par un homme de la mer, seigneur du voyage et des étoiles ; mais rien de commun avec celui en qui elle crut et qui la trompa. L'homme de sa vie (elle a souri en prononçant ce mot car il serait plus juste de dire : de sa seconde vie) est un homme infiniment plus véritable, sûr du choix de son destin et de sa femme, et qui écoute les inspirations de son cœur plutôt que les cancans et les calomnies d'une petite ville.

Et elle tremble tout de même un peu en songeant aux erreurs de son passé, car elle comprend aujourd'hui que, si elle avait épousé le capitaine Le Mével, comme elle le désirait si fort, quelle immense déception elle aurait connue bientôt ! en découvrant, un peu mieux chaque jour, un lourd commerçant des voyages au long cours dans son seigneur de la mer. Car le beau capitaine qu'elle s'invente sait chanter la mer, tandis qu'Yves l'aurait désenchantée. Il sait chanter la mer et toutes choses sans les faire mentir, et loin de songer du matin au soir à la meilleure façon de réussir une traversée fructueuse en méritant les primes de rendement de cet autre commerçant de la mer, son armateur, il s'inquiète de lui faire faire le plus beau voyage nuptial sous le plus beau des ciels. (Et pas de cages de forçats au fond des cales, avec des chaînes et les rats...)

Par moments tout de même, ses larmes se font douloureuses, car, comme pour garder quelque contact avec la vraisemblance des histoires humaines, elle se raconte un autre roman : elle imagine que la mer jalouse lui a pris son beau capitaine (non, pas celui de Valérie qu'en ce cas la belle pension prévue au contrat ne manquerait pas de consoler un peu), et il va lui falloir mourir tout de même parce qu'il était sa seule raison de vivre, et la pauvre Sophie qui se voulut jadis la veuve sans mariage d'un capitaine mercantile qui ne voulait épouser qu'une jeune fille fortunée — et plus sans doute la fortune que la jeune fille — est cette fois la veuve inconsolable d'un homme incomparable à qui elle doit les joies d'un merveilleux mariage, et quels souvenirs déchirants !

Mais le beau capitaine qui connaît mieux qu'elle le bonheur auquel elle aspire parce qu'il est destiné par la Providence à le lui donner, ne craint plus les tempêtes et autres embûches de la mer trop brutalement réelle de la terre ; c'est sur un autre océan qui se distingue très mal du ciel qu'il vogue à présent vers elle ; et elle pleure parce que sa volonté de beauté, son rêve de pureté se sont découvert un frère, et c'est merveilleux ; cependant, c'est difficile de remplacer un bonheur illusoire que l'on poursuit dans un monde réel, hostile mais vivant, par un bonheur sans mensonge ni limitation aucune, car aucun chemin de la réalité ne nous aide à le rejoindre, et l'on ne s'habitue que peu à peu à respirer à ces hauteurs et à y poursuivre un être dont la nature pourrait bien être voisine de celle des anges...

— Pourquoi tes yeux font pipi, tante ma(rr)aine ?

— Tu as cru que je pleurais, cher caneton !

Comment lui expliquer que ce sont des larmes qui ne font pas mal, que, comme les cœurs lumineux, elle connaît désormais le secret des pleurs sans tristesse ni souffrance, et qui éclaircissent la vision, toutes les visions : celle du dedans comme celle du dehors.

Et elle l'embrasse pour lui cacher ses nouvelles larmes que son mot tendrement naïf, si curieux de la vie de son visage, si adorable d'épier sa peine, fait couler plus fort. Elle aime tant ses yeux inquiets, inquisiteurs, sur elle, parce qu'il s'intéresse — lui du moins — à sa vie.

« Oh ! Gabriel ! mon enfant-miracle ! mon petit miracle à moi ! » Non, elle ne le prend pas à sa mère légitime ; la chère Aline adore son enfant, mais sait-elle qu'elle a un enfant-miracle ? Est-ce qu'elle sait qu'il y a des miracles ? Elle l'a un peu interrogée, et elle doit en douter. Est-ce qu'ils savent qu'il y a des miracles parmi eux, les gens autour d'elle ? Serait-elle donc la seule à le savoir ? Ils sont partout ; il faut les voir, les dégager de leur gangue, et de l'indifférence... Merci, mon Dieu, de m'avoir révélé qu'il n'y a pas que les miracles de l'histoire sainte, mais les miracles de l'histoire de tous les jours... Merci de m'avoir donné le petit miracle Gabriel pour me le confirmer. Merci, mon petit miracle Briellec d'avoir eu l'exquise pensée de me mettre ton miracle dans mon sabot de Noël... On peut donc pleurer de joie ? serais-je aussi la seule à le savoir ? Si rien ne pouvait consoler de la solitude, il y aurait cela.

Et son bonheur s'exalte encore parce qu'une grande lueur lui est apparue sur son destin, sur tout son destin et son absence de destin, parce qu'elle a remplacé l'homme dont elle avait fait, par quelle erreur de jeunesse (elle sourit à ce mot), le maître de ce destin, un homme si tristement englué dans le réel, si emprunté, si gris, un homme sans cœur, par un seigneur de charme et de tendresse auquel ne manque que... mais elle ne veut pas songer à un manque aussi léger que l'existence réelle... Et ce capitaine-là l'emmènera sur son grand navire blanc vers des pays pleins de splendeurs qu'on ne connaît pas ici — ni sans doute où que ce soit... Mais il vaut mieux ne pas demander de précisions à des grâces aussi grandes, aussi surabondantes, que le bonheur qu'elles prodiguent.

Elle a raconté à Briellec, à la façon des contes de fées qu'il lui demande sans cesse et qu'elle ne lui refuse jamais, cette belle histoire, et le petit veut partir avec elle et son mari sur le grand navire blanc ; vite, tout de suite, il a hâte.
— Mais oui, on t'emmènera, Briellec ; je dirai au capitaine du Kestellec que tu le désires tant. (Elle vient de lui trouver ce nom ; c'est presque celui d'un petit château à l'entrée de la rivière de Tréguier qui l'a toujours fait rêver...) Il sera ravi d'avoir un si gentil petit garçon, mais bientôt tu auras un petit frère, et il ne faudra pas être jaloux...

Et elle a rêvé une bonne partie de la scène en imaginant

que c'était le grand bien-aimé qui était là et lui parlait à la place du petit ; il n'y avait qu'à effacer « tante » devant Sophie et tout devenait vraisemblable ; et le grand avait la même terreur de ses larmes que le cher petit, et c'était à les faire couler à flots... Et elle pense sans le dire : « C'est peut-être toi qui, un jour, me feras pleurer, petit ! »

Et sa pensée voyage dans les pays à l'existence très incertaine, et d'où devraient venir cependant, d'où l'on rêve que viendront ceux sans lesquels notre vie ne sera qu'une ombre de la vie ; et l'enfant qui a senti sa main distraite a fait glisser ce lien : « Reste près de moi, Briellec, ou le diable viendra te prendre, ou bien tu seras mordu par un grand serpent. — Comment alors s'appelle le grand serpent, tante ma(rr)aine ? c'est le diable son papa ? » Elle a souri, mais en lui cachant son sourire, car elle doit être sévère pour lui être utile ; et elle le regarde, ravie. Elle vieillit autant qu'il grandit. Elle ne cesse de le fixer, mais son absence est si profonde de cette vie où l'on a froid (où les êtres sont si peu frileux les uns des autres) que les yeux sur lui elle l'oublie, durant combien de minutes ? Le temps qu'il s'éloigne de quelques pas, tombe, se blesse le genou, et Aline qui accuse Sophie de négligence — sans le lui avoir dit elle-même, mais la rumeur a fait circuler la grave accusation — espace les occasions de le lui prêter. On lui prend jusqu'à son enfant. Sans doute est-ce l'apparition de cette lumière sur son destin qui a distrait sa pensée un instant de son cher souci de chaque instant, et c'est l'innocent qui a payé pour ce miracle.

Elle s'est enrhumée une fois de plus dans le monde si plein de dangers, d'embûches, de mauvaises intentions, et de changements de temps, et cette fois c'est un rhume plus gros que tous les autres, un rhume têtu comme un clou dans le poumon. Elle tousse, elle crache : « Des douzaines de mouchoirs Françoise Zos doit lui laver tous les jours », disent les gens, « et souvent il y a du rouge dedans », ajoutent les mauvaises langues qui semblent attendre sa mort, qui veulent qu'Elle ait déjà mis sa main sur elle... Non, ce n'est pas de la haine ; ce n'est nullement qu'elles veulent sa mort, mais elles ont parié qu'elle a les poumons pris ; alors quel que soit le pari qu'on a fait, on veut le gagner. Sophie pense que ce ne serait pas honnête de laisser sa mère se faire trop d'illusions :

— Je crains d'être poitrinaire, maman.

— Comme vous avez des idées drôles, ma petite fille ! Nous ne sommes pas d'une race de tuberculeux. Vous n'êtes pas forte, sans doute, et vous vous êtes affaiblie ces temps-ci avec les rhumes répétés d'un mauvais hiver, et vous avez besoin de soins constants, c'est tout. (« Elle va me dire une fois de plus que je suis bien heureuse de l'avoir, chère maman, que sans elle... et c'est si vrai », pense Sophie avec un sourire intérieur.) Dites-vous bien que si vous étiez mariée, et personne à vous dorloter, vous seriez peut-être déjà morte. Vous voyez comme vous avez eu raison de ne pas me sacrifier à un homme ! Moi je vous reste, et moi seule.

— Oui, maman.

— Mais vous ne devriez pas continuer à tousser tant avec ce sirop de Paris que je vous fais prendre. Vous ne faites pas assez la grasse matinée !

— Oui, maman.

Un silence, Sophie rêve un instant : — Oui, maman.

— Vous dites : « Oui maman », quand je n'ai rien dit, Sophie ; je me demande à quoi vous répondez.

— Je dis toujours « oui, maman », maman, non seulement à tout ce que vous dites, mais à ce que vous pensez pour mon bien, et je suis heureuse de le dire.

« Surtout ne pas l'inquiéter ! pense-t-elle ; qui sait si déjà elle ne s'inquiète pas assez ; si elle ne se rend pas mieux compte de mon état qu'elle ne me le laisse voir... » La fureur renouvelée à chacune de ses visites contre son épouvantable sœur, « la voleuse mielleuse » a fait dire aujourd'hui une énormité à Rose : « Vous verrez que je vous perdrai et elle gardera ses filles, la monstre ! » Elle avait bien entendu aussitôt regretté ce mot qui lui avait échappé... Sophie lui a répondu : « Rassurez-vous, maman, je resterai avec vous... » Mais elle a entrevu que sa mère n'est pas si tranquille, qu'elle craint parfois le pire.

Elle obéit à sa mère, ne se lève plus que vers 11 heures

et descend à la boutique, comme une visiteuse. Tout lui semble un peu étranger, comme si elle revenait d'un voyage dont on avait beaucoup parlé. Elle dit bonjour aux clientes familières, les fidèles, les amies de sa mère, celles qui ne vont pas chez la nouvelle épicière parce que tel article coûte un sou de moins et que « tout nouveau tout beau » ; celles qui sont « pour les Kerguénou », qui ne disent que du bien d'elles deux, qui les défendent contre tout le monde. Elle sert quelques pratiques, de préférence les petits amateurs de bonbons, pour avoir l'air d'aider sa mère. « Avec la poitrine s'en va la pauvre Sophie », disent les amies en sortant, avec une vraie pitié, sans la pousser vers sa tombe comme les autres qui plaisantent : « Bah ! assez d'argent a sa mère pour la soigner !... »

Elle maigrit, elle maigrit. « Il n'y a plus rien d'elle », disent les gens, et encore : « Elle est comme un manche (à balai) de genêt. » Ah ! le chagrin ne la nourrit pas, elle ! Quand elle met ses mains dans les poches de son manteau, elle semble une manchote qui laisse pendre ses manches vides. Elle est pâle comme du linge séché dans un vent sans soleil. Souvent, elle se frotte les yeux comme s'ils avaient un effort à faire pour rester ouverts. Elle soupire, comme si son cœur remplissait sa poitrine, son cœur qui se ronge de ne pouvoir sortir de soi.

— Mangez, mais mangez donc, Sophie !

— Je n'ai pas faim, maman.

— C'est une grande consolation de toutes les peines, de la jeunesse comme de la vieillesse, d'avoir à manger et à boire, dit Çoisec Coz (Françoise la Vieille) qui le prouve par sa conduite à table.

— Il faut manger pour vivre, ma petite fille !

— Vivre pour quoi ?

Elle voudrait dire « pour qui ? », mais elle ne peut le dire puisqu'il y a sa mère qui mérite qu'elle vive pour elle, et elle regrette déjà ce qui lui a échappé.

— Ne dites pas ça pour m'effrayer, Sophie. Envie de mourir vous avez donc ? (Elle n'a pu réprimer une moue d'indifférence.) Vous n'avez pas le droit de penser à des choses pareilles qui feraient mourir votre mère. Du quinquina je vais vous faire pour vous redonner de l'appétit.

« Manger pour vivre. » Sophie n'a plus faim de la vie qui l'a si mal nourrie d'amour.

Une vieille fille, pense-t-elle, n'a pas plus de raisons de vivre que de mourir. Elle aime trop la volonté de son Dieu pour rien faire contre la vie qu'il lui a donnée : ce serait comme lui jeter son cadeau à la face, encore qu'elle hésiterait beaucoup à lui donner ce beau nom — un cadeau qu'on ne peut donner à son tour !... Ayant toujours vécu à quelque distance de la réalité, elle s'est peu préoccupée des soins que réclame un corps pour se bien porter. Le médecin, qui ne devine pas à quelles profondeurs de l'indifférence pour la vie est née sa maladie, hoche la tête, comme s'il ne pouvait faire grand-chose pour la garder longtemps encore à Tréguier.

Sa mère prie : « Mon Dieu ! gardez-la-moi, aussi fragile et faible qu'il le faudra, et même malade, si vous l'exigez... Que je sois obligée de veiller sur elle jour et nuit, mais qu'elle me reste ! »

Elle a fait le même effort pour se soulever elle-même et soulever sa chaise ; sa mère l'a remarqué et s'effraie : « Oh ! mon Dieu ! comme vous êtes devenue faible, ma petite fille ! (Comme si elle ne le savait pas, mais elle ne veut pas le savoir...) Heureusement que le printemps approche ! » Mais le printemps ne lui apporte aucun mieux, elle n'a pas une maladie de saison.

— Allez faire un petit bout de promenade avant votre collation, ma petite fille, cela vous donnera un peu d'appétit.

— Je n'ai pas envie de sortir, maman.

— C'est mauvais pour vous de rester toujours enfermée ; vous ne respirez pas assez, vous vous anémiez.

Elle essaie de se dérober : — Un homme soûl j'ai rencontré la dernière fois dans le petit chemin... Aline doit venir...

— Oh ! celle-là, elle ne vient jamais qu'à l'heure du café. Allcz donc faire un tour à Kerdir, ou bien les gens diront : « Elles ne vont plus à la ferme, elles sont brouillées. »

— C'est loin, maman.

Mais elle aime mieux essuyer les sourires des passants et outrepasser un peu ses faibles forces que de déplaire à sa mère. Elle va faire une visite aux cousins de la ferme. Ils tâchent de lui parler français comme pour s'élever jusqu'à la jeune fille de la ville, mais elle les comprend mieux et se sent plus près d'eux quand ils parlent leur langue. Elle a vu là Erwan Paranthoën, un fils unique d'un ménage voisin. Il n'est pas encore marié bien qu'il ait à peu près son âge. Il cherche ses yeux et baisse les siens quand elle le regarde. Il ne lui dira jamais rien, jamais : elle est trop haute ; elle appartient à la race dont l'humus ne salit pas les mains. Il lui parle un français un peu moins maladroit que les autres, mais elle lui répond en breton. Elle se dit qu'un tel homme ne trompe pas une femme, qu'il est honnête, solide comme la terre. Elle en fait un paysan comme dans les romans, auquel ne manque aucune grâce humaine, mais ce n'est pas un roman pour elle.

Quel que soit le chemin qu'elle emprunte, elle lit la conspiration de sa solitude dans les regards clairement méchants ou ironiquement pitoyables des passants. Elle sent comme un poids sur les yeux, même quand elle marche en les baissant, comme une femme au deuil récent.

Elle ne cherche même plus à échapper aux humiliations, car si elle ne va pas au-devant d'elles, elles viennent à elle à l'épicerie. On parle du ménage Mével pour la voir rougir derrière le comptoir. Elle est désormais très loin au-dessus de cela, et cependant comme elle redevient facilement la petite Trégoroise sans défense que ses compatriotes ont fait tant souffrir ! Sa mère est inquiète : — Sophie ! le poids de vingt grammes vous mettez à la place de celui de cinquante. Vous oubliez comment on fait une demi-livre. — Pardon, maman. Rose sourit, comprenant que de plaisanter est la plus sûre façon de sauver l'honneur de sa fille, et dit : « Elle est distraite ! »

Et en lui parlant on appuie sur « Mademoiselle », pour bien lui rappeler ce qu'elle est et qu'elle ne sera pas autre chose. La plus mauvaise langue du pays lui a dit hier soir, se reprenant aussitôt en se traitant de grande bouche, mais le coup avait porté : « A tantôt, Mme Mével. »

Et les commis voyageurs, qui ne cherchent cependant qu'à plaire, ne voyant pas sa main dans l'ombre : — Mademoiselle, ou peut-être Madame : depuis mon dernier passage, les choses ont pu changer ; — elles changent si vite à votre âge. Que doit-elle dire ? comment doit-elle répondre ? Non, monsieur, rien n'a changé. Elle voudrait dire : si les choses changent sans cesse partout dans le monde, pour tout le monde, rien ne change jamais pour moi...

Et Marie-Maboule, qui ne sait ce qu'elle dit, la chère innocente, qui est la dernière à lui vouloir du mal, mais qui est parfois de quelques années en retard sur le cours du monde, lui a demandé : « On dit qu'Yves Mével va vous marier, demoiselle ? »

Et le petit Gabriel lui-même, autre innocent : « Pourquoi pas te marier avec Yves Mével, tante ma(rr)aine ? il est gentil, il a un grand bateau... » Il a entendu parler d'une telle histoire.

Elle voudrait leur dire à tous : « Mais oui, je sais que c'est déshonorant de n'avoir pas été aimée par celui à qui on avait donné sa foi. Vous voulez que je sois maudite parce qu'un homme sans cœur n'a pas voulu que Dieu nous bénisse ensemble, et que je sois malheureuse comme les pierres parce qu'il a refusé d'être heureux avec moi ? (Croyez-vous que les pierres sont si malheureuses ? si on ne l'était que comme elles !) Mais que voulez-vous donc ? que je meure ? Mais je ne refuse pas la mort ; au contraire peut-être... Alors, tuez-moi, ou laissez-moi mourir en paix. Vous n'aurez plus tant à attendre... Et si vous saviez comme ce n'est pas de cela que je meurs ! »

Et tout ce qui leur fut commun, ne serait-ce qu'un instant dans le passé si proche et si lointain, une chose qu'ils regardèrent ensemble, une mazurka qu'ils dansèrent enlacés ; une fleur qu'il lui offrit, qu'elle a fait sécher et qu'elle garde précieusement dans un livre ; quelques objets charmants qu'elle tient de lui, l'étonnent de vivre encore — de survivre — comme les superstitieux d'avoir dépassé le jour que tel devin leur prédit devoir être leur dernier : est-ce qu'on ne devrait pas mourir quand nos raisons de vivre ont vécu ? « Mais qu'ai-je pensé ? qu'ai-je rêvé ? quelle histoire tendre et déchirante me suis-je racontée ? Il ne m'a jamais rien donné, et surtout pas des fleurs. Avons-nous jamais dansé ensemble ? S'est-il penché une seule fois avec moi sur une petite vie, un spectacle émouvant ? » Elle a imaginé une fois de plus un autre Yves que celui qui ne vint jamais à sa rencontre ; un Yves qui l'eût aimée autant qu'elle s'efforça désespérément de l'aimer, un Yves dont elle aurait délices et brisement de cœur à se souvenir, car cet Yves digne de tout l'amour du monde est mort avant la consommation de leurs noces, et qu'a-t-elle désormais à faire de la vie sans lui !

— Maman, j'aimerais bien aller voir la mer. (Elle a failli dire : encore une fois, mais c'est ce qu'il fallait éviter de dire de crainte d'effrayer sa mère.)

Elle a des « envies » comme on dit qu'en ont les femmes enceintes, et ne serait-ce pas qu'elle est comme enceinte de la mort ?

Mme Kerguénou est si surprise, un peu décontenancée, qu'elle ne répond pas tout de suite.

— Oh oui ! n'est-ce pas, maman ? On pourrait demander à M. Bourhis (le loueur de voitures, le seul qui possède à Tréguier une sorte de fiacre) de nous conduire à Trestraou (là où on la voit pleinement, et le petit train ne va que jusqu'à Perros). Il me semble que cela me ferait tant de bien !

Que ne ferait Mme Kerguénou, même s'il fallait donner un peu du sang de son corps, pour satisfaire le moindre de ses caprices ? mais si en la satisfaisant elle lui faisait plus de mal que de bien ?... — Oh ! mon Dieu ! ma petite fille ! quelle drôle d'idée s'est mise dans votre petite tête ! Bien sûr, on pourrait fermer la boutique toute la journée. (L'incertitude de son ton dit très clairement qu'elle ne prendrait pas une telle décision sans hésitation, qu'il faudrait être à toute extrémité pour s'y résoudre.) Mais on doit toujours se méfier de la mer : vous pourriez prendre froid. Et pensez qu'aller et retour cela ferait un voyage de dix lieues ! et les cahots de la route ! Fatiguée comme vous êtes déjà, énervée par l'air violent, vous tousseriez toute la nuit au lieu de dormir. (Elle sait fort bien que sa mère a raison pour tout, qu'elle n'a rien à répondre à ses arguments.) Et qu'est-ce que vous verriez à la mer ?

Ici tout de même elle pourrait dire : la mer. Mais elle n'ose, elle n'insiste pas ; elle ne veut pas effrayer sa mère. Comment lui expliquer que, si elle pouvait la contempler encore une fois dans toute sa majesté scintillante — et y jeter ses lettres au Bien-Aimé Inconnu, ses yeux s'ouvriraient à la vision de l'infini, et elle aurait moins de peine à suivre là-bas le navire blanc de son grand capitaine, et peut-être le verrait-elle venir...

Donc, elle ne verrait plus la mer...

Et cependant, elle en avait une telle envie qu'un après-midi, sous prétexte d'une visite à Mlle Léonnec, la grande demoiselle-quincaillière de la Place, elle est montée sur la grande tour de la cathédrale, là d'où l'on peut La voir. Elle a dû s'asseoir vingt fois sur une marche durant l'ascension, et elle était en sueur, et combien de fois a-t-elle cru qu'elle allait s'évanouir ! mais elle est tout de même arrivée là-haut, et elle L'a vue ! La mer d'où doit venir, d'où viendra un jour le capitaine du grand navire blanc... Et elle est redescendue exténuée, mais ayant découvert comme la terre est une autre terre vue d'une certaine hauteur, et plus belle à mesure qu'on s'élève, MIRACULEUSEMENT belle... Et que doit-elle être alors, du haut du ciel ! Elle avait fait la rencontre d'une commère, qui a parlé ; son équipée s'est sue et a fait le tour de la ville ; on a dit — une fois de plus — qu'elle était folle de se conduire ainsi comme une touriste, une qui n'est pas du pays... Que serait-ce si l'on avait su que cette folie-étant-donné-son-état c'était pour voir la mer alors qu'on est si bien sur la terre ferme !

Elle sait bien que désormais elle imaginera mieux la course et l'approche majestueuse du grand navire...

Aujourd'hui, elle est sortie sur le seuil de la boutique. Elle sent l'air dur et coupant, bien que ce ne soit que la fraîcheur du matin breton, et elle tousse comme un abîme, si creux que deux vieux qui passent regardent avec une surprise un peu effrayée cette jeune femme comme si elle les avait dépassés sur leur chemin descendant, la regardent comme une femme qui monte à l'échafaud. Philibert le retraité de la mer qui semble l'avoir toujours sous les pieds, et sa démarche ne cesser de s'adapter à un éternel roulis, passe en chiquant des jurons ; d'habitude il l'amuse et elle lui fait un grand salut cordial ; mais cette fois-ci son oreille est blessée. Au puits des femmes se disent comme des secrets intimes des choses qu'elles vont crier à la ville tout à l'heure chacune de son côté. Une conscience de sa faiblesse, plus impérative qu'un ordre de la médecine, la décide à rentrer ; elle referme la porte sur ce monde pénible, comme celle de la vie.

Mais c'est le même monde dans la boutique : les femmes rapportent les dernières nouvelles de la ville : sa bonne a donné congé à Mme la Commissaire de la Marine parce qu'elle était sans cesse à lui reprocher d'user trop de savon pour le linge, et aussi — ça ne fait pas l'ombre d'un doute — parce que Monec Dustu lui a monté la tête. Et que la Le Flem recommence avec le fils Tinévez, mais rien ne prouve qu'il y ait du nouveau (qu'elle soit enceinte). « Ça ce n'est pas vrai », a dit la plus grande menteuse de Landréguer. Et que Maguitec Quefeulou et Eugénie Lasbleiz sont fâchées parce que Marguerite a fait l'emplette de rideaux plus beaux que ceux d'Eugénie « exprès pour me faire bisquer », a-t-elle dit, pour lui montrer qu'elle est plus riche et moins pingre qu'elle. Et qu'Emilie Arvor n'a pas payé son râtelier cent francs au dentiste de Saint-Brieuc, comme elle le proclame glorieusement et en fait courir le bruit ; Titine Mérer qui travaille chez elle a vu la note : elle l'a payé vingt écus, pas un réal de plus...

Sophie n'a plus rien, décidément, à attendre des êtres réels. Le jeune poète-fonctionnaire ne lui a pas répondu. Est-il enfin percepteur à part entière, ou toujours commis ? Elle ne le saura jamais. Est-ce qu'il n'écrit plus en vers depuis qu'il est marié ? Le mariage l'aurait-il converti à la prose ou au silence ? En tout cas, il ne lui a donné signe de vie ni d'une façon ni de l'autre... Elle remonte à sa chambre.

Elle a tout donné, elle-même et sa vie ; on n'a pas reçu ses dons. Elle est trop pure pour se fondre sans réticences secrètes à la vie de son petit univers qui trompe son ennui par la grossièreté, la méchanceté, la médisance, bref tout un petit roman du mal, et trop attachée à ce monde cependant par mille liens et par l'amour de sa mère pour avoir jamais tenté de s'en aller, avec son charme inaccessible à ce monde, ni l'avoir même désiré, et désormais elle est trop faible pour seulement le rêver. Et peut-être vainement et non sans quelque inquiétude — comme si elle avait voulu se distinguer, se séparer un tout petit peu de ceux qui l'entourent —, elle attendra la mort, passive, patiente, comme le font dans son pays les humbles du peuple, tout proches de la nature, comme les femmes de chez elle attendent que leur ventre donne la vie. Ce ne sont pas tant les trahisons de l'insuffisant capitaine et son cœur étroit, ni les duretés des Trégorois, qui la découragent de vivre que le manque d'amour du monde.

Il y aurait ici un être digne d'elle à aimer, comme elle se serait épanouie ! Si elle avait épousé Yves Le Mével, aurait-elle bientôt reconnu son erreur, ou l'aurait-il fait descendre à son niveau ? Si elle le revoyait, sans doute sourirait-elle en songeant au temps où le peu d'empressement et de passion du bon commerçant de la mer la mettait à la torture. Mais, à partir de ce trop réel capitaine défaillant, qui ne s'élèvera jamais au-dessus des choses qu'on voit et de celles dont on peut tirer de beaux profits, elle a inventé un capitaine de toute poésie, pour s'enchanter et souffrir, et peut-être davantage souffrir, mais dans l'émerveillement de sa vision. Et ce rêve, tout l'approuve de ce que Sophie connaît par ses quelques lectures de la beauté du monde, et Dieu lui-même tel qu'elle le veut et l'aime. Il n'y a que la réalité qui s'y oppose, mais elle a si peu de temps à faire encore avec celle-là ! Le seigneur de la vie n'est pas venu ; alors elle le construit de toutes pièces, comme ces femmes dévorées d'amour maternel, et à qui la maternité est impossible, qui achètent ou fabriquent une poupée qu'elles peuvent vêtir, dévêtir, caresser tout le jour, embellir chaque jour, « leur fille » qui ne grandit pas, qui ne connaît aucune souillure et dont l'amour est aussi peu sujet à se lasser, se détériorer et périr que ce qui n'existe pas.

La délicatesse de ce cœur secret qui a mûri son fruit précieux dans l'ombre de sa mère s'expliquerait mal sans doute sans l'imprégnation de l'immense amour de celle-ci pour elle ; mais elle s'est affinée ensuite par ses insatisfactions, ses interrogations sans fin, obsédantes, angoissées à propos de l'indifférence des êtres, de leur manque d'élan, de chaleur. Et Sophie s'élevait à mesure que s'élevait son amour dans le désolant, scandaleux refus d'amour du monde. Le dernier mot de la vie serait donc ce « non » chaque jour, un jour après l'autre... répété jusqu'à la fin des jours, et qui n'a pas le courage de se prononcer tout haut... Mais il nous appartient de dire un grand OUI à l'Amour qu'on a entrevu.

Sur la cheminée de sa chambre, une pendule ne marque plus l'heure comme pour signifier que son temps ne tardera pas à s'arrêter, près d'un coquillage, grande oreille de la mer, qu'on lui avait acheté pour distraire sa scarlatine de quinze ans — et déjà elle attendait donc quelque chose de la mystérieuse immensité bleue ? de ses voix... Une sorte de petite jardinière sans style garnie de fleurs simili-or et argent. Des tasses à café « de fête » qui ne servent jamais (il faudrait des fêtes) renversées sur leur soucoupe pour prendre moins la poussière. Au mur elle a seize ans avec ses cheveux dans le dos (dans un cadre de carton fleuri de sa mère) entre une similigravure sépia du Christ jadis encadrée par le menuisier et une Vierge de douleur... et dans la cheminée un petit feu de sciure (car « la sciure est très avantageuse », dit Mme Kerguénou) qui agonise tout le jour, et qui ne cesse, comme elle, pense-t-elle, d'attendre une grande flamme...

Elle se réveille de très bonne heure avec le bruit des sabots de son père jadis, qui se répercute dans l'escalier de sa mémoire. Se rendort. Dans un soupir sort d'un songe qui exploitait un épisode médiocre de son ancienne idylle avec le capitaine sans cœur, et quel bonheur de retrouver quand elle en sort le capitaine qu'elle a inventé ! Pourquoi les rêves de la nuit ne poursuivent-ils ceux du jour ? Les faibles s'endorment à chaque instant ainsi que font tous les enfants. Son âme comme engourdie lui fait penser à un membre dans lequel on a des fourmis. Sa mère retire les volets de la boutique, répond à la cantonade aux saluts des matineux qu'elle n'est pas toujours sûre de reconnaître mais qu'importe : — Levé on est déjà ? — Vous voyez, Yves-Marie, le soleil n'attend pas. — De bonne heure, Rose. — C'est le travail qui le veut. — Cru est le temps. — Le café chaud sera meilleur... Et, toujours inquiète, remonte, attend un instant à la porte pour être sûre de ne pas la réveiller.

— Vous allez mieux, ma petite fille ?

— Le matin on ne sait pas trop. Tout nouveau tout beau, n'est-ce pas ? un nouveau jour... Bonjour à vous, maman !

— Vous ne vous sentez pas plus mal ?

— Ma foi non.

Elle se sent la même chose. La mère et la fille s'embrassent. Chaque jour elle embrasse sa mère comme si elle allait partir pour un long voyage, mais elle ne le lui dit pas.

— Tâchez de faire un petit somme encore pendant que je prépare votre déjeuner.

— Un matin c'est moi qui me lèverai pour faire le vôtre, maman.

— Quand vous serez forte et moi bien affaiblie, je veux bien.

« Ses poumons elle crache de plus en plus et de beaux morceaux, croyez-moi », disent les gens. Ils semblaient tant le vouloir qu'enfin c'est arrivé aujourd'hui. Elle voit son mouchoir, prend sa couleur, le cache sous l'oreiller. Combien de fois a-t-elle entendu dire d'une poitrinaire ou l'autre : « Elle n'en a plus pour longtemps, elle commence à cracher son sang. » (Elle se lèvera tout à l'heure pour laver son mouchoir, et comme sa mère ne saura pas, ce sera comme s'il n'y avait rien eu.)

Il y a longtemps que personne n'est mort dans la maison.

— De la tisane de fleurs pectorales je vous ai fait, Sophie.

Elle a tenté les remèdes les plus compliqués et chers et vantés par le journal, elle revient aux plus simples, comme, quand Dieu semble décidé à ne pas répondre, on adresse sa demande à un tout petit saint de quartier. Sophie se fie plutôt à sa mère qu'à la vie... Jadis, pour l'encourager à prendre ses remèdes, elle lui racontait l'histoire d'une petite malade qui acceptait les potions les plus amères sans faire la grimace ; et cette histoire avait un dénouement bien étrange encore que sublimement moral et instructif : la sainte enfant mourait, mais elle allait directement au ciel, ayant toujours été aussi soumise à Dieu qu'à la médecine et à ses parents.

— Vous vous rappelez comment finit l'histoire de la petite malade modèle, maman ?

— Oui, ma petite fille, mais vous êtes sûrement mieux soignée qu'elle et vous ne mourrez pas, vous !

— Qui sait, maman ? mais on ne devrait pas trouver cela trop triste, puisqu'on va faire un si beau voyage.

— On le dit, ma petite fille, mais si loin de votre mère !

— Il vaudrait peut-être mieux vous préparer à me perdre, maman !

— Ne dites pas de pareilles choses, Sophie : vous êtes une trop bonne fille pour me laisser seule. Promettons que nous irons à... (Soudain, après le mot de sa fille, elle ne sait plus à quel saint se vouer.) Tenez, à Sainte-Anne-d'Auray, si vous voulez, quand vous irez mieux, pour remercier le ciel...

— Nous n'avons jamais fait un si grand voyage ensemble, maman.

— Nous irons, même s'il nous en coûte cent francs. En attendant, il fait doux dehors, mais cette chambre reste fraîche.

Elle a fini par s'en apercevoir ; elle n'a jamais songé au vrai confort de sa fille — pas plus qu'au sien propre —, absorbée par le souci d'assurer son avenir. Et elle a fait faire un vrai feu de bûches par Zos. « Merci pour ce beau feu, maman ; cela me fait autant de plaisir que de bien. » Elle ne lui dit pas qu'il faut qu'elle sente sa vie bien menacée pour faire un tel sacrifice et écorner ainsi sa dot.

Aujourd'hui, elle a dit à sa mère qu'elle allait faire le tour de la Place (et peut-être rendrait-elle visite à une amie qui habite en face de la cathédrale — pour justifier à l'avance son retard) et elle est montée jusqu'à Saint-Michel, portant, traînant, poussant sa vie comme une brouette. Elle ne pensait plus du tout à sa promenade — ses promenades — dans ce beau paysage avec Yves l'ancien, insensible aux paysages. Du Bois d'Amour elle a vu encore la mer, sans songer comme jadis à la *Marie-Jeanne*. Elle imaginait là-bas, cinglant à tire-d'aile vers le port où elle l'attend, le beau navire blanc avec son capitaine qui doit l'emmener aux rivages d'un monde où l'amour, le bonheur n'ont pas d'ennemis. Et elle a dit adieu à l'immense étendue bleue dont elle attendit toujours son destin et la vie qu'elle n'aura pas vécue. Et en s'éloignant il lui semblait qu'elle s'éloignait de Lui, qu'elle ne ferait plus que s'éloigner de Lui sur la terre désormais, mais pour Le retrouver plus sûrement, et à jamais, en un ailleurs moins étranger que sa patrie avec ses hommes qui ignorent les mots qui chantent et ses femmes qui paraissent n'aimer que les mots qui blessent.

Et elle sait qu'elle a fait sa dernière promenade.

De bonnes grandes dames — à qui il faut tout de même un peu plus de vraie charité que n'en ont d'habitude leurs pareilles pour mépriser les risques de contagion — lui font l'honneur de la visiter (« comme une petite sainte, pense-t-elle, amusée ; c'est facile de passer pour sainte quand on va mourir sans avoir vécu. Si elles savaient... »). Elles s'assoient un moment dans sa chambre si humble et lui apportent des livres de piété, des romans-feuilletons du journal *La Croix*, et lui conseillent de se distraire de son mal (si elles savaient à quelle distance de celui-ci son âme voyage, et comme ils sont beaux ses voyages !), et de penser plus aux joies du ciel qu'aux difficultés, aux impuretés de la vie sur la terre. (Si elles savaient comme elle sait inventer son ciel et sa joie !) Elle lit donc des pures histoires d'amour où Dieu a toujours raison, sans jamais la moindre peine.

C'est dans un de ces excellents livres qu'elle a trouvé le mot ENCHANTEMENT. Certes, elle le connaissait vaguement : quelques chansons l'emploient ; elles ne se privent pas de le faire rimer avec de beaux mots comme firmament, amant, délicieusement... c'est si facile... faciles enchantements. Mais soudain il l'a frappée de sa beauté à la fois terrestre et céleste. Elle a pensé à la porte d'un univers plein de surprises prodigieuses avec des salles à l'infini et des lustres et des miroirs, et des fleurs, des fleurs... Elle se demande si elle le comprend très bien ? ne serait-ce pas quand le bonheur et la beauté se rencontrent, et peut-être le ciel et la terre ? Si on le prononçait plus souvent, ne se familiariserait-on pas peu à peu avec tout ce qu'il promet ? Il s'agissait bien entendu dans le « bon » livre d'enchantements célestes, mais si l'on appelait à tout instant le mot magique dans le monde profane, si on cherchait à en être digne, est-ce que ce monde ne se rapprocherait pas de l'autre ? Et la voici enchantée.

C'est cela qu'elle voulait, qu'elle cherchait, à quoi elle aspirait, sans savoir son nom. Et cela, la terre ne le donne pas, ou si peu, ou seulement à quelques bienheureux dont elle n'est pas. Et cependant c'est la terre qui lui a donné ce mot, chère terre, et elle aurait pu tant l'aimer sur la terre ! Qu'il aurait été bon de le connaître dès ici ! Mais puisqu'il lui aura été refusé, il faut qu'elle consente au voyage vers le pays où le possèdent enfin ceux qui ne peuvent s'en passer. Il faut mourir pour le connaître parfaitement, et qu'il n'y ait plus que cela. « Je me laisse conduire par vous, mon Dieu, sur la route de l'Enchantement. »

Elle feuillette aussi le *Supplément illustré du Petit Journal* que la mère d'Aline a sorti du grenier pour elle comme on fait pour chaque grand malade, chaque longue maladie de la famille, et elle le lui a porté. Le grand volume, qui couvre tout l'édredon, est plein de la grande vie violente, aux teintes crues, de l'univers — ô combien profane, lui ! — des faits divers multicolores, des accidents vertigineux où la Providence finit toujours par rattraper par les cheveux celui qu'elle vient de lancer dans l'abîme, et il est sauvé, sans que se soit posée, semble-t-il, la question d'une quelconque intervention divine, des batailles charnelles dans tous les continents, de la gloire du crime et de celle du châtiment, et des Peaux-Rouges, et des noirs Zoulous « jamais vu tel » comme on dit en breton, et des réceptions officielles sur des navires ensoleillés avec un cérémonial dont on n'a aucune idée ici. Ces images lui suffisent pour se faire une vision de la terre ; on n'en a guère besoin davantage quand on doit la quitter bientôt... Et ce n'est pas là du tout, pas du tout même, qu'est l'Enchantement.

L'immense volume lui pèse ; l'histoire éclatante, la gloire du monde sont aussi lourdes que le monde ; elle le repousse bientôt, et puis elle ferme à son tour le « bon » livre qui la fatigue bien vite lui aussi. Et elle rend son âme au rêve, le paradis terrestre de ceux que la terre a rejetés. C'est de ce côté-là sans doute qu'est l'Enchantement.

Mais elle a beau partir à tout instant pour des pays lointains, si lointains, qui, bien qu'aussi étrangers que possible, ne lui posent pas autant de conditions que sa petite patrie terrestre pour l'accepter comme citoyenne à part entière, elle et ce qu'elle aime, à présent surtout qu'elle a un guide si sûr pour tous ces paradis, elle demeure une petite Trégoroise superstitieusement attachée à son Trégor, et elle aime se rappeler la vie de ses petites gens à laquelle elle se mêla parfois avec bonheur — souvent avec peine — comme si elle avait déjà quitté tout cela, en particulier aux grands jours de l'histoire sainte qui déroule ses fastes tout au long de l'année.

Elle se souvient des nuits de la Saint-Yves, quand les pèlerins se rendaient la veille de la fête au Minihy de l'avocat des pauvres. (Ils s'y rendent encore, et ils continueront à s'y rendre quand elle ne sera plus là, mais pour elle c'est du passé puisqu'elle ne s'y rendra plus.) Ceux qui viennent faire un vœu et ceux qui apportent leur ex-voto pour remercier d'une grâce reçue : ils avaient tout promis pour la vie sauve au cours de la tempête aveuglante, et les voici de retour, sauvés, pieds nus comme de grands coupables qui viennent faire amende honorable, coupables d'avoir voulu vivre encore et retrouver la terre, avec leur vie à la fois fière et honteuse, et un petit navire taillé au couteau sur la mer redevenue calme, souvenir, reconnaissance... Et les dévotions nocturnes au cimetière, les grands agenouillements autour du tombeau du saint avec le passage en rampant sous sa pierre et le baiser à la terre qui contient les restes sacrés (c'est alors qu'il faut prononcer, avec le plus de chance d'être entendu, sa prière, son vœu...). Le tombeau entouré de cierges qui illuminent aussi, comme des retombées de sa gloire éblouissante, les tombes alentour des hommes sans haute vertu ni renommée. Les pèlerins de nuit avec leur lumignon, leur bougie ou leur lanterne, et toutes ces petites lumières convergeant vers une grande lumière qu'on ne voit pas et qui est peut-être la Lumière vers laquelle Sophie va maintenant... Et le lendemain dès les premières heures du jour, les messes ininterrompues célébrées par des prêtres de partout, eux-mêmes pèlerins. Et après, le grand pardon, la procession géante à travers la campagne jusqu'à la « grande église » de Tréguier, les bannières comme des voiles dans le vent — toujours le vent de la mer —, les régates de la terre et du ciel.

Comme elle aurait aimé voir cela encore une fois avec le grand capitaine qui chante la mer ! Elle doit recevoir de lui la révélation du monde entier, mais elle pourrait du moins, elle qui n'a rien, lui donner son petit pays et ses humbles merveilles...

Elle a mis le grand coquillage de la cheminée sur sa table de nuit afin de pouvoir plus facilement écouter la mer à tout instant.

Elle se rappelle encore ces curieuses petites fêtes, celles-ci de silence, de sourires et de rires gênés qu'on appelle — elle se demande soudain pourquoi ? — *bouquets*. (Peut-être les jeunes filles portaient-elles jadis un bouquet, ou les garçons leur en offraient un ?) Ces petites foires du désir, du rêve, de la curiosité de l'autre sexe — et bien sûr de la fièvre matrimoniale — où jeunes filles et garçons de maint village et de ses alentours avaient l'occasion de faire connaissance...

Comment peuvent-ils s'ignorer, voisins dans un si petit pays ? mais un petit pays épars sur de grandes terres. Les garçons étaient assis sur un talus, et l'on pense bien qu'ils n'avaient rien oublié de ce qui pouvait les présenter à leur avantage. Et les filles défilaient devant eux, comme passant la revue, les filles de fermes riches comme les pauvres domestiques également dans leurs plus beaux atours, avec leurs châles brodés « jusqu'à l'épingle » (l'épingle qui les retient au dos). Elle voudrait en particulier revoir le *bouquet* de Trélévern, le jour de l'après-pardon de Pâques. Ce n'est pas décent pour une jeune fille de la ville d'y figurer, mais elle se contenterait de regarder d'un peu loin. Et voici qu'elle rêve d'un grand *bouquet* où le grand capitaine, un peu par jeu, mais peut-être tout de même la cherchant dans tout le pays, se serait mêlé aux paysans endimanchés, et elle l'aurait reconnu tout de suite, et il l'aurait devinée au premier regard, et sur un signe de plein accord tacite, ils auraient quitté la fête pour aller recevoir et ensemble étreindre le bouquet de la vie...

Et défilent les choses qu'elle voudrait voir encore une fois : elle aimerait voir passer une dernière fois la petite voiture tirée par des molosses hurlants de la chanteuse de complaintes qui vient de vingt kilomètres, des environs de Ploubezre, les jours de foire ; elle devant et les chansons derrière. Et elle trône à la tête de cet attelage insensé, et ses esclaves terribles sont aussi fiers de la servir qu'elle de régner sur eux.

Elle aimerait une fois de plus répondre par un sourire et une toute petite pièce d'argent (sa mère la gronderait une fois de plus si elle savait, mais c'est presque un reproche tendre) à l'éternel sourire de la jeune mendiante de Pouldouran dans sa robe blanche, uniforme des innocentes, qui fait sa tournée du quartier environ tous les quinze jours et qui dit merci sans regarder ce qu'on lui a mis dans la main.

Elle aimerait n'être pas encore absente quand reparaîtra la monumentale voiture, immense comme une diligence, du marchand de souliers, à plusieurs étages comme les magasins des grandes villes, et dont le passage est si régulier qu'elle dit celui des saisons. Elle achèterait là ses souliers de printemps — qu'elle n'aura pas le temps d'user... ni même peut-être de mettre.

A présent qu'elle est presque habituée à ses crachements de sang, à ce point obsédée par le souci de les cacher à sa mère qu'elle ne songe guère à s'en émouvoir, elle se demande si elle aimerait vivre encore ? Peut-être tout de même, puisqu'elle se passionne autant à imaginer le retour des fêtes qu'elle aimait qu'à se les rappeler.

Quoi ! avoir vécu comme une pauvresse sans visage qui n'a pas de quoi s'acheter la vie ! Comme la couturière boiteuse, bossue et si laide à un franc par jour et nourrie de la rue Stanco... Que ce bol de lait était bon que sa mère vient de lui apporter ! C'était la vie du monde qui pénétrait en elle avec ses délices pour enrichir la sienne ; la vie semblait l'aimer ! Oh ! la bonne sensuelle tiédeur du lit de la vie ! Quoi ? Mais elle est une enfant qui sort à peine de l'enfance ! Elle a peut-être vécu huit jours de grande personne en vingt-six ans ! Il lui faudra donc mourir sans avoir étreint l'oiseau de l'amour et du bonheur ! Elle ne l'a tenu que quelques heures dans les yeux, en tremblant comme une voleuse, et celui qui le possède vraiment le lui arrachait déjà... Et même pas. (Cela n'eut lieu, cela ne fut vrai que pour le petit Gabriel.) Que va-t-elle imaginer, la prétentieuse ? Elle rêve encore en croyant cela. Elle a cru seulement le tenir, ou bien ce n'était que l'albatros d'Yves, le grand oiseau empaillé dont il rêvait pour son vestibule. (Comment l'homme sans poésie lui aurait-il donné la moindre idée d'une vie, d'un amour poétiques ?) Elle ne connaît pas son grand corps dont le cœur palpite contre notre poitrine.

Et pourquoi ne pourrait-elle pas vivre encore ? Il y a de beaux étés après l'été qui n'a pas été.

Et volent les grandes images sensuelles de la vie, de sa si petite vie. Elle revoit quand on battait le blé à Kerdir. Trois ménages à la fois, dans la canicule pétillante ; le manège des chevaux ivres ; la grosse machine étourdissante. Les petits hommes semblaient immenses, perdus sous la coiffure de leur énorme fourchée de paille, et des échansonnes à la capeline de cretonne fleurie versaient des grands brocs de cidre sur les grandes soifs qui à peine étanchées renaissaient l'instant suivant. Là-bas, par-dessus les femmes agenouillées, les fléaux, éblouissants comme des glaives, chassaient l'âme des petites céréales, et battaient la mesure du travail. La grande vie d'une année de la terre mourait en poussière d'or. Puis la corne sonnait le dîner de bouillie d'avoine sur l'aire, autour de la bassine de cuivre gigantesque où chacun puise avec sa cuillère de bois... Et trois jours suants ainsi... et les soirs, les fiers esclaves poussiéreux, ivres autant de soleil que de boisson, écartelés par la fatigue, tombaient de sommeil épars sur la paille nouvelle, sous la grêle immobile des étoiles, le beau champ qu'on ne moissonne pas... Et le dernier soir il n'y avait plus de fatigue, puisqu'on chantait et dansait...

Elle n'ira plus jusqu'à ces fêtes de la vie ; alors elle les bénit de venir encore à elles en images.

Mais il est des choses de la vie la plus simple et quotidienne qui restent toutes proches de sa vie, à sa portée, et qu'elle a toujours aimées, sans savoir combien elle les aimait !

Elle aime cette procession du matin au soir dans la boutique des paysannes que Rose Dagorn connaît toutes par leur nom et prénom (et ceux de leurs maris) et celui de leur ferme et de leur hameau ou lieu-dit — où il n'est pas sûr qu'elle soit allée une fois dans sa vie ! Elle aime suivre leur histoire lointaine à travers ce que chacune dit de ses connaissances, comme si chaque vie était surtout un bruit dans la vie des autres. Et c'est en échangeant des nouvelles — sans faire appel à un mot français —, entre deux renseignements donnés ou reçus sur la vie de l'une ou de l'autre — quand ce ne sont pas des jugements péremptoires, de lourdes accusations — qu'on énumère ses besoins de la semaine, et parfois ceux du mois : « De drôles de choses j'ai appris sur Meudic et le Borgne avec Chennec Keraliès. Une livre de café j'aurai s'il vous plaît et une boîte de sucre. Vous avez entendu quelque chose, vous, pour le monde Calvez ? »

Que ne va-t-on entendre ! Elle avait donc toujours aimé ce flux pressé de paroles entrecroisées comme les épées d'une joute, souvent coléreuses, où s'exprimaient leurs humbles existences, bien que la plupart des bavardes cherchent à se faire valoir en ruinant la valeur des autres ; et que seulement dire qu'elles sont sans indulgence est le jugement le plus indulgent qu'on puisse porter sur elles... Mais tout de même peut-être les gens du dehors colportaient-elles moins de cruelles méchancetés que celles de la ville ?

Elle s'est levée sans faire le moindre bruit pour aller écouter à la porte la rumeur de la clientèle qui lui provient par l'escalier. Elle l'aime plus encore, lui semble-t-il, à mesure qu'elle s'en éloigne. Et par moments, elle distingue la voix de sa mère dans le tumulte qui s'élève, qui veut avoir raison par-dessus les autres et plus fort qu'elles, comme si elle avait son existence à défendre ; et elle pense : « Chère maman ! agitée par le vent de leur vie, elle oublie que sa fille va mourir. »

Elle voudrait aussi, elle voudrait encore aller jusqu'au carrefour de Croaz-Skijou, s'asseoir un moment sur cette fameuse pierre où l'on dit que le grand saint Yves se délassait en revenant de Louannec, dont il était, semble-t-il, curé. C'est loin, c'est au diable pour des forces qui déclinent tous les jours, mais on affirme que celui qui fait là une station recueillie et y prie le patron de la Bretagne, continue son chemin — le chemin de la vie — sans désormais connaître la lassitude. Hélas ! elle mourrait de fatigue avant d'atteindre l'endroit sacré qui nous garantit le repos... Elle ne peut plus que se raconter de telles courses folles... Mais imaginer ses pas dans l'herbe humide, le soleil et le vent, et même s'il le faut, une petite pluie, et bien sûr, un peu de fatigue vers le soir, de bonne fatigue — comme cela fut un temps pour elle, un si long temps qui a passé si vite... c'est encore marcher sur la terre.

Puis elle s'endort, et se retrouve soudain sans s'étonner le moins du monde près du grand capitaine sur le grand navire blanc comme un îlot flottant. Non, plus rien de commun avec le lourd transporteur de minerai et de bagnards, la commune *Marie-Jeanne*. La *Sophie Kerguénou* (car le grand capitaine a eu la délicate attention de lui donner son nom) est une sorte de villa qui se serait détachée de la côte, avec des fenêtres vertes, un toit de tuiles tout pimpant... Comment une telle maison peut-elle voguer ? elle ne s'en étonne que quand elle sombre... Elle essuie la sueur de son front où naissent ces images qui se rient d'elle, puis s'y replonge voluptueusement sans chercher à économiser les invraisemblances. Elle attend encore ; son attente aura été plus grande que sa vie. Qu'attend-elle exactement ? Oh ! nullement un de ces hommes de la réalité terrestre, toujours en retard, toujours en défaut, mais le Grand Capitaine. Il prendra sa faiblesse dans ses bras sans la briser ; et, s'il la brise, ce sera dans un baiser souverain dont la seule imagination peut faire mourir, mais est-il mort plus belle ? — pour lui donner une autre vie plus grande que celle d'ici...

Sophie se livre-t-elle à Dieu ? Son âme consent certes à s'envoler, mais elle a peur de la chute de son corps. Comme les êtres perdus, elle songe à tant de choses qu'elle va perdre, et chacune lui fait oublier qu'elle va tout perdre. Elle n'ira plus aux offices de l'hôpital ; elle ne fera plus de cornets à bonbons avec les vieux cahiers, pour voir les yeux ravis des bambins... tous ces amours de petites choses qui nous empêchent de souffrir de la défection des grandes. « Tu vas mourir », répètent les horloges, son cœur. La pauvre petite horloge de sa vie à elle dont le mouvement semble exténué le répète, et elle entend tous ces commandements, mais elle compte encore les ardoises du toit de la maison d'en face, comme les malades qui trompent le temps qui les achemine vers la guérison.

Voit-on du moins de là-haut ce qui méritait qu'on l'aime dans ce monde ? Sophie lit avidement un livre apporté par une des grandes dames de la bonne mort, intitulé *Le Paradis catholique*... Elle voudrait qu'il soit sur la lune, le plus près possible de la terre, selon une hypothèse de l'auteur qu'il ne cite, hélas ! qu'en passant, et dont il démontre rapidement le peu de sérieux. Le chapitre des rapports des élus avec les âmes encore unies à leur enveloppe l'arrête longtemps. Elle ne verra plus sa mère jusqu'à la résurrection des corps ! Quel déchirement ! Le petit livre dit que non. Elle fait un acte de foi. Mais il faut donc chercher plus loin l'Enchantement.

Sa mère l'a enfin surprise crachant sa vie ; elles ont pâli ensemble : l'une d'être effrayée et l'autre d'effrayer. Cela n'émeut plus Sophie, mais elle est toute remuée de bouleverser sa mère. Rose Dagorn est si affolée qu'elle ne pense plus que sa fille est en train de mourir d'une maladie honteuse qu'elle devrait cacher avec soin à la malignité publique ; elle ne peut s'empêcher d'en parler à quelques clientes — des sympathisantes — pour qu'on la plaigne, et l'on compatit. Mais les compatissantes n'ont rien de plus pressé que d'en parler à leur tour — oh ! parfois par un débordement de sympathie émue qui a besoin de s'exprimer sans trop regarder à qui —, que d'en aviser leurs connaissances qui vont à l'eau, qui, en regagnant leur rue, alertent celles qui sont sur leur seuil, parmi lesquelles il y a autant d'hostiles aux Kerguénou que de défenseurs du nom, de l'honneur, de la cause de la famille. Et en quelques heures le crachement de sang de Sophie surpris par sa mère a fait le tour de la ville. Et comme le seau que se passent les pompiers bénévoles se vide en progressant dans la chaîne vers le foyer de l'incendie, le propos laisse un peu de vérité à chaque étape de son colportage. La première mise au courant (« c'est sa mère elle-même qui me l'a dit, vous pensez si je suis renseignée... ») a donné son opinion sur l'événement, soutenant qu'elle n'en a plus pour longtemps. Le crachement de sang est devenu un vomissement. Elle en a rempli une cuvette. Plus la nouvelle transmise est grosse, tragique, plus le rapporteur intéresse. Elle s'est évanouie, a dit une qui a failli se trouver mal en entendant cette horreur, et la syncope n'est-elle pas l'image de la mort ?

Le vicaire est venu : « M. Dieu a été porté à elle », les gens disent, et c'est tout dire. Elle agonise, elle a passé, puisque le prêtre sort de la maison avec un geste désolé.

... Que les femmes ont dû mal interpréter, car, si ces tièdes croyantes font plus ou moins régulièrement leurs pâques, elles ne communient guère en dehors du temps pascal : il faut être à la dernière extrémité et vouloir se mettre en règle, — ce qui prouve un immense respect un peu effrayé pour ce miracle : un Dieu qui s'unit charnellement à nous. Comment les commères comprendraient-elles qu'on se fasse une habitude d'un festin aussi prodigieux : il y faut un immense amour sans cesse renouvelé ; et une grande ferveur est aussi rare dans des âmes sans envolée qu'un grand sentiment. En vérité, le vicaire (et parfois le curé), sachant qu'elle est trop faible pour aller à la rencontre de son Dieu le lui apporte toutes les semaines. Il ne croit pas avoir besoin d'argumenter pour lui faire accepter la cruelle décision d'en haut. A peine s'il la confesse : il sait qu'elle n'a rien à déclarer. Il ne lui parle même pas de la façon la plus avantageuse de se présenter devant le tribunal suprême : quelle meilleure défense que l'innocence aux mains vides ?...

Ayant seule entendu la dernière nouvelle, la terrible, une femme s'est présentée pour l'aspersion d'eau bénite, tenant à être parmi les premières à réconforter Rose, et elle est la première à la désespérer. Sur le coup de ce témoignage anticipé de sympathie, l'épicière est toute en eau. Et comment cette fois douterait-elle que sa fille est perdue ? Déjà elle a vu cinq pies ensemble ce matin. Sophie ne les a pas vues : c'est souvent qu'on est aveugle aux intersignes fatals qui nous concernent.

A présent que sa mère sait, Sophie comprend qu'elle doit tâcher de lui faire accepter à son tour.

— Quelle est cette cloche que j'entends, maman ?

— Vous entendez une cloche, Sophie ? Aucune cloche ne sonne en ce moment.

— Il me semble que j'entends quelquefois des cloches qui ne sonnent pas ici.

— Oh ! ne dites pas cela, ma petite fille : ce n'est pas bon d'entendre des cloches.

Elle ne parlera plus de ces cloches, et cependant elle n'a pu se retenir : — Vous voyez, maman : vous-même vous pensez que si j'entends des cloches d'ailleurs, c'est que je n'en ai plus pour longtemps sur la terre.

— Que dites-vous, Sophie ? vous ne voulez pas me tuer déjà !

Et donc Rose, que le zèle intempestif d'une voisine avait jetée dans le désespoir, devait en être quelque peu revenue puisqu'un mot de sa fille pourrait l'y replonger. Sophie n'insiste pas.

Non, elle ne déteste pas ces glas que sa mère ne veut pas qu'elle entende ; si « on » l'appelle là-bas, c'est peut-être quelqu'un qui s'intéresse à elle plus que les êtres qu'elle connaît ici, un inconnu avec dans ses mains quelque présent essentiel également inconnu mais auquel elle aspire d'une aspiration vague et si forte à la fois. Et si c'était l'homme de l'enchantement, l'Enchanteur ?

Elle n'aime pas moins les glas qui sonnent réellement aux églises solidement enfoncées dans la terre du Trégor. Cela l'a toujours émue qu'on puisse mettre un nom sur chaque sonnerie triste à toute heure du jour, depuis le petit matin jusqu'au soir, chacune évoquant une mort nouvelle.

Elle a tant aimé la poésie sans le savoir ni connaître son nom (elle l'appelait chanson, amour, chanson d'amour, et désormais elle l'appellera aussi ENCHANTEMENT...) et si peu d'occasions de la rencontrer dans la vie qu'elle s'enchante de celle de la mort dans son pays et surtout chez les humbles de la terre. Elle aime, quand quelqu'un meurt dans sa ferme ou sa chaumière, l'intérêt pour l'événement de chacun, alerté par la petite cloche, aussi loin qu'il se trouve du clocher dans les champs (à moins que le vent ne lui soit contraire). Et qu'on aille lui chercher la croix d'argent à l'église du bourg. On ne dit pas : il est mort, mais : on est allé chercher la croix d'argent à lui. Dommage qu'un tel usage soit perdu en ville : elle aimerait qu'on dise un jour prochain : « On est allé chercher la croix d'argent à la “grande église” pour Sophie Kerguénou. »

Elle aime que dans les fermes, pour la veillée funèbre, on place le mort sur la grande table où l'on mange, où l'on coupe le pain pour la soupe à chaque repas. Elle aime que la mort soit si proche de la vie, si mêlée à elle ; et cependant qu'elle s'envole si loin d'elle avec si peu de peine, si vite ; si bien qu'on ne dit pas : il a quitté la terre, ou : on l'a mis en terre, mais : il est parti pour les joies. Elle aime la quête pour les défunts à tous les offices, et la demande pressante : « Priez pour les âmes ! » Cela ne l'effrayait pas de penser qu'elle allait se trouver dans cette foule d'âmes pour qui l'on priait dans les petites églises et dans la grande : priez pour l'âme de Sophie Kerguénou-Dagorn morte dans sa robe blanche d'innocence.

Elle est un peu moins déchirée, en faisant le compte de toutes les choses qu'elle aimait et dont elle va être privée, quand elle songe à l'appel à la fois humble et pressant de cette petite cloche un de ces jours, car elle l'assure qu'elle demeurera une pensée tendre de son pays. La petite cloche un des jours qui viennent dira à toute la ville, et même à la proche campagne que quelqu'un est mort à Tréguier. — Qu'est-ce qui est mort, vous savez, Maïannec ? — Ma foi non, personne n'a pu me dire, et vous, Antoinette ? — Moi je sais ; j'ai entendu avec une qui vient de la place (ou du bourg) ; c'est Sophie Kerguénou qui est morte. — Han ! cette pauvre belle jeune fille qui traînait depuis longtemps avec le mal de poitrine. — Juste, la fille de Rose Dagorn, encore elle est épicière rue Neuve. — Oui, vat, et qui ramassait tant pour lui faire une belle dot... Et il y aura son nom sur toutes les lèvres, et dans les âmes de ceux qu'elle aimait, qui lui rendaient bien mal son amour, enfin un peu d'émotion...

Comme si la cloche devait frapper enfin celui qu'elle attendit en vain, — et s'il était venu elle n'aurait pas eu de raison suffisante de mourir. (Mais sans doute n'est-il pas de ce pays où les glas peuvent atteindre un vivant dans sa maison...) Et les gens auront enfin pitié d'elle, et elles ne lui en voudront plus de n'être pas — de n'avoir pas été — tout à fait comme elles, et elle leur pardonne leur incompréhension pour cette heure de pitié future. Ah ! elle n'aimerait pas mourir sans l'amitié de cette petite cloche, comme on dit qu'on meurt à Paris et dans les grandes villes.

Elle aime penser encore que la prieuse des morts aux

veillées funèbres, la célèbre Emiliec Guerziou, tricoteuse chez le monde pour le temps ordinaire de la vie, le cicérone des âmes, accompagnera son ombre un moment comme déléguée par sa petite ville reculant le moment de la perdre, s'efforçant de la suivre jusqu'au bout de la route de la terre, et même un peu au-delà... Et ensuite elle poursuivra seule son voyage vers son autre patrie où l'attend le grand capitaine blanc — ou bien il viendra un peu plus tard la rejoindre...

Elle a posé sur le petit feu de la cheminée, l'une après l'autre, les lettres qu'elle écrivait au Bien-Aimé Inconnu, et il lui a semblé que leur âme s'exhalait pour aller rejoindre son âme où qu'il pût se trouver. Elle a découvert ce faisant la beauté du mot dont on fait si généralement un vulgaire usage : *A Dieu, vat !* Ainsi elle a mis de l'ordre dans ses affaires ; elle a éliminé le risque d'un affolement posthume pour sa mère ; et elle peut rêver que ses lettres ont atteint leur destinataire.

— Il fait doux dehors, ma petite fille. Bientôt vous pourrez sortir sans crainte.

Sophie sait bien qu'elle ne sortira plus, mais elle feint d'y croire pour que sa mère en doute moins : elle sera assez tôt désespérée. Elle lui monte les dernières nouvelles de la ville : Ernest, le boiteux, le méchant des Mével, vient d'être emmené à Bégard, le Charenton de l'arrondissement. Sophie doit bénir le ciel de n'être pas tombée dans une famille où couvait un tel déshonneur. (Sophie pense : « Pauvre Ernest ! ») Léontine de Kerdir vient la voir avec des crêpes douces de pardon, qu'elle a faites exprès pour la demoiselle. Elle est gênée, elle n'a pas l'habitude de telles maladies de langueur. Sophie voudrait voir le petit Gabriel ; pourquoi ne le lui amène-t-on pas, alors qu'on ne lui refuse plus rien ?

Mais il n'y aurait aucun besoin qu'on l'amène, il viendrait tout seul, si... si on ne l'empêchait pas ; elle a bientôt compris que cette sorte de mort — la sienne — est contagieuse. Elle ne reverra donc plus son petit-maître qui doit demander : — Pou(r)quoi Briellec pus voir sa tante ma(rr)aine ? pou(r)quoi Briellec pas méchant puni ?... Celui qui aurait pu être sa dernière consolation... Oh ! elle accepte, mais aucune acceptation ne lui aura tant coûté. « Pourtant, il me semble que je ne pourrais pas te faire du mal... J'avais donc raison de penser que tu me ferais peut-être pleurer un jour, Briellec ! Je ne t'emmènerai pas sur le grand navire blanc, cher petit... Ils seront gênés de te dire ce qui m'est arrivé. Je veux que tu le saches, mais qu'on ne t'explique pas trop bien, et que tu sois triste, mais seulement un peu, et que le dernier harmonica que je t'ai donné te fasse oublier ta peine... » Et elle pleure de nouveau : « J'aurai donc pleuré toutes les sortes de larmes... » Mais celles que son petit-maître lui fait verser ne sont pas amères : elles proclament qu'elle eut tout de même un amour exquis dans sa vie — en plus de celui de sa mère : un amour qu'elle a choisi... Et l'Enchanteur.

Elle approfondit ce qu'a de nécessaire, de presque aussi réel que le présent, le futur imminent de sa mort. Le décor de la mort, de sa mort, comme pour son père ; sa mère au voile de pleurs. Les porteurs avec leurs gros souliers. Des vieux de l'hospice. Ils viendront en gros souliers, maladroits d'avoir quitté leurs souliers de bois (leurs sabots), et mettront leur chique dans leur casquette, car on interrompt un tel petit plaisir par respect pour le mort que l'on porte ; et ils cracheront dans leurs mains pour soulever le cercueil ; et ils échangeront un clin d'œil : ce n'était vraiment pas la peine de cracher dans nos mains : c'est pas plus lourd qu'un cercueil d'enfant... C'est facile à imaginer, mais si difficile à réaliser que c'est elle qui est au centre de tout cela, que son esprit brûle, vacille, se creuse une petite tombe, où il s'éteint une heure.

Elle se réveille, et voici qu'elle voudrait finir son store au crochet, et qu'elle apprend avec un vrai plaisir que les capucines qu'elle avait semées dans son petit parterre de la cour commencent à fleurir, en bas, sur la terre.

Elle rêve qu'elle ne mourra qu'au retour de son capitaine, et qu'elle le verra une fois encore passer entre les bocaux... Il ne s'agit nullement du héros de ses premières amours déplorables, mais tout de même elle revient un peu à ce temps-là. Cette fois-ci, tout a séparé les bien-aimés sauf leurs propres volontés, et son capitaine doit revenir prochainement, pressé de la revoir. Hélas ! l'horrible maladie l'a terrassée, et elle ne sait pas si elle pourra retenir assez longtemps sa vie dans ses bras pour la lui offrir comme un bouquet. Et tous les capitaines sont sur la mer et la mort approche de la maison, et bientôt elle approchera de sa chambre ; alors, elle rêve sans aucune retenue, de tant de choses qu'il faudrait un an de vie au moins pour en voir quelques-unes apparaître ; puis elle se dit qu'elle reverra bientôt son père, son pauvre cher père.

Sa mère vient se coucher, toutes choses rangées en bas, sur la terre, la lampe sur la tête. La lumière crue éblouit les pauvres yeux ouverts dans la nuit infinie où tant d'étoiles nous sont promises.

— Vous dormez, Sophie ? (Sa voix n'est qu'un souffle pour ne pas risquer de la réveiller.)

— C'est vous, maman, j'étais assoupie.

— Comment vous sentez-vous ?

— La même chose.

— Pas plus mal au moins ?

— Non, maman.

On dirait que son dernier crachement de sang lui a donné quelques couleurs. Sa poitrine est moins oppressée, comme moins étrangère. Elle se trouve un peu moins éparpillée que tous ces jours, un peu moins dépossédée d'elle-même. Les choses de sa petite vie se rapprochent un peu d'elle, et la vie elle-même. Elle a envie de se lever pour mettre ses doigts de cire sur le petit feu.

En tendant son cou jusqu'à la glace de la cheminée, elle s'est trouvée encore belle et même ce qu'elle apercevait de son corps, tout ce qui d'elle était si près de disparaître, et elle s'est cachée sous les draps comme pour préserver cela, ou pour échapper à elle-même, pauvre proie de l'ombre.

On ne voulait pas le lui dire, mais elle a deviné. Elle qui ne comptait plus les jours savait que c'était à peu près le temps. Un garçon est arrivé à Valérie. Sophie garde ses dernières forces — ou ses dernières faiblesses — pour aimer, non pour envier, jalouser, ce qui entraîne toujours un peu de haine. Jadis, elle aurait pensé que la voleuse de son bonheur triomphait, et elle aurait rêvé que le coupable reviendrait avant qu'elle ne quitte la terre pour la terre ; il aurait vu sa victime morte, et un regret tout proche du remords aurait miné son bonheur, empoisonné sa victoire... C'était une histoire qu'elle se racontait quelquefois autrefois, un autre roman, mais Yves Le Mével ne peut plus ni la faire souffrir, ni la faire rêver. Son bonheur et son rêve sont plus hauts que cela ; ils se sont élevés un peu chaque jour depuis tant de jours ! Que Valérie lui donne un bel enfant et aussi la grâce de s'en émouvoir et que tout leur soit bonheur. Mais elle, il lui faut un cœur autrement vaste et généreux, et un amour qui se chante ; le grand capitaine blanc peut seul la combler. Il viendra la prendre pour l'emmener à bord de son grand navire ; et avec cette nouvelle vie sa vraie vie commencera. Et soudain voici qu'elle s'effraie : si elle ne désespère pas, si elle croit si fort qu'il pourrait encore venir, même le matin de son dernier jour, ne serait-ce pas que ce grand capitaine blanc sur son grand navire blanc c'est la mort ? Comme si elle ne le savait pas... Il est la mort et il est la vie. Qu'il vienne ! elle lui confie son destin, et que sur son cœur elle repose ! Et n'est-ce pas cela l'amour et la vraie vie : reposer sur un cœur... Et alors commence l'enchantement.

Encore une envie, qui sera peut-être la dernière : Sophie a demandé des fleurs. Jamais Çoise n'a entendu une malade si près de sa fin exprimer un tel souhait aussi extravagant : les fleurs ne sont que pour ceux qui ne sont plus. Rose a tremblé en entendant ce vœu : comme si Sophie avait voulu fleurir elle-même sa mort... Mais sans comprendre Zos la Vieille a dit : « Il ne faut pas attendre la mort des êtres, pour leur donner ce qu'ils désirent, peut-être : si c'était la dernière fois qu'ils avaient envie de quelque chose... Son âme aurait le droit de venir nous le demander après... » Et on a fouillé la ville sans fleurs pour lui faire un magnifique bouquet. Elle y a plongé son visage et elle a pleuré.

Sophie s'endort et se rendort si près du grand sommeil. Un instant où le monde semble marcher sur sa poitrine est suivi d'un instant de bien-être, et puis c'est comme si l'alternative allait se résoudre... Elle s'étire, pâle et vide comme une accouchée dont on vient de retirer l'autre vie, son cancer et son fruit sublime, pour offrir ses poumons le plus largement possible à l'air qui semble se raréfier. Elle n'a pas la force d'appeler sa mère qui s'affaire en bas sur la terre, pour augmenter sa dot, et elle ne voudrait pas l'affoler ; et elle la connaît par cœur ; elle la sent là ; sa mère ne peut s'éloigner d'elle ; elle sait qu'elle est son adoration perpétuelle. C'est la minute où l'on étreint pour la dernière fois en un résumé déchirant et cependant éblouissant toutes les choses désirables qu'on n'a pas eues. Elle sent son cœur comme un fruit mûr, si mûr qu'il pourrait éclater... Sa lumière baisse, elle va s'éteindre, et son soleil n'est pas là ; mais il lui semble qu'il va paraître et lui éclairer la route de l'Enchantement.

En bas, il y a les sabots cloutés, les pas lourds, les charrettes, les coups de fouet, les sifflets, le monde impur qui semble avoir besoin de violence, de bruits pénibles afin de poursuivre l'aventure de la douce vie, de malédictions à Dieu pour le forcer à ne pas s'éloigner de sa création... Un glas commence à sonner, dans le monde réel ou dans l'autre, et puis elle ne l'entend plus, mais quelque chose bourdonne dans son oreille. Elle croyait attendre la mort ; peut-être attendait-elle seulement l'attente de la mort ? C'est l'instant où ce qui est en nous au niveau de la terre, de la basse vie voudrait s'opposer à la solution noble que le haut depuis longtemps appelle, du moins souhaite... Qu'entend-elle à présent ? Un peu comme le bruit de la mer dans le grand coquillage. Son cœur ne va-t-il pas sortir par sa gorge ? Non, elle ne souffre plus. Son âme lui reste, au bord du précipice, ou du ciel ; ses yeux surnagent, se donnent au Christ sépia sur le mur dont le Grand Capitaine recouvre l'image (et peut-être est-ce le Seigneur d'amour qui la lui a remise ?) et elle est morte sans savoir sa beauté, puisqu'il faut tout de même parler de mort, sans qu'il y eût une vie véritable, quand celle-ci ne fut qu'une longue absence, une interminable attente... Elle meurt de n'avoir pas vécu. Parmi des êtres plus suaves que les hommes, saint Guirec, qui ne répondit pas à ses épingles durant la vie, lui choisira peut-être un mari.

Une vieille robe timide entrebâille la porte de la chambre vide, s'insinue comme une voleuse ; elle vient avec un bol de lait dans une main, et l'autre ne cesse d'y mélanger deux gouttes de teinture d'iode, suprême fortifiant contre les maux de poitrine.

— Vous sentez-vous mieux, ma petite fille ? Je vous ai laissée longtemps seule, excusez-moi, mais vous savez bien que je ne cesse de penser à vous. Vous ne souffrez pas, Sophie ? Vous dormez, ma petite ? (Peut-être elle dort, mais si je ne la réveille pas, elle ne fera que se tourner et retourner toute la nuit et se reposera mal.) Vous faites semblant de dormir si fort pour m'effrayer, Sophie ? (Elle se réveillerait tout de même ! Il suffit que j'entre, elle se réveille. Comme elle est pâle ! Elle n'a jamais été si pâle !) Vous ne répondez pas à votre mère ? Vous ne m'entendez pas ? Vous avez l'air d'être si loin... de tout... (Elle a l'air de rêver qu'elle est dans le paradis... Elle ne bouge plus... Rien ne bouge dans son visage...). Oh mon Dieu ! ma fille vous ne m'avez pas prise tout de même ! Elle est chaude encore... Pourquoi ai-je dit « encore » ?... Ma pauvre petite fille, vous n'êtes pas morte et je n'aurais pas été là ! Rassurez votre mère !...

Ceux qui aiment sont les premiers à appréhender la mort, les derniers à y croire. Pourquoi, pauvre Rose Dagorn, vous être donné tant de peine pour lui ramasser une si belle dot ?

Sophie est morte de solitude, dans l'adoration de sa mère. Sa beauté va se dissoudre, comme lasse de n'avoir pas été connue, reçue, aimée, de n'avoir vraiment servi à rien puisque sa mère l'aurait autant aimée laide. Elle n'aura fait pleurer personne ; et elle n'aura pas eu la grâce de pleurer de bonheur, sauf de celui qu'elle s'était inventé.

Françoise Zos et les autres vieilles des fins dernières expliquent par le cours de la lune le corps qui repose, usé par les rêves. On a mis sur sa tête la couronne d'oranger qu'elle n'a pas eue en sa vie, et à ses pieds les fleurs qu'elle avait demandées et qui n'ont pas eu le temps de faner sous ses caresses. La maison est ouverte à la ville : la mort dénonce la prétention dérisoire du secret des vivants. Les gens viennent mouiller d'eau bénite le front martyrisé et enchanté de songes et les lèvres qui en ont bu l'amère écume. « Elle n'a pas changé », les gens disent.

C'est la première fois depuis son baptême que les cloches sonnent pour Sophie ; elles n'ont pas sonné pour ses noces, ni pour le baptême d'un enfant de sa chair. Elles sonnent comme si elles étaient en retard avec elle.

Dans sa candeur d'immortalité, elle est belle comme une bien-aimée tremblante d'attendre celui qu'elle aime, pour qui elle vient de souffrir. « Un péché c'est la mettre dans le cercueil », disent les femmes en sortant de la maison. Elles qui lui faisaient honte de vivre, elles ont une gêne dans leur dernier regard, comme un remords, elles n'ont jamais vu une morte aussi belle que « leur morte », celle qu'elles auraient pu faire mourir. Si celui qui l'eût aimée venait enfin, il s'en irait désespéré, mais elle n'aura désespéré personne.

Entre deux glas en son honneur, les cloches des baptêmes se sont ébranlées pour le fils d'Yves, mais sans ampleur, car ce n'est qu'un petit, un premier baptême de précaution : l'ondoiement, pour éviter à l'enfant les limbes mais non pour lui montrer le paradis ; on attend le retour du capitaine pour la cérémonie solennelle.

Les vieux de l'hôpital qu'elle aimait, qui font toutes les corvées qu'on veut — de la vie ou de la mort — pour un peu de cidre et de tabac, portent le cercueil léger. Le curé qui lui donnait le bon Dieu sans confession se mouche largement dans le torchon à carreaux des priseurs. Le crucifère dans sa soutanette de bure, pas beaucoup plus grand que Gabriellec, joue à frapper le pavé. Le sacristain-menuisier chante en latin dans un gros livre ; il a des copeaux dans les cheveux ; il vient entre une porte et une fenêtre ; chacun ne se dérange qu'une demi-heure pour la conduire à son éternité.

Dans le deuil, Clotilde et Palmyre, les riches cousines de Lannion, ont un petit voile élégant, le moins funèbre possible, mais assez tout de même pour que les gens ne puissent pas dire qu'elles n'ont pas le sens de la famille. Les parentes de la ferme sous le capuchon noir qui couvre leur coiffe ont l'air de nonnes dont le Dieu est mort. La Vieillesse est là aussi ; Maïe-Louise de Kerdir enterre une jeunesse de plus, et dans ses doigts de momie court un chapelet aux grains gros comme des noisettes ; mais pour qui prie-t-elle ? pour cette très nouvelle morte ou pour des morts si anciennes qu'elle seule s'en souvient ?

Ont-elles vraiment du remords, les commères de Tréguier

dont les vilains cancans l'ont empêchée de se marier et de vivre comme toutes les jeunes filles de son âge (mais elle n'était pas comme toutes les jeunes filles...). Si elles ont dit que ses poumons étaient pris et qu'elle n'en avait pas pour longtemps — bien avant le temps où cela devint vrai, peut-être pour leur donner raison —, chacune pourrait dire : ce n'est pas moi ; je n'ai fait que répéter ce qu'une quelconque m'avait dit. Sophie eut donc le destin parfait des innocents, puisque toutes l'ont tuée en toute innocence par leurs mauvaises langues qui ne savaient pas ce qu'elles faisaient, et sa mère elle-même en l'étouffant de son amour, et sur sa tombe on pourrait écrire :

Ci-gît Sophie Kerguénou-Dagorn,
assassinée par sa mère au nom du Saint-Amour,
et par ses compatriotes pour tuer le temps.

Rose Dagorn n'ira pas avec Sophie à Sainte-Anne-d'Auray remercier le ciel. Celle qui ne sut même pas qu'elle était la mère d'une belle jeune fille car elle l'aimait plus que la beauté, l'innocente criminelle qui ne vivait que pour sa victime, dans ses larmes qu'elle boit à chaque pas, parle à sa petite fille de dix, de quinze, de vingt ans, de tous les âges, comme à quelqu'un qui est tout près, bien qu'on ne le voie pas, qui ne peut pas répondre, mais nous entend peut-être. Ayant en vain soigné la vie de ceux qu'elle aimait, elle survit pour soigner les tombes.

Il fait un temps d'enterrement, à faire croire que la mort n'est pas beaucoup plus triste que la vie. Dans le ciel au ras des toits qui marche lentement comme un enterrement passent des nuées croassantes que l'ébranlement du glas a chassées des tours de la grande église. Les cloches qu'elle aimait la pleurent, mais que pourraient-elles dire de sa vie qui ne fut qu'aspiration à la vie, de l'indifférence aussi stupide que cruelle des hommes à ce qui honore leur espèce ?

Yves est sur la mer, sur son bateau où danseraient des goélettes. Il ne sait pas encore la souffrance et le bonheur de sa chair. A son retour, il aura une grande joie d'apprendre qu'un fils lui est né ; et cette fois, les cloches montagneuses des grands baptêmes rempliront la terre et le ciel de sa gloire de père.

Il apprendra aussi la mort de Sophie. Or, il ne l'a pas tout à fait oubliée. Il lui arrive de songer tristement à ce premier bonheur, ce premier projet d'existence, quand il est bien seul, que sa femme de chair est loin. Alors, quelque chose de plus dur qu'un regret, d'aussi perçant qu'un remords met du rouge sur son front et il se demande s'il a bien agi.

Mais il comprendra vite de quoi elle est morte, et il sera confirmé dans la décision cruelle qu'il crut devoir prendre, jadis, de rompre ses fiançailles, car elle n'était pas faite pour faire une femme, et moins encore une mère : elle avait les poumons pris.

Chassez la tentation de tels dangereux états d'âme, commandant Le Mével : les vents vous sont propices, le voyage sera bon ; la cargaison des hommes punis, acceptant sa punition, n'est pas sortie des cages à l'aller, le minerai de nickel ne sortira pas des cales pendant le retour ; grâce à votre sens infaillible de la manœuvre, vous arriverez avec un jour ou deux d'avance, et toucherez la belle prime. Foin des scrupules qui troublent l'action : vous ne l'avez pas tuée ; elle exigeait un meurtrier plus pur.

« Quand on aura dit la vérité », les mauvaises langues ne sont pas davantage responsables de sa mort. Tout est de sa faute. « Elle n'avait qu'à ne pas faire tant de manières (entendez : ne pas être si délicate, si difficile, si différente, si exigeante ; — ne pas s'appliquer à devenir toujours un peu plus digne de la beauté qu'elle avait entrevue pour mériter l'Enchantement, bref, ne pas être si pure...), elle se serait mieux portée. » Et tout aurait suivi selon la bonne logique de la vie, dont le mariage avec un capitaine à la santé irréprochable et à la belle situation qui embellit encore chaque année. Et puis elle n'était plus tout à fait à Tréguier pour recevoir les coups d'épingle des calomnies qui finissent par traverser un cœur : elle était déjà sur le chemin du beau pays de son rêve, là où chaque être qui se donne avec la part de la beauté du monde qu'il reçut est accueilli par un autre élu qui a dans ses mains un présent non moins précieux pour répondre au sien.

Ce n'est pas non plus sa mère, qui faisait son bonheur de se consumer pour elle, qui l'a tuée : l'amour même excessif est rarement meurtrier. Il n'y a qu'un meurtre dans toute cette histoire de mort à petit feu, et c'est l'innocente qui l'a commis, puisqu'elle aura tué sa mère.

Mais elle oublie son crime dans les bras du beau capitaine, son jeune époux, dont les yeux ne se lassent pas de contempler son regard ravi, et qui lui révèle tous les sens du mot ENCHANTEMENT, le maître du grand navire blanc qui vogue sur une mer plus belle et moins traîtresse que celle de la terre, que nous disons immense parce que nous oublions l'immensité de Dieu — et de notre chance.

1928-1931 — 1983.

Pierre Jakez Hélias

L'HERBE D'OR

An aour yeotenn a zo falhet
Brumenni raktal e-neus grêt
Argad !

L'Herbe d'Or a été fauchée
La brume aussitôt s'est levée
Bataille !

BARZAZ BREIZ (1839)

Pierre Jakez Hélias est né en 1914. Journaliste (responsable de l'émission en langue bretonne de Radio Bretagne), universitaire, il écrivit en 1975 Le Cheval d'Orgueil. L'Herbe d'Or *(1982) est son premier roman.*

Il y a trois sortes d'hommes : les vivants, les morts et ceux qui vont sur la mer.

PLATON

1

Allô, oui ! Ils ont rétabli le téléphone. Ici, c'est Jean Bourdon, du poste de douane de Logan. Oui, monsieur l'administrateur. Vous allez un peu mieux ? Non, ce n'est pas de chance pour vous d'être retenu au lit par la fièvre juste en ces jours de catastrophe. Non, non, surtout n'allez pas vous aigrir le sang parce que vous n'êtes pas capable de tenir debout sur vos jambes. On vous connaît bien, allez ! Soignez-vous. Comment ? Demain le préfet et peut-être le ministre ? Alors on les verra...

Non, toujours pas de nouvelles de l'*Herbe d'Or*. Aucune, de nulle part. Il est encore venu plusieurs épaves à la côte. Oui, arrachées apparemment à des vapeurs en difficulté au grand large. Mais pas un seul morceau de l'*Herbe d'Or*. Vous pensez si on le connaît, ce bateau. C'est le plus ancien de la flottille. Un peu trop ancien même. Un bateau creux, sans moteur. Pierre Goazcoz n'en voulait pas...

Comment ? Ce que disent les marins ? Vous savez, monsieur l'administrateur, dans ces cas-là, ils commencent des phrases qu'ils ne finissent pas. Seulement, ce matin encore, quand ils parlaient de Pierre Goazcoz, le patron de l'*Herbe d'Or*, ils disaient : « Le vieux est un fin renard. Il prendra tout son temps, mais il ramènera son bateau à quai. » Et tout à l'heure, sur le port, j'ai entendu plusieurs fois : « L'*Herbe d'Or*, c'était ceci, c'était cela. » C'était, ce n'est plus, quoi ! A un moment, quelques enfants sont venus traîner entre les jambes des hommes. On les a chassés à grands coups de casquette et à grands revers de main, comme pour assommer des chiens de mer. Quand un marin devient méchant avec les gosses, c'est mauvais signe. Vous comprenez.

C'était un sacré raz de marée, il faut dire. Pire qu'en 96, racontent les vieux. J'en ai encore la tête qui sonne. Heureusement que toute la flottille était restée au port. Toute la flottille sauf l'*Herbe d'Or* de Pierre Goazcoz. Mais celui-là, pour savoir ce qu'il a dans le crâne...

Les dégâts ? On ne sait pas encore. Beaucoup de dommages dans les maisons du port et même dans les villages. L'eau salée a tout envahi. On dit qu'elle est remontée à plus d'une demi-lieue dans les terres. Pour les bateaux, plusieurs dizaines sont plus ou moins démolis, certains irréparables, c'est sûr. Pensez donc, les vagues en ont si bien soulevé quelques-uns qu'on les retrouve échoués à deux, trois cents mètres de la côte, en plein champ. Terrible.

Vous dites ? Si on le voyait venir, le coup de torchon ? Bien sûr. C'est pourquoi les hommes ne sont pas sortis. Tous les signes avant-coureurs nous les connaissons par cœur et dans l'ordre. Mais personne n'aurait cru assister à un pareil déchaînement. Et pourtant — vous allez croire que je suis drôle, monsieur l'administrateur — quand le temps s'est dérangé, les éléments n'étaient pas seulement en colère comme d'habitude, ils étaient malades. A l'agonie qu'ils étaient. Je ne peux pas vous expliquer. Une demi-nuit et un jour entier sans reprendre haleine. L'enfer, quoi !

Et voilà près d'une heure que les vents sont tombés d'un seul coup. Ils n'ont pas remonté vers le nord, ils n'ont pas molli peu à peu. Ils sont morts ou ils attendent quelque chose qui ne dépend pas d'eux. Et tenez, pendant que je vous parle, je regarde par le trou de la porte — il n'y a plus de porte, elle a été crevée par les déferlements, j'ai du sable jusqu'aux chevilles — pendant que je vous parle, je regarde et le diable me patafiole si la brume de mer n'étouffe pas tout dans le quart d'heure qui va suivre. Je ne l'ai jamais vue monter si vite ni si épaisse. Un autre raz de marée, mais de crasse. Ce n'est pas ordinaire après tant d'heures de folie...

De la brume, oui. Cela vous étonne, hein, vous qui connaissez bien la santé et les maladies du temps qu'il fait par ici. De la brume à ne pas reconnaître sa main gauche de la droite. Ce coup-là les gens vont perdre courage tout à fait. Pourquoi ? Tant que le vent cogne, monsieur l'administrateur, tant que l'océan se fâche, il y a du bruit, de la lutte, ce n'est pas fini. Mais quand il tombe et que cette fumée sans feu envahit tout dans le silence, cela vous met la mort dans l'âme. Il vaudrait cent fois mieux qu'il neige comme sur les cartes postales. La neige, au moins, par chez nous, c'est plus franc.

Tenez, voilà le vieux Nonna qui passe. On dirait bien que la brume le chasse devant elle. Ou plutôt qu'il veut l'empêcher d'avancer avec sa vieille échine. C'est le compère de Pierre Goazcoz, vous savez. Depuis les premières lueurs du matin il n'a guère bougé de la cale — de ce qu'il en reste car une bonne moitié a été mise en pièces —, fouillant l'horizon de ses yeux rouges. Et voilà qu'il amène son pavillon, lui aussi. Il va se cacher dans sa maison, probable, avec son chagrin. Pauvre vieux Nonna ! S'il a fini d'attendre, c'est que personne n'attend plus. Vous pouvez vous préparer à tirer un trait sur le rôle de l'*Herbe d'Or*. Et que Dieu pardonne aux âmes ! Combien ils étaient à bord ? Quatre hommes et le mousse, quatre hommes de première classe, tout le monde vous le dira, et un petit qui promettait. Enfin !

Bonsoir, monsieur l'administrateur, et tâchez de mettre votre fièvre à la porte. Il y a du travail qui vous attend.

Et Jean Bourdon raccroche le téléphone que sa mère appelle toujours « l'appareil à parler contre le mur ». Sa mère, Corentine Goanec, n'aime pas beaucoup cet engin-là bien qu'elle se hausse volontiers du menton à cause d'un fils douanier et d'une fille secrétaire de mairie qui savent tous les deux s'en servir. C'est que le téléphone, pour les gens ordinaires, ne sonne jamais que pour les mauvaises nouvelles. Comme ce papier bleu qu'on appelle télégramme et qui inquiète le facteur lui-même quand d'aventure il n'en connaît pas le contenu. Corentine a bien recommandé à ses autres enfants qui sont au loin de ne jamais faire usage de ce papier bleu avec elle. Gare à vous si vous le faites ! Votre mère a le cœur solide, mais elle n'aime pas quand il saute. Et puis elle a toujours de quoi vous recevoir comme il faut quand vous venez sans prévenir. Mais une lettre de temps en temps fait du bien parce qu'elle est écrite de votre main propre. Je ne connais pas l'écriture, je vais me la faire lire par la fille de mon voisin et tout le monde est au courant, comme il convient quand on n'a rien à cacher. Si c'est de la honte, gardez-la pour vous. Quant aux malheurs qui peuvent vous arriver, j'en serais avertie avant même qu'ils n'arrivent. Vous savez comment je suis.

Voilà comment elle est, Corentine Goanec. Tiens, se dit son fils, elle n'a pas soufflé mot de l'*Herbe d'Or* depuis qu'il est en perdition dans la tempête. Le patron Pierre Goazcoz est pourtant son cousin. Seulement issu de germain, mais quand même. D'ailleurs, elle est souvent avertie par un *intersigne* lorsque disparaît quelqu'un de sa parenté ou de sa compagnie. Si elle se tait, c'est peut-être bien que l'*Herbe d'Or* tient encore sur l'eau quelque part avec Pierre Goazcoz, Alain Douguet, Corentin Roparz, Yann Quéré et le mousse Herri dont c'était la première aventure à la recherche du poisson. S'il s'en tire, celui-là, il pourra se vanter d'avoir essuyé le plus rude baptême qui soit. De quoi le faire aller se cacher dans un bureau s'il n'a pas le cœur salé. Il était toujours premier à l'école, ce petit, il aurait pu avoir le brevet et un bon poste à terre. Mais cela faisait déjà quelque temps qu'il tournait autour de Pierre Goazcoz. Il a fini par se faire prendre à ses filets. Comme les trois autres et ceux d'avant. Et pas moyen de savoir exactement pourquoi. Aucun homme de l'*Herbe d'Or* n'a jamais desserré les dents quand les autres pêcheurs se hasardaient à parler du bateau et de son maître. Il est vrai qu'aucun d'entre eux n'était bavard, pas même l'enfant dont on entendait l'harmonica plus souvent que la voix. Mais allez donc comprendre ce que raconte un harmonica ! Peut-être ceux de l'*Herbe d'Or* avaient-ils été choisis, peut-être s'étaient-ils choisis eux-mêmes pour ce pouvoir qu'ils avaient de ne jamais se livrer. Se parlaient-ils en mer autrement que pour la manœuvre ? Y avait-il, réservé aux initiés, un secret de l'*Herbe d'Or* ? A-t-on idée d'appeler un bateau de pêche d'un nom pareil ! Un nom de mauvais augure, avait dit une fois Corentine Goanec qui n'avait jamais voulu le faire passer par sa bouche. Pourquoi de mauvais augure, elle n'avait pas daigné s'en expliquer. Mais aujourd'hui, elle était peut-être la seule à ne pas s'inquiéter du sort de son cousin, elle qui entrait presque en transe quand il y avait du drame dans l'air.

Le douanier s'apprête à fermer le bureau. C'est un vieux bâtiment du temps des rois couronnés, une sorte de coffre tout en granit, y compris les dalles plates qui composent le toit. On dirait un porche qui aurait perdu son église s'il n'y avait, dans le flanc de la muraille qui donne sur la rue, les deux ouvertures de la porte basse et d'un fenestron à quatre carreaux brouillés autour d'une croisée de bois. L'intérieur est une pièce unique où il vaut mieux ne pas être trop grand si l'on veut tenir debout à l'aise. Le temps qu'il fait dehors, les gens qui passent, les quatre carreaux en font d'étonnantes images pour l'occupant du lieu. Miraculeusement, ils ont tenu bon alors que les coups de boutoir de la marée ont crevé la lourde porte en chêne. Au reste, cette porte est habituellement ouverte sur le quai tant qu'il fait jour. Un douanier doit avoir l'œil. Quand la porte est fermée, par grande pluie ou grand vent, les amis qui passent dehors engagent quelquefois les épaules dans l'embrasure du fenestron. Leur visage déformé par les défauts des vitres passe de la misère à la cruauté et de l'homme à l'animal tandis qu'ils cherchent le meilleur endroit pour apercevoir Jean Bourdon assis à sa table, pour vérifier s'il est là devant ses papiers avant d'entrer lui dire bonjour s'ils ont le temps. Quand ils l'ont trouvé, il voit leur œil tel qu'il est, le gauche ou le droit grand ouvert, et il les reconnaît avant même qu'ils n'aient frappé à la vitre avec un doigt ou deux. Chacun d'eux a sa manière de frapper. Le signal des doigts confirme l'œil. Mais entre-temps, Jean Bourdon s'est bâti une histoire à la couleur de ses songes avec les apparitions confuses du fenestron. Il aime bien se faire du cinéma, Jean Bourdon. Et il est tout heureux que la tempête n'ait pas brisé ses quatre vitres déformantes. On lui en aurait remis d'autres, toutes neuves et sans défaut, au travers desquelles les hommes et les choses se seraient montrés seulement comme ils sont. Déjà qu'on parle de construire un autre poste, moderne, avec plusieurs pièces et des couloirs, des fenêtres claires sur trois côtés, oui monsieur, pas un de moins, et des appareils à chauffer pour l'hiver. Ce sera mieux pour tout le monde, paraît-il. Bien, mais comment fera-t-il pour se nourrir la tête en pareil lieu, Jean Bourdon ?

Soudain, le téléphone se met à sonner. Une curieuse sonnerie, claire, argentine, avec des grelottements et des notes séparées qui font tressaillir l'homme de la douane sur le point de rêver à un galon d'argent de plus pour se consoler de l'adieu au fenestron-lanterne magique. Le voilà redevenu enfant de chœur, cahotant à pleins sabots dans les chemins de terre et secouant sa clochette à six pas devant un prêtre qui se hâte avec l'Extrême-Onction dans un sac noir. Jean Bourdon hésite à décrocher l'appareil quand celui-ci se décroche lui-même, se balance au bout de son fil. La sonnerie s'éteint du coup. Le douanier empoigne l'appareil, l'approche de son oreille, avec précaution. Tendu de pied en cap il écoute. Rien. « Ici le poste de douane de Logan. » Pas de réponse. Jean Bourdon est mal à l'aise. Ses vêtements le grattent sur tout le corps. Il émet un fort juron pour se libérer d'une angoisse en avalant un bon coup de salive l'instant d'après. Qu'est-ce que c'est que cette histoire ! La mécanique va-t-elle se mettre à délirer maintenant que les éléments ont fait la paix ? Il y a peut-être des réparations sur la ligne après ce cataclysme. Ou des vérifications. Mais cet appareil, je l'avais pourtant bien remis sur son crochet. Comment a-t-il fait pour tomber ? Jean Bourdon insiste. « Allô ! Ici le poste de douane de Logan. Vous m'entendez ? »

Derrière lui s'élève une voix ferme, catégorique.

— C'est l'*Herbe d'Or* qui appelle. Je savais bien qu'il n'était pas allé au fond.

Dans l'encadrement de la porte il y a le vieux Nonna, immobile, tassé dans son caban, les poings au fond des poches de son pantalon rapiécé. Tel est son visage défait qu'il a l'air de rire, le malheureux. Et peut-être rit-il, après tout. Jean Bourdon s'ébahit du nombre de dents qui restent dans la bouche du vieux. Il ne les avait jamais vues. On dirait bien qu'il n'en manque pas une. C'est après, seulement, qu'il en vient à comprendre le sens de ce qu'il a entendu et qui est plus étonnant encore que la révélation de la mâchoire.

— Il n'y avait personne à l'autre bout, Ton Nonna.

— Il y avait l'*Herbe d'Or*, je vous dis. Les bateaux ne parlent pas, Jean Bourdon. Ils n'ont pas besoin de parler. Ils ont d'autres façons de donner de leurs nouvelles. Vous avez bien entendu.

— Mais Pierre Goazcoz...

— Eh bien quoi, Pierre Goazcoz ! Qu'est-ce qu'il peut faire, Pierre Goazcoz ? Il a beau être plus malin que vous et moi, il n'est pas capable de se faire entendre de si loin avec les moyens des hommes. Sur l'*Herbe d'Or* il n'y a aucune mécanique pour parler à travers les airs, vous savez bien.

— De si loin ? Où croyez-vous qu'il est ?

— Quelque part en mer, dans le sud je suppose. Il a mis à la cape, il a cédé de son mieux à la tempête et maintenant il attend le vent pour revenir.

— Possible, Ton Nonna. Quand le téléphone a sonné, j'ai bien cru que c'était lui qui appelait. Il aurait pu se mettre à l'abri dans un port, à Concarneau ou Lorient.

— Il aurait pu. N'importe quel autre marin aurait tenté de le faire, moi le premier. Mais lui, je le connais bien, il n'a pas voulu capituler. Il est resté sur le dos de la bête. Il y est toujours. Il saura revenir, croyez-moi hardiment. C'est un animal de mer, cet homme-là.

— Et les autres ?

— Les autres ont choisi d'aller avec lui en sachant ce qu'il est, du moins en croyant le savoir, ce qui est la même chose. Tous les autres, y compris le mousse que sa mère aurait préféré envoyer couper la queue du diable avec un canif plutôt que de le voir monter sur l'*Herbe d'Or*. Il n'y a rien eu à faire, il serait mort de dépit. Les autres ne se ressemblent pas entre eux, ils n'obéissent pas aux mêmes raisons, mais aucun d'entre eux n'irait en mer sur un autre bateau que l'*Herbe d'Or* et avec un autre patron que Pierre Goazcoz. Quand ils mettront leur sac à terre, ceux-là, ce sera pour y rester. Parce que, voulez-vous que je vous dise, Jean Bourdon, ceux de l'*Herbe d'Or* ne sont pas de vrais marins pêcheurs bien qu'ils connaissent parfaitement le métier. La pêche, pour eux, n'est qu'un prétexte. Lorsqu'ils vivent parmi nous, ils font semblant d'être des gens très ordinaires, mais quant à savoir ce qu'ils ont dans la tête, courez toujours ! Si je n'étais pas un aussi pauvre homme que je suis, je croirais bien qu'ils sont ensorcelés par Pierre Goazcoz et que lui-même est ensorcelé par son bateau.

— Allons donc ! Qu'est-ce qui vous prend ! Il n'y a pas plus raisonnable que vous, d'habitude. Et si quelqu'un connaît Pierre Goazcoz, c'est bien vous. On vous voit toujours ensemble quand il est au port.

— Justement. C'est parce qu'il n'arrête pas de me poser des questions sur ma vie de gardien de phare. Il voudrait que je lui dise certaines choses et moi je ne comprends pas ce qu'il me demande. Alors, peut-être pour me mettre sur la voie, il me parle de son *Herbe d'Or.* A force de l'écouter, je ne peux pas vous expliquer, j'en arrive à croire que ce bateau est un être vivant.

— Allons nous coucher, Ton Nonna, et essayons de dormir. Nous avons tous la tête un peu dérangée après ce que nous avons vu et entendu depuis la nuit dernière et qui aurait eu de quoi faire perdre la boule à de plus forts que nous. Je vais rentrer chez moi. Vous savez que tout a été dévasté dans ma boutique.

— Oui, je sais, on m'a dit. Vous avez été réveillé à trois heures du matin par les cris de vos enfants qui dormaient au rez-de-chaussée. Quand vous êtes descendu avec votre femme, leurs lits flottaient sur la mer. Il vous a fallu glisser dans l'eau jusqu'aux reins pour les tirer de là. Vous aurez du mal et de la dépense à tout remettre en état. Mais cela n'enlève rien à ce que j'ai dit : l'*Herbe d'Or* est quelque chose de vivant, je ne sais pas quoi. Écoutez, Jean Bourdon, si par hasard il ne revenait pas malgré le signe qu'il a fait, je ne serais pas surpris si on le rencontrait dans quelque temps au large en bateau fantôme et sans le moindre équipage à son bord. Là-dessus je m'en vais plus loin. Salut à vous.

Le vieux recule sans cesser de faire face au douanier. La brume le délave pour en faire une silhouette pâle avant de le disperser en elle. Jean Bourdon est tout surpris d'avoir besoin de s'asseoir. Ses genoux ne le portent plus. Il a suffi qu'il écoute un moment le radotage de Ton Nonna pour que toute la peur qu'il avait tenue en respect pendant qu'il luttait avec les autres contre le raz de marée lui déferle dessus d'un seul coup. A peine a-t-il repris ses esprits que le téléphone se met à sonner. Serait-ce un autre signal émis de l'*Herbe d'Or* par des réseaux impénétrables ? Jean Bourdon se lève comme il peut, décroche le téléphone et aussitôt se soulage d'un énorme soupir. C'est la préfecture qui appelle avec une voix de femme. La femme en question doit être interloquée d'entendre, venant d'un petit port ravagé par un cataclysme marin, une voix d'animateur de noces et banquets qui profère sur le mode plaisant : ici le poste de douane de Logan. Jean Bourdon à votre service. Ce Jean Bourdon manque un peu de tenue, surtout pour un fonctionnaire, estime la demoiselle. Et elle prend son ton le plus sévère pour lui annoncer le préfet en ligne. Mais un préfet peut-il impressionner un simple douanier qui redoutait, l'instant d'avant, de recevoir une communication de l'au-delà ?

Nonna s'enfonce dans la brume sans but. Il est plus facile de supporter l'anxiété quand on marche. Du reste, le vieux fait confiance à son instinct pour aller où il faut. Il se réjouit de constater que ses pas l'emmènent loin de la grève du sud-ouest, là où viennent s'échouer habituellement, ensevelis dans des rouleaux de goémon, les cadavres des naufragés. Ce serait de bon augure s'il n'y avait ce silence qui a tout dévoré à mesure que montait la crasse. Il est si énorme que le balai du phare, tout là-haut, beaucoup plus haut que d'habitude, à chaque fois qu'il rame du côté de la terre, fait entendre comme un halètement de bête. Quel est donc ce monde étrange où la lumière fait du bruit ? Ce n'est pas la première nuit, certes non, que Nonna s'y trouve pris. Mais d'habitude il ne percevait pas le souffle du silence. Il y avait toujours une corne de brume qui luttait quelque part contre l'anéantissement, qui aidait de son mieux les puissantes lanternes où il a veillé si longtemps et dont il sait, depuis qu'il est descendu pour de bon à terre, qu'elles sont affreusement dérisoires quand l'autre monde entreprend d'envahir celui-ci. Il n'entend plus ses pas, mais il s'arrête pour se faire l'oreille plus fine. Rien ne corne plus sur la terre. S'élève en lui la voix du recteur au catéchisme parlant des Limbes. Les Limbes, il est dedans, tout baptisé qu'il soit. Les Limbes ne sont pas l'Enfer, mais son vestibule muet. L'Enfer, il en sort.

La nuit avant celle-ci, vers les trois heures, l'océan s'est fâché. On attendait qu'il se fâche, on est habitué de père en fils à ses colères, mais une telle fureur n'avait pas été vue depuis 96, quand le sémaphore fut inondé jusqu'au premier étage, toute la flottille coulée dans le port ou brisée à la côte, sans compter les dégâts aux maisons. La marmite du Raz-de-Sein s'était mise à bouillonner si fort et si haut qu'elle a crevé la lanterne du phare de la Vieille. Nonna s'en souvient. Mais hier, devant Logan, les vagues se sont gonflées jusqu'à la hauteur d'un deuxième étage pour s'affaler sur le port et se répandre jusqu'aux villages de l'arrière-pays. Leurs lignes de collines fumantes montaient à l'assaut de la terre sous un ciel éclairé d'une lueur diffuse, venue on ne sait d'où, aussi blême que la chair des morts. Dans un bruit de tonnerre, elles ont écrasé les toits les plus proches, enfoncé les portes et les fenêtres des maisons du quai. Entre leurs coups de bélier, l'on entendait les cris de détresse des pauvres gens, échappés à grand-peine de leur logis avec leurs enfants demi nus, et qui s'évertuaient, dans l'eau jusqu'aux cuisses, à gagner le refuge des rares mamelons élevés de quelques mètres au-dessus du niveau des grandes marées. Et, chose étonnante, pas un souffle de vent. Quelle puissance inconnue pouvait bien baratter cette apocalypse ! Dès la première heure de furie, toutes les barques à l'amarre avaient été soulevées comme des fétus par les masses liquides, transportées sur les crêtes mouvantes jusqu'au mur d'une usine de conserves qui avait tenu assez bon pour les disloquer en tas au nombre de trente ou quarante, tandis qu'un nombre égal d'entre elles remontaient les ruelles du port avec le flot pour aller s'échouer dans les cours ou se coincer dans les portes béantes. D'énormes rochers que l'on avait toujours connus fermement assis au bord de la grève seront retrouvés à plus de cinquante mètres de leurs sièges, ayant labouré si profondément la terre dans leur course qu'il serait possible de les ramener sans faute à leur juste place si l'on avait les moyens de le faire et du temps à perdre.

Quand la lueur d'enfer qui éclairait les masses d'eau gonflées par on ne sait quel monstrueux levain fut progressivement remplacée par un jour souffrant, il y eut une accalmie.

L'océan grondait toujours aussi fort mais semblait vouloir ravaler le surplus de ses eaux. L'autre monde avait-il perdu la partie ou rassemblait-il ses forces obscures pour en finir une fois pour toutes avec cette langue de terre à peine émergée dont les occupants le défiaient depuis si longtemps ? Maintenant les enfants en bas âge et les vieillards sans force, mis à l'abri sur les médiocres hauteurs vers l'est, contemplaient dans l'angoisse un Logan transformé en marécage où s'affairait toute une population valide. Par une sorte de miracle dont on parlera longtemps, aucune vie humaine n'avait été perdue, à moins que l'*Herbe d'Or* qui avait appareillé une heure avant le déchaînement... On verrait plus tard. Plus tard viendraient peut-être les lamentations, ce n'était pas sûr. En tout cas, il n'était pas question de se réfugier dans les terres, rassurantes sans doute pour les coupeurs de vers, mais totalement étrangères pour des cœurs salés qui s'en voudraient de déchoir. Ils étaient de la côte, certains arrivés seulement depuis une génération ou deux, à la côte ils resteraient tant que la côte serait là. Il faudrait bien que l'océan s'arrange de leur présence obstinée ou qu'il les engloutisse jusqu'au dernier. Pour le moment, presque sans un mot, mais avec diligence, ils faisaient ce qu'il y avait à faire. Ils montaient à l'étage tout ce qu'un retour des eaux pouvait abîmer ou emporter. A grand renfort de râteaux et de balais, ils chassaient dehors le sable pour retrouver la terre battue. Ils remontaient les portes, bouchaient les fenêtres, épontillaient les plafonds qui avaient été assaillis par le haut, procédaient au ménage extraordinaire d'après les révolutions. Mais auparavant chacun était parti à la recherche de sa barque, l'avait retrouvée dans l'amas des autres, contre le mur de l'usine, dessus ou dessous, en piteux état, ou échouée dans les sillons à légumes sans trop de mal ; ou retournée, faisant le gros dos dans quelque ruelle, la quille douteuse à revoir de près. Le plus chanceux avait été Amédée Larnicol, le marin-cabaretier, dont le *Steredenn Vor* était venu accoster gentiment contre sa maison du quai, tout nu mais sans dommage au gros œuvre. Et Amédée, machinalement, avait amarré sa barque à un anneau de sa façade qui servait habituellement pour attacher les chevaux traîneurs de charrette. Ridicule, mais on attendra une bonne année avant d'en rire.

Ton Nonna ne dormait pas quand la terrible aubade avait commencé. Il habitait avec sa sœur une petite maison située sur l'arrière-port, à la limite des champs cultivés. La sœur avait perdu en mer son mari et son fils unique. Depuis, elle s'occupait d'une vache et de deux pièces de terre qui lui venaient de ses parents. On ne l'avait plus jamais revue sur le quai du port où elle habitait autrefois. Le dimanche, elle faisait une lieue à pied pour aller entendre la messe à Plouvily, le bourg paysan. Tranquillement. Cette femme n'avait pas de rancœur, elle avait digéré ses deuils, mais elle en avait fini avec le côté de l'eau. Quoique bourrue, elle recevait fort bien Pierre Goazcoz, l'ami de son frère, vieux garçon comme lui. Et précisément, la veille, le patron de l'*Herbe d'Or* était venu passer un bout de soirée chez eux comme il faisait souvent. Les deux hommes, assez avares de leurs paroles, avaient échangé des réflexions sur la figure du temps. Une inquiétude était dans l'air sous l'apparente bonace qui ne trompait pas les gens de mer. J'espère que vous ne sortirez pas cette nuit, avait dit Ton Nonna. Et sa sœur, qui ne faisait jamais entendre sa voix, avait renchéri : il ne faut pas qu'il sorte. Pierre Goazcoz avait fait un geste évasif avant de se retirer plus tôt que d'habitude. Et les deux autres avaient gagné leurs lits.

Vers une heure du matin, Ton Nonna, qui n'arrivait pas à trouver le sommeil, avait allumé sa lampe Pigeon pour regarder sa montre. Et il avait beau la regarder, il était incapable de lire l'heure qui était pourtant clairement indiquée. Avant même de savoir ce qu'il allait faire, il avait hissé son pantalon et passé son gilet de laine. Avec mille précautions pour ne pas réveiller sa sœur, il avait descendu l'escalier, décroché son caban et sa casquette dans le couloir. Il soulevait le cliquet de la porte quand la veuve était apparue en camisole sur le palier, portant haut une bougie allumée. Laissez-le donc aller, dit-elle. Il n'y a rien à faire contre cet homme. Et elle rentra dans sa chambre.

Quand Ton Nonna, le cœur battant, arriva sur le port, ce fut pour voir l'*Herbe d'Or* qui doublait le môle, toutes voiles montées. Tête de pieu ! cria-t-il dans la lueur froide qui émanait de la mer presque figée. Tête de pieu ! Tête de pieu ! Trois fois. Il crut voir des bras se lever dans la barque.

Quelques chiens aboyèrent, sur le port, à une lune qui n'était pas là. Paix, la canaille ! gueula le vieux. Laissez-les aller où ils veulent. Les chiens se turent, mais de faibles crachements lumineux éclatèrent çà et là. Des hommes, non pas ensemble, mais chacun de son côté, battaient le briquet pour allumer des pipes ou des cigarettes. Il n'était pas seul à regarder partir l'*Herbe d'Or*.

Il ne pouvait se résoudre à rentrer chez lui. Pendant combien de temps traîna-t-il au hasard ses chausses à travers le port, s'arrêtant quelquefois entre deux éclats du phare pour revenir sur ses pas comme s'il s'était ravisé ? L'homme était seulement désemparé. Il y avait quelque chose de détraqué dans le ciel, jamais la terre n'avait été aussi étroite sous lui. Et ce foutu océan qui faisait semblant d'être hors jeu. Tout de même, Nonna finit par regagner sa maison, mais à regret. Il y avait un rai de lumière tremblante sous la porte de la chambre de sa sœur. Il s'arrêta une seconde, se demandant s'il devait entrer pour lui parler ou seulement lui faire un signe désolé qu'elle traduirait par tête de pieu. Puis il se dit que c'était inutile, qu'elle savait déjà.

En ouvrant sa porte pour se recoucher, il entendit un grondement ponctué d'explosions inégales. Les cloisons de bois gémirent et les murs eux-mêmes accusèrent les coups puisque sa photo en quartier-maître de la Royale, accrochée à un clou au-dessus de la table de nuit, tomba sur la lampe Pigeon dont elle cassa le verre sans éteindre la flamme, ce que l'incorrigible Nonna ne put s'empêcher d'interpréter comme un signe favorable. Soudain, la fenêtre s'ouvrit sous la déflagration d'un bruit énorme qui avait des accents de clameur humaine. Ça y est, se dit Nonna, voilà que ça crève. Il va y avoir du dur. Là-dessus, sa sœur jaillit de chez elle, toujours en camisole et la face méchante :

— Eh bien, qu'attendez-vous pour aller aider, fainéant que vous êtes. Vous n'avez pas honte !

Il y alla comme il était tandis qu'elle s'affublait de ses plus vieilles nippes pour y aller aussi. Le souffle court, dans l'eau jusqu'aux genoux dès qu'il eut descendu les trois marches qui menaient du chemin à sa courette, il remonta le flot jusqu'au port où régnait un tumulte indescriptible. Avant de s'occuper du reste, on repliait vers les îlots secs de l'intérieur les enfants et les invalides entassés sur des charrettes à bras. Quand il vit la hauteur des vagues qui arrivaient du sud-ouest, il crut à la fin du monde. Et pourtant, lui dit-on, elles déferlaient déjà moins dur que dans le premier quart d'heure qui, pour les assistants, était à devenir fou. Comprenne qui pourra. Des hommes au front saignant, brandissant des lampes tempête, hurlaient des ordres qu'ils étaient les seuls à comprendre. Un clairon d'alarme s'époumonait du côté de l'abri du matériel d'incendie dont les murs s'étaient écroulés, libérant le char rouge qui vaguait par les rues inondées en se cognant aux façades tandis que la pompe dévidait ses boyaux.

Le vieux Nonna était trempé jusqu'aux os. Il était tombé plusieurs fois en aidant comme il pouvait, où il pouvait. Il se maudissait d'avoir son âge. De temps en temps et de plus en plus, il devait reprendre haleine contre quelque mur à l'abri de la tourmente. Hébété, il regardait dériver dans les canaux des casiers, des débris de clapiers et de poulaillers, des morceaux de mâts, des espars de toute sorte, le pétrin d'une boulangerie, redoutant de voir flotter des cadavres. Cela lui fut épargné.

Ce qu'il y avait de jour était levé depuis longtemps quand il rentra chez lui à travers un bout de lande dont les ajoncs étaient coiffés de filets déchirés. Il n'en pouvait plus. Sa maison était à peu près au sec, remplie d'enfants que sa sœur réconfortait de son mieux devant le feu avec des paroles d'apaisement et des boissons chaudes. Les uns pleuraient silencieusement, les autres hoquetaient, les yeux secs, graines de pêcheurs. Nonna se sécha comme il put, changea de vêtements. Il tira du buffet la bouteille de rhum achetée pour les fêtes du bout de l'an. Un grog bien nourri lui ragaillardit le corps, mais la tête et le cœur demeuraient navrés. Qu'était-il advenu de Pierre Goazcoz et de ses quatre compagnons d'aventure ? Têtes de pieux tous les cinq.

Vers midi, on vit arriver à la rescousse les paysans. Les pauvres étaient pieds nus, leurs pantalons de panne retroussés jusqu'aux genoux. Les plus riches avaient attelé leur meilleur cheval à leur charrette anglaise des dimanches et chargé dedans autant de monde qu'ils pouvaient. D'autres avaient pensé au pain et à l'eau-de-vie de cidre. Quelques voitures automobiles, conduites par des bourgeois à lunettes et manteaux à longs poils, s'étaient avancées en toussotant jusqu'aux limites de l'inondation. Mais tous ces gens n'osaient pas aller jusqu'à la côte. On les sentait inquiets. Pas seulement à cause des rouleaux qui se gonflaient toujours à quelques centaines de mètres avant de s'écraser à grand bruit dans un jaillissement d'écume. Ils savaient qu'ils seraient gênés devant le regard bleu des pêcheurs, un regard lointain qui dirait de-quoi-vous-mêlez-vous ? Ils étaient cousins, sans doute, mais si ce cousinage, quand tout allait bien, leur permettait d'échanger sans offense des sarcasmes familiaux et des moqueries traditionnelles, il n'était pas question pour les uns de plaindre les autres dans l'épreuve. Alors, aujourd'hui, on gardait ses distances. Et puis il y avait les notables, les fonctionnaires, les gens en charge, les élus, qui venaient se rendre compte et calculer les interventions nécessaires. Quelques curieux aussi, mais honteux et débordant de bonne volonté.

Une famille de paysans, venue à pied de deux lieues avec ses outils sur l'épaule, pour le cas où il y aurait un coup de main à donner, s'était arrêtée un moment chez Nonna. Ils avaient été réveillés dans la nuit par le fracas du raz de marée. Les parents assuraient qu'ils avaient distinctement entendu, à cette distance, craquer les membrures des barques projetées contre les murs. Et les enfants avaient ramassé, dans la grange, des oiseaux déroutés, à moitié morts, incapables de reprendre leur vol sans s'assommer au premier obstacle qui se présentait. Des oiseaux fous, disaient-ils.

Des oiseaux. Nonna n'avait pas pensé à eux parce qu'il n'en avait pas vu un seul dans la tourmente. Ils avaient dû remonter dans les terres ou alors ils volaient très haut. Avaient-ils pu s'échapper à temps ? Le vieux pressa le pas vers le phare qui vissait toujours son double rayon dans la crasse. Quand il fut arrivé au pied de la tour, il sentit sous ses sabots les petits cadavres emplumés. Il se baissa pour les tâter. Il reconnut des gravelots, des chevaliers-aboyeurs comme il en ramassait autour du phare du Créac'h, à Ouessant, les lendemains de tempête. Les pauvres bêtes s'affolaient dans la tourmente, perdaient tout sens de la direction. Comme des phalènes par une lampe à pétrole, elles étaient irrésistiblement attirées par la puissante lanterne. Certaines piquaient droit dessus, le choc les assommait. La plupart décrivaient autour du feu des cercles de plus en plus serrés jusqu'au moment où elles venaient se briser une aile contre le verre. Le gardien Nonna était fasciné par ce ballet mortel, d'autant plus que l'envergure des oiseaux lui semblait immense et leurs formes fantastiques quand ils étaient plaqués brutalement tout près de son visage, eux dehors et lui dedans. La première fois, il s'était cru assiégé par les âmes du Purgatoire car ces offensives désordonnées, ces charges blêmes s'accompagnaient d'énormes bruits discordants où il lui semblait discerner des plaintes humaines et même des phrases de supplication. D'autres gardiens n'avaient pas pu y tenir. Il avait fallu les ramener à terre sous peine de les voir perdre le sens et compromettre dangereusement la veille de mer. Lui, Nonna, il s'y était fait très vite et même, sans s'y complaire, il puisait une étrange exaltation dans ces spectacles qui obligent les caractères les mieux trempés à s'interroger sur les exactes limites entre la vie et la mort, ce bas monde et l'autre, les rapports secrets qui lient obscurément les hommes aux oiseaux et généralement les complicités et les antagonismes entre les éléments naturels. Et le gardien Nonna, spectateur mais non arbitre, impuissant et privilégié à la fois dans ces drames inhumains, aimait bien s'interroger sur sa condition d'être.

C'est parce qu'il l'avait presque percé à jour que Pierre Goazcoz, affamé lui-même de savoir, ne cessait pas, sous mille prétextes, et sans jamais s'enquérir clairement, de lui faire raconter ses nuits et ses jours. Il épiait les moindres paroles de Nonna comme si l'autre allait, à travers une faille de son langage, lui apporter quelque illumination capable d'orienter sa propre quête. C'est que l'autre vivait une part de sa vie au sommet d'un cierge planté droit dans la mer, une tige monstrueuse germée d'un caillou et dont la fleur est une lanterne porte-feu. A vivre là-haut, ni sur terre ni sur mer, érigé dans le ciel mais étranger à lui, on ne doit plus se sentir nulle part, c'est-à-dire que l'on est tout prêt à basculer de l'autre côté du monde pour peu que l'on cesse un instant de tenir bon, de s'accrocher à ces riens misérables qui vous font quotidiennement exister, par exemple. Nonna aurait bien voulu basculer, même sans l'assurance de revenir conter à son ami Goazcoz comment c'était. Plusieurs fois il s'est laissé aller tant qu'il a pu, jusqu'à déraisonner pour mieux s'aider à franchir le pas. Et il a eu beau larguer tout, il est resté dans ses sabots. L'autre côté n'a pas voulu de lui. C'est tant pis pour Pierre Goazcoz.

Ton Nonna se dit qu'il n'est qu'un pauvre homme. S'il a eu quelquefois ses chances, ce fut quand il gardait les phares de haute mer, les tours sauvages qu'on appelle les Enfers et qui se décrochent quelquefois si bien qu'on n'en retrouve rien de plus qu'une brasse de chaîne sur le roc. Un gardien de sa connaissance a disparu de son phare par une nuit de beau temps, laissant derrière lui une pipe allumée. Apparemment celui-là savait y faire pour tirer sa révérence. Mieux que moi. Mais il n'est pas revenu dire à Pierre Goazcoz quoi ni comment.

Allons ! A quoi sert de rester là, un cadavre d'oiseau dans chaque main, à remâcher d'anciens griefs contre soi-même ! Après des années de phares-enfers, il y a eu les phares-purgatoires qui sont déjà plus supportables pour le commun des mortels, édifiés qu'ils sont sur de vraies îles avec de l'herbe et une maisonnette. Mais pour Nonna, c'était déserter les premières lignes, abandonner les frontières. Or, Pierre Goazcoz ne lui en avait pas voulu de s'être replié, c'est vrai. A l'entendre, et si l'on démêlait bien ses paroles, il semblait même persuadé que son ami se trouvait sur des positions plus favorables. Allez savoir pourquoi Nonna, sans bien s'en rendre compte, avait fini par le croire aussi. Mais il ne s'était rien passé de plus ni de mieux. Et il avait terminé son temps dans un phare-paradis, sur la grande terre, au-dessus d'un port de presque cent barques, ici même, à Logan. De là-haut, il pouvait voir la mer et la terre, toutes les deux à l'infini, l'une avec ses écueils aux noms d'animaux domestiques, la Truie, les Pourceaux, la Jument, les Moutons, le Chien, la Chèvre, l'autre avec ses îlots paysans, ses villages cernés d'arbres éventés autour desquels s'ordonnaient les sillons en vagues immobiles. Et lui, là-haut, mélangeant le tout avec sa lanterne tournante jusqu'à en avoir lui-même le tournis. Mais il était resté du même côté que les autres, du même côté que sa sœur, gardeuse de vaches et bineuse de pommes de terre, chez laquelle il avait fini par descendre pour sa retraite. C'est à peine si elle s'impatientait quelquefois de ne pas comprendre certaines choses qu'il disait et qui sortaient de sa bouche sans qu'il fût capable de les maîtriser. Elle pensait que d'avoir vécu si longtemps dans une tour à lanterne avait rendu son frère un peu drôle. Un tout petit peu qui était plus inquiétant que ne l'aurait été beaucoup. Plus respectable aussi. Comme ces vieilles murailles fissurées, lézardées, mais dont la masse et la tenue sont telles qu'on les sait capables de durer encore un siècle malgré les fantômes indéfinis qui les habitent. Les pêcheurs de Logan pensaient comme la sœur de Nonna. Et les enfants hésitaient entre se moquer de lui et se placer sous sa protection. Quant à Pierre Goazcoz, il n'avait d'autre souci, rentré au port, que de se mettre en quête de l'ancien gardien quand celui-ci n'était pas à l'amarrage habituel de l'*Herbe d'Or.* Et s'il n'y était pas, c'était parce que sa tête l'avait emmené ailleurs. Pierre Goazcoz voulait savoir où.

Ton Nonna reposa doucement les oiseaux morts sur la caillasse. Il n'y avait rien à en tirer. Les pigeons voyageurs transportent un message dans leur bague, les volatiles de mer sont indéchiffrables. Et peut-être ces deux-là savaient-ils où se trouvait l'*Herbe d'Or.* Il fallait aller chercher ailleurs des signes dont il était sûr qu'ils avaient été émis, le téléphone de la douane en était un. Soudain, il lui vint à l'esprit que le départ de Pierre Goazcoz, juste avant le raz de marée, signifiait que son ami (était-il vraiment son ami ?) avait trouvé la bonne heure pour atteindre l'autre rivage. Et maintenant il savait. Alain Douguet, Corentin Roparz, Yann Quéré et le mousse Herri savaient aussi. Lui, Nonna, était laissé pour compte. Il eut envie de mourir. Mais la mort serait une défaite pour qui n'avait eu d'autre désir que d'entrer vivant dans l'au-delà. A tout prix il lui fallait rejoindre ceux de l'*Herbe d'Or.* Le moyen, il le trouverait.

La brume avait encore épaissi. Le balai du phare ne trouvait aucun repère. Nonna se mit en marche vers le port. Il avançait en aveugle, mais il n'avait pas besoin de voir. Le chemin lui était si bien connu qu'il le retrouvait exactement sous ses pieds. Du moins jusqu'au moment où ses sabots furent amortis par le sable que le raz de marée avait chassé plus loin que les premières maisons. Le vieux s'arrêta pour estimer sa direction. Sur sa gauche, du côté de la terre pensait-il, se firent entendre des pas pesants mais assurés et bientôt une énorme masse émergea de la brume, passa presque au ras du bras qu'il avait écarté de son corps pour se protéger instinctivement. C'était un vieux cheval que Ton Nonna reconnut aussitôt, celui de Joachim Tallec, le goémonier. Il avait disparu, la nuit dernière, de son écurie dévastée, plongeant son maître dans l'inquiétude. Sans doute avait-il erré depuis à travers la campagne et maintenant, rassuré, il regagnait sa mangeoire. C'est Joachim qui serait content. Il l'avait cherché vainement tout le jour, redoutant de le trouver mort, le ventre ballonné, dans quelque cul-de-sac. C'était vraiment un très vieux cheval. Il n'était plus guère capable de tirer de la grève plus d'une demi-charretée de goémon, mais il n'avait pas son pareil pour voiturer les cercueils, avec la mine et l'allure qu'il fallait, entre la maison mortuaire et l'église. Cheval d'enterrement, il revenait pour le cas où l'on aurait besoin de lui. Il soufflait très fort, les babines claquantes, l'air de méchante humeur. Sans réfléchir, Ton Nonna appuya une main contre sa croupe et le suivit en essayant de se rappeler son nom pour le mettre en confiance. Il savait que l'animal retrouverait son écurie sans faute. Et l'écurie était presque sur le port, l'écurie de Bayard. Voilà ! C'était son nom. Le vieux le prononça distinctement à plusieurs reprises pour conjurer le sort, non pas le sien, mais celui de l'*Herbe d'Or*. Un cheval sans nom, c'est celui de l'*Ankou*, le conducteur des âmes.

Ce ne fut pas long. Une seule fois, Bayard s'arrêta net devant une masse noire qui sembla le déconcerter. C'était un canot échoué dans le chemin, sans grand mal semblait-il, un canot de retraité pêcheur de crevettes et mouilleur de casiers. Nonna frotta le chanfrein du cheval qui était sans bridon, le prit sous la bouche et lui fit contourner l'épave. Après quoi ils furent sur le quai en quelques minutes. Alors la bête s'écarta brusquement de l'homme et partit au petit trot. Nonna ne chercha pas à la retenir ni à la suivre. Il était sûr qu'elle était attendue par Joachim et il ne voulait pas troubler les retrouvailles. D'ailleurs, il se sentait tiré dans une autre direction, il n'aurait pas su dire laquelle ni pourquoi. Il s'obéissait. Il s'était toujours obéi quand la décision ne venait pas de sa volonté mais se trouvait d'avance en lui.

Il y avait quelques pauvres lumières diluées derrière des fenêtres sans vitres. D'autres lumières, plus rares encore, se déplaçaient par les rues avec des balancements et des arrêts. Des lanternes tempête, sans doute, de pauvres gens obstinés à la recherche de quelque bien dont la perte leur navrait le cœur. La brume, dans l'agglomération, était moins opaque certainement qu'à la pointe du phare d'où venait Nonna. Il distinguait presque le dessin des façades. Traversant la place du quai, il s'approcha du café de Tante Léonie. C'était là que Pierre Goazcoz partageait les gains de la pêche entre ses gars, là aussi qu'il acceptait quelquefois de jouer aux cartes. Il n'avait pas de sœur, lui, seulement une grande maison vide, au fond d'une ruelle traversière, où les plus anciens se souvenaient d'avoir mis quelquefois les pieds du temps de ses parents. Nonna lui-même n'y était jamais entré. Pierre Goazcoz le quittait toujours à l'entrée de la ruelle. Quelquefois il s'excusait avec un sourire gêné : « Il n'y a rien dans ma maison, rien du tout. Ce n'est pas là que je vis. » Un hiver, il avait contracté un mal de poitrine qui l'avait tenu au lit pendant une quinzaine. A la première poussée de grande fièvre, il avait loué une chambre chez Lich Mallégol qui faisait hôtel-restaurant au milieu du bourg. Et c'était Lich qui l'avait soigné avec l'aide de sa fille Lina. Il faut dire que depuis des années il prenait assez souvent ses repas de midi chez elles. Mais la sœur de Nonna en avait pris de l'humeur : « C'est ici qu'il aurait dû venir, ce monsieur, s'il avait un peu de politesse. Maintenant, on va dire que je n'étais pas capable de le soigner aussi bien que ces deux-là. » Ah ! les femmes !

Chez Tante Léonie, deux hautes lampes à pétrole éclairaient la salle où tout avait été à peu près remis en ordre après l'offensive de l'eau salée. Elle, qui ne lâchait jamais son tricot d'habitude, était debout derrière son comptoir, les mains à plat dessus, regardant dans le vide. Assis devant les tables de bois, il y avait les anciens de l'*Herbe d'Or*, ceux qui avaient mis sac à terre depuis des années. Un par table, livré à lui-même, ne trouvant rien à dire aux autres. Canévet Louis, celui qui ne supportait pas d'entendre son prénom avant son nom et qui était le meilleur boute-en-train du port, avait enfoui sa tête entre ses bras sur la table comme quelqu'un qui dort. Mais il ne dormait pas car ses pieds ne cessaient pas d'aller et de venir sous sa chaise. Nonna détourna la tête et reprit sa route. Il passa au ras de quelqu'un qui se tenait debout contre un pilier d'appentis dont le reste avait disparu. Il ne reconnut pas l'homme, mais l'autre dit son nom, Yann Dantec, et laissa échapper un petit rire. Un rire d'impuissance et de fatalité. « Et voilà comment vont les choses », répondit Nonna. Qu'auriez-vous dit à sa place ? Et se taire on ne peut pas non plus devant un homme qui rit de désespoir.

Marchant toujours à son pas et sans hésitation, Nonna s'efforça de ne pas penser à sa sœur qui l'attendait devant la soupière avec son humeur des mauvais jours. Elle faisait exprès de ne jamais manger une bouchée avant son retour afin qu'il se sentît coupable. Pour être juste, il devait avouer aussi qu'elle se faisait du mauvais sang pour lui, croyant qu'il lui arrivait parfois d'avoir envie de se détruire. Pauvre femme ! Si elle savait que justement il voulait éviter la mort. S'il avait dû rentrer pour la soupe, il serait déjà en direction de sa maison. Et c'est vers la grève du sud-ouest qu'il allait cette fois, bien qu'en son for intérieur il se reprochât d'y aller. Mais il ne pouvait résister à quelque force qui l'attirait par là.

Quand il atteignit l'étroit sentier qui descendait vers la grève en contrebas, il crut à une hallucination en voyant une faible lumière sur l'eau morte. Il s'approcha du rivage autant qu'il put, mais il n'avait pas encore mouillé ses sabots qu'il savait déjà de quoi il s'agissait.

C'était une bougie allumée, plantée dans un grand pain noir. Quelqu'un, dans sa détresse, avait retrouvé l'ancienne croyance selon laquelle cette bougie dans ce pain, confiée à la mer, se dirigeait d'elle-même vers l'endroit où reposaient sous l'eau les corps des marins noyés. Les cadavres de ceux de l'*Herbe d'Or* s'ils avaient péri au large. Mais qui donc avait eu recours à ce sacrifice ? Ton Nonna s'accroupit et, de ses deux mains, donna une forte poussée à cet étrange autel échoué sur le sable pour lui faire reprendre la mer. Le pain hésita un moment, parut chercher son cap. Puis, lentement, il revint au sec. L'eau n'avait pas une ride, il n'y avait pas un souffle de vent. Si la bougie est rejetée, pensa le vieux, c'est donc qu'il n'y a pas de cadavres en mal de sépulture. Il se releva en poussant un soupir de soulagement qui se mua en demi-sourire quand la bougie s'éteignit d'elle-même. Il en restait pourtant la hauteur d'un travers de main. C'était donc qu'elle refusait de brûler pour rien.

Et soudain, Ton Nonna fut frappé par une révélation qui le cherchait depuis quelques heures : on était entré dans la nuit de Noël, mais personne, à Logan, n'avait le courage de s'en souvenir.

2

La maison des Douguet était à l'opposé du phare, à cinq cents pas de la cale du port. Cinq cents pas d'homme exactement. Quand les enfants Douguet allaient à l'école, ils se dépêchaient d'apprendre à compter pour savoir au juste le nombre d'enjambées qu'il leur fallait faire depuis leur seuil jusqu'au premier anneau d'amarrage à la racine de la jetée. Quand ils pouvaient couvrir la distance en cinq cents pas ou moins, ils estimaient qu'ils n'avaient plus rien à faire derrière une table, à salir du papier avec de l'encre et ânonner en français *le Tour de France par deux enfants*. Ils étaient devenus des hommes, donc en mesure de gagner leur pain. Leur hâte de se libérer était d'autant plus grande que certains de leurs petits camarades du port étaient déjà embarqués depuis un ou deux ans quand leur père, le pêcheur Douguet, finissait par consentir à les laisser suivre sa trace.

Au fond, le père n'était pas mécontent de cette vocation de ses fils. Lui-même était le premier marin de sa famille, il avait commencé par garder les vaches avant de traquer le poisson sous une voile dans un bateau creux. Ce n'était pas tant pour améliorer son ordinaire, car il préférait le goût du lard à celui de la godaille, mais plutôt pour donner du relief à son existence et obéir à un obscur instinct de lutte. Et puis, la mer n'est le bien de personne tandis que le moindre bout de mauvais champ appartient à quelqu'un qui vous fait suer dessus pour son profit sans aucun espoir de le racheter jamais. Et encore, les pêcheurs formaient une communauté à la fois plus libre et plus serrée que la société paysanne, le risque quotidiennement couru en toute égalité effaçant les préoccupations de rang en même temps qu'il évacuait les petites mesquineries qu'entretenait la stabilité terrienne. Voilà ce qu'il pensait, le Douguet, et bien d'autres choses encore qu'il ne disait pas, à moins d'être poussé dans ses retranchements, parce qu'il n'était pas porté à faire du bruit avec sa bouche. Outre que cet homme, disait-on, avait des complicités ailleurs que chez les êtres vivants. Comprenez ce que vous pouvez.

A son arrivée des champs il avait subi les plaisanteries que les gens de mer échangent volontiers à propos des coupeurs de vers, ceux qu'on appelle, sur la côte, des « warmêziens [1] », les gens de la campagne. Quelques sarcasmes aussi avaient salué sa maladresse dans la confection des nœuds marins. Il avait riposté tranquillement en infligeant aux pêcheurs, mine de rien, un nœud-de-taureau qui les avait laissés perplexes et vaguement admiratifs. Et puis une fois, chez Tante Léonie, il avait perdu patience à force d'entendre un affronteur de comptoir débagouler des anecdotes offensantes pour les culs-terreux. En un tournemain, l'autre s'était retrouvé plaqué au plancher après avoir volé en l'air et cogné au plafond des deux sabots à la fois. Il y avait gagné le surnom de Moulin-à-vent. Après quoi il ne fut plus question de corde à vache sur le port. D'ailleurs, le Douguet fit rapidement la preuve qu'il était habile et efficace à bord, et parfaitement imperturbable par gros temps. Dans ses rares moments d'irritation, il se soulageait en affirmant à haute voix que les paysans font les meilleurs marins tandis que le contraire n'était pas vrai. Ce sacré Douguet, s'exclamaient les autres en se tapant sur les cuisses avant de parler d'autre chose. En réalité, lui-même avait fini

1. Campagnards.

par oublier qu'il avait cultivé la terre pendant plus de vingt ans. Le bouseux avait trempé son cœur au sel.

Mais sa femme, Marie-Jeanne Quillivic, était restée paysanne de pied en cap. Elle avait refusé obstinément d'habiter dans une rue, il lui fallait des champs autour d'elle. Quant au front de mer, on ne l'y avait jamais vue. Alors que la plupart des femmes de son état se plaisaient à travailler à l'usine de conserves, non seulement pour le salaire mais pour le plaisir de la compagnie, Marie-Jeanne avait acheté une vache et loué deux champs autour de la vieille maison de ferme, un peu à l'écart, sur laquelle elle avait jeté son dévolu en arrivant chez les gens de la côte. Les autres femmes racontaient en plaisantant, mi-figue mi-raisin, qu'elle n'avait voulu faire que des garçons pour ne pas risquer de voir ses filles aller à l'usine. Mais elle aimait le poisson plus que son mari, savait le préparer comme pas une, mijotait des cotriades à damner un ermite et n'avait pas son égale pour ramender les filets. Si l'on ajoute qu'elle trouvait le temps de fourbir si bien sa maison qu'on aurait pu y manger par terre — elle disait volontiers que sa maison était son troisième champ et le premier des trois — on avouera que le Douguet avait quelque raison de proclamer de temps à autre, histoire de taquiner Tante Léonie, que les paysannes font les meilleures épouses de marins, pêcheurs ou non. Il pensait aussi à sa patience et à ce pouvoir qu'elle avait de rester seule à son travail sans soupirer après les commérages ni le café de quatre heures. Et cependant, elle n'était pas sauvage, sympathisait volontiers à l'occasion mais avec une telle réserve dans le comportement que les plus effrontées des sans-manières se gardaient d'empiéter sur son quant-à-soi. On n'allait jamais la voir sans précautions tout en sachant qu'on serait toujours courtoisement reçu et traité avec honneur. Elle ne rendait pas d'autres visites que mortuaires, mais à celles-là on ne la vit jamais faillir.

Les Douguet avaient eu trois fils. Marie-Jeanne aurait bien voulu les voir entrer à l'école des mousses pour servir dans la Royale, sur les grands bâtiments en fer du gouvernement qui ne risquaient pas, sauf en temps de guerre, d'aller par le fond. Son petit frère à elle, qu'on appelait Manche Dorée dans son village, avait fait les Dardanelles avec le fameux amiral Guépratte. Elle les avait emmenés à Brest, une fois, pour leur montrer la grande marine. Ils avaient été intéressés, avaient promis de faire leur temps de service en col bleu et pompon rouge, mais c'étaient la pêche et le port de Logan qui leur tenaient à cœur. Leur père s'était fait construire une barque dont il espérait beaucoup. Il prit les deux aînés à son bord dès qu'il fut avéré que rien ni personne ne pouvait les détourner de leur envie. Un an à peine après son baptême, la nouvelle barque se perdit dans la tempête sur les lieux de pêche et tout son équipage fit un trou dans l'eau. Le temps de mener le deuil et le troisième fils, Alain Douguet, se faisait embaucher sur l'*Herbe d'Or* par Pierre Goazcoz, ce fou de la tête. Et de l'*Herbe d'Or*, qui avait mis à la voile une heure avant le déclenchement du raz de marée, pas de nouvelles, ce soir de Noël.

Quand Ton Nonna reconnut, à travers la brume, la maison des Douguet, il fut mal à l'aise à l'idée qu'il lui fallait se présenter tout seul devant Marie-Jeanne Quillivic. Certes, il était venu assez souvent chez elle mais il y avait toujours au moins l'un des hommes Douguet entre elle et lui. Même muet, il servait d'interprète et peut-être d'intercesseur. Marie-Jeanne souriait à son mari ou à ses fils et leur demandait si Nonna Kerouédan accepterait de boire une goutte ou de manger un morceau, l'un n'allant généralement pas sans l'autre. Et elle ne s'adressait jamais à Nonna lui-même. Celui-ci se récriait par politesse, proclamant qu'il n'avait ni faim ni soif. Alors le Douguet articulait posément : mettez-nous donc de quoi sur la table ! Marie-Jeanne avait déjà commencé à le faire. Et l'on voyait bien que c'était de bon cœur.

Ainsi en usait-elle avec tous ceux qui passaient dans sa maison et dont aucun, bien sûr, ne lui était inconnu. Elle ne regardait en face que ses hommes. On sentait bien que ce n'était point par hypocrisie, timidité ou indifférence à l'égard des autres, mais sans doute parce qu'elle estimait indiscret de planter ses yeux dans les leurs. Et eux, de leur côté, s'attachaient à ne regarder que les hommes Douguet, de peur de surprendre le regard de Marie-Jeanne. Ce manège, qui n'en était pas un pour elle, était éprouvant pour le visiteur (ou la visiteuse) et en même temps il (ou elle) ressentait une curieuse satisfaction de s'entendre, par Douguet interposé, appeler par son nom tout entier et désigner à la troisième personne. C'était bien de l'honneur.

Il y avait plus étrange encore. Un jour, quelqu'un de bonne foi avait dû passer au ras des fenêtres de Marie-Jeanne parce que c'était le seul moyen pour lui d'aller où il voulait en évitant le chemin inondé. Une des fenêtres était ouverte et il avait entendu Marie-Jeanne, s'affairant à son ménage, qui parlait à ses hommes Douguet, lesquels étaient en mer tous les trois. Elle parlait distinctement et abondamment, mais il n'avait pas pu comprendre ce qu'elle disait. C'était un langage tout à fait ordinaire, mais qui n'avait pas de sens pour lui. Il s'était enfui du mieux qu'il avait pu, honteux d'avoir surpris une confession alors qu'il n'avait pas reçu les ordres. Quand il s'était confié à Nonna et à Pierre Goazcoz (pourquoi ces deux-là ?), celui-ci avait souri sans le moindre commentaire. Nonna s'en était sorti avec une petite phrase anodine comme : elle a sa tête à elle. Lui-même, il lui arrivait de parler tout seul et en s'adressant à des personnages qui étaient morts depuis longtemps.

Maintenant, immobile dans la brume et la nuit devant la porte de Marie-Jeanne, il hésitait à l'appeler. Qu'allait-il lui dire ? Pourquoi s'était-il laissé égarer par là ? S'il avait été son maître, il aurait plutôt décidé d'aller rôder autour de la maison de Pierre Goazcoz, peut-être même d'entrer dedans. Elle n'était jamais fermée, n'avait pas besoin de l'être, défendue qu'elle était contre toute curiosité par le seul fait d'appartenir à un tel homme. Oui, il serait entré, il aurait essayé d'aider son ami en habitant sa demeure quelques instants, en la faisant résonner de ses pas et peut-être de sa voix. Mais il avait été conduit malgré lui devant la maison des Douguet. C'était donc ici qu'il devait venir, nulle part ailleurs. Pour se donner du courage, il pensait qu'il serait peut-être le bienvenu. Quelque chose d'indéfinissable dans l'attitude de Marie-Jeanne en sa présence lui avait toujours donné à croire qu'il y avait, entre elle et lui, une sorte d'entente inexprimée, une complicité même, est-ce qu'il savait quoi ? C'était peut-être le moment de le savoir.

Il tousse. A petit bruit. La porte s'ouvre lentement. A moitié.

— Qu'est-ce qu'il attend pour entrer, Nonna Kerouédan ?

— Il est bien tard, Marie-Jeanne. J'étais à marcher par là. Vous n'êtes pas dans votre lit ?

— Il ne voit donc pas que je suis debout ? Qu'est-ce qu'on irait faire dans son lit quand on a tout un poids de misère à porter ? On est mieux sur ses jambes pour sentir la charge et s'en accommoder autant qu'on peut. Mais lui, Nonna, n'est pas un homme de la campagne. Son dos ne lui a jamais beaucoup servi. Il devrait entrer tout de suite s'il ne préfère pas aller plus loin.

— Je ne voudrais pas vous déranger, Marie-Jeanne.

— Les amis des Douguet sont toujours les bienvenus dans leur maison.

La voix est morne et unie. Elle semble venir de très près, mais Nonna ne distingue pas les traits de la femme. Elle doit être tout contre la porte entrouverte, à l'intérieur. Puis il entend le bruit des sabots qui se traînent, sur la terre battue, vers le fond de la pièce. Il se décide à entrer avec précaution, après avoir tâté le seuil avec ses propres sabots et pris appui des deux mains contre les pierres de taille. Dehors, malgré le brouillard, il distinguait encore quelque chose à travers la clarté laiteuse. Dedans, c'est la nuit totale.

— Il fait bien noir, ici. Je ne vois pas le bout de mes sabots.

— Il entend leur bruit, non ! C'est assez pour se conduire dans un endroit où l'on est venu souvent.

— Quand même, une petite lampe à pétrole...

— Une petite lampe à pétrole ne lui servirait qu'à découvrir son malheur de créature du haut en bas, comme on dit.

— J'aime bien me voir comme je suis, Marie-Jeanne. Je suis habitué au misérable sac d'os qui est le mien. Nous faisons bon ménage depuis longtemps, prêts à nous quitter quand il faudra.

— Il ne comprend pas ce que je veux dire. On est mieux dans le noir quand on attend des hommes qui ne rentrent pas. Attendre, c'est écouter avec les oreilles et avec le corps. On n'écoute pas bien quand on voit.

— Je sais cela. Ma mère attendait mon père de la même façon quand il était au large. Il n'y a rien qui use autant.

Elle est morte l'année même où il a ramené sa dernière godaille pour ne plus faire que jouer aux cartes chez Tante Léonie et se crever les poches avec les poings sur le quai. Elle n'en pouvait plus, la mère. Mais les hommes ne savent pas attendre comme les femmes. Moi, depuis que j'ai fini mon service, quand un bateau manque à l'appel, je me tiens toute la nuit à la pointe du phare avec d'autres retraités. Nous gardons les yeux fixés sur l'horizon jusqu'à pleurer nos maigres larmes de vieux qui mouillent sans couler. Quelquefois, nous ne pouvons rien voir, la sacrée brume est si épaisse qu'elle mange aussi la lanterne, au haut de la tour. C'est même étonnant pour quelqu'un qui a passé, comme moi, une part de sa vie dans l'œil de cette lanterne. Mais, pour nous, attendre c'est regarder dans la direction d'où peut venir une voile ou un feu. Il y en a qui croient que si l'on peut fixer la mer assez fort et sans faiblir, cela tient les gars sur l'eau, cela empêche le bateau d'aller voir le fond. Moi, je ne sais pas bien.

Ton Nonna se tait. Il est essoufflé d'avoir parlé si longtemps. Mais il est complètement désemparé dans ce noir, avec cette femme qui ne donne plus signe de vie, dont il ne sait pas si elle est devant ou derrière lui, loin ou près, assise ou debout, si elle ne va pas se manifester par des prières ou des imprécations, car il ne s'attend pas à la voir pleurer. Le silence dure peut-être le temps de dix battements de cœur. La peine de Nonna se tourne en inquiétude. Que fait donc Marie-Jeanne Quillivic ? L'inquiétude devient de l'angoisse. Il se retourne vers la porte qui est à trois pas, dont il voit le rectangle à peine plus clair que le reste. A-t-il envie de s'enfuir ou de se mettre en sûreté dans l'embrasure ? Au moment où il fait un geste pour avancer, l'ombre de Marie-Jeanne s'encadre dans la sortie. La retraite de Nonna, si de retraite il est question, se trouve coupée. Et aussitôt s'élève la voix véhémente de la femme.

— Et si c'était vrai ce qu'il dit ! N'aurait-il pas dû rester à la pointe pour tenir les gars sur l'eau par la force de son regard ? Mais eux, les hommes, ils manquent tous de vraie foi. Pas seulement les vieux qui mâchent leur chique sur le quai, inutiles à tous sauf à eux-mêmes, indifférents à tout sauf à chauffer leurs os au soleil. Les jeunes hommes des équipages ne savent plus se défendre contre le vieil océan. C'est pourtant leur affaire et non celle des femmes. La grosse veine de leur cœur est-elle aussi molle qu'une vessie de cochon ! Mon mari le Douguet a connu trois naufrages. Trois fois il est revenu à la côte, on ne sait pas trop comment. Mais lui le savait. Et il me disait en riant : « Femme, je m'accroche à la vie par les dents. » Les jeunes marins d'aujourd'hui ont les dents pourries. Mon fils Alain comme les autres.

Elle ahanait très fort entre les phrases portées par un souffle violent. Et tout son corps tremblait dans l'embrasure de la porte. Dans la tête du vieux Nonna commencèrent à flamber d'anciennes colères. Il sentit se nouer toute sa carcasse, lui aussi. Probable que si quelque porteur de braies avait fait entendre pareilles divagations devant le comptoir de Tante Léonie, il se serait empoigné avec lui malgré son âge. A moins que Tante Léonie, la veuve Léonie, n'eût jeté l'autre dehors sans entendre la fin de son discours. Mais la femme devant lui était Marie-Jeanne Quillivic qui n'était la tante de personne.

— Ne dites pas des choses qui vous feront cuire de honte pas plus tard que demain, Marie-Jeanne. Votre mari, le grand Douguet, était un homme de fer. Trois fois il a pu ramener son corps au sec. Mais à la quatrième, quand son bateau l'a lâché, les vagues ont fini par lui casser les reins, Dieu lui pardonne.

— Pardonner quoi ? Le seigneur Dieu n'est jamais là quand il faut. Mais il est vrai que les hommes n'apprennent pas à vieillir. Il était trop vieux déjà, le grand Douguet, et il ne croyait pas que la vieillesse était en train de le détruire. Il y en a un autre qui ne l'a pas su non plus. C'est Pierre Goazcoz, le maître de l'*Herbe d'Or*. Il avait le même âge que Nonna Kerouédan, le même âge que le grand d'ici. Mais Nonna, dans son phare, a fini par devenir raisonnable. Tant mieux pour lui.

— Je n'étais qu'un pauvre gardien de phare à l'ordinaire, c'est vrai. Mais j'ai quand même pris de beaux coups de torchon en mer avec les uns et les autres, y compris le grand

Douguet. J'aurais pu y rester aussi bien que lui. Croyez-moi hardiment, je ne suis pas fier d'être en vie. Surtout cette nuit.

— Je ne reproche rien à personne. Chacun suit ce qui le tire et quelquefois il aimerait se commander mieux. Moi, je me commande assez bien, mais ce n'est pas toujours facile. Maintenant, par exemple, je ne sais pas où j'en suis de ma vie ou de ma mort. Ce que je demande, c'est pourquoi on vient me troubler dans ma solitude si l'on n'a rien de plus à me dire.

— Je vous comprends bien. Hélas, je n'ai rien de plus à vous dire, non. Depuis que cette fin du monde a commencé, tous les vivants sont encore saufs dans le pays. Et tous ils se tourmentent pour l'*Herbe d'Or* de Pierre Goazcoz, mon camarade, sur lequel se trouvent Alain Douguet, votre fils, le pauvre Corentin Roparz et le petit mousse Herri, sans compter l'autre là, dont je ne me rappelle jamais le nom, ce paysan qui a lâché les vaches pour aller au poisson, le pauvre fou, l'âne cornu, le crapaud gris...

— Voilà que j'entends de mauvaises paroles qui ne sortent pas de moi. Il s'appelle Yann Quéré, ce paysan. Celui-là, sa planète l'a poussé sur la mer. On ne peut pas dire non à sa planète.

— Pardonnez-moi. Je n'aurais pas dû quitter la pointe, cette nuit. Mais je ne pouvais plus durer. Dites-moi qu'ils vont revenir, Marie-Jeanne. Votre confiance doit être plus forte que la mienne. Les femmes savent mieux attendre, et qui attend rattache à lui ceux qui sont attendus. Dites-moi que nous les verrons tous débarquer sur le quai avant la fin de la nuit. Même le paysan. Je n'ai pas voulu dire du mal de lui. Les injures que j'ai laissé échapper, c'était par trop grande pitié.

L'ombre de Marie-Jeanne s'écarte de la porte. Et la porte se ferme lentement. C'est elle qui la pousse. On entend le bruit du cliquet. Nonna se croit au fond d'un puits. Il entend les sabots de la femme qui se traînent en direction de la cheminée. Quand la voix s'élève de nouveau, elle semble venir de plus bas comme si Marie-Jeanne s'était assise sur la pierre du foyer. Elle a repris son calme.

— Comment pourrais-je aider les autres ? J'attends, mais

je n'espère pas. Ce soir, la tempête s'est calmée d'un seul coup. J'ai entendu dehors un bruit de rames et plusieurs voix d'hommes, celle de mon fils Alain par-dessus les autres. Je suis sortie en hâte, sans coiffe et sans sabots. J'ai appelé, il n'y a pas eu de réponse. La brume était vide et nue. Je suis revenue m'asseoir. Deux autres fois j'ai entendu les mêmes bruits et il n'y avait rien quand je courais voir. Alors, l'oiseau *morskoul* est venu frapper à ma vitre. Je peux encore attendre, je ne peux plus espérer.

— L'oiseau *morskoul* avait perdu sa route comme ceux qui se sont écrasés contre la lanterne du phare.

— Il n'y avait aucune lumière ici. Et l'oiseau ne s'est pas heurté à la vitre, il a frappé trois coups aussi distinctement qu'avec un doigt. Il est reparti aussitôt, sa commission faite.

— Écoutez, Marie-Jeanne Quillivic. Votre espoir reviendra comme le mien. Le mien avait fondu en écume tout à l'heure, à la pointe. Et avant d'arriver devant chez vous, le bruit des vagues a changé de ton et une étoile est apparue dans la crasse, toute blême et tremblante. Alors, j'ai pensé que nous étions dans la nuit de Noël. C'est la nuit de Noël, entendez-vous ?

— Justement, c'est l'une des trois nuits où les morts font visite aux vivants. C'est pourquoi j'attends mon fils.

— Je ne vous reconnais plus. Pourtant...

— Pourtant, j'ai déjà perdu trois de mes hommes et l'on m'a vue marcher aussi droit que dans ma jeunesse. Celui-ci était le dernier. Maintenant, je peux courber le dos et négliger mes coiffes. Pour qui tiendrais-je la tête haute ? Les arbres les plus durs sont ceux qui cassent d'un seul coup.

— Il y a des bateaux qui reviennent après des cinq et des huit jours. Tranquillement. J'en ai connu plusieurs, oh oui, et vous aussi. Et les gars n'avaient pas assez de leurs boyaux pour rire quand on leur disait qu'on les avait crus morts.

Du côté du foyer monte une voix enfantine.

— L'oiseau *morskoul* a frappé à ma vitre. Et mes trois hommes sont déjà là, tout muets dans les ténèbres, assis sur le banc en face de mon lit. Le père est au milieu, les bras croisés, entre ses deux fils qui ont les mains à plat sur les genoux. Quand je tourne autour de la table, je heurte l'épaule de l'un ou de l'autre. Si Nonna voulait venir par ici, il les verrait comme je les vois, un peu moins bien parce qu'il ne les connaît pas assez. Mais il les verrait. Nonna Kerouédan a des yeux pour cela.

— C'est leurs semblants que vous voyez à force de nourrir des songes. Et vous avez cru entendre un oiseau qui n'est jamais venu. Il n'y a personne que nous deux. Tonnerre, Marie-Jeanne, il ne faut pas rester dans le noir, vous allez perdre la tête. Où est la lampe à pétrole, dans cette maison ? Je vais allumer tout de suite.

Ton Nonna ne sait plus très bien s'il est sur la terre. Voilà qu'il a peur de basculer de l'autre côté, lui qui a tant désiré le faire. Mais ce n'est ni le lieu ni le moment, même si les trois Douguet l'attendent, assis sur leur banc. Il faudrait d'abord que Pierre Goazcoz soit là. Est-ce que Marie-Jeanne a pitié de lui ?

— Il a raison, Nonna Kerouédan, il est temps d'allumer. J'ai mis un cierge presque neuf dans le chandelier, juste devant mon mari. Mon Dieu, où sont les allumettes ! Alain Douguet sera là bientôt. Il faut qu'il voie de la lumière dans sa maison.

— Un cierge ! s'épouvante Nonna.

— L'oiseau *morskoul* a frappé à ma vitre.

La voix lui vient maintenant du côté du lit. Le vieux fouille fébrilement ses poches à la recherche de la grosse boîte d'allumettes qui ne le quitte jamais et se trouve toujours à la même place avec la pipe. Mais il ne sait plus où, à cause de la voix qui psalmodie maintenant des litanies. Marie-Jeanne n'a pas abdiqué son étrange rancune contre le seigneur Dieu qui n'est jamais là quand il faut, mais peut-être la Vierge y peut-elle quelque chose.

— Miroir de justice, trône de sagesse, rose des cieux, tour d'ivoire, maison d'or, arche d'alliance, porte du ciel, étoile du matin...

Ton Nonna craque une allumette sur l'étoile du matin et, entraîné par le rythme, étourdi par les images, il fait monter en lui la réponse ou plutôt le retour du chant qu'il articule à forte voix : *miserere nobis*. Vêpres, missions, mois de Marie, veillées mortuaires, odeur d'encens. Le cierge est devant lui, au milieu de la table. Il allume ce phare mystique.

D'abord, il ne voit rien que le bout de la mèche, charbonneux, qui a déjà servi. Quand la flamme prend sa forme, elle éclaire le masque blafard de la récitante qui sort tout seul de la nuit comme un plâtre. Les lèvres minces bougent à peine. Elle est habillée de noir, ses cheveux sont aussi noirs que le velours de son gilet. Entre le front et les pommettes hautes, deux trous d'ombre laissent à peine deviner les paupières fermées. N'étaient les invocations qui s'échappent d'elle par saccades, on dirait d'une tête coupée. Derrière et tout autour, de faibles points lumineux : les clous de cuivre du lit clos. Le pauvre Nonna est si remué qu'il ferait bien le signe de croix s'il n'en avait pas perdu l'habitude depuis trop longtemps. Il regrette maintenant d'avoir allumé, mais c'est trop tard.

Soudain Marie-Jeanne fait silence. Elle met les coudes sur la table, soulève deux mains pâles pour s'en couvrir la figure. Quand elle les écarte, un moment après, elle a les yeux ouverts, des yeux noirs et brillants, d'un éclat difficile à soutenir. Ils sont fixés sur Nonna, mais il n'y a aucun regard dedans.

— Tout est prêt, dit-elle de sa voix quotidienne.

Sans se retourner, d'une main, elle écarte largement les portes du lit clos.

— La chapelle blanche ! gémit Nonna éperdu.

L'intérieur du lit est entièrement tendu de draps et de serviettes immaculés, même le fond ouvert qui donne sur le mur pourtant déjà blanchi à la chaux. Sur ce fond, deux rubans de velours noir sont épinglés en croix, de ces rubans qui servent à bâtir la coiffe autour du peigne courbe. L'un sur l'autre, deux oreillers attendent une tête. Au milieu de la couche, une assiette blanche porte un rameau de buis. Il n'y manque plus que l'eau bénite. C'est l'apparat ordinaire que l'on dresse autour d'un cadavre exposé pour la veillée funèbre.

— Marie-Jeanne, vous n'auriez pas dû, parvient à souffler le vieux.

— On a toujours retrouvé les corps de mes hommes. Celui de mon fils Alain viendra bientôt à la côte. Tout est prêt.

— C'est vous aussi qui avez mis à l'eau, dans l'anse du Dourig, un pain de seigle avec une bougie allumée ?

— Ce n'est pas moi. J'ai dit que mon fils reviendra tout

seul vers sa mère. Je n'ai pas besoin de le faire chercher. Mais il y a d'autres hommes sur l'*Herbe d'Or*. Et d'autres femmes qui attendent. Chacune fait de son mieux.

— Je ne sais pas quoi vous dire, Marie-Jeanne. La chapelle blanche ! Je ne peux plus tenir sur mes jambes. Il faut que je m'assoie.

Marie-Jeanne Quillivic le regarde maintenant. Et c'est un vrai regard, seulement destiné à lui. On dirait même qu'une ombre de sourire vient errer sur ses lèvres.

— Tirez une chaise vers la cheminée, Nonna Kerouédan. Il n'y a plus de place sur le banc des hommes.

— Non, bien sûr. Trois gaillards capables comme ils sont remplissent bien le banc.

Voilà qu'il est devenu complice de la vision. Il a beau s'être défendu de toutes ses forces, Marie-Jeanne a fini par triompher de lui. Il n'ose plus regarder vers le banc de peur d'y voir matérialisés les trois fantômes qui sont déjà présents, il n'en doute pas, celui du grand Douguet au milieu, les bras croisés, entre ceux des deux fils qui tiennent leurs mains à plat sur les genoux. Combien de fois les a-t-il vus ainsi de leur vivant ! Et puisqu'ils sont là, qu'est-ce qui les empêcherait de lui parler ? Aurait-il le droit de leur répondre sans dire quelque maladresse qui détruirait ces retrouvailles ? Seule Marie-Jeanne... Ils devaient parler ensemble quand il est venu, parler d'Alain Douguet qu'ils attendaient tous les quatre, le petit, celui qui mangeait sur une chaise au bout de la table pour être plus près d'eux et qui les appelait en riant les Trois Rois Mages. Ces Douguet ne faisaient rien comme les autres. Ceux qui venaient les voir s'étonnaient toujours de ce que le banc du lit fût réservé à la mère, laquelle l'offrait aux visiteurs et les servait debout selon l'usage. Oui, il était venu troubler une réunion de famille au plus intime degré, il s'en faisait reproche. Mais une source de joie coulait en lui parce que Marie-Jeanne Quillivic l'avait regardé dans les yeux et appelé par son nom. Par sa voix et par son regard, tous les Douguet faisaient de lui un parent ou un allié de près. Il était donc à sa place dans cette maison, il ne lui restait qu'à s'y conduire comme il faut. Tout tremblant d'émotion joyeuse et d'appréhension à la fois, Nonna s'en va prendre une chaise contre le mur du couchant et l'approche de la cheminée. Marie-Jeanne allumait déjà le feu tout préparé sous le trépied. Elle s'affairait à travers la pièce, ouvrait le buffet, manipulait de la vaisselle et des couverts, en bonne ménagère qui veut recevoir les gens avec honneur. De veiller les morts n'empêche pas d'honorer les vivants qui sont venus partager le deuil. C'est même une règle à laquelle on ne saurait manquer sans faire grand déplaisir aux défunts car c'est en leur nom qu'on reçoit les vivants.

— Je vais vous chauffer du café. Et puis, vous mangerez bien un morceau. Je parie que vous êtes à jeun, pauvre homme.

Elle prépare la cafetière, met une casserolée d'eau sur le feu qui crépite — c'est de l'ajonc — en dégageant de la fumée. Marie-Jeanne va ouvrir la porte pour que la cheminée tire mieux.

— Tiens, dit-elle de sa voix tranquille, de sa voix ordinaire, voilà qu'il se met à neiger. Il est vrai que c'est Noël.

Nonna la rejoint près de la porte.

— Regardez là-bas, du côté du large. Malgré la neige, l'étoile de tout à l'heure brille toujours dans le ciel. C'est étonnant.

— Il n'y a rien d'étonnant, la nuit de Noël. Cette nuit-là est capable de faire se lever le soleil et la lune en même temps. Allez donc vous asseoir, Nonna Kerouédan. Je vais mettre les bols devant mes hommes, chacun le sien. Aucun d'entre eux ne voudrait prendre son café dans le bol d'un autre. C'est le rouge qui est celui du grand Douguet. Les bleus sont à mes fils. Le rouge, c'est le chiffonnier qui me l'a donné dans la semaine de mes noces. Vous vous rappelez, Douguet ! Nonna, poussez donc le cierge au bout de la table. Ou plutôt, mettez-le carrément sur l'appui de la fenêtre. Douguet aime bien boire son café les deux coudes sur la table. C'est son habitude. Je vais vous donner le pain et le beurre, attendez un peu, les hommes n'ont jamais de patience quand ils sont assis le ventre à table. Vous aurez peut-être un petit coup d'eau-de-vie, oui, un coup d'eau-de-vie fait du bien sur le chaud du café. C'est la nativité de Dieu le Fils.

Tout en parlant, elle a posé le pain sur la table, le pain d'abord. Elle l'a posé devant le grand Douguet puisque c'est à lui de trancher. Elle apporte maintenant le bol rouge du père, les bols bleus des fils. Les voilà en place, le banc des hommes est pourvu. Reste à pourvoir le petit, celui qui s'asseyait au bout de la table et savait rire comme pas un. Marie-Jeanne retourne vivement à son buffet en chantonnant un cantique de Noël. Et le cantique s'arrête net sur un bruit de vaisselle brisée. Marie-Jeanne éclate en sanglots convulsifs et tombe à genoux.

— Qu'est-ce que vous avez, pauvre chère ?

— J'ai cassé le bol de mon fils Alain. Maintenant il ne viendra plus.

3

— Alain Douguet !

Une voix appelle dans les Limbes. Elle semble venir de très loin et vouloir porter plus loin encore. Pourtant, l'appel s'adresse à un être vivant qui se trouve à quelques pas de la bouche qui l'a proféré, vers la proue d'une barque dont la coque et le mât de taillevent tranchent à peine sur le fond de brume. L'homme de l'avant se lève.

— Je suis là. Quelque chose ne va pas ?

— Approche, viens près de moi. J'ai seulement besoin de toucher quelqu'un.

— Le mousse ?

— Il est à mes pieds, ramassé en rond comme au ventre de sa mère, pauvre Herri. Et puis un mousse n'est pas tout à fait un homme.

L'homme de l'avant, Alain Douguet, émet des grognements confus où il est question de garce de vie. Son ombre enjambe le banc, traverse avec précaution la seconde section pour ne pas réveiller un dormeur étendu à plat dos. C'est Corentin Roparz. Alain attrape le mât du second banc, l'embrasse, s'y tient cramponné un instant.

— J'ai les jambes raides, souffle-t-il. Du bois sec sous une écorce mouillée.

Tournant autour du mât, il parvient à franchir le banc. De la troisième section monte un ronflement entrecoupé de spasmes. Yann Quéré a le sommeil profond mais agité. Alain Douguet s'assoit maintenant sur le banc de pompe. Les quelques mouvements qu'il vient de faire l'ont un peu dégourdi. Il pivote sur son derrière, se met debout. L'instant d'après, il tend deux mains au maître de la barque, Pierre Goazcoz, qui les prend dans les siennes et le fait s'asseoir près de lui.

— Jamais vu un calme pareil, dit Alain avec un petit rire. Et cette eau sous la quille, c'est du plomb. On pourrait mener un sabbat d'enfer sur l'*Herbe d'Or* qu'il ne bougerait pas d'un poil.

Mais Pierre Goazcoz ne l'entend pas. Il continue à dire tout haut ce qu'il a ruminé dans sa tête depuis des heures et qui a fini par trouver des paroles.

— J'avais seulement besoin de toucher quelqu'un. Depuis que ce coup de chien nous est tombé dessus, nous n'avons plus trouvé le temps de penser les uns aux autres. Moi du moins, et c'est pourtant à moi de veiller à votre vie. Je n'ai pas eu assez de ma chair et de mes os pour tenir l'*Herbe d'Or* face aux lames. J'y ai employé toute ma tête. J'ai essayé de faire passer ma volonté dans ces pauvres planches, de commander au taillevent de battre à la cadence de mes gestes. Vous autres, je vous voyais à peine vous démener devant moi. C'était comme si vous aviez été des apparaux un peu plus simples et plus obéissants à ma voix que le reste à ma barre. Je sais bien que le bateau doit passer avant les hommes, mais ce sont quand même les hommes qui comptent, non !

— On ne peut pas sauver les hommes sans sauver d'abord le bateau. Nous le savons tous. Et chacun de nous a d'abord pensé à lui-même avant de penser à vous. Nous sommes quittes, commandant.

— Ne m'appelle pas commandant !

— Excuse-moi, Pierre Goazcoz, cela m'échappe quelquefois quand je ne fais pas attention. Cela échappe aux autres aussi. Sauf au petit Herri qui est trop jeune, qui ne sait peut-être pas que vous avez commandé un navire pendant la guerre de Quatorze. Un petit, c'est vrai, mais en fer, avec des canons.

— C'était dans une autre vie. Dans ma vie présente, je suis un patron pêcheur, comme on dit. Ce n'est ni mieux ni plus mal, mais de ce que j'étais avant il ne doit plus être question.

— Je sais, mon père m'a prévenu. Mais j'ai la tête légère quelquefois. Et avec ce que nous avons enduré...

— Approche-toi, fils. Où es-tu ?

— Tout contre toi, à te toucher. Tu as la main sur ma jambe.

— C'est ta jambe que je tiens là ? Je croyais crocher dans un aviron. Tu n'as plus de chaleur.

— Tout juste assez pour tenir en vie. Mais toi, tu ferais bien de dormir un peu. La mer et le vent sont tombés. Profite de l'accalmie. A la première risée qui se lèvera, il faudra tâcher de rentrer. Et toi seul es capable d'estimer où nous sommes, dans cette crasse.

— Il faudrait pouvoir dormir. J'ai toujours eu du mal à le faire. D'ailleurs, cette fois-ci j'ai dépassé les bornes de la fatigue. C'est l'âge, sans doute, qui a profité de ce coup dur pour me peser dessus de tout son poids. Je suis comme isolé de mon corps. Je me sens bien. Comment va cette avarie à l'avant ?

— Peu de chose à mon avis. Ça a craqué juste au haut de la joue, à tribord. Il faudrait que la danse reprenne pour qu'on embarque de l'eau. Il n'y a pas apparence. La mer est morte, le ciel est mort. As-tu jamais vu une telle tempête finir d'un seul coup ?

— Non. Et je n'ai jamais vu l'océan se mettre dans cet état. C'est parti sans crier gare, ça s'est mis à fermenter dur sous l'*Herbe d'Or* et aussitôt le ciel est entré en action, les vents nous ont foncé dessus de partout, ils n'arrivaient pas à trouver leur lit. Par moments, tu te rappelles, ils se contrariaient tellement, ils barattaient si bien la surface qu'on aurait dit un tremblement de terre.

— Eh ! Ils en ont peut-être eu un, à la côte, qui sait !

— Possible. N'importe comment, on a beau en avoir vu de toutes les sortes, on reste toujours des apprentis.

— Sûr. Si quelqu'un ose me dire qu'il connaît cette marmite d'eau salée comme sa chique, je lui ris au nez. Et tiens, puisqu'il est question de nez, je parie que l'*Herbe d'Or* boutera encore le sien contre un quai. Il y a quelques heures, je n'en aurais pas dit autant.

— C'était beau, hein, Alain Douguet !

— Beau ? Qu'est-ce qui était beau ? Je me serais bien passé de cette beauté-là. Tu nous en fais entendre de drôles, quelquefois.

— Je sais. Nous avons manqué d'aller au fond quand j'ai arrêté de courir pour mettre à la cape après avoir perdu la misaine, avec son mât. Mais je ne pouvais pas faire autrement. Il fallait risquer. Qu'aurais-tu fait, à ma place ?

— Je ne sais pas. Ce n'est pas mon affaire. C'est toi qui commandes.

— Je te commande de me dire ce que tu aurais fait, tête de lanterne !

— Je serais allé au fond, probable. C'est venu si vite et si étrangement. Tu as manœuvré comme il fallait. J'aurais peut-être fait la même chose, mais pas aussi bien. Il ne faut pas t'aigrir le sang, Pierre. Tu es toujours le meilleur. D'aussi fin marin que toi, je n'ai connu que mon père. Et encore je dis cela parce que je suis son fils.

— Ton père avait plus de deux sous de sagesse dans la tête. Moi, je ne suis qu'un animal de mer. Je sais bien ce qu'on dit de moi : Pierre Goazcoz sent le poisson comme un chien le gibier. Son nez le mène à la sardine et il y va tout droit. Et il la trouve. Et il la prend à chaque fois. Si tu veux gagner de gros sous avec ta part de pêche, embarque sur l'*Herbe d'Or*.

— C'est ce qu'on dit et c'est la vérité.

— Mais Pierre Goazcoz se risque trop loin. Il ne prend pas assez garde aux vents ni au ciel quand il emplit ses filets tout seul sur la mer déserte, toujours à l'écart de la flottille. Si tu veux mourir au sec, n'embarque pas sur l'*Herbe d'Or*.

— Si tu veux mourir au sec, reste à garder les vaches.

— Et pourtant je prends garde aux vents, je prends garde au ciel. Je les connais mieux que la plupart, tu entends. Seulement, à chaque fois qu'une tempête éclate, je suis dedans. En plein dedans. Je n'en ai pas raté une seule avec l'*Herbe d'Or*. Sais-tu pourquoi ?

— Oui, je sais pourquoi.

— Non, tu ne sais pas.

— Si, je le sais. Et je vais te le dire. Tu fais exprès.

— Je fais exprès ?

— Oui, tu fais exprès.

— Comment peux-tu le savoir ?

— Comment sait-on ces choses-là ! On regarde, on regarde encore une autre fois parce qu'on se demande ce qu'il y a, et puis dix autres fois s'il le faut, on réfléchit en soi-même à chaque fois et on finit une fois par deviner à peu près. Le grand Douguet, mon père, je crois bien qu'il est mort sans trop bien savoir. Ou peut-être ne voulait-il pas m'impressionner. Mais il avait lâché certaines paroles devant ma mère et je me trouvais là. Le reste, je l'ai découvert à force de faire attention.

— Faire attention à quoi ? Qu'est-ce que tu as vu ?

— J'ai vu ta figure et tes mains quand les vents viraient pour se caler dans les mauvais trous, quand la mer commençait à lever comme une pâte énorme. Tes mains tremblaient sur la barre, mais ce n'était pas de peur. Seulement de fièvre et d'attente. Et ta figure devenait toute claire, tellement ton sourire crevait de joie. Une joie qui me mettait mal à l'aise, en vérité. Et tes yeux ! Tes yeux te trahissaient encore plus que le reste. Ils avaient l'éclat du triomphe. De quoi triomphaient-ils, c'est ce que je ne sais pas bien. De ce démon d'océan, peut-être, qui mobilisait toutes ses forces pour t'engloutir sans y arriver jamais. Tu ne l'aimes pas plus que nous, hein ! Mais nous, tout ce que nous faisons, c'est de nous défendre contre lui alors que toi, tu l'attaques, tu lui cherches vraiment querelle, tu voudrais le mater si bien qu'il n'en resterait qu'une mare à grenouilles, tu regrettes qu'il ne soit pas un monstre à quatre pattes que tu pourrais enchaîner, humilier, jeter dans une crèche à cochons avec un fil de fer dans le groin. Tu deviens enragé quand il se fâche de telle manière que tu te crois défié par lui parce qu'il t'en veut personnellement. Tu es fou de la tête en ces moments-là. Mais c'est une folie qui me plaît assez, bien que je ne la partage pas. Elle plaît aux autres aussi, je crois. Voilà ce que je pense et excuse-moi si j'ai rêvé debout.

Alain Douguet se tait. Il attend de l'autre une réaction qui ne vient pas. N'importe laquelle. Un grognement, un éclat de rire, trois phrases d'ironie, un assentiment à voix basse, une confession entière ou seulement un haussement d'épaule, un mouvement de cette tête dont il distingue assez bien, dans la gangue de brume, le profil presque net, avec ce curieux nez busqué qui est si rare chez les gens de la côte et qui, avec la très haute taille, insolite aussi, fait reconnaître un Goazcoz à première vue sans aucun risque d'erreur. Où donc sont-ils allés chercher autrefois ce corps, ces Goazcoz porteurs d'un très ancien nom d'ici et dont la graine est connue dans le pays d'aussi loin que se souviennent les plus vieux ? Des gens pas ordinaires, en vérité. Ils ont vécu de père en fils dans cette grande maison à l'écart où n'entraient que de rares têtes baptisées. De père en fils, oui, car ils n'ont procréé qu'un enfant mâle par génération. Les filles, quand il y en avait, désertaient le pays dès qu'elles étaient en âge de se marier et plus jamais on n'en revoyait la couleur. Quant aux épouses des Goazcoz, ils allaient se les procurer hors de la Cornouaille, vers le pays de Léon si l'on en jugeait par le breton très articulé, le breton de prédicateurs qu'elles avaient à la bouche. Elles vivaient de la même vie que les autres femmes mais avec peu de paroles, jamais de sourires, ne fréquentant personne sinon pour les devoirs à rendre à l'occasion des morts et des naissances. On ne les voyait jamais aux mariages. Et cependant, quand l'un ou l'autre avait besoin de quelque chose qui était en leur pouvoir, elles rendaient le service sans attendre qu'on leur fît appel, averties par on ne sait quelle pénétration ou quel instinct hors du commun. La seule gêne, pour les autres femmes, était de ne rien pouvoir leur rendre, sinon en passant par leurs maris Goazcoz, beaucoup plus abordables puisque, maîtres de barques, ils avaient un équipage d'hommes dont les rapports avec eux étaient tels qu'ils savaient exactement ce qu'ils pouvaient dire ou faire sans dérangement ni offense.

Or, les plus mauvaises langues parmi les cancanières de lavoir n'avaient jamais rien trouvé à redire au sujet des femmes Goazcoz. Il y avait longtemps que la dernière était morte, celle qu'on appelait, comme les précédentes, « l'épouse de la grande maison », faute de connaître son nom de jeune fille et par impossibilité de l'appeler « madame », ce qui l'aurait injustement rejetée de la communauté des femmes de pêcheurs. Pierre Goazcoz était son fils. Il n'avait jamais entrepris le voyage vers le Léon ou tout autre pays pour se pourvoir d'une épouse. Peut-être n'y en avait-il plus de la race de sa mère. Avec lui finiraient les Goazcoz. Il avait fait de hautes études à Paris, travaillé comme ingénieur dans un grand chantier naval avant de revenir aux lieux de sa naissance à la mort de son père et pour des raisons qui étaient les siennes. Comme les Goazcoz qu'on avait connus avant lui et qui n'avaient vécu que pour la mer avec le prétexte du poisson, il s'était fait faire une barque de pêche. On aurait bien voulu savoir pourquoi il l'avait appelée l'*Herbe d'Or*. Ce n'est pas sans de bons motifs que l'on impose tel ou tel nom à un navire de haute mer. Les patrons pêcheurs ne sont pas avares d'explications pour justifier leur choix. A tout prendre, il est plus facile de baptiser un enfant. Les hommes du bord ont le droit de savoir à quoi s'en tenir. Le nom de l'embarcation les renseigne déjà sur le caractère du maître, sur la façon dont il entend mener leur tâche commune et sous quels auspices. *Pain Quotidien*, *Ave Maria* ou *Tiens Bon*, voilà qui est assez clair. Mais l'*Herbe d'Or* ! Il est vrai que l'on appelle ainsi le goémon, mais pas n'importe lequel. C'est un buisson de filaments blonds qui fulgure quelquefois, tout seul, ancré sur un écueil au milieu d'un champ d'algues. Aussi rare que le trèfle à quatre feuilles, mais réputé maléfique depuis le commencement des temps. Les paysans qui viennent charger, sur la côte, des charretées de goémon pour engraisser leurs champs, quand ils repèrent une herbe d'or, échouée comme une épave en grève, se gardent bien de la toucher de leur fourche. Leurs pères savaient pourquoi, eux ne savent plus. Pierre Goazcoz doit sûrement le savoir, mais on ne pose pas de questions à un Goazcoz, on attend qu'il parle tout seul s'il veut bien. Il ne s'était jamais expliqué, même les rares soirs où il avait accepté de fêter la bouteille avec les autres chez Tante Léonie. Il n'y a rien de tel qu'une bonne saoulerie avec des camarades de misère pour faire sortir de tous des secrets dont votre confesseur n'aura jamais la moindre idée parce qu'ils ne sont pas comptés au nombre des péchés, encore qu'ils soient infiniment plus graves, à eux seuls, que les sept capitaux ensemble. C'est en vain que certains, plus curieux que les autres, s'étaient enhardis jusqu'à interroger Ton Nonna dont Pierre Goazcoz faisait sa compagnie ordinaire. Ton Nonna ne savait rien de plus que le commun des mortels de Logan. Le maître de l'*Herbe d'Or* était son confident, sans doute, mais lui-même n'était pas le sien.

Alain Douguet est tout surpris d'avoir osé parler à Pierre Goazcoz comme il vient de le faire. De quoi se mêle-t-il ? Qui est-il donc pour manquer à ce point à la discrétion de règle à l'égard de cette famille ? Bien sûr, les Douguet ont toujours pu se permettre certaines libertés avec les gens de la « grande maison ». Ne dit-on pas, dans Logan, que Marie-Jeanne Quillivic, sa mère, est la seule femme qui aurait pu y entrer si elle l'avait voulu ! La seule capable de faire s'arrêter la mère de Pierre pour échanger plus d'une phrase avec elle quand il leur arrivait de se rencontrer au détour de quelque chemin ! On les avait vues. Mieux encore, une commère à l'œil plus vif que les autres ou plus habile à épier le monde avait répandu le bruit que les deux femmes ne cessaient pas de sourire en se parlant face à face. Lui-même, Alain Douguet, avait eu l'heur de plaire à Pierre Goazcoz dès le jour où il avait mis les pieds sur l'*Herbe d'Or*. Et depuis les deux hommes étaient à l'aise l'un avec l'autre, presque en amitié dans la mesure où le premier pouvait se faire amical, où le second parvenait à maîtriser un caractère ombrageux qui le faisait s'emporter quelquefois contre son propre père quand celui-ci était vivant. Malgré la différence d'âge, le tutoiement passait facilement dans les deux sens, ce qui n'était possible que pour les originaires du pays, jalousement conscients d'une égalité véritable auprès de laquelle faisait piètre figure le deuxième terme inscrit à la mairie sous le buste d'une femme en bonnet. Mais cette égalité n'avait plus cours dès qu'entrait en question le domaine essentiellement privé de chacun. Alors, pourquoi diable Alain Douguet avait-il empiété sur celui de Pierre Goazcoz jusqu'à le traiter de fou de la tête et d'enragé ! Il avait fait une faute, c'était certain, et ce n'est pas en s'excusant sept fois qu'il allait la racheter. Le silence de l'autre, l'impassibilité même de ce profil d'empereur décalqué à la mine de plomb sur une pièce de cent sous, étaient la preuve que le jeune pêcheur avait outrepassé les bornes de sa permission.

Mais quoi ! N'était-ce pas le maître de l'*Herbe d'Or* qui avait commencé ! A-t-on idée de poser des questions pareilles sur une barque en mer, après une tempête de fin du monde, alors qu'on se trouve encalminé, englué, figé, fossilisé, oui, c'est le mot, dans une brume plus dense que l'eau de mer qui fait encore semblant de supporter ce sabot de Noël sans erre ni cap, alors qu'on est moulé dedans presque aussi étroitement qu'un pharaon d'Égypte dans son sarcophage, si ce que racontait le maître d'école est vrai !

Et Alain Douguet se lève, s'étire un bon coup comme pour se dégager du moule avant qu'il ne soit tout à fait solide. Il n'est pas pharaon, lui, ni près d'être momie. Le voilà qui trouve la force de rire.

— Des sottises. Allons, je retourne à l'avant.

— Reste là. Il n'y a rien à faire à l'avant.

A la bonne heure, il a parlé. La voix est égale et nette, la médaille du profil n'a même pas frémi. Alain se rassoit sans discuter. Un ordre est un ordre, commandant, le reste n'a aucune importance. Le reste, c'est le bavardage de tout à l'heure, n'y pensons plus. Sans offense pour l'un ni l'autre. Il soupire de soulagement à l'idée que Pierre Goazcoz ne lui tient pas rigueur d'avoir percé à jour ses raisons de marin et d'avoir pris l'audace de s'en expliquer avec lui. Fou de la tête, quand même, c'est un peu dur si l'on ne va pas plus loin que le sens ordinaire des mots. Dur et peut-être injuste, après tout, parce qu'à bien y réfléchir... A moins qu'il ne se soit complètement trompé sur le compte de Goazcoz. Mais pourquoi ce dernier n'a-t-il rien dit ? Qu'est-ce qu'il est en train de ruminer encore, immobile à son banc ? A force de réfléchir, il va peut-être s'imaginer que j'ai profité de la situation où nous sommes pour déballer tout ce que j'ai sur le cœur à son endroit ! Mais je n'ai aucun grief contre lui. Bien sûr, j'aurais dû lui dire depuis longtemps que je le savais fou de la tête. Pourquoi l'ai-je dit tout à l'heure ? Sans offense, est-ce bien sûr ? Je ne sais plus où j'en suis. Ce qui est arrivé, c'est que, pour la première fois, il m'est apparu si faible, si plein de doutes à l'égard de lui-même que je n'ai pas pu me retenir de lui porter un coup pour le punir d'avoir perdu sa force et pour me prouver, à moi, que je n'avais pas perdu la mienne dans tout ce tremblement. Quel âge a-t-il ? Dix années de plus que mon père, je suppose. Il doit être complètement éreinté, le vieux Goazcoz, avec tout ce qu'il a dû dépenser d'énergie pour nous tenir sur l'eau depuis la nuit dernière, et c'est peut-être moi, l'homme de l'avant, qui pourrais dire comment il a déjoué des pièges où je serais tombé cent fois. Il s'est rompu le corps, c'est sûr, maintenant il se rassemble durement pour nous sortir d'ici, pour nous ramener chez les vivants. Et moi, me parlant de lui, je dis « le vieux Goazcoz ». Personne ne l'a jamais appelé ainsi. Son nom est Pierre. Et toi, petit Douguet, tu es un beau salaud.

Il se prend la tête dans les mains. Si seulement ce satané vent voulait bien se mettre à souffler un peu ! Un tout petit peu. Tout juste assez pour faire bouger l'*Herbe d'Or*, réagir la barre sous l'aisselle fourbue du maître et que l'on sache de nouveau reconnaître la proue de la poupe. Quelle statue, cet homme ! S'il ne se tenait pas si droit, on dirait bien qu'il est mort. Et tout le reste de l'*Herbe d'Or*, pour autant qu'Alain peut en voir, est pareillement statufié. Il distingue le mousse lové en tas près du banc de pompe et qui n'est plus qu'une masse de sommeil. Plus loin, il devine le grand corps de Yann Quéré qui s'est mis sur le ventre et ne donne plus signe de vie. Corentin Roparz est trop loin pour qu'il puisse le situer, mais il sait qu'il est endormi en position assise, le dos contre le flanc de la barque et les mains croisées sur le ventre. Alain Douguet sent monter en lui un frisson d'inquiétude qu'il réprime farouchement pour qu'il ne se gonfle pas en une vague de peur qui risquerait de crever en cri de détresse. Il est le seul à garder les yeux ouverts sur ce rafiot. Les autres se sont ramassés autour de leur cœur qui bat au ralenti. Égoïstement. Ils l'ont tous abandonné. Il pourrait crever dans la minute qui suit sans qu'aucun d'entre eux lui porte le secours de son souffle ou de sa voix, à défaut d'une étreinte de sa main. Il est plus seul que ne peut jamais l'être aucune créature, d'autant plus seul qu'il repousse, de toutes ses forces, une image à laquelle il ne veut plus songer et qui cherche à imposer sa présence. Si elle y arrive, il est capable d'enjamber le plat-bord et de la noyer en même temps que lui. Comment pourrait-il en avoir raison autrement ! Il écarquille les yeux jusqu'à s'en faire mal. S'il les ferme, l'image va surgir à l'intérieur de sa tête, il en est certain. Pour l'écarter de lui, il lève ses deux mains contre sa figure et se met à compter ses doigts en les appelant mentalement par leurs noms. Quelle dérision ! Les chiffres vont bien de un à cinq, il pourrait les continuer à l'infini comme ceux-là qui comptent les moutons pour s'endormir, mais les cinq noms se dérobent sous les cinq syllabes qui désignent l'image dont il veut chasser l'obsession : LI — NA — KER — SAU — DY. Et soudain, dans le néant qui dévore l'*Herbe d'Or*, il entend distinctement claquer des sabots de bois léger sur les pierres d'un quai. Encore quelques secondes et le claquement s'arrêtera pour délivrer un éclat de rire, la figure sera devant lui, dehors ou dedans. Alors, éperdu, impuissant à se retenir, il écoute sa propre poitrine exhaler un gémissement qui lui semble interminable.

— Je crois bien que j'ai dormi un peu, dit la voix sereine de Pierre Goazcoz. Et pourtant je t'écoutais parler de moi. Que disais-tu déjà ?

— Je ne sais plus. Moi aussi, j'ai dû dormir sur mes dernières phrases. Peut-être même les dire en dormant. Trop fatigué.

Il a un rire presque franc. Il respire beaucoup mieux. La voix de Pierre Goazcoz a couvert l'autre rire et du claquement des sabots de femme plus de nouvelle. L'image a été exorcisée pour cette fois. Alain regarde avec gratitude la médaille d'ombre devant lui. Le profil n'a pas dévié d'une ligne.

— J'ai cru entendre dire que j'étais fou de la tête ou quelque chose d'approchant. J'ai peut-être mal entendu.

— Non. C'est exactement ce que j'ai dit.

— Est-ce que les autres savent ?

— Savent quoi ?

— Ce que tu sais.

— Pas tout à fait la même chose, sans doute, mais chacun d'eux connaît de toi ce qu'il lui importe de connaître et qui est la raison pour laquelle il est monté sur ton bateau. Herri le mousse est encore un enfant...

— Donc c'est lui qui en imagine le plus. Entre imaginer et savoir, la distance n'est pas toujours grande. Je ne voulais pas le prendre, celui-là. C'est lui qui m'a pris.

— Ah bon ! Puisque tu le dis. Je croyais qu'un mousse n'était jamais qu'un mousse. Corentin Roparz travaille sur la mer comme il ferait dans une usine de conserves ou n'importe où. Mais pour deviner ce qui se passe dans sa tête...

— Justement. Il se plaît avec nous parce que personne ne cherche à entrer dans ses petits ou ses grands secrets. Sur l'*Herbe d'Or*, chacun a sa place et y reste, chacun a sa tête et la garde. J'ai veillé à cela depuis toujours jusqu'à cette nuit.

— Et Yann Quéré, le paysan ! Si quelqu'un à bord peut te confesser sans t'entendre, c'est bien lui. Il est fin comme une lame de faux.

— Possible. Certain même. Mais de vous tous, c'est le plus respectueux de la personne privée des autres. Il se force tellement à la discrétion qu'il en paraît égoïste, indifférent à ce qui se passe en nous au-delà de nos occupations communes. C'est seulement de la patience. Une patience terrienne. Il sait qu'il arrive toujours une occasion où celui qui se croit le mieux sur ses gardes finit par se découvrir.

— Ce sera ce soir ou jamais.

— Ce sera ce soir si le vent ne se lève pas. Lui seul pourrait nous libérer de nous-mêmes. Ils vont se réveiller tout à l'heure. Je leur dirai qui je suis. Et il faudra bien qu'ils disent pourquoi ils se risquent sur l'*Herbe d'Or*. Ils sont tellement à bout, ils en ont tellement vu depuis la nuit dernière qu'ils n'auront pas le courage de mentir. Mais je serais surpris qu'ils me croient fou de la tête. Ils n'auraient pas embarqué avec moi, même en gagnant plus gros que les autres équipages.

— Je suis bien là, moi. Et pourtant je sais.

— Il n'y a pas longtemps que tu sais. Hier encore, peut-être, tu n'avais que des soupçons. D'ailleurs, tu es le fils Douguet, de quoi pourrais-tu avoir peur ? Sûrement pas d'un fou de mon espèce.

— Sûrement pas. Mais il y en a d'autres, même s'ils savaient, qui n'hésiteraient pas à monter sur l'*Herbe d'Or*. Tu as été pris combien de fois dans les coups de torchon, Pierre Goazcoz ! Et toujours tu t'en es tiré sans grand dommage. On sait que tu es un bon marin, mais on dit surtout que tu as de la chance. Dans notre métier, il faut compter sur la chance. Tant que l'*Herbe d'Or* ne s'en ira pas en morceaux, tu trouveras des hommes. Moi le premier.

— Cette fois-ci, j'ai pourtant perdu mes filets, mes avirons, ma misaine et tout le petit matériel. Je ramène un bateau nu, avec une avarie à l'avant et d'autres blessures qu'on ne voit pas encore.

— Mais tu le ramènes. Je suis prêt à repartir avec toi. Les autres aussi.

— Je vous ramènerai, c'est promis. Mais l'*Herbe d'Or* ne reprendra plus la mer. Moi non plus. A moins que... Non, ceci ne regarde aucun de vous. Tu peux retourner à l'avant.

— Il n'y a rien à faire à l'avant.

— A l'arrière non plus. Tu m'as fait du bien, Alain Douguet. Beaucoup plus que tu ne crois. Si tu veux me contenter tout à fait, retourne à l'avant.

Tout le corps d'Alain lui fait mal. Avec précaution, il se met debout. Il a bien compris que Pierre Goazcoz veut rester seul maintenant. Et lui, il aimerait demeurer près de l'autre, à parler de n'importe quoi, à se taire ensemble, à se défendre mutuellement contre l'agression des pensées rongeuses, à repousser les hallucinations en se touchant l'épaule ou le genou de temps à autre. Certes, il n'aurait qu'à dire au maître de la barque : je ne bouge pas d'ici, pour s'entendre répondre aussitôt : c'est très bien, comme tu voudras. Le maître aurait compris que son homme d'avant avait besoin d'une présence, qu'il était désemparé, aux prises avec quelque fantôme redoutable que seul un voisinage humain pouvait conjurer, même sans la moindre confidence. Et Alain Douguet ne voulait pas se confier. Jamais de la vie. Il ne demanderait aucun secours à personne, il se défendrait tout seul. Et s'il devait succomber, ce serait une affaire qui ne concernerait que lui et peut-être l'image de son obsession si elle a gardé de lui quelque semblant de souvenir. Alain ferme les poings pour ne pas être tenté de compter sur ses doigts les cinq syllabes à bannir coûte que coûte. Il prend courage sur une bouffée d'orgueil en songeant qu'il est venu aider Pierre Goazcoz et qu'il retourne d'où il vient sans avoir cédé à la tentation de lui demander quoi que ce soit en retour. Allons ! Il va retourner au poste qui lui appartient en passant par les carrés de ses camarades. Ils sont prostrés dans leur linceul de brume. Pas un ne bouge. Mais il va faire son possible pour ne pas les toucher et aussi pour ne pas faire osciller le bateau sur cette eau morte. Il sait que quelque chose en eux demeure aux aguets et que la moindre maladresse de sa part peut les tirer brutalement du sommeil. Il se baisse, assure ses mains sur le banc de pompe.

— Il n’y a rien à faire nulle part, dit la voix de Pierre Goazcoz, à peine audible tant elle est sourde. Si tu préfères rester ici, tu es libre.

Alain se sent gagné par une colère soudaine qui lui échauffe le corps. Le vieux l’a deviné, mais il n’aura pas le dernier mot.

— Tu ne sais plus ce que tu veux, alors ! Tu donnes un ordre et puis c’est comme si tu n’avais rien dit.

— J’aurais besoin que tu m’écoutes encore un peu.

— Garde tes confessions pour le recteur de Logan. C’est la nuit de Noël, sais-tu ! Peut-être arriverons-nous à temps pour la messe de minuit. Et après la messe, tu pourras t’agenouiller avec ton fardeau. Moi, je n’en ai que faire.

Déjà il vire des fesses sur le banc de pompe. Il a maintenant le dos tourné au maître de la barque et déjà le remords fait tomber sa colère. Avait-il besoin d’être si méchant ! Pierre Goazcoz n’approche jamais d’aucune église bien qu’il ne manque pas de saluer correctement les hommes en soutane. Dans sa famille, la religion est l’affaire des femmes. Bon ! Voilà la honte qui s’enchaîne sur le remords. Alain a envie de jurer. Au lieu de cela, il prend le parti de mentir.

— Il faut que j’aille à l’avant. Je me demande si la joue à tribord n’a pas crevé plus bas. Je vais m’en assurer.

Il ne parlera plus, il ne reviendra pas, inutile d’y compter. Si son désarroi est trop grand, s’il se trouve en péril extrême, peut-être se couchera-t-il contre Corentin Roparz ou Yann Quéré. Comme un animal aux abois qui cherche recours là où il sent que recours possible il y a. Peut-être même éveillera-t-il l’un ou l’autre à force de halètements. Il ne reviendra pas vers Pierre Goazcoz qui porte lui-même un trop grand fardeau (n’est-ce pas le mot qu’Alain a trouvé tout seul !) pour pouvoir soulager quelqu'un d'autre, celui-là serait-il le plus proche de son cœur. Et puis, parler à un tel homme d'un sentiment pour une femme, jamais il n'oserait. Il ne se demande pas pourquoi, c'est ainsi. Il assure sa carcasse sur ses reins, écarte les bras pour parer aux faiblesses de ses genoux qu'il éprouve deux ou trois fois avant de commencer sa progression vers l'avant. Un rude travail qu'il prétend faire sans émouvoir le moindrement cet étrange chantier où les hommes sont plus inertes que le bois ou la filasse. Cela lui prendra bien quelques longues minutes. Autant de gagné. Ensuite on verra bien. Si seulement ce satané vent...

Pierre Goazcoz le voit s'éloigner dans la brume comme un pantin grotesque. Quelques mètres seulement, mais tout un désert les sépare. Il faut désormais qu'il s'arrange avec lui-même. Rien ni personne ne troublera les songes de son agonie. Car c'est bien d'agonie qu'il s'agit. Une douleur aiguë a éclaté dans sa poitrine, aussitôt le vent tombé, dès que la lutte contre l'océan a pris fin. Elle irradie toujours en lui, se faisant sourde quelquefois pour déployer de nouveau des ondes autour d'un noyau vif à faire hurler. Et lui, il ne peut s'empêcher de sourire en pensant à ce pêcheur de crevettes, presque quatre-vingts ans le bonhomme, qui fut pris d'une attaque en mer, trouva la force de rentrer au port, se fit renverser par un camion entre le quai et sa maison, passa entre les quatre roues du véhicule, se releva gaillardement et rentra chez lui en bougonnant qu'avec des traitements pareils, on finirait par avoir sa peau et la doublure s'il n'y prenait pas garde. Le médecin le condamna au lit et le mit au régime, assurant que son cœur ne tenait qu'à un fil. Trois jours après, le vieux repartait à la crevette, non sans s'être pourvu d'un solide casse-croûte uniquement fondé, par dérision sans doute, sur des aliments défendus. Il court toujours.

Pierre Goazcoz n'est pas de cette trempe. Ou bien il a trop exigé de sa carcasse. Il sent qu'il tire sur sa fin qui ne saurait tarder. Tout ce qu'il espère, c'est de ramener une dernière fois l'*Herbe d'Or* à quai et de retrouver Nonna Kerouédan à cause d'un certain accord qu'ils ont fait. Ce serait la meilleure évasion pour un fou de la tête. Et fou de la tête, il n'y a pas de doute que tel il est dès l'instant où il pose les pieds sur son *Herbe d'Or*, attendant que les éléments se déchaînent et balaient toutes ses mesures quotidiennes pour le livrer tout entier à la seule interrogation qui vaille et dont la réponse s'éloigne de lui à mesure qu'il épuise les moyens de la trouver. Une interrogation toute bête, c'est vrai, si bête que la plupart des vivants l'écartent, la remettent au dernier moment ou se satisfont d'explications incontrôlables, mais rassurantes à demi. Une tige interrogatoire plutôt, qui se ramifie en d'autres questions, bourgeonne sans cesse, fleurit en doutes et en illusions. Quel est le sens de cette vie ? Pourquoi sommes-nous venus et pourquoi faut-il partir ? Qu'est-ce que ce monde qui a l'air de nous entourer et qui peut-être fait partie de nous ? Pourquoi sommes-nous sensibles au temps qu'il fait alors que nous ne sentons nos organes intérieurs que lorsqu'ils sont malades ? La mort est-elle un commencement ou une fin et comment fait-on pour commencer ou pour finir ? Avons-nous un maître de notre destinée et pourquoi ne se fait-il pas mieux comprendre de nous, surtout si nous sommes ses créatures ? Et tout le restant de la métaphysique dont Pierre Goazcoz a fait cent fois le compte sans y voir plus clair qu'un illettré dans un antiphonaire. Quant aux philosophes, il a séché des jours et des nuits sur leurs écrits, non point sans profit pour sa gouverne, certes, ni sans y trouver certaines règles ou méthodes pour son approche des mystères. Il y a longtemps qu'il en aurait fini avec eux s'il n'éprouvait un malin plaisir à les voir brouiller habilement les pistes pour mieux échafauder chacun son système auquel manque toujours le couronnement. Au diable, donc, la philosophie ! Elle n'a jamais empêché personne d'avoir le vertige et il n'est pas besoin pour cela de se promener sur une planche entre les deux tours de Notre-Dame. Petite épreuve, d'ailleurs, puisque les deux tours sont bien ancrées aux deux bouts de la planche. A qui la réussirait, il resterait à monter sur la mer changeante.

Et voilà Pierre Goazcoz revenu (par quels chemins vagabonds) à son échec d'aujourd'hui, le dernier mais le plus cuisant. La plus belle tempête de sa vie ne lui a rien appris de plus sur la mort ni sur cet Autre Monde dont Nonna Kerouédan prétend qu'il est de plain-pied avec celui-ci et qu'on peut y accéder sans mourir dans le sens habituel du terme, même si l'on admet que le cadavre n'est pas autre chose que la chrysalide du papillon.

Le seul scandale irrémédiable, s'agissant du destin de l'homme, c'est tout de même la mort. Tout le reste est péripéties à juger par pièces et au coup par coup. Cela ne veut nullement dire que tout le reste soit sans importance. Il arrive même que certaines apparences, vraies ou fausses, de ce reste occultent si bien l'essentiel que celui-ci n'émerge qu'accidentellement à la conscience des condamnés. Ce qui distingue les hommes Goazcoz de la plupart des autres mortels, y compris leurs propres femmes et filles, c'est que pas un seul jour ne leur passe dessus sans qu'ils pensent à la mort et au scandale qu'elle constitue tant que l'on ne sait pas ce qu'elle est ni sur quoi elle débouche. Fous de la tête, les Goazcoz, mais non pas fous d'hôpital. Tout en la sachant inévitable, ils n'acceptent pas la mort, ils la rejettent comme scandaleuse, c'est tout. Par là s'explique tout leur comportement de père en fils. Ils ne peuvent rien contre elle, mais du moins veulent-ils se guérir d'abord de la peur qu'ils en ont pour ensuite la défier avec insolence à chaque fois qu'elle montrera l'un de ses visages. Et l'un des plus terribles d'entre eux est la tempête en mer et ciel conjugués. A chaque fois qu'elle éclatera, les Goazcoz seront au rendez-vous. C'est ce qu'Alain Douguet vient de comprendre à moitié parce que les Douguet sont à demi intimes des Goazcoz depuis trois générations. L'autre moitié, Pierre Goazcoz la cherche encore. Il envie la sagesse ou la résignation des vieilles gens du pays qui ont coutume de tout passer aux profits et pertes en articulant posément pour conclusion des désespoirs, des deuils, des colères, des satisfactions, des largesses, des orgies même et de tous les débordements : PA RANKER MERVEL, du moment qu'il faut mourir. Mais ils ne s'interrogent pas sur la mort. Leur souci est de terminer dignement leur passage en ce monde et de s'accommoder, s'il y en a un autre, du passeport de l'extrême-onction. On ne sait jamais.

Fous de la tête, les Goazcoz, mais ils ont toujours vécu comme tout le monde, à cela près qu'il n'était pas facile de franchir le seuil de la « grande maison ». Mais quoi ! Ils n'étaient pas les seuls, dans Logan, à protéger farouchement leur vie privée tout en se prêtant aux autres hors de chez eux. Il y avait évidemment cette curieuse habitude qu'ils avaient d'aller chercher leurs épouses ailleurs et de ne pas permettre à leurs filles de rester au pays. Mais le père de Pierre avait expliqué à son fils qu'en agissant ainsi, ils ne compromettaient pas les femmes dans le destin des Goazcoz. Le mari mort, la veuve pouvait retourner d'où elle venait et quant aux filles, elles étaient rendues, restituées à leur famille maternelle, ce qui n'était que justice. L'aventure des Goazcoz ne concernait que les hommes, encore n'étaient-ils pas tenus de la courir si telle n'était pas leur vocation. Pierre lui-même n'avait rencontré aucune résistance paternelle quand il avait désiré préparer les grandes écoles. S'il était revenu, après plus de vingt ans passés avec les hommes ordinaires, c'est que le mal des Goazcoz était en lui. Avant de rentrer à Logan pour entretenir ce mal à défaut d'en trouver la guérison, il avait rendu visite à ses tantes et à sa sœur qui hébergeait sa mère depuis que le vieux Goazcoz avait disparu. Il avait été reçu affectueusement, il n'y a pas d'autre mot, dans des milieux de notables cantonaux, vétérinaires, notaires, grossistes, propriétaires terriens, sur lesquels régnaient, avec une sérénité bourgeoise, les femmes Goazcoz. Pour ce fils prodigue qui retournait à la prodigalité après une vaine tentative de sagesse, on n'avait pas tué le veau gras. On savait qu'il n'était que de passage et ne reviendrait plus. On savait aussi qu'il était le dernier Goazcoz. Ces gens établis, honorables, sans doute cultivant la somme de petitesses nécessaire pour durer dans leur milieu, avaient laissé voir une véritable émotion à la vue du brillant ingénieur qu'ils avaient pu croire guéri de l'ancestrale passion et qui retournait lui faire face aux lieux où elle était née. Mais aucun d'entre eux n'avait cru devoir le retenir ou le raisonner. Il avait appris, à cette occasion, que les barques des hommes Goazcoz, ceux-ci distribuant sans compter ce qu'ils avaient aux nécessiteux de Logan, étaient payées par la dot de leurs femmes ou la contribution de leurs gendres. Ses beaux-frères avaient tenu à lui offrir de quoi faire construire l'*Herbe d'Or.* Il avait accepté pour ne pas rompre la tradition puisque aussi bien elle allait finir avec lui.

Puis il avait pris congé de sa mère. La grande femme à cheveux gris qui ne quittait plus guère son chapelet lui avait rappelé que tout enfant il s'insurgeait déjà quand on lui parlait du ciel comme de la demeure du Bon Dieu, de la Vierge, de Jésus, des Anges, des Élus dont il serait peut-être s'il apprenait bien son catéchisme. Mais lui voulait savoir comment était fait ce séjour là-haut, s'il était tenu en l'air par quatre énormes chaînes comme dans l'un des contes que débitait le père de son ami Nonna. Et à quoi étaient ancrées ces chaînes ? L'Enfer était-il un puits ? Le Purgatoire entre le Ciel et le fond du puits, sur terre donc ? Et les Limbes sur l'eau ? Les Anges avaient des ailes, c'est entendu, mais les Élus en avaient-ils ? Et la résurrection de la chair ? Dix autres questions auxquelles la pauvre femme coupait court en se référant à l'omnipotence divine. Et l'enfant déclarait que lorsqu'il serait grand il partirait en quête du Paradis Terrestre qui lui paraissait plus facile d'accès que les autres royaumes d'outre-monde. Bien plus tard, en effet, il entendrait parler des navigations de saint Brendan qui avait exploré les mers à la recherche des mêmes lieux et qui les avait peut-être rencontrés et perdus. Il lui arriverait même de s'égarer quelque temps sur les traces confuses du Roi Ulysse, l'homme des tempêtes. Ce qui paraissait sûr, et ses ancêtres Goazcoz le savaient, c'est que l'immense océan recelait en son sein toutes les îles Fortunées imaginables dont la réalité dépendait du passage entre terre et mer et ciel. Ce passage il fallait le trouver. Faute de rencontrer la bonne porte et de saisir le bon moment, il était inutile de parcourir des milliers de milles en navigateur solitaire sur l'eau salée, on ne passerait pas au-delà des apparences. Et il fallait se fier à ses propres forces sur une barque à voile soumise au vent. Quand il aurait sous les pieds un navire de guerre tout bardé de canons, il s'apercevrait bien vite que c'était le meilleur moyen de rester dehors. La seule chance était de se faire pêcheur sur la côte comme tous les Goazcoz avant lui. Peut-être quelques-uns d'entre eux avaient-ils trouvé le passage, qui sait. Son père, le taciturne, quand son fils hasardait timidement une question sur leur quête ancestrale, se bornait à répondre : cherche toi-même.

Sa mère lui avait rappelé aussi qu'à plusieurs reprises,

entre ses dix et ses quinze ans, il avait fallu organiser des patrouilles pour retrouver sa trace par les chemins sournois de la palud qui s'étend derrière le cordon de galets érigé comme une fortification contre les assauts de la mer. Le petit Pierre s'échappait tout seul vers ces terres spongieuses où ne prospéraient guère que les roseaux, les mousses, le chiendent et, au revers de l'immense talus de pierres polies, le chardon bleu des sables. Il se plaisait à guetter les hérons, immobiles sur une patte au bord des étangs d'eau saumâtre. Il aimait simuler, les bras tendus, le vol des grands oiseaux de mer qui s'étourdissaient de leurs propres cris et il s'enivrait lui-même au point de tomber dans les fondrières parce qu'il gardait les yeux fixés sur le ciel d'hiver où dérivaient à toute allure des escadres de nuages. Le vent courant à trente lieues à l'heure le rendait presque dément. Il montait sur l'immense échine de galets pour regarder intensément les sept étages de vagues furieuses lancées contre la terre et qui venaient crever à grand bruit sur la grève en le couvrant de leurs embruns. Et il poussait de grands cris jusqu'à se nouer la gorge. Enfin il s'écroulait à demi évanoui et s'endormait dans le vacarme des trois éléments en pleine répétition d'Apocalypse. Il était retrouvé par une des équipes qui fouillaient la palud et passaient le cordon littoral au crible. Ramené chez lui, il dormait pendant deux nuits et le jour entre les deux. On ne lui demandait rien et il n'en disait pas plus. Fous de la tête, les hommes Goazcoz. Une seule fois, il avait abandonné la côte et la palud pour remonter au fond d'un vallon envahi de broussailles et couronné de bois de pins. Là se dressaient d'énormes pierres dont quelques-unes seulement étaient visibles, la plupart étant dissimulées aux regards par les ronces et les ajoncs. La plus difficile à trouver, disait-on, était la plus parfaite et sommée d'un coq. Ce menhir n'était pas autre chose que la pointe d'une tour d'église dont le restant du bâtiment avait été ensablé par la force de mer depuis des siècles. Autour d'elle, il y avait toute une ville engloutie dans la terre. Le petit Goazcoz n'a pas trouvé la pierre au coq. Il est rentré à la « grande maison » par ses propres forces et dans un état d'extrême épuisement alors qu'on avait cessé de le chercher sur la côte, le croyant définitivement disparu. Et il n'avait pas desserré les dents. Il avait repris ses études comme l'excellent élève qu'il était, toujours premier en classe, mais un peu trop dépourvu d'imagination, à ce que prétendaient ses professeurs. Ils avaient peut-être raison.

Au moment où il allait partir, lors de cette visite à la famille des femmes Goazcoz, sa mère avait ramassé son chapelet et avait évoqué clairement la mémoire d'une arrière-grand-mère Goazcoz dont on ne parlait jamais, sur le port de Logan, qu'à mots couverts. Pierre savait que les pêcheurs, entre eux, l'appelaient la Diablesse, mais dans la famille il n'en était jamais question. Quand son mari avait péri en mer, au lieu de rentrer dans son pays, elle avait fait construire une barque, un petit esquif qu'elle manœuvrait seule malgré les supplications de son fils, un enfant de huit ans, qui aurait voulu monter à son bord. Par les plus fortes tempêtes, on la voyait sortir du port, on l'entendait surtout injurier le vent, les vagues, les récifs qui bordaient la passe, injurier la lune au bout du compte et même les poissons qui n'en pouvaient mais. Au demeurant, et à terre, c'était la femme la plus sage, la plus effacée du monde. Elle disparut au large, une nuit de tourmente, et ni d'elle ni de sa barque il ne fut rien retrouvé. Avait-elle forcé le passage ? A entendre sa mère en parler, Pierre Goazcoz eut l'impression qu'elle regrettait de n'avoir pas suivi son exemple. Mais il s'est peut-être trompé.

C'était il y a vingt ans et cette nuit il est là, quelque part sur cette mer qui a gardé son secret, à bord de la vieille barque *Herbe d'Or* qui a tenu tout juste une dernière fois devant les forces de vent et les forces de mer. Et lui-même ne tient plus que par l'entêtement des Goazcoz. Or, après son entretien avec Alain Douguet et ce retour qu'il vient de faire sur sa vie, il découvre soudain ce qu'il aurait dû savoir depuis vingt ans s'il ne s'était pas aussi étroitement enfermé en lui-même, ce que Nonna Kerouédan n'a pas voulu lui dire pour ne pas troubler sa recherche par d'éventuels scrupules sans commune mesure avec la haute gravité de l'entreprise : personne n'ignore, à Logan et probablement dans les autres ports de la côte, que les hommes de l'*Herbe d'Or* sont embarqués sur la nef d'un fou. Et ces hommes sont les premiers à le savoir comme l'ont toujours su tous les compagnons des

Goazcoz sur leurs bateaux creux. Les Goazcoz, et lui-même aujourd'hui, ont eu beau mener des vies bien rangées, presque banales dans l'ordinaire des jours, beau se montrer des marins capables et des pêcheurs hors pair, on a toujours su que l'approche de la tempête réveillait en eux des démons inconnus qui leur faisaient perdre la maîtrise d'eux-mêmes. Des fous de la tête qui n'étaient pas des fous d'hôpital. Ils n'entraient en crise qu'avec la mer elle-même et encore pas toujours. Car ils pouvaient se dominer à leurs heures, sans doute quand leur faisait défaut certaine forme d'inspiration qu'ils étaient seuls à éprouver. Et alors ? Quoi d'étonnant à cela ? On connaît bien d'autres maladies qui ne se manifestent que de temps à autre et dans certaines conditions. Il en était ainsi du mal héréditaire des Goazcoz, une sorte de haut mal qui ne touchait qu'eux seuls et dont on n'aurait pas osé prononcer le nom s'il en avait un. De quoi se serait-on mêlé ? Quelles puissances redoutables aurait-on provoquées ? Et à quoi cette provocation aurait-elle servi ? Le mal des Goazcoz, planté en eux, indéracinable, était leur affaire essentiellement privée.

Quand il éclate, ce mal, il y a grand danger pour l'équipage car l'audace des Goazcoz ne connaît pas de limites. En revanche, il est bien connu qu'au paroxysme de l'accès, ils demeurent les meilleurs manœuvriers de la côte, que leur étrange folie ne leur enlève pas une once de leur habileté servie par une connaissance exceptionnelle des traîtrises de l'océan. Dans les coups durs qu'ils affrontent avec passion, on dirait qu'ils se dédoublent. Le marin se joue de la mer, le fou de la tête mène une autre partie qui n'empiète pas sur la première et ne saurait en aucun cas la troubler. Alors, les Goazcoz pourraient hurler des bordées d'injures comme la Diablesse, leur aïeule, les hommes ne perdraient nullement confiance en eux. Et ils ont confiance depuis si longtemps, depuis le premier Goazcoz marin, que le mal héréditaire lui-même, tout obscur qu'il est, a fini par devenir un élément déterminant de cette confiance, une sorte de mascotte, un porte-bonheur inhérent à la personne du maître de barque dont ils peuvent se figurer qu'il lui doit les plus étonnantes finesses de son art de naviguer, une sorte de flair qui ne se dément jamais. C'est pourquoi ils ne mesurent pas à l'aune ordinaire les dangers qu'il leur fait courir et c'est pourquoi aussi leur comportement à son égard est tel qu'il peut se croire aussi constamment sain d'esprit qu'eux-mêmes puisque aucun d'entre eux n'a jamais fait allusion à un quelconque dérèglement de sa part. Tous pourtant, à l'exception du mousse dont c'est la première marée sur l'*Herbe d'Or*, ils ont vu Pierre Goazcoz en proie à son mal et c'est là un spectacle qui n'est pas rassurant. Mais, au-delà de toutes les considérations, il y a cette vérité connue également de tous, c'est que tous les Goazcoz, mis à part la Diablesse et son mari, sont morts à bout de forces dans leur lit de la grande maison. Toutes leurs barques désarmées, sauf une, ont pourri tranquillement dans l'arrière-port. Au-delà de toutes les considérations, il y a que les Goazcoz, bien que fous de la tête ou parce qu'ils le sont, ne se voient jamais abandonnés par la chance. La chance ! Voilà le grand mot lâché, avec lequel n'importe quel marin digne de ce nom est prêt à faire sept fois le tour des mers océanes sans jamais coincer sa chique un seul instant.

Le dernier des Goazcoz s'est tassé autour de son cœur. Il redresse le torse, affermit dans sa main la barre inutile. Il ne se demande plus si ses hommes savent ou ne savent pas et jusqu'à quel point ils savent. Sacrés bonshommes, capables de durer pendant des générations sans souffler mot du mal des Goazcoz, même entre eux, alors que les Goazcoz, s'il en juge par son propre cas, répugnent, contre toute évidence, à s'avouer le mal en question et s'efforcent de le croire ignoré de tous les autres. Quelle naïveté de leur part ! Et comme ils sont forts, les autres ! A parier que le plus simple d'entre eux a plus de choses dans la tête à lui seul que tous les Goazcoz n'en ont eu à travers les temps. Peut-être les mêmes choses, après tout. Ne sont-ils pas les descendants de ces populations légendaires dont on rapporte qu'elles marchaient en armes contre l'océan quand celui-ci se livrait sans frein à ses colères !

Il est donc inutile qu'il se confesse à eux, qu'il sollicite leur pardon pour ses excès. Les ramener à quai. Ensuite, si son cœur tient toujours, il verra bien, avec Nonna (c'est juré !), de quelle manière il convient de finir le mieux. Comment s'appelle donc ce poète pour qui le Christ ascensionnel est celui qui détient le record du monde pour la hauteur ? Sans cette maudite brume, Pierre Goazcoz se verrait sourire. Il passe doucement la main sur la tête du mousse Herri, écroulé tout près de lui, qui dort comme un lièvre sans os dans un pâté. Autre sourire. Foutue littérature ! Et voilà que plus loin l'immobilité est rompue par une tache blanchâtre qui entame une danse lente et désordonnée. Le temps de se demander ce que c'est et il entend un bâillement. Voilà ! C'est Yann Quéré qui se réveille et s'étire. La tache blanche est un mouchoir noué en pansement autour de sa main gauche dont les doigts ont eu des malheurs au cours de la tempête. L'homme se met à genoux, regarde vers l'arrière. Malgré la brume, il devine que le maître de barque tient sa veille sans faillir.

— Tu m'appelais, Pierre Goazcoz ?

— Non, tout va bien.

— Alors j'ai rêvé que tu avais besoin de moi.

— Tu as peut-être rêvé juste.

Et il ajoute en français :

— Mais tout dort, et l'armée et les vents et Neptune.

Yann Quéré s'esclaffe déjà, tout gaillard.

— A la bonne heure. Quand ta nourriture de collège te fait des renvois dans la gorge, c'est qu'il n'y a pas à s'inquiéter.

— Non. Tu peux te rendormir, Yann Quéré.

— Je n'ai déjà que trop dormi, sacré fainéant que je suis. Comme un crabe sous un galet à marée basse. Et c'est mauvais pour la carcasse de se laisser aller ailleurs que dans un lit. La mienne me fait douleur du haut en bas. J'ai dû passer entre les meules d'un moulin, pas possible autrement. Dis-moi, il n'y a que nous deux à tenir les yeux ouverts sur ce vieux rafiot ?

La voix hargneuse d'Alain Douguet arrive de l'avant.

— Tu es seulement le troisième, mon gars, et depuis cinq minutes à peine. Mais tu ferais mieux de te rendormir au lieu de débiter des sottises.

— Les sottises font aussi bien marcher la langue du pauvre homme que la haute sagesse. Et moi, j'ai grand besoin de dégeler la mienne. Triple nom de bleu, quelle secouée nous avons prise ! Et où sommes-nous d'après toi, Pierre Goazcoz ?

— Pour le moment je n'en sais pas plus que toi. Pourtant, si tu lèves ton nez, tu verras passer là-haut des reflets faibles, très faibles, mais réguliers. Nous devons être en bout de portée du phare de Logan, vers le sud-est je suppose. Si le vent se décide à souffler, on le saura.

— Il serait temps. Demain matin, je prends mon vélo et me voilà parti pour voir les vaches dans la ferme de mon oncle. Je ferai le tour des champs rien que pour le plaisir de marcher sur du solide. Quand je pense que le seigneur Dieu a donné quatre pattes aux vaches pour se tenir debout sur la terre alors que rien ne tremble sous elles ! Et nous, sur la mer, nous n'avons que deux pauvres jambes pour danser le sabbat de l'eau salée. Le monde est mal fait. Mais j'irai quand même saluer les vaches. Et toi, Alain Douguet, il est temps que tu prépares de douces paroles, des paroles au miel pour les oreilles de Lina Kersaudy, la plus belle fille qui ait jamais claqué des sabots sur un quai.

— Yann Quéré, dit la voix rauque et furieuse qui vient de l'avant, écoute ce que je te dis, une fois pour toutes. Lina Kersaudy, je m'en fous. Magnifiquement.

Ce « magnifiquement » est le mot de la fin. Alain Douguet n'en dira pas un de plus à moins que Yann Quéré ne commette la bévue de hasarder une demande d'explication. Auquel cas, cela risque de dégénérer en bataille corps à corps. Ce ne serait pas la première fois que l'*Herbe d'Or* tremblerait sous les empoignades. Les gars qui le montent ont la tête près du bonnet et il n'est pas toujours facile de savoir ce que couvre le bonnet en question. Mais Yann Quéré est trop fin luron pour ne pas sentir que sa plaisanterie anodine a caressé l'homme d'avant à rebrousse-poil. Tout surpris qu'il soit, il n'ouvrira plus la bouche que pour bâiller. Pierre Goazcoz retourne à ses songes. Il cherche à se rappeler le nom de ce roi de Perse qui faisait fouetter l'océan à coups de chaînes pour le punir d'avoir contrarié ses projets.

4

Au centre de Logan, il y a une petite place dont les plus mauvais des vents n'arrivent jamais à découvrir l'accès. Quand on s'y trouve, c'est à peine si l'on entend la rumeur des plus fortes marées. La nuit dernière, pourtant, le flot a réussi à s'y infiltrer en force, transportant avec lui diverses épaves arrachées aux installations du port et aux habitations du front de mer. Maintenant qu'il s'est retiré, à regret aurait-on dit, la place demeure jonchée de petits débris dont la plupart ne seront que difficilement identifiables. Les autres ont fait retour à leurs possesseurs légitimes quand ceux-ci estimaient possible d'en tirer encore quelque usage. C'est ainsi qu'un poulailler de bois et fil de fer, échoué contre un mur de jardin avec sa cargaison de poules noyées, a été récupéré ce matin par son propriétaire qui est venu le chercher en charrette à bras. Le plus étonnant fut de le voir accompagné de son coq échappé à la noyade, un superbe animal qui avait pillé un arc-en-ciel pour se faire un plumage. Quand l'homme est reparti en traînant sa cage à poules, le coq, perché sur l'attelage, s'égosillait à réclamer le lever du soleil et peut-être la résurrection de son harem. La pauvre bête attend toujours.

Tout le côté de la place qui donne vers l'ouest — c'est l'exposition réputée la meilleure en raison des vents dominants — est occupé par l'auberge Kersaudy qui logeait à pied et à cheval il y a quelques années encore et depuis l'Ancien Régime. Il paraît que des gens fort célèbres y ont passé la nuit, qu'ils en ont même témoigné dans leurs lettres ou Mémoires. Quand on en parle à Lich Mallégol, l'actuelle tenancière, elle exagère encore sa voix d'homme pour vous assurer qu'elle ne les a pas connus ni entendu rien dire à leur sujet dans sa famille. On y a conservé pourtant le souvenir d'anciens clients qui n'ont pas laissé le moindre nom dans l'Histoire, mais dont les propos et les aventures, transmis d'une génération à l'autre au hasard des rencontres dans la salle à manger, font encore s'esclaffer les voyageurs d'aujourd'hui que les voitures à feu nommées De Dion-Bouton n'ont pas sevrés du goût des propos de table longuement élaborés. Quant aux personnages notables, cette femme de tête déclare qu'il leur faut bien loger quelque part quand ils sont en route, mais que si l'on s'avisait de mettre une plaque sur tous leurs logis ou leurs auberges de rencontre, il y aurait bientôt plus d'écriture sur les maisons que dans les livres d'Histoire. Et cela nous avancerait à quoi, voulez-vous me le dire ! Là-dessus elle reniflait un bon coup avant de retourner à ses fourneaux. Elle laissait dans la salle, avec les deux petites servantes, sa propre fille Lina Kersaudy, communément appelée au-dehors Lina-Lich, une fort belle chevrette qui savait admirablement parler pour ne rien dire, mais seulement quand elle voulait bien. Lina-Lich avait ses têtes et ses humeurs, mais elle avait appris à se cantonner entre une indifférence polie et une amabilité faussement chaleureuse qui décourageait cependant toute familiarité.

Curieusement, cette attitude attirait et fixait la clientèle mieux que ne l'aurait fait un empressement servile. Elle flattait les habitués qui avaient l'impression, avec une hôtesse de cette classe, de descendre dans un établissement de haut vol. Pour la même raison, elle plaisait aux passagers qui avaient en outre la satisfaction de se voir traités avec les mêmes égards que les fidèles du lieu. Ou presque, car Lina-Lich jouait sur des nuances perceptibles seulement à ceux qui en étaient bénéficiaires, indiscernables pour les autres. Du grand art, surtout chez une personne aussi jeune qui n'était jamais sortie de Logan que pour deux ou trois ans de bonnes manières chez les sœurs. De sa mère Lich, il est vrai, veuve de bonne heure, elle tenait la fermeté dans le propos et l'assurance tranquille de ceux qui savent toujours se mettre à la hauteur de la situation. Mais la situation de Lich était dans la cuisine où elle confectionnait des nourritures de choix, celle de sa fille dans la salle où elle devisait volontiers avec les voyageurs lettrés, sobrement et précisément, au sujet des grands personnages qui avaient séjourné ou seulement passé une nuit « ici même, dans cette maison ». La fine mouche était allée se documenter en bibliothèque, sachant fort bien que même un voyageur de commerce, pour qui *l'Éducation sentimentale* est le moindre souci, aimerait se vanter, à l'occasion, d'avoir couché dans la chambre de Flaubert, vous savez bien, l'auteur de *Madame Bovary* ! Et où donc ? A Logan, à l'auberge de Lich Mallégol. Par exemple ! Et de fait, l'anecdote courant de bouche à oreille, Flaubert avait drainé un peu de monde, promettait d'en drainer de plus en plus bien qu'il eût peut-être, en son temps, couché ailleurs. Lich l'avait si bien compris que lorsqu'on l'interrogeait sur les illustrations de son établissement, elle se bornait à répondre en bougonnant : demandez à ma fille, c'est elle qui en tient le compte.

Telle était la conscience de Lina-Lich qu'elle avait désiré lire les œuvres du Flaubert en question. Et à qui s'adresser mieux qu'au fils Goazcoz, celui de la « grande maison » où il y avait tant de livres, disait-on, que le premier étage en était rempli. On les voyait en hautes rangées derrière les vitres de l'ouest qui n'avaient plus de rideaux. Le fils Goazcoz, c'était Pierre, le maître de l'*Herbe d'Or.* Il serait le fils Goazcoz jusqu'à sa fin puisqu'il n'avait pas d'enfant, étant resté célibataire. Malgré de nombreuses démarches des marieurs dans ce pays où les jeunes veuves, hélas, ne manquaient pas. Quand il n'était pas en mer, il prenait assez souvent ses repas à l'auberge de Lich Mallégol. Celle-ci avait pour lui des attentions particulières bien qu'elle ne lui adressât que rarement la parole. Ne disait-on pas, à mots couverts, qu'ayant perdu à la guerre son premier-maître fourrier de mari, elle aurait bien refait alliance avec le fils Goazcoz s'il avait daigné lever les yeux une seule fois quand elle le servait à table ! Cela ne s'était pas fait, mais Lich ne lui en tenait pas rigueur, n'hésitait pas à lui faire enlever son paletot dans la salle à manger pour lui recoudre un bouton ou à le réprimander vertement s'il ne changeait pas de chemise le dimanche. Et le maître de l'*Herbe d'Or* se laissait faire. C'est sur cet homme solitaire et lointain d'apparence que Lina-Lich, à la mort de son père, avait reporté son affection. Elle était âgée alors d'à peine dix ans. Tout de suite, elle l'avait appelé parrain et avec une telle constance naturelle que lui-même, au bout de quelques mois seulement, se surprit à parler de sa filleule. Mais s'il avait de l'affection pour la gamine, il n'en témoigna jamais autrement qu'en lui posant la main sur la tête ou lui tapotant la joue qu'elle détournait vivement car elle aussi se gardait de toute effusion à l'égard du maître pêcheur. Ah si ! Quelquefois, quand elle le servait à table, devenue jeune fille, elle se permettait de feuilleter, sans un mot, un de ces livres qu'il avait toujours avec lui quand il venait déjeuner ou dîner. Et le parrain, son repas terminé, au moment de partir, mettait le livre dans les mains de sa filleule avec un sourire avant de lui toucher le coude en signe de complicité. Sans un mot. Si Lina-Lich rapportait le livre au bout de quelques jours et le replaçait sur la table, le titre en dessous, cela signifiait qu'elle ne s'y était pas intéressée, auquel cas Pierre Goazcoz remportait l'ouvrage à la « grande maison » et ne l'en faisait plus jamais sortir. Le titre en dessus, au contraire, voulait dire que la jeune fille désirait garder plus longtemps, et peut-être ne jamais rendre, un livre qui lui avait plu pour des raisons qu'elle n'avait pas à dire. Et Pierre Goazcoz « oubliait » de reprendre le livre en question qui disparaissait, à peine avait-il le dos tourné, dans la grande poche du tablier blanc de Lina-Lich.

Celle-ci, du reste, n'était pas une grande liseuse, ni une intellectuelle, comme on dit. Si elle avait voulu faire des études, c'était facile, sa mère avait de quoi. Mais Lina ambitionnait de succéder à Lich, c'était sûr. Et elle avait sur l'hôtellerie des idées à elle qui seraient appliquées en temps opportun. Quoi qu'il en soit, le code muet dont il a été question plus haut lui avait fait obtenir *Madame Bovary* sans même avoir à demander le livre. Simplement, en répondant à des voyageurs attablés non loin de Pierre Goazcoz et désireux de savoir si Flaubert et Maxime Du Camp étaient passés par Logan au cours de leur voyage en Bretagne (ah, ces maniaques d'histoire littéraire !) elle avait ajouté qu'elle aimerait lire cette *Madame Bovary* dont ses clients instruits lui faisaient les plus grands éloges. Le lendemain même, le livre était là et le code fonctionnait à la perfection. *Madame Bovary* ne reparut jamais. Jamais non plus Lina-Lich n'y fit allusion elle-même. Quand on la poussait dans ses retranchements — décidément, il y avait de plus en plus de flaubertiens à passer par l'auberge — elle avouait avoir lu le livre mais s'excusait sur son incompétence et s'empressait de faire diversion en vantant les mérites de ces modestes bestioles côtières que l'on commençait seulement à exalter sous l'appellation de « fruits de mer ». A ceux qui lui assuraient que le grand Gustave n'avait pas pu faire étape ailleurs que dans l'auberge de ses arrière-grands-parents, celle de sa mère aujourd'hui, la sienne demain, elle répondait sèchement, la figure fermée : on dit ça. C'était immanquable. Le doute qu'elle émettait de la sorte affermissait les questionneurs dans leur conviction. Peut-être était-ce là ce que voulait la fine mouche. Elle savait qu'ils ne manqueraient pas de se féliciter d'en savoir plus que la fille de l'auberge qui leur faisait l'effet d'être un peu sotte malgré cette curieuse distinction, explicable sans doute par le somptueux costume à coiffe qu'elle portait imperturbablement tous les jours, le même que celui de toutes les filles de la côte à l'exception de celles qui poursuivaient des études en ville. Et ces messieurs-dames n'insistaient jamais beaucoup. Pour ne pas gêner la petite, n'est-ce pas ! Autant de gagné. La petite leur accordait exactement la portion de sourire qu'elle avait décidé d'ajouter aux fruits de mer et aux phrases obligées en français avec l'accent sur l'avant-dernière syllabe fortement appuyé pour pimenter le discours. Et puis elle s'adressait en breton à son parrain Goazcoz, installé à la table voisine, et qui passait aux yeux des étrangers pour un brave loup de mer local, avec sa figure rougeaude, ses grosses mains, son veston bleu trop serré et sa maladresse naturelle dans le maniement de la fourchette, pas vrai, monsieur l'ex-ingénieur en chef ! Il y avait même des peintres qui lui avaient demandé de poser pour eux. Ce qu'il avait fait de bonne volonté. Il devait figurer à l'huile et en gros plan dans quelques salles à manger ou salons bourgeois comme le pêcheur breton typique et pris sur le vif. Ce qu'il était aussi sans discussion possible pour ce qui concernait son enveloppe charnelle. Et il buvait son vin rouge en enveloppant son verre à cul des quatre doigts serrés et du pouce comme on croche dans un aviron.

Tout ce manège n'était pas méchant, cette comédie n'était désobligeante pour personne car il aurait fallu être bien fin pour se rendre compte qu'il y avait jeu. Un jeu que les acteurs se jouaient pour eux-mêmes et où tous les autres servaient de figurants ou de leurres pour faire diversion. A peine si la connivence était marquée par le frémissement d'une commissure des lèvres de Lina auquel répondait un craquement des phalanges de Pierre Goazcoz. Cela faisait partie de leur code d'entente. Si quelqu'un d'autre venait à y prêter attention, cela passait pour des tics sans signification. A vrai dire, Lich Mallégol connaissait tous ces symboles gestuels, les utilisait pour sa propre communication en public avec sa fille et le parrain, les enrichissait de quelques variantes de son cru que les deux autres déchiffraient fort bien. Nonna Kerouédan, lui aussi, était au courant du code entier. Il avait le privilège d'être le spectateur unique du jeu mais il n'y prenait aucune part. Discrétion sans doute, mais souci avant tout de s'en tenir à ses relations privées avec Pierre Goazcoz qui était le seul à l'intéresser. Les comptes des deux femmes avec le maître de l'*Herbe d'Or* n'empiétaient pas sur les siens. Au demeurant et à première vue, ces quatre-là étaient des gens très ordinaires.

L'auberge des Kersaudy était une longère en pierre de taille dont la partie la plus ancienne datait de loin. C'était d'abord un quadrilatère de bâtiments autour d'une cour dans laquelle on entrait par une porte cochère sommée d'un pigeonnier en ruine. Les bâtiments avaient longtemps servi de charretteries et d'écuries, peut-être de grange à dîme. Mais, depuis que les fardiers et les chars à bancs se faisaient rares, la plupart d'entre eux restaient vides derrière leurs hautes portes déjetées ou disjointes. Restaient en service deux ou trois locaux ouverts dont les premières automobiles trouvaient le chemin à travers la grande cour envahie d'herbe et encombrée d'instruments agricoles tout mangés de rouille. Accolé à cet ensemble, un manoir plus récent à petites fenêtres et toit ensellé qui avait été relais de poste et gîte à rouliers avant de servir de resserre pour diverses provisions. Enfin, toujours dans l'alignement, venait l'auberge neuve, construite à la fin du dix-neuvième siècle par le père du premier-maître fourrier Kersaudy. C'était un épais bâtiment double à étage qui avait fait sensation à l'époque parce qu'il disposait de huit chambres pour voyageurs, ce qui était manifestement beaucoup trop. Mais le vieux Kersaudy voyait grand. Marchand de bestiaux, n'arrêtant pas de fréquenter les foires et de courir les routes, il rencontrait de plus en plus de bourgeois fortunés qui parcouraient la Bretagne pour leur seul plaisir, voyez donc ! Ils amenaient même leur famille se baigner dans la mer après l'avoir revêtue d'invraisemblables oripeaux rouges. On ne les voyait encore que dans certains endroits huppés, c'est entendu, mais ils finiraient bien par arriver tout au bout de la péninsule où se trouvait Logan avec assez de mer pour leur laver les fesses à tous. Depuis le troisième Napoléon, le train arrivait jusqu'à Quimper, il était question de le faire aller jusqu'à la côte en plusieurs endroits. Peut-être jusqu'à Logan, après tout. Kersaudy s'était rendu à la gare pour voir débarquer les voyageurs désœuvrés. Inimaginable le nombre d'hommes, de femmes, d'enfants que pouvait charrier un pareil convoi. Imaginables, pour quelqu'un d'avisé, les sommes d'argent qu'on pouvait gagner honnêtement avec eux. Au bout des vieux bâtiments qui lui venaient de sa femme, il avait fait élever le grand logis à huit chambres. Il était en train de mettre sur pied un service de liaison entre la gare et ses huit chambres quand un cheval vicieux mit fin à son aventure d'un seul coup de botte. Il avait eu le déplaisir de voir son fils unique s'engager dans la Royale, mais la revanche inattendue de découvrir dans la femme du marin, sa bru, un talent remarquable pour la cuisine et un don particulier pour s'attacher la clientèle en la menant tambour battant. Si les huit chambres n'étaient pas occupées tous les jours, il s'en fallait déjà de peu. Quand le vieux Kersaudy fut expédié dans un monde où il doutait de pouvoir exercer son esprit d'entreprise, il était déjà question de bâtir une annexe entre cour et jardin. Lich aurait réalisé ce projet si la guerre n'avait pas éclaté mal à propos, faisant péricliter durement son commerce et lui tuant son mari pour faire bonne mesure. Le premier-maître fourrier ne lui avait laissé qu'une fille, la petite Lina qui devint dès lors Lina-Lich, du prénom de sa mère, son père ayant eu la malchance de disparaître trop tôt et sans avoir laissé de traces mémorables derrière lui à l'exception de cette fille sur laquelle on retrouvait fugitivement ses traits quand elle se laissait aller à la douceur. C'était un très bel homme, soupirait-on, mais rêveur et beaucoup trop bon. Il aurait donné sa chemise sans savoir à qui. De sa femme Lich, une étrangère qu'il était allé chercher à plus de quinze kilomètres de Logan et au-delà de la rivière, il n'y avait pas de mal à dire sinon qu'elle était d'une autre farine que lui. Sitôt mariée, elle avait pris les rênes du gouvernement. Son époux aurait peut-être voulu l'emmener avec lui à Brest ou à Toulon, mais elle avait décidé de « faire tourner » l'auberge du vieux Kersaudy, ne redoutant rien tant que de rester inactive, à s'étourdir de café, de bavardages et de gâteaux secs avec les autres femmes de sa condition en attendant le retour du marin. Elle avait si bien fait que déjà du vivant de son beau-père (qui ne jurait que par elle) l'hôtel-restaurant n'était plus connu que sous son nom de jeune fille à elle : c'était chez Lich Mallégol. Et sa fille Lina, de bonne heure, avait manifesté d'heureuses dispositions pour prendre sa suite quand elle déciderait de lui céder la place. Tout aurait donc été pour le mieux si la jeune Lina-Lich n'avait pas connu, de loin en loin, des moments d'absence rêveuse qui la faisaient se désintéresser de son travail. Alors apparaissait sur elle, au féminin, le masque de son père. Lich en était émue et inquiète à la fois.

Ce soir, précisément, la jeune fille semble nourrir d'obscures nostalgies. Ce n'est pourtant pas le travail qui lui manque. L'un des effets du raz de marée a été d'ameuter les journalistes toujours à l'affût de l'exceptionnel et friands de l'officiel, le ministre de la Marine arrivant demain à Logan avec dans sa poche un discours qui, paraît-il, fera date. Les huit chambres sont la proie des plumitifs, parfois à deux dans le même lit. On en annonce d'autres pour demain. Il a fallu improviser des couches de fortune dans les couloirs. Les journalistes sont des gens qui parlent fort, qui déplacent beaucoup d'air, étourdissent les deux servantes en leur parlant un français qui n'est pas exactement celui de l'école. Pour couronner le tout, c'est la nuit de Noël qui vient et ces gens, à défaut d'un réveillon à la mode bourgeoise, aimeraient festoyer un peu hors de l'ordinaire tout en parlant métier et politique. On ne se couchera pas de bonne heure, c'est sûr. Pourvu qu'il n'y ait pas trop de bruit chez Lich Mallégol ! Pourvu qu'une joie intempestive n'offense pas les habitants de Logan dont plus de la moitié veillera toute la nuit dans les maisons dévastées ! Bien sûr, les gars des journaux ne peuvent pas prendre le deuil pour toutes les catastrophes dont ils ont à rendre compte, pas plus que les médecins pour tous leurs patients qu'ils voient mourir. Allons ! Lina-Lich leur fera dresser des tables d'apparat, sa mère est déjà penchée sur ses fourneaux. La vie n'en finit pas de continuer. La vie injuste. Ce sont toujours les plus pauvres qui sont les premières, parfois les seules victimes des fléaux naturels. Ainsi, alors que les modestes logis de pêcheurs ont été ravagés par des tonnes et des tonnes d'eau de mer arrivant de plein fouet, c'est à peine si, dans l'hôtel, l'inondation a gâté les parquets du rez-de-chaussée. Lina-Lich se sent coupable de n'avoir pas été victime autant que ceux qui ont subi les plus gros dommages. Elle n'est pas meilleure qu'une autre, elle connaît bien les limites de sa générosité. Elle n'est même pas bonne, à vrai dire, mais elle entend déjà les paroles fielleuses qui passeront demain à travers les dents de plus mauvais qu'elle à propos de ceux qui en ont déjà trop et qui en gagnent encore à l'occasion du malheur d'autrui.

Mais pourquoi nourrit-elle des pensées aussi désagréables sinon pour éloigner de son esprit cette évidence qu'elle refuse de reconnaître : elle risque de payer plus que sa part de la catastrophe qui semble n'avoir épargné sa maison que pour mieux la frapper elle-même puisque sur la seule chaloupe dont on est sans nouvelles il y a son parrain d'élection Pierre Goazcoz et cet autre-là, Alain Douguet...

Elle va s'appuyer le front contre une fenêtre et son regard se perd dehors. La brume l'empêche de distinguer les maisons d'en face, l'épicerie, la mercerie, la boulangerie, le bureau de tabac qui d'habitude, à cette heure-ci, sont encore en activité, éclairées par les hautes lampes à pétrole qu'on n'emportera dans les cuisines, derrière, qu'au moment de manger la soupe, après avoir poussé le verrou de la porte marchande. Et l'on ne ferme en réalité que pour aller au lit. Le « verrou de la soupe », comme on dit, il suffit que quelqu'un toque à la devanture pour qu'il soit tiré, la porte ouverte par la commerçante presque aussitôt apparue, la lampe levée au-dessus de la coiffe pour reconnaître le tardif client (plus souvent une femme aussi) et achevant de mâchonner une bouchée de quelque chose. Dans les jours ordinaires, Lina-Lich aime bien s'accorder une minute de temps à autre pour regarder le manège d'en face. Ce n'est pas qu'elle soit curieuse, chacun sait qu'il n'y a indiscrétion répréhensible que lorsqu'on rapporte des paroles ou des actes dont on a été le témoin autorisé ou non. Et quand on est dans le commerce de bourg, il vaut mieux se prétendre sourd et aveugle à défaut d'être muet. Non, Lina-Lich aime voir les gens manœuvrer sous ses yeux sans qu'elle soit dans le coup. Leur tenue de corps en marche et au repos, leurs gestes, même et surtout vus de loin, mentent moins que leurs discours. De mensonge ou de vérité d'ailleurs, elle n'a rien à faire que pour sa propre gouverne, personne n'en aura la confidence. Ni sa mère Lich ni Pierre Goazcoz. D'ailleurs, eux trois, que font-ils sinon s'observer mine de rien et sans un mot ? Et il n'y a personne dans le secret, à moins que Nonna Kerouédan... En voilà un qui doit se ronger d'inquiétude à cause de l'*Herbe d'Or*. Et il doit savoir des choses que Lina ne sait pas. Elle aimerait bien qu'il sorte de la brume, le vieil homme aux yeux bleus, qu'il ouvre timidement la porte comme à chaque fois qu'il ne peut pas tenir tout seul, et qu'il demande à voix discrète : est-ce que Pierre Goazcoz est chez vous ? Le parrain aussi a les yeux bleus. On ne regarde jamais assez les yeux des hommes. Quelle couleur ont ceux de ce Douguet ? Pas bleus, en tout cas. Cela vaut peut-être mieux.

Elle aimerait bien que quelqu'un vienne pour la tirer de cette ornière. N'importe qui, messager de n'importe quoi. Qu'on sache où l'on en est avec l'*Herbe d'Or* et tous ses hommes. Tiens ! Les yeux de Yann Quéré, celui qu'on appelle le paysan, elle les voit aussi distinctement que s'il était devant elle. Ils sont couleur de terre humide. Des yeux qui rendraient une femme irrésistible, c'est vrai pourtant. Ceux de Corentin Roparz, elle ne se rappelle pas les avoir jamais vus, il les tient toujours baissés, il est ailleurs, cet homme. Et puis, c'est assez pensé à l'équipage du parrain.

Diluée dans la brume, avec cependant un noyau solide, une seule lumière émane de l'autre côté de la place. Ce ne peut être que le bureau de tabac. La mercière a pris peur après l'énorme déferlement de la nuit passée, elle est partie dans les terres chez son fils. Il y a déjà deux heures que le boulanger n'a plus une miche de pain à vendre. Les épiciers, mari et femme, ont pris le car avant midi pour aller s'approvisionner à Quimper. Le car, c'est vrai ! Il aurait dû être arrivé, mais avec ce brouillard... C'est lui qui assure cette liaison avec le train que le grand-père Kersaudy, ce précurseur, voulait déjà établir. La voiture a été achetée d'occasion par le fils du bureau de tabac qui est revenu de la guerre avec un permis de conduire les véhicules automobiles. C'est une caisse en bois sur quatre roues et un moteur devant, assez semblable aux voitures des romanichels. Elle est seulement éclairée par une fenêtre de chaque côté et une petite vitre sur l'arrière. Le propriétaire — il s'appelle Joz — a fait de bonnes affaires avec cette guimbarde. Il en achèterait facilement une autre plus moderne, mais il lui faut attendre que ses clients s'habituent à la vitesse qui est supérieure à celle d'une charrette anglaise tirée par un bon cheval. Ceux qui montent les premiers dedans s'emparent des places les plus éloignées des fenêtres pour ne pas risquer l'étourdissement à force de voir défiler la route à une telle allure. Si bien que pour qui regarde, de dehors, passer le car de Joz, il a souvent l'air d'être vide car il n'y a aucun visage derrière les vitres, sauf quand Joz ramène des cols bleus en permission qui n'ont peur de rien sauf de mourir d'une rétention de grimaces. Le seul ennui sérieux est que le car, de plus en plus, a une fâcheuse tendance à rester en panne. Joz arrive à le remettre en marche au bout d'une demi-heure ou deux. Il en profite pour déclarer avec énergie qu'il est grand temps de remplacer cette caisse à bestiaux de foire — ce sont ses propres termes — par un vrai carrosse à chrétiens, ajoutant qu'il est décidé à le faire avant peu si... Et il attend que ses voyageurs l'encouragent dans son projet. Mais presque tous le laissent dire sans piper mot. On le soupçonne même un peu de provoquer exprès des pannes pour avoir une bonne raison de remplacer sa voiture. Mais les pannes répétées, s'il faut en croire les passagers ordinaires de Joz, font partie des aléas du voyage. Pour les faire s'impatienter un peu, il faudrait qu'il se décide à les abandonner carrément à mi-chemin en plein hiver, par une pluie battante ou un brouillard comme ce soir. Justement, c'est peut-être ce soir qu'il s'est résolu à le faire car il tarde encore plus que d'habitude. Il n'y a pas de quoi s'inquiéter pour lui. Ni pour l'*Herbe d'Or*, n'est-ce pas ? Mais qu'est-ce que l'*Herbe d'Or* aurait à voir avec le car à Joz ?

Lina-Lich aime bien Joz parce qu'il n'a jamais cherché à lui faire le plus menu brin de cour, bien que la redoutable mère du jeune homme ne cesse de clamer à tous les échos que l'héritière Kersaudy est la seule femme qui pourrait convenir à son fils. La plaisanterie habituelle qui réjouit tous les jeunes gens de leur âge — à l'exception d'Alain Douguet, cependant — c'est d'entendre Lina demander à Joz : quand nous marions-nous ? Et Joz de répondre, l'air fâché : ma mère nous a déjà mariés depuis longtemps. Que vous faut-il de plus, Lina ? Soyez donc raisonnable.

Le pauvre Joz risque bien de mourir vieux garçon avec la mère qu'il a. Sa sœur et son frère ont dû s'en aller au diable pour se marier selon leur envie. Lui, s'il est resté, c'est à cause de son père, Henri Manche-Vide. C'est un ancien marin de la flotte qui a perdu un bras dans un débarquement tropical d'avant-guerre. Sa femme, qui ambitionnait pour lui les mêmes galons, au moins, que le fils Kersaudy, ne lui avait jamais pardonné sa déception. C'est une grande haridelle sèche, les lèvres minces et les yeux durs, qui s'emportait sans raison contre le pauvre homme presque tous les jours jusqu'à en arriver au bord de la syncope. Tout Logan, hors de sa présence, la désignait sous le nom de Kounnar Yen (Colère Froide). Elle avait cantonné son mari dans cette cage grillagée que l'on ne trouvait plus que dans quelques bureaux de tabac du vieux style. A longueur de journée, il y coupait la chique, pesait la prise, dispensait le gros-cul ou le scaferlati avec sa main unique pendant que sa virago servait les buveurs du comptoir ou les ménagères en quête de quincaillerie, s'étant déconstipée de son mieux pour arborer un semblant de sourire qu'elle estimait indispensable au commerce. Quand elle devait s'absenter par nécessité, elle enfermait Henri Manche-Vide dans sa cage grillagée qui avait une porte à serrure. Il ne pouvait qu'y faire son travail de buraliste et surveiller le reste de la boutique, mais non pas vendre un moulin à café ni surtout servir le vin rouge à ses amis. Dans les premiers temps de son incarcération, ceux-ci avaient bien insisté pour qu'il boive un coup avec eux, même s'il fallait lui passer son verre par le guichet. Mais la dame avait poussé les hauts cris, prétendant que la santé du manchot était si fragile que le moindre alcool pouvait lui être fatal. On ne l'avait pas crue, bien sûr, on avait si bien manœuvré que le buraliste en cage était entré en possession d'un verre plein qu'il avait asséché cul sec sans demander son reste. Alors la mégère avait donné le spectacle de sa colère froide : le peu de sang qu'elle avait s'était retiré de toute sa chair visible, ses yeux s'étaient horriblement exorbités, elle était tombée à terre d'un bloc, aussi raide qu'une planche. Il lui avait fallu un bon quart d'heure pour triompher de sa propre fureur. Trois ou quatre accès de ce genre avaient découragé les amis de vouloir adoucir la captivité de l'ancien marin de guerre. De loin en loin, ils apparaissaient encore au comptoir de sa femme, mais ils se bornaient désormais à lever leur verre à sa santé sans jamais plus tenter de lui mouiller la gorge. Il n'y avait que Joz qui fût autorisé, mais non pas en public, à procurer quelques douceurs à son père sans qu'elle montât sur ses grands chevaux. Encore lui avait-il fallu la menacer de quitter définitivement la maison pour qu'elle se décidât à céder sur quelques points secondaires. Quant à Manche-Vide, il ne vivait plus que pour entendre le coup de trompe qui marquait le retour du car de Joz.

Il finit toujours par arriver. Ce soir il est encore plus en retard que d'habitude, mais enfin le voilà. Les deux lanternes blafardes avancent avec lenteur dans la crasse de brume, annoncées par le halètement du moteur et divers bruits de ferraille à demi absorbés par le temps qu'il fait. Derrière Lina, toujours à sa fenêtre, les deux servantes s'arrêtent de mettre le couvert pour venir jeter un coup d'œil sur l'événement du soir. Elles ne sont pas pressées, les clients-journalistes sont répandus dans les quelques cafés du port qui ont rouvert vaille que vaille, en train de s'informer de leur mieux sur la vie quotidienne des pêcheurs et de rassembler des précisions sur le raz de marée. Ils seront en retard pour dîner. Ils resteront le plus longtemps possible sur le front de mer car ce n'est pas chez Lich Mallégol qu'ils sauront de quoi il s'agit exactement. Ici, on se croirait dans un bourg terrien, on a de la peine à se figurer que l'énorme océan est à quelques dizaines de pas. Même ce car branlant qui vient de s'arrêter au milieu de la place sur un coup de trompe étouffé, on dirait bien qu'il revient de quelque marché paysan, rapportant sur son toit un amoncellement de paquets, de sacs de chanvre, de paniers d'osier et de caisses à claire-voie. A part le conducteur et un autre homme qui est l'épicier, il n'en descend que des femmes en coiffes campagnardes qui sont pourtant des épouses de marins-pêcheurs. Lina-Lich, malgré le brouillard, les reconnaît toutes, les deux servantes aussi qui retournent à leur travail. Pas de nouveau client ce soir. La jeune fille entrouvre la porte de la cuisine pour le crier à sa mère avant de sortir sur la place où elle n'a rien à faire, croit-elle, sinon trouver une diversion aux pensées qu'elle s'efforce d'écarter depuis des heures. La réalité du car de Joz pourra conjurer pour un temps l'ombre obsédante de l'*Herbe d'Or* avalé par les Limbes.

Dehors, malgré le froid, ses sabots de bois à brides ne font pas sur le sol le claquement habituel. Toute la place est recouverte d'une couche de sable apportée par l'assaut de la marée. Autour du car, sur lequel est monté Joz pour descendre les bagages, on n'entend que de rares paroles. La gravité du jour et la désolation des lieux si proches incitent les femmes à réprimer les éclats de voix. Même les plus fortes en gueule paraissent intimidées. Elles se rangent sagement sur le côté de la voiture, chacune levant les bras pour recevoir ses affaires dès qu'elle les reconnaît aux mains de Joz là-haut.

Quand Lina-Lich arrive près de leur groupe, l'épicière lui souffle : la voilà ! Et du menton elle désigne la portière du car où s'encadre une jeune femme habillée à la paysanne d'un costume noir sur lequel tranchent en clair un tablier à piécette et une collerette brodée à plat. La coiffe est une cornette. A voix basse Lina-Lich demande, mais elle sait déjà :

— Qui est-elle ?

— La femme de Corentin Roparz, de l'*Herbe d'Or*.

Et voilà l'un des tours que s'amuse à vous jouer votre planète. Est-il bon, est-il mauvais, à vous de savoir, mais quand vous le saurez, il sera trop tard pour vous mettre en garde. Vous avez tout essayé pour vous vider la tête de certaines pensées lancinantes, pour effacer certaines images sur l'écran impitoyable de votre mémoire. Et dès que se produit le moindre incident, le plus banal, le plus quotidien, qui devrait vous faire échapper à vos soucis au moins pour le temps de sa durée, c'est lui qui les redouble et les fortifie en les incarnant dans une fille de la montagne. Aviez-vous besoin de guetter ce car, de sortir de chez vous pour lui tourner autour, sans attendre qu'il ne reste plus sur la place que votre ami Joz l'inoffensif ? Et ce Joz de là-haut, ce brave garçon de Joz, finissant de vider le toit de sa guimbarde, voilà qu'il crie à la voyageuse :

— Attendez-moi donc ! Je vais vous conduire où vous allez.

Lina-Lich est à côté d'elle quand elle lève vers Joz un visage un peu large, mais aux traits d'une impressionnante régularité, éclairés d'un demi-sourire qui en atténue la rigueur. On entend une voix profonde, un peu sourde.

— Ne vous dérangez pas, je trouverai bien. Vous m'avez expliqué comme il faut.

— Avec ce brouillard ce n'est pas facile. Il n'y a plus beaucoup de maisons qui ont de la lumière et le chemin du bord de mer est dangereux, passé le quai. Attendez-moi, j'en ai fini.

Lina-Lich s'entend crier aussitôt, c'est plus fort qu'elle :

— Laissez-la-moi, Joz. Je la mènerai où elle veut.

— C'est très bien, Lina, dit Joz, et sa voix est presque grave, à lui qui aime tant plaisanter quand il peut. Mais d'abord, il lui faudrait un bon bol de café chaud et peut-être une soupe. Il a fait un froid noir dans mon sacré camion, moi-même je suis transi. Et là où elle va, il n'y aura peut-être pas de feu.

La jeune femme regarde alternativement Lina-Lich, tout près d'elle, qui l'a prise par le coude et le gars Joz là-haut, debout, les bras ballants sur son toit. Elle sourit toujours.

— S'il n'y a pas de feu, j'en allumerai, dit-elle. Et quant au froid, il est encore plus vif chez nous, dans la montagne. Mais pour le café, je veux bien. Mon mari me dit que je l'aime presque autant que les femmes d'ici. Ce qui est sûr, c'est que vous êtes de bonnes gens, dans ce pays.

— Aussi mauvais que les autres, bougonne Joz, et il se met en devoir de descendre. Quelquefois pires. Cela dépend avec qui.

— Venez vous réchauffer, dit Lina, ensuite nous verrons. Vous êtes la femme de Corentin Roparz, n'est-ce pas ! Je m'en suis doutée quand j'ai vu votre coiffe.

— Oui. Mon nom est Hélèna Morvan. Presque le même nom de baptême que vous puisque j'ai entendu qu'on vous nommait Lina. Seriez-vous Lina Kersaudy, la fille de Lich Mallégol qui tient l'hôtel ici, à Logan ?

— C'est moi-même. Mais comment me connaissez-vous ?

— Je connais tous ceux que mon mari fréquente. Il n'arrête pas de me parler de vous tous, quand il vient.

— Corentin vous parle ? C'est drôle. On n'entend pas souvent le son de sa voix.

— Je suis sa femme.

— Bien sûr. Je ne voulais pas vous offenser. Il faut venir vous mettre au chaud. Ma maison est en face, voyez ! Les trois fenêtres éclairées en bas. Venez donc !

Comme Hélèna hésite, Lina la prend par le bras et la pousse énergiquement de l'épaule. La femme de la montagne est intimidée par les trois fenêtres derrière lesquelles on voit distinctement s'affairer les deux servantes autour de tables couvertes de nappes.

— Vous avez même l'électricité, dit-elle.

— Pas depuis longtemps. Mais c'est bien commode quand on tient commerce. Corentin Roparz se plaît bien chez nous. Il vient manger de temps en temps avec Pierre Goazcoz qui est presque pensionnaire et tout à fait vieux garçon. Les deux autres viennent aussi mais moins souvent. Ils ont leurs habitudes sur le port.

Elle fait ce qu'elle peut pour dissiper la gêne d'Hélèna. Elles sont arrivées à la porte quand celle-ci fait entendre un petit rire vite réprimé.

— Vous n'allez pas me croire, Lina, mais je n'ai jamais mis les pieds dans un hôtel. Est-ce que je saurai me tenir dans un pareil endroit ? Je ne voudrais pas vous faire honte avec mes manières de paysanne.

— Autant que je sache, elles valent bien celles des bourgeois. D'ailleurs, il n'y a encore personne, c'est trop tôt pour le dîner. Et enfin vous n'entrez pas dans un hôtel, mais chez ma mère et moi. Nous avons une petite salle pour nous deux.

— J'aimerais bien saluer votre mère.

— Vous la verrez sûrement.

Elles sont entrées dans l'auberge de Lich Mallégol que tout le monde, à Logan, appelle un hôtel parce que cela fait mieux quand on parle français, cela pose le pays aux oreilles des étrangers. *Nous avons un hôtel, ici, à Logan.* Mais on commence à user également du mot quand on parle breton, c'est-à-dire à peu près toujours, et cela déplaît à Lich. Avec un nom pareil, sa maison a l'air d'être réservée aux voyageurs, elle va être progressivement désertée par les gens du pays qui ne s'y sentiront plus à leur aise si elle est envahie par les bourgeois à chapeaux mous. Elle a refusé de faire peindre une enseigne hôtel-restaurant au-dessus de sa porte. Ceux qui savent sont les bienvenus, les autres peuvent passer leur chemin. Elle n'aimerait pas que « chez Lich » devienne seulement l'hôtel Kersaudy. D'autant plus que les Kersaudy, c'est triste à dire, il n'en reste plus un seul.

Maintenant Hélèna est installée sur une chaise rembourrée, dans la petite salle à manger toute neuve de Lich et Lina. Les meubles de famille sont exposés dans la grande salle où certains clients s'extasient devant les armoires de châtaignier constellées de clous de cuivre et les bancs à dossier sculptés à la marque du Saint Sacrement. Il est même question de transformer en vaisseliers les deux lits clos qui sont relégués dans l'une des anciennes écuries. Plusieurs marchands d'antiquailles sont déjà passés et repassés, renchérissant les uns sur les autres pour emporter ces façades moisies des couches ancestrales. A vrai dire, les deux femmes les auraient données pour rien, mais puisqu'on leur en proposait de l'argent, leur flair de commerçantes les avait mises sur la défensive. Elles avaient conservé leurs vieilles planches en se disant qu'on ne sait jamais et acheté une salle à manger moderne en noyer ciré pour leur propre usage. Et c'est le noyer ciré qu'Hélèna Morvan admire sincèrement, le corps un peu gêné dans son équilibre par le rembourrage de la chaise et les mains croisées sur la sacoche de toile cirée qui est son seul bagage. Lina-Lich l'a laissée pour aller chercher le café chaud avec tout ce qui l'accompagne et qui n'est pas peu de chose quand on veut faire honneur. Mais lorsqu'elle revient avec tout ce qu'il faut, ce n'est plus la jeune fille de tout à l'heure. Son visage est très pâle et ses mains tremblent si fort qu'Hélèna se lève, stupéfaite, abandonnant la sacoche, et la soulage de son plateau avant que celui-ci ne s'écrase au sol avec tout son chargement.

— Qu'avez-vous, pauvre chère ? Que vous est-il arrivé ?

Lina parvient à s'asseoir. Elle respire très fort, la tête baissée. Quand elle la relève, c'est pour regarder l'autre avec des yeux où la stupéfaction le dispute à la colère.

— Il m'est arrivé de rencontrer une femme qui parle tranquillement de choses sans importance alors que son mari est déjà porté disparu en mer. Aucune nouvelle de lui et elle va boire son café comme si de rien n'était. Croit-elle qu'une petite chaloupe puisse durer dans une tempête comme celle de la nuit dernière ?

Hélèna Morvan a posé le plateau sur la table en noyer ciré. Elle se baisse pour ramasser la sacoche, se relève et la tient à deux mains contre son ventre. Puis elle parle d'une voix égale, avec cet accent un peu âpre de la montagne qui donne aux mots leur juste poids alors que les gens de Logan chantent si bien leurs voyelles qu'on a du mal à saisir, du dehors, s'il s'agit de drame ou de comédie.

— Je ne sais pas bien ce que c'est qu'une chaloupe. Je suis une femme de la campagne. Il est arrivé que me voilà mariée à un homme d'ici qui a son métier sur la mer. Mais je suis restée dans mon hameau des Montagnes Noires où je cultive deux petits champs pour nourrir une vache. Mon mari revient le plus souvent qu'il peut, entre deux marées, dit-il. Il s'assoit dans sa maison et il me parle, lentement et longtemps, de la pêche et des pêcheurs, et de ce port et de la mer que je ne connais pas. Et moi, je l'écoute parler. Il est si calme, si fort, si maître de tout que l'océan lui-même ne pourrait pas en avoir raison. Je suis tranquille.

— Et pourquoi donc êtes-vous là, ce soir ?

— Vous feriez bien de verser le café, il va refroidir. Si je suis là, ce soir, c'est d'accord avec lui. Il devait venir me chercher à Quimper autour de midi, à un endroit convenu, et me ramener à Logan où nous devons passer la nuit chez la mère d'Alain Douguet, son camarade.

— C'est là que vous allez ?

— Oui, c'est là qu'il a sa chambre. Marie-Jeanne Quillivic, la mère d'Alain, trouvait sa maison trop grande depuis que...

— Je sais. Et vous n'avez pas trouvé Corentin au rendez-vous.

— Non. Pendant que je l'attendais, j'ai regardé le journal. C'était marqué dessus qu'il y avait eu un raz de marée par ici et qu'on était sans nouvelles de l'*Herbe d'Or*. Il fallait donc que je me débrouille toute seule pour venir. Le bateau a été retardé par les mauvais vents, sans doute, ou par quelque chose qui n'allait pas bien. Mais Corentin sera là tout à l'heure, n'importe comment. Il m'a dit qu'il ne manquerait plus jamais la messe de minuit. Et c'est un homme de parole.

— Vous m'étonnez bien, Hélèna. Je croyais qu'il ne fréquentait pas beaucoup les églises.

— Je n'ai pas dit qu'il le faisait. J'ai seulement parlé de la messe de minuit. Allons ! Il faut que je me presse d'aller chez Marie-Jeanne Quillivic. Pourvu qu'il ne soit pas encore arrivé.

— Il vaudrait mieux souhaiter qu'il soit déjà là, pauvre femme.

— Non, je dois être à l'attendre quand il viendra. Sinon cet homme aura de la peine en pensant que je n'ai pas eu confiance et que je suis restée chez moi. Je lui ai déjà trop désobéi.

— Trop désobéi ?

— Oui. Il m'avait bien recommandé de ne pas lire le journal. Et je l'ai lu quand même. Rien que des sottises à ce que dit Corentin. C'est bien vrai. Les gars des journaux n'ont aucune patience, j'ai bien vu.

— Je n'ai jamais connu de femme comme vous, Hélèna Morvan.

— Il n'y en a peut-être pas d'autre. Mais il y a un homme pareil à moi. C'est Corentin Roparz. Bonsoir, Lina, il faut que je m'en aille.

Mais Lina est déjà debout, encore plus émue que tout à l'heure. Elle a des larmes plein les yeux, sa colère a fait place à une sorte de désespoir. Elle s'empare de la cafetière, remplit les bols sans pouvoir seulement articuler un mot. Enfin elle parvient à faire entendre une voix blanche.

— Asseyez-vous, Hélèna. Le café est encore chaud. Il ne faut pas me laisser toute seule. J'ai eu du mal à me procurer du pain. Le boulanger de la place a dû fournir pour celui du port dont la boutique est détruite. Restez encore un peu, je vous prie. Le beurre est tout frais, il vient de la campagne. Et moi, depuis la nuit dernière, je tourne autour de la même corde, cherchant ma tête. Je deviens folle.

Hélèna sourit. D'un autre sourire que celui qu'elle avait tout à l'heure en descendant du car. Si Lich Mallégol était là, cette futée, elle appellerait cela le sourire de la confession. Et il semble, à le voir, qu'il soit difficile d'y résister, tant il purifie les traits du visage pour en faire l'expression même d'une bonté sans limites. La femme s'est assise. Elle a déposé soigneusement la sacoche contre deux pieds de sa chaise, mis du sucre dans son bol, remué son café. Elle attend. Elle a de grandes mains solides et adroites dans lesquelles les instruments du couvert semblent une dînette de poupée. Elle attend toujours, étendant du beurre sur son pain, le coupant à plat comme on fait les parts d'un gâteau. Lina-Lich la regarde faire, l'œil fixe, incapable d'en dire plus, honteuse peut-être d'en avoir déjà trop dit. Au moment de porter à ses lèvres la première bouchée, Hélèna Morvan se décide à l'aider.

— C'est à cause d'Alain Douguet, dit-elle.

Tranquillement.

Lina tressaille. Le sang lui remonte au visage d'un seul coup. Le temps d'un éclair la traverse le soupçon qu'elle pourrait avoir devant elle une sorcière. On dit que là-bas, dans les montagnes... Mais non ! C'est simplement la femme du taciturne Corentin. Il est bien connu que les gens qui se taisent en savent plus que ceux qui parlent. Et Corentin n'est-il pas venu chez elle avec cet Alain Douguet ! Il est capable d'avoir deviné leur secret à tous les deux avant même que l'un et l'autre n'aient osé se l'avouer. Pauvrement, elle essaie d'éviter de répondre oui.

— Ce Corentin Roparz, il croit savoir des choses...

— Il ne m'a rien dit à votre sujet. Du moins directement. C'est un homme trop discret pour se mêler des affaires des autres quand on ne lui demande ni aide ni conseil. Mais il me raconte tout ce qu'il fait par le menu. Et comme il vit presque toujours avec ceux de l'*Herbe d'Or*, il faut bien qu'il me dise aussi ce qu'ils font, qu'il me rapporte même leurs paroles pour me faire comprendre pourquoi il s'est comporté lui-même de telle ou telle façon. Vous croyez qu'il m'a été difficile de soupçonner ce qu'il y a entre Alain Douguet et vous !

— Et qu'est-ce qu'il y a, s'il vous plaît ?

— Je peux me tromper, mais il me semble clair que vous êtes attirés l'un vers l'autre et que tous les deux, je ne sais pas trop pourquoi, vous essayez de résister à ce penchant. Comme vous n'y parvenez pas, cela vous aigrit le caractère et vous rend malheureux. Voilà ! Votre café a très bon goût. Un peu fort, peut-être, mais c'est le mien qui est assez plat, d'habitude. En tout cas, je me sens d'attaque pour aller plus loin.

Lina-Lich s'empresse avec sa cafetière, s'inquiète de savoir si le café est encore assez chaud. Elle insiste pour qu'Hélèna reprenne du pain et du beurre. Et dans le même temps, elle prépare dans sa tête les phrases qui vont lui permettre d'expliquer la situation à la femme de Corentin et d'en avoir un bon conseil sans le demander expressément. Bien qu'elle ait déjà laissé voir son désarroi, elle voudrait encore sauver la face, ménager son amour-propre. Non seulement l'autre est une étrangère, mais elle ne compte, à première vue, qu'un an ou deux de plus que Lina. Et celle-ci de se rasseoir en faisant de son mieux pour effacer de son visage tout ce qui n'est pas une simple préoccupation. C'est encore Hélèna Morvan qui vient à son secours tout en reprenant du pain et du beurre.

— Le plus têtu des deux, c'est lui ou c'est vous ?

— Est-ce de l'entêtement ? Il y a sûrement autre chose et ne croyez pas que ce soit facile à expliquer. Je ne sais pas trop. C'est lui qui m'empêche de savoir. On dirait qu'il a honte et regret de me chercher. Pourquoi ? Parce qu'il est marin-pêcheur et que nous sommes des commerçantes plutôt riches ? A Logan, vous savez, chacun a l'habitude de se marier dans son milieu. Ainsi moi, par exemple, je devrais épouser Joz-du-bureau-de-tabac, celui qui a le car. Parce que je suis fille unique de Lich Mallégol et que le gendre, ici, ne sera peut-être pas toujours à son aise ? Je ne sais pas, moi, je cherche. En tout cas, on voit bien qu'il n'est pas content de lui ni de moi. Il y a quelque chose qui ne va pas et cela lui fait peur pour la suite. Et puis il y a mon caractère qui n'est pas toujours facile et le sien qui l'est encore moins.

— La plupart des époux ne se connaissent bien qu'après le mariage. Un jour ou l'autre, il faut risquer. Avec l'un ou l'autre. Mais il vaut mieux l'avoir choisi.

— Est-ce que je l'ai choisi ? J'avais encore mes jupes courtes, il était mousse et quand il rentrait de mer, il me cherchait partout. Nous passions notre temps à nous quereller. Mais à peine étions-nous fâchés définitivement, chacun parti de son côté, que nous inventions mille prétextes pour nous retrouver. Si bien que les gens ont commencé à dire qu'il faudrait absolument nous marier plus tard. Cela dure depuis plus de dix ans. Vous parliez tout à l'heure d'entêtement. C'est peut-être pour faire mentir les gens que nous avons décidé de ne pas nous marier quoi qu'il arrive. Le résultat est que nous nous sommes condamnés à mentir aussi. Le plus terrible est que chacun de nous est incapable de vivre avec ou sans l'autre.

— Parlons de vous. Il y a sûrement autre chose qui vous arrête.

— Oui. Autant vous le dire tout de suite car vous finirez par me le faire avouer si vous ne le savez déjà. C'est la peur. Si vous apprenez un jour à connaître ce pays, vous saurez qu'une femme doit avoir le cœur bien trempé pour passer sa vie à guetter le retour des hommes en pêche, à surveiller l'état de la mer, les variations du ciel, à rencontrer des regards de veuves ou d'orphelins à chaque fois qu'elle sort. Il ne se passe guère d'année sans que nous perdions un ou plusieurs bateaux, des petits ou des grands, près de nos côtes ou en mer d'Irlande. Et le pire, c'est qu'on s'habitue, qu'on se dévore soi-même insensiblement jusqu'à tomber dans une sorte d'indifférence que l'on appelle résignation pour ne pas trop s'en vouloir. Je ne suis pas assez forte pour assumer ce destin.

— Que voulez-vous que je vous dise, Lina ? Avec Corentin Roparz il est entendu que nous restons chacun de son côté jusqu'à ce que l'un de nous se décide à rejoindre l'autre, à se livrer à sa merci. J'espère que ce sera lui. Non pas parce que je serai la plus forte, mais parce qu'il est meilleur que moi.

Tout en parlant, elle a remis son bol à café sur le plateau avec la cuillère dedans. Elle a replié sa serviette blanche exactement selon les plis. Le pain était croustillant, mais il n'en reste pas de miettes sur la table, elle a trouvé le moyen de les manger si délicatement qu'il aurait fallu avoir plusieurs paires d'yeux pour suivre son manège. Elle se lève, tenant déjà la sacoche en toile cirée, écarte les bras pour s'inspecter du bas de la robe au haut du devantier, comme font les femmes qui n'ont pas, dans leur maison, plus de miroirs qu'il n'en faut pour se regarder la figure. Elle porte une main à sa coiffe, derrière, devant, sur les côtés, pour vérifier si tout est en ordre. Et, de nouveau, l'étonnant sourire envahit son visage.

— Eh bien, dit-elle, le mieux que nous ayons à faire, maintenant, ce serait d'aller chez Marie-Jeanne Quillivic pour attendre les hommes.

Lina-Lich a tout juste le temps d'attraper son mouchoir dans la poche de son tablier pour arrêter deux larmes au bord des paupières.

— Je vais vous conduire jusque là-bas. Je vous montrerai la maison et puis je rentrerai. J'ai mon travail à faire.

— Vous avez deux servantes, dit Hélèna. Laissez-les donc se débrouiller. Ce soir, vous feriez tout de travers.

— Je ne peux pas aller chez Marie-Jeanne Quillivic.

— A cause d'elle ou à cause de vous ?

— A cause de moi.

— Vous m'avez bien expliqué ce qu'il y avait entre vous et Alain Douguet depuis dix ans jusqu'à ces derniers jours. Mais je pense qu'il a dû se passer quelque chose tout récemment.

D'un seul coup, Lina-Lich se décide, regardant ses ongles.

— Il y a tout juste une semaine, il est venu me demander à ma mère. Il est venu avec sa mère à lui. Elle avait mis son châle neuf et sa plus belle coiffe, la seule qui ne soit pas de deuil. Et j'ai dit non.

— Alors c'est non.

— Je croyais que c'était non. Je suis restée toute la semaine sans penser à rien et sans aucune force, comme après une grande maladie. Et la nuit dernière, il y a eu cette énorme tempête et cette inondation, l'*Herbe d'Or* étant au large. J'ai été prise de fièvre. Une douleur immense a germé quelque part en moi. Une douleur et une honte. Ce matin, ma mère — ce n'est pas une mauvaise femme du tout, ne le croyez pas — m'a dit : Lina, tu as bien fait de renvoyer Alain Douguet. J'ai eu le temps de remonter dans ma chambre avant de m'évanouir. Je donnerais n'importe quoi pour être sa femme à cette heure. Vous devez me croire folle.

— Je crois que vous avez voulu lui dire oui. Mais vous avez eu raison de dire non. Parce que, maintenant, vous savez que c'était oui.

— C'est trop tard.

— Il n'est pas trop tard. Alain Douguet va revenir tout à l'heure avec Corentin et les autres de l'*Herbe d'Or*. Vous n'aurez rien à lui dire s'il vous trouve dans la maison de sa mère.

— Non. Je n'oserai plus jamais regarder Marie-Jeanne Quillivic en face. Et elle ne permettra pas que je mette un pied sur le seuil de sa maison après cet affront que je lui ai fait en refusant son fils. On pardonne beaucoup de choses par ici, mais pas ça. Non, pas ça.

— Est-ce que les gens savent que vous avez refusé ?

— Oh, non. Personne ne sait. Même si on leur disait, ils ne croiraient pas.

— Il n'y a rien de perdu si l'orgueil est sauf devant le monde. Venez avec moi tout de suite. Vous avez dit que je n'étais pas une femme comme les autres. Vous verrez si c'est vrai. Et si je ne réussis pas à mettre la paix entre vous, Corentin le fera. Corentin sèmerait la graine d'amitié entre le loup et l'agneau. Venez ! Je saluerai votre mère en repassant par chez vous.

Avant de sortir, Lina décroche, dans le couloir, un manteau à capuchon, un manteau d'homme qui est resté après son marin de père. Lich Mallégol et elle aiment à s'envelopper dedans pour faire leurs courses indispensables par grand vent ou forte pluie. Les femmes de Logan, riches ou pauvres, n'ont jamais de manteau sinon la grande cape de deuil qui ne sert que pour les enterrements et les relevailles. La jeune fille remonte le capuchon sur sa coiffe. De ses grandes mains, Hélèna lui arrange le lourd vêtement autour des épaules.

— Avec ça, au moins, vous n'êtes pas en danger de prendre froid, Lina Kersaudy.

L'autre baisse la tête.

— C'est pour la honte, souffle-t-elle.

Dehors, le brouillard est toujours aussi dense. Le double pinceau du phare passe quelque part là-haut. Au milieu de la place, une lanterne-tempête se balance au bout d'un bras. C'est Joz qui tourne encore autour de son car. Peut-être pour essayer de flairer la prochaine panne. Le bureau de tabac est toujours allumé. Dans sa cage grillagée, Manche-Vide attend son fils. Et le fils se fait du souci pour les deux femmes. Quand elles sortent de chez Lich Mallégol, il s'approche vivement.

— Ce café devait être de première classe, grogne-t-il. Vous avez mis du temps à le boire. Et la nuit en a profité pour noircir.

— Quand la nuit de Noël est noire, dit Hélèna, nous autres paysans, nous croyons que l'année sera bonne pour le seigle.

— Vous ne voulez pas que je vous emmène là-bas avec ma lanterne ? Le chemin de côte est déjà un casse-cou habituellement, mais avec ce qui s'est passé, on n'arrive même plus à savoir où il est.

— Je pourrais aller chez les Douguet les yeux fermés, affirme Lina-Lich qui a retrouvé toute son assurance. Mais vous avez raison, Joz. Hélèna Morvan risque de se fouler une cheville dans quelque ornière. Prêtez-moi votre lanterne, je vous la rendrai demain. Et rentrez chez vous tranquillement. Elle et moi, nous avons besoin de nous dire certaines choses sans qu'il y ait des oreilles d'homme dans nos environs. N'est-ce pas, Hélèna ?

Joz leur tend sa lanterne-tempête qui éclaire deux visages

et deux sourires. Il en est tout réchauffé du coup. C'est vrai tout de même que c'est la nuit de Noël. Il l'avait oublié. Mais si on se laissait aller pour si peu, où irait-on !

— Si un jour il m'arrive de rencontrer une femme raisonnable, bougonne-t-il, je suis capable d'en mourir de saisissement. Dieu m'en garde ! Mais qu'est-ce qui se passe ? Voilà qu'il se met à neiger maintenant.

Il entend la voix d'Hélèna qui s'éloigne au bras de Lina-Lich.

— Tant mieux. Il y aura des pommes cette année.

5

Le maître de l'*Herbe d'Or*, intensément, cherche à percer la brume pour recomposer avec précision, dans leurs attitudes familières, les masses d'ombres qui sont ses hommes. Ce n'est pas facile parce que d'être immobilisés par le sommeil ou l'attention les empêche de trahir même leur corps au-delà de ce que signifie l'expectative ou l'abandon. Il a du mal à les reconnaître, sauf l'homme d'avant, pourtant le plus loin de lui, mais dont la silhouette rageuse refuse de s'effilocher. C'est bien un Douguet, celui-là. Les autres, la barque morte sur l'eau figée les enveloppe si bien qu'ils pourraient passer pour autant de tas de filets si la tempête n'avait pas dénudé l'*Herbe d'Or* de tout ce qui n'était pas son équipage. Et lui, il tâche de les faire revivre devant ses yeux au moins pendant le temps qui lui reste avant de les quitter. En vérité, ils sont plus proches de lui que son propre corps qui est en train de l'abandonner. Si seulement pouvait se lever un souffle de vent, une risée fugitive, cela suffirait pour les réveiller tous ensemble, il le sait bien, ce sont des hommes de mer. Et alors, en les voyant activer leurs membres, il aurait l'illusion de retrouver les siens.

Maintenant, il éprouve combien ils lui étaient nécessaires. Tant qu'il n'a fait que vivre parmi eux il les a bien estimés certes, et sans doute plus pour leurs défauts avérés que pour ce qu'on appelle communément des qualités, mais il était tellement pris par son propre démon que sa considération à leur égard n'allait pas plus loin que les liens qui unissent entre eux les hommes d'un bon équipage de pêche. A l'heure qu'il est, il lui apparaît clairement qu'ils l'ont beaucoup aidé à vivre, eux et ceux qui les ont précédés sur l'*Herbe d'Or* et qui ne sont plus de ce monde ou que l'âge tient désormais à terre, assis ou debout contre les murs au soleil et les yeux fixés sur la passe d'entrée du port de Logan. Longtemps il s'est demandé pourquoi son impatience de passer à l'envers du monde croissait avec les années. La réponse était pourtant la même pour lui que pour beaucoup d'autres : à mesure que s'écoulait le temps, sa meilleure et sa plus fidèle compagnie émigrait de l'autre côté pendant qu'il se plaisait dans des songes creux qui étaient peut-être aussi les leurs, pourquoi pas ! Sur la question de l'Au-delà, mis à part les croyants qui n'en parlaient pas plus volontiers que les autres, mais dont on savait qu'ils s'en remettaient à leurs pasteurs, ses compagnons s'en tiraient par un « on verra bien » qui était un refus d'aller plus loin. Et quand on évoquait devant eux certaines légendes de la Mort qui resurgissaient à chaque naufrage, ils ne manquaient pas de les tourner en dérision, bien qu'avec prudence et retenue. Mais qui peut savoir ce qui se passe dans la tête de gens pour qui le silence est la meilleure (et quelquefois la seule) arme pour se défendre. Qu'on les force à prendre la parole et ils s'en servent pour déguiser leur pensée. Qui songerait à leur en faire grief ! Quant à ces trois hommes et à ce mousse, ils ne diffèrent en rien des précédents, mais ils sont là, présents et en vie. Et le maître de l'*Herbe d'Or*, qui vient de découvrir ce qu'ils valent pour lui, aura quelque mal à les quitter pour aller retrouver les autres s'il arrive à savoir où ils ont pris leurs nouveaux quartiers, dans quel havre ils se sont évadés entre la peau de la mer et la langue du vent.

Il n'a pas, il n'a jamais eu d'autre famille que ces hommes dont on dit qu'ils ont de l'eau salée autour du cœur. Ils sont durement atteints du mal de la mer, aussi gravement que d'une maladie mortelle, mais cette maladie est la racine même de leur vie. L'état de ces pêcheurs n'est pas seulement un métier pour le pain quotidien, c'est une vocation et plus encore. Ils vont sur la mer comme on entre en religion. Contraints et forcés, mais par eux-mêmes. Si on les privait de leurs barques, ils trouveraient le moyen de naviguer dans leurs sabots. Si la mer venait à se tarir, ils mettraient le cap sur la nuée d'orage pour pêcher les constellations dans des toiles d'araignées. Et s'il n'y a pas de mer au Paradis, ils iront se plaindre à saint Pierre, ils verseront tant de larmes que le portier devra gréer de neuf l'Arche de Noé pour qu'ils puissent mettre à la voile sur l'eau de leurs yeux. Tout cela est dit dans une vieille chanson que chantait, paraît-il, la Diablesse. Certains déclarent même qu'elle était de son invention bien que saint Pierre ne fût pas précisément son cousin, tout pêcheur qu'il ait été pendant son temps mortel.

Pierre Goazcoz les a vus vivre, les pêcheurs de Logan et des autres ports de cette côte du Bout du Monde, voisins de près, plus proches encore de tête et de cœur, mis à part certains traits qui ne permettent pas qu'on les confonde et dont ils peuvent se montrer jaloux jusqu'à la fureur. Mais il n'est pas un seul d'entre eux, débarqué à la côte, qui ne se trouve aussi gêné qu'un cormoran à qui l'on a raccourci les ailes. Il ne sait pas bien comment on vit parmi les meubles d'une maison, comment on marche sur un chemin solide et immobile. Il jette la jambe un peu trop à gauche ou à droite, assurant le corps sur les genoux pour s'équilibrer d'avance si la terre venait à rouler sous lui. Et que pourrait-il faire de ses mains, sinon les plonger au fond de ses poches, comme on conserve un outil dans son étui quand il a fini de servir pour une fois. A terre, il n'y a pas beaucoup de cordages sur quoi tirer, ni de filets à relever, ni de grands poissons à empaumer pour leur vider les entrailles. Il est parfaitement chômeur, c'est-à-dire en période d'inactivité forcée. Et il lui est difficile de s'éloigner du quai. Il n'aime pas s'enfoncer dans les terres parce qu'il y a des arbres qui cachent l'horizon et même le ciel. Il reste avec les autres, devant les barques désarmées, à tenir des propos de mer et de poissons. Les équipages, à terre, ne se séparent pas beaucoup plus les uns des autres que les doigts de la main, la paume étant le bateau. Chaque compagnie d'hommes a son débit où se font ses partages et ses dépenses de loisirs, c'est là que l'on trouve sans faute les gens quand on les cherche. Ce n'est pas qu'ils s'ennuient dans leur famille, l'affection ne leur fait pas défaut. Mais la femme est la maîtresse dans la maison, le premier devoir de l'homme est d'être dehors quand il n'a rien à faire chez lui. Pierre Goazcoz ne fait pas exception. Bien qu'il vive tout seul dans « la grande maison », il s'oblige à en sortir aux mêmes heures que les autres chefs de ménage et il s'essuie soigneusement les pieds avant d'entrer, comme s'il était attendu par une femme, une mère ou une sœur soucieuse de la propreté de son domaine particulier et qui ne s'aviserait jamais d'aller salir un bateau de pêche. A chacun ses honneurs.

Le maître de l'*Herbe d'Or* a fermé les yeux sur l'écran de brume et ses ombres qu'il est sûr de retrouver dès qu'elles se décideront à redonner signe de vie. Il n'a eu aucun mal à effacer le lieu et le moment qui étaient déjà tout près de s'évanouir. Et c'est tout le port de Logan qui s'est mis à vivre autour de lui. Il en revoit presque tous les habitants les uns après ou avec les autres, y compris quelques-uns dont il sait bien qu'ils sont morts, mais quelle importance ! La plupart des femmes ne font que passer en profil perdu, à peine reconnaissables. C'est de sa faute, il ne s'est jamais beaucoup intéressé à elles. Ses affaires de cœur et même ses œuvres de chair, qui ne furent pas négligeables au temps de sa jeunesse, ont pris fin avec son retour à Logan. Et jamais, d'ailleurs, il n'a pu se partager. Il aurait peut-être dû se distraire un peu de sa quête solitaire pour mieux regarder autour de lui. Car il s'aperçoit qu'il a grand mal à retrouver les visages de Lich Mallégol et de sa fille Lina Kersaudy. Pourtant, ces deux-là, il aurait dû les connaître depuis le temps qu'il a ses habitudes chez elles. Il a essayé. Il y est même arrivé un peu puisqu'il parvient à retrouver leurs gestes, leurs attitudes, jusqu'au son de leurs voix. Il voit distinctement les mains de la mère et de la fille, mais les visages demeurent flous. Les a-t-il jamais regardés avec attention, égoïste qu'il était, alors qu'elles ne cessaient pas de le servir au-delà de ce qu'elles lui devaient, une certaine affection en plus, il en est sûr maintenant. Mais maintenant il n'aura plus le temps de payer aucune de ses dettes. Au-dedans de sa poitrine un poing se serre inexorablement sur son cœur. Et comment lui faire lâcher prise alors qu'il ne sent plus sa propre main gauche, la meilleure, et qu'il faudrait cent ans à la droite pour remonter à l'endroit du mal ? Il s'entend ahaner.

Les hommes de Logan, c'est étonnant comme il les retrouve tout entiers, comme il se projette en lui, à sa volonté, tous les détails de leur immobilité ou de leurs mouvements. Il joue avec eux et eux avec lui comme cela se fait dans la vie courante sans pour autant tirer à conséquence au-delà des menus plaisirs ou désagréments quotidiens. Si c'était l'essentiel, pourtant, cette approche continuelle des autres, cette complicité sans calcul, cette imprégnation mutuelle, cette inconsciente création de la réalité, cette échappatoire au néant. Pierre Goazcoz tient encore au bas monde par des images qui, pour être seulement un reflet en lui, n'en sont pas moins autant de liens qui le rattachent à sa condition humaine. Est-ce bien sûr ? Comment se fait-il que les disparus paraissent aussi à l'aise dans ce Logan intérieur dans lequel font irruption au surplus, sans aucune gêne, des êtres qu'il a connus en d'autres lieux, et d'autres lieux séparés de Logan par des étendues de terres ou de mers ? En vérité, c'est une curieuse machine que l'homme et il est bien possible qu'elle n'ait ni commencement ni fin, seulement des phases, des étapes dont l'incarnation n'est que la présente. Il se sent sourire en voyant soudain, très gros plan devant lui, les yeux bleus de Nonna Kerouédan et cette verrue qu'il a dans le sourcil gauche. Comment sortir de ce cinéma ?

Une douleur aiguë fait basculer les images sans les détruire. Au contraire, elles se rétablissent l'instant d'après et se mettent à faire du bruit. Il ne comprend pas encore ce qu'elles disent, mais il voit bouger les lèvres à leur rythme, briller les yeux, sonner les gestes. Lui reviennent des souvenirs d'école au sujet de Baudelaire et de sa « vie antérieure ». Il se dépêche de les chasser pour jouir de la hauteur et de l'intensité des sons émis par les gens de mer, les siens. Ils ne sont pas capables de retenir leur voix ni de parler entre eux sur le mode bas. C'est bon pour les conspirateurs, les chercheurs de poux, les mauvaises langues. Proclamer haut et clair leurs idées et leurs desseins, leurs sentiments et leurs opinions, comme d'attendre que leur contradicteur ouvre la bouche, s'il peut, voilà leur loyauté devant tous. D'ailleurs, en mer, il faut articuler fortement les paroles, autrement elles sont avalées dans le bruit de la houle ou dispersées dans le vent. A les entendre parler, quelquefois, vous pourriez croire que les gens de mer vont vous manger tout vif, vous avaler tout cru. Or, quand ils sont intimidés devant vous, ils parlent encore plus fort, ils présentent un visage hargneux. Mais ils sont meilleurs que la moyenne des gracieux. Quel chahut ils font ! Au point que leurs éclats de voix retentissent en vous. C'est peut-être que vous êtes en train de leur répondre, de les interpeller, en tout cas d'unir votre voix à la leur pour ne pas demeurer en reste.

— Qu'est-ce qui vous arrive, Pierre Goazcoz ? Vous êtes malade ?

Il ouvre les yeux, doucement, avec du mal. Devant lui, tout près, il voit le regard de terre mouillée de Yann Quéré. Un regard inquiet. Il sent vaguement une main qui lui secoue l'épaule, une épaule qui lui appartient à peine. Il entend sa propre voix, rogue :

— Qu'est-ce qu'il y a ?

— Tu as crié comme quelqu'un qui a mal.

— Un cauchemar sans doute. Je suis un peu abruti. Où sont les autres ?

— Chacun à sa place. Où veux-tu qu'ils soient ? A se promener sur le port ?

— Réveille Corentin.

Du fond des Limbes, mais distincte, la voix tranquille, inaltérable, de celui qu'on n'appelle que par son nom de baptême.

— Je ne dors pas.

— Tu aurais dû dormir pendant que c'était ton tour.

— Il faudrait pouvoir.

— Tu ne dors jamais, alors ?

— Et toi ?

— Moi, ce n'est pas pareil.

— Moi non plus.

Voilà. Il n'y a plus rien à dire. Mais Pierre Goazcoz a besoin de parler.

— Qu'est-ce qu'il fait, le mousse ?

— A tes pieds, dit Yann Quéré qui s'est redressé. Il dort comme un sac. Et il fait bien. Il n'y a que lui de raisonnable sur ce fichu bateau. Il sait qu'aucun animal ne dort, la nuit de Noël, sauf l'homme et le crapaud.

C'est Alain Douguet, à son tour, l'homme d'avant, qui se fait entendre de là-bas.

— Es-tu homme ou crapaud, Yann Quéré ?

— Je crois que je suis homme, mais j'aimerais mieux être crapaud, pour le moment. Au moins je n'aurais à me garder que des roues de charrettes. Tiens ! Il y aura des pommes, cette année.

— Qu'est-ce qu'il raconte encore, bougonne Alain Douguet.

— Il commence à neiger. Et quand il neige, la nuit de Noël, c'est qu'il y aura des pommes au prochain automne, mon garçon.

— Ce Yann Quéré, il restera toujours paysan. De pied en cap.

— Voilà. Et les paysans de chez moi disent que je suis marin de naissance. Qui a raison ?

— Mais ton père avait bien une ferme dans les montagnes, non ?

— Oui, il avait une ferme, mais elle n'aurait pas dû lui revenir. C'est son frère aîné qui allait la prendre, comme il avait toujours été convenu, quand le grand-père se mettrait sur sa réservation. Mais il a été tué dans un accident de battage. Mon père avait déjà fait douze ans dans la marine à voiles, comme beaucoup de cadets paysans. Il a débarqué pour prendre la bêche et se mettre à la tête des chevaux. Il n'a plus connu que les coups de peigne du vent sur les collines de bruyères. Il en avait mal au cœur, quelquefois.

— Je comprends. C'est dur quand il faut changer de métier au mitan de la vie. Surtout quand il faut lier la gerbe à genoux quand on a bordé la voile dans le ciel. Ah, misère !

— C'était quand même un bon paysan, un homme de métier qui connaissait non seulement les lois de la terre, mais ses humeurs. Et il trouvait beaucoup de satisfaction à ce qu'il faisait... Le plus dur, pour lui, était de supporter les hivers.

Dans les mois noirs, il n'y a pas assez à faire pour quelqu'un qui trouve son plaisir à se donner à fond dans les grands travaux comme les moissons que j'ai connues alors, quand des dizaines d'hommes, de femmes et d'enfants allaient jusqu'au bout de leurs forces dans les champs pour s'assurer le pain quotidien. L'hiver, le paysan est à peu près seul dans les espaces nus, sous la lumière froide, occupé à tenir ses terres en état. Ou il répare ses outils dans sa grange ou son écurie. Il y en a beaucoup qui ne s'en plaignent pas. Mon père était d'une autre farine. Il aimait la compagnie, il aurait voulu ne pas perdre une heure de son existence à des tâches obscures, il regrettait le temps où il avait tout un équipage autour de lui, vous entendez ce que je veux dire ! Parfois, l'hiver, il n'y tenait plus. Quand nous étions couchés dans nos lits clos, quand le vent de suroît ébranlait tous les huis de la maison et faisait chanter les serrures, tout à coup il poussait à pleine voix une chanson qu'il avait « levée » lui-même pour sa consolation. Il clamait le cantique de son voilier.

C'était un grand château léger qui se balançait sur une mer bleue comme un champ de lin.
La pointe des mâts était plus loin de l'eau que celle de la plus haute église ne l'est du cimetière.
Et les perroquets, en travers des mâts,
formaient des croix parfaites,
Seigneur Dieu !

Avez-vous vu, le matin, autour de la grande fougère des bois, des fils croisés en long et en travers ?
Sur mon vaisseau, il y avait plus de cordages qu'il n'y a de fils autour de la fougère.
Et le soleil béni les faisait briller dans le ciel comme les rets de la Vierge dans les chemins de terre.
Seigneur Dieu !

« Voilà ce qu'il chantait, mon père. Il y avait d'autres couplets qu'il improvisait selon son inspiration ou les souvenirs qui lui revenaient, mais ces deux-là ne changeaient jamais. Et quand il avait fini de chanter, on entendait ma mère qui pleurait dans son lit.

— Pleurait pourquoi, ta mère ?

— Pleurait de joie. Parce qu'elle savait que son époux qui était mal à son aise depuis des jours et des jours, comme lorsqu'on couve une maladie, se libérait pour quelque temps. Nous, les enfants, nous l'entendions lui dire, entre deux hoquets : c'est bien, Guillaume, c'est très bien. La chanson s'appelait « le Château de Toile ». C'est à cause d'elle que je suis devenu marin, mais trop tard. Les châteaux de toile étaient presque au bout de leur temps. Il restait quand même l'*Herbe d'Or* avec juste ce qu'il fallait d'ailes pour les rappeler.

— Je n'ai jamais entendu chose plus étonnante. C'est la première fois que tu nous parles de ton père. Tu es pourtant le plus bavard de nous tous, sans offense.

La voix rogue d'Alain Douguet est étrangement assourdie. C'est sans doute le brouillard ou la neige. Il a dû tenir la bouche ouverte pendant tout le temps que Yann a parlé.

— Je n'ai jamais été avec vous pendant la nuit de Noël. Cette nuit-là vous fait monter le cœur à la gorge, comme la crème sur le lait. Ainsi fait-elle, m'a-t-on dit, depuis avant la naissance du Christ. Et si vous voulez m'écouter encore un peu, je vous dirai comment est mort mon père, le paysan. Il est mort dans une tempête, oui, au pied d'un grand mât tout hérissé de perroquets, tout résonnant de bruits dans le vent de galerne. C'était au pied d'un chêne, dans les Montagnes Noires. Le pauvre homme avait dû se mettre à l'abri pendant qu'il fauchait un pré. L'orage l'a foudroyé debout, avec sa faux. Quand nous l'avons trouvé, il était tout noir, mais il avait le sourire. Probable qu'il avait rejoint son château de toile. Je l'ai porté en terre, j'ai laissé la ferme à l'une de mes sœurs et je suis descendu sur la côte pour aller travailler le champ qui bouge et qui n'appartient à personne. En espérant que mon père sera content de moi.

Pierre Goazcoz a repris un peu de chaleur. Le poing qui lui comprimait l'intérieur de la poitrine s'est relâché. Il arrive à remonter sa main droite jusqu'à son front. Il faut qu'il parle, il sent que c'est à lui de parler. Qu'il dise n'importe quoi.

— A la bonne heure. A vous deux, ton père et toi, vous avez eu une vie entière de paysan et une vie entière de marin. Il paraît que c'est la meilleure destinée. Dans ma jeunesse, on disait encore que lorsqu'un marin se présente au soleil de la terre, son ombre, derrière lui, dessine la forme d'un paysan. Et moi, quand je vois un paysan debout dans sa charrette et naviguant dans les ornières, les rênes serrées et l'œil au loin, sans mentir, je trouve qu'il fait avec son corps comme un marin sur la mer. Mais dis-moi...

Que c'est difficile de faire du bruit avec la bouche, plus exténuant encore de pomper assez d'air pour ne pas risquer de détruire le corps des paroles. Et cette poitrine qui menace d'éclater ! Pendant qu'il cherche son souffle, il voit s'approcher du sien le visage de Yann Quéré, attentif et soucieux. Au-dessus de lui, deux autres visages, un peu flous mais avec la même expression. Que lui veulent-ils, ces trois-là ? Trois Rois Mages déroutés et neigeux.

— Quelque chose qui ne va pas, Pierre Goazcoz ?

— Rien. Je pensais seulement que des châteaux de toile, il y en a encore quelques-uns dans la grande pêche. A Concarneau...

— Je sais. C'est à Concarneau que je suis allé en descendant des Montagnes. J'étais à peine devant la mer que j'ai vu surgir de l'horizon trois thoniers, couverts de toile de haut en bas, qui luttaient entre eux pour gagner le port. Cela m'a fait cogner le cœur, terriblement. Mais je me suis dit qu'avant de me hasarder sur de pareils monuments, il valait mieux que j'apprenne le métier sur une barque. Pas avec n'importe qui, bien sûr. J'ai trouvé l'*Herbe d'Or*.

— L'*Herbe d'Or* n'a plus rien à t'apprendre depuis longtemps.

Le visage de Yann Quéré s'éloigne brusquement, repoussant les deux autres derrière lui.

— Ne croyez pas ça. Et mettons que je me trouve bien avec vous, sacrée sale graine de Loganistes. Bon ! Maintenant, faisons la paix avec toutes ces sornettes. Je ne veux plus en parler. Jamais.

— Comme il te plaira, parvient à articuler le maître de l'*Herbe d'Or*.

Et il ferme les yeux pour s'écouter mourir.

La neige tombe plus dru, avec une impressionnante lenteur et tout droit, au travers d'une brume grisâtre et qui s'est allégée, dirait-on. Toujours pas une trace de vent. L'*Herbe d'Or* achèverait de disparaître dans la blancheur si la mer couleur de plomb, immobile sous lui et digérant les flocons à mesure, n'en faisait ressortir le dessin par contraste et à la faveur d'un éclairage faible et terne qui doit émaner du ciel si le ciel est toujours là-haut. Le trait plus sombre du mât de taillevent semble durement fiché dans la barque pour la clouer à l'eau, seulement pour cela. Tassé à la barre, Pierre Goazcoz n'est plus qu'un bonhomme de neige. Les autres sont debout, les trois têtes presque à se toucher, comme des conspirateurs. De temps en temps, l'un d'eux s'ébroue pour désenneiger son gros paletot. Si insolite est le monde autour d'eux qu'ils ne pensent même plus à se défendre contre le froid de loup. Pas un mot jusqu'au moment où une inquiétude assaille Yann Quéré.

— Je vais voir comment va le mousse.

Il fait deux pas vers l'arrière, s'accroupit devant une masse neigeuse presque aux pieds de Pierre Goazcoz. Il tâte avec précaution, finit par soulever un coin de prélart. Herri est dessous, pelotonné comme au sein de sa mère. La main de Yann trouve son visage. Il lui semble bien y sentir une chaleur mais il n'en est pas sûr. Il ramène sa main, la frotte vigoureusement contre l'autre, la glisse sous le paletot du gosse à l'endroit du cœur. Le cœur bat régulièrement. Yann soupire, soulagé, remet le prélart en place. Que peut-il faire de plus ! Sur le bateau creux, la tempête n'a rien laissé que ce bout de chanvre goudronné, la voile de taillevent assez mal en point et ce qu'ils ont dans leurs poches, les mouchoirs, les couteaux, deux briquets et sa pipe à lui, la seule à bord.

— Ça va, dit-il. Il dort d'un bout à l'autre.

Et il ajoute, comme pour s'excuser de ne pas regagner sa place :

— Je vais rester par ici.

D'un geste vague, son bras désigne le mousse ou Pierre Goazcoz ou les deux. Il écarte les jambes pour mieux se planter, enfonce les mains dans ses poches. Le voilà paré pour la garde.

— Et moi je retourne à l'avant, dit Alain Douguet, si je ne peux servir à rien. Je suis tellement habitué à cette place que je me trouve gêné quand il faut que je la quitte. Je ne sais pas comment je ferai quand il faudra que je passe à l'arrière.

— Quand tu passeras à l'arrière, et ce sera bientôt, il y aura un moteur sur ta barque. Avant un an ou deux. Les postes de travail ne seront plus les mêmes. Et puis viendra un pont, peut-être une cabine, une cale à poissons, des compartiments à filets, des appareils pour se gouverner, quoi encore ! Vous n'aurez aucun mal à vous habituer à des nouveautés qui vous épargneront une bonne moitié de votre peine. Salut, les gars !

— Et toi, Yann Quéré ?

— Je ne sais pas. J'ai fini mon apprentissage. Et personne n'osera plus donner à un bateau le nom de l'*Herbe d'Or*.

— Qu'est-ce qu'il veut dire ? demande Corentin.

— Je n'en ai pas entendu plus que toi. Mais avec Yann Quéré, comme avec Pierre Goazcoz, il suffit d'attendre. Ces gens-là finissent toujours par s'expliquer. Pas vrai, paysan ?

— Vrai, matelot. Mais pas avant d'avoir dénoué les nœuds de leur ficelle.

— Bon, dit Corentin. Je vais à l'avant avec toi. J'ai justement quelque chose à te demander si tu as le temps, je veux dire si tu veux bien m'écouter.

— Et tu ne veux pas que Yann Quéré t'écoute ?

— Je n'ai rien à cacher à personne. Mais je crois que Yann Quéré a autre chose à penser. Plein la tête. Je ne voudrais pas le déranger. C'est pourquoi.

Ils remontent vers l'avant. Du tranchant de la main, ils dégagent la neige pour dénuder le bois. Tous les deux s'acagnardent dans l'étrave, sous le bordé, mêlant presque leurs respirations. Un confessionnal ou tout comme. Et Corentin commence d'assez loin.

— Ce Yann Quéré, il est tout pareil à ma femme. D'ailleurs, c'est avec lui que je l'ai connue. Ils sont enfants de cousins.

— J'aimerais bien connaître ta femme, Corentin. Je te dirai qu'on a tous été un peu humiliés, à Logan, quand tu es allé chercher une paysanne du fond des terres. Sans rien nous dire. Tu es orphelin depuis tout petit, ta vraie famille c'est nous autres, quand même. Mon père ne faisait pas de différence entre ses fils et toi. Si on ne te connaissait pas bien, on croirait que tu as eu la tête tournée par les Goazcoz qui sont toujours allés chercher leurs femmes ailleurs. Mais, bon, si cette Hélèna est de la race de Yann Quéré, il n'y a rien à dire.

— Écoute. Je devais l'amener chez ta mère pour cette nuit de Noël. C'était entendu avec Marie-Jeanne Quillivic. On ne t'a rien dit pour te réserver la surprise. Cette mauvaise tempête a tout défait. Elles doivent croire que nous sommes au fond. Pour ceux qui attendent sur la terre un bateau qui ne rentre pas, le temps dure.

— Beaucoup plus que pour nous. Tant que la mer et les vents font leur office, tant que le bateau travaille, nous ne sentons pas le temps passer, nous ne pensons pas à ceux de la maison. Maintenant que nous sommes encalminés comme jamais, je me fais du souci pour la mère. Sur quatre hommes qu'elle avait, il ne lui reste plus que moi. Et moi je n'ai plus qu'elle.

— Hélèna serait tranquille, dans son village, si je n'avais pas promis d'aller la chercher et s'il n'y avait pas les journaux. Tu crois qu'ils ont déjà eu le temps de marquer que l'*Herbe d'Or* était resté en mer ?

— Sûrement. Ils sont tellement pressés qu'ils sont capables d'annoncer un événement avant qu'il ne soit arrivé. Il faudrait que nous arrivions à quai avant demain matin. Sinon, à Logan, ils vont dire les trois messes et nous porter disparus.

— J'ai quelque chose à te demander. Mais avant, il faut que je t'explique le pourquoi pour que tu comprennes bien. Voici : l'année dernière, quand nous avons désarmé, à la Saint-Michel, Yann Quéré allait partir dans son village de la montagne. Il avait dans l'idée de donner un coup de main à sa compagnie pour les pommes de terre. Il m'a demandé d'aller avec lui. Ma foi, je ne savais pas trop quoi faire de mon temps pendant quelques jours, je suis parti.

— Et tu es revenu tout drôle, je me souviens.

— Quand nous sommes arrivés dans son village, il était trop tard pour les pommes de terre. Elles étaient déjà ramassées et les gens préparaient une grande fête de nuit comme ils ont l'habitude d'en faire entre eux pour célébrer la fin des récoltes. Yann et moi nous avons reçu notre ration de quolibets à propos des gaillards qui laissent généreusement le travail aux autres pour s'appliquer de toutes leurs forces aux réjouissances quand la bonne heure est venue. Et puis nous avons été invités à la fête, on nous a priés de ne pas marchander au plaisir cette sueur que nous n'avions pas voulu répandre au travail. Yann Quéré a promis pour nous deux.

Le village, en réalité, n'était qu'un hameau de trois fermes groupées dans un pli de colline auquel on n'avait accès que par de mauvais chemins de terre. Mais quelques-uns de ses habitants étaient réputés au loin pour être d'infatigables chanteurs à danser. On savait aussi qu'ils se réunissaient tous pour les grands travaux et qu'ils n'avaient pas leurs pareils pour se livrer à la joie quand c'était fini. Des gens de tous âges arrivaient à pied, certains d'entre eux d'une lieue et plus, pour assister à leurs fêtes de nuit, c'est-à-dire pour y prendre part, car il n'était pas question, à moins d'être complètement empêché de ses membres, de rester regarder les danseurs sans entrer dans la danse. Les gros bonnets du bourg, situé à deux kilomètres dans la plaine, y arrivaient en chars à bancs, le maire en tête sous son chapeau melon. Ils n'étaient pas les derniers à s'échauffer aux accents des chanteurs, à obéir aux vieux démons qui leur travaillaient les jambes car ils étaient tous des fils de la montagne. Et l'on racontait que les voix hautes des chanteurs, leurs ritournelles, les encouragements qu'on ne leur ménageait pas, les cris stridents lâchés par les danseurs au comble de l'excitation, faisaient résonner la nuit jusqu'aux extrêmes limites du canton. Yann Quéré était intarissable quand on le mettait sur le sujet et ceux de l'*Herbe d'Or* ne s'en privaient pas. A Logan et dans tous les ports du sud, les hommes et les femmes étaient assez volontiers des vive-la-joie à la moindre occasion, mais ils avaient d'autres façons de s'exalter, de célébrer leurs heures de fêtes. Ils ne connaissaient pas les campagnes profondes ni les rudes échines de la montagne où affleuraient les rocs. Ils ne se gênaient pas pour qualifier les coupeurs-de-vers de lourdauds terreux et les montagnards de primitifs sauvages. Mais ils n'en étaient pas moins impressionnés, presque respectueux, quand Yann Quéré se laissait aller, chez

Tante Léonie, à exécuter une gavotte de son pays en la soutenant de sa propre voix, sur des paroles qu'il improvisait lui-même pour se moquer des petits travers attribués, à tort ou à raison, aux marins-pêcheurs de Logan. En toute amitié, bien entendu, et à charge de revanche. Il lui était même arrivé, à ce diable d'homme, capable des plus fortes mélancolies comme des plus excessifs débordements, il lui était arrivé de danser la gavotte sur l'*Herbe d'Or* dans la houle. Sans raison apparente. Mais il s'en expliquait en déclarant que le démon de la danse pouvait vous saisir partout et que la seule façon de s'en libérer était de lui donner son compte. Quand la fête de nuit faisait rage dans son village, ajoutait-il en riant, les recteurs des paroisses d'alentour sautaient sur leur bréviaire pour conjurer l'inspiration satanique aux aguets sous ces rythmes et ces paroles qui n'étaient pas d'église, fichtre non. Mais les jeunes vicaires se levaient en chemise et pieds nus dans les presbytères pour mimer en silence et en douceur les pas de la gavotte simple ou double. Croyez-le si vous voulez.

A leur arrivée, tardive donc, Yann Quéré et Corentin Roparz, après une solide collation avec les ramasseurs de pommes de terre, avaient été donnés en renfort à une équipe de jeunes gens dont la mission était d'inspecter les chemins de terre jusqu'au bas de la colline. Ils devaient couper les ronces et les orties de part et d'autre des passages, combler les ornières trop profondes et les nids-de-poule qui pouvaient rendre malaisée la marche des arrivants. Après quoi il leur resterait à rassembler assez de fagots et de branchages à trois carrefours pour y allumer des feux à la nuit tombante. Ces feux, très visibles d'en bas, guideraient vers le village les « chats-de-nuit » qui ne connaissaient pas bien les détours capricieux des sentes et risquaient de s'égarer dans des culs-de-sac où les plus crédules d'entre eux ne manqueraient pas de voir des êtres surnaturels de mauvais augure. Corentin Roparz lui-même, qui avait toujours vécu sur la côte, avait été impressionné par ce silence qui régnait en maître dès que vous aviez quitté les lieux habités. Mais à peine les feux avaient-ils commencé à flamber que l'on avait entendu, tout au long des pentes, éclater des cris et des rires, jusqu'à des conversations sur des bruits de sabots. Ils étaient moins de deux douzaines à grimper vers le village, mais ils dégageaient de la vie comme cent tellement les sons portaient haut et loin. Aucun maléfice n'aurait pu tenir contre une telle alacrité. Et déjà des couples de chanteurs, invisibles dans les chemins creux, se mettaient en voix avec des *tralalalaleno*.

L'équipe des baliseurs était remontée, laissant, pour alimenter les feux, des gamins ravis de l'aubaine. La grande cour, commune aux trois fermes, avait été nettoyée de près par les femmes expertes à manier les balais de genêts. La charretterie qui donnait dessus avait été débarrassée de ses machines et de ses véhicules à l'exception d'un seul tombereau dont on avait établi les brancards à l'horizontale. Il servirait d'estrade aux chanteurs. Dans le fond, contre le mur, on voyait briller vaguement des barriques, des bols, des verres, des pains de dix livres et des cochonnailles. Il faut redonner des forces aux gens qui travaillent à danser ou à chanter, un sac vide ne tient pas debout. Cependant les gens du village, dans leurs hardes de travail, le visage encore noirci par la poussière des champs, passaient et repassaient avec des paniers, des outils à main, un fardeau sur l'épaule ou tirant à bout de rênes un cheval fatigué. Ils passeraient sans transition de leur tâche quotidienne à la danse, celle-ci n'étant que le couronnement exceptionnel de celle-là.

Et, d'un seul coup, l'aire fut envahie par des hommes, des femmes, des enfants qui arrivaient de tous les côtés. Ils avançaient lentement, comme on doit le faire quand on est en visite chez les autres, même proches parents. La scène n'était éclairée que par les lampes à pétrole posées par les ménagères au haut bout de leur table, presque au ras des fenêtres donnant sur la cour, et par quelques lanternes-tempête accrochées çà et là. Sur le tout régnait un ciel clair, tout piqueté d'étoiles comme dans Victor Hugo. Cela suffisait, en dépit des zones d'ombre, pour se rendre compte que les gens d'en bas avaient mis des vêtements propres. Les jeunes filles et les jeunes femmes surtout avaient combiné finement une tenue d'entre dimanches et jours de semaine. Il faut rendre les justes honneurs qui conviennent à chaque circonstance, ni plus ni moins. Ce sont là des choses que l'on apprend de sa mère.

Pendant que Yann Quéré faisait le tour de la cour pour saluer les parents et les amis qu'il n'avait pas encore vus, Corentin s'était reculé dans l'ombre, contre un mur d'écurie. Derrière le mur, il entendait le bruit d'un sabot de cheval frappant les dalles de pierre et, après chaque coup, l'animal émettait une sorte d'éternuement. Corentin ne désirait qu'une chose : rester là tout seul sans être vu, mais spectateur attentif de cette société campagnarde qui différait tellement de la sienne, comme les paysages de la montagne n'avaient rien de commun avec ceux de la côte. Cette montagne, pour la hauteur, n'aurait guère mérité plus que le nom de colline. Mais Corentin, qui avait toujours vécu au ras de l'eau salée, avait été frappé, tout à l'heure, quand il avait découvert le monde à quelques centaines de pieds sous lui. Malgré la présence de Yann Quéré, il se sentait un intrus dans ce pays et au milieu de ces gens. Il se disait que jamais il ne pourrait s'habituer à eux ni eux à lui. Et en même temps il sentait déjà germer en lui une graine de nostalgie qui ne ferait que croître dès le lendemain, quand il les aurait quittés. Allez donc y comprendre quelque chose ! Leur breton même, plus rude et articulé que le sien, certains mots mystérieux dont il n'osait pas demander l'explication, certaines tournures de phrases dont il ne savait pas très bien quel sens leur donner et jusqu'à leur façon de rire, tout cela le déconcertait tout en lui donnant l'impression de n'être pas si loin de son propre langage. Il y avait une connivence en profondeur. Il se rappelait maintenant que Yann Quéré, à son arrivée à Logan, parlait comme les gens d'ici. Or, il ne lui avait fallu que peu de temps pour s'exprimer comme les Loganistes tout en conservant quelques traits qui le faisaient reconnaître comme étant d'ailleurs. Et à peine était-il arrivé dans son village, à la fin de l'après-midi, qu'il s'était remis au diapason de la montagne, celui qui était le sien quand il chantait pour se faire danser chez Tante Léonie ou sur l'*Herbe d'Or*.

Il en était là de ses réflexions quand deux hommes, à quelques pas de lui, se mirent soudain à clamer les mêmes ritournelles *tralalalaleno* qu'il avait entendues retentir tout à l'heure sur les flancs de la montagne. Ils avaient redressé le buste et mis les pouces à l'entournure du gilet. Lentement, ils se mirent en marche autour de l'aire. A mesure qu'ils avançaient, on voyait les assistants se prendre par les mains et faire quelques pas vers le centre en s'encourageant mutuellement. Et soudain, sur les *tralalalaleno*, éclata une chanson de conscrit portée par un air de gavotte. A point nommé, les danseurs entrèrent en action. Aisselle contre aisselle, ils formaient plusieurs chaînes qui se réunirent pour n'en faire qu'une seule, menée par un gaillard qui talonnait sèchement pour affermir le rythme imprimé par le duo chantant. Le premier chanteur menait avec sa voix de tête tandis que le second l'aidait en déchantant sur les dernières notes de sa phrase. Pendant que se dévidaient les deux ou trois premiers couplets, d'autres personnes entrèrent dans la chaîne, la coupant à l'endroit qui leur convenait sans que les danseurs séparés fissent la moindre résistance. Puis la chaîne se ferma, fit une couronne tournoyante, et dès lors les danseurs parurent s'absorber dans leur propre piétinement, oublier tout ce qui n'était pas lui. Corentin était subjugué. Il aurait cru assister à un cérémonial venu du fond des âges si la joyeuse satire contenue dans les couplets ne l'avait fait revenir à lui de temps en temps. Une grande claque sur l'épaule et la voix de Yann Quéré sur fond sonore.

— Nous sommes joliment tombés, n'est-ce pas, Corentin ! Regarde comme ils savent se servir de leurs jambes, comme ils ont le jarret vif ! Quand on pense qu'ils se sont courbés sur la terre pendant des jours et des jours, qu'ils s'y sont traînés à genoux entre le sac et le panier, on comprend qu'ils aient envie de se dégourdir. Et ils s'en donnent ! Ils s'amusent à se fatiguer autrement, quoi ! Les gens des villes disent que les paysans sont lourds. C'est plaisant à entendre quand on les voit ramper leurs sacrés tangos sur les parquets cirés, avec des yeux de poissons morts. Écoute-moi ces chanteurs, Corentin ! Ils feraient bouillir la moelle des Trépassés. Regarde la vieille, là-bas, comme elle travaille à danser juste et court ! C'est ma propre marraine. Quatre-vingt-deux ans. Je ne peux pas y résister. Il faut que j'y aille. Attends-moi, je reviens !

Yann Quéré saute sur l'aire, dansant déjà, les deux bras levés. La chaîne s'est cassée en deux files parallèles. Il s'introduit prestement entre sa marraine et une femme beaucoup plus jeune qui donne elle-même le bras à un garçonnet de douze à quatorze ans. C'est à peine s'il a troublé la saltation le temps d'une seconde. Il a été happé par la chaîne, il s'y est fondu. Les chanteurs s'accordent admirablement depuis que les danseurs eux-mêmes ont trouvé la bonne cadence qui ne vient jamais tout de suite. On n'y arrive pas avec la seule application, il faut que chacun fasse corps avec les autres, tous les autres, et de préférence ceux qu'il voit en face de lui, qui sont ses meilleurs entraîneurs et l'aident à oublier ceux qu'il tient lui-même à droite et à gauche au risque d'être désuni par eux s'il ne visait pas plus loin que leur accord. Étrange à voir, ils se tiennent de face et par les yeux. Bras dessus bras dessous, épaule contre épaule, les torses raidis de la nuque aux reins libèrent sous eux les cuisses et les jambes qui manœuvrent sur un rythme vif marqué par un talonnement précis. Les hommes pointent haut les genoux tandis que les femmes tracent les pas presque à ras de terre. De leur côté, les deux chanteurs ne quittent pas l'une ou l'autre chaîne des yeux, car c'est elle qui assure la régularité de leur chant. Quand les voix des deux compères s'unissent en fin de phrase, le doublement du volume sonore excite à chaque fois l'ensemble dansant et se traduit par une ondulation de la chaîne sous la pression du meneur. Corentin en demeure bouche bée, ce qui est un comble pour un marin-pêcheur, quand soudain le premier chanteur précipite le rythme, frappe furieusement le sol du talon. L'autre n'a garde de demeurer en reste et presque aussitôt le chant s'arrête sur une note tenue jusqu'en fin de respiration. Brouhaha. Les danseurs se dispersent lentement sur l'aire, d'autres paysans profitent de cet entracte pour entrer dans le cercle, se préparer à choisir leur place dans la reprise de l'aubade qui se fait en trois morceaux. Et voilà que revient Yann Quéré, accompagné d'une grande fille en coiffe ronde dont Corentin ne voit d'abord que les fortes mains plaquées sur le devantier. Ils sont essoufflés tous les deux.

— Je suis arrivé un peu en retard pour la première gavotte, mais ils me verront à l'œuvre pour la suite. Je manque d'entraînement depuis que je suis descendu en pays plat, c'est sûr. Quand même, cela revient vite. Tiens ! J'ai trouvé dans la chaîne Hélèna, ma cousine. Celui-ci est Corentin Roparz, qui est avec moi sur l'*Herbe d'Or*, notre bateau.

La grande fille ne souffle mot. Les bonjour et bonsoir ne sont pas d'usage. C'est à Corentin de parler.

— Vous avez bien du plaisir, dans ce pays.

Une voix grave, un peu oppressée.

— Le plaisir est à la mesure de la peine. C'est justice, non.

— Écoute, Hélèna, dit Yann Quéré, reste un peu avec Corentin. Il est assez sauvage, déjà, et il ne connaît personne ici. Des fêtes de nuit, tu en auras d'autres tandis que moi, chez eux... Je veux danser ce morceau du milieu et puis l'autre après sans désemparer. C'est vrai, quoi ! J'ai un nid de fourmis dans chacun de mes genoux, il faut que je le fasse descendre. N'aie pas peur de lui, il n'est pas méchant.

Il rit et s'en va sans autre cérémonie. Corentin, gêné, le suit des yeux pendant qu'il replonge dans la foule déjà plus dense maintenant. Et la voix grave s'élève de nouveau.

— C'est vrai que vous êtes un garçon sauvage ?

— Je ne sais pas. Ce sont les autres qui savent.

— Je n'ai pas peur de vous. Pas du tout.

— C'est pour moi que votre cousin Yann a parlé de peur. Il me fait quelquefois ce tour-là quand nous allons ensemble aux endroits où il y a de la jeunesse. Ce n'est pas souvent. Mais il trouve toujours le moyen de m'amener une jeune fille et de me planter là avec elle. Je suis malheureux parce que je ne sais pas quoi dire. Je ne fais que tourner mes mains au fond de mes poches. Nous autres, pêcheurs, nous aimons avoir nos mains au fond de nos poches quand nous sommes à terre. Heureusement, la jeune fille s'en va toujours très vite et c'est fini pour cette fois-là.

— Pour un garçon sauvage, dit la voix grave, avec un soupçon d'ironie, vous n'êtes pas trop empêché de votre langue.

— C'est la première fois. Vous ne me faites pas peur, vous non plus.

— Et moi, ne comptez pas que je m'en irai très vite.

— Vous n'aimez pas danser ?

— Comme tout le monde, ici, jeunes et vieux. Après les grands travaux, c'est notre mode à nous.

— Alors il faut aller avec les autres. Je resterai bien tout seul.

— Et que dirait mon cousin Yann Quéré si je vous laissais là ?

— J'ai l'habitude d'être laissé.

— Pas tant que moi.

A ces mots inattendus, Corentin s'enhardit à la regarder. Depuis que sa voix grave a retenti pour la première fois, il n'a pas osé le faire. Il sait seulement qu'elle est grande avec de fortes mains. Pendant tout le temps qu'ils ont parlé, elle et lui sont restés tournés vers les danseurs qui évoluent maintenant en un seul groupe, mais si nombreux que le tour de la cour leur suffit à peine et que les quelques regardants doivent se plaquer contre les murs des bâtiments de ferme. Curieusement, il n'entend presque plus les chanteurs qui pourtant ne se ménagent pas, forçant encore leur voix de tête. Les danseurs ne seraient pour lui que des ombres gesticulantes si, passant à le frôler, ils ne lui imposaient leurs yeux brillants dans des faces vernies de sueur. La voix grave a suffi pour éteindre les bruits de la fête, ou plutôt pour les reléguer dans un arrière-plan sonore dont il garde à peine conscience. Elle est à deux pas de lui. Il la voit de profil et s'étonne de la régularité de ses traits, de leur fermeté tempérée par quelque chose d'indéfinissable dont il est tenté de croire qu'il s'agit de douceur ou de bonté ; de leur finesse aussi, alors que la jeune fille, quand elle s'est avancée avec Yann, tout à l'heure, lui a fait l'effet d'être solidement charpentée pour les travaux de la terre. Mais pourquoi ne serait-on pas fin et solide à la fois, matelot, ferme et doux, énergique et bon ? Il y a mille exemples à citer où les deux vont de pair. Corentin se reproche intérieurement sa tête de betterave comme à chaque fois qu'il a cru faire ou dire une sottise. Et il n'a qu'une envie, c'est de renouer la conversation avec... comment s'appelle-t-elle ? Hélèna. Et que vient-elle de dire ? Qu'elle avait encore plus que lui l'habitude d'être laissée.

— Mais vous êtes chez vous, avec vos gens ! Vous connaissez tout le monde !

Le maladroit. Ce n'est pas cela qu'il voulait dire. Il voulait dire qu'une jeune fille comme elle, on ne peut pas la laisser.

On est tellement content d'être en sa compagnie — on ne sait pas pourquoi — que le feu pourrait prendre partout sans qu'on ait même l'idée d'y courir. Voilà ce qu'il aurait dit s'il avait trouvé ses mots et le courage de les mettre dehors.

Hélèna se tourne vers lui, s'approche, le regarde d'un air pensif. Elle aussi, semble-t-il, a de la peine à trouver ce qu'il faut dire. Elle doit avoir les yeux gris, mais avec la nuit et cette lanterne-tempête qui se balance, à près de vingt pas, de part et d'autre d'un poteau de hangar, il n'est pas facile d'être sûr. En tout cas, de la voir de face lui cause un tel choc qu'il se sent mal à l'aise d'être si heureux. Il la trouve plus que belle, autrement que belle, avec ce grand front lisse, ces pommettes qui sont juste à la place qu'il faut — les filles de Logan les ont plus hautes — ce nez qui semble n'être là qu'en exact fléau de balance pour faire tenir ensemble tout le reste, cette bouche grave qui est l'image exacte de la voix. Cette Hélèna, il l'appellerait Harmonie s'il connaissait le mot. C'est ainsi sans doute que l'appellera Pierre Goazcoz s'il la voit jamais. Elle parle lentement, soigneusement, pour expliquer qui elle est.

— Qui sait lequel est le plus étranger de nous deux ? Je suis pauvre, matelot, si pauvre d'argent et de famille que je possède seulement la valeur de mes bras. Je n'avais pas encore dix-sept ans qu'on m'appelait déjà la vieille fille de Koad al Loc'h, vous comprenez ce que je veux dire. On a besoin de moi pour les semailles, les moissons, les récoltes, les moments durs de l'année. Je me loue dans les fermes pour avoir les quelques sous qu'il me faut. Et après le travail, comme cette nuit, il faut encore que je danse au milieu des autres parce que cela fait partie de ma tâche. Mais je suis fatiguée. Eux, ils peuvent danser jusqu'à bout de force avant l'aube, ils auront demain pour se reposer. Moi, demain, je recommence ailleurs à déterrer d'autres patates. Et ne croyez surtout pas que je me plains ni que je dis du mal des gens. Les gens ne sont pas mauvais. J'ai parlé seulement pour vous faire savoir quelle planète est la mienne.

Corentin emploie les trois quarts de ses forces à la regarder et il l'écoute avec le reste. Ce qu'il comprend le mieux, c'est qu'elle se laisse aller pour lui à des confidences qui ne doivent pas lui échapper souvent. Ce n'est pas seulement par habitude qu'il garde les mains au fond des poches, mais pour les empêcher de trembler. Il est hors de lui. Il voudrait expliquer à cette femme tout ce qui lui est arrivé par elle depuis un quart d'heure. Mais il ne trouve pas les mots qu'il faut, à supposer que ces mots existent. Et il s'entend dire, après une interminable hésitation dont il croit mourir :

— Vous avez... vous avez... un très beau visage.

Tête de betterave ! Ne pouvait-il se taire, lui qui sait si bien rester silencieux ? Ou opiner de la tête sans s'engager plus loin ? Il ne sait pas quelle faute il a commise, mais les yeux gris devant lui virent au noir et il jurerait bien que des larmes y montent. En même temps, Hélèna se jette en arrière, ses grandes mains montent jusqu'à sa gorge, elle a du mal à faire descendre sa salive, et sa voix se hausse de plusieurs tons.

— Qu'est-ce que vous dites ? Je n'ai pas de visage du tout. Je ne suis personne. Je ne compte pour rien. Et d'ailleurs j'ai eu tort de vous parler. Adieu, matelot !

Elle recule vivement le long du mur, se retourne et disparaît dans la nuit sans qu'il ait la présence d'esprit de l'appeler, de lui courir après, de faire quelque chose de sage ou de fou, quelque chose d'autre que de rester planté là comme un pieu à répéter pour lui-même : si vous vouliez me prendre, si vous vouliez me prendre... Et les danseurs de la troisième gavotte passent en chaîne devant lui, emportés par les accents des deux chanteurs qui clament une histoire de retour de guerre dont on sent venir la fin. Mais lui ne voit plus que des bouches noires, des yeux creux. Il a suffi d'une phrase de trop pour que la fête de nuit tourne à la danse macabre.

La voix de Yann Quéré le fait sortir de sa torpeur. La gavotte est terminée, le soldat est revenu de guerre avec sept ans de retard, juste le jour où sa femme se remariait. Et la femme a renvoyé aussitôt le second mari pour reprendre le premier. Tout le monde est content et Yann Quéré plus que les autres parce que la gavotte des montagnes lui est bien revenue dans les jambes.

— J'ai un peu perdu le souffle qu'il faut pour ces danses-là, ce n'est pas le même que pour le travail de mer. Tu sais l'idée qui m'est venue ? Je vais apprendre notre gavotte aux jeunes gens de Logan. Mais tu es tout seul ? Où est Hélèna ?

— Elle est partie. D'un seul coup. Je ne sais pas pourquoi.

— Tu as parlé de travers, matelot, j'en ai peur.

— J'ai peut-être parlé de travers, oui. J'aurais dû me taire. Mais je n'ai pas pu.

— Allons, qu'est-ce que tu as dit ? Mot à mot.

— Je lui ai dit qu'elle avait un très beau visage.

— Tiens, c'est pourtant vrai qu'elle a un beau visage. Et ensuite ?

— Rien. Elle est partie tout soudain. La honte ou la colère, je ne sais pas.

— Ni l'une ni l'autre si je la connais bien. Qu'est-ce qui t'a pris de lui parler de son visage ? Elle a cru que tu la tournais en dérision. Comment te dirais-je ! Je crois que personne ne lui a jamais fait de compliment, mais des avanies elle en a subi de toute sorte. Les gens ne sont pas précisément mauvais, mais ils mettent en pratique un code qu'ils ne songent pas à discuter. Hélèna est la plus honnête fille qui marche dans ce canton, la plus travailleuse et peut-être la plus belle quand on sait la regarder. Est-ce que cela compte quand on n'a pas un liard troué ! Et elle est si pauvre, tu comprends, qu'on ne sait même pas qui est son père. Allons, matelot, viens manger un morceau et boire une goutte chez ma sœur. Elle y est peut-être. A nous deux, c'est bien le diable si nous n'arrivons pas à la convaincre que tu disais seulement la vérité.

Mais Hélèna n'était pas chez la sœur. Elle demeura introuvable. Corentin était si abattu que Yann Quéré, interrogeant les uns et les autres, parvint à savoir dans quelle ferme elle devait travailler le lendemain. Les deux garçons s'y rendirent, mais personne n'avait vu la couleur d'Hélèna et chacun s'en étonnait parce qu'elle était femme de parole. Peut-être était-elle malade pour la première fois de sa vie, cela peut arriver même à ceux qui ont hérité de la meilleure santé du monde. Ils montèrent jusqu'à la petite maison qu'elle avait achetée sur son épargne pour se donner de l'indépendance après ses journées de servitude. Visage de bois. La porte et l'unique fenêtre avaient été soigneusement closes comme en prévision d'une absence qui durerait aussi longtemps que les deux hommes resteraient dans le village. C'est du moins ce qu'ils comprirent sans qu'il fût besoin de paroles entre eux. Il ne leur restait plus qu'à rallier Logan et à se remettre à la discrétion de Pierre Goazcoz.

Si celui-ci fut étonné de voir remonter sur l'*Herbe d'Or* deux pêcheurs visiblement préoccupés et qui ne s'adressaient même plus la parole, il était trop discret pour en laisser rien paraître. Au reste, il lui parut évident qu'il n'y avait nulle fâcherie entre Corentin et Yann Quéré, au contraire. De temps à autre, Yann Quéré donnait une petite tape sur la nuque de son camarade comme pour l'encourager. Et Corentin le regardait avec des yeux reconnaissants bien que navrés. Mais tous les deux semblaient frappés d'impuissance à l'égard de quelque problème dont la solution les fuyait. Et Pierre Goazcoz, tout en les observant sans répit en mer et à terre, attendit que l'un ou l'autre eût recours à lui. Ou les deux ensemble. Il attendit en vain. A leur avis, il ne pouvait donc leur être d'aucun secours. Il n'ouvrit plus la bouche que pour les ordres nécessaires. Dans le même temps, Alain Douguet se renferma dans un mutisme rageur dont il s'évadait par des bordées de jurons quand quelque chose n'allait pas. L'*Herbe d'Or* n'avait plus d'équipage digne de ce nom. Chacun des hommes qui le montaient était livré à sa planète tandis que les corps s'activaient automatiquement au travail de mer. Pierre Goazcoz finit par s'inquiéter. Cette situation ne pouvait pas durer. Ou il se produirait quelque drame ou les trois gars déserteraient l'*Herbe d'Or*, tirant chacun de son côté avec l'obscur fardeau qui n'intéressait que lui seul.

Et la veille de Noël, on vit Corentin prendre le car dans ses habits du dimanche. Planté au seuil du bureau de tabac, Yann Quéré le regarda partir, puis il s'accouda au comptoir où il entreprit de se saouler sans un mot avant de rentrer laborieusement à son logis pour s'y enfermer à double tour. Tout Logan s'interrogeait sur les raisons qui avaient pu pousser à se donner ainsi en spectacle un jeune pêcheur qu'on n'avait jamais vu dérangé par excès de boisson. On alla prévenir Alain Douguet qui courut chez Pierre Goazcoz. Au lieu de s'inquiéter au sujet de Yann Quéré, le maître de l'*Herbe d'Or* déclara que tout allait bien de ce côté, qu'il n'y avait plus qu'à attendre le retour de Corentin comme le faisait Yann lui-même en ronflant sur son lit pour tuer le temps.

Cependant Corentin se démenait comme un beau diable au bénitier pour gagner la montagne. Aucun autocar ne conduisait au village ni même au bourg paroissial d'Hélèna. Ce n'était ni le jour ni la semaine. Il dut sauter de guimbarde en char à bancs pour se retrouver, à la nuit tombante, environ à deux lieues de Koad al Loc'h. Sa bonne figure lui valut de se faire ouvrir assez facilement les portes des fermes isolées de la montagne où il se perdit plusieurs fois. Quelque part, on lui donna même un jeune domestique pour le remettre dans le bon chemin. Il avait abordé la montagne par le versant opposé au bourg. L'accès était plus difficile de ce côté, outre que l'homme de la côte se trouvait déjà désorienté en pareil terroir. Mais, coûte que coûte, Corentin était décidé à aller jusqu'au bout de ce qu'il avait entrepris.

Or, parvenu au village, il le trouva désert. Beau frapper à toutes les portes, pas de réponse. Il était très tard, bien sûr, mais la nuit de Noël il espérait trouver quelques personnes sur pied. Lors de sa première venue, il avait fait la connaissance de presque tous les habitants. Ce qu'il voulait dans son obstination, c'était se faire accompagner par l'un d'entre eux jusqu'à la petite maison d'Hélèna pour ne pas nuire à la réputation de la jeune fille. Désemparé, il errait sur la cour centrale où s'était déroulée la fête de nuit quand il vit venir vers lui un vieillard appuyé sur un bâton et qui sortait sûrement de son lit en hâte car il n'avait pas de chapeau.

— Je n'ai pas peur de vous, cria le vieillard.

— Vous n'avez pas à avoir peur, répondit-il aussitôt. Je suis un ami de Yann Quéré. Vous m'avez déjà vu.

— Le matelot du sud ?

— Oui. Je vous demande excuse, je n'ai pas pu arriver avant le milieu de la nuit. Mon pays est très loin là-bas.

— Ils sont tous au bourg, à la messe de minuit, dit le vieillard. Nous sommes restés ici, trois ou quatre, parce que nous avons du mal à marcher.

Il leva son bâton très haut. Ce devait être un signal convenu pour avertir qu'il n'y avait pas danger car, presque aussitôt, une fenêtre s'éclaira. Quelqu'un, dans la maison, avait allumé une lampe à pétrole.

— Quel est votre nom, déjà ?

— Corentin Roparz.

— Vous pouvez venir chez moi, je vous ferai un lit.

— J'aimerais voir Hélèna Morvan. J'ai quelque chose à lui dire.

— Quelque chose d'honnête, sûrement, dit le vieillard. Sinon vous vous seriez approché sans bruit comme un voleur. Comme a fait son père autrefois. Vous savez ?

— Je sais. Je n'ai jamais rien volé à personne.

— Vous voulez peut-être la demander en mariage ?

— Mettons que oui.

— Vous la trouverez au bourg, à la messe de minuit, si vous descendez assez vite. Je vais quand même vous faire un lit. Ma maison est derrière moi. Je vous attendrai jusqu'à l'aube. Je ne dors pas beaucoup.

Déjà Corentin avait repéré le chemin qui dévalait vers le bourg. Un trou noir, mais en bas brillaient quelques lumières. Assez pour lui. Il y courut, tête baissée.

— Corentin Roparz !

— Oui ?

— Si elle vous prend, elle vous fera honneur. Ici, vous savez comme nous sommes.

— Je sais, cria Corentin sans se retourner. Ailleurs c'est pareil.

Il faillit se rompre le cou vingt fois dans la sente caillouteuse, éclairée d'une vague lueur céleste. Au passage, il reconnut les restes des feux qui avaient balisé le chemin pour la fête de nuit. Il descendait si vite qu'il ne pouvait pas toujours se garer des ronces qui le guettaient dans les tournants. Il y déchira sa main gauche et la manche du même coup. Cette femme-là sait coudre, se dit-il, elle va me réparer si bien mon paletot qu'il sera comme neuf. La dernière partie du trajet, il la fit à travers la lande, droit sur le clocher, tant il avait peur d'arriver en retard. S'il arrivait en retard, Hélèna Morvan disparaîtrait de nouveau, c'était sûr. Arrivé devant l'église éclairée, il dut s'arrêter pour reprendre haleine. Sa poitrine battait à coups de marteau. Ce qu'il entendait, était-ce des rumeurs de prières ou la révolution de son corps ? Et alors il eut peur. Si elle allait dire non ! Il lui resterait à mourir dans cette montagne qui n'aurait pas voulu de lui.

Machinalement, il tira son mouchoir pour essuyer le sang de sa main. Se rappelant comment Hélèna était tirée à quatre épingles, il mit un peu d'ordre dans ses vêtements. Je ne suis quand même pas un vagabond. Il respira du mieux qu'il put et entra par la porte des cloches en faisant tout son possible pour ne pas faire crier le cliquet. Hélèna devait sûrement être au bas de l'église. C'est là que se trouve la place des pauvres.

Et à peine entré, il la vit. Il l'aurait reconnue sans peine dans la foule du Jugement Dernier. De l'assistance, tournée vers le chœur illuminé, il ne voyait que des dos. Un harmonium poussif gémissait du côté de l'épître. Elle était sous la corde des cloches, la grande fille aux fortes mains. Il devinait à peine son visage dans la pénombre, mais qu'avait-il besoin de le voir ! Le prêtre entonna un cantique et tous les fidèles suivirent avec ferveur. C'était le bon moment. Corentin fit trois pas, se mit à la hauteur d'Hélèna, presque à la toucher. Chantant avec les autres, elle sentit une présence masculine à ses côtés. Elle s'arrêta de chanter et pencha un peu vers lui sa tête toujours tournée vers le chœur.

— Vous vous trompez. Ici, c'est réservé aux femmes. Les hommes sont à gauche du catafalque. Il y a encore de la place.

Elle ne l'avait pas reconnu. Elle sursauta lorsqu'il lui glissa dans l'oreille :

— C'est moi, Corentin Roparz, l'ami de votre cousin.

— Ah ! Que voulez-vous, matelot ? Vous ne devriez pas venir ici.

— Je crève de honte depuis ce soir de la fête où je vous ai offensée sans le vouloir. J'ai dit des paroles qu'il ne fallait pas dire. Pardonnez-moi.

— Je n'ai pas à vous pardonner. C'est moi qui ai trop d'orgueil.

— Vous avez raison d'en avoir. Pour les gens comme nous, c'est la seule chose qui ne coûte rien et qui vaut cher. Pardonnez-moi.

— Vous êtes pardonné. Du fond du cœur.

— Ce n'est pas assez. Il faut m'écouter maintenant.

Leur chuchotement était couvert par le cantique, mais quelques mots émergeaient dans les intervalles du chant. Déjà deux ou trois femmes étaient aux aguets. Elles n'osaient pas encore tourner carrément la tête, attendant la première occasion pour le faire.

— Allez dehors, souffla-t-elle. Je vous rejoins tout de suite.

Il sortit sur la pointe des pieds. Dehors, il s'empressa de remettre sa casquette sur la tête pour se donner du courage. Le plus dur restait à faire. Presque aussitôt, elle fut près de lui.

— Au nom de Dieu, allez-vous-en, matelot ! Vous me verrez ailleurs et demain si vous voulez. Je n'ai que ma bonne réputation. Voulez-vous me la faire perdre aussi ?

— Il faut m'écouter tout de suite. Je suis orphelin depuis mes deux ans. J'ai été élevé par les uns et les autres. D'aussi loin que je me souvienne, on m'appelait le pauvre Corentin par-ci, le pauvre Corentin par-là. Même quand j'ai passé l'âge de faire pitié, je suis resté le pauvre Corentin. C'est pourquoi je ne me suis jamais approché tout seul d'une jeune fille de mon pays. J'avais peur d'être appelé le pauvre Corentin, même gentiment et sans vouloir m'offenser. Quand je vous ai trouvée à la fête de nuit, j'ai su tout de suite, je ne sais pas comment, que j'étais Corentin Roparz et puis c'est tout, un jeune homme comme les autres, un peu timide bien qu'il ait fait la guerre. Mais vous, vous n'étiez pas une jeune fille comme les autres. Plus je vous regardais et plus j'avais envie de vous donner des noix plein votre tablier comme les femmes de Logan me donnaient des tartines de pain beurré quand j'étais petit. Mais une jeune fille n'est pas un enfant. Alors j'ai dit n'importe quoi. Et en disant n'importe quoi, je vous ai offensée. Je n'ai pas l'esprit vif, Hélèna Morvan, il me faut du temps pour reconnaître ce qui m'arrive.

— Et comment m'avez-vous offensée, matelot ?

— Justement, c'est ce que je ne sais pas. Mais vous êtes partie fâchée. Le lendemain vous avez fermé votre maison, vous n'étiez pas à votre travail, on ne vous a trouvée nulle part et tout cela était de ma faute.

— Plutôt de la mienne. Je suis sotte. Je ne sais pas ce qui m'a pris, j'ai eu peur.

— Vous avez eu peur de moi ?

— J'ai eu peur de quelqu'un qui me parlait comme vous me parliez, avec cette figure-là. Je n'ai pas l'habitude. Mais vous venez de me faire beaucoup de bien. Maintenant il faut me laisser.

— Je ne vous laisserai pas. Écoutez encore ! Yann Quéré m'a dit que vous étiez une fille sans père connu, donc plus portée à s'offenser qu'une autre. Si je l'avais su, j'aurais peut-être mieux trouvé les mots qu'il fallait. N'en parlons plus. Je suis retourné sur mon bateau plein de remords. Et puis, les jours passant après les jours, j'ai fini par découvrir le vrai nom de mon tourment. Il y avait un peu de remords, sans doute. Tout le reste, c'était de l'amour, comme on dit.

— Taisez-vous, matelot !

— Je me tairai dès que vous m'aurez dit si vous m'acceptez en mariage, oui ou non.

— Mais... Oh, mon Dieu, je ne sais plus bien... Donnez-moi un peu de temps pour...

— Vous n'avez pas du tout pensé à moi, bien sûr. C'est naturel. Vous n'avez même pas très bien vu ma figure. Si je ne vous avais pas fâchée, vous n'auriez aucun souvenir de moi.

— Si vous avez pu m'offenser, c'est que j'ai porté bien attention à vos paroles. Et si je vous ai parlé, c'est que j'avais envie de le faire.

— Alors vous savez déjà ce que vous allez répondre. Il faut en finir tout de suite. Je n'ai personne pour vous porter ma demande. Je viens tout seul et je serai seul à entendre la petite parole que vous avez à dire. Cela ne fera aucun bruit dans le monde. Dans mon cœur à moi, je ne dis pas.

— Matelot, matelot, si vous me prenez, vous pourriez en avoir du regret. Et j'en mourrai de honte.

— Je ne suis qu'un pauvre diable. Je ne sais même pas lire. On n'a jamais eu le temps de m'apprendre. Mais je ne suis pas méchant et j'ai un bon métier pour nourrir une famille. J'ai même des économies pour nous mettre à l'aise. Tenez, je vous ai apporté une épingle comme on en trouve dans les pardons. Celle-ci est en or véritable. Ce n'est pas pour l'orgueil, c'est parce que c'est le seul objet d'or que j'aie jamais touché de mes mains. Je n'en toucherai plus d'autre. Répondez-moi, Hélèna Morvan.

Elle se tourne vers lui. Deux grosses larmes lui coulent sur les joues.

— Est-ce vrai, Corentin Roparz, que j'ai un beau visage ? N'avez-vous pas dit cela pour vous moquer de moi ou pour me prendre en pitié ?

— Si beau que je n'ose pas le regarder.

— Il faut pourtant vous habituer à lui. Car désormais il est à vous.

— Voilà tout juste comment cela s'est passé. Elle est rentrée dans l'église. Moi, je suis remonté tout seul au village. Le vieillard avait allumé une lampe Pigeon sur l'appui de sa fenêtre pour m'indiquer sa maison. Je me suis reposé chez lui le reste de la nuit, mais je n'ai pas pu dormir tellement j'étais bouleversé. Lui non plus n'a pas dormi. Nous n'avons pas cessé de parler d'Hélèna Morvan. Elle est un peu de sa famille, de loin mais qu'importe, là-bas on se tient jusqu'à la quatrième génération. Il était content qu'Hélèna ait trouvé quelqu'un, non pas pour s'occuper d'elle car elle n'a besoin de personne, mais pour lui donner un nom d'homme à la place de celui de sa mère. Le lendemain, il a mis ses meilleurs habits, il est venu avec moi pour la demander en mariage comme il faut. Le temps de publier les bans et elle est devenue ma femme. Une toute petite noce. De mon côté, il n'y avait que Yann Quéré. J'aurais bien invité mes amis de Logan, vous autres les premiers, nous aurions loué le car de Joz pour monter là-haut, bien décidés à mettre de la joie dans le bourg, mais c'est elle qui n'a pas voulu. « Laissez-moi m'habituer un peu, disait-elle. Vous me raconterez comment ils sont dans le sud, et puis j'irai me présenter à eux. » Alors voilà ! En ce moment, elle doit nous attendre chez ta mère.

Les deux hommes étaient ramassés l'un contre l'autre sous l'avant, presque bouche à bouche, les genoux ramenés contre le ventre. Deux masses blanches, immobiles. Une buée sortait des lèvres de Corentin. Alain Douguet l'écoutait de tout son corps. A quoi pensait-il ? Aucune parole n'était sortie de lui pendant que parlait son camarade. Quand celui-ci se tut, il dit simplement, avec effort :

— Tiens. Il ne neige plus.

Un silence assez long et la voix de Corentin :

— C'est peut-être le vent qui arrive.

— Il faudrait jeter toute cette neige à l'eau, dit Alain Douguet. Si elle se met à fondre dans la barque... Et nous n'avons que nos mains.

— Allons-y ! soupira Corentin.

On le sentait désappointé. L'autre se mit sur le dos, étendit ses jambes. Un petit rire bref.

— Nous avons le temps. Il n'y a pas le feu, comme on dit. Mais tu m'as étonné, Corentin. Tu ne sais pas lire, toi ?

— Hé non, je ne sais pas lire. J'ai presque dix ans de plus que toi. En ce temps-là, tu sais, les pauvres bougres... Ni écrire non plus, bien sûr. Je dessine bien mon nom, au bas des feuilles, quand il faut signer. Pour moi, le papier d'écriture, c'est de la farine de blé noir avec beaucoup de son.

— Mais je te vois lire le journal de temps en temps.

— Tu m'as vu regarder les images quand il y en a.

— Et quand nous revenons à terre, il y a souvent une lettre de ta femme qui t'attend à la poste.

— Justement. Et j'ouvre la lettre et je me mets dans un coin pour faire semblant de lire. Mais je ne vois pas clair dans les signes qu'il y a dessus. La tête me tourne. Remarque bien que je suis content. C'est la main de ma femme qui a écrit tout ça pour moi. Et je sais que la dernière ligne, dans le bas, veut dire Hélèna Morvan, femme Roparz.

— Mais voyons, Corentin, si j'avais su... Pourquoi ne pas me demander de te lire tes lettres ? A moi ou à l'un des autres ? Et s'il y avait dedans une nouvelle grave, des fois ?

— Alors elle m'enverrait un télégramme. Ou bien elle téléphonerait chez Lich Mallégol. Elle sait comment faire avec le téléphone. Elle sait tout, cette Hélèna.

— Mais pourquoi t'écrit-elle puisque tu ne sais pas lire ?

— Ce sont des lettres d'amour. C'est pour me dire qu'elle ne m'oublie pas. Une lettre pareille, tu comprends, c'est comme un cadeau qu'on reçoit, un cadeau précieux. On n'a pas forcément besoin de la lire. Il suffit de la tenir dans les mains, de la sentir dans sa vareuse. Et la faire lire par un autre, même le meilleur ami, on n'ose pas. Je ne veux pas t'offenser, Alain Douguet, mais ce n'est pas convenable.

— Tu peux compter que je ne dirais rien à personne. Jamais.

— Ce n'est pas manque de confiance. C'est parce que tu serais gêné de lire les choses qu'elle m'écrit.

— Ah, peut-être ! Des gars comme toi, Corentin, sont bons à mettre dans les romans. Et je ne le dis pas pour me moquer. Tu as de la chance.

— Je sais bien. Moi-même je me trouve tout changé depuis que je connais cette femme. C'est drôle, pendant la tempête, c'est miracle si nous ne sommes pas allés par le fond. Mais moi, je n'ai jamais pensé à la noyade parce qu'Hélèna Morvan me retient du haut de sa montagne. Et même si je me noyais, je ne mourrais pas quand même tant qu'elle serait en vie. Tu vas croire que j'ai perdu la tête.

— Je ne crois rien du tout. Mais, si tu veux, je t'apprendrai à lire.

— Non, c'est elle qui m'apprendra. Pour le moment, je préfère ne pas savoir.

— Mais pourquoi ?

— Je préfère entendre la voix d'Hélèna me lire ses propres écritures quand je vais la voir dans notre maison, tous les mois. Le soir de mon arrivée, je sors de ma vareuse le morceau de toile cirée où je range ses lettres et je les lui donne, l'une après l'autre. Alors, je me mets à rouler une cigarette, en tremblant, et j'écoute sa voix grave avec tant d'ardeur que je ferme parfois les yeux pour mieux entendre. Ma femme relit tout et elle donne des explications quand il faut. A la fin, j'ai répandu tout mon tabac sur la table et crevé toutes mes feuilles tellement je suis heureux. Hélèna Morvan se met à rire et me dit : « Vous feriez mieux de fumer la pipe, Corentin. » Tiens ! Voilà l'étui où je mets ses lettres.

— Tu n'en as qu'une, cette fois-ci ?

— Une seule, oui. Il n'y a pas quinze jours que je suis allé chez elle... Enfin, chez nous. J'aurais dû y retourner hier ou du moins aller la chercher à moitié route. Elle était si contente de venir passer la nuit de Noël chez ta mère et de faire connaissance avec les gens d'ici. Nous devions aller à la messe de minuit en souvenir de l'an dernier. Je me demande ce qu'elle doit penser de moi.

— Elle sait sûrement que nous sommes pris dans la tempête, que tu n'as pas pu...

— Elle ne sait peut-être rien. Je lui ai dit de ne pas lire les journaux. Tu comprends, elle n'a jamais vu l'océan, elle ne sait pas bien ce que c'est. Dis-moi, Alain Douguet, est-ce que tu voudrais me lire cette lettre, pour une fois ? C'est à cause de cette sacrée tempête. On n'arrête pas de s'interroger la conscience.

— Mais on n'y voit pas assez, Corentin.

— Je vais t'allumer mon briquet. Celui-là est si bien fermé qu'il ne prend jamais l'eau. Voilà ! Du premier coup. Et ce n'est même pas la peine d'abriter la flamme, elle ne bouge pas d'un poil.

— Donne ta lettre. Voyons : « Monsieur Corentin Roparz, marin-pêcheur, chez madame veuve Douguet, Logan ». Elle a une belle écriture, toujours.

— La postière trouve aussi. Ce qui m'étonne un peu, c'est qu'elle me mette monsieur. Je ne peux pas m'habituer à ce mot-là. Il paraît qu'on le met à tout le monde, sur les enveloppes.

— « Mon cher Corentin. Celle-ci est pour vous dire que tout va bien par ici et que j'ai fini de retourner la pièce de terre derrière la maison avant la gelée. Le lait de la vache que vous avez achetée ne cesse de donner de plus en plus de crème. C'est un plaisir d'avoir un animal pareil et j'en suis bien fière. Je ne regrette pas le temps que je passe autour d'elle. »

— Et elle en passe. Ce n'est pas le travail qui lui fait peur. Elle n'est pas femme à sortir une vache qui serait crottée aux flancs. Le poil tout lisse.

— « Hier, il a commencé à faire froid. Et tout d'un coup j'ai pensé que vous n'aviez peut-être pas assez de laine sur le dos. Il ne faut pas m'en vouloir. Je ne suis pas mariée avec vous depuis assez longtemps. Je ne sais pas encore très bien comment vous êtes habillés sur l'eau, vous autres pêcheurs. J'ai couru au bourg pour acheter de la laine. J'ai couru si vite que j'ai presque perdu le souffle et que je pleurais des larmes en arrivant chez la marchande. Je devrais penser pourtant qu'une femme mariée ne court pas comme une chèvre par les chemins. »

— Tu vois comment elle est.

— « On dit que le temps est mauvais par là-bas. Gardez-vous de prendre du mal. Vous ne serez peut-être pas rentré au port à temps pour venir me chercher. Cela ne m'empêchera pas de me trouver chez Marie-Jeanne Quillivic le soir de

Noël quoi qu'il arrive. Nous avons promis de ne manquer aucune messe de Noël jusqu'à la fin de notre vie, vous savez pourquoi. Je vous apporterai votre chandail neuf. Ainsi soit-il. Hélèna Morvan, femme Roparz. »

— A la bonne heure. J'ai presque reconnu sa voix sous la tienne. Je savais bien que je serais guéri par cette lettre. Je me faisais du souci à cause de cette messe de minuit, de la minuit qui vient. Et elle a décidé de venir toute seule chez ta mère. Elle y sera. Elle y est déjà, sans doute. Quelquefois je me dis qu'elle est un peu sorcière. Sors donc la montre de ton père. Quelle heure est-il dessus ?

— On approche de neuf heures. Et ce sacré vent qui ne veut pas de nous. Quand j'aurai un bateau à moi, je lui mettrai un moteur au derrière.

— Et tu auras raison. Moi, je ne verrai pas ça. Avec Hélèna Morvan, je suis libre de faire ce que je veux. Elle aussi, bien sûr. Si je faisais semblant de lui demander, elle viendrait s'installer avec moi à Logan. Mais c'est moi qui monterai là-haut. Elle et moi, nous avons assez d'argent pour agrandir la maison, ajouter une crèche pour deux cochons. Il y a des terres à louer qui ne sont pas mauvaises. De quoi vivre gentiment. Il faudra que je prenne de nouvelles habitudes. Mais si les paysans font de bons marins, pourquoi un marin ne ferait-il pas un paysan convenable ? Hélèna m'apprendra tout ce qu'il faut savoir de la terre.

— Comme disent les campagnards d'ici, là où la vache est attachée, il faut qu'elle broute. Tu as trouvé ton pieu et ta corde, Corentin.

Le ton d'Alain Douguet est un peu aigre. Est-il jaloux de la sérénité de l'autre ou veut-il lui faire comprendre sa déception de le voir abandonner son état de pêcheur pour celui de « coupeur-de-vers » ? L'océan, avec ses humeurs et ses dangers, c'est tout de même le mouvement, la liberté qui n'est pas d'être son maître, mais d'avoir autour de soi l'immensité sans barrière, sans propriétaire, la recherche aventureuse du poisson, la communauté masculine en l'absence des menus tracas féminins. Et les femmes, le diable sait ce qu'elles peuvent faire de vous. Cette Hélèna Morvan, avec toutes ses vertus, c'est quand même le pieu et la corde. Est-ce que Lina Kersaudy, si elle avait dit oui, l'aurait obligé à descendre à terre pour éplucher les légumes dans la cuisine de Lich Mallégol ? Heureusement elle a dit non. Il aura une barque avec un moteur et salut la compagnie ! Les femmes...

Vers l'avant se lève, s'ébroue, s'étire un tas de neige. C'est Yann Quéré, ce foutu paysan. Il se racle la gorge et se met à chanter comme s'il était dans ses montagnes pourries, le fumier.

Quand j'étais ce matin, allant chercher de l'eau,
J'entendis rossignol au bois qui chantait beau.

— Ferme ta gueule, hurle Alain Douguet, fou de rage.

— C'est pour faire venir le vent, répond l'autre.

Et il continue.

Dans son jargon disait, tapi dans la ramée,
Quand vient sur nous l'hiver, toute fleur s'est fanée.

Le prélude d'une chanson d'amour, on dirait, Alain Douguet n'en peut plus. Il serait capable d'étrangler le chanteur. Au lieu de cela, il sent des larmes qui lui coulent sur les joues. Il s'affaisse contre le bordage. Yann Quéré s'arrête. Il ne l'a pas quitté des yeux.

— Du vent, gémit Alain Douguet. Il n'y en a pas assez pour éteindre un cierge au haut du mât. Un cierge, voilà ce qu'il nous faudrait, maintenant, au-dessus de cette barcasse qui est un cercueil sans couvercle.

— Pourquoi t'énerves-tu ? dit la voix tranquille du paysan. Il n'y a rien de perdu.

— Je ne m'énerve pas. Je fais du vent avec ma bouche pour essayer de faire bouger ce maudit sabot.

— Et puis cela réchauffe, Alain Douguet. Il fait un froid de loup.

Corentin est avec Hélèna, quelque part ailleurs. Pierre Goazcoz, statufié, ne donne pas signe de vie. A ses pieds, soudain, un autre tas de neige se démène comme s'il contenait une portée de souris. Apparaît vaguement une tête frisée, pourvue d'un nez retroussé à pleuvoir dedans. C'est le mousse Herri qui fait surface.

— J'ai froid. Où sommes-nous ?

— Nulle part, dit Yann Quéré en lui caressant la tête. Nous attendons le vent pour rentrer. Il va se lever bientôt.

— Je suis tout trempé par-dessous. C'est de la neige, tout ça ?

— De la neige, oui. Lève-toi, allons, lève-toi !

Le petit se met debout. Yann Quéré s'accroupit, ses mains tâtent soigneusement les planches du fond. Puis il remonte vers l'avant et souffle dans l'oreille d'Alain Douguet.

— Je ne sais pas comment cela se fait. On prend de l'eau par bâbord arrière. Le bateau est en train de s'ouvrir. L'*Herbe d'Or* est foutu !

Alain Douguet éclate d'un rire qui n'en finit pas. Il assène de grandes claques sur l'épaule du mari d'Hélèna Morvan.

— Qu'est-ce qui t'arrive ? dit Corentin.

— Un cercueil sans couvercle et pourri du fond !

Avec effort, Pierre Goazcoz ouvre à demi les yeux. Une voix méconnaissable s'échappe de lui.

Et c'est ainsi qu'ils abordèrent au pays
Où la nuit n'est que soir, le jour promesse d'aube,
Les deux si bien pétris de toute éternité
Qu'il n'est plus de soleil pour mesurer le temps.

6

Marie-Jeanne Quillivic s'est relevée. Elle est allée s'appuyer contre le manteau de la cheminée. Elle émet une sorte de plainte sourde, à peine audible, qu'elle interrompt pour frapper violemment la terre de son sabot, mais la plainte reprend presque aussitôt. C'est maintenant le vieux Nonna qui est à genoux. Il a pu s'y mettre, non sans peine, en s'aidant du bord de la table. Ses vieilles jambes manœuvrent bien, d'habitude, ce soir il a beaucoup de mal à s'en faire obéir. A tâtons, il s'applique à ramasser les débris du bol bleu qu'il repose à mesure sur le banc des hommes. Soigneusement. Sans bruit. Il sait que Marie-Jeanne ne voudra plus y toucher. Quand il a fini, il promène encore une fois sa main sur le sol, au cas où il aurait oublié quelque petit tesson. C'est curieux, mais cette besogne lui fait du bien. Il se remet debout du mieux qu'il peut.

— On pourrait refaire un peu de feu, Marie-Jeanne. Toute cette neige qui tombe a refroidi le temps. Voulez-vous que je casse un fagot ?

La plainte cesse pour faire place à un halètement pressé !

— Les morts n'ont pas besoin de feu.

— En vérité, je pensais que lorsque les gars de l'*Herbe d'Or* entreront tout à l'heure, ils seront bien contents de trouver une maison chaude. Il y a déjà quelque temps que la mer s'est calmée. Tel que je connais Pierre Goazcoz, il a cédé à la tempête le moins qu'il a pu. Il n'est pas loin. En ce moment, il doit être en train de guetter la première risée pour s'appuyer sur elle. Si le vent veut bien se lever il n'en laissera pas passer le moindre souffle.

— Perdus. Ils sont perdus. Il n'y a plus d'*Herbe d'Or*.

— Moi, je sais qu'il est encore sur l'eau.

— L'oiseau *morskoul* a frappé à ma vitre. J'ai vu mes trois hommes là, sur le banc, devant moi. Et j'ai cassé le bol d'Alain Douguet.

Nonna Kerouédan sent monter en lui une colère qui n'ose pas dire son nom. Entendre des choses pareilles de la part d'une femme qui a toujours vécu d'attente et n'a cru à la mort qu'en prenant dans ses bras les cadavres de ses hommes ! Il faut que, cette fois-ci, elle ait touché le fond du gouffre.

Il est vrai qu'il s'agit de son dernier fils. Après lui, elle n'a plus personne, il n'y a plus rien, plus de monde ici-bas. N'est-elle pas déjà de l'autre côté, avec eux ! Ne vaut-il pas mieux l'y laisser ! A quoi servirait-il de la secouer, de lui reprocher son abandon avec des éclats de voix ! Du bruit qu'elle n'entendrait même pas. Elle est au-delà de tout reproche. D'ailleurs, pour être franc, s'il se fâchait tout rouge, ce serait contre lui-même. Lui aussi est sur le point de s'abandonner. Doucement. Doucement. Comment la faire sortir de ce froid, éveiller en elle — et en lui du même coup — cette étincelle de vigueur qui a pour nom espoir ! Malgré le poids des *intersignes*, c'est une femme de raison. Les *intersignes* ne mentent jamais, bien sûr, mais celui qui les reçoit ne sait pas toujours les interpréter comme il faut. Toute faible que soit la raison contre l'énormité du destin qui vous écrase, elle est pourtant le dernier recours. Nonna Kerouédan s'assoit sur le banc du lit. Du côté de la cheminée, la plainte se fait de plus en plus faible. Le vieux se racle la gorge pour assurer sa parole.

— Écoutez, Marie-Jeanne. Si votre fils était mort, mettons, vous l'auriez vu sur le banc avec les trois autres. Est-ce que vous l'avez vu ?

Elle arrête de gémir. Un silence assez long et une faible voix s'élève, une voix de fillette en proie au gros chagrin.

— Je ne l'ai pas vu, non. Il n'était pas avec eux.

— C'est qu'il n'est pas avec eux, mais avec nous. Les *intersignes*, on peut y croire seulement quand on les reçoit de sang-froid, sans les attendre. Vous, vous les attendiez, vous êtes allée au-devant d'eux et, comme vous n'étiez pas dans votre état ordinaire, vous avez pris pour des prémonitions ce qui n'était que des coups de hasard comme il y en a souvent. Des oiseaux *morskoul*, ce n'est pas ce qui manque, vous le savez bien, et d'ailleurs...

— Taisez-vous ! On vient.

Elle a crié pour l'interrompre, mais sa voix est ferme. Ainsi fait-on pour couper la parole à un bavard quand il se passe quelque chose de plus important que ses vains propos. Dommage, Nonna croyait bien qu'il avait des chances de la convaincre.

— Je n'entends rien. Comment pouvez-vous ?...

— Moi, j'entends que l'on frappe à la barrière de la cour avec des sabots pour en faire tomber la neige.

Les voilà aux aguets tous les deux. Et l'on frappe à la porte, quatre ou cinq coups. On frappe du poing fermé, mais les coups ne sont pas pressés comme en cas d'urgence, on veut seulement savoir s'il y a du monde à l'intérieur.

— C'est pourtant vrai. Il y a quelqu'un dehors. Au nom de Dieu, Marie-Jeanne, il faut défaire la chapelle blanche, ranger les draps et allumer la lampe. Que diront-ils, s'ils voient ça ?

— Parlez moins fort. Ce ne sont pas les hommes, il y aurait des cris et des rires. Mais allumez quand même. Je vais descendre les toiles et fermer le lit. Les étrangers n'ont pas besoin de savoir, surtout s'ils sont étrangers de près. Et puis... Quelque chose me dit que je dois ouvrir. Mon cœur se remet à battre comme un cœur vivant.

— Vous voyez bien. Voilà un *intersigne* que vous n'attendiez pas. C'est peut-être le bon.

Elle va vivement se coller contre la porte.

— Qui est là ? Qui êtes-vous ?

Celle qui répond a une telle voix qu'on la dirait déjà présente à l'intérieur de la maison.

— Je suis Hélèna Morvan, la femme de Corentin Roparz.

— La femme de... Est-ce possible ! Je ne vous attendais plus. Je vais vous ouvrir. Patientez un peu. Je... je ne sais plus ce que j'ai fait de la clé.

— Prenez votre temps, Marie-Jeanne Quillivic.

Marie-Jeanne, le souffle court, revient vers le lit clos, entre dedans à genoux, la tête la première, et décroche la chapelle blanche, non sans prendre soin de replier les draps comme s'ils sortaient de l'armoire. Cela va vite parce que les plis y sont restés. Elle fait disparaître les rubans noirs, l'assiette à eau bénite, tout l'apparat funèbre. Et elle houspille le vieux Nonna en se contenant du mieux qu'elle peut.

— Qu'attendez-vous pour m'aider, vieux traînard ! Soufflez le cierge, mettez-le sous la table ! La lampe à pétrole est sur le vaisselier. Allumez-la donc ! Allons, pressez-vous ! Nous n'allons pas laisser la femme de Corentin dehors par le froid qu'il fait !

— A la bonne heure, dit Nonna tranquillement pendant qu'il fait ce qu'elle ordonne. Vous allez beaucoup mieux, Marie-Jeanne, voilà que vous commencez à mentir.

— Mentir, moi ?

— Vous. Il n'y a pas de clé sur la porte. Et la barre n'est pas mise.

Elle grommelle des injures entre ses dents. Elle en oublie de refermer le lit clos. Quand la lampe s'allume, Nonna voit qu'elle est toute rouge. Avec des gestes brusques, elle remet un peu d'ordre dans ses vêtements avant de se précipiter vers la porte qu'elle ouvre en grand. Devant le seuil, il y a une grande femme en cornette et, derrière elle, quelqu'un d'autre, encapuchonné. Un homme, on dirait. Non, c'est une autre femme. De là où il est, Nonna peut voir sa robe et les sabots-claques jaunes qu'elle porte aux pieds.

— Entrez donc, Hélèna ! Soyez la bienvenue dans cette maison.

Sur le pas de la porte, la grande femme ne bouge pas.

— Je suis confuse de vous déranger si tard. Corentin devait venir me chercher dans mon village pour m'amener chez vous ce soir. C'était entendu.

— Oui, c'était entendu. Entrez !

— Mais les hommes de mer, je le sais bien, ne font pas toujours ce qu'ils veulent, n'est-ce pas ! Alors, je me suis débrouillée comme j'ai pu. Celle-ci est une amie qui a bien voulu m'accompagner jusqu'à chez vous.

— C'est très bien. La bienvenue à elle aussi. Entrez donc tout à fait.

Hélèna franchit le seuil, penchant la tête pour faire passer sa cornette, l'autre femme dans son ombre. L'autre femme, d'une main sans bague, tient le capuchon de son manteau d'homme si serré autour de son visage que l'on devine à peine son regard, encore ne lève-t-elle ses paupières que le temps de cligner. Hélèna, derrière la lampe, aperçoit le vieux Nonna, immobile, qui ne sait quoi faire de sa personne. Elle sourit. Du coup, la lumière paraît doubler dans la pièce.

— Et celui-ci est peut-être Nonna Kerouédan ?

— C'est moi, dit Nonna, stupéfait, qui se sent mollir. Mais comment ?...

— Corentin m'a parlé de vous aussi. Je n'étais pas sûre, mais quand Corentin parle de quelqu'un de sa compagnie, on arrive presque à le voir. C'est comme si je vous avais déjà vu.

— Par exemple ! parvient à bredouiller le vieux.

Il est ravi. Marie-Jeanne Quillivic dévore des yeux Hélèna. Soudain, elle sent qu'il lui faut faire quelque chose, sinon elle va s'étourdir et le crève-cœur risque de l'envahir de nouveau. Il est toujours tapi quelque part dans ses profondeurs.

— Et vous, Nonna, qu'est-ce que vous attendez pour casser un peu de bois ! Vous ne voyez pas qu'il nous faut du feu pour dégourdir ces deux femmes ! Elles ont eu assez froid sur les routes. Allons !

— Tout de suite, commère, tout de suite.

Et il ne bouge pas. Il lui faut le temps de digérer son émotion. Le pauvre homme n'en revient pas d'être connu d'Hélèna Morvan.

— Les hommes, vous savez, ne valent rien dans une maison. Il y a bien une heure que je lui ai dit de le casser, ce bois. Vous croyez qu'il l'aurait fait ! Et ce n'est pas un mauvais homme, Nonna, oh non ! Mais c'est seulement un homme. Je vais moudre le café.

— J'aimerais vous aider un peu.

— Jamais de la vie ! Venez vous asseoir sur le banc du lit, toutes les deux. Allons, Nonna, qu'est-ce que je vous ai dit ! Tirez-vous de là, laissez-les prendre place !

Nonna, tout confus, parvient à se mettre en mouvement. Il trottine vers l'âtre, empoigne un fagot dans le coin à bois, attendant la prochaine algarade qui ne manquera pas de venir et qui fera du bien à Marie-Jeanne. Il est tout content, Nonna, de se faire houspiller. Hélèna prend sa compagne par le bras et la pousse vers le haut bout du banc, là où règne la pénombre. Elle-même s'assoit sous la lampe parce que le milieu du banc est occupé par la pile de draps de la chapelle blanche. Après ses aventures de la journée, elle est nette et lisse comme une figure d'église. Et comment a-t-elle fait pour que sa cornette ne soit pas seulement défraîchie ? Elle n'a même pas de parapluie. Dans le sac en toile cirée, il doit y avoir un grand mouchoir dont elle se couvre la tête en cas de besoin. Mais en a-t-elle seulement besoin, pense Nonna, transporté d'admiration sans réserve. Quel mauvais temps pourrait prévaloir contre pareille créature !

— De moudre du café m'aurait un peu réchauffée, dit la femme de la montagne avec un sourire espiègle.

Elle a compris que Marie-Jeanne avait besoin de se mettre en colère contre Nonna. Une colère qui n'altère en rien l'affection bourrue qu'elle a pour lui. Une feinte colère, en somme, qui ne saurait tromper le vieillard. Et il se laisse morigéner par elle, sachant qu'elle ne le fait que pour prendre appui sur lui et remettre à plus tard certains sujets de conversation qu'il n'est pas encore temps d'aborder. C'est pourquoi Hélèna, fine mouche qu'elle est, fait exprès d'entretenir la querelle que Marie-Jeanne cherche à Nonna. C'est autant de gagné. Et elle y réussit. Marie-Jeanne hausse encore le ton. On dirait vraiment qu'elle est fâchée.

— Vous voyez, Nonna ! Ces deux pauvres chères ont froid dans ma maison. Et à cause de vous. Hélèna Morvan, qui vient de si loin pour nous voir, je devrais la laisser travailler pour ramener un peu de chaleur dans ses membres. Vous n'avez pas honte ! Faites-nous du feu au lieu de rester planté là comme un poteau de barrière.

Nonna ne reste pas planté du tout. Il se démène maintenant comme un beau diable avec son fagot qui lui joue des tours. Et il se demande déjà où donc il a pu mettre les allumettes. Hélèna vient à son secours.

— Il fait quand même plus chaud chez vous que dans les montagnes. Et je vois que Corentin m'a dit vrai. Les maisons des pêcheurs sont plus joliment arrangées que les nôtres, là-bas. Tiens ! Vous avez cassé un bol ?

— Oui. Ce n'est rien. Laissez donc. A mon âge, on n'est pas toujours maîtresse de ses mains.

— C'est un bol bleu. Quand on casse un bol bleu, dans un ménage, cela veut dire qu'il y a un enfant qui est devenu un homme.

— C'est le bol de mon fils Alain Douguet.

— Il est donc temps de le marier. Mais vous avez des draps frais, ici, sur le banc, des draps qui sortent de l'armoire. S'il y a un lit à faire, je m'y entends aussi bien qu'une autre.

— Des draps, oui. Ce sont des draps.

— Ceux de votre lit clos.

— Non ! Non non ! Je les ai sortis pour vous. Et puis, avec le mauvais temps et tout le reste, ce Nonna Kerouédan qui est venu battre de la langue dans ma maison, j'ai oublié de faire votre lit. Avec l'âge, la tête se perd pour le moindre dérangement. J'ai un grand lit, dans la pièce qui est de l'autre côté du couloir, où couche mon fils Alain. Corentin habite sous le toit, dans une mansarde bien arrangée, mais il n'y a pas trop de place et le lit est étroit. Alain a proposé de vous laisser sa chambre et de monter là-haut tant que vous serez avec nous. Vous resterez autant que vous voudrez. Non seulement il n'est pas gêné, mais il aura du plaisir à retrouver le coin qui était le sien depuis son enfance jusqu'à l'arrivée de Corentin. Tenez ! Puisque vous avez envie de vous donner du mouvement, prenez les draps et allez le préparer, votre lit. Je vais vous allumer la lampe Pigeon. Allez-y toutes les deux, si vous voulez, pendant que je fais mon petit train.

— C'est ça. Nous allons faire le lit. Venez, jeune fille.

Pendant qu'elle allume la lampe, Marie-Jeanne Quillivic cherche en vain de quoi elle est coupable. Elle finit par trouver.

— Quelle pitié de vieillir ! Voilà que j'ai oublié de demander le nom de celle qui est avec vous. Elle va me prendre pour une femme sans façons. Et Nonna Kerouédan, qui n'a rien à faire, n'y a pas pensé non plus.

— Je vous raconterai tout quand nous serons revenues, dit Hélèna. Montrez-nous la chambre, s'il vous plaît.

Marie-Jeanne les précède avec la petite lampe. Nonna Kerouédan, qui n'a rien à faire, a pourtant réussi à faire flamber gaillardement son feu. Du coin à bois, il a tiré trois grosses bûches. Le vieil homme a presque oublié l'*Herbe d'Or* et son équipage. Ils sont en pêche comme d'habitude, on verra bien quand ils reviendront. Et ils sont forcés de revenir, maintenant que cette femme de la montagne est venue les attendre. Ils ne peuvent pas faire autrement. Ce qui l'intrigue, Nonna, c'est le comportement de Lina Kersaudy qui accompagne Hélèna Morvan. Il a su tout de suite que c'était elle à cause de ce manteau marin qui est toujours accroché dans le couloir de l'hôtel, le manteau de son défunt père. Lui-même l'a emprunté quelquefois pour rentrer chez lui quand il pleuvait trop fort. Pierre Goazcoz aussi. Et les sabots-claques jaunes, il n'y a que la fille de Lich Mallégol pour en avoir d'aussi beaux. Mais pourquoi n'a-t-elle pas voulu montrer son visage ? Pourquoi s'est-elle dissimulée de son mieux, profitant de sa taille plutôt menue, derrière le grand corps de l'autre. Comme si elle ne voulait pas être reconnue. Comme si elle avait honte de quelque chose. Et Marie-Jeanne, à qui rien n'échappe d'habitude, n'a pas l'air d'avoir retrouvé, sous le manteau à capuchon, la plus belle chevrette de Logan. Les femmes, on ne sait jamais ce qui leur passe par la tête. Ce ne sont pas les mêmes créatures que les hommes, on le sait depuis le Paradis Terrestre. Mais lui, Nonna, n'est pas tombé de la dernière averse. Il a senti que les deux visiteuses étaient complices, qu'il fallait les laisser jouer leur jeu sans risquer de déranger la partie par des paroles de trop. D'ailleurs, il ne tardera pas à savoir ce qu'il en est. Voilà justement Marie-Jeanne qui revient, tout affairée. Elle va se frotter les mains devant les flammes.

— C'est bien, Nonna, c'est très bien. Pour un homme, vous n'êtes pas trop maladroit. Vous savez au moins faire partir un feu comme il faut quand vous vous en donnez la peine. Je vais leur cuire une omelette ; j'ai justement des œufs, presque une douzaine.

— On dirait que vous pleurez, Marie-Jeanne.

— Je ne pleure pas, vieux radoteur, je ris. C'est son visage, Nonna. Vous avez vu son visage ? Celle-là est capable de faire un miracle si elle veut. J'ai entendu dire que ces paysans des montagnes avaient des *pouvoirs*.

— Je ne suis pas étonné. C'est la femme de Corentin. Et Corentin lui-même, quand on réfléchit, il vous donne confiance en tout. Il y en a qui disent qu'il pourrait guérir des maladies rien qu'en s'asseyant à côté des malades. Et s'il est allé chercher une femme dans les montagnes, ce n'est pas pour rien.

— L'autre femme qui est avec elle, je vais lui donner mon lit. Je m'arrangerai une paillasse là-haut, dans le grenier. Elle doit être jeune fille encore. Vous avez vu comme elle est timide ! Ou peut-être était-elle transie de froid, la pauvre petite. On est tendre, à cet âge. Et moi, avec ma tête épaisse, je n'ai même pas pensé à lui faire dire qui elle était. Nous sommes des malappris, Nonna Kerouédan, vous et moi. J'étais tellement occupée à regarder Hélèna Morvan, à écouter ce qu'elle disait, que je n'ai pas fait attention du tout à son amie. Il n'y avait plus qu'elle. Il n'y avait plus rien ni personne à voir autour d'elle. J'en suis encore toute retournée.

— Je ne crois pas que vous ayez à loger dans votre maison cette jeune fille qui est venue avec Hélèna Morvan. Elle doit être de Logan, à mon avis. Elle a voulu montrer la route pour venir chez vous. Par le temps qu'il fait, ce n'est pas commode et cela peut être dangereux, quand on ne connaît pas la côte. Elle va rentrer chez elle tout à l'heure.

Marie-Jeanne est en train de casser des œufs dans une terrine qu'elle a sortie de l'armoire à lait. Elle s'arrête.

— De Logan ? Peut-être bien. Il est vrai qu'à Logan je ne connais pas beaucoup de monde. Je ne suis pas comme vous, Nonna, toujours à patrouiller entre les quais et les places depuis que vous êtes descendu à terre.

— Je dis qu'elle n'a pas accompagné Hélèna depuis son village avec, sur les épaules, un manteau de marin beaucoup trop grand pour elle. C'est un genre de manteau que l'on trouve ici dans beaucoup de maisons. Les femmes s'en couvrent quelquefois quand elles doivent sortir dans le bourg ou la proche campagne par mauvais temps. Vous les avez vues vous-même.

— Je les ai vues, oui. Mais je vous dis, encore une fois, que je n'ai fait attention à rien autour d'Hélèna. En tout cas, cette personne ne s'en ira pas d'ici avant d'avoir mangé de mon omelette et bu de mon café. Avec un grog bien chaud pour finir. Allez me chercher la bouteille de goutte, Nonna. Elle est dans le bas du vaisselier.

Elle commence à battre ses œufs avec énergie quand Hélèna revient dans la pièce, suivie de la jeune fille qui s'adosse, dans l'ombre, contre le mur du fond. La fourchette de Marie-Jeanne reste en l'air.

— C'est déjà fait ? L'ouvrage ne traîne pas, avec vous.

— Nous étions deux. C'est plus facile.

— J'ai oublié de vous dire tout à l'heure. Pour celle qui est avec vous, je vais lui donner mon lit. J'ai un autre coin où aller, dans ma maison.

— Ce n'est pas la peine. Elle n'habite pas loin.

— Elle n'habite pas loin ? Alors je la connais, peut-être ?

— Ma foi oui. Son nom est Lina Kersaudy.

— Lina... Kersaudy.

Marie-Jeanne Quillivic se tasse brusquement comme si elle avait reçu un coup. Elle repose doucement la fourchette dans la terrine. Du ventre et des deux mains, elle s'appuie contre la table. Elle n'ose pas se retourner. A un rythme accéléré, des images de lanterne magique défilent dans sa tête jusqu'à l'étourdir.

Elle revit cette visite à Lich Mallégol, il y a trois semaines, qui lui a causé la plus grande humiliation de sa vie, la seule qui ait vraiment compté. Et d'autant plus grande qu'elle était allée au-devant d'elle à son corps défendant et qu'elle se doublait de l'humiliation de son fils, maintenant unique.

Il n'y pouvait plus tenir, le pauvre Alain Douguet, quel que fût son mal et allez donc chercher ! Son caractère s'aigrissait, il n'était plus maître de ses gestes ni de ses paroles, qui donc mieux que sa mère pouvait s'en apercevoir ! Sur l'*Herbe d'Or*, occupé avec les autres membres de l'équipage à des tâches qui faisaient diversion à ses sombres pensées, il devait se comporter comme à son habitude, sinon Pierre Goazcoz, qui décelait aussi finement les variations d'humeur de ses hommes que les changements du temps, aurait averti Marie-Jeanne Quillivic que son fils partait en dérive. Mais, quand il rentrait à la maison — et il y rentrait tout droit pour n'en plus sortir qu'au moment de remonter sur l'*Herbe d'Or* — il ne cessait pas de tourner en rond dans sa chambre, il boudait son assiette à table, lui qui avait toujours eu un rude appétit, il demeurait des heures dans un petit atelier qu'il avait au fond du jardin, inoccupé, les poings enfoncés dans les poches à en faire éclater la toile, il ne sonnait mot que pour s'emporter à grand renfort de jurons contre les objets inanimés ou pour rabrouer sèchement sa mère et Corentin Roparz qui n'en pouvaient mais, n'ayant rien dit ni rien fait qui pût motiver de sa part une quelconque irritation.

Corentin n'était pas homme à s'émouvoir pour autant, encore moins à répliquer, à river son clou au coléreux. Outre qu'il se réfugiait le plus possible dans un dialogue intérieur avec Hélèna Morvan, il estimait qu'il revient à chacun de s'expliquer avec lui-même, sans intrusion de quiconque dans sa vie privée, de régler des comptes qu'il est seul à pouvoir régler. Lui, Corentin, s'était trouvé désemparé pendant des mois, après sa première rencontre avec sa future femme, habité par elle et malade de l'avoir offensée sans le vouloir, sans trop savoir comment. Une bien mauvaise épreuve à traverser interminablement. C'était au tour d'Alain Douguet. Il était amoureux de Lina Kersaudy, furieux de l'être, incapable de dominer cette passion qui le tenait tout entier. Était-elle amoureuse de lui ? Il y avait sûrement un malentendu entre eux. Lequel ? C'était leur affaire. Quant à lui, Corentin, il était persuadé que si son compagnon le rudoyait sans ménagement, c'était par peur de se laisser aller aux confidences, d'en être réduit à quémander du secours. L'orgueil se paie toujours au prix fort.

Telles étaient à peu près les pensées qui agitaient aussi Marie-Jeanne Quillivic. Mais la mère avait plus de mal à s'empêcher d'intervenir. Et un soir son fils, qui était resté un bon moment planté devant la fenêtre à regarder la nuit tomber, se décida brusquement.

— Mère, mettez vos habits du dimanche. Nous allons chez Lich Mallégol. Vous savez pourquoi ?

Elle savait pourquoi. Ainsi tout ce qu'elle avait pu dire ou faire depuis des années, sans avoir l'air d'y toucher jamais, pour détourner son fils de Lina Kersaudy n'avait servi à rien. Une fille beaucoup trop riche pour un marin-pêcheur, encore que celui-ci ne fût pas n'importe qui, sa mère était la dernière à le mésestimer. Quand il voudrait quitter cette satanée barcasse d'*Herbe d'Or* et son maître fou de la tête, il serait patron d'un bateau neuf avec un moteur. Elle avait de quoi le payer. Une fille entrée en bourgeoisie depuis deux générations et qui tiendrait après sa mère un hôtel de bourgeoisie qui s'embourgeoiserait plus encore au cours des temps qui s'annonçaient. Une fille qui n'était pas sans mérite, certes, il n'y avait rien de mal à en dire, mais dont on pouvait se demander si elle serait assez forte pour supporter la condition qui lui était promise avec Alain Douguet. Et Marie-Jeanne ne croyait pas que son fils serait capable de mettre sac à terre pour devenir hôtelier. Des filles, il y en avait d'autres à Logan, et qui auraient mieux convenu à son fils. Elle-même s'était risquée à lui faire de timides ouvertures pour deux ou trois d'entre elles. Mais un fils Douguet ne se laisse pas marier, même par sa mère. Et le temps n'était plus où l'on n'allait pas chercher femme plus loin que de « l'autre côté de la cour ». A moins de s'appeler Goazcoz, bien sûr. Et les Goazcoz étaient seuls de leur engeance, Dieu merci !

Il fallait y aller. Elle sentait que l'affaire était trop délicate pour qu'on s'en remît à un entremetteur qui tâterait d'abord le terrain comme cela se faisait encore, même quand les deux familles se connaissaient bien. Elle avait donc sorti de l'armoire ce qu'elle avait de mieux à se mettre. Velours noir et dentelles blanches, souliers de cuir dessus et dessous, la montre de gilet au bout de sa longue chaîne d'argent. Ils étaient partis tous les deux par la côte vers le centre du bourg. Dans la nuit, comme il se doit pour de pareilles cérémonies. Alain marchait à dix pas devant sa mère, non point parce qu'il était pressé, mais pour être poussé en avant par sa présence derrière lui. A un moment, pourtant, il s'était arrêté. Elle s'était arrêtée aussi en gardant ses distances. Sans un mot, soucieuse de ne pas troubler sa méditation. Allait-il renoncer ? Pendant un temps qui lui parut très long, ils étaient restés immobiles tous les deux. Puis ils étaient repartis du même pas.

Ils avaient abordé l'hôtel par-derrière. La cuisine de Lich Mallégol était éclairée. A la lumière électrique, s'il vous plaît. Alain s'était rangé contre le mur. Il avait fait signe à sa mère de s'avancer pour toquer à la porte. Lich était seule, attablée à faire ses comptes. Elle vint ouvrir à grand bruit de serrure et de verrou. Quand elle vit Marie-Jeanne Quillivic en grande tenue, elle comprit tout de suite ce qu'elle venait faire. Derrière la mère apparut le fils qui n'avait pas fait toilette et montrait un visage fermé.

Lich s'exclama de feinte surprise, les deux autres s'épargnèrent toute politesse, tant ils étaient au supplice, chacun d'eux pour ses propres raisons. L'hôtelière les fit entrer, assura qu'on serait mieux dans la cuisine que dans la salle, mais que s'ils voulaient, c'était facile. Non ? Ils ne voulaient pas ? Alors asseyez-vous, mettez-vous à l'aise, ne faites pas de manières chez moi. Elle sortit du buffet une bouteille de boisson douce avec de petits verres à pied. Quatre verres pour eux trois, n'est-ce pas ! Les deux femmes s'entretinrent de divers sujets sans aucun rapport avec le but de la visite. Marie-Jeanne y allait à l'économie de paroles, disait tout juste ce qu'il fallait. Lich, volubile, meublait les silences, faisait les demandes et les réponses. Alain Douguet, assis au bord de sa chaise, les mains croisées, ne bougeait ni pied ni patte, encore moins sa langue. Oh, l'accueil était irréprochable. Et même, à voir et entendre Lich, on avait l'impression qu'Alain ne lui aurait pas déplu pour gendre. Au reste, il était temps de marier sa fille qui avait déjà refusé plusieurs prétendants. Mais cette fille, où donc était-elle ?

Elle restait dans sa chambre, au-dessus de la cuisine. Depuis que sa mère avait ouvert sa porte, elle savait bien qui était là. Peut-être attendait-elle, selon l'ancien usage, que l'on vînt la chercher. Au bout de presque une heure, Marie-Jeanne jugea que les préliminaires avaient assez duré. Eh bien, voilà ! Elle venait demander à Lich d'accorder sa fille à son fils Alain Douguet. Et Lich de s'exclamer à nouveau. Elle affirma fortement qu'une telle alliance ne pouvait que l'honorer. Elle fit l'éloge de la famille Douguet comme il convenait. Puis, pour ne pas demeurer en reste, elle chanta sa propre gloire. S'il ne tenait qu'à moi, dit-elle, ce serait fait. Mais c'est à ma fille qu'il appartient de dire oui ou non.

Elle alla ouvrir la porte de la cuisine qui donnait sur l'escalier. Elle monta quelques marches pour appeler : Lina, descendez ! Il y a du monde ici pour vous. Revint s'asseoir à sa place. Il fallut attendre. Enfin, la jeune fille apparut au tournant de l'escalier. Elle semblait au comble de l'émotion. A peine si l'on eut le temps d'apercevoir son visage, et encore de profil. On entendit un seul mot : NON ! Et elle remonta vers l'étage en courant. Aussitôt, Alain Douguet se rua dehors avec toutes les marques de la fureur.

Lich Mallégol se répandit en excuses : ma fille est fatiguée. Les nerfs. Cette maison est lourde à tenir. Il faut que Lina se repose quelque temps. Elle pria Marie-Jeanne de revenir deux ou trois semaines plus tard, on y verrait plus clair. Mais elle savait très bien que la veuve Douguet ne reviendrait pas. Il fut entendu que personne ne saurait rien de ce qui s'était passé ce soir-là. S'il n'y avait pas de quoi mettre la révolution dans Logan, c'était assez pour valoir aux deux familles des désagréments qui seraient difficiles à supporter. C'était pourtant vrai qu'on les avait mariés depuis toujours, Alain et Lina. Par plaisanterie d'abord quand ils étaient enfants et inséparables, plus tard parce que ni l'un ni l'autre n'avait marqué d'inclination particulière pour personne. En vérité, Lina Kersaudy, en faisant affront aux Douguet, s'était fait injure à elle-même. Et si la nouvelle venait à transpirer du non qu'elle avait lancé au fils Douguet, toute la flottille de pêche s'en trouverait mortifiée.

Et la voilà venue dans ma maison. Que veut-elle ?

Hélèna laisse passer un instant vide, puis elle se met à parler de sa voix grave, sans hésitation ni gêne d'aucune sorte. A l'entendre, il ne viendrait à l'idée de personne qu'elle pourrait colorer le plus petit mensonge.

— Enlevez donc votre manteau, Lina. Il ne faut pas avoir honte. Votre punition dure depuis assez longtemps. Vous ne me croirez peut-être pas, Marie-Jeanne, mais cette jeune fille n'osait pas venir chez vous. C'est pourtant la fiancée de votre fils, la seule qu'il aura jamais et qu'il désire avoir. Et savez-vous pourquoi elle n'osait pas ? Il y a quelque temps, vous êtes allée la demander en mariage, pour Alain Douguet. Elle, qui brûlait d'envie de dire oui, elle a dit non. Comme si elle n'avait pas bien entendu la question. Il y a des choses surprenantes qui se passent en chacun de nous. Elle était si émue, la pauvre colombe, qu'elle n'entendait plus le son de sa voix. Elle n'a pas encore compris ce qui était arrivé. Et depuis, elle sèche dans les remords et les angoisses. Le saviez-vous ?

— Comment aurais-je pu savoir, dit Marie-Jeanne, et la stupéfaction balaie chez elle tout autre sentiment. A mon tour de ne pas très bien comprendre ce que vous dites. Voulez-vous répéter ?

— C'est inutile. Mettons que je viens ce soir avec Lina Kersaudy, vous demander pour elle votre fils Alain Douguet en mariage. Est-ce vrai, Lina ?

— Oh oui !

Elle sort de l'ombre, écarte le capuchon et le fait retomber sur ses épaules. Sa coiffe est un peu dérangée et elle a les yeux rouges. Mais elle regarde courageusement Marie-Jeanne Quillivic. C'est maintenant celle-ci qui tient les yeux baissés.

— J'aurais dû...

— Vous n'avez rien à vous reprocher. C'est de leur faute à tous les deux. Alors, elle se mangeait le sang à l'attendre, dans sa maison de la place où elle m'a fait accueil comme à une cousine de près. Il a fallu que je la gronde pour qu'elle vienne avec moi. Elle soutenait qu'elle vous avait fait un affront. Loin d'être un affront, n'est-ce pas la preuve que votre fils lui a touché le fond du cœur pour qu'elle ait perdu la raison à ce point ! Moi aussi, j'ai failli dire non à Corentin Roparz. S'il n'avait pas eu la tête aussi dure...

— Alain Douguet sera bien heureux.

— Mais vous devez me trouver bien dévergondée, Marie-Jeanne. Je viens chez vous, je fais presque la maîtresse, je ne cesse pas de parler. Si encore j'avais dit le quart de ce qu'il y avait à dire.

Le vieux Nonna ne peut retenir plus longtemps son allégresse.

— Vous l'avez dit, Hélèna Morvan. D'un bout à l'autre et tout juste.

— Va-t-il se taire, celui-là, éclate Marie-Jeanne, le rire aux yeux. Vous feriez mieux de vous occuper de votre feu qui me semble aller de travers, au lieu de vous mêler des affaires des femmes. Lina, ma fille, faites donc cuire cette omelette. Il faut vous habituer tout de suite à cette maison. Moi, je suis tellement contente que je ne tiens plus sur mes genoux.

— Venez vous asseoir près de moi, Marie-Jeanne, sur le banc du lit.

— Non, en face de vous. J'ai besoin de voir votre visage en pleine lumière pour me tenir en joie. Maintenant, il nous reste encore à attendre les hommes. Toujours en retard, ceux-là. On se demande bien ce qu'ils font. Lina Kersaudy, ouvrez tous les meubles qui ont des portes, mettez-nous sur la table tout ce qu'il y a de bon à manger. J'ai fait mes provisions. Nous allons nous régaler tous les quatre. S'il ne reste rien que la part du chat quand ils rentreront, tant pis pour eux.

7

Le maître de l'*Herbe d'Or* s'est-il évanoui ? Commence-t-il à remonter du fond d'une torpeur qui n'a pas eu tout à fait raison de son être ? Très vaguement d'abord, le voilà conscient du silence et de l'immobilité. Si total ce silence, si complète cette immobilité qu'avec un peu d'attention il se sentirait pousser les poils et les ongles. A cette idée, et sans qu'aucun de ses traits ne bouge, il est tout sourire.

Pour se remettre à vivre, il faudrait se débattre, faire appel à des ressources qui ne sont pas toutes épuisées, il le sent, malgré ce cœur au péril d'un dernier déchirement. Il ne veut pas. Pour disparaître tout à fait, se livrer au néant — si néant il y a — c'est plus facile. Il suffit de se laisser aller. Il ne veut pas non plus. Entrer vivant dans le royaume des morts. Il y en a qui ont réussi. La légende se repaît de leurs aventures. Elle est l'au-delà de la vie, ce maigre picotin de l'Histoire. Mais la mort charnelle non plus n'est pas de son domaine. Elle s'insinue entre les deux. Même aujourd'hui, il est sûr de n'être pas le seul à courir sa chance, à rechercher cette troisième voie, ce passage du Nord-Ouest. Peut-être n'en a-t-il jamais été aussi près. Hardi ! Ne pas se laisser faire par l'autre versant et pourtant s'échapper de celui-ci. Ni le mort ni le vif, mais le fabuleux. Une fois, il se souvient, l'île des Bienheureux, celle du moins que l'on appelle ainsi bien qu'elle soit plus vaste que nos continents, s'est montrée à lui dans une boutonnière de clarté alors qu'il naviguait dans les brumes aveugles. A peine avait-il mis le cap sur elle que cet œil dont elle était la pupille s'était refermé pour faire place à un nuage dense, en fuite à l'horizon, tandis que l'océan s'éclairait autour de lui, le laissant à la vue des amers désespérément familiers. Une autre fois, il a été poursuivi, sous un ciel de poix, par un rayon de soleil opiniâtre qui le cherchait partout pour le ramener en terre. Pierre Goazcoz a si bien manœuvré avec son bateau que le rayon ne l'a pas trouvé. Mais à quoi bon ! Il lui a toujours manqué l'un de ces talismans que d'autres ont reçus par des intercessions de mérite ou plus souvent de hasard. L'Herbe d'Or, la vraie, ou quel que soit le nom qu'on lui donne. Est-elle unique ou foisonne-t-elle dans quelque mer des Sargasses interdite aux navigateurs de peu de foi ? Et comment savoir de quelle foi il faut être armé pour en avoir l'aubaine, pour en ramener une, seulement une, la seule qui vaille pour vous seul, dans vos propres filets au lieu de l'un de ces poissons insolites à l'œil rieur que l'on s'attend à voir se lever en pied, sous une dépouille humaine, pour se moquer de vous avant de dire adieu ? A moins que l'Herbe d'Or ne se dissimule sous les espèces d'une baguette de coudrier, d'une pierre enchâssée dans un châton tournant, d'une plume d'oiseau bocager ou d'un sifflet de sureau. Et que sert, dans ce cas, de courir les mers !

C'est fini de sourire. A l'intérieur de Pierre Goazcoz, il y a quelque chose qui menace de se rompre, qui ne tient plus qu'à un toron de filin. Faut-il espérer qu'il casse, le libérant du coup de ses espérances qui ne furent peut-être que des leurres ? Ou est-ce le dernier toron qui va le haler définitivement vers le terme de sa quête si quête il y a ? Les chevaliers du Graal connaissaient au moins des enchantements qui étaient autant de promesses, mais lui ? Combien de fois a-t-il été déçu, rentrant au port de Logan après avoir lutté contre les tempêtes ou s'être égaré dans les brumes, de ne retrouver que les mêmes rangées de maisons, d'où sortaient les mêmes visages proclamant qu'il n'y avait rien de neuf sinon des morts de petits chats. Est-il donc impossible, après une marée, de ramener son navire à quai pour s'apercevoir qu'un siècle ou deux ont passé dans l'intervalle, qu'on a franchi en quelques heures le temps imparti à plusieurs générations d'hommes ? Voilà qui serait de quoi faire pièce à l'éternité. Ou bien qu'à peine votre terre disparue derrière vous, avalée au gouffre, vous arriviez en vue d'un autre continent où rien ne vous rappellerait celui que vous venez de quitter depuis un siècle ou une demi-journée ? Et voilà l'espace vaincu, l'espace et le temps se détruisant mutuellement à votre seul profit. Nul besoin de mourir, demeurer sans commencement ni fin au même niveau où vous seriez capable de réaliser vous-même toutes les hallucinations issues des désirs du cœur. Vous n'êtes fou de la tête que pour ceux qui mesurent les heures et les lieux, mais combien de vos pareils n'ont-ils pas rêvé de cette aventure ! Et savez-vous si quelques-uns ne l'ont pas menée jusqu'au but, s'évadant du même coup de toutes vos contingences ? C'est le secret de l'Herbe d'Or. Et pour qui la trouve, est-il impossible de « revenir » porter témoignage ? Pourquoi donc veut-on que seuls les dieux soient immortels ? Et si ce qu'on appelle mort n'était que l'absence de quelqu'un qui est présent ailleurs ? Ailleurs ou au même endroit hors de la vue des autres dès l'instant que tous les lieux se confondent et toutes les durées se rencontrent ?

Cette musique ! D'où vient-elle ? L'harmonie des sphères célestes ? Elle ne tourne pas, elle n'est pas révolution. Elle le tire à elle, tout droit, le ramène d'un abîme où il s'était immergé à force de silence et de questions. Il fait effort pour la suivre, pour monter avec elle vers un plain-pied où il trouvera de l'assurance. Et cependant il sent naître en lui, très faible encore, la nostalgie du naufrage. Toujours tiraillé à hue et à dia, Pierre Goazcoz. Saura-t-il jamais ce qu'il veut ? Ainsi le malade qu'abandonne la maladie, lentement, en douceur, est-il partagé entre le désir de la santé et l'inavouable répugnance à retrouver ses fardeaux.

Avant d'ouvrir les yeux, voilà qu'il sent l'*Herbe d'Or* sous les reins, la barre contre ses côtes. Encore un peu de temps et il reconnaît le son de l'harmonica du mousse. Herri ne s'en sépare jamais. Il y tient plus qu'à son couteau. Si son destin voulait que l'on retrouve son corps noyé sur la côte, il l'aurait entre les dents.

— Assez ! Va-t-il cesser de faire du bruit, ce chiard, avec son instrument à moudre des airs pour mener au champ les vaches !

La voix rageuse d'Alain Douguet. Les choses commencent à tourner mal dans l'équipage. Ce silence massif, ce poids d'immobilité, il suffit du son d'un harmonica pour les aggraver encore jusqu'aux limites du supportable, désengourdir les hommes en bonne voie de s'absenter d'eux-mêmes à force de patience muette et d'acagnardement. Et la première victime est le seul violent des trois, les deux autres ont déjà compris que le mousse Herri s'efforce comme il peut de les aider à tenir bon avec son instrument de quatre sous. Il est étonnant ce petit bonhomme. Mais comment pourrait-il savoir que les trois autres n'ont besoin de rien ni de personne. L'harmonica est de trop. Un supplice pour Alain Douguet. Si la musique ne cesse pas, l'homme de l'avant va devenir enragé. Le maître de l'*Herbe d'Or* devrait intervenir tout de suite. Mais il ne commande plus à son corps. Il veut parler, mais de sa bouche ne sort qu'un bredouillis à peine audible. Aussitôt, il voit surgir tout près de lui le visage inquiet de Yann Quéré.

— Tu n'es pas bien, Pierre Goazcoz !

Avec mille peines, Pierre parvient à hocher la tête pour signifier qu'il va bien. Puis il tourne son regard vers Herri, le ramène sur Yann Quéré. Plusieurs fois. Et Yann s'approche du mousse, lui pose une main sur les cheveux et de l'autre, doucement, lui prend l'harmonica et le lui enfonce dans la poche de sa vareuse. L'enfant n'a pas besoin d'explication. Quand le visage de son matelot revient devant le sien pour quêter son approbation, Pierre Goazcoz parvient à ébaucher un sourire. Du moins le croit-il. Le paysan lui cligne de l'œil et fait voir ses dents.

A l'avant de la barque, Alain Douguet a bien suivi le manège. Il est humilié, le fils de Marie-Jeanne Quillivic. Ainsi, on le traite en malade, on prend des précautions avec lui comme si on doutait qu'il puisse demeurer maître de sa tête. Tout cela parce qu'il a demandé à ce sacré mousse d'arrêter sa musiquette à pleurnicherie. Ils s'y sont mis à deux, Pierre Goazcoz et Yann Quéré, pour qu'il ait satisfaction. Sans souffler mot, façon de lui donner tort au bout du compte. N'était-il pas capable, lui tout seul, de sauter sur le mousse et de lui arracher son jouet ! Que damnée soit la peau de son âme, ils allaient voir ! Et l'autre, là, Corentin Roparz, il n'a rien dit ni rien fait, il ne bouge pas d'une ligne, mais il tient les yeux braqués sur lui. Pour le protéger, l'empêcher de faire des bêtises peut-être. Quelles bêtises ? Est-il sa nourrice ? Et ces quatre-là, le mousse aussi, ce petit sournois, croient-ils l'obliger à se taire ? Ils vont l'entendre.

L'homme d'avant se dresse de toute sa hauteur. Il n'y peut plus tenir. Il se débonde.

— Alors, vous faites les farauds, hein ! Mais vous ne valez pas mieux que moi. Vous savez bien que c'est foutu pour nous tous. Nous sommes enfermés dans la nuit blanche, chacun emprisonné dans son corps étroit, obligé de regarder cette lanterne magique, dans sa tête, qui lui montre les tableaux de sa vie pendant qu'une voix répète : tu es volé, tu n'as pas eu ton dû parce que tu n'as pas su le prendre ni même le trouver, imbécile ! On proteste que ce n'est pas vrai, qu'on saura comment faire, désormais, ce soir même ou demain matin. Et la voix ricane que c'est trop tard, trop tard, trop tard.

Si Pierre Goazcoz n'avait pas cette poitrine tendue à se briser, cette carcasse entière qui l'abandonne, il sait bien ce qu'il faudrait faire tout de suite : sauter sur Alain Douguet, le prendre aux épaules et lui ordonner de fermer sa gueule. Il est en train de se saouler de son propre bruit. Le plus pénible, sur un voilier, c'est l'encalminement qui dure. Le repos entier des éléments est plus redoutable que leurs pires déchaînements. Ils paraissent tellement sûrs de vous tenir à merci qu'ils ne se donnent même plus la peine de vous assaillir. Il y a de fiers marins qui n'ont pas pu supporter cette paralysie. Ils ont d'abord pleuré de rage, ils se sont répandus en paroles démentes et ils ont fini par se battre entre eux pour échapper à cette terrible inaction. Et ce mal, il le sait, s'empare des plus forts de préférence. Il voudrait alerter Yann et Corentin. A eux deux ils viendraient bien à bout du colosse Alain Douguet. Il maudit son impuissance du moment, et d'autant plus que la possession de son corps commence à lui revenir. Trop tard si les deux autres laissent faire. Il les regarde aussi intensément qu'il peut. Ce qu'il voit le rassure. Les deux hommes ne perdent pas leur camarade de vue. Ils sont ramassés, chacun à sa place, prêts à bondir. Le mousse, la bouche ouverte, s'est mis à genoux. Quand Alain s'arrête pour reprendre son souffle, Corentin Roparz entreprend de le raisonner, non pas qu'il espère que l'autre se rendra à ses pauvres raisons mais pour lui faire entendre une autre voix que la sienne.

— Ne laisse pas filer l'amarre, Alain Douguet. Et ne t'échauffe pas la tête. Tu es dans un équipage et sur un bateau, tu n'as pas le droit de vivre tout seul. Patience ! Qu'il se lève le moindre vent et dans une heure ou deux nous toucherons terre.

— Il n'y a plus de terre nulle part. Plus de vent. Le vent est mort.

— Mais non, il change de lit. Laisse-lui le temps de tourner.

— Je vous dis que c'est la fin. Nous avons brisé nos corps à défendre cette barcasse contre des vents et des vagues comme il n'y en a jamais eu depuis que le monde est monde. Et c'est l'*Herbe d'Or*, maintenant, qui ne veut pas aller plus loin. Un sabot fendu. Il est en train de s'ouvrir par le fond, sous nos pieds, sans se presser, pour faire durer le supplice. Saloperie !

— Il suinte un peu, c'est tout. Il n'a pas pris plus qu'il n'en faut pour recouvrir le plat de ma main. Pas même de quoi écoper.

— La neige lui pèse dessus pour le faire descendre plus vite. Nous allons être sucés par cet océan des pieds à la tête, sans pouvoir nous défendre. Encore un peu de temps et nous naviguerons à la cape entre deux eaux, équipage de morts sur une barque dont il ne restera même plus le fantôme. Nous mettrons peut-être des jours à toucher le fond. Le ciel lui-même nous enfonce de tout son poids. Regardez-le !

Il se prend la tête à deux mains et s'écroule sur les planches en gémissant. Yann Quéré se détend un peu, demeure quand même sur ses gardes. Corentin s'approche de Pierre Goazcoz, s'assoit tout contre lui, passe un bras autour de ses épaules, ce qu'il n'a jamais osé faire avec personne. Le maître de l'*Herbe d'Or* bat des paupières et sourit.

— Je vous... ramènerai... au sec.

La bouche de Corentin est contre son oreille.

— Je sais. Je sais aussi ce qu'il a, Alain Douguet. Il pense à Lina Kersaudy. Et moi, pauvre innocent, je lui ai donné à lire une lettre qui lui a fait du mal. Un homme comme lui, ce n'est pas la misère du métier... Il est plein de soucis qui le rongent. Et contre ceux-là...

— Attention à lui.

Le mousse élève sa voix claire. Il s'adresse à Yann Quéré qui s'est assis sur le plat-bord.

— Dis, Yann. Qu'est-ce qu'il a, Alain Douguet ?

— Ne l'écoute pas, fils ! Il a la fièvre. Le bateau tient bon. Il prend un peu d'eau, mais du train où il va, il faudrait des heures et des heures pour le couler. Nous pourrons très bien le vider entre les paumes de nos deux mains quand il faudra. Il n'y a rien de perdu.

L'homme d'avant se relève sur les genoux pour hurler.

— Il va s'ouvrir, je vous dis. Tu as beau faire le malin, Yann Quéré, toi aussi, tu seras mangé par les crabes et les poissons des profondeurs. Ta chair s'en ira en bribes molles comme un morceau de bœuf dans une soupe trop cuite. Hé quoi, tu t'es nourri de ces animaux-là, il est juste qu'à leur tour ils se régalent de toi, non !

— Ferme ton four à sottises. Tu parles exprès pour épouvanter le mousse.

— Il n'y a pas d'enfant sur les bateaux. Nous avons tous le même âge quand il s'agit de faire un noyé.

— Tu peux parler autant que tu veux et comme il te plaît, Alain, si cela te fait du bien, dit l'enfant Herri sans se troubler le moins du monde. Je n'ai pas peur de faire un noyé. Si j'avais eu peur, je pouvais choisir de porter du mortier aux maçons. Une fois, j'ai vu un garçon de douze ans qui était mort du mal de poitrine. On l'avait exposé sur son lit dans ses habits du dimanche, la chapelle blanche autour de lui. Et puis, le bedeau et le menuisier l'ont étendu dans son arche et ils ont cloué le couvercle sur lui. Je ne veux pas être cloué dans une caisse. Je ne veux pas descendre dans un trou à limaces. Je veux l'océan tout entier pour me promener tant qu'il restera quelque chose de moi.

— Eh bien, dit Corentin stupéfait, en voilà un qui sait ce qu'il veut. Quel âge as-tu déjà, Herri ?

— Bientôt quatorze ans. Ton Nonna m'a raconté comment les marins morts descendaient dans les courants jusqu'au fond de l'océan. Et là, il y a un port immense où ils retrouvent le bateau de leur naufrage. Chacun répare le sien pour être prêt à partir au signal d'un ange ou d'une étoile, on ne sait pas bien. Au bout de leur navigation, il y a une île signalée par un grand feu de goémon qui brûle nuit et jour entre le ciel et l'eau. Elle n'est visible que pour eux. C'est là qu'ils jetteront leur ancre qu'ils n'auront plus jamais à relever. Je suis prêt à descendre au fond.

— Tu entends ce qu'il dit, Alain ?

— J'ai entendu. A cet âge, on croit tout savoir et on ne sait pas grand-chose. On ne sait même pas très bien qu'on meurt pour de bon. On entre tout droit dans la mort sans tourner la tête. Pourquoi tournerait-on la tête ? Il n'y a rien qui vous tire derrière.

Soudain, le voilà debout. Il se met à tourner sur lui-même, les bras en croix, avec tous les signes de l'égarement.

— Et puis c'est assez parlé. Restez à moisir sur vos

planches, moi je m'en vais. C'est la nuit de Noël, je vais aller à la messe de minuit. Peut-être me portera-t-elle chance aussi, Corentin. Je mettrai un gros cierge à l'autel pour vous.

Il respire profondément, sort de ses sabots, cherche à se débarrasser de sa vareuse qui lui colle au corps, mais déjà Yann et Corentin sont sur lui. Le premier le ceinture sans ménagement, l'autre lui prend les bras. Il se démène à grande fureur, se secoue comme un fauve attaqué par des chiens, les injurie jusqu'à s'étrangler. Un coup de genou que Yann Quéré lui décoche au ventre le fait enfin s'écrouler sur la face, Corentin ayant réussi à lui immobiliser les bras par-derrière. Mais il clame encore :

— Je suis le seul à savoir nager. Je sais par où est la terre. Je la sens. Je la trouverai. Je vous enverrai du secours. Laissez-moi !

Et les deux autres, sans lâcher prise, lui répètent patiemment que la terre est trop loin, qu'il va se perdre, crever de froid dans l'eau salée, qu'ils n'ont pas besoin de secours puisqu'ils sont sûrs de se sauver tout seuls, qu'ils ont besoin de lui pour aller à la côte parce qu'il a les meilleurs yeux et que le vent, le vent, le vent va se lever. A bout de forces, enfin, il finit par avouer la raison de sa démence.

— Il faut que je parle à Lina Kersaudy.

Après quoi, il se tait, soufflant comme une bête. Yann et Corentin se regardent, hésitant encore à le libérer bien qu'ils sentent que le calme renaît en lui. La crise est passée.

— Il y a une étoile là-haut, dit le mousse. Tu vois l'étoile, Alain Douguet ?

Et Yann Quéré :

— Une étoile en galerne. Le vent nous arrive dessus.

Il se relève et Corentin aussi. Alain Douguet se met sur le dos. Son grand corps est maintenant tout relâché.

— Je vois l'étoile. Qu'est-ce qui m'est arrivé ?

— Un accès de fièvre. Tu en as trop fait. En rentrant à la maison, tu iras te fourrer au lit tout droit. Tu entasseras sur toi toutes les couettes disponibles pour suer le froid et la fatigue. Deux ou trois jours après, les couettes auront doublé de poids et tu seras de nouveau d'attaque.

Et Yann Quéré se met à rire comme il sait le faire quand la vie lui est douce et c'est aussi souvent qu'il peut.

— Dis-moi, Yann, toi qui sais tout. Elle a combien de branches, cette étoile ?

— Elle en a cinq, fils. Autant que de doigts dans une main. Et nous sommes tous les cinq dans la main de l'étoile. Elle ne nous lâchera pas.

— Alain Douguet, dit Corentin, peut-être ferais-tu bien de nous dire le souci qui te dérange la tête. On en porterait chacun un morceau. Et quand même nous serions tous plus légers qu'avant. Dans un équipage, quand il y en a un seul qui souffre, les autres ne sont pas à l'aise.

Yann Quéré renchérit :

— Bientôt nous aurons à boire et à manger, nous pourrons nous étendre dans des lits. Mais toi, Alain Douguet, tu ne trouveras de repos ni dans la nourriture ni dans le sommeil. La fièvre du corps te lâchera, pas l'autre. Allons ! Balance ta peine par-dessus bord.

Il se décide enfin, le fils Douguet. Après le spectacle qu'il a donné tout à l'heure et dont il a maintenant conscience, autant vaut qu'il se confesse jusqu'au bout. L'équipage n'en soufflera mot.

— Je vais l'étaler devant vous, ma peine. Aucun de vous ne pourra m'en prendre une once. Il y a des années que je suis porté vers Lina Kersaudy, la fille de Lich Mallégol. Trois semaines ont passé depuis que je lui ai demandé si elle voulait me prendre. Depuis trois semaines, le goût de vivre m'a quitté. Elle a dit non.

Il a fini. Corentin se révolte aussitôt.

— Je ne te crois pas. Tu n'as pas bien compris.

— Elle a dit non. J'étais avec ma mère qui avait mis sa plus belle coiffe et son châle tout neuf. Lina Kersaudy a dit non sans même descendre l'escalier pour se présenter devant nous. Elle s'est rejetée dans sa chambre en pleurant.

— Je ne connais pas de fille qui pleure, dit Yann. Avec moi, elles rient toujours. Je trouve qu'elles rient trop. La première fois que je ferai pleurer une fille, je ne la lâcherai plus jamais. Même si elle dit non. Et d'abord, comment a-t-elle dit non, Lina Kersaudy ? On vous refuse avec le corps tout raide, la lèvre mince et les yeux durs. Ce qu'on entend ne vaut pas grand-chose, ni pour oui ni pour non. C'est ce qu'on voit. L'as-tu vue pleurer ?

— Je ne l'ai pas vue du tout. Quand je l'ai entendue éclater en sanglots, j'étais déjà dehors.

— Elle a pleuré justement parce qu'elle avait dit non. Elle a peut-être dit non pour avoir de la chance. Elle a vu fondre la famille Douguet autour d'elle. Elle a peur pour toi, pour son propre compte aussi. Et cette peur irraisonnée l'a fait entrer en crise comme toi tout à l'heure pour d'autres raisons qui ne valent pas mieux. Ah, vous êtes bien pareils, tous les deux ! Dès que nous serons débarqués, tu iras la voir tout de suite. Je t'y traînerai moi-même s'il le faut. Elle dira oui.

— Elle ne peut pas dire non, déclare le mousse Herri, plein d'importance. Je n'étais pas encore dans la classe du certificat et tous les enfants disaient déjà que Lina Kersaudy était la promise d'Alain Douguet. Vous deux, c'était comme dans les vieux contes où Jean doit faire des merveilles avant d'épouser la fille du roi d'Hibernie. Ils seront même déçus, après le mariage, car le conte sera fini. Moi, je suis maintenant un grand garçon, mais Lina Kersaudy est toujours la fille du roi d'Hibernie et toi, Alain Douguet, tu passes la dernière épreuve sur la mer avant de la mériter tout à fait. La dernière épreuve.

— Il en sait des choses, ce Herri, grogne Corentin, tout heureux. Où a-t-il été prendre tout ça ?

— C'est encore Ton Nonna. Ce n'est pas souvent qu'il veut bien conter les merveilles, mais je l'ai tellement tourmenté, quand j'étais enfant, qu'il lui a bien fallu sortir une partie de ce qu'il tient dans son sac. Mais il n'a jamais voulu me parler de cette Herbe d'Or qui est la marraine de notre bateau. C'est pourquoi je suis là. Pierre Goazcoz finira bien par me dire ce qu'il sait sur elle. Ou peut-être l'un de vous ?

Il n'y a pas de réponse, mais les trois hommes se tournent vers Pierre Goazcoz, tassé à l'arrière, qui a tout entendu. Un peu de chaleur est monté en lui. A force de battre le rappel de ses membres, il se sent de nouveau maître du bras qui tient la barre contre ses côtes. Et sa langue, dans sa bouche, semble décidée à lui obéir comme il faut. Il appelle.

— Yann Quéré !

— Je suis là.

— Raconte-lui l'Herbe d'Or. Il a bien mérité de savoir, le petit.

— Mais c'est à toi...

— Trop tard. Comme nous disons dans notre langage, je suis en train de ramer vers la sortie. Raconte-lui l'Herbe d'Or comme tu me l'as racontée à ta manière quand tu es venu me demander d'embarquer sur mon bateau. Raconte-la-moi ! Il me reste peu de temps pour l'entendre encore une fois. Ensuite, je vous ramènerai à la côte. C'est promis.

— Tu sais, ce sont les paysans de chez moi qui...

— De terre ou de mer, il n'y a qu'une Herbe d'Or pour toutes les têtes, baptisées ou non. Raconte-nous comment le maître... de quel endroit déjà ? Trémoré. Comment le maître de Trémoré a rencontré l'Herbe d'Or.

— C'était au temps de la Toussaint. Pour nous, c'est la Toussaint qui est au cœur de nos songes.

— Et nous sommes au soir de Noël. Mais l'Herbe d'Or n'a pas de temps ni de lieu.

— Puisque tu le veux...

Yann Quéré va s'asseoir à l'étrave. Corentin ne bouge pas, Corentin est toujours bien où il est. Alain Douguet se redresse pour s'accoter contre le flanc de la barque. Il a repris confiance. Le mousse, après une hésitation, va se mettre à califourchon sur le banc avant. Il ne veut pas perdre un mot de ce qui va se dire maintenant et qu'il n'entendra sans doute plus jamais que de sa propre bouche s'il lui revient un jour d'avoir à transmettre le secret. Et s'élève la voix de Yann Quéré, plus impressionnante que celle du recteur de Logan qui sait pourtant donner aux phrases toute la force qu'elles doivent avoir pour remuer les fidèles.

— Je vais vous conter l'Herbe d'Or pour la première fois sous son vrai nom qui est celui-là. C'est un nom qui fait peur à beaucoup de gens, qui leur semble de mauvais augure parce qu'ils tiennent à durer le plus longtemps possible dans leur corps mortel. Il n'a pas fait peur à Pierre Goazcoz qui l'a marqué sur son bateau dans l'espoir de prendre au piège l'Herbe en question. Il n'a fait peur à aucun de nous puisque nous sommes là. Mais sachez que dans mon pays on ne parle jamais que de la plante Alleluia. C'est un nom qui rassure un peu les chrétiens parce qu'il est d'église. Ailleurs, on l'appelle autrement. En vérité, l'Herbe d'Or, chacun la nomme comme il veut, la reconnaît quand il est reconnu par elle. Et c'est alors seulement qu'elle produit son effet. Vous allez croire que je déraisonne et c'est exactement ce qu'il faut faire pour parler de l'Herbe d'Or. Elle est au-delà de toute raison, cette raison qui ne vaut que pour le bas monde. Écoutez comment mon père racontait l'aventure du maître de Trémoré avant d'être foudroyé sous son arbre. Et pour lui, l'Herbe d'Or, c'était peut-être la foudre.

« Mon père tenait l'histoire d'un vieux domestique du manoir de Trémoré qui s'appelait Fanch Lukas, son propre cousin. Ce Fanch Lukas est mort, Dieu lui pardonne, et du manoir de Trémoré il ne reste à voir que quelques pans de murs, encore ne sait-on pas très bien où ils se trouvent. Si quelqu'un le savait aujourd'hui, peut-être pourrait-il cueillir la plante Alleluia qui permet d'aller dans l'Autre Monde et d'en revenir sans autre dommage que l'envie d'y retourner. Mais celui qui voudrait courir l'aventure, il lui faudrait être au nombre des âmes promises au Purgatoire. Les élus et les réprouvés, on n'en verrait plus la couleur en ce bas monde, ils seraient retenus au Paradis ou en Enfer. Le nombre des premiers n'est pas très grand et telle est leur humilité qu'ils n'osent pas croire que leur salut est assuré sans la moindre pénitence. Les seconds sont légion, mais ils n'ont presque jamais conscience de leurs crimes et les plus mauvais d'entre eux espèrent toujours échapper de justesse aux griffes du seigneur de Kersatan. Cela fait que tout chrétien qui trouverait la plante Alleluia ne courrait pas grand risque en allant jeter un coup d'œil sur l'envers du monde et même en y restant quelques jours, quelques années ou quelques siècles, le temps ne se mesurant plus là-bas.

« Et cependant, voyez donc, seulement quelques-uns ont osé franchir le pas d'eux-mêmes. Encore l'ont-ils fait par hasard, parce qu'il leur est arrivé de rencontrer la plante Alleluia sans la chercher. Mais peut-être est-ce la plante qui les cherchait ? Peut-être la Providence divine juge-t-elle bon de rappeler aux hommes, de loin en loin, qu'une vie éternelle vous attend dans un autre monde, par-delà celui-ci, à moins qu'il ne soit le même, mais purifié de toutes les apparences trompeuses, qui le saura de son vivant ! Ce qui est vrai, c'est que les hommes font leurs sept possibles pour chasser de leur esprit toute pensée qui va au-delà de ce qu'ils appellent la mort. Et c'est pourquoi ils marchent la tête haute dans les chemins, de peur de subir la tentation de la plante Alleluia si par hasard celle-ci s'avisait de pousser devant leurs pas. C'est pourquoi ils ont oublié de toutes leurs forces, et Fanch Lukas le premier, où se trouvait exactement le manoir de Trémoré sur les terres duquel a été vue la plante en question pour la dernière fois. Ne la cherchez donc pas si vous voulez durer dans votre paix et n'allez pas croire que tous les pans de vieux murs sans nom qui furent autrefois de nobles demeurances avant d'abriter des chevaux et des vaches jusqu'au moment où le toit s'est effondré, n'allez pas croire que c'est de là que partit un matin Jean-Pierre Daoudal, le maître de Trémoré, pour se retrouver avant midi au pays des Défunts sans avoir fait autre chose que de se baisser pour cueillir une plante inconnue.

« Sans plus attendre, je dois vous dire que ceci est arrivé le jour des Morts. Ainsi serez-vous à l'aise pour imaginer qu'il ne se serait rien passé si Jean-Pierre Daoudal n'avait pas choisi précisément ce jour-là pour revêtir ses grands habits et se rendre au bourg à pied au lieu d'atteler son char à bancs. On sait trop bien qu'autour du temps de la Toussaint il se produit des phénomènes étranges un peu partout et que les marcheurs à pied sont exposés aux *intersignes* et aux *choses d'épouvante*, surtout la nuit. Mais d'abord il ne faisait pas nuit, c'était une matinée claire et sèche comme on n'en voit qu'une tous les sept ans le jour des Morts. Ensuite il n'est pas possible, pour quelqu'un de bonne race, de laisser passer un tel jour sans rendre visite aux défunts de sa famille. Pour le maître de Trémoré, qui était un homme sévère, cette visite avait été préparée, la veille, par les femmes de sa maison. Elles avaient nettoyé de près et abondamment fleuri leurs tombes du cimetière paroissial. Avant de se recueillir devant chacune d'elles, Jean-Pierre Daoudal multiplierait ses yeux pour vérifier si tout était en ordre et en état de faire honneur à sa maison. Et les femmes, restées à Trémoré, trembleraient jusqu'à son retour. Mais si le maître était parti à pied, c'était encore pour honorer ses morts. Depuis des générations, les défunts de Trémoré étaient conduits au champ de l'église non point en char et par la grand-route, mais à bras d'hommes et par un vieux chemin de terre qui ne servait qu'à cela. Il débouchait sur la place du bourg, juste devant le porche de l'église. Avant de le quitter, les porteurs cognaient le cercueil, à droite et à gauche, contre deux grosses pierres fichées dans les talus et qui marquaient la fin des terres de Trémoré. Le mort prenait ainsi congé, faisait abandon à son successeur du chantier de sa vie, léguait son héritage, disait adieu à son berceau. Jean-Pierre Daoudal, tous les ans, tenait à parcourir, seul et vivant, en l'honneur des morts, le chemin obligé où passeraient plus tard ses propres reliques. Son père aimait lui conter comment un ancien maître de Trémoré avait demandé que son corps fût porté à l'église dans un carrosse à quatre chevaux qu'il avait, et en passant par la grande allée, puis la route. Or, les quatre chevaux, malgré tous leurs efforts, ne purent jamais soulever un seul sabot de terre. Dès que quatre hommes forts eurent chargé le cercueil sur leurs épaules et entrepris de le porter au bourg par le vieux chemin, tout se passa le mieux du monde.

« Donc, ce matin-là, le maître de Trémoré arpentait le vieux chemin en méditant sur les fins dernières. Mais la méditation n'empêchait pas son œil de maître de noter avec soin tous les travaux qu'il faudrait faire avant que le prochain décès dans la famille (le sien peut-être) n'amène par là, derrière le corps, quelques centaines de parents et d'amis au risque de se tordre les pieds dans les nids-de-poule et de se déchirer aux ronces. Avant l'hiver, sans faute, il viendrait lui-même avec Clet Folgoaz, son domestique. Ils nettoieraient les talus de part et d'autre, ils nivelleraient le double sentier trop peu fréquenté par les sabots pour tenir en respect les plantes sauvages. Pour le bon exemple et sur-le-champ, il voulut déraciner un chêne nain qui avait poussé sans vergogne au milieu du vieux chemin et qui lui arrivait à peine au genou. Il le replanterait quelque part, ses arrière-petits-enfants en auraient du bois pour leurs armoires de noces.

« C'est alors qu'il aperçut à son pied une espèce d'étoile à cinq branches, de couleur rougeâtre, qu'il prit d'abord pour un champignon. Mais, s'étant accroupi pour observer de plus près, il reconnut que l'étoile portait un pistil en son centre et qu'elle était éclose dans une couronne de feuilles dorées, rondes et grasses. C'était une plante comme il n'en avait encore jamais vu de pareille ici ou ailleurs. Il passa deux doigts sous les feuilles, trouva la tige et n'eut pas besoin de tirer beaucoup pour faire sortir de terre des filaments blanchâtres qui servaient de racines. Jean-Pierre Daoudal se dit qu'une telle plante ferait sûrement plaisir à un ami apothicaire qu'il avait en ville. Il prit son mouchoir qui était toujours propre car il n'avait jamais la moindre humidité dans le nez. Au moment d'y envelopper sa trouvaille, il s'aperçut que l'étoile à cinq branches s'était refermée, que la plante tout entière n'était plus qu'une boule d'or. Curieuse plante, en vérité. Il mit le tout dans la poche de son paletot et se pencha de nouveau pour déraciner le petit chêne. C'est alors qu'il eut sa première surprise : il n'y avait pas plus de petit chêne en terre que de poil dans le creux de sa main.

« Le maître de Trémoré, je crois l'avoir fait comprendre, n'était pas homme à déglutir de l'étoupe, mais il fut impressionné par le phénomène. Pour s'assurer qu'il n'avait pas rêvé debout, il tira son mouchoir de sa poche et le déplia sur sa main. La plante-étoile y était bien, roulée en boule. Mais où donc était passé le petit chêne qu'il devait replanter pour ses arrière-petits-enfants ? Et s'il avait été trompé par sa vue, comment la plante-étoile avait-elle pu échapper à l'erreur ? Il se promit de montrer ses yeux au plus savant des hommes de l'art, même si cela devait lui coûter le prix d'un veau. Et il en vint à s'inquiéter ferme en pensant qu'il était en train de couver une de ces maladies devant lesquelles le meilleur médecin n'est plus qu'un charlatan dérisoire. Mais cela ne dura pas longtemps parce qu'il avait l'impression que tout était plus léger, plus pur autour de lui, que lui-même était maître de son corps mieux qu'il ne l'avait jamais été, que les petites infirmités de l'âge avaient disparu et qu'il pourrait faire joliment le tour du monde à pied sans se rompre les genoux ni se couper le souffle. Quand il jeta un regard autour de lui, il fut un peu étonné de voir que bien des choses avaient changé depuis qu'il s'était accroupi devant l'étoile à cinq branches. Mais quoi ! Chacun sait que le visage du monde se modifie sous le regard d'un homme tout neuf.

Décidément, le maître de Trémoré avait rajeuni en un tournemain. Après tout, il y en a d'autres qui vieillissent d'un seul coup, n'est-ce pas ! Il reprit gaillardement sa route vers le bourg, mais il avait oublié pourquoi il y allait et c'est en vain qu'on lui aurait demandé le nom de la journée qu'il était en train de vivre.

« A la sortie du vieux chemin, là où se trouvent les deux grosses pierres contre lesquelles on cogne les cercueils de Trémoré pour leur faire dire adieu à ce monde, Jean-Pierre Daoudal fut terriblement tenté d'aller toucher l'une et l'autre de ses mains, ce qu'un vivant ne doit pas faire sous peine de mettre en péril son corps mortel. Si le maître de Trémoré l'avait fait, peut-être serait-il redevenu l'homme qu'il était au départ de son manoir, ce matin-là. Car vous avez compris qu'il était déjà dans l'Autre Monde par la vertu de cette étrange plante qui avait fleuri dans le vieux chemin des Morts sous la forme d'une étoile à cinq branches au pied d'un petit chêne. Un petit chêne qui n'avait poussé là que pour attirer l'attention du passant (n'importe qui ou Jean-Pierre Daoudal à l'exception de tout autre ?) sur la fleur éclose dans une couronne de feuilles dorées, rondes et grasses. Et Jean-Pierre l'avait cueillie de ses mains et enveloppée dans son mouchoir sans se douter que c'était là son sésame pour l'envers du Monde. De ce sésame, son ami l'apothicaire ne verra jamais la couleur.

« Sur la place du bourg il y avait des groupes de gens qui revenaient du cimetière à l'exception de quelques-uns qui n'étaient là que pour apprendre les nouvelles. Le maître de Trémoré les connaissait tous. Il gagna le centre de la place où quatre de ses amis discutaient avec animation. Pour les rejoindre, il dut passer tout près de quelques autres groupes, mais personne ne le salua, ne lui adressa le moindre mot, ne fit même semblant de l'apercevoir. Il s'approcha des quatre compères. De quoi parlez-vous donc ? dit-il. Ils firent comme s'ils n'avaient rien entendu. L'un d'eux, alors que Jean-Pierre Daoudal était à deux pas de lui, s'inquiéta de savoir où était resté le maître de Trémoré qui avait l'habitude d'être à l'heure. Ce dernier, comme il n'arrivait pas à se faire entendre de ses compères, donna trois ou quatre tapes assez fortes sur l'épaule de l'un d'eux. Mais l'homme à l'épaule ne réagit aucunement. Les quatre finirent par se diriger vers la prochaine auberge pour y boire chacun sa chopine en l'honneur des morts et aux dépens de l'absent qui marchait pourtant dans leur ombre.

« L'absent resta dehors, assez découragé, se demandant ce qui lui arrivait. Il vit venir vers lui un char à bancs peint en vert sombre avec des filets jaunes et tiré par un cheval au poil luisant, à la queue tressée. Dans le char à bancs paradait son voisin, le maître de Keromen, en ses habits de gloire et entouré de toute sa famille en grand apparat. En l'honneur des morts, comme de juste. Jean-Pierre Daoudal se dressa devant l'équipage, les bras étendus pour l'arrêter. Auriez-vous une place pour moi, Jakez Keromen, cria-t-il, je rentre à Trémoré. Jakez regardait devant lui, l'œil vide, et le cheval marchait à son pas. Il arriva tranquillement sur Jean-Pierre et le traversa de la tête à la queue comme s'il avait été de l'air transparent. Jakez Keromen, sa famille et le char à bancs le traversèrent aussi facilement qu'ils l'auraient fait de l'ombre d'un arbre ou d'une maison. Le maître de Trémoré, sans rien sentir, vit passer à travers sa tête la musette qui contenait le picotin du cheval et il se retrouva tout seul sur la place pendant que les cloches sonnaient en l'honneur des morts. Il était à peu près midi.

« Le pauvre Jean-Pierre entra dans trois ou quatre maisons de commerce où il avait ses habitudes. A chaque fois qu'il ouvrait une porte, quelqu'un se précipitait pour la fermer en maudissant les serrures et les courants d'air. Il avait beau saluer l'assistance à haute voix, interpeller les gens par leurs noms, leur frapper la poitrine, leur prendre le bras, on ne l'entendait pas, on ne sentait pas sa main, on le voyait encore moins, on le traversait plus facilement qu'une écharpe de brume tandis que lui se heurtait à tout ce qui était solide et devait en faire le tour. Il finit par se réfugier dans la campagne. Là au moins il n'aurait pas à s'échiner en vain pour se faire voir et entendre de ses pareils. Et l'indifférence de la nature à son égard ne serait pas pire qu'envers le premier venu.

« Il marcha longtemps, mais sans ressentir la moindre fatigue, à travers un pays désert et qui lui semblait familier malgré certains bois de pins en trop, certaines maisons en moins. Et puis il se trouva soudain arrêté au flanc d'une montagne inconnue. La route qu'il avait suivie jusque-là n'allait pas plus loin. Mais, à droite, des sentiers étroits, escarpés, difficiles, grimpaient apparemment vers le sommet de la montagne, un sommet invisible d'où parvenaient les accords d'une musique d'église, soutenant un chœur d'innombrables voix célestes. A gauche prenait une large avenue qui descendait en pente douce vers quelque vallée inférieure, invisible aussi, et de là montait une énorme rumeur de jurons et d'éclats de voix, mille et mille fois ce qu'il est donné d'entendre dans l'auberge la plus mal famée.

« Or, devant le maître de Trémoré s'étendait une assez large terrasse dont il ne voyait pas la fin. A sa grande stupéfaction, il y reconnut quelques-uns de ses champs, mais en désordre. Rassuré néanmoins, il s'engagea sur ce territoire bien que la nuit fût déjà tombée et qu'il se sentît incapable de savoir où il allait. Le paysage était éclairé pauvrement par un reflet pâle et froid de la lumière heureuse qui régnait là-haut, à droite, au pays des cantiques, tandis que le gouffre vociférant, à gauche, était enseveli dans les ténèbres. Et dans cette aumône de clarté, on voyait des gens s'affairer maintenant à toutes sortes d'occupations, chacun de son côté et sans se soucier le moindrement les uns des autres, chacun suivant son destin.

« Le premier qui fut rencontré par le maître de Trémoré s'acharnait à défoncer une lande avec sa grande marre. Ce qui incita Jean-Pierre Daoudal à s'approcher de lui, ce fut d'entendre le bruit sourd de son outil sur les souches et le sifflement de sa respiration. Ce n'était donc pas seulement une ombre. Peut-être l'autre pourrait-il le voir et l'entendre. Il s'approcha du défricheur qui lui tournait le dos. L'homme, sans doute, le sentit venir car il laissa retomber sa marre et se retourna en souriant.

“Vous aussi, vous êtes à marcher par là ?” demanda-t-il, comme fait le premier paysan venu quand il est fils de bonne mère.

“Oui, je vais”, répondit le maître de Trémoré, tout heureux d'entendre de nouveau une voix humaine lui parler en face. Depuis qu'il avait débouché sur la place du bourg, il craignait de n'être plus lui-même qu'une ombre.

« Le vieillard — car il semblait vraiment très vieux bien que la marre ne parût pas peser lourd entre ses mains —, le vieillard s'était remis à son ouvrage comme quelqu'un qui n'a pas de temps à perdre. Les mottes et les racines volaient autour de lui. Cependant, Jean-Pierre Daoudal risqua une question.

"Est-ce que votre travail avance assez bien ?" dit-il.

"Il va comme il va, répondit le défricheur. Il irait plus vite si quelqu'un pouvait me donner un coup de main. Mais personne ne peut le faire et cela par ma propre faute."

"Et quelle est cette faute, s'il vous plaît ?"

« Alors, sans cesser un instant de manœuvrer sa marre, avec des phrases courtes entre deux ahanements, le vieux raconta comment il avait désiré toute sa vie avoir à lui cette immense friche qui s'étendait, inutile, au-delà de ses terres à blé. Quand il avait fini par en devenir propriétaire, il était déjà sur l'âge et si perclus qu'il n'était plus capable d'aucun travail pénible. Au moment de mourir, peu après, il fit promettre à son fils de s'attaquer à la friche et d'en faire une terre à labour d'un bout à l'autre. Et il ajouta que si le fils ne pouvait pas le faire, il reviendrait lui-même de l'Autre Monde pour mener le travail à bien de ses propres mains. Le fils promit de nettoyer de son mieux la terre sauvage et d'y semer du blé s'il disposait d'assez de vie pour le faire. Et il l'aurait fait sans faute s'il n'avait été enrôlé de force dans les armées de Napoléon le Vieux qui était à la tête du pays en ce temps-là. Il était mort gelé sous les galons de sergent-major dans un pays interminable, vers l'est. C'est pourquoi le père devait revenir chaque nuit pour travailler de la marre. Et chaque nuit il abattait beaucoup d'ouvrage. Mais quand il revenait, la nuit suivante, la végétation sauvage et la pierraille avaient regagné presque tout le terrain perdu par eux. Et le vieux recommençait à s'acharner sans perdre courage parce qu'il avançait quand même de la longueur d'un manche de bêche tous les cent ans.

"Et vous ? demanda-t-il pour finir. Pourquoi revenez-vous ?"

"Je cherche quelqu'un qui soit capable de me remettre dans le bon chemin", répondit le prudent Jean-Pierre Daoudal.

"Ce n'est pas facile, dit l'autre entre deux coups de sa marre. Il y a tant de chemins qui ne sont pas le bon."

« Le maître de Trémoré prit congé du défricheur et reprit sa marche. Ce qu'il voyait autour de lui, il faudrait plusieurs existences pour le raconter. Chaque personnage qui menait son jeu à travers la terrasse infinie, entre les cantiques d'en haut et les imprécations d'en bas, aurait valu la peine qu'on lui demandât d'exposer les raisons de son séjour en ces lieux. Mais Jean-Pierre Daoudal redoutait de commettre, en paroles ou en actions, quelque faute qui aurait attiré sur lui un châtiment dont il n'avait pas la moindre idée. Pourtant il fit route pendant quelques instants avec une femme qui s'en allait toutes les nuits soigner sa fille quelque part à l'endroit du monde. Elle était morte en couches, son mari avait pris une seconde femme qui ne se souciait nullement de l'enfant de la première. C'était donc à celle-ci de revenir la nuit afin de dispenser à la petite les soins nécessaires pour la tenir en vie. La pauvre femme était pressée, elle quitta Jean-Pierre Daoudal sans même dire adieu au moment où ils arrivaient devant un énorme château en ruine qui se dressait au cœur d'un bois, à moins d'une lieue de Trémoré. Était-ce bien lui ou un autre qui lui ressemblait beaucoup ? On entendait des bruits de grosses pierres tombant dans les douves du haut des tours et des courtines. Il y avait trois hommes occupés à démolir les murailles du château. Et en bas, dans la cour, une dame habillée de blanc leur criait de temps en temps : avez-vous trouvé, mes frères ?

« Jean-Pierre Daoudal s'approcha de la dame blanche. Quand elle le vit venir, elle étendit les deux bras pour le repousser. Elle semblait furieuse.

“Allez-vous-en d'ici, dit-elle. Ceci n'est pas à vous.”

« Comme il ne bougeait pas, elle vint tout contre lui et le regarda de près avec des yeux très noirs dans un visage blême. Alors elle se fit humble.

“Je vois que vous êtes de ceux qui ont le droit de savoir. Sachez que notre père, partant pour les Croisades, a caché un trésor dans ces murs sans indiquer à personne l'endroit où il se trouve. Il n'est pas revenu de guerre. Mes trois frères et moi nous avons cherché partout. Aucun de nous n'a voulu se marier ni quitter le château pour ne pas laisser sa part aux autres. Ils sont restés pour l'or et moi pour les bijoux. Nous avons tout fouillé de fond en comble et, comme nous ne trouvions rien, nous avons commencé à démolir les murs. Cela nous a pris toute notre première vie. Maintenant, dans la seconde, nous passons les nuits à détruire le reste de la maçonnerie, espérant y trouver la cachette du père. Hélas ! Toutes les nuits, les pierres que nous avons descellées et jetées dans les douves la nuit précédente, nous les retrouvons remontées à leur place. Pas toutes, mais presque. Nous y gagnons une rangée de pierres tous les cent ans. Un temps viendra où, de ce château, il n'y aura plus un seul pan debout, à moins que nous n'ayons découvert le trésor avant. Peut-être savez-vous où il se trouve ?"

"Je ne sais rien, dit le maître de Trémoré, je ne suis qu'un passant de hasard."

« Et cependant la dalle de pierre, sous les pieds de la dame, répandait une lueur verte et dorée qu'il était seul à voir. Le trésor était là. Mais pourquoi le prudent Jean-Pierre Daoudal aurait-il pris le risque de changer le cours des choses ? Il s'en alla plus loin pendant qu'elle continuait de crier, le visage tourné vers le haut des murs : eh bien, mes frères, avez-vous trouvé ?

« Il était plus de minuit. Comment le savait-il ? Il le savait. Maintenant, il y avait tant de monde en marche et en attente autour de lui qu'il se serait cru à la foire de La Martyre si ces gens-là n'avaient pas été si indifférents les uns à l'égard des autres. Et les animaux qui les accompagnaient ne s'occupaient que d'eux-mêmes. Mais, pendant qu'il se frayait un passage à travers la foule, Jean-Pierre Daoudal se trouva en face d'un petit homme sec, un boiteux enveloppé d'un grand manteau noir et qui tirait derrière lui une haridelle attelée à une charrette branlante. Il le reconnut aussitôt. C'était le cordonnier du bourg, le dernier mort de l'an précédent, qui faisait là son office de charretier des Trépassés. L'*ankou* le reconnut aussi.

"Comment êtes-vous arrivé jusqu'ici, maître de Trémoré, dit-il d'une voix fâchée. C'était à moi de vous amener, et à moi seul."

"Je sais, mais ce n'est pas ma faute. Je me suis trompé de chemin quelque part. C'est peut-être seulement un tour de lutin. Je m'en vais chez vous pour vous attendre."

"Encore deux mois et j'en aurai fini. Un autre sera maître du char pour un an. Je sais déjà qui, mais je ne peux pas vous dire son nom."

« Il tira sur la têtière de la bête efflanquée. La carriole repartit en cahotant. Quand elle passa devant Jean-Pierre Daoudal, il vit qu'il y avait dedans quatre hommes qui jouaient aux cartes et une femme qui continuait son tricot. La moisson de la nuit promettait d'être bonne.

« Un peu plus tard, marchant toujours, il avisa un grand diable d'homme, assis tout seul à l'écart sur une pierre grossièrement taillée.

« Cet homme avait l'air préoccupé. Alors que tous les autres vaquaient à leurs affaires sans hésitation, lui seul était arrêté net et ne savait comment se remettre en route.

"Vous avez trouvé là un escabeau solide", lui dit le maître de Trémoré.

"Ce n'est pas un escabeau, soupira l'autre, c'est une pierre de bornage. Sa place n'est pas sous mon train arrière, mais je ne peux pas la porter là où elle devrait être."

"Si vous me disiez ce qu'il en est, dit Jean-Pierre Daoudal, je pourrais peut-être vous aider de quelque manière."

« Sans faire mine de se lever, tellement il avait perdu courage, l'homme lui raconta comment, quand il vivait à l'endroit du monde, il avait déterré cette pierre de bornage et l'avait replantée plus loin, gagnant ainsi un morceau de terre au détriment de son voisin, pourtant plus pauvre que lui. Depuis qu'il était mort, il cherchait à remettre la pierre à sa vraie place pour pouvoir gagner sa paix et entrer dans les Joies. Mais d'abord, il avait perdu beaucoup de temps parce qu'il ne pouvait pas s'empêcher de tricher un peu, un tout petit peu, et puis presque pas du tout, mais d'une largeur de main quand même. Et la pierre retournait d'elle-même à l'endroit où l'avait plantée le voleur de terre. Il se décida enfin à être complètement honnête. Mais ce fut la pierre qui refusa de reprendre sa juste place. En se battant avec elle toute la nuit, il arrivait à l'en rapprocher un peu, mais la nuit suivante elle avait reculé de nouveau. Pas d'autant qu'il l'avait avancée, mais presque. Selon lui, il gagnait la largeur de sa pierre tous les cent ans. Il pouvait donc espérer, avec assez de patience, en finir avec sa dette. C'est alors que la malchance l'avait frappé.

"La nuit dernière, dit-il, je suis allé comme d'habitude travailler ma pierre. Comme d'habitude aussi, j'avais dans ma poche la plante Alleluia qui permet d'aller d'un monde à l'autre. Je ne sais pas comment j'ai fait, mais je l'ai perdue. J'ai eu beau la rechercher pendant tout le reste de la nuit, ce fut en vain. Alors j'ai pris la pierre sur mon épaule et je suis rentré ici comme je pouvais le faire sans difficulté. C'est seulement pour aller de l'autre côté qu'il me faut la plante Alleluia. Et chacun de nous n'en a qu'une pour sa part. Comment ferai-je maintenant pour me racheter ?"

« Sans réfléchir plus avant, le maître de Trémoré mit la main dans sa poche, en tira son mouchoir et le déplia sur son autre main. Apparut l'étoile rougeâtre à cinq branches et pistil, dans sa couronne de feuilles dorées, rondes et grasses. Elle s'était dépliée avec le mouchoir.

"La plante Alleluia, dit Jean-Pierre Daoudal, c'est peut-être ceci ?"

« C'était cela. L'instant d'après, elle était passée de la poche du maître dans celle du grand diable d'homme. Celui-ci, incontinent, chargea la pierre de bornage sur son épaule et s'en fut à grands pas vers son chantier.

« Quant au maître de Trémoré, à peine s'était-il séparé de la plante qu'il se retrouvait dans son vieux chemin, devant le petit chêne qui lui arrivait au genou. Il l'enleva de terre avec précaution, puis il alla le replanter sur le dos d'un talus de bonne largeur. Ses arrière-petits-enfants en auraient du bois pour leurs armoires de noces.

« Le soleil était juste en train de se lever. Avant de rentrer chez lui, Jean-Pierre Daoudal s'en alla saluer ses morts au cimetière et s'assurer que les femmes avaient accommodé les tombes comme il fallait. N'était-ce pas pour cela qu'il avait quitté Trémoré la veille, revêtu de ses grands habits ! Tout était parfaitement bien, sauf que les morts étaient sous terre et ne soufflaient mot. C'est alors qu'il regretta d'avoir rendu la plante Alleluia au voleur de terres. S'il l'avait gardée pour lui, sans doute aurait-il pu revoir les visages de ses Trépassés et apprendre d'eux quelle sorte de destin était le leur dans l'Autre Monde. A moins qu'ils ne fussent tous élus ou réprouvés, car il n'en avait pas rencontré un seul pendant son voyage. Et au manoir de Trémoré, de mémoire de Daoudal, il n'y avait jamais eu de revenant.

« Vous aimeriez peut-être savoir ce qu'il advint de Jean-Pierre Daoudal après son retour de ce pays étrange où il faut cent ans pour avancer dans une lande de la longueur d'un manche de bêche, cent ans pour desceller une rangée de pierres dans les murs d'un château quand on est trois, cent ans pour déplacer une borne de sa propre largeur à condition de ne pas égarer la plante Alleluia. Eh bien, c'est à cette plante, précisément, que personne ne voulut croire quand le maître de Trémoré, cet homme sage et prudent, raconta son aventure. Comme on le savait incapable de mentir et dépourvu d'imagination à l'ordinaire, il fallut bien admettre que sa tête s'était dérangée au cours de cette nuit qu'il avait passée dehors et dont il rendait pourtant compte sans jamais varier d'un détail. Malgré toutes les recherches qui furent faites, jamais personne ne put découvrir la moindre étoile à cinq branches, de couleur rougeâtre, portant un pistil en son centre, éclose dans une couronne de feuilles dorées, rondes et grasses. Et l'on plaignit ce pauvre Jean-Pierre Daoudal d'être tombé dans l'innocence. Quant à lui, il prit le parti de se taire et puis, un beau jour, il disparut.

« On le chercha longtemps. C'était un notable de son pays et il était aimé de sa famille. Une fois, on crut l'avoir retrouvé sous les traits d'un vieillard un peu simple d'esprit et incapable de dire son nom que des bonnes sœurs avaient recueilli à plus de cent lieues de Trémoré et qui faisait des merveilles dans le jardin du couvent. Si c'était lui, il fut laissé en paix. Mais certains prétendirent, et Fanch Lukas le premier, que Jean-Pierre Daoudal avait fini par remettre la main sur une plante Alleluia. A-t-il pu la reprendre au voleur de terres, l'homme à la borne ? En a-t-il dépouillé quelque autre marcheur de nuit ? Si vous aviez connu Fanch Lukas, il vous aurait dit que le maître de Trémoré continue à marcher invisible parmi nous, lui et des foules d'autres qui mènent leur train à certaines heures de jour et de nuit sans nous gêner le moindrement. Et il aurait ajouté en confidence que s'il avait quitté le manoir, c'était parce que, peu de temps après la disparition de Jean-Pierre Daoudal, dit Alleluia, il avait fallu supporter la présence d'un revenant à Trémoré.

A mesure que Yann Quéré avance dans son récit, Pierre Goazcoz, tout occupé qu'il soit à l'écouter avec ferveur, distingue de mieux en mieux son équipage. Là où il n'apercevait que des ombres mouvantes ou des masses indistinctes, il y a maintenant des silhouettes figées par l'attention et comme cernées d'un trait net à l'intérieur duquel se précisent progressivement des visages et des mains. Ce n'est pas seulement l'immobilité des hommes — même celle du narrateur constamment tendu par le difficile travail de conter — qui permet au maître de l'*Herbe d'Or* de les reconnaître tels qu'ils sont, ni l'attention passionnée qu'il leur porte pour bien se pénétrer de leur image une dernière fois. C'est une lumière froide qui élargit sa vision, repousse les bords de ce cocon où ils sont enfermés depuis de longues heures et qui donnait de toutes parts sur le néant. La crasse recule en perdant de sa densité. Il peut suivre, dans leur chute hésitante, quelques derniers flocons de neige qui fondent avant d'entrer en contact avec l'*Herbe d'Or.* Quand il lève les yeux, il voit scintiller une bonne douzaine d'étoiles éparses. Et soudain, il sent dans le bas de son corps un soupçon d'instabilité. Il ferme les paupières pour mieux se concentrer sur cet infime roulis. A grand-peine il se met debout pour mieux l'éprouver des talons à la nuque. Il n'y a pas de doute, le bateau bouge, il va s'ébranler. Cela veut dire que la mer reprend vie.

Entre les côtes de Pierre Goazcoz, la douleur lancinante est rompue par des battements inégaux. Il n'en a cure désormais. Il s'étonne de la lucidité que cette agonie lui procure en aiguisant ses sens. Est-il vrai que certains mourants perçoivent mieux le monde autour d'eux que les êtres pleins de vie qui les observent en attendant leur fin ? Pierre Goazcoz ouvre les narines tant qu'il peut. Il fait aller lentement sa tête de droite à gauche et de gauche à droite pour présenter ses joues aux plus petites émotions du ciel. Le vent est en train de se réveiller. Il forcit même assez vite. Et l'*Herbe d'Or*, sur une houle encore indécise, commence à entrer dans le jeu du roulis et du tangage. Le mât de taillevent entame ses oscillations. Où est la voile qui reste ? On l'avait oubliée, celle-là. Il la voit, bien ramassée sous son banc, prête à monter au mât. Bien, très bien. Le marin écoute de toutes ses oreilles. Des murmures, très faibles encore, lui parviennent. La voix des écueils. Bientôt, il pourra les reconnaître, savoir exactement où il est. N'a-t-il pas promis de ramener ses hommes au sec ! Sur la dernière phrase de Yann Quéré, il se laisse choir à sa place. Tout son corps le martyrise du coup. Il trouve cependant la force d'en sortir le cri de triomphe qui retentit, depuis des millénaires, sur les mers mortes.

— Le vent se lève ! Tenez-vous prêts !

L'équipage ne réagit pas tout de suite. Aucun visage ne se tourne vers lui. L'ont-ils seulement entendu ? Son cri l'a pourtant secoué tout entier jusqu'à presque lui démanteler son sac d'os. Sont-ils encore sous l'empire de cet étrange récit émané d'une bouche d'ombre ? Pourtant, il n'y a pas là de quoi les surprendre outre mesure. Il les sait capables de mener la double vie qu'il a menée lui-même, de s'évader à tout instant vers des mondes fabuleux qu'ils font naître en eux-mêmes tout en se prêtant sans défaillance à ces tâches matérielles qui sont leurs véritables illusions et dont la première est d'obéir au maître du navire. S'il en était autrement, jamais ils n'auraient posé le sabot sur l'*Herbe d'Or*. Que leur arrive-t-il ? Le vent s'éveille et les voilà encalminés à leur tour.

N'oseraient-ils y croire, à cette résurrection ? Ils se mettent en mouvement au ralenti. Alors il comprend qu'ils ont flairé presque en même temps que lui les premières risées. S'ils ont tardé à bouger pied ou patte, c'est parce qu'ils retenaient leur respiration de peur de faire s'évanouir les souffles précaires du ciel, excités peut-être par le souffle même du narrateur. Encore un peu désemparé, l'équipage, incertain de la conduite à tenir, attendant un ordre sans équivoque. Le voilà !

— Hissez tout !

Et c'est le branle-bas. Ils se démènent tous ensemble, se bousculent pour faire monter au mât de taillevent un haillon de voile qui va les désengluer, espèrent-ils sauvagement. Et la toile flotte, fasceye, claque, finit par cueillir le vent. Et craquent les membrures de l'*Herbe d'Or*. La barre commence à répondre... Pierre Goazcoz la malmène un peu pour obliger les hommes à s'assurer sur leurs jambes. Des cris confus, quelques jurons de joie, des rires qui s'étouffent et reprennent dans l'aigu, des bourrades. A l'avant, Yann Quéré ouvre ses bras aux étoiles et hurle :

— Père ! Père ! Nous avons retrouvé notre château de toile, seigneur Dieu !

8

L'omelette était fameuse, il n'en est rien resté. Ensuite, Marie-Jeanne Quillivic est montée au grenier pour en ramener des pommes plein son tablier. Il y avait de grosses « teint-frais », de celles qui servent pour la galette aux pommes. Tous les hommes Douguet en étaient friands, dit la mère, et la fin des teint-frais les plongeait dans une mélancolie qu'elle devait guérir en leur confectionnant un *kuign-amann* [1] à la mode de Douarnenez. Les hommes ! Tous des becs sucrés, même ceux qui s'en défendent en prétendant que c'est là le péché mignon des femmes. Il ne faut pas les croire, n'est-ce pas, Hélèna Morvan ! Et Lina Kersaudy, qui tient un hôtel, pourrait en raconter là-dessus de belles jusqu'à demain si elle voulait. Pour donner raison à Marie-Jeanne — et comment faire autrement ! — Nonna Kerouédan dut ingurgiter, malgré ses protestations, la plus grosse des teint-frais. Et pendant qu'il s'acquittait laborieusement de cette épreuve redoutable pour son estomac noué, les trois femmes, à tour de rôle, se moquaient gentiment des mines de vieux chat qu'il accentuait à plaisir pour les tenir en bonne humeur. Tant que durerait ce jeu, et c'en était un pour tous les quatre, on gagnerait du temps, on éviterait des sujets de conversation dont un détour imprévu risquerait de mener vers la mortelle inquiétude. Hélèna Morvan, par sa seule présence et ses seules paroles, avait tenu le drame en respect, mais pendant combien de temps

1. Gâteau de beurre.

encore opérerait son pouvoir ! Le vieux Nonna s'employait à l'aider de son mieux.

Dans le tablier de Marie-Jeanne, il y avait d'autres pommes, les plus nombreuses. Ridées, ratatinées, pas belles à voir, mais que l'on devinait de robuste santé. Quand Hélèna, la première, en prit une pour y porter les dents, la peau rousse et grenue céda un peu avant d'éclater. Et aussitôt la femme eut une grimace qui lui plissa tout le visage autour des lèvres et des yeux. Tout habituée qu'elle fût aux baies sauvages, aux aigres poires que l'on dit de gendarme et aux pommes sans nom qui se nouent sans jamais mûrir, hors de tout verger, sur des arbres sans père ni mère, elle fut un peu surprise au début par cette âcreté. D'un seul coup, elle détacha un quartier de la pomme. On en vit rouler la chair dans sa bouche pendant qu'elle la mâchait pensivement sous les regards attentifs des trois autres. Son visage s'éclaira. L'instant d'avant, elle se sentait sur le point de perdre courage, le jus violent du fruit qui descendait en elle lui rendait une nouvelle vigueur.

— Je ne voudrais pas vous désobliger, Marie-Jeanne, dit-elle, mais cette pomme-ci me convient beaucoup mieux que toutes les autres.

Et Marie-Jeanne de triompher bruyamment.

— A moi aussi, Hélèna. Nous allons donc laisser les teint-frais aux hommes. Je l'ai toujours fait dans cette maison. Ce vieux gourmand de Nonna ne va quand même pas les manger toutes. Vous m'entendez, Nonna ?

— Je vous entends bien.

Il referma son couteau dont il s'était servi pour venir à bout de la teint-frais car ses vieilles dents ne lui auraient pas permis de mordre à même le fruit comme faisait Hélèna. Il se leva vivement du banc pour aller jeter le trognon dans le feu, revint en se frottant les mains, remuant sans bruit ses mâchoires vides. Qui aurait su lire sur ses lèvres l'aurait entendu répéter l'*Herbe d'Or*, l'*Herbe d'Or*, l'*Herbe d'Or*. Peut-être Hélèna l'entendait-elle, qui dévorait sa pomme sans le quitter des yeux. Marie-Jeanne Quillivic tenait un œil sur Lina Kersaudy, humble et muette au bout de son banc.

— Je vais vous peler une de ces misérables pommes, Lina. Vous y goûterez. La peau en est un peu dure si on n'a pas l'habitude. Quand Alain Douguet était petit, je lui donnais la pomme nue et je mangeais moi-même la pelure. Nous étions contents tous les deux.

— J'aimerais mieux la manger comme elle est, Marie-Jeanne Quillivic. Je vais peut-être vous apprendre quelque chose. Alain Douguet et moi, en sortant du catéchisme, nous sommes allés plus d'une fois chaparder de ces pommes par la campagne. Et nous les mangions tout entières, avec la peau et les pépins, sans même les frotter sur la manche pour les faire briller. Allez donc !

— Par exemple ! Il ne m'a jamais dit ça, ce garnement. On ne sait jamais ce que font les enfants. A la bonne heure, ma fille.

Lina s'était déjà emparée de la pomme. On allait voir. A belles dents elle l'attaqua par le haut, le trognon y passa sans qu'on en vît même la couleur et la jeune fille ne tarda pas à montrer la queue du fruit entre le pouce et l'index. Tout ce qui restait. Lina Kersaudy fut heureuse de s'être mise à l'unisson des autres, surtout quand Hélèna lui prit le poignet pour le serrer fort. Les deux autres, après cet exploit, la regardèrent droit dans les yeux. Elle ne se sentait presque plus coupable.

Et l'on se mit à parler d'autres choses. Hélèna fut priée de raconter par le menu sa vie dans les collines de l'intérieur où elle était née. Pour ceux qui l'écoutaient parler, elles étaient à cent lieues, ces collines, leurs habitants avaient certaines façons de faire proprement déconcertantes et pourtant cette femme qui en descendait pour la première fois de sa vie, qui était là devant eux, habillée selon une mode qui n'était pas la leur, parlant leur langage avec plus de rudesse dans l'accent et quelques mots inconnus dont ils n'osaient pas demander le sens, cette femme leur ressemblait si fort pour l'essentiel qu'ils s'enorgueillissaient de l'avoir parmi eux comme une cousine de haut rang. Ils oubliaient qu'elle était plus pauvre qu'eux-mêmes, impressionnés qu'ils étaient par cet étrange rayonnement qui émanait de sa personne et leur communiquait un bien-être plus étrange encore. Quand elle s'arrêtait de parler, ils la priaient d'une seule voix de poursuivre, ils lui posaient d'autres questions, ils avaient peur de se réveiller si venait à se taire cette voix qui les tenait en état de grâce. Et c'était elle qui devait s'excuser d'être seule à faire aller sa langue, elle qui leur reprochait de ne rien dire de leurs travaux et de leurs jours alors qu'elle aurait aimé être payée de retour pour ses confidences. Et Marie-Jeanne Quillivic déclarait qu'elle espérait bien la garder longtemps et qu'ainsi Hélèna Morvan pourrait savoir par elle-même comment ils vivaient sur la côte. Elle allait jusqu'à promettre, malgré son âge, d'aller la voir dans sa montagne, voilà ! Quant à Nonna Kerouédan, il prétendait que ses radotages ne pouvaient intéresser que des hommes, et encore, outre qu'ils risquaient de le mettre mal avec Marie-Jeanne. Et vous, Lina ? interrogeait celle-ci, curieuse de faire meilleure connaissance avec sa future bru. Lina ne se faisait pas trop prier pour raconter le train-train de l'hôtel-restaurant. Elle rapportait les nouvelles du monde qu'elle avait apprises de la bouche des commis voyageurs, elle faisait le portrait de certains d'entre eux qui étaient d'assez curieux personnages. Elle savait observer, la fille de Lich Mallégol. Elle faillit faire rire la tablée avec la dernière aventure de Joz-du-bureau-de-tabac et de son car boudeur. Mais elle donnait bien vite la parole à Hélèna Morvan. Elle avait autant envie que les autres de se réfugier en elle.

Deux ou trois heures passèrent ainsi. C'est étonnant comme on peut s'étourdir d'écouter et de parler jusqu'à oublier le temps qui fuit, et c'est habituellement la rançon du bavardage, mais aussi jusqu'à évacuer tout autre contenu de conscience que ceux qui sont impliqués dans les conversations. Il y faut, bien sûr, une Hélèna Morvan ou quelqu'un de sa trempe. Quoi qu'il en soit, pendant deux ou trois heures, le temps du drame fut suspendu.

Or, Nonna Kerouédan, sans montre ni horloge, ne laissait pas de mesurer ce temps-là. A un moment, il se leva et se dirigea vers la porte. Les trois femmes comprirent d'abord qu'il allait se mettre en règle avec sa boutique à eau. Ce n'était pas cela. Il avait cru entendre grincer un volet. Un volet qui grince, c'est un vent qui se lève ou qui tourne. Le vieil homme sortit sans prendre la peine de refermer derrière lui. Hélèna s'interrompit au milieu d'une phrase. Suivant son regard, Marie-Jeanne et Lina tournèrent vers la porte. Nonna reparut dans l'embrasure, haletant d'émotion.

— Venez vite. La brume a fondu. Le ciel est plein d'étoiles. Le vent s'est levé. Ils sont en route pour venir à la côte.

L'*Herbe d'Or* navigue maintenant sur une houle courte. L'océan recommence à parler de toutes ses voix, si indistinctes qu'elles soient encore. De vagues lueurs traversent le ciel, sans que l'on puisse savoir s'il s'agit de feux tournants. Des chocs à l'étrave font bondir d'allégresse les cœurs de l'équipage. Les hommes sont tendus comme jamais, pas un d'entre eux ne saurait articuler mot. Ils regardent intensément devant eux. Des bêtes aux aguets, voilà ce qu'ils sont. A la barre, Pierre Goazcoz essaie de ne faire qu'un avec son bateau, avec les eaux vivantes, avec le ciel même et les étoiles. Il cherche la terre qui se dérobe encore. Plusieurs fois il change de cap, si l'on peut appeler cap une direction sans autre repère que l'instinct et les obscures indications des sens. La côte n'est pas loin d'être en vue, il en est sûr. Mais peut-être le brouillard dont s'est vidé le large l'enveloppe-t-il encore ! Qu'elle se dépêche de se nettoyer ! C'est son approche qui est dangereuse. Combien de barques se sont brisées sur ses étocs ! Où en est la marée ? Le vieil Ulysse entendait au moins le chant des sirènes. Et il était en pleine force, lui. Il n'avait pas dans la poitrine cette déchirure qui allait faire céder sa carcasse d'un seul coup quand éclaterait le dernier nœud. Et si cette déchirure était l'Herbe d'Or elle-même, en train de se déraciner ! De se déraciner avec un bruit familier qui vient battre à ses oreilles. Les Gisti ! La barre d'écueils des Gisti [1]. Les laisser à tribord large et ensuite... Béni soit le chant des sirènes.

Il a un instant de faiblesse dont profite la voile pour flotter à grand bruit. Quand il la rétablit, il entend une voix énorme, celle d'Alain Douguet.

— Un feu droit devant !

Pourquoi lève-t-on la tête vers le ciel quand vos souhaits sont accomplis ? Pierre Goazcoz aimerait compter les étoiles. Il y en a trop.

1. Les Putains.

— Mon Dieu, comme le temps s'use vite avec vous ! Lina, cherchez-moi donc les épingles. Dans la tasse jaune, à gauche, sur le vaisselier.

— Je ne vois qu'une tasse bleue.

— C'est elle. Ici, on dit la tasse jaune parce qu'elle est venue du pays de Chine avec Douguet quand il était sur les bateaux du gouvernement.

Dans la maison de Marie-Jeanne Quillivic, on s'affaire à la servir. Elle est debout devant la table que l'on a débarrassée des pommes. Devant elle, un miroir est appuyé contre une écuelle à soupe. Elle a bien du mal à se voir dedans car il glisse toujours. Restez donc tranquille où vous êtes, lui enjoint-elle, fâchée, deux ou trois fois avant qu'Hélèna, assise sur le banc, ne le prenne entre deux doigts pour le tenir en place. Mais elle tremble un peu, elle aussi. Nonna Kerouédan tourne en rond sur la terre battue, les mains au fond des poches, impatient. A tout instant, il va cracher dehors par la porte restée ouverte. Lina Kersaudy, qui se tient derrière Marie-Jeanne, attentive à ses ordres, se demande où le vieil homme va prendre tant de salive. Marie-Jeanne se désintéresse de lui. Elle est occupée à peigner ses cheveux gris, à les remonter en les lissant par-dessus son bonnet noir, à les ramasser au sommet de la tête à l'intérieur du peigne rond et elle n'arrête pas de pester. Rien ne va comme elle voudrait. Derrière l'écuelle sont étalées ses coiffes blanches, toutes raides d'empois.

— Je n'ai jamais mis mes coiffes à des heures pareilles, gémit-elle. Jamais je ne suis allée attendre mes hommes sur le port. C'est à cause de cette Hélèna Morvan que nous avons tant de mal. Mais je ne peux rien lui refuser. Non, je ne peux pas.

— Pour dire vrai, l'encourage Hélèna, c'est maintenant que vous allez marier votre fils, Marie-Jeanne. Et même, après ce qui s'est passé entre ces deux-là, il faudra peut-être que vous le demandiez en mariage pour Lina. Il vous convient donc de mettre votre plus belle coiffe et votre châle neuf.

— C'est assez juste, Hélèna. Vous pensez à tout.

Lina Kersaudy est anxieuse tout soudain. L'épreuve n'est pas finie.

— Est-ce qu'il voudra encore me prendre ?

Marie-Jeanne en laisse tomber sa dernière épingle à tête noire. Ce qu'il faut entendre, tout de même. Et dans sa propre maison encore.

— Et qui commande, ici ? J'ai servi mes hommes toute ma vie, j'ai fait pour eux mes sept possibles et toujours quelque chose de plus. Aucun d'eux n'a jamais élevé sa voix contre mon sentiment ni traversé mes paroles. Aucun d'eux, pas même mon mari, le grand Douguet, qui était un homme à cheveux rouges et n'a jamais plié devant personne. Lina, trouvez-moi donc cette épingle à tête noire qui m'a échappé des mains. Et apportez-moi celles à tête blanche. Je dirai tout à l'heure à mon fils : « Alain Douguet, Lina et moi nous sommes d'avis de faire la noce le premier mardi de février. Demain, j'irai chez Fanch Loussouarn commander le lit. L'armoire est au compte de Lich Mallégol. Et toi, tu vas blanchir la maison dehors et dedans. » Voilà ce que je lui dirai. Et il répondra : « Si c'est votre volonté, c'est aussi la mienne. » Allez me chercher mon châle, dans le banc.

Et Marie-Jeanne prend sa coiffe à deux mains, l'élève comme fait le prêtre du Saint Sacrement et se l'impose sur la tête avec précaution. Une reine ne ferait pas mieux. Les lacets sont vivement épinglés, il ne restera qu'à les nouer sous l'oreille gauche.

— Est-ce que c'est loin, Nonna, le bout de ce que vous appelez la jetée ?

— Non. A peine dix minutes à marcher.

— C'est par là qu'ils doivent revenir, n'est-ce pas ?

— Forcés qu'ils sont. Mais ils viendront se mettre à quai plus près.

— Quand même. Il vaut mieux aller les attendre au bout de la jetée. Ils nous verront plus vite. Lina, qu'avez-vous fait de la lanterne de Joz-du-bureau-de-tabac ?

— Je l'ai éteinte en arrivant devant la barrière de la cour et je l'ai posée contre la maison. Je vais la chercher.

— J'en ai deux autres, déclare fièrement Marie-Jeanne. Et une troisième dont le verre est fêlé. Il en manque même un morceau, je crois bien. Allez chercher les deux qui sont entières, Nonna ! Dans le débarras, sur l'appui de la fenêtre. Allons ! Remuez-vous un peu, pataud que vous êtes !

— J'y vais.

— Est-ce que ma coiffe n'est pas un peu de travers, Hélèna ?

— Ne vous faites pas de souci. Elle est d'aplomb comme un clocher d'église.

— Eh bien, nous allons... partir. Attendez ! Il faut que je m'assoie un peu sur le banc.

— Prenez votre temps, Marie-Jeanne. Nous vous avons fatiguée avec nos bavardages et tout le mal que vous vous êtes donné pour nous.

— Ce n'est pas la fatigue. Quelquefois il arrive que mon corps ne sait plus bien se tenir debout. Cela ne dure jamais longtemps. Hélèna, je voudrais savoir si les hommes seront revenus avant la dernière sonnerie de cloches.

— Ils seront revenus.

— Comment le savez-vous ?

— Je ne le sais pas. Je ne peux pas assurer non plus que le soleil se lèvera demain. Mais je crois qu'il fera jour.

Lina Kersaudy a retrouvé la lanterne de Joz-du-bureau-de-tabac. Elle l'a allumée devant l'âtre. Maintenant, elle se tient debout derrière Marie-Jeanne Quillivic, un peu prostrée, qui attend que son corps ait réappris à se tenir debout. La mère des Douguet ne se lèvera pas avant d'être sûre de pouvoir marcher droit. Nonna Kerouédan revient du débarras avec les deux lanternes déjà allumées. Il s'arrête au milieu de la pièce pour regarder les trois femmes sous la lampe. Ce n'est peut-être pas bien, mais il pense aux trois autres, celles des Saintes Écritures, vous savez, qui allèrent au tombeau. Le tombeau était vide.

— Allons, dit Marie-Jeanne. Il est temps de se mettre en route. Nonna, donnez une des lanternes à Hélèna. Moi, je n'en ai pas besoin.

Posément, elle tourne le bouton de la lampe à pétrole pour mettre la lumière au plus bas. Elle donne un coup d'œil autour d'elle machinalement. C'est son habitude quand elle sort dans la nuit sans laisser personne à garder la maison où rien ne vit que ce lumignon tremblant. Les autres l'attendent dehors. D'un pas assuré, elle les rejoint, passe devant eux pour prendre la tête du cortège.

— Vous ne fermez pas la porte derrière vous, Marie-Jeanne ?

— Il oublie, Nonna Kerouédan, que c'est la nuit de Noël ! Les morts doivent pouvoir entrer chez eux, même si les vivants ne sont pas là.

— Vous savez toujours ce qu'il faut faire.

— Il y a les morts et les vivants. Et puis il y a les autres. Allons les chercher.

L'*Herbe d'Or* a gagné les parages familiers. Il vogue à petite allure, le pauvre château de toile pour manants démunis. Mais la mer est bonne, on dirait qu'elle veut se faire pardonner ses fureurs. Le vent est bon et l'homme de barre n'en perd pas un souffle. Ce ne sont plus de vagues lueurs qui passent dans le ciel, mais le pinceau tournant d'un phare dont on peut compter les éclats réguliers. Et le ciel lui-même est étonnamment clair, presque laiteux par endroits. Les Gisti ont été doublées à tribord large, il n'y a plus qu'à se laisser porter vers l'entrée de Logan. L'équipage, chacun à son poste, tient les yeux tournés vers la terre que l'on devine déjà. Le mousse a sorti son harmonica de sa vareuse et il essaie de retrouver un air que Pierre Goazcoz sifflait entre ses dents quand ils ont pris le large. Il y arrive à peu près. Il n'a plus à craindre la colère d'Alain Douguet. Depuis que le vent s'est levé, celui-ci lui a déjà tapé deux fois sur l'épaule à petits coups. Ça va, Herri ? Ça va, petit ? Ça va ? Et ils se sont fait des grimaces comme des galopins. Mais pourquoi donc les deux autres ont-ils revêtu cette sombre expression qu'il ne leur a jamais vue quand leurs chances de se tirer d'affaire ne valaient pas plus que la moitié de rien ?

Il va le savoir tout de suite. Un bruit sourd derrière lui et l'étrave dévie, la voile se vide et folleye, la barque se met en travers de la houle, ce n'est plus qu'un jouet à la merci des courants. Herri n'a pas eu le temps de se retourner que Corentin et Yann ont déjà bondi. L'un empoigne à deux mains la barre folle pour remettre l'*Herbe d'Or* au plus près du vent, l'autre se penche sur Pierre Goazcoz tombé sur le caillebotis. Il est ramassé sur lui-même, la bouche ouverte, les yeux étonnés, une main agrippée au prélart sous lequel a dormi le mousse.

— Qu'est-ce qui se passe ? crie Alain Douguet qui n'a pas bougé.

Et la réponse n'est pas pour le surprendre.

— Il est mort.

L'*Herbe d'Or*, sous la poigne de Corentin, s'est si bien remis dans sa ligne qu'on n'entend plus guère que ce frisson de soie qui témoigne des parfaites épousailles d'un voilier et de l'eau vivante avec le vent pour entremetteur. Yann a fermé les yeux du maître pêcheur. Aidé par Alain Douguet, il a tiré le corps au milieu du bateau pour qu'il repose de tout son long. Le visage sans regard du mort s'étonne toujours. Brusquement, Yann le recouvre du prélart pour échapper à la tentation de le jeter à l'eau. Il y a Nonna Kerouédan qui l'attend à terre. C'est lui qui sait. Le mousse frotte son harmonica contre sa vareuse.

— Yann, où est-il maintenant, Pierre Goazcoz ?

— Au paradis, fiston. Je ne sais pas lequel, mais dans son paradis à lui.

— C'est drôle. Nous sommes dans la nuit de Noël, nous avons manqué de finir notre vie dans l'eau, nous avons beaucoup parlé, mais jamais il n'a été question du Bon Dieu ni de tout ce qu'on nous apprend à l'église.

— Détrompe-toi, Herri. Il n'a jamais été question d'autre chose.

Arrivent maintenant les oiseaux de mer. C'est la dernière étape. Ils mènent des vols serrés autour de l'*Herbe d'Or*. Quelle envergure ils ont ! Et affamés, les bougres ! Et ça crie. Dééébris, dééébris. Il n'y a pas de débris sur l'*Herbe d'Or*. Rien à manger, pas une écaille, pas une croûte, allez-vous-en ! Vos criailleries ne servent qu'à réveiller la faim de l'équipage. Depuis que Pierre Goazcoz, ce fou de la tête, est étendu raide sous son prélart, la vie recommence à revendiquer ses droits comme on dit vulgairement. Très vulgairement.

La première sonnerie de cloches se fait entendre à l'église de Logan lorsque Nonna Kerouédan referme derrière lui la barrière de la cour. Marie-Jeanne Quillivic est déjà devant à trente pas, suivie des deux autres femmes qui se tiennent par la main. Le vieux doit trottiner un petit moment avant de les rejoindre. Marie-Jeanne se retourne.

— Est-ce qu'il est capable de nous suivre, ce Nonna ?

— Allez toujours, répond-il.

La nuit est claire, scintillante là-haut. Malgré la neige au sol, le chemin est reconnaissable à cause des arbustes dénudés, de part et d'autre, qui sont seulement coiffés de blanc. A gauche, la rumeur assez faible de l'océan, rompue par les coups du ressac. Il souffle un vent sec. Marie-Jeanne se souvient de cette autre nuit où elle marchait derrière son fils, dans le même appareil, pour aller demander Lina à sa mère Lich. Cette fois, tout est changé. La jeune fille est derrière elle, toute tremblante à l'idée d'affronter Alain Douguet. Mais elle, Marie-Jeanne, saura régler tous les comptes avant que l'un ou l'autre n'ait ouvert la bouche. Ils sont tellement maladroits, ces deux-là.

Quand arrive sur le port le cortège aux trois lanternes, il n'y a aucune lumière sur le front de mer. Même Tante Léonie a fermé boutique. Elle doit s'être rendue à l'église pour dévider des chapelets avec les autres femmes en attendant la messe. S'il y a encore quelques hommes aux aguets dans les coins d'ombre, ils n'auront garde de se montrer, surtout s'ils reconnaissent la veuve Douguet. Mais la plupart sont dans leur maison dévastée, assis dans l'ombre, les coudes aux genoux et les mains pendantes, ou écrasés de fatigue sur leur lit. Lina pense à sa mère dans son hôtel épargné que l'on ne peut voir du quai. Elle l'imagine dans sa cuisine, dévorée d'inquiétude pour sa fille qui ne revient pas. Les commis voyageurs sont allés se coucher, les journalistes aussi, qui ont patrouillé sans arrêt à travers Logan pour pouvoir décrire l'état des lieux, noter leurs impressions, interroger les uns et les autres. A moins qu'ils ne soient à l'église, eux aussi, pour un supplément d'atmosphère. Métier oblige. Le téléphone, « l'appareil à parler contre le mur » comme l'appelle Corentine Goanec, a dû travailler ferme. Tous ces gens-là ont passé l'*Herbe d'Or* aux pertes sans autre profit que de fournir un supplément de pathétique au discours du ministre qui viendra demain.

Marie-Jeanne passe d'un pas ferme devant l'amas de débris et de barques crevées qui s'entasse contre le mur de l'usine, sous une couche de neige en train de fondre déjà. Elle semble ne rien voir de la désolation qui règne partout. Mais Hélèna Morvan, soudain, s'arrête, prise de faiblesse. Elle ne s'attendait pas à un tel spectacle. Lina doit la prendre sous le bras pour l'aider à repartir, à rattraper Marie-Jeanne Quillivic qui s'est déjà engagée sur la jetée, les bras croisés sous son châle. Le vent a beaucoup forci. Les vagues se gonflent et déferlent à grand bruit contre l'épaisse muraille de pierre. Vers le milieu de sa longueur, celle-ci a été crevée par les assauts de la tempête. Elle présente une brèche d'une dizaine de mètres qui rend difficile d'aller plus loin.

Au bord de la brèche, il y a déjà quelqu'un qui attend. Une grande femme plantée sur de gros sabots de bois tout neufs, indifférente à ce qui se passe autour d'elle, le regard fixé sur l'horizon. Elle n'a pas eu le courage de mettre sa coiffe, apparemment. Sa tête est strictement enveloppée dans un tablier de coton bleu. Depuis combien de temps monte-t-elle la garde ? Marie-Jeanne l'a reconnue.

— Vous êtes là aussi, Fant !

— Il faut bien.

Elle n'a pas bougé. On n'en tirera pas autre chose. C'est la mère du mousse Herri. Une femme taciturne qui travaille à l'usine et que personne n'a jamais vue sourire. Sans reproche autrement. C'est une pitié de la voir là toute seule quand on ne sait pas qu'elle a toujours farouchement défendu sa solitude. Quand Hélèna va pour s'approcher d'elle, Marie-Jeanne lui prend le bras et la ramène en arrière. Nonna Kerouédan se demande si c'est Fant qui a mis à l'eau le grand pain noir avec la bougie. De quoi se mêle-t-il !

Ils attendent, Fant à trois pas du groupe des autres. Les cloches sonnent sur un rythme plus pressé pour le second appel.

— Il était trop vieux, bougonne Corentin comme pour lui-même. Son cœur battait de travers depuis quelque temps. Yann Quéré le sait aussi bien que moi.

— Mais il voulait finir sur son bateau, pas sur un lit de

la « grande maison ». Il a eu ce qu'il voulait, le dernier Goazcoz, le fou de la tête. Il est content.

Quand même, l'équipage se sent coupable et honteux de ressentir pareil soulagement. La mort du maître de l'*Herbe d'Or* les a libérés d'une promesse qu'ils n'avaient jamais faite qu'à eux-mêmes : s'en remettre à lui pour conserver l'illusion qu'il était possible d'échapper au sort commun. L'*Herbe d'Or* avait été la défense d'Alain Douguet contre Lina Kersaudy. Il avait quand même succombé, gardant une certaine hargne contre ce Pierre Goazcoz dont il s'était exagéré le pouvoir et n'osant pas le quitter pour ne pas reconnaître ses propres torts. Pour Corentin Roparz, c'était plus simple. Il avait trouvé dans l'*Herbe d'Or* sa vraie maison, partout ailleurs il n'était que de passage, désemparé dès qu'il avait quitté l'ombre de Pierre Goazcoz. Il avait élu celui-ci pour son maître et son vrai père bien qu'il n'eût jamais compris, encore moins partagé cette folie qui était la sienne. L'autre avait été sa protection, son assurance contre les mille pièges que sa timidité lui faisait imaginer dans le monde quotidien jusqu'au moment où il avait rencontré Hélèna Morvan. Depuis lors, cette femme avait assumé le rôle tutélaire de Pierre Goazcoz en même temps qu'elle lui faisait découvrir tout un aspect d'humanité qu'il n'avait jamais soupçonné. Et cette révélation avait dégradé le maître de l'*Herbe d'Or*. Quant à Yann Quéré, le plus proche du fou de la tête, celui qui le comprenait le mieux, il avait fini ses apprentissages à ses côtés, il lui fallait aller plus loin, chercher ailleurs et avec d'autres les obscures satisfactions de ces désirs dont les racines étaient en lui depuis qu'il était né, l'héritage fabuleux de son père sans doute. Pierre Goazcoz ayant payé son échec de sa vie, il ne lui devait plus rien. Peut-être doit-il encore quelque chose, il ne sait pas très bien quoi, à ce petit mousse que le vieux Nonna Kerouédan a initié malgré lui à des mystères qui ne sont que des contes à dormir debout pour les enfants ordinaires mais des graines de vie pour les rares élus de la grâce. Et ceux-là devront payer chèrement le don. Qu'importe ! Ce paiement infini d'une dette imposée d'avance n'est-il pas le don de lui-même et sa récompense à la fois ? Fou de la tête, Yann Quéré.

Justement, voilà que le mousse vient vers lui. Il se met à genoux sur le banc où il est assis. Les deux autres n'ont plus d'yeux ni d'oreilles que pour la terre qui approche. Ils sont déjà étrangers.

— Tu vas t'en aller, Yann Quéré, n'est-ce pas ?

— Il faut que je m'en aille, Herri. Je n'ai plus rien à faire à Logan.

— C'est la plante Alleluia ?

— Elle ou une autre. Mais c'est toujours l'Herbe d'Or.

— Je suis encore un trop jeune homme pour m'en aller avec toi. Et puis, je ne suis pas sûr d'être assez fort pour échapper à l'usine. Il y a ma mère. Mais promets-moi de me donner de tes nouvelles. Peut-être un jour me verras-tu arriver. Alors, je serai disponible, rien dans les mains, rien dans les poches.

— C'est promis, fils. Apporte quand même ton harmonica.

La mer a grossi. Sous le pinceau du phare, le quai de Logan est maintenant visible. L'équipage peut compter, une à une, les maisons familières. Mais les hommes s'étonnent de ne voir aucune fenêtre éclairée. Autour de l'*Herbe d'Or*, les vagues charrient des épaves dont la plupart ont été arrachées à la terre. Une cabane d'aisance avec sa porte percée en as de carreau, un abat-vent auquel demeure accroché un pot de fleurs, une brouette qui a perdu sa roue, un balai de genêt, des sabots dépareillés.

— Il y a eu du dégât par ici, dit Corentin. Ils ont été dépouillés comme nous.

Alain Douguet met le cap sur le bout de la jetée que ne signale aucun feu. Il la doublerait les yeux fermés. Mais elle a quelque chose d'insolite, cette jetée. Une brèche vers le milieu de sa longueur. Et au bord de la brèche, du côté de la terre, trois lanternes-tempête immobiles, avec des ombres derrière.

— On vous attend, dit Yann Quéré.

Personne ne l'attend jamais, lui. Il pense qu'il dormira un jour ou deux dans sa chambre du quai si la tempête ne l'a pas détruite et qu'ensuite il ira se saouler à mort pour se refaire à neuf. Et pourquoi ne ferait-il pas une action éclatante avant de dire adieu à Logan. Il pourrait, par exemple, briser la cage du buraliste, en tirer ce pauvre diable de Manche-Vide, et l'emmener boire avec lui, franc du collier et racontant ses campagnes, dans les dix-sept estaminets du bourg et des environs. On les ramasserait tous les deux dans quelque étable où ils cuveraient leur boisson au chaud, sous le souffle des vaches à défaut du bœuf et de l'âne de la Nativité. Joyeux Noël ! La mégère d'Henri Manche-Vide pourrait en crever d'indignation. Et pendant un demi-siècle au moins, on célébrerait dans Logan la joyeuse mémoire de Yann Quéré le Libérateur.

Il éclate de rire. Il y a des moments où cette chienne de vie vous offre de fameuses revanches, seigneur Dieu !

— Les voilà !

Nonna Kerouédan a repéré la voile grise au-delà des vagues déferlantes. Lui seul est capable d'apprécier les manœuvres subtiles que doit effectuer l'*Herbe d'Or* pour entrer dans la passe. Il a dû souffrir, le bateau, ou son équipage est à bout de forces. D'habitude, Pierre Goazcoz garde toute sa toile pour se présenter et il abat au dernier moment. Enfin, ils sont là. Le vieil homme fait aller sa lanterne-tempête à bout de bras comme un encensoir.

— Les voilà, répète Marie-Jeanne.

Elle n'a pas trouvé autre chose à dire. Elle se vide énergiquement la gorge pour s'éclaircir la voix. A elle de jouer, tout à l'heure. Alain Douguet, revenu à terre, n'aura qu'à bien se tenir. Lina serait reprise de tremblements si elle ne devait pas soutenir la femme de la montagne qui a perdu toute couleur et s'appuie sur elle de tout son poids. Hélèna se reprend vite.

— Je n'avais jamais vu l'océan, s'excuse-t-elle.

Elle en avait vu des images sur le papier. Mais les images ne peuvent pas du tout représenter le monstre qu'il est. Avant tout, il leur manque le bruit et la fureur de ces masses d'eau en travail, le plus impressionnant. La tempête, elle sait ce que c'est. Combien de fois a-t-elle lutté contre les vents sauvages en revenant des métairies de son canton ! Mais au moins la terre était ferme sous ses pieds, sa masure de pierre inébranlable. Elle croyait les bateaux de pêche plus grands, sur la foi des images qui ne montrent jamais qu'un tout petit peu d'océan autour d'eux. Ainsi l'*Herbe d'Or* est cette coquille de bois, tirée par un pan de toile grise tenu par une perche et luttant à la fois contre le déchaînement des vagues et les assauts du ciel ! La voilà qui disparaît complètement dans un creux. Va-t-elle remonter ? Elle remonte, mais avec tant de peine, apparemment, que le cœur vous cloche dans la poitrine. Et pourtant la grande tourmente est passée. Hélèna a pu voir une partie de ses ravages. Assez pour faire monter en elle une peur qu'elle n'a jamais connue. A cause de son ignorance, elle a pu parler aux autres, toute la soirée, avec cette sérénité qui leur a fait si grande impression. Tant mieux, mais elle ne pourrait plus.

— Est-ce qu'on s'habitue, Marie-Jeanne ?

— S'habituer ! Dans la belle saison, ce damné océan peut rester des semaines et même des mois sans se fâcher. Il fait le beau, le joli cœur. Gardez-vous de lui faire confiance. Il entre de nouveau en fureur sans prévenir souvent et c'est l'enfer. Mieux vaut ne pas s'habituer.

— Et les hommes ?

— Les hommes sont les hommes. Et ceux de l'*Herbe d'Or* sont les pires de tous. Il faut les laisser faire.

L'*Herbe d'Or* est maintenant à l'abri de la jetée. Il arrive lentement en rasant le rempart de pierre au plus près. Telle est la hauteur de la marée que les femmes ne peuvent en voir que le haut du taillevent, à moins de s'approcher du bord. Marie-Jeanne ne bouge pas, les autres non plus. Laisser les hommes faire. La voile s'affaisse le long du mât qui se balance, nu. Ils s'apprêtent à escalader les barreaux de fer, scellés aux flancs de la jetée. La première main qui apparaît, une petite main, tient un harmonica. Presque aussitôt, le mousse Herri est à quatre pattes sur les pierres, en train de reprendre ses esprits. La grande femme noire, sa mère, Fant, se précipite pour le relever. Elle lui met autour des épaules une couverture qu'elle tenait contre son ventre et l'emporte sans un mot.

— Attendez-nous, crie Lina Kersaudy. Venez chez moi tous les deux. Il fait chaud. Il y a tout ce qu'il faut à manger. C'est la fête de Noël.

Fant fait un grand geste de refus. Son fils s'est dégagé. Il s'éloigne devant elle en jouant de son harmonica, tout heureux. Il a retrouvé exactement l'air de Pierre Goazcoz.

C'est Alain Douguet qui remonte après le mousse. La moitié de son corps est visible quand il s'arrête, les deux mains fermées sur le premier barreau. Il hésite, ne sait pas quelle contenance prendre. Sa mère vient à son secours et de belle façon.

— Allons, Douguet, pressez-vous un peu ! Vous nous avez fait attendre assez longtemps. Je sais bien que vous avez pris un fameux coup de torchon, mais ici nous n'étions pas à la noce non plus. Vous verrez ça demain. Pour le moment, nous devons aller chez Lich Mallégol pour arranger cette affaire qui a risqué de tourner mal vous savez quand. Et pourquoi ? Parce que vous n'avez pas plus de patience que votre père. Lina Kersaudy vous dira le reste. En route !

— Il faudrait attendre les autres, hasarde Alain Douguet, timidement.

Il aimerait bien que les autres soient autour de lui, entre lui et Lina Kersaudy. Comment fera-t-il pour rester tout seul avec elle après ce qui s'est passé ? Sa mère est déjà partie. Lina lui prend la main d'autorité.

— Venez, Alain Douguet. Nous avons déjà trois semaines de retard. Les autres savent qu'ils seront les bienvenus chez Lich Mallégol. Ils connaissent le chemin.

— Vous m'avez fait un peu peur, matelot, dit Hélèna Morvan à Corentin Roparz qui se tient devant elle, tout embarrassé de sa personne.

— C'est la dernière fois, Hélèna. Je vais aller vivre chez vous.

La troisième volée de cloches éclate, impérative, à l'église du bourg. Les retardataires feraient bien de se hâter s'ils veulent arriver avant le « tint » précipité de la petite cloche qui marque le vrai commencement de la messe de minuit. Les deux époux ont promis d'y être. Ils y seront.

Sur la jetée il n'y a plus que le vieux Nonna, debout auprès de sa lanterne-tempête qu'il a déposée à ses pieds. On l'a oublié. Ne l'aurait-on pas oublié qu'il serait resté quand même jusqu'à ce que l'*Herbe d'Or* ait rendu tout son monde. Mais les deux hommes qui viennent de partir n'ont-ils pas fait exprès de l'oublier là ? Ils ne manquent jamais de lui adresser quelques mots quand ils débarquent. Cette nuit, c'est certain, ils sont préoccupés. Que font donc les deux autres ? Il faudrait aller y voir, mais Nonna sait bien que les marins ne sont disponibles que lorsqu'ils en ont fini avec leur petit ménage de bord. Et c'est à Pierre Goazcoz de débarquer le dernier.

Enfin paraît Yann Quéré. Comme il est souple, ce paysan ! Il bondit sur la chaussée en prenant appui sur une main. Quand il s'est redressé, il enlève sa casquette pour se passer la main dans les cheveux et la remet. Il va tout droit sur Nonna Kerouédan.

— Alors, voilà !

Il frappe l'un contre l'autre ses deux poings fermés. Il a quelque chose à dire qui le met très mal à l'aise. Le vieux Nonna se sent faiblir. Le maître de l'*Herbe d'Or* aurait-il été enlevé par une lame ? Pourquoi lui et aucun des autres ?

— Où est Pierre Goazcoz ?

Yann Quéré retrouve les mots du vieux vocabulaire.

— Pierre Goazcoz est dans les Joies. Il était au bout de son rouleau. Ses reliques sont au fond de la barque. J'ai pensé que c'était à toi de l'ensevelir.

Les yeux de terre humide du paysan fixent les yeux bleus qui ne cillent pas. La plante Alleluia et l'Herbe d'Or sont face à face.

— Tu as bien fait. Aide-moi à descendre.

Mais il n'a pas besoin d'être aidé. Il a retrouvé tant d'énergie qu'il s'affale dans le bateau presque aussi adroitement que dans sa jeunesse. A peine s'il a un regard pour la dépouille que Yann Quéré a enveloppée de son mieux dans le prélart. Elle baigne déjà dans une épaisseur d'eau d'un bon travers de main. Un cercueil sans couvercle et pourri du fond.

— Est-ce que tu pourras sortir ?

Yann Quéré est à genoux sur la chaussée. Il regarde Nonna Kerouédan qui s'affaire habilement pour équiper la voile. Une terrible envie le prend de sauter dans l'*Herbe d'Or* et d'aller se perdre avec le vieux. Voilà qui réglerait tout. Mais il doit laisser ces deux-là en tête à tête pour leur dernière navigation.

— Avec le vent qu'il fait, lui crie le vieil homme d'une

voix joyeuse, il est plus facile pour moi de sortir qu'il n'était pour vous de rentrer.

— Adieu, Ton Nonna !

— Adieu, fils !

Yann Quéré se relève. Il voit qu'il est possible, avec un peu de mal, de passer par la brèche et de gagner l'extrême bout de la jetée. Il y est à peine arrivé que l'*Herbe d'Or* se présente à la sortie. Le vent, qui n'a cessé de forcir, a enfin trouvé son bon lit. Il commence à jouer de ses grandes orgues. Pas assez fort pour couvrir les bordées d'injures que Nonna Kerouédan clame de toutes ses forces, comme la Diablesse autrefois, avant de disparaître, aspiré par le large.

C'est fini. Qu'est-ce qui est fini ? C'est fini pour Corentin Roparz qui va se retirer dans la montagne. Il ne lui sera pas difficile de trouver la paix auprès d'Hélèna Morvan. Fini aussi pour Alain Douguet si sa mère et Lina Kersaudy savent bien s'y prendre. Il achètera peut-être un bateau à moteur — ce n'est pas sûr — et ensuite il vendra le poisson pêché par les autres à moins qu'il n'achète l'usine — il aura de quoi — ou qu'il ne finisse en patron d'hôtel sous les ordres de sa femme. Pour le mousse, il faut attendre, il y a des graines qui ne lèvent jamais. Quant à lui, Yann Quéré, il est incurable et content de l'être puisque le mal dont il souffre ne l'empêche pas d'aimer la vie et de danser la gavotte des montagnes.

Il n'ira pas chez Lich Mallégol. Il n'a plus rien à voir avec les gens qui y sont rassemblés. Il serait de trop. Il gênerait tous les autres. Qu'ils soient heureux à leurs justes mesures si bonheur il y a. Il doit rester quelque chose à manger dans sa chambre. Un bout de viande et la moitié d'un pain. Si sa chambre est dévastée, il ira réveiller Joz-du-bureau-de-tabac. Ce bon garçon lui trouvera bien de quoi calmer son estomac et une paillasse pour s'étendre pendant un jour ou deux. Et personne ne saura qu'il travaille à dormir sans rêves pendant que le ministre fera son discours. Qu'a-t-il à faire du ministre ! Qu'il aille siffler aux merles dans l'eau courante, le ministre.

Et Yann Quéré de siffler lui-même. De siffler quoi ? Cet air que Pierre Goazcoz faisait passer entre ses lèvres quand il prenait le large à la barre de son bateau. Celui que le mousse Herri a retrouvé sur son harmonica. Mais Pierre

Goazcoz était seul à savoir que c'était l'air d'une très, très vieille chanson qui commençait comme ceci :

L'Herbe d'Or a été fauchée
La brume aussitôt s'est levée
Bataille !

omnibus

Extraits du catalogue

Jean Anglade

Gens d'Auvergne

Une pomme oubliée • Le Tilleul du soir • Le Tour du doigt • Les Ventres jaunes • La Bonne Rosée • Les Permissions de mai • Les Bons Dieux

Comment on peut vivre encore quand on est la seule habitante d'un village déserté *(Une pomme oubliée, Le Tilleul du soir)*. Comment, revenus mutilés et décorés du Chemin des Dames, de jeunes élèves instituteurs peuvent être traités en enfants dans leur École Normale, jusqu'à ce qu'ils aient l'intelligence de jeter leur directeur dans le bassin aux poissons rouges *(Le Tour du doigt)*. Comment les habitants de Thiers vivaient du couteau, par le couteau, pour le couteau *(Les Ventres jaunes, La Bonne Rosée, Les Permissions de mai)*. Comment il exista dans nos campagnes, dès le IXe siècle, des communautés agricoles qui annonçaient les kolkhozes et les kibboutzim *(Les Bons Dieux)*...

Voilà ce que raconte Jean Anglade. Il est sans conteste à ce jour l'écrivain vivant le plus typique et le plus fécond d'Auvergne. Roman après roman, il nous conduit à la découverte de la patrie natale d'Alexandre Vialatte et d'Henri Pourrat.

En fait, le régionalisme d'Anglade, comme celui de Maupassant, de Giono, de Pagnol, est universel :

« Ma vraie région, se plaît-il à dire, ce n'est pas l'Auvergne, c'est l'homme. »

Jean-Pierre Chabrol

Les Rebelles

Les Rebelles • La Gueuse • L'Embellie •
Le Crève-Cévenne

D'après Zola, y a-t-il autre chose en art que de livrer ce qu'on a dans le ventre ? Alors, cet été-là, pardonnez-moi, je me suis soulagé : ma Cévenne, mes voisins, mes parents, mes amis, les mineurs, les paysans, mon atavisme huguenot, mes idéaux marxistes, sur la terre comme au ciel, et sous la terre, la tramontane, la vigne et le charbon, un cocktail, un « mescladis » selon le vocable occitan, tout cela partait d'un lieu, un village que je nommais Clerguemort, qui rayonnait comme un soleil dont la chaleur allait réverbérer jusqu'à Paris, jusqu'à Hambourg...

Les Rebelles, je persiste et signe, c'était le meilleur de mon passé...

Mais qu'est-ce qui nous est arrivé dans ce virage brutal du meilleur de notre vingtième siècle ? Dans les années 60, quand j'écrivais la trilogie, je croyais encore que Clerguemort perdurerait... qu'au moins l'esprit rebelle de ces descendants de camisards et de maquisards serait éternel.

Le pays de mes rebelles n'existe plus. C'est un espace romanesque qui répand le parfum perdu des puissantes armoires de jadis que l'on ne préservait pas des mites avec du poison, mais avec des sachets de lavande.

Voire... Dans les années 30, c'était le krach de la Bourse de New York, il y avait des millions de chômeurs dans le monde, fascisme et racisme montaient partout, Gauche et Droite se fusillaient en Espagne... L'Histoire a tendance à réchauffer ses fours.

Peut-être bien que soixante ans plus tard, à la fin de notre putain de siècle, ces trois bouquins, et *Le Crève-Cévenne* qui en est en quelque sorte l'épilogue, se liront d'un regard dessillé.

Jean-Pierre Chabrol

Maxence Van der Meersch

Gens du Nord

La Maison dans la dune • Quand les sirènes se taisent • Invasion 14 • L'Empreinte du dieu • La Fille pauvre

Il était difficile jusqu'à présent de trouver ces livres en librairie, il n'était guère plus aisé de les dénicher chez les bouquinistes, parce qu'ils étaient soigneusement gardés dans les bibliothèques.
Comme de précieux documents sur la vie et les mentalités d'une époque, à coup sûr. Mais aussi comme l'épopée d'un peuple et d'une région qui donnèrent beaucoup, qui souffrirent beaucoup, pour permettre à leur pays d'avancer.
Comme une ode à cette Flandre trop méconnue, à son ciel où de « grands nuages d'ouate découpent sur le bleu vif du ciel la blancheur de leurs cimes de neige », à son vent qui « passe comme une vague sur les avoines et les herbages », à sa terre « jalonnée de lignes de saules et de tilleuls », à la vie grouillante de ses rues, au courage de ses femmes et de ses hommes, plus forts que toutes les lâchetés, les bassesses et les souillures.
Car l'œuvre de Maxence Van der Meersch est surtout, en fin de compte, un superbe acte de foi en l'Humanité.

Jacques Duquesne

Cet ouvrage a été composé
par Nord Compo, Villeneuve-d'Ascq, Nord
et achevé d'imprimer
par Maury-Eurolivres S.A.
45300 Manchecourt
pour Omnibus
12, avenue d'Italie - 75013 Paris